R
O
D
O
P
I

FAUX TITRE

Etudes
de langue et littérature françaises
publiées

sous la direction de Keith Busby,
M.J. Freeman, Sjef Houppermans,
Paul Pelckmans et Co Vet

33

PIERRE GALLAIS

L'IMAGINAIRE D'UN ROMANCIER FRANÇAIS DE LA FIN DU XIIe SIÈCLE

DESCRIPTION RAISONNÉE, COMPARÉE ET COMMENTÉE DE LA *CONTINUATION-GAUVAIN*

(PREMIÈRE SUITE DU *CONTE DU GRAAL* DE CHRÉTIEN DE TROYES)

TOME I

Rodopi

AMSTERDAM
1988

©Editions Rodopi B.V., Amsterdam 1988
Printed in The Netherlands
ISBN: 90-6203-640-6

338131

Dex ! com estoit bons li matins,
et li solaus et clers et fins !

(ms. L, v. 5579-80)

A MES AMIS - LES "NATURELS"
ET LES AUTRES.

INTRODUCTION

Lorsque la mort — mais est-ce bien la mort ? — fait tomber la plume de la main de Chrétien de Troyes, les six (ou sept) protagonistes de ses cinq romans vont connaître des sorts bien différents. Erec et Enide règnent sur leur contrée ; ils ont accompli leur voyage et trouvé leur chemin — dirait Lukács [1] —, conquis la Joie : on n'entendra plus beaucoup parler d'eux. Cligès règne sur l'empire byzantin et il ne remettra plus guère les pieds en Occident, sinon sous certains avatars insignifiants ou aberrants. Yvain a regagné et l'amour de Laudine et son fief de Haute-Bretagne ; mais ici la volonté de Chrétien n'a pu contrebalancer la tradition : Yvain était, avec Gauvain, l'un des ornements de la cour arthurienne et les épigones de notre romancier ne se résigneront pas à cet exil armoricain ; Yvain réintégrera l'entourage d'Arthur, à nouveau courtois, discret, efficace, digne pendant de l'aimable neveu du roi ; mais — et c'est sans doute là un effet de roman de Chrétien — il n'aura guère d'aventures individuelles à son actif (sinon dans les cycles en prose et les oeuvres tardives).

Restent Lancelot, Perceval et Gauvain. Deux personnages fort peu connus avant Chrétien, semble-t-il, et la célébrité arthurienne par excellence. L'aventure de Lancelot est terminée — sa mission, qui était la délivrance de Guenièvre et la libération des Logriens détenus en Gorre — mais non point son amour pour la reine : ce beau thème va continuer à exciter les imaginations des romanciers. A sa manière, d'ailleurs, Lancelot était resté inachevé : Chrétien avait autorisé Godefroy de Lagny à dire qu'il lui avait laissé le soin de rédiger une conclusion (environ 1 000 vers). Mais le public restait sur sa faim.

Qu'adviendrait-il des amants réunis sous les yeux du mari ? Quels pouvaient être, à ce sujet, les desseins du maître, du démiurge ? Peu d'auditeurs se satisfaisaient de cette seule nuit d'amour dont l'unicité était peut-être obligatoire, capitale dans la pensée de Chrétien. Et, à l'autre extrémité, que de ténèbres ! D'où sort Lancelot au début du roman ? Depuis quand aime-t-il la reine ? Depuis quand celle-ci répond-elle à ses sentiments ? Ces questions n'ont pas fait couler moins d'encre aux XIIe et XIIIe siècles qu'aux XIXe et XXe. Le Lancelot de Chrétien, pour peu qu'on n'en saisisse point le "sens", devait être continué et réellement "commencé". D'où le Lancelot en prose. Et, au fond, les continuateurs n'ont pas si mal saisi le "sen" de l'oeuvre de Chétien lorsqu'ils ont fait de Lancelot, non seulement l'un des héros (malheureux) de la Quête du Graal, mais encore, et surtout, le père du héros définitif du Graal, Galaad, qui devait supplanter Perceval.

Pour Perceval, l'affaire semble plus nette. Le Conte del Graal est resté inachevé : il n'est plus de critique qui en doute. Et inachevé à double titre : le vers 9234, qui marque la fin de l'oeuvre de Chrétien intervient au milieu — ou vers la fin ? — des aventures du second héros, Gauvain. Si l'histoire de Gauvain demeure en suspens, à plus forte raison celle de Perceval le reste aussi. Chrétien a annoncé, aux vv. 6514/8, qu'il fallait s'attendre à une longue suite d'aventures de Gauvain avant que Perceval ne rentre en scène. Perceval n'a toujours pas réapparu : il y a peu d'auditeurs qui se résignent à ce qu'il ne répare pas son échec au Château du Graal, à ce qu'il ne revienne pas chez son amie Blancheflor. Il n'y en a guère, non plus, qui se soient satisfaits des "révélations" de l'oncle ermite sur le Graal. Après nous avoir annoncé qu'il allait écrire le "Conte del Graal" (v. 66), et qu'il allait pour cela s'inspirer du livre remis par Philippe d'Alsace, Chrétien s'est borné, jusqu'ici, à dire que ce "vase" d'une insigne beauté, cette "tant sainte chose" (v. 6425), ne sert qu'à porter une hostie à un vieux roi "esperitaus". Le Graal ne serait vraiment pas autre chose qu'un simple ciboire ou qu'une pyxide ? En quoi est-ce donc une "tant sainte chose" ? Et si le Graal est une "tant sainte chose", et s'il contient une hostie, pourquoi donc est-il porté par une demoiselle ? Et la Lance-qui-saigne ? L'oncle ermite ne dit pas un mot à son sujet. Par contre, aussitôt avant la scène de l'ermitage, le roi d'Escavalon a envoyé Gauvain la quêter, et la Lance-qui-saigne est alors apparue comme une arme terrible, épouvantable, capable de — destinée à, même ? — ruiner le royaume de Logres, le monde arthurien (v. 6168-71). Comment l'auditeur s'y retrouverait-il ?

Gauvain, lui, est entré au Château de la Merveille : il en est devenu le seigneur, et il ne peut plus en sortir. Il y a retrouvé la mère du roi Arthur (donc sa grand-mère) et sa propre mère — toutes deux mortes depuis longtemps, du moins le croyait-il — et aussi une jeune soeur, Clarissant, dont il ignorait complètement l'existence. Royaume de la Mort, ou Royaume d'Absurdie ? Car ce Château dont il n'a point le droit de sortir, Gauvain en sort ... pour aller cueillir des fleurs. Et ce royaume d'Outre-Tombe, qui ne lâche plus ceux qui y pénètrent, Gauvain veut y faire entrer son oncle Arthur et tous les héros du monde arthurien.

Tout, à ce vers 9234, sollicite l'imagination, mais aussi requiert l'interprétation d'une oeuvre difficile, volontairement absconse. A propos du Lancelot, tout à l'heure, nous évoquions la légitimité du souhait des auditeurs : en savoir plus long, connaître à la fois les suites de cet amour et sa "préhistoire". Mais ici il ne s'agit plus de légitimité, mais bien de nécessité absolue. Le Conte del Graal est incomplet : il faut le terminer. Il est, à proprement parler, incompréhensible : il faut l'expliquer. Ce n'est pas en ce qui concerne le premier héros, Perceval, qu'une "préhistoire" est nécessaire, car nous savons tout de l'enfance du jeune rustaud de Galles, mais c'est au sujet des Objets — talismans ? reliques ? — de sa quête. Par contre — et c'est bien encore ici que Chrétien est terriblement ambigu — à aucun moment le romancier n'évoque la possibilité pour Perceval de retrouver le chemin du Château du Graal et de réparer son échec : les trois personnages que l'on peut considérer comme les "messagers du Graal" – la cousine, la Laide Demoiselle, l'oncle ermite – sont parfaitement d'accord pour observer là-dessus le silence le plus total. Ils disent à Perceval que c'est raté, un point c'est tout. C'est Perceval qui veut, lui, réparer son échec, mais ce dessein sera-t-il suivi d'effet ? En ira-t-il autrement pour celui-là que pour celui de retrouver sa mère ?

Admirons ce nouveau paradoxe. Perceval voulait retrouver sa mère qu'il croyait vivante, or elle est morte ; Gauvain ne pensait nullement à sa mère, qu'il croyait morte : or il la retrouve, "vivante". Cette "préhistoire" que Chrétien nous retrace avec beaucoup de détails pour Perceval, voici qu'à la fin de son oeuvre il nous la laisse entrevoir en ce qui concerne Gauvain. Car, à s'en tenir à la lettre du texte, il semblerait explicable que Gauvain n'ait pas reconnu sa mère, qui s'était exilée à la mort du roi Uterpendragon – exactement, notons-le, comme l'avaient fait les parents de Perceval. Mais Chrétien va-t-il se mettre à nous raconter les Enfances Gauvain ? Evidemment non. Tout, dans ses oeuvres, peut se comprendre, pas à pas, au sens littéral – Chrétien ne se contredit pas – mais aucun de ses romans n'est pleinement intelligible, dans son ensemble, sans un effort soutenu de recherche du sens profond, du "sen". Ce "sen", il est quand même possible d'en approcher dans Erec, Cligès et Yvain ; c'est beaucoup plus difficile dans Lancelot, c'est extrêmement difficile dans Perceval. Tous les continuateurs s'y seraient cassé les dents s'ils avaient véritablement voulu **comprendre** le Conte du Graal : aucun n'a eu cette prétention, et tous se sont bornés à "inventer autour", à "en remettre", à extrapoler – dans les meilleurs des cas à "gloser la lettre", comme le disait Marie de France [2].

Nous nous empressons de dire qu'aucun critique moderne n'a compris le "sen" du Perceval, et d'assurer que nous ne le comprendrons pas nous non plus. C'est étrangement excitant – et la littérature sur le Graal se mesurera bientôt par tonnes, ou kilomètres – mais bien fol serait celui qui prétendrait comprendre, dans toute sa complexité,

la pensée de Chrétien. Il faudrait être Chrétien lui-même. Et encore !

Oui, et encore ! Car il y a une certitude que nous n'aurons jamais:
à savoir que c'est bien la mort qui a empêché Chrétien de terminer
son Perceval [3]. Chrétien **n'a pas pu** achever son dernier roman,
mais c'est peut-être qu'il **n'a pas su** le faire. Ou qu'il **n'a pas voulu**.
Il a commencé avec Lancelot, qu'il n'a pas voulu terminer. Il en a
laissé la responsabilité à un autre. C'était un alibi. Chrétien ne pouvait
se résigner ni à tenir les amants indéfiniment éloignés l'un de l'autre
(thème des prisons successives) ni à les faire se retrouver et reprendre
leurs amours à la barbe d'Arthur (autrement dit, retomber dans la
situation du Tristan abhorré). Il y a du "Je m'en lave les mains"
dans le "Ce n'est pas moi qui ai fini le Lancelot". Mais tout est autrement compliqué avec le Perceval.

Avant d'aborder notre objet, une rapide mise en place des diverses "continuations" du Conte du Graal ne sera pas superflue.

*

* *

Ils s'y sont mis à une quinzaine, au moins, successivement, en
l'espace d'une grande génération [4]. A savoir :

– l'auteur de la Première Continuation, ou **Continuation-Gauvain,** sans
doute dans la dernière décennie du XIIe siècle, qui écrit quelque
9 500 vers ; il apporte une conclusion au dernier épisode de la partie
Gauvain du Conte du Graal, puis se met à juxtaposer des aventures
tout différentes, sans grand lien entre elles et sans aucun lien avec
le roman de Chrétien, à ceci près qu'il raconte, dans la Branche V,
une "Visite chez le Roi du Graal", qui n'a aucun rapport avec celle
qu'avait imaginée Chrétien et dont le héros est ... Gauvain ! Le nom
même de Perceval est absent de sa compilation. C'est ce poète, anonyme, qui est l'objet de la présente étude ;

XI

— dans les mêmes années, sans doute, **Robert de Boron**, un chevalier, semble-t-il, de la région de Montbéliard, commence ce qu'on a appelé sa "trilogie" par un Roman de l'estoire dou Graal, ou Joseph d'Arimathie (3514 vv), inspiré surtout de l'Evangile (apocryphe) de Nicodème, mais centré sur le saint Graal, insigne relique de la Passion du Christ ; il s'agit donc de la "pré-histoire" du Graal ; Perceval n'y est pas nommé, mais annoncé, comme fils d'Alain (et petit-fils de Bron, ou Hébron, beau-frère de Joseph). Puis (?) Robert écrit un Merlin, également en vers dont il ne nous reste que les 502 premiers, et qui est une "pré-histoire" du roi Arthur [5] . Enfin l'on pense qu'il a aussi écrit un Perceval, en vers, suivi d'une brève "Mort Artu", que nous n'avons qu'à l'état "dérimé" : c'est le Didot-Perceval, sur lequel nous allons revenir. Notons que l'essentiel de son Joseph (ou quelque chose d'analogue) est repris et inséré, sans doute par un interpolateur, dans quelques manuscrits (parmi les plus anciens) de la Continuation-Gauvain (Br. V) ;

— les relations entre les deux oeuvres qui suivent — c'est-à-dire l'antériorité de l'une ou de l'autre — ne sont pas élucidées. C'est d'abord la Seconde Continuation (en vers), ou **Continuation-Perceval**, attribuée, non sans raison semble-t-il, à Wauchier de Denain, pieux traducteur d'autre part des Vies des Pères [6] ; elle contient environ 13 000 vers et prend vraiment la suite du Conte du Graal de Chrétien, du moins de la partie consacrée à Perceval, qu'elle "cueille" à la sortie de l'ermitage de son oncle (épisode du Vendredi Saint), promène d'aventures en aventures, ramène à Beaurepaire, chez Blancheflor, qu'il quitte au bout de trois jours (car il est lancé dans la quête de la tête du Blanc Cerf et du "brachet", non moins que dans celle du Graal), ramène aussi au manoir de sa mère (morte, mais il y trouve sa soeur — inconnue de Chrétien — et ils vont tous deux rendre visite à l'oncle ermite), ramène enfin chez le Roi-Pêcheur pour échouer une seconde fois (il ne peut ressouder parfaitement l'épée brisée - motif à peine annoncé par Chrétien, mais très important dans la Br. V de la Continuation-Gauvain). Mais Wauchier ne peut se priver de raconter aussi quelques aventures de Gauvain (en quelque 2 200 vers), qui n'ont aucun rapport avec la partie Gauvain du Conte du Graal, mais qui en ont avec la Continuation-Gauvain (le héros "re-retrouve" son fils, maintenant appelé Ginglain, ou le Bel Inconnu — ceci doit donc être postérieur au roman de Renaut de Beaujeu, écrit vers 1190 — et lui raconte sa "Visite chez le Roi du Graal", laquelle provient en grande partie de la Br. V de la Première Continuation) ;

— c'est ensuite (ou avant, ou en même temps ?) le **Didot-Perceval**, en prose, que l'on estime être le "dérimage" du Perceval perdu de Robert de Boron. Sa "matière" est en partie celle de la Continuation-Perceval, mais celle du Conte du Graal est aussi reprise, puisque l'auteur nous raconte la première visite de Perceval chez le Roi-Pê-cheur, puis, sept ans (sic) plus tard, sa visite à l'oncle ermite. Mais, surtout, l'auteur apporte une fin à l'histoire : Perceval revient chez le Roi-Pêcheur, pose à son grand-père Bron les questions tant atten-dues et, donc, le guérit ; le Roi-Pêcheur meurt au bout de trois jours et Perceval, devenu sire del Graal, finira pieusement sa vie en la compagnie de l'insigne relique. Suit donc une brève "Mort Artu", qui reprend largement les données pseudo-historiques de Geoffrey of Mon-mouth et de Wace [7] . — Mais signalons qu'il s'est trouvé un copiste (?) de la Continuation-Perceval (celui du ms. K, qui ne donne que le texte de cette seconde continuation) pour conclure, lui aussi, l'his-toire, à peu près de la même façon : Perceval ressoude (quoique impar-faitement, comme dans les autres mss) l'épée brisée (ce dont il n'est pas question dans le Didot-Perceval), reçoit les révélations sur la Lance et le Graal, et son grand-père (Bron) le sacre et le couronne roi et meurt trois jours plus tard ; le copiste ne dit rien sur la fin de la vie de Perceval [8] ;

— toujours dans le même temps, mais ailleurs, un chevalier de Bavière, **Wolfram von Eschenbach**, "traduit" — c'est-à-dire amplifie énormément et ne se prive pas de remanier et de "compléter" (en près de 25 000 vers) — le Conte du Graal de Chrétien de Troyes : son Parzival est,

on le sait, la source directe du Parsifal de Richard Wagner. Wolfram
prétend d'ailleurs avoir la bonne version de l'histoire, d'après un certain
Kyôt (qui peut fort bien être le copiste Guiot, pris pour l'auteur du
Perceval !) ; il est vraisemblable qu'il a connu le début de la Continuation-Gauvain (la Br. I, Guiromelant, "conclusion" de la dernière aventure
de Gauvain). N'entrons pas dans la question wolframienne, dont la
bibliographie est sans doute cinq fois plus abondante que celle de
son modèle. Allons à l'essentiel : Wolfram achève vraiment l'histoire :
son Perceval revient chez le Roi-Pêcheur (Anfortas), lui pose la question
(quel est son mal ?), le guérit et devient roi du Graal ; il a épousé
Blanchefleur (Condwiramûrs), qui lui a donné deux fils, dont Loherangrîn
(Lohengrin), lequel se confondra avec le Chevalier au Cygne (or, dans
la dernière Branche de notre Continuation, Guerrehés, il est beaucoup
question d'un Cygne qui tire une nef). Ni Gauvain ni personne ne
reste enfermé au Château de la Merveille (Gauvain a abattu les sorti-
lèges de Clinschor), et Gauvain épouse même l'Orgueilleuse de Logres
(Orgelûse) [9] ;

– c'est également autour de 1200 – à notre avis [10] – qu'un clerc
anglo-normand, sans doute proche de la fameuse abbaye de Glastonbury
(celle où le roi angevin d'Angleterre avait fait "trouver" les reliques
d'Arthur et de Guenièvre !), rédige en prose l'immense, étrange et
magnifique **Perlesvaus**. "Perlesvaus" ("Perd-les-vaus"), c'est Perceval,
qui a perdu les vaus (vallées) de Camaalot, son domaine familial.
L'auteur suppose connu le Conte du Graal de Chrétien et il en prend,
en quelque sorte, la suite. L'objet de l'auteur est de raconter des
aventures, extrêmement diverses et merveilleuses (à la fois symboliques et allégoriques), qui ont coïncidé avec (et favorisé) la christianisation de la Grande Bretagne et autres Isles. Il s'agit moins de
trouver le Graal et d'en percer les divins secrets que de reconquérir
le Chastel del Graal, tombé entre les mains de l'abominable Roi del
Chastel Mortel. Mais la grande innovation est le triplement du héros :
Gauvain et Lancelot partagent équitablement la scène avec Perceval-
Perlesvaus. Gauvain bénéficie des Visions extatiques du Graal ; Lancelot

non, car il ne peut se repentir de son amour coupable pour la reine Guenièvre. Mais c'est Perlesvaus qui réussit la reconquête ; puis il s'en va, de pays en pays et d'île en île, convertissant à la novele loi les populations enténébrées de paganisme. Nous le quittons lorsqu'il monte dans une mystérieuse nef à la voile blanche. Les saintes reliques ont été partagées entre les ermites de la forêt ; l'ermite Joseus finit ses jours, nourri par Dieu, au Château du Roi-Pêcheur ; à sa mort, le château commence à tomber en ruines [11] ;

— déjà, sans doute, commencent à travailler les clercs qui vont édifier la "somme" : le **Lancelot** en prose, qui s'achève par la **Queste del Saint Graal** et la Mort Artu (le tout doit paraître vers 1225). Comme dans le Perlesvaus, Perceval y est "doublé" par Gauvain, par Lancelot, et en plus par Bohort, mais le héros du Graal sera l'angélique Galaad, fils de Lancelot et de la fille du roi Pellès (engendré d'ailleurs par ruse et surprise, Lancelot croyant coucher avec la reine Guenièvre !). L'oeuvre est résolument allégorique, et sa fin est "mystique" (contemplation, dans le Graal, des mystères divins) — et définitive : l'Eglise jugeant, sans doute, que l'on a assez déliré sur ces "reliques" non officielles de la Passion, Galaad meurt en pleine extase et une main descend "récupérer" le Graal et la Lance et les remporte au ciel. Perceval se retire dans un ermitage et meurt un an plus tard. Les autres "quêteurs" reprennent leur vie dans le siècle et jouent leur rôle dans ce "crépuscule du monde arthurien" qu'est la Mort Artu, où Gauvain trouve la mort ; Lancelot et Bohort se retirent du monde et font une pieuse fin [12]. Dans les années qui suivent (?), on ajoute deux grandes "pré-histoires" (mais qui devaient être en gestation depuis longtemps) : l'Estoire del Saint Graal, énorme amplification (en prose, toujours) du Joseph de Robert de Boron, et la "Suite du Merlin" qui se greffe sur le Merlin dérimé du même Robert [13]. Que notre lecteur sache bien que nous simplifions, puisque nous ne parlons ni du "pseudo-cycle de Robert de Boron" contenant le Merlin-Huth , ni du Tristan en prose dans certaines versions duquel est insérée une "Quête du Graal" [14] ;

XV

— mais les Continuations en vers ont encore de beaux jours. Vers 1235, **Manessier**, protégé par la Comtesse de Flandre, y va de la sienne : plus de 10 000 vers [15]. Cet auteur doit connaître le Lancelot en prose et la Queste (rôles attribués à Bohort, Lionel, Hector, etc.). Il mène l'histoire à son terme, après le récit de longues aventures, dont Gauvain occupe presque un quart. Il s'agit de retarder le retour de Perceval chez le Roi-Pêcheur ; le héros s'en va faire ressouder par le forgeron "mythique" Tribüet l'épée, brisée, que lui avait remise le Roi-Pêcheur ; il revient à Beaurepaire, pour délivrer Blancheflor d'un nouveau prétendant, mais il ne couche même pas dans le même lit qu'elle et repart dès le lendemain. Il finit par revenir chez le Roi-Pêcheur et se fait reconnaître par son oncle ; puis il repart encore, avant d'être couronné roi du Graal ; il règne pendant sept ans, puis se retire dans un ermitage en compagnie de saintes reliques ; il est ordonné prêtre au bout de cinq ans ; dix ans plus tard il meurt pieusement : le Graal et la Lance sont "ravis au ciel" ;

— parallèlement, semble-t-il, à Manessier, **Gerbert de Montreuil** (auteur par ailleurs du très mondain Roman de la Violette) rédige la "quatrième" Continuation, qui ne fait pas moins de 17 000 vers et, dans l'état actuel de la tradition manuscrite, vient s'insérer entre la Continuation-Perceval et celle de Manessier [16]. Il n'a donc pas achevé l'histoire, ou bien, s'il l'a fait, "on" a fait sauter la fin qu'il lui donnait pour placer sa continuation avant celle de Manessier. Plus encore que ne le faisait celui-ci, Gerbert renoue de nombreux fils du Perceval de Chrétien : le héros revient chez Gornemant de Goort, chez le Chevalier Vermeil aussi, dont les quatre fils l'attaquent ; au manoir maternel, bien sûr, où il retrouve sa soeur (excursion chez l'oncle ermite) ; chez Blancheflor également, qu'il épouse, mais leur union reste chaste. Gauvain a droit à sa part d'aventures (1 700 vers). Et même ... Tristan (!), qui emmène les champions arthuriens chez le roi Marc, où ils se distinguent dans un grand tournoi. Comme chez Manessier, l'influence de la Queste est sensible, et aussi celle du Perlesvaus, mais Perceval y est toujours le seul quêteur du Graal.

Il revient enfin chez le Roi-Pêcheur, ressoude parfaitement l'épée brisée — et ici commence la Continuation de Manessier : Perceval reçoit d'abondantes révélations, dont celle du nom du meurtrier du frère du Roi-Pêcheur, ce qui va le relancer vers de nouvelles aventures ;

— l'ensemble de "Perceval le Vieil" (c'est-à-dire le roman de Chrétien) et de ses quatre continuations représente près de 60 000 vers, mais il y a encore des choses à dire. On va, d'une part, ajouter deux "prologues" au Conte du Graal. L'un est le Bliocadran (800 vers), ainsi nommé du nom du père de Perceval, qui trouve la mort en un tournoi dans le même temps que son épouse accouche de notre héros ; la Veve dame décide alors de se retirer avec l'enfant dans une gaste forest ; Perceval grandit et se plaît à chasser avec ses trois javelots ; sa mère le met en garde contre une éventuelle rencontre de gens de fer covert : ce sont des diables ... [17]. L'autre, de 484 vers, s'intitule l'Elucidation ; bien plus ambitieux, il annonce le plan (!) d'un ensemble composé de sept Branches (ou "gardes") sur lesquelles nous aurons l'occasion de revenir [18] ; mais il commence par raconter comment les aimables fées qui peuplaient le pays furent violées par le roi Amangon et ses chevaliers, qui s'emparèrent également de leurs coupes d'or ; alors elles ne se montrèrent plus, le pays devint gaste et il fut impossible de retrouver la cour du Roi-Pêcheur, qui était si expert en ningremance ; Gauvain cependant la trouva, et Perceval avant lui, et le résumé de la Visite de Perceval chez le Roi-Pêcheur s'inspire fortement de celle de Gauvain, dans la Br. V de la Continuation-Gauvain ; — des interpolateurs ont aussi inséré dans quelques manuscrits du Conte du Graal un épisode au cours duquel le Roi-Pêcheur fait récupérer l'épée qu'il vient de donner à Perceval et qui s'est brisée [19] ;

— un remanieur-interpolateur de la Continuation-Gauvain, trouvant sans doute la Visite de Gauvain chez le Roi du Graal trop différente de celle que Chrétien attribuait à Perceval, la récrit et l'insère dans le Guiromelant (Br. I) prolongé ; la scène ressemble beaucoup à celle du Conte du Graal, mais le cortège est complété par un mort couché dans une bière et sur lequel repose l'épée brisée : Gauvain ne réussit pas à la ressouder (comme dans la Br. V de la Continuation), le Roi ne peut donc répondre à ses questions, et le héros s'endort à table et se réveillera le matin en pleine nature [20] ;

– c'est sans doute **un autre remanieur-interpolateur** qui donne une version assez différente de la Br. I de la Continuation-Gauvain, et aussi de la Br.II (Brun de Branlant), mais qui, surtout, "délaye" en près de 6 000 vers la Br. III (Caradoc), qui n'en comportait que quelque 1200 dans les rédactions dites "courtes" ; son style et sa mentalité (et son dessein même) permettent de dater son "travail" du XIIIe siècle déjà avancé (les mss qui contiennent la "rédaction longue" ont tous le texte de la Continuation de Manessier) [21] ;

– un autre **remanieur,** légèrement postérieur et certainement différent, commet une grande interpolation dans l'interpolation de la Br. I, soit plus de 2 500 vers où l'on nous raconte des aventures fort romanesques de Gauvain, qui délivre notamment la Demoiselle de Montesclaire, comme il s'était engagé à le faire dans le Conte du Graal, et conquiert ainsi l'épée de Judas Macchabée apportée en Bretagne par Joseph d'Arimathie [22] ; – et signalons seulement le "travail" d'un autre remanieur qui s'est mêlé de transformer complètement le récit des Amours de Gauvain et de la Pucelle de Lis : il a dû oeuvrer avant ces deux derniers, mais l'idéal de chasteté et l'esprit "contritionniste" dont il témoigne semblent plus contemporains de la Queste que du Conte du Graal [23].

Sans doute n'avons-nous plus la totalité de ce qui a été "trouvé", sur cette "matière", entre les années 1180 et les années 1220 ou 1230 ; ce qui a été conservé est déjà impressionnant et nous ne connaissons pas, dans notre littérature, d'exemple d'un tel foisonnement, d'une telle exubérance d'inventivité. Et tout cela provient, en dernier ressort, de l'état d'inachèvement où Chrétien de Troyes a laissé ses deux derniers romans : le Lancelot et le Perceval-Gauvain (Conte du Graal).

*
*   *

Magnifiquement éditée, entre 1949 et 1952, par William Roach — qui nous a ensuite donné l'édition de la Continuation-Perceval (en 1971) et celle de la Continuation de Manessier (en 1983), après avoir publié celle du Didot-Perceval (en 1941) et celle du Joseph en prose (en 1956) [24] — , la Continuation-Gauvain n'a pas nécessité moins de trois épais volumes, auxquels le regretté Lucien Foulet a ajouté un fort précieux Glossary (1955). Le premier volume contient le texte d'une rédaction que W. Roach qualifie de "mixte", essentiellement celle du ms. T, d'une longueur de 15 322 vers ; il s'agit d'un "bon texte", et W. Roach s'était déjà fondé sur ce ms. pour publier en 1956, chez Droz, son édition du Conte du Graal de Chrétien. Le second volume contient la rédaction dite "longue", celle des mss EMQ(U) qui, dans le ms. E, fait plus de 19 600 vers ! Le troisième volume contient les rédactions dites "courtes", mais celle du ms. L et celle de la "famille" ASP(U) sont si constamment dissemblables que W. Roach a été contraint de les imprimer en regard l'une de l'autre ; elles ont l'une et l'autre la même longueur : autour de 9 500 vers. Le Glossaire de L. Foulet a été — malheureusement, nous le déplorerons plus d'une fois — établi sur le texte du premier volume paru, soit celui de T ; et il n'est pas moins regrettable que les lecteurs aient eu d'abord connaissance de cette rédaction "mixte" : ayant fait l'effort de la lire (et ayant, en particulier, récolté une sérieuse indigestion à la lecture du trop fameux Tournoi du Caradoc : 1 750 vers !), ils ont vu ensuite apparaître, dans le Vol. II, l'interminable "Roman de Caradoc", et il leur a fallu, lorsqu'a paru le Vol. III, beaucoup de curiosité pour lire avec attention les deux textes de la rédaction

XIX

"courte". C'est pourtant là que se trouve la Continuation-Gauvain, et non dans ses successifs remaniements et augmentations.

Notre premier objet est, par une **confrontation systématique des quatre principales versions** – L, ASP(U), T, EMQ(U) –, de montrer que la rédaction "courte" du ms. L est la plus fidèle (ou la moins infidèle) au texte du "premier auteur" de la Continuation-Gauvain. W. Roach n'avait pas voulu prendre position sur ce sujet, se contentant d'éditer fort soigneusement les textes et d'en noter les moindres variantes – ce qui nous a dispensé de recourir aux manuscrits eux-mêmes. Et les critiques ont, depuis près de quarante ans, trop paresseusement conservé l'habitude de citer le texte du Vol. I (celui du ms. T). Or, comme nous le verrons, T est absolument composite, c'est-à-dire que son responsable (qui n'est sans doute pas le copiste lui-même du ms. T) mêle les deux principales rédactions : la courte et la longue ; il a comme modèles au moins un manuscrit de chacun des deux principales familles, et il passe de l'un à l'autre, suivant d'abord la courte (un texte très proche de celui de L), puis la longue, puis quittant celle-ci lorsqu'elle s'embarque dans des amplifications excessives, puis y revenant, etc. Il n'est dépassé, dans cette façon de faire, que par le responsable de E, mais celui-ci, sans nul discernement, semble n'avoir en tête que le souci de "faire long" ; lui aussi a deux modèles sous la main, mais continuellement, et il ne se contente pas de passer de l'un à l'autre : il les additionne, ne cessant de "farcir" son texte de base (qui relève de la rédaction longue) avec des emprunts à la rédaction courte (la plupart du temps celle de L, mais parfois aussi celle de A) ... même lorsqu'elles disent à peu près la même chose, et même lorsqu'elles se contredisent ! Les textes de P et de U sont également composites, leurs responsables changeant carrément de camp en cours de route, P à deux reprises, U plus souvent. Le texte de la "rédaction longue" MQ est, pour les Br. I à III, plus homogène et représente bien l'essentiel du grand remaniement-délayage du XIIIe siècle : tout alors l'oppose, comme nous le verrons, à celui du "premier auteur" (dont L est le plus proche), tout autant qu'à celui du premier

XX

remanieur "courtois", le responsable du texte de A et de sa famille (AS, ASP, parfois ASPU). Ce dernier, qui doit être le premier remanieur en date, et que nous assimilerons souvent au "copiste-libraire" Guiot, ne se lance pas dans de grandes amplifications ni dans d'importants remaniements : c'est petitement, mais avec une remarquable opiniâtreté, qu'il ne cesse d'"amender" son modèle, de le rendre plus "courtois", de l'"euphémiser", d'en rendre le style plus élégant et la syntaxe plus coulante. Il n'est pas le moins traître de toute la série, et prendre connaissance de la Continuation-Gauvain uniquement d'après la page de droite du Vol. III de l'édition Roach est encore plus dangereux que de le faire d'après la rédaction "longue", qui, pour les Br. I à III, raconte vraiment tout autre chose — et nul ne peut s'y laisser prendre.

Cette démonstration de l'"**excellence du ms. L**" nous demandera beaucoup de temps — et bien de la patience à notre lecteur. Elle est cependant indispensable pour qui veut étudier une "oeuvre" et non un "magma", ou un "rifacimento" insidieux.

*
*   *

Une "**oeuvre**" ? La Continuation-Gauvain — même si on la lit dans le texte de L — mérite-t-elle ce nom ? Qu'est-ce qu'une oeuvre qui, apparemment, n'a aucune espèce d'unité ?

Le "premier auteur" ne cache pas son jeu : il n'essaie pas de faire croire qu'il fait "un" alors qu'il fait "multiple", et qu'il n'a pas envie de faire autre chose. Si Chrétien de Troyes avait le dessein — et était capable — de trere ("tirer")

> ... d'un conte d'avanture   Erec, 13-14
> une molt bele conjointure,

XXI

son "continuateur" n'en était sans doute pas capable, et n'en avait pas envie : il y avait tant de belles histoires à raconter, à mettre en vers octosyllabes , sans se préoccuper de savantes et subtiles "architectures" (c'est un peu le sens de "conjointure"). La "matire" était foisonnante : il n'y avait qu'à puiser. La "matire", c'est l'ensemble des "contes d'avanture" qui couraient depuis plus d'un demi-siècle. Wace en parle déjà, dans son Brut (terminé en 1155), lorsqu'il évoque la pax arthuriana de douze années et l'invention de la Table Ronde. Ce texte capital mérite d'être cité une fois de plus :

Pur les nobles baruns qu'il out ...   Brut, 9747,
... fist Artur la Roünde Table   9751-52
dunt Bretun dient mainte fable ...
... En cele grant païs ke jo di,
ne sai se vus l'avez oï,
furent les merveilles pruvees
e les aventures truvees
ki d'Artur sunt tant recuntees
ke a fable sunt aturnees ;
ne tut mençunge, ne tut veir,
tut folie ne tut saveir :
tant unt li cunteür cunté
e li fableür tant flablé
pur lur cuntes enbeleter
que tut unt fait fable sembler.

C'est de tel et tel de ces cuntes que part Chrétien de Troyes ; il en choisit un, sans doute, qui constituera son scénario général ("La Dame de la Fontaine", "L'Enlèvement de l'épouse d'Arthur", "Les Exploits d'enfance du sauvageon", etc.), et il "meuble" celui-ci au moyen de plusieurs autres "contes d'aventure", puissamment transformés, "duit" à cette fin ("façonnés", "ployés") — comme les branches des arbres qui forment la tonnelle du Cligès (v. 6317). Mais notre auteur, lui, les laisse tels quels, ces arbres, libres et séparés — comme ces bruellés ("bosquets") vers lesquels galope son héros principal, Gauvain. Ou, si l'on préfère, c'est toute sa "matire" qui, pour lui, est un arbre, immense, dont il choisit de traiter les "branches" les unes après les autres.

Car les **"branches"** en quoi son "oeuvre" est divisée ne sont pas une invention de l'éditeur moderne, ni des anciens copistes. C'est le "premier auteur" qui en parle, à deux reprises, au cours de ces "pauses du conteur" qui constituent — nous y reviendrons longuement [25] — une des originalités de son oeuvre. Celle que l'on peut lire peu après le début de la Br. V (Graal + Enfances Lionel), au moment où Gauvain quitte le camp de la reine pour accomplir la mission du chevalier inconnu :

> Signeur, la brance se depart   L 7039-40
> del grant conte, se Dex me gart ...

— et que le remanieur "courtois" Guiot et son "école" s'empressent de supprimer. Et celle qui unit (ou plutôt sépare) les Br. V et VI :

> Li grans contes cange entresait,   8299-302
>   ("maintenant", "tout de suite")
> a une autre brance se trait
> que vos m'orois sans demorer
> tot mot a mot dire et conter ...

— "pause" que la famille ASP fait également sauter, cependant que T la remplace par une transition, bien "formulaire" :

> ... li contes de l'escu chi faut,   T 14116-17
> si comence cil del calan ...

comme on peut en lire chez les auteurs du XIIIe siècle qui pratiquent l'"entrelacement". Notre "premier auteur" n'entrelace pas : il saute de branche en branche — il tient plus de l'écureuil que du castor !

Nous commencerons par donner une analyse très détaillée de la Continuation-Gauvain, selon le texte de la rédaction "courte" (nous préférerions dire : de la première rédaction, ou de la rédaction originelle), et en signalant toutes les additions, modifications et corrections importantes apportées par les remanieurs successifs. Le lecteur est prié de ne pas sauter ce Chapitre I, qui est en lui-même une preuve : celle de la séparation des "contes d'aventure" traités par notre auteur, et de la grande disparité des Branches, mais aussi celle de la grande unité de ton que confèrent à cette compilation l'esprit, et surtout l'imaginaire du "premier auteur".

On chercherait vainement dans toute l'oeuvre de Chrétien de Troyes un seul emploi du mot "branche" avec ce sens figuré. Cette "technique" – de la juxtaposition d'histoires diverses – ou plutôt cette absence de technique organisatrice est exceptionnelle. Le Roman d'Alexandre se présente bien, dans les éditions, divisé en "branches", mais chacune est due à un auteur différent et le mot ne semble pas figurer dans les manuscrits. Le seul précédent comparable est le Roman de Renart, qui est divisé en une quinzaine ou une vingtaine de "branches" ; mais, si les plus anciennement rédigées l'ont été dès les années 1170, les dernières sont du milieu du XIIIe siècle, et les "branches" sont donc dues à un certain nombre d'auteurs, même celles qui ont pu être rédigées au XIIe siècle. Dans Renart, le mot "branche" vient des rubricateurs bien plus que des auteurs ; ceux-ci fondent plus ou moins les histoires, ou marquent des transitions, ou plutôt des reprises, en parlant de nouvelle estoire, ou avanture, ou fable, ou marquant la fin d'un conte, d'une chançon, etc., et le mot branche est très rare (cf. vv. 9257, 15070 de l'édition Roques).

L'oeuvre qui est le plus ostensiblement divisée en "branches" (onze) est le Perlesvaus, c'est-à-dire le plus "touffu" des "romans du Graal", celui où s'affirme une volonté d'entrelacement (des "aventures" des trois "quêteurs"), mais où subsistent bien des "sauts" que pallient assez mal les transitions stéréotypées (Mes atant se taist li contes de Monsaignor Gavain, et parole de Lancelot, qui entre en la forest. Or dit li contes que Lanceloz chevauche ...). Et l'Elucidation aussi nous parle de brances - ou de gardes, ou de souviestement (?) – mais son auteur a dû être influencé par la Continuation-Gauvain.

Ces références à l'arbre impliquent une unité dont notre texte ne fait pas montre – quel rapport ont le Siège de Branlant (Br. II) ou le "roman de Caradoc" (Br. III) avec le grand épisode du Chastel

Orguelleus (Br. IV) ? Quel rapport a celui-ci avec le Graal (Br. V) ou avec l'extraordinaire aventure de Guerrehés (Br. VI) ? Aucun, à première vue. Ce sont autant de "contes d'aventure", et notre "premier auteur" correspond bien au portrait que "tire" Chrétien de

... cil qui de conter vivre vuelent   Erec, 22

en "dépeçant", dit-il, et en "corrompant" les contes ; en fait, ces cil conteor, ces troveor uniquement préoccupés de "faire lor rimes plaisans" (Didot-Perceval, l. 1472) ne dépècent rien, sans doute : ils n'organisent pas, ils ne "conjoignent" pas les contes qu'ils transcrivent.

Mais ils n'imaginent pas non plus de les juxtaposer en un "recueil". Car notre "oeuvre" peut n'apparaître que comme un recueil, à peine moins "factice" que ceux que vont commander les "clients" des "libraires", et auquel seule la personnalité du "compilateur" qui le rédige apporte quelque unité.

Le moins que l'on puisse dire, c'est que notre "premier auteur" est extrêmement "original" – et d'"original" à "originel", comme de "premier" à "primaire", il n'y a, ici, qu'un pas. Notre auteur est un "primaire" : nous le verrons bien souvent. Aux deux sens du mot : il semble bien ne pas être passé par les écoles, d'une part, et, d'autre part, il ressent vite et fort, mais sans doute moins profondément et durablement que d'autres. Son oeuvre a la spontanéité, la simplicité, le naturel, la vivacité de celles des Primitifs. La clarté aussi – et nous ferons grand cas de toutes les occurrences du substantif "clarté" dans le texte du ms. L. Mais nous ne négligerons pas non plus les occurrences des adjectifs et adverbes promier, promerain, promierement et primes.

Disons-le : ce prétendu "continuateur" de Chrétien de Troyes, du plus grand romancier de notre moyen âge, du plus subtil agenceur de molt beles conjointures, fait l'effet de lui être antérieur d'un demi-siècle ! On nous dira qu'il était "archaïsant" : encore faut-il vouloir

XXV

l'être, et un tel dessein, un tel calcul ne pouvait être son fait. Ou encore qu'il "n'était qu'un" jongleur, qui gagnait sa vie en récitant des chansons de geste — hypothèse que la coloration nettement "héroïque" de son imaginaire pourrait appuyer. Mais pourquoi ne pas accepter l'idée d'un "jongleur" récitant des "contes d'aventure" ? Des contes arthuriens qui, dès avant 1155, nous a rappelé Wace, foisonnaient en Grande-Bretagne francisée et dans l'Ouest de la France - autrement dit dans l'empire normanno-angevin ? Notre auteur cite Bleheris (pour une fois c'est A qui a la leçon correcte, les autres copistes, dont L, écorchant le nom : Bliobliheri, etc.), mais en passant ; son successeur, par contre, évoque nettement le famosus fabulator gallois qui aurait raconté les histoires de son pays au "comte de Poitiers" (et cette fois c'est L seul qui a la leçon correcte) — nous y reviendrons longuement au Chapitre XI. Qui d'autre qu'un Gallois pouvait faire passer sur le continent l'histoire extraordinaire de Caradawc Vreichvras et de sa vertueuse épouse, Tegau Eurvron ? Et qui nous raconte l'histoire de ce "sein d'or" ? Notre "premier auteur" et nul autre.

Le "premier auteur" de la Continuation-Gauvain nous présente une version "littéraire" (enfin écrite, en vers octosyllabes) de plusieurs "contes d'aventure" qui couraient depuis plus d'un demi-siècle, que contaient aux veillées, dans les châteaux, cil conteor (qui voulaient de conter vivre), ceux dont s'est inspiré Chrétien de Troyes. Nous avons ici un beau paradoxe : celui d'une "continuation" qui, pour les cinq sixièmes, n'en est absolument pas une, mais qui représente, plus d'une fois, l'état de la "tradition" arthurienne au moment même où le grand devancier de notre auteur prenait la plume.

*

* *

La meilleure preuve en est le personnage principal lui-même, Gauvain. Celui-ci est le héros des Br. I (le Guiromelant, qui "conclut" donc le Conte du Graal), II (Brun de Branlant, et surtout "Amours

XXVI

de Gauvain et de la Pucelle de Lis") et V (Visite de Gauvain à la salle du Graal, et "Enfances" du fils qu'il a fait à ladite Pucelle de Lis) ; il tient le premier rôle dans la grande Br. IV (le Chastel Orguelleus, récit d'une expédition collective d'Arthur et de ses quinze meilleurs compagnons, mais l'épisode de Lis, où Gauvain retrouve sa maîtresse d'un jour et fait la connaissance de leur fils, alors âgé de cinq ans, occupe exactement autant de place que la série des duels devant le Chastel Orguelleus) ; le héros malchanceux de la Br. VI est son frère Guerrehés (il était impensable d'attribuer à Gauvain une aventure honteuse). Seul le Caradoc (Br. III) est à part, et il faudra bien se demander pourquoi notre auteur l'a inséré dans sa compilation "gauvinesque".

Gauvain ! Mais on ne connaissait que lui ! Il était, à coup sûr, le héros de plus de la moitié des "contes d'aventure". La preuve, c'est que Chrétien a si longtemps différé d'en parler de façon un peu suivie. Et qu'on le lui a reproché. Ainsi l'auteur anonyme du Chevalier à l'épée (l'un des quatre ou cinq "contes d'aventure" qui nous sont parvenus sous leur forme "littéraire" — avec le Lai du Cor, le Conte du Mantel, le Lai de Tyolet et la Mule sans frein), qui ne devait pas encore connaître la fin du Conte du Graal : on doit, dit-il, blâmer Chrétien de Troyes,

> ... qui sot dou roi Artu conter,   Ch.Ep., 20-28
> de sa cort et de sa mesniee
> qui tant fu loee et prisiee,
> et qui les fez des autres conte
> et onques de lui ne tint conte

— "lui", c'est Gauvain —

> Trop ert preudon a oblïer.
> Por ce me plest a reconter
> une aventure tot premier
> qui avint au bon chevalier.

— le "bon chevalier", c'est évidemment Gauvain [26] :

Alors Chrétien lui a fait un sort, à Gauvain, qu'il n'avait d'ailleurs pas complètement négligé dans Erec et dans Cligés, dont il avait fait le quêteur malheureux de la reine dans son Lancelot, et dont il avait ironiquement souligné l'absence en écrivant, parallèlement, son Yvain. Avec une "ironie feutrée", comme aimait à le dire le regretté Jean Frappier, il lui a "inventé" des aventures en contrepoint de celles de Perceval [27]. Aventures qui l'ont finalement amené au Palais de la Merveille, au Château des Mères mortes, pour une magnifique "Rücksicht", pour un regressus ad uterum (lui-même redoublé, l'utérus, puisqu'il retrouve sa mère, "morte", et la mère de celle-ci, tout aussi "morte", dans ce château merveilleux dont il lui est interdit dorénavant de sortir) – citons Gilbert Durand qui a magistralement analysé cette "descente" dans les romans de Stendhal :

> "... la lente descente romanesque vers les abîmes de l'amour, le retour, que les psychanalystes appellent la "Rücksicht", à un monde imaginaire féminoïde et maternel [28]."

(Il y aurait tant à dire sur ces deux romanciers, que tout sépare, hormis le génie : Chrétien et Stendhal !).

Tout se passe, évidemment, comme si notre "premier auteur" n'avait strictement rien compris aux intentions de Chrétien ! Pour lui, Gauvain est toujours magnifique : il est comme un sou tout neuf, nullement "démonétisé". Il est le "super-héros" : aussi grand que les plus grands héros épiques, avec, en plus, la courtoisie dont il est le parangon. Il l'est depuis bien longtemps puisque, avant Wace, Geoffrey lui fait concilier le rôle du héros et le plus téméraire avec celui du cunctator (ce que, évidemment, Wace va encore souligner).

Il n'est pas du tout dans notre dessein d'aborder le problème des "sources". Disons seulement que Gauvain n'est guère plus "celtique" que Perceval, qui l'est peu, ou que Lancelot, qui ne l'est pas du tout – à la différence d'Arthur, de Kei-Keu et d'Yvain-Owein qui, eux, le sont (pour ne pas parler de Caradoc, qui l'est exclusivement, au point que les Français ne l'ont connu qu'au prix d'un contresens – nous aurons l'occasion d'y revenir [29]). Gauvain a été le "héros courtois" par excellence, c'est-à-dire le héros dont avait besoin la société qui se "courtoisifiait" à partir du début du siècle. Il plaisait aux hommes par sa vaillance, aux dames et aux demoiselles par sa beauté et sa courtoisie - au point qu'elles l'aimaient "de lonh", qu'elles lui réservaient leur amour avant de l'avoir jamais rencontré, thème récurrent de notre littérature arthurienne, et dont le meilleur et sans doute le premier traitement se lit, justement, dans la Continuation-Gauvain ! S'il a plu à maître Chrétien d'infliger une fin "mystique" au héros le plus "diurne", le plus "solaire" — et c'est évidemment dans la Continuation-Gauvain qu'apparaît, pour la première fois, et à trois reprises, le "privilège mythique" de Gauvain, dont la force redouble à l'heure de midi ! [30] — cela n'a guère impressionné ses successeurs, et surtout pas le premier d'entre eux, notre auteur.

Les rares mentions du Gwalchmai gallois laissent sur leur faim les "celtomanes", qui sont obligés d'assimiler notre Gauvain au dieu pan-celtique Lug ou au héros irlandais Cûchulainn [31]. Comme si Chrétien et ses prédécesseurs, les "conteurs", avaient pu avoir la moindre connaissance des "sagas" qui dormaient dans les manuscrits irlandais ! Il y a du "gallois", sans doute, dans Gauvain, mais nous soupçonnons cette fine mouche de Bleheri-Bréri d'en avoir "rajouté". Il ne faut pas jeter aux orties le "Gawain-complex" de miss Weston [32], mais il faut faire la part des choses, et la plus grande part n'a commencé d'éclore qu'à partir de 1066, et ne s'est mise à fleurir que lorsque le public a réclamé un autre plaisir que celui d'entendre la "cantillation" des décasyllabes épiques assonancés, que lorsqu'il a voulu rêver à autre chose qu'à de grands coups d'épée qui fendaient cheval et cavalier. Gauvain est un phénomène de société, et Chrétien de Troyes était bien le seul à en être, dans les années 1170, quelque peu fatigué. Le personnage de Gauvain ne se dégradera vraiment qu'à partir des années 1220, et pour les besoins de la cause — de la cause du Graal, évidemment, qui requérait alors un autre type de quêteur [33]!

Gauvain quêteur du Graal ! Chrétien a dû se retourner dans sa tombe (bien qu'il n'ait pas mis du tout dans son "graal" les mêmes choses que ses pieux successeurs). Mais peut-être Gauvain l'était-il avant Chrétien ? C'est possible, et c'est même probable — à en juger, justement, par notre Continuation —, mais il ne pouvait être que le héros malheureux de la Quête. C'est bien ce que soulignait Jean Marx :

> "... dans le cas de Perceval, l'échec est provisoire : il est marqué pour la grande entreprise qu'il reprendra. Tandis que pour Gauvain, l'échec est irrémédiable [34]."

Et ceci à propos de notre Première Continuation. Le commentaire de J. Marx était encore plus sévère à propos de la fin du grand cycle :

> "Malgré sa prouesse et sa courtoisie, le neveu d'Arthur, égoïste, subtil calculateur, maître de son langage et de ses attitudes, l'amant léger, oublieux, parfois brutal quand le désir le prend, le luxurieux nourri des finesses et des délices de la cour est exclu de cette conquête dont le sens religieux va toujours s'affirmant [35]."

Le moins que l'on puisse dire, c'est que, pour avoir "christianisé" — ou "re-christianisé" (ou, plus justement, pas encore "dé-christianisé") — le Graal, notre "premier auteur" était — du moins consciemment — à cent lieues de ce "sens religieux" dont les "grands clercs" du XIIIe siècle vont, à escient, imprégner l'histoire.

Concluons. En ce qui, en particulier, concerne Gauvain, si l'on met à part la Br. I, qui n'a pu être écrite qu'autour de 1190, au plus tôt, toute l'oeuvre de notre "premier auteur" aurait très bien pu l'être dès 1165, peut-être même dès le milieu du XIIe siècle, lorsque Wace traduisait l'Historia de Geoffrey et se plaignait des "affabulations" arthuriennes qui, semble-t-il, le gênaient dans son labeur d'historien.

*
*   *

Ou alors notre "premier auteur" est tellement "traditionnel" et "réactionnaire" que, lorsqu'il écrit, rien n'a changé, pour lui, depuis

XXX

quarante ou cinquante ans. Qu'il soit "traditionnel", nul n'en peut douter. Mais, "réactionnaire", nul ne l'est moins que lui : ce sont les copistes-remanieurs-interpolateurs qui le seront — du moins sur le plan des mœurs ! Sur le plan de la politique, il est tout simplement un "idéaliste", admirateur d'une utopique "monarchie féodale", dont les modalités de fonctionnement ne l'intéressent guère, pas plus qu'il ne semble préoccupé par les tensions entre la haute et la basse noblesse, ni par la montée du pouvoir bourgeois. Son roi Arthur pratique la largesce avec éclat, et se blâme vivement lui-même lorsqu'il a négligé de le faire — ce thème, explicite ou non, est récurrent dans la Continuation, mais il apparaît surtout à deux reprises dans toute son ampleur, dans les mêmes circonstances et dans les mêmes termes : peu après le début de la Br. III et au début de la Br. IV ; c'est dire si notre auteur y tient [36]. D'où le roi tire-t-il les richesses qu'il distribue ? Reconnaissons que le continuateur est l'un des rares romanciers — en dehors des pseudo-historiens, pour qui le roi de Bretagne ne cesse de conquérir des pays de plus en plus éloignés, qu'il met évidemment à contribution (voir aussi, chez Marie, le début de Lanval) — qui nous le laisse entrevoir, lorsqu'il fait proposer par Arthur à Eliavrés, en "rançon" de la tête de Caradoc :

> "Tot le harnois   L 2387-88
>   et as vilains et as borgois ..."

— ce qui est conforme à la "théorie" des Trois Ordres et au schéma dumézilien : la IIIe Fonction, celle des paysans et, bientôt, des artisans urbains, "nourrit" les deux premières. Et ce qui semble plus réaliste que le système imaginé par Jean Renart, selon lequel les riches bourgeois accablent de dons spontanés l'empereur qui a pris toutes les mesures pour favoriser leur enrichissement [37].

Pas encore la moindre trace, notons-le, chez notre auteur, du topos du "Vilain élevé", que l'on trouve, justement, chez Jean Renart, et bien avant lui — dès Partonopeus (vers 1185) et même dès Eracle et Girart de Roussillon (sans doute contemporains d'Erec) — et qui stigma-

tisait l'habitude, que commençaient à prendre les rois capétiens, de
s'entourer de conseillers et d'agents non nobles. Un topos que l'on
trouvera partout à la fin du XIIe siècle, et qui n'a pas été sans favoriser la dégradation progressive de la figure du sénéchal Keu [38].
Pas le moindre "roturier" dans l'entourage d'Arthur, selon notre auteur,
et nous verrons bien souvent que celui-ci fait de louables efforts
pour s'opposer à cette dégradation de Keu — là encore, il ne sera
pas suivi par les copistes [39].

Mais le plus important à noter, dans la Continuation-Gauvain,
c'est que le roi Arthur n'est ni vieilli, ni faible, ni surtout otiosus.
Il se situe à mi-chemin entre l'Arthur guerrier de la légende et de
la pseudo-histoire, et celui de Chrétien, qui, selon le coeur des grands
féodaux, "règne mais ne gouverne point". Celui de notre "premier
auteur" ne cesse de payer de sa personne, dirige l'ost, emmène une
aventureuse expédition contre le Chastel Orguelleus, où il serait prêt
à combattre lui-même si Gauvain ne vainquait pas le Riche Soudoier.
En fait, son Arthur a la stature et l'activité d'un empereur "épique",
mais aussi toutes les vertus courtoises d'un roi "romanesque". Il est
un roi conquérant, mais nous verrons que les pays qu'il conquiert
ne sont pas de ce monde : ce ne sont pas, certes, des royaumes "spiri-
tuels" qu'il annexe, mais des "terres plentureuses" dont la description
ressemble fort à celles de l'Autre monde des Celtes. De ce point
de vue, le mot-clé de cette oeuvre est l'homage, que les princes
quasi "mythiques" qui entourent la Bretagne doivent faire au roi Arthur.
L'obsession de notre auteur — nous le soulignerons mainte fois — est
la totalité 'et la centralité : il s'agit de rassembler, avec la plus
grande économie de moyens (c'est-à-dire, chaque fois, grâce à un
duel livré par Gauvain et d'ailleurs interrompu), le plus grand nombre
possible de royaumes, aussi riches que beaux, autour d'une Bretagne
paisible et pacificatrice, triomphante et glorieuse pour le bien de
tous. Ici se confondent le Ier et le IIIe "régimes" durandiens de l'imaginaire : les moyens sont en apparence "héroïques", mais la visée
est "synthétique".

Il est inutile, dès lors, de souligner que l'aventure individuelle a beaucoup moins d'importance dans la <u>Continuation-Gauvain</u> que dans tout autre roman des XIIe et XIIIe siècles. Aucun des trois protagonistes — Gauvain, Guerrehés et Caradoc — ne la cherche : ils la subissent bien plutôt, ils l'acceptent parce qu'il y va de la gloire d'Arthur, de la réputation de sa cour et de son royaume. Aucune aventure "<u>individuante</u>", comme chez Chrétien ou dans les Lais de Marie. Pourquoi ces héros chercheraient ils l'"individuation", alors que leur plus grand bonheur est d'être entre eux, unanimes, et surtout avec leur roi ?

Alors, la "figure du Père" ? Peut-être — nous verrons. Mais, en aucun cas, il ne saurait être question de le tuer.

*

*   *

Voilà que nous en parlons comme d'une "oeuvre", de cette "compilation", de cette juxtaposition de six Branches que le "premier auteur" ne s'est nullement préoccupé d'unifier. Extérieurement, du moins, car ne l'a-t-il pas fait intérieurement ? Quel rapport, demandions-nous, entre ces six Branches ? On peut déjà répondre : Arthur et sa gloire. La Souveraineté. Une conception idéale de la Royauté et du corps social tout entier, et unanime, autour d'elle. Une Souveraineté symbolique, évidemment, mais pas à la façon d'un Chrétien de Troyes. Ce n'est pas l'individu, le héros (et l'héroïne dans le cas d'Enide), qui devient "souverain" : c'est la société féodo-monarchique, symbole elle-même de l'humanité. En "creusant" le texte, en étant attentif à ses moindres détails, **à tous ses mots — telle sera notre méthode** — , l'on s'aperçoit que ce "recueil" est loin d'être dépourvu de "<u>sen</u>". Tout au plus peut-on douter que l'auteur en ait été conscient. Et peut-être le "<u>sen</u>" est-il donné — ce qui n'aurait rien de surprenant — par le "mot de la fin", qui est <u>Tos Sains.</u> La fête de la Toussaint — fortement héritière, ici, de la Samain des Celtes. Ainsi, malgré lui, la visée de l'auteur est-elle, à proprement parler, "eschatologique".

Ce n'est pas que notre auteur ait un sens religieux particulièrement affirmé. Mais il est un homme de son temps, pleinement, ordinairement, et ce temps est chrétien. C'est dans la mesure où, se faisant l'interprète des "contes d'aventure" aimés du public et qu'il élève à la dignité littéraire, mais sans nulle prétention à l'originalité — ses copistes-remanieurs en auront pour lui, de la prétention — , c'est dans la mesure où il ne se soucie pas d'organiser cette "matire" diverse en une molt bele conjointure qui manifesterait à la fois sa personnalité et les limites de celle-ci, c'est dans la mesure où il est, très "primairement", **parataxique**, qu'il est, sans le savoir, le plus "synthétique". Sans le vouloir, il édifie, lui aussi, une "cathédrale" — mais elle est **romane**. Là où Chrétien, déjà, enrobait savamment piles, arcs et contreforts, là où les romanciers du siècle suivant, s'adonnant à l'entrelacement, dissimuleront complètement leur structure — ou, souvent, leur manque de structure — sous un foisonnement de colonnettes et de pendentifs, aussi décoratifs que superflus, notre premier auteur aligne tout simplement ses six "travées", rythmées par de massifs doubleaux (ses "pauses du conteur" ou, a contrario, sa flagrante absence de transitions). Mais les "images matérielles" — qui sont surtout fournies par les substantifs, mais soulignées par les adjectifs et plus encore, peut-être, par les adverbes — non recherchées par l'auteur, et d'autant plus précieuses, nous éclairent sur l'intime de son texte, et donc de sa personne.

Nous ferons la part belle à des verbes comme esgarder et surtout entrer, ce dernier chargé d'un sens mystérieux et quasi sacré ; à des adverbes comme parmi et enmi, qui marquent l'obsession de la centralité ; à l'adjectif cler et surtout au substantif clarté, cette "clarté" quasi magique qui ne "descend" pas du ciel mais "émane" de l'intérieur de la création (divine ou humaine) et est "diffusive" à l'instar de la grâce ou de l'amour divins. Et à bien d'autres mots, encore, sur lesquels notre attention aura été attirée par leur insolite fréquence. D'où notre parti pris de nous fonder sur un **dépouillement exhaustif de notre texte** — c'est-à-dire celui du ms. L — et d'en soumettre le **lexique** à une double confrontation : d'une part avec celui des autres manuscrits   (le sens fâcheux de leurs remaniements nous indiquant quel est le "bon sens", que leurs responsables ont contesté ou laissé perdre), et, d'autre part, avec une vingtaine d'oeuvres du XIIe siècle et du début du XIIIe, dont nous aurons pu consulter les "**Concordances**". Car, quoi qu'on en dise, comparaison est souvent raison, du moins indication de la "raison".

*

* *

Peut-être alors serons-nous en mesure de répondre à cette question, que d'emblée nous hésitions à nous poser : **pourquoi** ces six Branches, ces six récits différents ? Pourquoi ceux-là et non point d'autres ? Quelle est l'ultima ratio du choix que notre auteur a fait dans une "matire" orale foisonnante, parmi des dizaines et des dizaines de "contes d'aventure " ?

Personne ne s'est posé la question, et surtout pas les "celto-philes", quelque intéressants qu'aient pu être les rapprochements qu'ils ont proposés avec tel ou tel personnage, thème et motif des anciennes littératures galloise et irlandaise ; leurs interprétations "évhémérisantes", trop systématiques, sont d'ailleurs passées de mode [40] et, d'autre part, l'étude des thèmes et des motifs, si elle est menée sans considération de la structure dans laquelle ils sont à l'oeuvre, est passablement décevante : nombre d'entre eux se retrouvent partout, aussi bien dans les Mille et une Nuits que dans le folklore champenois (ou poitevin, ou à plus forte raison armoricain), et tous, dans le Motif-Index de Stith Thompson, dont on a montré encore récemment les limites de l'intérêt qu'il pouvait présenter [41].

Nul n'est plus que nous convaincu qu'il existait au moyen âge une osmose constante entre les "littératures" orales et les écrites — et particulièrement aux débuts de celles-ci, au XIIe siècle ; les emprunts, ensuite, pourront être plus manifestes — pensons aux "romans" de Mélusine – mais l'imprégnation sera moins profonde. Puisque nous venons d'évoquer Mélusine, disons que nous témoignons une grande sympathie (avec réserves cependant) aux recherches qui, de celles de L. A. Paton [42] à celles de Cl. Lecouteux [43] et de L. Harf-Lancner [44], ont montré l'importance du scénario de la "Fée amante d'un mortel" (la Fairy mistress) et sa prégnance dans les littératures écrites du moyen âge occidental. N'oublions pas que, après certains Lais (de Marie ou anonymes), c'est dans la Continuation-Gauvain qu'il apparaît, à peine rationalisé , avec le plus d'évidence, et surtout de force, car les **Amours de Gauvain et de la Pucelle de Lis,** pour être sans lendemain, ne sont pas sans résultat, lequel n'est autre que le Bel Inconnu, ici appelé Lionel, dont la Conception, les Enfances et les Exploits représentent le seul lien entre les Br. II, IV et V. Le "Lionel-complex" n'a pas fini de livrer ses secrets, pas plus que son "double" occulté, le "Lohot-complex" – nous y reviendrons [45] .

Cependant, à sa surface, la Continuation-Gauvain est un texte littéraire, qui vise exclusivement la "classe dominante" et plus ou moins acculturée : celle des chevaliers. Sans entrer dans la problématique "sociologique" d'E. Koehler [46], ni même dans celle de la "réception" de H.R. Jauss [47], il convient de s'interroger sur la représentation que les chevaliers aiment que l'on fasse d'eux-mêmes. La thèse récente de M.-L.Chênerie [48] nous fournirait d'utiles comparaisons si les protagonistes masculins de notre oeuvre étaient des **"chevaliers errants"** ... ce qu'ils ne sont pas – pas plus que ceux de Chrétien d'ailleurs. Mais le Perceval des trois Continuations suivantes l'est totalement (et aussi, bien sûr, leur Gauvain, et Sagremor, etc.). De Wauchier de Denain à Gerbert de Montreuil, les continuateurs ne font guère que se battre les flancs pour **retarder** la fin de la "quête" ; leurs inventions ne sont pas toujours dépourvues d'intérêt, les remplois qu'ils font de la thématique de Chrétien et de son premier successeur sont amusants à noter, mais il convient de ne pas se tromper de sens : ils ne sont que des "suiveurs", des "exploiteurs", qui s'abreuvent dorénavant bien plus aux sources écrites qu'aux orales [49] . La primitive

"matire", qui avait excité l'imagination de notre "premier auteur"
et sans cesse alimenté celle de Chrétien, cette "matire" si diverse
(et mystérieuse, sans doute, parce que s'y côtoyaient les "contes"
primitifs – dont ceux du Gallois Bleheri-Breri — et tous leurs "avatars"
à des degrés très divers de rationalisation) que notre auteur avouait
ne pas pouvoir maîtriser [50], cette "matire" est devenue quasi lettre
morte pour les continuateurs suivants : ils en constituent une autre
(ou participent à sa constitution), tout différente. C'est chez eux
que la problématique et l'idéologie du "chevalier errant" peut s'observer en toute certitude, pas du tout chez notre auteur. Les romans
de Chrétien et la Continuation-Gauvain représentent la "pré-histoire"
de la "notion" de chevalier errant, ils conduisent à l'émergence de
ce "type", qu'il convient de n'analyser que lorsqu'il existe et là où
il est .

Nous ne parvenons pas à nous passionner pour la "psychologie"
manifeste des personnages – cheval de bataille de nos maîtres (nous
pensons surtout, bien sûr, aux "fines" analyses de J. Frappier). Cependant, ce que deux auteurs de thèses (moins récentes que celle de
M.-L. Chêneric) ont pu dégager de la lecture de la Continuation-
Gauvain ne doit pas laisser d'être pris en considération. D'abord Ph.
Ménard, qui a étudié avec diligence Le rire et le sourire dans le
roman courtois en France au moyen âge (1150-1250) [51] . Disons qu'il
est peu de sujets plus "subjectifs" — surtout traités comme l'a fait
Ph. Ménard, car celui-ci a choisi de ne pas partir d'un bout de la
chaîne, à savoir le relevé exhaustif des mots **rire, sourire** et apparentés
dans les textes du XIIe et du XIIIe siècles, mais de le faire de l'autre,
c'est-à-dire de ce qui, dans les textes, le faisait rire, lui, ou sourire,
ou qu'il trouvait comique, ironique, amusant, etc. Convenons que cela,
souvent, revient au même. Mais pas toujours. Et la question est pour
nous d'autant plus complexe que ce qui fait rire le copiste du ms .
A (Guiot) faisait moins rire le "premier auteur" ; ainsi le Petit Chevalier, adversaire "magique" de Guerrehés dans la Br. VI, que L compare
à un singe sor levrier (9246), et A, à un singe sor somier (9174) :

au ridicule de la petitesse, Guiot ajoute celui de la disproportion. Et l'inverse : les réparties du sénéchal Keu n'ont guère l'heur d'amuser Guiot — nous y reviendrons [52] . Pour revenir au Petit Chevalier, nous ne le trouvons pas "victime d'un rachitisme qui le rend comique" [53] , et le "premier auteur" non plus, pour qui il est admirablement proportionné, trop bien fait, et même avec un visage fort plaisant : molt ... aperte ciere, écrit L (v. 8813), mais seul, il est vrai, car MQU ont mal lu leur modèle, qui comportait plesante (ils ont écrit pesante ! cf. M 18859), et ASP, ainsi que T sur lequel Ph. Ménard semble exclusivement se fonder, laissent tomber cette notation.

C'est ainsi que sur la cinquantaine de passages de la "Première Continuation" que cite Ph. Ménard, près de la moitié ne nous concernent pas, puisqu'ils figurent dans le Caradoc long (notamment dans le Tournoi), ou dans la version longue de la Br. I (et même dans l'interpolation des mss EU), voire dans des leçons propres aux mss T, ou A, ou R, en regard desquelles L présente un texte différent. La torneboële que fait Keu, renversé par le Chevalier inconnu, n'est marquée par ce mot comique que dans la famille ASPT (A 6814, T 12776), certainement sous l'influence de Chrétien (comme Ph. Ménard le reconnaît), et signalons que, si le mot n'est pas dans la rédaction LUMQ, la posture du sénéchal est encore plus ridicule (L 6830 : les jambes furent contremont — que T conserve aussi) [54] . Nous ne sommes pas d'accord avec Ph. Ménard lorsqu'il affirme que ce sont les mss ATE qui ont "la bonne leçon" lorsque Gauvain, trouvant la jeune Pucelle de Lis seule dans son pavillon, la salue en l'appelant "ma dolce amie" (v. 1629/2621/6235), contre LSPU qui ont "ma dolce dame" [55] ; c'est sur "dame" que porte la méprise ("amie" n'est qu'une anticipation un peu cavalière), puisque Gauvain, devant la réaction de la jeune fille, "corrige le tir" en l'appelant ensuite "pucele" (qui s'oppose à "dame", non à "amie"), et puisque E s'auto-corrige en écrivant "dame" la seconde fois (et que l'éditeur le corrige la première fois) ; dans son Récit de la Br. IV, L persiste et signe (cf. v. 4269-75), et nul alors ne le contredit, puisque T, EMQ et PU reproduisent la "version viol", qui n'a rien de plaisant, et que AS, soit embarrassé, soit ne voulant pas trop se répéter, condense fortement tout ce passage. Ceci n'est qu'un détail, mais le véritable comique réside dans l'opposition dame/pucele, et non dans celle amie/pucele (qui ne sont pas mutuellement exclusives), et la réfection "courtoise" de la "famille Guiot" affaiblit la vis comica du "premier auteur". Contrairement à Ph. Ménard, nous ne voyons guère de "plaisant effet" dans la fureur parallèle qui s'empare du père puis du frère de ladite Pucelle de Lis lorsqu'elle leur annonce triomphalement qu'elle ne l'est plus, que Gauvain a emporté son pucelage [56] ; si effet comique il y a, il n'était pas dans les intentions de l'auteur — encore que ... En tout cas, il disparaît complètement du Récit de Gauvain, "version viol", où le parallélisme est "triple", puisqu'il y a un second frère (mais, au XIIIe siècle, on ne badine plus avec ces choses-là !). Et nous ne trouvons pas non plus "nettement railleur" le "biaus amis ciers" de LS (2447), ni même le "biax sire chiers" de APT (2455/3547), que le jeune Caradoc adresse à l'enchanteur Eliavrés qui — non pas "se prétend son père" [57] — mais l'est effectivement (cf. L 2085-87) : un personnage qui se fait couper la tête et se la remet paisiblement en place nous semble trop impressionnant pour être un objet de raillerie. Rions-nous lorsque le Petit Chevalier abat Guerrehés, puis, descendant de cheval, lui met le pied sur la gorge (L 8870-79) ? Ph. Ménard qualifie le héros de "piètre jouteur" [58] , ce qui n'est pas exact : c'est le Petit Chevalier qui est un magicien.

Mais la plupart du temps nous sommes d'accord avec les fines et pertinentes observations de Ph. Ménard — surtout lorsqu'il souligne le comique involontaire du sénéchal Keu, mais il aurait pu, à notre avis, insister sur son comique volontaire et ajouter la Continuation-Gauvain aux romans où le sénéchal d'Arthur joue sciemment un rôle d'amuseur, de "boute-en-train" [59] . Dans aucune autre oeuvre Keu n'est d'aussi belle humeur - et cette belle humeur n'est, pour nous, que le reflet de celle de notre "premier auteur". Mais il nous faudra revenir sur Keu. Si nous nous attardons quelque peu sur le rire chez notre auteur, c'est que la gaîté est un trait non négligeable de son caractère, et l'on ne peut en dire autant de tous ses confrères. Ph. Ménard a compté — dans la rédaction T — "une trentaine de rires et seulement deux sourires" [60] : la proportion est analogue à celle que l'on relève dans L : 22 verbes rire, et 2 verbes sosrire. C'est notablement plus que chez Chrétien, qui n'emploie jamais le verbe sosrire et seulement 46 fois, dans toute son oeuvre, le verbe rire, dont 10 fois dans Guillaume d'Angleterre (selon la Concordance de Liège) et 15 fois dans le Conte du Graal (ms. L). C'est beaucoup plus que chez Gerbert de Montreuil : 6 rires et 2 sourires, selon Ph. Ménard, et surtout que chez Manessier : 2 sourires et aucun rire, ou que dans la Queste del Saint Graal : 2 rires et trois sourires, toujours d'après les dépouillements de Ph. Ménard ; — la Continuation-Perceval est d'une tonalité différente, puisqu'elle contiendrait "7 rires contre 8 sourires". La Continuation-Gauvain est l'une des oeuvres qui présentent les nombres les plus élevés, et il est bien vraisemblable que notre "premier auteur" est l'un des "romanciers" qui se soient le plus "amusés" à écrire. Il conviendra de ne pas l'oublier [61] .

A l'opposé du rire, le "deuil", le regret, et en particulier le **repentir** auquel notre regretté ami J.-Ch. Payen avait consacré sa thèse [62] . Dans la Continuation-Gauvain, la récolte est remarquablement moins riche qu'en ce qui concerne le rire. On se repent dans les chansons de geste, dans les romans antiques (on y éprouve surtout du remords), dans le roman de Tristan bien sûr (le vrai : celui de Béroul), dans les Lais de Marie de France, dans tous les romans de Chrétien, chez Robert de Boron et dans le Perlesvaus (enfin Lancelot devrait se repentir et il n'arrive pas à le faire, mais le problème est traité avec beaucoup de force, d'humanité aussi) et, bien sûr, dans le grand cycle en prose ; on se repent chez Gautier d'Arras, dans Jaufré et dans Partonopeus, dans Fergus et surtout dans Durmart — bref, un peu partout. Sauf dans la Continuation-Gauvain — version courte, car dans la longue, on le fait beaucoup. Il est étonnant que J.-Ch. Payen n'ait pas soulevé la question de la "version viol" du

Récit que Gauvain fait de ses amours avec la Pucelle de Lis : il y eût trouvé matière à un beau commentaire — nous n'en parlerons donc pas pour l'instant. Tout ce qu'il trouve à citer, c'est la confession que fait Gauvain avant son duel contre le Guiromelant (Br. I, <u>L</u> 480-99) [63] ; et lorsque le saint évêque

> ... <u>voit</u> et <u>ot</u> qu'il se <u>repent</u>,   <u>L</u> 489-90
> si l'a <u>assols</u> molt dignement ...

— on ne sait pas de quoi Gauvain se repent, il s'agit d'une confession générale "à l'article de la mort" (possible) ; le copiste de <u>R</u> (ce manus-crit qui, à la suite du <u>Conte du Graal</u>, ne contient que la Br. I de la <u>Continuation</u>) délaye cette confession en un long entretien, où les propos de l'évêque ont une teneur parfois assez étrange (faire l'amour avec une belle pucelle est tout à fait pardonnable, mais, avec une femme laide et vieille, c'est un <u>grans peciés</u>, v. 586 ss !). Et l'infor-tuné Caradoc, saisi par le serpent, s'entend dire par son odieuse mère qu'il doit se repentir du mal qu'il lui a fait, à elle et à son amant (il a attrapé Eliavrés et l'a remis à son père, qui a contraint l'enchan-teur à coucher avec des femelles d'animaux) : alors il s'en va par les forêts, répétant sa confession à tout ermite qui veut bien l'enten-dre ; la pécheresse, elle, menacée par Cador, semble regretter ce qu'elle a fait : elle indique en tout cas le seul moyen possible de délivrer son fils.

Payen souligne que Gauvain, après son échec à la salle du Graal, ne se repent pas — car de quoi se repentirait-il ? de s'être endormi, épuisé par une chevauchée fort éprouvante, alors que le Roi du Graal lui donnait les explications qu'il lui avait demandées ? de n'avoir pas réussi à ressouder l'épée ? — mais qu'il ressent "une puissante honte, et le vague sentiment d'être un réprouvé [64]." Gauvain, continue Payen, "connaît un remords profond, mais fugitif. Il ne tarde pas à redevenir le chevalier mondain qu'il n'a jamais cessé d'être." C'est peut-être faire bon marché de la douzaine d'années que le héros passe à <u>se pener d'armes</u> pour accroître sa valeur et mériter de revenir

XLI

chez le Roi du Graal et de pouvoir ressouder l'épée brisée. Guerrehés, lui aussi, n'éprouve que de la honte, encore plus accablante, après sa défaite par le Petit Chevalier. Quant à la Pucelle de Lis — il faut quand même en dire un mot — elle n'éprouve que de la joie de s'être donnée à Gauvain ... et celui-ci, de l'avoir prise ! Si notre "premier auteur" a le sentiment religieux ordinaire des gens de son époque, il ne mélange pas sexe et religion, et en matière d'amour sa morale est fort lâche.

Finalement, le seul personnage qui se repent, ou du moins regrette — et J.-Ch. Payen n'en a pas parlé —, c'est le roi Arthur, lorsqu'il déplore, à deux reprises, d'être resté si longtemps sans porter corone (c'est-à-dire sans avoir tenu de grande cour et procédé à de grandes distributions de dons — cf. L 2161 ss et 3320 ss), lorsqu'il se fait de vifs reproches de n'avoir rien tenté pour retrouver Girflet (3489 ss), et, vers la fin de l'oeuvre, lorsqu'il est bien fâché d'avoir accordé à Keu un "don contraignant" qui va obliger Guerrehés à raconter sa "honte" (9202 ss). C'est le roi, et lui seul, qui regrette de n'avoir pas fait parfaitement son devoir de roi. Le sénéchal Keu, évidemment, ne se repent pas de ses étourderies, de ses incartades et autres comportements parfois assez odieux. Keu est en deçà du repentir, et les héros positifs n'ont rien à regretter, aussi longtemps qu'ils sont en compagnie du roi : c'est Arthur qui assume toute la responsabilité.

*

* *

Nous ne perdons pas de vue notre question — la plus importante à nos yeux — mais la lecture des thèses "classiques" n'a guère fait avancer sa réponse. On ne peut dire que le "premier auteur" ait choisi ces six récits parce qu'ils ont en commun la présence et la thématique du "chevalier errant" — elles n'y apparaissent pas ; tout au plus pourrait-on dire que c'est dans la mesure où notre auteur ne veut pas, ou ne sait pas, raconter les aventures successives d'un seul héros —

et d'un héros seul, coupé de la communauté – qu'il s'est contenté de juxtaposer des histoires séparées, sans lien entre elles, à forte teneur "collective", sauf les deux dernières : mais le caractère solitaire, dramatique et "honteux" de ces deux aventures finales n'est-il pas imputable au fait, justement, que le héros (Gauvain, Guerrehés) est coupé de la cour, et qu'il erre ? Errance qui n'est qu'une erreur, laquelle en amène d'autres – jusqu'au jour où il revient enfin à la cour, au vif soulagement et à la grande joie du roi et de tous. On ne peut pas dire non plus que les six Branches soient également plaisantes et que le "premier auteur" puisse toujours s'y adonner à sa gaîté, à son humour, à une certaine verve (plus vive et naïve que celle de Chrétien) ; certes l'atmosphère est particulièrement détendue dans la plus grande partie des Br. I (<u>Guiromelant</u>), II (<u>Brun de Branlant</u> et "Amours de Gauvain") et IV (<u>Chastel Orguelleus</u>), mais non dans celle des Br. III (<u>Caradoc</u>) et, comme nous le signalions à l'instant, V et VI ; encore dans le <u>Caradoc</u> le sénéchal Keu joue-t-il son rôle de "boute-en-train" (ou de mauvais plaisant), mais il devient odieux dans les Br. V et VI. Cependant il est assuré que la fin de chaque histoire apporte la Joie au roi Arthur et à sa cour. On peut presque dire, enfin, que l'absence quasi constante de repentir unisse ces six Branches – et nous retrouvons toujours la même idée, la même volonté (consciente) ou le même désir (largement inconscient) d'exalter le roi et la communauté qu'il soude. Seul, en dernier ressort, le roi est en cause, puisqu'il est le seul responsable. Si "faute" initiale il y a, ou absence, ou manque, c'est presque toujours, directement ou non, du fait d'Arthur : dès lors la Joie finale, au premier chef, est sienne – "diffusive" évidemment.

Toutes ces indications de "tonalité" sont loin d'être négligeables, mais elles ne suffisent pas. Il faut aller plus profond.

La plus récente et la plus nouvelle des approches importantes de notre littérature médiévale n'est pas la plus facile à présenter. Nous voulons parler de la thèse de Charles Méla, <u>La reine et le Graal,</u>

dont il faudrait être un "freudien" confirmé, et mieux encore un "laca-
nien", comme son auteur, pour saisir tout l'intérêt — qui n'est pas
mince [65]. Un style et une syntaxe difficiles, impliqués sans doute
par la difficile démarche, requièrent du lecteur un effort pour lequel
il n'est généralement pas armé — ou, au contraire, trop armé. Si les
"Quêtes du Graal", indéfiniment racontées pendant près d'un siècle,
étaient autre chose que des exercices de style ou de la "littérature
alimentaire" — et elles l'étaient —, alors elles avaient une ultima ratio,
qui ne pouvait être dite. Le chemin le plus sûr pour accéder à leur
"raison" profonde est tout autre que rectiligne, et un discours simple
("sans plis") reste inopérant pour décrypter ce que tant de discours
ont inconsciemment mais opiniâtrement et efficacement voilé. Si
le Graal est si changeant, et son cortège chaque fois présenté de
façon différente — ce qu'expriment les "muances" du Graal dont parle
l'auteur du Perlesvaus, ou celles du Riche Pêcheur, qu'évoque celui
de l'Elucidation - c'est que pendant ce siècle, qui s'étend de part
et d'autre de la "catastrophe" de l'an 1200 (cette idée n'est pas
de Méla), l'on a tourné autour de la "faille". Puis l'on a cessé de
le faire et, dès lors l'Occident a trouvé sa direction (rectiligne, elle)
et l'on a pu écrire, très officiellement, des "romans de Mélusine" !

Ce qui, dans la recherche de Ch. Méla, surprend et gêne les
profanes que nous sommes, c'est un mélange de respect de la chronologie et de son contraire. Tantôt, comme chez nos anciens "celtomanes"
"folkloristes", thèmes et motifs sont brassés et rapprochés sans aucun
souci de la succession (probable) de leur apparition dans le temps
(pour ne pas parler de la vraisemblance de leur rapprochement dans
l'espace) ; tantôt la succession rigoureuse des oeuvres n'est nullement
mise en doute, et Ch. Méla constate et déclare souvent que l'oeuvre
du continuateur éclaire celle de son prédécesseur — idée qui était
déjà chère à E. Vinaver dont le point de vue était plus simplement
"littéraire" [66]. C'est ainsi qu'il semble tenir pour assuré que la Continuation-Gauvain, toute entière, a été écrite, c'est-à-dire inventée,
après le Conte du Graal, et qu'il parle de la "christianisation" du

XLIV

Graal par les continuateurs de Chrétien [67] . Nous parlons, nous, de "re-christianisation", car il nous semble impossible que notre "premier auteur", partant de la "Visite de Perceval au château du Roi-Pêcheur", ait pu inventer sa "Visite de Gauvain à la salle du Graal" (l'authentique, celle de la Br. V) : s'il l'avait fait, il eût été un "créateur" d'une originalité et d'une puissance insolites et sans exemple au moyen âge. Non : la "Visite" du premier continuateur correspond à un état antérieur du thème, que Chrétien a connu et contredit, et c'est aussi de cette "bi-polarité", de la coexistence de ces deux versions radicalement différentes, que tous les autres successeurs de Chrétien vont enrichir le thème, ou le "mythe", imaginant de nouvelles broderies autour de cette "faille" (qui sépare la version de Chrétien et celle de son prétendu continuateur) — et de "la faille" (originelle, celle-là, et dont, pour Méla, les essais de comblement ont suscité toute cette prodigieuse "littérature").

Chrétien lui-même, dans son dernier roman, a ré-ouvert la "faille" :

> "La dualité du Conte du Graal ... a définitivement rouvert dans la conjointure la faille qu'elle s'emploie à combler mais qui toujours subsiste ... Sur cette voie, la Première Continuation a dû exercer une influence déterminante dans l'esthétique romanesque du XIIIe siècle, car, loin de leur devoir sa prétendue incohérence, elle a joué des dissonances comme d'un principe de composition, accentuant d'autant plus la contrepartie mythique des scènes fondamentales qu'elle en déclarait d'autre part le caractère religieux : ainsi, aux visites de Gauvain au château du Graal répondent des versions archaïques du même scénario à travers l'aventure de Bran de Lis ou celle de Brangemor ; au reste, à l'intérieur des premières, la Lance de Longin coexiste avec un Graal magique (p. 194).

— plus se déclare ou s'invente le caractère religieux de la Quête, et plus remonte "le fond monstrueux des terreurs" (ce qui est manifeste dans la Continuation-Gauvain, dans le Perlesvaus et dans mainte page "fantastique" du Lancelot en prose). L'Elucidation, avec cette histoire de fées sortant des puis en portant leurs coupes d'or qui contiennent les mets désirés par les mortels, et disparaissant à jamais après leur viol, dont le produit sera également bi-frons – des "chevaliers" faés, "mi partis", dont les uns seront les ennemis épouvantables, noirs, gigantesques, ou les enchanteurs abominables, et les autres, les bons magiciens, les Princes de l'Autre monde à venger, et ces "sachants", comme le Blihos Bliheris ou le "maistre" Blihis de l'Elucidation, le Bleheris de la Continuation-Perceval et, dans une certaine mesure, le Bran de Lis de la Continuation-Gauvain (qui peut jouer les deux rôles), qui connaissent tous le chemin du Château merveilleux (de la cort au rice Pescheour) – l'Elucidation, donc, en est peut-être vraiment une, puisqu'elle nous rappelle que

> "... le point vif du mythe tient tout entier à ce que la rencontre de l'homme et de son destin de mort, de son faix de malédiction, soit due à l'intrusion d'une **violence sexuelle**..." (p. 98 - c'est nous qui soulignons).

Ch. Méla fait cas de la Continuation-Gauvain, mais il ne se mêle pas de trouver l'ultima ratio de cette "compilation". Il revient très souvent sur les mêmes objets, personnages, thèmes et épisodes – le Graal et la Lance (séparés – il a raison d'insister sur ce point), l'épée brisée, le mort de la salle du Graal et celui amené par la Nef au Cygne, la Main diabolique à la Chapelle, le géant décapiteur et sa hache (ou son épée), Bran de Lis, "hôte terrible" du "Château-désert-où-le-repas-est-servi", et sa soeur, la Pucelle, que Méla nous présente trop systématiquement comme "violée, "forcée" par Gauvain, négligeant généralement la "version flirt" que nous tenons, nous, comme primitive, car pourquoi les Fées se seraient-elles exclusivement cantonnées dans leur rôle de "nourricières" ? Mais il en laisse d'autres de côté, comme Brun de Branlant, qui pour lui n'est qu'un nom (Brun de Branlant = le sempiternel Bran), comme la plus grande partie du Caradoc (notamment le serpent), comme le Chastel Orguelleus et son maître, le prestigieux et étrange Riche Soudoier, etc.

Méla fait davantage cas de l'Elucidation, nous venons de l'indiquer, de la Continuation-Perceval, en laquelle il ne serait pas éloigné de voir (avec un sentiment beaucoup plus fondé que celui de Fr. J. Carmody) une conjointure essentielle :

> "Lire la Continuation de Wauchier doit nous permettre de cerner les enjeux du Graal et de nous familiariser avec un certain nombre de figures fondamentales du roman arthurien" (p. 30) ... "Une fois de plus, les deux parties du roman de Chrétien se rendent, à travers le continuateur, réciproquement raison" (p. 35).

Lorsque Ch. Méla attribue à Wauchier ce "mérite" :

> "Il est remarquable que l'aventure du Graal dévie, d'entrée, sur celle de la Fée Amante et surtout qu'il s'avère que cette dernière sait où trouver le Roi Pêcheur. Les êtres de l'Autre Monde entrent ainsi en connivence ..." (p. 31),

nous estimons, nous, que le souci dominant de Wauchier (comme des deux derniers continuateurs, sur l'oeuvre desquels Méla passe charitablement) est de retarder au maximum le retour de Perceval chez le Roi-Pêcheur, donc d'"économiser" sa (maigre) "réserve" d'aventures spécifiques du Graal, et, partant, de trouver autre chose à dire en reprenant les chemins battus du scénario de la Rencontre du mortel et de la Fée. Et surtout que le "pseudo-Wauchier", à savoir notre "premier auteur", avait déjà largement mis les êtres de l'Autre monde "en connivence", et que la Pucelle de Lis, déjà, savait fort bien où se trouvait, sinon le Château du Graal, du moins le Château des cent graaus ... puisque c'était le sien.

Et Méla fait encore plus de cas de l'interpolation des mss EU dans la rédaction longue (Br. I) de la Continuation-Gauvain, laquelle interpolation peut très bien être postérieure à toutes les Continuations en vers, et donc au Perlesvaus et au Lancelot-Graal en prose — comme le montre, entre autres, la recherche de la rime riche (cf. notre Chapitre VII), ou encore sa toponymie allégorisante (la Fonteine au Lorier, v. 4155 ; la clere Fontaine d'Amors, v. 3004-05, etc.), cousine de celle du Tristan en prose. Il écrit :

"Tout s'y trouve en effet : l'averse et la bourrasque nocturnes, avant de rencontrer la pucelle sur la mule ; le festin dans la riche lande et l'apparition d'un chevalier à l'écu vermeil, monté sur un cheval noir, qui se saisit du Cor de la Pucelle ; le combat mortel qui s'ensuit ; les imprécations d'un nain hideux ... le chevalier gisant dans la bière ... la salle déserte d'une maison forte où est mise la table et l'irruption furieuse de l'hôte ..." (p. 244).

Tout s'y re-trouve, en effet, et les sources ne sont pas bien loin — y compris pour le personnage de Greoreas, dont l'interprétation par Méla nous laisse dubitatif : Chrétien aurait "transféré" sur ce Greoreas, aussi innocent qu'un mouton, ou même peut-être "muance" du Roi mehaignié (à vrai dire, si celui-ci l'est, mehaignié, c'est qu'il n'est pas innocent), le viol dont le héros lui-même (Gauvain) s'était rendu coupable ... toujours sur la personne de la Pucelle de Lis. On peut reconnaître que l'interpolateur a re-combiné un ensemble d'une certaine cohérence, mais peut-on lui attribuer le mérite d'avoir inventé une conjointure significative, quant aux progrès du "comblement" de "la faille" ?

N'insistons pas plus longuement sur la recherche, capitale encore une fois, de Ch. Méla, dont nous ne reparlerons plus guère avant notre conclusion. Et ceci volontairement. Nous croyons que Méla aurait pu répondre totalement à notre question — pourquoi ces six Branches, ces six histoires-là, et non six autres ? —, nous pressentons même que nous pourrions trouver une réponse à partir de sa thèse, si nous arrivions à en saisir parfaitement et toujours le sens ; mais l'interposition entre nous et notre texte, difficile, d'un texte encore plus abscons nous compliquerait encore plus la tâche.

Dans un ordre analogue de pensée, Alexandre Leupin a récemment publié deux articles qui nous intéressent directement. Il y est également question de "hiatus" et de "faille", de "fissure" et de "lézarde", de "trou" et de "béance", etc. Malheureusement, dans le premier [68], où le percement de l'hymen de la Pucelle de Lis sert admirablement le dessein de l'auteur, celui-ci a eu le tort (ou la malchance) de s'appuyer exclusivement sur le ms. T, ici vraiment "mixte", puisque, dans la narration de la Br. II, T nous donne la "version flirt" des Amours de Gauvain, et que, dans le Récit de Gauvain, contenu dans la Br. IV, le même T a choisi de reproduire la "version viol". Construire un système sur une anomalie aussi flagrante - du moins pour une "critique ancrée dans l'illusion référentielle" (autrement dit "à la papa") - nous semble périlleux. Mais ce n'est pas le plus grave. Car la question est assez embrouillée sans qu'il soit besoin de prendre très sérieusement en considération les "bourdes", les erreurs ou les fantaisies de T, comme celle qui lui fait écrire "amie" à la place de "dame" aux vv. 2621 et 2625 (là où L écrit "pucele"), ou celle, inverse, qui lui fait écrire pucele au v. 12652, contre tous les autres mss, qui ont dame, ou encore celle qui lui fait reporter à dis ans en arrière la conception du jeune Lionel âgé de cinc anz (T, vv. 9803 et 10872), et encore celle qui lui fait donner le même nom, Guilorete, à l'ex-Pucelle de Lis (T 12678) et à l'envoyeuse de l'enseigne, dans la Br. I (T 811). Certes les lapsus des copistes sont significatifs : encore faudrait-il que c'en soient, et nous craignons fort qu'il ne s'agisse que de bêtises , ou, dans le dernier cas, d'une abusive et prétentieuse "rationalisation". En se fondant uniquement sur des erreurs manifestes, il nous semble quelque peu "outrecuidié" de conclure à la

> "... cohérence systématique avec laquelle le texte poursuit la mise en accusation de l'imitation [69] ."

Serait-il donc tellement démodé de chercher, par une critique attentive, voire besogneuse, des textes, par l'examen systématique de toutes les variantes, à savoir ce que l'auteur a écrit ? C'est absolument impossible, nous dit-on, et l'on disserte brillamment sur n'importe quel détail pris au hasard dans n'importe quel manuscrit, en dédaignant de jeter un coup d'oeil sur les autres. Sera-ce cela, la "philologie" du XXIe siècle ?

Dans son second article [70] , A. Leupin aborde trois autres Branches de notre Continuation : Caradoc (Br. III), Guerrehés (Br. VI) et le Graal (Br. V). Il prolonge d'ailleurs son examen jusqu'à la Continuation de Gerbert, feignant de prendre pour une oeuvre les quelque 70 000 vers du ms. T auquel il reste fidèle. Dans le Caradoc, la décapitation est à coup sûr une "faille", qui n'a d'autre destination que d'en produire une plus grave encore : le "récit" par lequel Eliavrés révèle au jeune prince qu'il n'est pas le fils du roi Caradoc. De faille en faille, le bras de Caradoc reste atrophié, le sein de Guinier, son amie, amputé, etc., jusqu'à ce que le bandage obligé du "pomelet" d'or vienne "re-voiler" la faille, c'est-à-dire le secret honteux de la naissance du héros. On aura compris que c'est la "faille" qui, à travers ses successifs avatars, engendre le récit, l'écriture. Ce que, constate A. Leupin, T ne manque pas de symboliser en décrivant le pavillon merveilleux du bon magicien Aalardin : cf. v. 4062-64 (les broderies représentent tous les plus célèbres contes) — notons qu'il s'agit d'additions de la seule famille T, au début de l'énorme interpolation-amplification de la rédaction longue. Qu'un "auteur", du milieu du XIIIe siècle sans doute, ne puisse faire autrement que de "broder" à son tour autour de la "faille", voilà qui est digne d'être noté, mais cela ne nous apprend que peu de chose sur la "raison" du Caradoc originel. En ce qui concerne le Guerrehés, on n'attendait pas moins que l'astuce lacanienne, ou dragonettienne, sur le cygne-signe, "signe" évidemment de la "béance" du récit, que ne comblent qu'en apparence l'union du tronçon meurtrier avec une nouvelle hampe et le récit de la damoisele qui ramène le héros enfin victorieux, car le tronçon est resté, plus dangereux que jamais, dans le corps du Grand Chevalier. Ainsi la narration est-elle "illimitée" :

> "Tout comme dans l'épisode de Caradoc, la continuation ne fait ici que feindre la totalisation : pour mieux reconduire, en la dissimulant, une béance narrative fondamentale, qui relance à l'infini une écriture toujours déjà faille [71]."

Dans l'épisode du Graal, c'est évidemment l'épée brisée qui est privilégiée. Telle est la "hantise" de l'école freudienne, de ne jamais chercher que ce qui manque (et qui est toujours la même chose !), de

L

ne jamais regarder vers l'autre bout. Toujours l'homme est "débité" d'une faute, d'une "faille", jamais il n'est crédité d'un projet, d'une visée. A la suite de son "péché" originel, l'homme est perpétuellement chassé à grands coups de pieds, et nous sommes tous les "Juifs errants". Au fond, les "freudiens" ne seraient-ils pas bien plus "idéalistes" que les "jungiens" qui, eux du moins, privilégient tout ce que l'homme a pu imaginer comme "projet" — à savoir les "symboles" ?

Plus anciennement Dell R. Skeels avait publié une étude sur Guerrehés (Br. VI) et son "psychological symbolism" [72] , étude qui nous laissait déjà sur notre faim. Nous y apprenions que le Petit Chevalier n'était que le pénis du Grand, pénis que notre héros devait restituer (sous la forme du tronçon vengeur) à cette intimidante figure paternelle, tout en la tuant. Après quoi Guerrehés pouvait revenir dans le ventre maternel, c'est-à-dire le château dans l'île de la reine des fées, Brangespart, la mère du mort de la nef. Celui-ci, le prince faé Brangemuer, avait donc été tué par le pénis paternel : lorsque le héros le remet en place, Brangemuer peut revivre. La descente de Guerrehés dans le verger, par la fenêtre de la "troisième chambre", équivaut au viol de la mère, alors "symbolisée" par la damoisele qui paît le Grand Chevalier blessé — castré, donc. L'histoire de Guerrehés est une représentation du "stade phallique", et nous sommes bien en plein OEdipe, contrairement, dit l'auteur, à l'opinion commune (à savoir que la littérature médiévale serait "pré-oedipienne"). Cela se tient, sans doute, mais ne nous aide guère à résoudre notre problème : quelle est la raison de l'inclusion du Guerrehés dans la Continuation-Gauvain — et, précisément, à sa fin ? Quels sont les rapports profonds, nécessaires, entre la Br. VI et toutes celles qui la précèdent ? Que Guerrehés ait couché avec sa mère et occis son père, nous voulons bien, mais l'important, à nos yeux, est qu'il revienne définitivement, non pas à l'Ile-ventre, mais à la Cour, qui le "ré-intègre" triomphalement. Et que le "mot de la fin" soit la gloire d'Arthur et la célébration par lui de la fête de la Toussaint. La Toussaint qui est, par excellence, la fête "anti-faille" : celle qui, pour un moment, reconstitue l'unité. On nous dira que ceci n'est pas en contradiction avec cela, et que Guerrehés, ayant dépassé le stade de la fixation "phallique", a accédé à la maturité, ce que manifeste son intronisation à la Cour. Bien, mais c'est pour y retrouver le Père, une "imago paternelle" plus rayonnante que jamais : le roi Arthur au summum de sa force, et que Guerrehés, pas plus que Gauvain ou Caradoc, n'a nulle envie de tuer.

Avec cette constante exaltation d'Arthur, nous avons dans la Continuation-Gauvain un tout autre sens que celui qui peut se dégager des romans de Chrétien, lesquels nous présentent un roi vieillissant, affaibli, à la limite de l'inertie et de l'impuissance, et assez perdu dès qu'il est séparé de sa "Sophia" – nous voulons dire la reine Guenièvre. Si l'OEdipe – inversé ou non – peut apparaître sous-jacent aux romans de Chrétien, il ne semble guère jouer dans le texte de son premier continuateur, et les "problèmes" d'inceste ou d'endogamie sont évacués de ce monde-ci. Et sans doute projetés dans l'Autre monde : c'est la famille Caradoc qui "a des problèmes", ou celle de Lis, ou celle de Brangemuer. Si "faille" il y a, elle est de l'autre côté, et l'Autre monde demande au nôtre de l'aider à la combler. Cette vision résolument optimiste est peut-être mystificatrice – ou "mystifiée" – mais il faut en tenir compte, et ne pas appliquer à notre texte une "grille" qui s'avère valable pour d'autres [73].

Et avant tout, il faut lire notre texte, le vrai texte de la Continuation, et à fond, sans rien négliger, de façon à ne pas prendre des vessies pour des lanternes.

*

*   *

Notre méthode consistera donc à partir, non de certains mots du texte, entre lesquels nous jetterions de hardies passerelles et procéderions à de fulgurantes assimilations, mais de **tous les mots** du texte, sans "faire l'impasse" sur aucun, pas même sur ceux dont l'emploi par notre auteur est anormalement rare et qui sont, eux, significatifs a contrario. Notre souci est celui, cartésien, des "dénombrements complets". Sans être spécialement "philologue", ni grammairien, ni sémanticien, et en nous abstenant de tendre entre nous et notre lecteur le voile impénétrable d'un "méta-langage", mais avec les mots de tous les jours, nous resterons les yeux rivés sur le texte. Comme un laboureur, qui n'a pas besoin de fouir à des profondeurs excessives pour retourner la terre arable (le résultat serait le contraire de celui attendu) ni de monter en aéroplane pour y mettre ses plants de betteraves ou en surveiller la pousse, nous demeurerons à la surface, tantôt grattant ou bêchant modérément sa croûte, tantôt contemplant les "bones erbes" qui y viennent (et notant la présence des mauvaises, révélatrices de la nature du terrain). C'est des mots , d'abord, que nous tenterons d'apprécier la justesse et la nécessité, en tâchant de leur restituer leur "poids d'images". Des mots qu'a dû écrire notre "premier auteur" : d'où la longue démonstration, dans les Chapitres II à VI, des mots qu'il a réellement écrits et de ceux que, manifestement, de généreux copistes (autres que celui de L) lui ont prêtés. Des mots avec leur matérialité, leur sonorité, leurs caractéristiques qui font que les auteurs de romans en vers préfèrent employer tel mot plutôt que tel autre, et mettre tel mot à telle place et non à telle autre : d'où nos deux longs Chapitres sur la versification, tant au point de vue de la rime (VII) qu'à celui du rythme (VIII). Des mots que l'auteur utilise pour construire son récit, mais d'abord de ceux qu'il emploie, si l'on peut dire, pour son propre compte, lorsqu'il prend la parole (en interrompant son récit ou sans l'interrompre), pour marquer une pause ou une transition, pour commenter l'action ou le discours, pour protester de sa véracité, pour attirer l'attention de son auditoire, lui faire partager son sentiment, son enthousiasme, les espoirs ou les craintes qu'il éprouve pour ses personnages : d'où les six Chapitres (IX à XIV) de notre Livre IV (Ce que nous dit l'auteur : les "interventions du conteur") [74]. Des mots, enfin, que l'auteur charge de présenter sur le parchemin ces six histoires qui lui plaisent, puisqu'il les a choisies, qu'il a "traites" de "contes d'aventure" et qu'il "re-traite", pour leur assurer peut-être, malgré tout, une conjoin-ture qu'elles n'avaient pas nécessairement dans sa "matire", pour leur donner un certain ton qui convienne à l'auditoire qu'il vise, et aussi (et surtout) pour leur conférer cette forme versifiée dont on oublie souvent l'effort qu'elle représente, dont on néglige sans doute la réper-cussion qu'elle a sur le traitement même de l'histoire racontée.

Ces mots du récit, nous les étudierons non d'après leur sens, mais d'après leur fonction — la plus élémentaire : grammaticale. Car, si nous les prenions d'abord en fonction de leur sens, nous risquerions de négliger leur fonction. Or c'est dans la fonction que réside, au niveau le plus humble et le plus nécessaire, la conjointure. Et c'est pourquoi nous commencerons par les mots qui joignent plutôt que par ceux qui sont joints, car le mortier est aussi nécessaire au mur que les pierres — aussi bien est-ce le mur que nous étudions, et non les pierres seules, qui le seraient aussi facilement avant leur mise en place ou après l'éboulis du mur. Mais nous ne pouvions songer à passer en revue toutes les conjonctions et toutes les prépositions ; aussi nous sommes-nous limité aux "adverbes", qui tendent d'ailleurs souvent à jouer le rôle des unes et des autres ; passant assez rapi-dement sur les adverbes de manière (Chapitre XV) qui, modifiant les verbes (et les complétant même souvent de façon nécessaire), donnent une première impression d'ensemble, nous nous attacherons longuement aux adverbes de lieu et de temps (Chapitres XVI et XVII). Dans notre langue du XIIe siècle, leur statut vague et mouvant les conduit à remplir très souvent une fonction de liaison ; ils sont vérita-blement le mortier du mur — un mortier qui donnerait le sens du mur, lequel, sans lui, commencerait n'importe où et irait dans n'importe quelle direction. Puis les verbes (Chapitre XVIII), qui sont comme le "mouvement" du mur — mais un mouvement qui doit sans cesse être précisé par les adverbes — , qui sont les éléments "dynamiques" de la conjointure. Et ensuite les adjectifs qualificatifs (Chapitre XIX), qui à la fois spécifient la qualité du mur et en constituent le décor

– un décor obligé, il faut le dire, et souvent bien traditionnel ; inégal cependant selon les auteurs, les uns le surchargeant, les autres l'économisant : aussi bien ne contribue-t-il guère à la solidité de l'édifice. Lequel a, chez notre auteur, pour premières qualités d'être "grand" et "beau" : l'étude de ces adjectifs nécessitera un Chapitre entier (XX). Et il nous faudra aussi parler des nombres (Chapitre XXI), qui sont comme les proportions du mur et qui contribuent à l'équilibre de l'ensemble.

*
*   *

Nous en arriverons enfin à l'essentiel : aux pierres. A la substance du mur, à ces éléments durs et volumineux qui sont la matérialité et la réalité de l'édifice, c'est-à-dire aux substantifs (Chapitres XXII à XXIV), chargés de représenter la réalité, matérielle d'abord, dans laquelle se meuvent les personnages, non moins que celle, tout aussi matérielle, qui les constitue. Nous saurons alors déjà beaucoup de choses sur elles, sur ces "substances" – qu'elles soient d'air ou de feu, de terre ou d'eau, de pierre, ou de métal, de chair, d'os et de sang –, nous connaîtrons déjà en partie leurs formes, et comment elles se lient, et comment elles se distinguent, mais nous n'aurons pas encore éprouvé leur poids ni leur capacité de **"résonance"**. Car tout substantif, surtout s'il nomme une réalité matérielle, est en lui-même un "complexe", et chacun mériterait qu'on en dessinât le "bassin sémantique" et surtout le "bassin symbolique". Toute la réalité fait image, puisque toute la réalité est prise dans d'immenses réseaux d'**analogies** : quels qu'aient pu être, entre le XIIe siècle et le XVIe, les ajustements de la perception à la réalité, et du langage à la perception, il n'est que de relire le deuxième chapitre de Michel Foucault, Les mots et les choses [75] , pour comprendre que ce qui est vrai du XVIe siècle l'est encore bien davantage du XIIe, à savoir que tout dans la réalité, n'est que "similitudes", "sympathies", mystérieuses "signatures" déposées dans les choses et les êtres, et que le langage ne simplifie rien, puisque les langues, elles-mêmes, "sont avec le monde dans un rapport d'analogie plus que de signification " (p. 52), ce qui fait que

> "... la nature, en elle-même, est un tissu ininterrompu de mots et de marques, de récits et de caractères, de discours et de formes" (p. 55).

Etienne Gilson ne dit pas autre chose dans La philosophie au moyen âge [76] :

> "Pour un penseur de ce temps [il s'agit du XIIe siècle], connaître et expliquer une chose consiste toujours à montrer qu'elle n'est pas ce qu'elle paraît être, qu'elle est le symbole et le signe d'une réalité plus profonde, qu'elle annonce ou qu'elle signifie autre chose" (p. 343);

et si même l'on s'adresse aux ouvrages "scientifiques", comme les Bestiaires ou les Lapidaires, on constate que

> "... la substance même des êtres et des choses s'y réduit à leur signification symbolique, et il n'y a rien à comprendre dans la matière même dont ces êtres sont composés" (ibid.).

Tout, donc, est **symbole** dans la pensée "romane" du XIIe siècle, pour laquelle "un chat n'est pas un chat", mais tout ce que l'on peut, tout ce que l'on a pu dire sur le chat (imaginer et rêver sur le chat, associer au chat, et "moraliser" sur le chat, etc.). Citons aussi bien Gabriel Bianciotto, introduisant sa traduction des Bestiaires [77] :

> "On a souvent le sentiment que le symbole attaché à la nature lui est antérieur, que celle-ci a été inventée pour servir de support à une signification ..." (p. 8).

On peut, si l'on veut, déplorer avec Erich Auerbach "que la culture courtoise fut radicalement défavorable au développement d'un art littéraire capable d'appréhender le réel dans toute son ampleur et sa profondeur" [78] , ce serait une grave erreur de croire que tel fût le souci de l'"homme roman". L'on ne peut à la fois prétendre connaître avec exactitude la réalité et "querre la Joie". Car la réalité est de l'ordre du particulier, et la Joie, de celui de l'universel.

La Joie — le "premier auteur" de la Continuation-Gauvain ne la nomme pas moins souvent que Chrétien dans son dernier roman (73 occurrences, contre 67), l'un comme l'autre le faisant donc au moins cinq fois plus souvent que les auteurs du XIXe et du XXe siècles (à en juger par les chiffres du Trésor de la Langue Française) —, l'universel, l'analogie généralisée, le symbole omniprésent : nous sommes en présence d'une mentalité "religieuse", au sens essentiel du mot "religion", à savoir ce qui rassemble les hommes dans la croyance en une transcendance. Tout symbole est de nature transcendante (sa fonction obligée étant de relier le plan réel et concret de la chose ou de l'être signifiant et le plan abstrait, "spirituel" et virtuel, de la réunion signifiée) ; tout symbole a partie liée avec le sacré, lequel ne s'appréhende qu'à travers lui [79] . Pour la "pensée symbolique" de l'homme "roman", toute réalité concrète peut toujours référer au sacré, impliquer (contenir dans ses "plis", "enlacer") quelque chose de sacré [80] . Du soleil à l'épée, de la lune au vêtement, de l'arbre à la pierre ou au serpent, toute "créature" qui existe matériellement et tombe, d'une façon ou d'une autre, sous les sens, et tout mot chargé de la représenter peuvent toujours supporter une "interprétation". Nos clercs sont rompus à l'exégèse et portés à voir dans tout phénomène réel un sensus moralis, un sensus analogicus ou allegoricus et un sensus eschatologicus ; même dans le cas des plus "profanes", même dans celui des écrivains qui, comme sans doute notre auteur, ne sont point passés par les écoles, il est impossible d'y échapper complètement. C'est un adunaton : dans ce climat totalement religieux (et moins superficiellement qu'on a pu le dire), en se servant de ces mots que, pour les litterati, huit siècles de christianisme ont imprégnés d'une "valence" sacrée, il est aussi difficile à un "romancier" d'écrire un texte qui n'implique rien, qui ne "signifie" rien d'autre que l'histoire des événements fictifs qu'il raconte, qu'à un fleuve de remonter à sa source. Et pour ne prendre qu'un exemple — mal choisi, nous en convenons, puisqu'il s'agit d'un terme abstrait —, il n'est pas pensable qu'un romancier comme le nôtre écrive seize fois le mot aventure sans que, au moins une fois, ce mot n'ait une quelconque "visée eschatologique". Laquelle "eschatologie" peut d'ailleurs ne pas être absolument conforme à ce qu'enseigne l'Eglise officielle. Et, d'autre part, comme le symbole "résonne" aussi bien en dessous qu'au-dessus, toute réalité nommée (par un substantif) pourra toujours signifier bien plus que ce que l'auteur avait, dans sa "conscience claire", en écrivant ce nom. Charles Méla cherche plutôt à "faire remonter" ce qu'il y a en dessous, et notre ami Jacques Ribard [81], à "faire redescendre" ce qu'il y a au-dessus : nous tâcherons, quant à nous, de ne pas avoir d'a priori. Les noms nous guideront.

*

* *

Le cadre de l'aventure est, croyons-nous, tout aussi important que l'aventure elle-même. Le "décor mythique" — pour reprendre l'expression de Gilbert Durand [82] — est aussi important que l'action qui s'y déroule. Le cadre, le "décor" font la situation, et la situation est aussi importante que l'action. La fontaine trouvée avant d'entrer au Château de Lis, les cent graaus disposés dans la grande salle, la fresque troyenne qui orne la chambre sont aussi importants que le duel même de Gauvain et de Bran de Lis. L'action est commandée par la situation, laquelle est "signifiée" par le "décor". Et les personnages, loin de mener l'action, sont au contraire conduits par elle. Ils sont d'ailleurs bien moins — on le sait depuis longtemps — des "caractères" (hormis peut-être, en partie, le sénéchal Keu) que des "types". Leur individualité existe à peine : comment, en ce cas, parler de leur "psychologie" ?

"Cadre", "décor" : au fond ces mots sont faibles. Il s'agit bien davantage d'un mélange complet ou, moins péjorativement, d'une volonté d'associations généralisées, et d'une interpénétration constante de ce qui est humain et de ce qui ne l'est pas. Il s'agit d'un "tissage" — que peut aussi traduire le fameux concept de conjointure, qui implique nécessairement la différence des éléments associés ; ou que recoupe le concept de "réseau", qu'implique l'universelle analogie. Redisons-le avec Daniel Poirion : pour "entrer dans" (ou "avoir l'intuition de") cette littérature où les choses ne sont pas ce qu'elles sont — ou ne sont pas que ce qu'elles sont —,

> "... il nous faut raisonner à partir de la pensée analo-
> gique, susceptible de faire communiquer les différents ré-
> seaux de signification [83]."

Redisons-le avec Mircea Eliade, parlant de la cathédrale, imago mundi, où l'on retrouve

> "... tous les modes d'exister dans le Cosmos ... Le génie
> de l'art roman consiste justement dans son imagination
> brûlante et dans la volonté de réunir dans le même ensemble
> toutes les modalités d'exister dans les mondes sacré, profane
> et imaginaire [84]."

L'homme est au centre, certes — et Dieu sait si cette pensée est "anthropocentriste" — mais l'homme n'est rien sans la nature, sans les éléments, les végétaux, les animaux (imagine-t-on un chevalier sans son cheval ?), les objets.

Notre littérature médiévale — "romane" surtout — abonde en ces objets, en ces êtres non humains qui représentent la substance même du monde imaginé, l'ultima ratio du récit. Que serait le Lai de Fresne sans l'arbre frêne ? Le Lai du Chievrefoil sans le chèvrefeuille ? Le Roman de la Rose, sans la rose, seul véritable symbole dans ce bosquet d'allégories ? Que serait le Lai de l'Ombre sans le puits (dans lequel se projette l'ombre, c'est-à-dire le reflet de la dame aimée) ? Ou le Chevalier au Lion sans le lion ? A ce propos, a-t-on remarqué comment Chrétien "dépersonnalise" progressivement les titres de ses romans, d'Erec et Enide (le couple humain, nommé) et de Cligés (l'hom-

me seul, mais encore nommé) au Chevalier au Lion (l'homme, maintenant anonyme, et l'animal qui le "double"), au Chevalier de la Charrette
(l'homme anonyme, désigné seulement par son "état" que nie l'objet),
et au Conte du Graal ("le récit du contenant") ?

Plus tard, on verra des romans intitulés Laurin, Guiron, Perce-
forest, Amadis, etc. Les créatures non humaines n'y joueront plus
ce rôle substantiel ; ils deviendront des instruments, des éléments
de décor, des "indices" aurait dit R. Barthes, alors que le rossignol
du Laüstic ou le cygne de Milun, ou l'aigle de Guillaume d'Angleterre,
ou l'écoufle du roman de Jean Renart, ou encore que la nef magique
de Guigemar, de Partonopeus, de la Br. VI de notre Continuation (Guerrehés) non seulement remplissent des "fonctions", mais sont de véritables "actants". Pour notre auteur, ce n'est pas Gauvain qui se rend,
ou même seulement arrive, à la salle du Graal : c'est le destrier
du chevalier inconnu qui l'y emporte — on dirait familièrement : qui
l'y "débarque". Ce n'est pas Gauvain qui échoue à ressouder l'épée
brisée : c'est elle qui ne veut pas se laisser ressouder par lui ; à
plus forte raison, c'est le tronçon de lance qui, du corps de Brangemuer,
jaillit dans la main de Guerrehés. C'est l'être ou l'objet "merveilleux"
qui désignent l'humain, l'appellent, l'invitent, le provoquent. Comment
imaginer un moment que Gauvain ait "forcé" la Pucelle de Lis ? C'est
elle qui a, qui est la force.

Ces "images matérielles" que nous recensons sont, en réalité,
des "forces". Nous disons : "ce chemin mène à Rome", mais lorsque
Marie écrit que Guigemar

> ... le travers del bois est alé   Guig., 145-47
> un vert chemin ki l'ad mené
> fors a la launde ...

ce n'est pas une simple façon de parler : ce vert chemin est un Adju-
vant, un émissaire du Destin, au même titre que la nef magique ou
que la biche "androgyne".

Parlerons-nous de "merveilleux" ? Le concept est bien vague, et n'a que le mérite de s'opposer à celui de "fantastique", ce que n'est absolument pas notre littérature du XIIe siècle [85] . De "mythique" ? En un sens, oui — bien que le concept de "mythe" ne puisse, à notre avis, avoir cours en chrétienté. Nous avons parfois l'impression d'être à la limite de l'animisme, de la "pensée magique", mais nous en sommes pourtant fort éloignés. Non : le meilleur concept est encore celui de "symbolisme". L'homme est fort bien défini et délimité : il ne se confond pas, mais il n'est pas coupé du reste de la réalité ; il ne le veut pas, il n'y songe pas encore, et cette union avec le tout est le meilleur gage (et le "symbole" même) de sa propre union intérieure (l'homme "courtois" est peut-être "névrosé", comme le veut H. Rey-Flaud, en tout cas il est rarement "schizophrène") et, ce qui est plus important encore, de l'union de la société humaine (E. Köhler aurait parlé de "ré-unification" de la "classe" chevaleresque [86] — mais c'est tout un).

Dans ce sens, notre auteur va plus loin, et plus "naïvement" que d'autres. Que serait Gauvain sans le soleil ? Celui-ci fait redoubler la force du héros, a ore de midi (Continuation-Gauvain, ms. L, v. 903) — évidemment au cours d'un duel. Ce qui est et "merveilleux", et "magique", et "mythique" — et surtout "symbolique" car, chaque fois, le prince vaincu fait homage, lui et sa gent, au roi Arthur, augmentant ainsi la puissance et la gloire royales, "symboles" elles-mêmes du bien de tous. Notre auteur a "lancé" ce thème que, selon toute vraisemblance, Chrétien n'ignorait pas mais qu'il s'est refusé à employer. Ce n'est pas un hasard si les notations "diurnes" (les mentions du ciel, du soleil, du jor cler, du matin et du midi, etc.) sont plus nombreuses chez le premier continuateur que chez n'importe quel autre romancier du XIIe siècle et du début du XIIIe siècle — seul le poète épique du Roland le dépasse, et aussi Jean Renart dans Guillaume de Dole, mais du fait des nombreuses pièces lyriques qu'il y a insérées. Nous verrons cependant qu'il ne faut pas se hâter de "classer" sommairement l'imaginaire de notre auteur dans le "Ier Régime" durandien, car l'évidente "dominante héroïque" de son oeuvre relève bien moins d'une insistance sur l'antithèse qu'elle ne souligne l'aspiration à la synthèse. C'est d'ailleurs un aspect assez déroutant de cette littérature (notamment du XIIe siècle) que la coexistence de nombreuses images "héroïques" et de non moins nombreuses images "mystiques" (du "IIe Régime", donc, nocturne) — déroutant aussi longtemps que l'on n'a pas compris, justement, que le symbole, c'est-à-dire la "réunion", est son essence.

Ce qui ne simplifie pas les choses — car les choses ne sont pas simples, elles sont au contraire fort "pliées" : analogie oblige. Or ce "pliage", ou cette "pliure" — qui est, notons-le, la condition matérielle première du livre (et qui dira l'effet sur l'imagination écrivante du remplacement du volumen enroulé par le codex plié ?) —, s'ils ont pu induire à la "redondance" et à l'"isotopie" (récurrence des "débuts printaniers" dans Troie, épisodes initiaux identiques des Branches III et IV dans notre Continuation, récit de Gauvain, dans la Br. IV, redoublant la narration de la Br. II, parallélisme du mort de la bière et du mort de la nef, etc.), imposent l'alternance des "rectos" et des "versos", des "avers" et des "revers", et comme un rythme de "diastoles" et de "systoles" qui se traduit dans nos récits par une succession non seulement de "temps forts" et de "temps faibles", mais de guerres et de paix, de brouilles et de réconciliations, de pertes et de récupérations, de séparations et de réunions (de Disjonctions et de Conjonctions), d'angoisses et de soulagements, de chevauchées harassantes et de sejors confortables, de disette et d'abondance, etc. (Et, si l'on descend à l'infime, du premier et du second vers du couplet d'octosyllabes — pourquoi cette "formule" alternée a-t-elle été caractéristique, et même constitutive du roman pendant trois siècles ?). Un incessant renversement dans le contraire, et ceci à tous les niveaux et selon toutes les amplitudes (depuis celle du couplet jusqu'à celle du récit entier, en passant par celle des "Branches", celle des épisodes, celle des dialogues, celle des coups d'épées alternés, etc.). Le XIIIe siècle, boulimique, trouvera cela insuffisant et il inventera l'entrelacement, dont la facticité, parfois, nous hérisse. Un véritable "roman" n'a pas besoin de cette complexité artificielle . Le roman mérite bien d'être devenu le genre universel, car il épouse la pulsation même de la vie.

Autrement dit, le genre romanesque est le "IIIe Régime" même, celui de la synthèse, qui implique donc nécessairement la présence et l'illustration des deux premiers : de celui de l'antithèse héroïque et de celui de l'antiphrase euphémisante. Lesquels ne se contredisent pas, car la contradiction relève de la pensée dite "claire", tandis que l'imagination procède par juxtaposition, conciliation et harmonisation. Il est impensable qu'une image en contredise une autre : elle peut être son contraire, son opposé, "autre" – jamais elle ne la niera. A la grande différence de l'épopée stricto sensu - type Iliade ou Beowulf ou Roland, mais non Odyssée ni Enéide ni Jérusalem délivrée – le roman ne vise jamais à l'annulation, à l'éradication de l'autre (à la "solution finale", à la liquidation de l'"Empire du mal"), mais toujours au dépassement de l'opposition. L'épopée étroite et haineuse – d'ailleurs existe-t-elle vraiment ? – n'est en rien "dialectique", alors que le roman l'est nécessairement et comme par essence.

*

* *

Il n'est sans doute pas superflu de présenter très sommairement le "système" durandien. Ce faisant et ce disant nous encourons les reproches les plus mérités, car il ne s'agit nullement d'un "système", mais d'une analyse de la faculté imaginante, analyse d'une telle envergure et d'une telle complexité que toute "réduction" ne peut que la fausser et caricaturer [87]. Il s'agit d'une "typologie" de l'imagination qui, loin d'être la "folle du logis" de nos cartésiens, est au contraire la faculté centrale du vivant pensant : sans imagination point de raison (et toute folie vient d'un dérèglement non pas de la "pensée", mais de l'imagination). La pensée n'est qu'une faculté de combiner ce qu'on lui fournit — nos ordinateurs ne désespèrent point de l'égaler et la surclassent déjà pour de nombreuses opérations — "on", c'est-à-dire les sens qui lui présentent leurs objets, et l'imagination, qui, elle, lui "re-présente" ce qui ne tombe pas sous les sens. Mais si la pensée doit, par définition, être aussi peu subjective que possible, l'imagination, du fait de notre condition d'organismes matériels et vivants, est totalement subjective et absolument ancrée dans notre "soma". Elle participe de la vie, et c'est elle qui la communique à la pensée. L'imagination, écrit Gilbert Durand résumant Bachelard, "est dynamisme organisateur" ; sans elle, la pensée reste inerte et, qui plus est, inorganisée — un peu (que l'on nous pardonne la trivialité de la comparaison) comme une machine à laquelle on aurait "coupé le courant". L'imagination, c'est le courant, c'est le flux même de la vie psychique (dont bien malin dira là où elle se coupe nettement de la vie physique).

L'apport essentiel de Gilbert Durand est d'organiser sa présentation de l'imagination, ou plutôt de son "domaine", l'imaginaire, selon trois grands axes du fonctionnement bio-psychologique, trois aspects principaux de la sensori-motricité, trois "gestes dominants", ou "dominantes réflexes ", qui sont : 1) la posture verticale, 2) la digestion, 3) la sexualité. A ces trois "dominantes" s'attachent, outre évidemment des types spécifiques de sensations et d'émotions, des "constellations d'images" que G. Durand groupe en trois **Régimes**. Ces "images" n'ont pas toutes la même force, la même stabilité ni le même statut, et G. Durand distingue : 1) les "schèmes", qui sont les plus vastes et les plus ancrées dans le biologique, et qui font "la jonction ... entre les dominantes réflexes et les représentations", qui sont "des trajets incarnés dans des représentations concrètes précises" ; ainsi,

> "... au geste postural correspondent deux schèmes : celui de la verticalisation ascendante et celui de la division, tant visuelle que manuelle ; au geste de l'avalage correspond le schème de la descente et celui du blottissement dans l'intimité" (Structures anthropologiques, p. 61) ;

2) les archétypes, par lesquels se "substantifient" les schèmes "au contact de l'environnement naturel et social", qui sont des "images primor-

diales", universelles et indiscutables ("monovalentes") ; ainsi,

> "aux schèmes de l'ascension correspondent immuablement les archétypes du sommet, du chef, du luminaire, tandis que les schèmes diaïrétiques se substantifient en constantes archétypales telles que le glaive, le rituel baptismal, etc. ; le schème de la descente donnera l'archétype du creux, de la nuit, du 'Gulliver', etc., et le schème du blottissement provoquera tous les archétypes du giron et de l'intimité ... la roue, par exemple, est le grand archétype du schème cyclique ..." (ibid., p. 63) ;

3) les symboles, "images" plus élaborées, plus restreintes et singulières, et qui sont généralement des objets concrets, et différents selon les cultures, voire les groupes sociaux :

> "Tandis que le schème ascensionnel et l'archétype du ciel restent immuables, le symbole qui les démarque se transforme d'échelle en flèche volante, en avion supersonique ou en champion de saut" (ibid., p. 64).

Il n'est pas assuré que nous ayons toujours la rigueur d'employer ces termes à bon escient, et le lecteur nous pardonnera si nous appelons parfois "archétype" ce qui n'est pour Gilbert Durand, à strictement parler, qu'un "symbole".

Ces "images" s'organisent donc en "constellations", et l'imagination active peut dramatiser ces "constellations" en "mythes" :

> "Nous entendons par mythe un système dynamique de symboles, d'archétypes et de schèmes, système dynamique qui, sous l'impulsion d'un schème, tend à se composer en récit. Le mythe est déjà une esquisse de rationalisation puisqu'il utilise le fil du discours, dans lequel les symboles se résolvent en mots et les archétypes en idées. Le mythe explicite un schème ou un groupe de schèmes" (ibid.).

Le "Ier Régime de l'imaginaire", le "régime diurne", correspond à la "dominante posturale". C'est le "régime de l'antithèse", dont G. Durand aborde successivement les deux aspects. D'abord l'aspect effrayant, monstrueux ("thériomorphique") de l'adversaire issu de la ténèbre et du gouffre, ce gouffre au fond duquel grouille tout un monde animal indifférencié ("schèmes de l'animé") et où l'homme a la terreur d'être précipité (images de la chute, "schèmes catamorphes"). Le monstre "chthonien" (souterrain) et dévorant est la figure de la Mort, et donc le "visage du Temps" qui, inexorablement, y conduit. Mais, plus positivement — et c'est le second aspect du "Régime diurne", que G. Durand illustre par les images du sceptre et du glaive — , l'imaginaire insiste sur le combat, sur la victoire humaine, sur le succès des efforts de l'homme qui se redresse, qui voit et qui manie, en un mot : qui maîtrise, ou du moins qui domine. A l'abîme obscur, à la nuit totale, l'eau noire et la femme fatale (symboles "nyctomorphes"), s'opposent l'ange, le héros "prométhéen". Nous aurons donc les images de la coupure ("diaïrétiques") et de l'exclusion ("schizomorphes"), de la verticalité évidemment et de l'ascension, de la distinction ("spectaculaires"), du grandissement ("gigantisme"), de l'idéalisation (de la purification, de l'abstraction, de la simplification : "symétrisme", "géométrisme", etc.). Et les figures idéales de Dieu, de l'Ange, du Chef, du Père, du Roi, du Voyant . Mais, dans ce **"Régime héroïque"**, la Mort et le Temps sont-ils définitivement vaincus ? Ne ressurgissent-ils pas, périodiquement, ou même immédiatement comme les têtes de l'hydre ? N'y a-t-il pas une autre façon d'exorciser l'angoisse d'être un vivant pensant et donc se sachant mortel ?

Si : par l'adhésion. Par un renversement absolu des images, l'euphémisation est substituée à la radicalisation. Le "IIe Régime de l'imaginaire" ne contredit pas le Ier, puisque la contradiction est le fait de celui-ci. Il montre tout autre chose. L'homme accepte la Nuit : c'est le "Régime nocturne" ; il s'y blottit, comme il le faisait dans le ventre maternel. Il "colle" à l'adversaire : images de l'adhésivité, de la viscosité. Au lieu de nier, en vain, le Temps, il l'"épouse" : persévération, redoublement. C'est le "régime" des images sensorielles les plus matérielles, élémentaires et inconscientes, à commencer par les digestives. Le mouvement est descendant — non par la brutale chute (qui relève du "Ier régime"), mais par la lente glissade. C'est le règne de l'eau et des liquides nourriciers. Ce n'est plus la figure du Père, c'est celle de la Mère, dont on est toujours le "petit". La tendance est à la "miniaturisation" (Poucet), et autour du ventre maternel s'organisent toutes les images de "contenants" : du berceau à la tombe en passant par la maison, la caverne, la barque et l'île, le chaudron et la coupe, le vêtement aussi et même, paradoxalement, la couleur. Le germe, l'oeuf, la pierre précieuse et même la fleur, l'or "alchimique" et tout ce qui naît, éclôt et croît lentement dans le "centre" obscur et protégé. Si le "Ier Régime" est celui de l'antithèse, le IIe est celui de l'antiphrase – le "contraire" au lieu du "contradictoire" – et le **Régime mystique** est vraiment le contraire du "Régime héroïque".

Alors, la démission ? Le regressus ? Faute de pouvoir "faire l'ange", on "fait le mort" ? Mais la vie continue, et sans cesse se renouvelle. La vie est un cycle. Le "IIIe Régime de l'imaginaire" dépasse l'opposition des deux premiers. Il est "nocturne", lui aussi, mais éclairé : la Lune, image essentiellement "cyclique", est son archétype. A la fois céleste et mystérieusement liée à la germination souterraine, elle rythme le Temps et permet de commencer à le maîtriser. L'ascension fulgurante ou son contraire, la lente glissade, font place au mouvement rythmé, alternatif, progressif. Et le premier mouvement, celui qui permet le renouvellement de la vie, est "rythmique" : c'est la "dominante copulative" qui organise le **Régime synthétique**. (Nous nous permettrons parfois d'employer l'expression "Régime dialectique" – que Gilbert Durand repousse, comme sentant trop son "idéalisme" hégélien. Mais nous croyons qu'il est possible, et bon, de "remettre Hegel sur ses pieds"). Mais l'enfant ainsi obtenu ne reste pas blotti, éternel homunculus (puer aeternus des alchimistes – "mystiques") : ce n'est plus le Poucet, c'est le Fils. Il grandit, progressivement, et l'autre archétype de ce Régime est l'Arbre, dont la croissance, en regard de la vie humaine, semble infinie – l'Arbre qui, de surcroît, met en communication le monde souterrain obscur et le monde céleste lumineux, l'Arbre que fréquentent aussi bien le serpent ("IIe Régime") que l'oiseau ("Ier Régime"). A côté du mouvement alternatif, du va-et-vient de la navette (toutes les images du tissage), il y a le mouvement circulaire : la Roue est le troisième archétype, avec toutes ses applications "industrielles", depuis le rouet et le briquet, sans oublier la baratte (il y en a des "rythmiques", mais aussi des "rotatives"). Et qu'est-ce qu'un cercle qui grandit, sinon une spirale, forme fondamentale de la croissance ? La spirale que nous retrouvons dans la "machine" sous la forme du ressort (dont le va-et-vient du balancier régularise la force), de la vis sans fin , etc. Et l'homo sapiens apprend à maîtriser le Temps ; il y a un calendrier (grâce à la Lune et à son cycle) ; il y a un avant et un après ; il y a l'Histoire, et son sens (et ses fins projetées : l'eschatologie, le Messie). Et toute espèce de "discours", de "composition" : musicale, littéraire — le mythe, le drame, et le roman.

*

Le "IIIe Régime de l'imaginaire" — celui du roman — assumant les deux premiers (niant dialectiquement leur négation), les contient donc, virtualisés ou actualisés, et seul permet leur conciliation, leur juxtaposition, et autorise le passage par l'un et/ou par l'autre. Sans les images "synthétiques", la Continuation-Gauvain n'a aucun sens ; sans une "visée" synthétique, que seules les images nous permettent d'appréhender, elle n'eût même jamais existé. On n'écrit pas sans "projet", surtout au XIIe siècle. Les images "héroïques" semblent souvent l'emporter, mais, chose étrange, il est fort souvent question de nuit illuminée et, au Château de Lis, celle-ci sert même de cadre au combat le plus furieux qu'ait imaginé l'auteur.

Il est évident qu'aucun récit d'imagination ne peut relever exclusivement d'un seul "Régime" : tout au plus tel ou tel épisode peut-il le faire — à la condition que l'épisode suivant en renverse le sens, car, isolé et non corrigé dialectiquement par son contraire, il ne pourrait que s'évanouir dans l'éther (Ier Régime) ou se dissoudre dans le Styx (IIe Régime). Et il serait vain d'y chercher le moindre symbole. D'ailleurs aucun symbole véritable ne peut être exclusivement "héroïque" ou exclusivement "mystique" — ce serait une contradiction dans les termes, or le symbole est, génétiquement, anti-contradictoire.

Ce "renversement en son contraire" — renversement qui est le fait de l'auteur, conscient ou non, et ne doit pas être celui qu'opère le critique, comme le chante un peu trop fort l'école "ironicienne" (des "suiveurs" trop systématiques de P. Haidu), car nous n'avons alors affaire qu'à la "contra-diction" — est souvent allégué et l'on dit que le symbole est "ambivalent" : il est, en fait, bien plus juste de dire qu'il est "pluri-" ou "poly-valent". Mais une "bi-polarité" générale (masculin/féminin, actif/passif, extériorisation/intériorisation, etc.) colore souvent le symbole et l'image d'une façon que l'on peut ressentir comme antithétique. Cela, Gilbert Durand l'a souvent montré, par exemple à propos du feu ou de l'arbre, ou de l'or [88] , et de même ses disciples, comme J. Perrin dans son étude de l'imaginaire de Shelley [89] , ou S. Vierne, de celui de Jules Verne [90] , ou J. Thomas, de celui de Virgile [91] , et, encore plus proche de nous, Gérard Chandès, de celui de Chrétien de Troyes [92] . Nous-même , d'un point de vue différent — plus conceptuel mais n'excluant pas les images —, avons souvent constaté que le contenu de chacun des six "postes" de l'hexagone logique, adapté à l'analyse du récit d'imagination, comprend souvent, en partie, sa propre négation plus ou moins complètement niée, sauf lorsque l'on approche de la fin du roman où, progressivement, ce contenu devient totalement positif [93] . En fait, les grands symboles, les "archétypes", sont "omni-valents" : tout dépend de ce qu'ils symbolisent (la tour : la surveillance utile, la domination juste ou abusive, la démesure, l'enfermement et l'exclusion, etc.), tout dépend du contexte et de l'intention, auxquels les symboles prêtent leur force, qu'ils font "résonner", qu'ils font pénétrer non seulement dans l'intelligence de l'auditeur, mais dans sa propre imagination, alors "réceptrice" ; en un mot : qui le font entendre (au moyen du cuer) — au-delà du seul plaisir paresseux d'escoter ("prologue" d'Yvain, placé dans la bouche de Calogrenant, v. 149-72). Et tout dépend, pour un symbole donné, des autres symboles ou images qui lui font "contexte" ou de leur anormale absence (un locus amoenus sans source ni ruisseau peut revêtir une tout autre signification ; le Graal recueille le sang de la Lance, ou il est seulement porté à côté d'elle, ou ils sont éloignés l'un de l'autre mais dans le même cortège, ou ils sont séparés etc.). Et, encore, le symbole peut être agrandi ou, au contraire, miniaturisé ; il peut être multiplié (la forêt n'a pas du tout le même sens que l'arbre isolé) ou divisé (l'épée brisée, le pont interrompu, la colonne tronquée, etc.). Etc.

Le Perceval de la Seconde Continuation est toujours dans la forêt, le Gauvain de la Première n'y est jamais. Au début de la production de Chrétien, Erec refusait d'y aller ; à la fin, Gauvain déplore de ne pouvoir le faire. Caradoc s'y plonge pour cacher sa honte, mais, plus tard, il y rencontrera Aalardin dans ce "nimbe" de clarté qui la nie. Nous insisterons beaucoup sur cette clarté — un des mots- clés de notre auteur – qui, paradoxalement, est si nettement distinguée de l'adjectif cler qu'elle en semble presque comme le contraire, comme tout autre chose que la qualité de ce qui est cler et nettement "diur- ne", cette clarté qui n'est pas loin d'apparaître comme une "substance". Autant comme cler "tire" du côté "héroïque", autant clarté le fait du côté "mystique". Est-ce seulement parce que clarté est un "substan- tif" ? Dans une page saisissante, l'auteur nous montre le garçonnet (le fils, âgé de cinq ans, de Gauvain et de la Pucelle de Lis) riant innocemment, et "héroïquement", à la clarté, justement, des épées que manient furieusement, l'un contre l'autre, son père (Gauvain) et son oncle (Bran de Lis). Jamais Chrétien de Troyes n'eût imaginé cela ! L'idée vient peut-être du Jugement de Salomon ("On verra, dit la jeune mère – la Demoiselle de Lis – en présentant l'enfant entre les deux adversaires, on verra qui de vous deux le tuera"), mais ce que notre auteur en a fait est extraordinaire ; nous avons là une image "totalisante" où toutes les oppositions sont exacerbées, l'image d'un chaos plénier, avec ce duel terrible ("Ier Régime"), avec l'interpo- sition du Fils ("IIIe Régime"), que sa mère tient à bout de bras entre les combattants ; mais nous devrions pressentir le sens de l'action, à partir du moment où ce duel est nocturne ("IIe Régime"), ce qui assure la "dominante mystique" de la scène : cette épouvantable <u>furor</u> doit retomber, ou plutôt se renverser dynamiquement en son contraire, et nous retrouverons, deux cents vers plus loin (<u>L</u> 5255 ss), nos personnages unis en une heureuse intimité (Gauvain et son amie, et son <u>biau fil</u> qu'il ne cesse d'embrasser, et Bran de Lis qui raconte des <u>bons contes</u> au roi Arthur). Le "sens" de cette "action" est tout à fait inverse de celui de l'épisode de Pesme Aventure, dans <u>Yvain</u>, où le héros ruine le bonheur d'une famille unie — bonheur factice, usurpé, dû au maintien d'une odieuse "coutume".

A une lecture superficielle, tous nos "romans bretons" donnent l'impression de se ressembler. On en établit aisément la thématique. Ce sont les mêmes aventures, les mêmes duels, les mêmes chevauchées, les mêmes arrivées à l'<u>ostel</u>, les mêmes "<u>topoi</u>" et, en gros, le même sens apparent. Mais, pour qui recherche les images, les soupèse, les manie, les contemple sous toutes leurs faces, les relie à toutes celles qui les accompagnent ou ne les accompagnent pas, essaie de les déplacer comme les pièces d'un jeu, de les ôter et de les remettre comme celles d'un puzzle, se rappelle leurs précédentes apparitions et l'ordre dans lequel elles se suivent, un sens profond se dégage de celui que l'on appréhende à la surface du texte, et chaque écrivain se découvre tout à fait original. Il n'y a pratiquement rien de commun entre l'oeuvre de Chrétien et celle de son premier "continuateur" : cela saute aux yeux, mais seul l'examen des images peut en donner la vraie raison. Laquelle tient tout simplement au fait qu'aucune psyché ne ressemble à une autre. Parmi les images, les archétypes, les figures symboliques que G. Chandès voit, très justement, à l'oeuvre dans les romans de Chrétien, il n'en est pas une sur quatre, ou peut-être même sur dix, que nous retrouvions dans la <u>Continuation-Gauvain</u> : pas de roi vieillissant ou, à fortiori, <u>mehaignié</u>, pas de vieux et sage "vavasseur", pas de Demoiselle hideuse, aucune "vamp", aucune géant sadique, pas le moindre monstre ni animal féroce ou autre image du "schème mordicant" ; l'eau noire et le pont périlleux sont beaucoup plus rares et traités de façon radicalement différente, et le Graal du continuateur n'a de commun avec celui de Chrétien que le nom. Chrétien "veut dire" quelque chose : tout le monde s'accorde là-dessus ; mais si l'on s'imagine que son premier continuateur ne "veut rien dire", on se trompe du tout au tout : même s'il n'en a aucunement la prétention, il ne peut s'empêcher de le faire. Et ce qu'il nous dit sans le vouloir est d'autant plus précieux.

Le Sujet peut passer par les trois "Régimes de l'imaginaire" ; il peut, comme les héros de Stendhal [94] ou ceux de Marie de France, commencer par être "héroïque" avant d'opérer une "conversion" plus ou moins "mystique" ; plus généralement, il se dégage du régime nocturne et maternel de l'indifférenciation et de l'égoïsme et ne parvient à la synthèse qu'en faisant l'expérience de l'antithèse "polémique" – ce "trajet" correspond assez bien aux "trois luttes" successives que R.R. Bezzola reconnaissait dans la "carrière" des héros de Chrétien (la lutte pour le Moi, la lutte pour le Toi, la lutte pour la Communauté) [95] . Mais si le romancier n'a aucune intention de nous retracer un "processus d'individuation", allons-nous retrouver cette succession ? J. Thomas a bien dégagé ce "trajet" dans l'Enéide, allant de l'univers maternel et instinctif des "perceptions non dominées" et des "manifestations irraisonnées" ("IIe Régime") à une vision synthétique de l'homme et de la société ("IIIe Régime"), en passant par le stade de l'action polémique qui traduit la volonté et l'effort de "distinction" ("Ier Régime") [96] , et cependant Enée est, lorsqu'il débarque sur les rivages de Libye, nettement plus avancé que Perceval dans la "voie de l'individuation". Ce "trajet" n'est-il pas une nécessité, quelle que soit l'histoire qui est racontée – puisqu'il est le "trajet" même de l'"Histoire" ? Et sans doute aussi celui de l'auteur lui-même, ce que J. Thomas a fort bien montré en ce qui concerne Virgile, et ce que G. Chandès a commencé de montrer pour Chrétien. Les "images", à chaque "stade", seront différentes, ou bien, si elles sont les mêmes, elles revêtiront un tout autre aspect et auront une toute autre signification, leurs récurrences permettant d'apprécier le chemin parcouru.

Si l'on s'adresse, pour un instant, à un autre "système", d'un ordre tout différent, le **"tri-fonctionnel"** - nous voulons parler de la "tri-partition", sur un plan mythico-historico-politique, des sociétés indo-européennes, que Georges Dumézil a consacré son oeuvre immense à dégager des textes épiques, historiques, poétiques (etc.) [97] , et dont Joël Grisward a retrouvé, de façon fort convaincante, la trace chez nous, dans la "geste" des Aymerides (le fameux héros épique Guillaume d'Orange, son père et ses frères) [98] —, on y rencontre encore une foule de symboles, souvent les mêmes que ceux qu'ont étudiés Freud et Jung, Bachelard et Gilbert Durand. La "Ire Fonction", la royale-sacerdotale (ou encore "juridique"), est évidemment "ouranienne", donc "diurne", mais l'antithèse n'en est pas exclue, le sombre Varuna s'opposant au lumineux Mitra ; elle est à rapprocher du "Ier Régime de l'imaginaire", avec les "archétypes" et les symboles du ciel, de la lumière (et de la blancheur), du soleil, du sommet, du "chef", du père, de la vue, de la pierre sacrée, de la parole ou de l'écrit magiques (les "runes"), du sceptre et de la main qui le tient, etc. ; — mais la Coupe ("emblème" du IIe Régime) en relève aussi, en tant qu'attribut de la Souveraineté. La "IIe Fonction", la guerrière, relève également du "Ier Régime" dont elle représente l'aspect "antithétique", "polémique", violent, avec les armes offensives, la lance, l'épée, la hache, la couleur rouge du sang, etc. Quant à la "IIIe Fonction", la nourricière, celle de la "classe" des éleveurs-agriculteurs (auxquels viennent se joindre les artisans et les marchands), elle est le lieu de l'abondance et de la richesse matérielles sous toutes leurs formes, de la fécondité et de la fertilité à la possession de l'or et au luxe vestimentaire, d'où la beauté, spécialement féminine, et l'on y rencon - tre toutes les images qui peuvent graviter autour de la sexualité et de la féminité ; c'est dire que la "IIIe Fonction" correspond à la fois au IIe et au IIIe "Régimes de l'imaginaire", mais plus particulièrement cependant au IIe, avec la "dominante digestive", les archétypes de la substance, de la nourriture, de la mère, de la nuit — et aussi de la couleur, paradoxale fille de la nuit —, avec les symboles et les images de la terre, des "herbes" et des pierres précieuses, de l'oeuf, de la demeure et, bien sûr, de l'or ; au "IIIe Régime" correspondront la "dominante copulative", les archétypes "cycliques" de la lune, du germe, de la roue, les jumeaux, etc. La prédominance de la "Ire Fonction" sur les deux autres est telle que plusieurs symboles "synthétiques" du "IIIe Régime" doivent en relever : ceux de la connaissance, de la sagesse, de l'équilibre et de la maîtrise — en un mot, ceux de la Souveraineté acquise et conquise par l'homme.

Evidemment, par principe (puisqu'on ne passe pas d'une "caste" dans une autre), aucun "trajet" ne doit se dégager de l'analyse duméziliennne. Dans les récits indo-européens, la "tri-partition" marquera non l'évolution d'un héros, mais la différenciation de plusieurs héros (des "frères", des "fils") ; le mouvement ira donc vers un éclatement de la totalité plutôt que vers sa constitution. Notons que, de ce point de vue, notre <u>Continuation</u> n'est pas un mauvais champ d'investigation, puisqu'elle met en scène trois héros : Gauvain, Caradoc et Guerrehés - et l'on peut déjà trouver, très sommairement, que, si Gauvain incarne absolument la "fonction guerrière", Caradoc, victime et bénéficiaire de la magie (noire avec son père Eliavrés, blanche avec le lumineux Aalardin), a quelque rapport avec la "fonction magico-juridique" (1 a Ire), et que Guerrehés, marqué par sa "honte", c'est-à-dire par l'inéluctable perspective de devenir <u>tisier,</u> illustre le refus horrifié de la IIIe Fonction féminoïde et artisanale !

Mais les récits fondamentaux auxquels s'adresse G. Dumézil ne font pas que différencier la société : ils racontent aussi comment celle-ci l'a été. C'est du ciel que sont tombés les trois Objets-emblèmes des trois Fonctions : la Pierre ou la Coupe de Souveraineté (Ire), l'arme tranchante (IIe), la charrue et le joug ou le chaudron nourricier (IIIe) [99]. Ces mythes racontent l'origine de la société, différenciée certes mais totale. Ce bel ordre initial subira maintes perturbations : selon la pensée mythique, le "sens" de l'histoire est de le restaurer. Seuls les troubles sont dignes d'être racontés, et la façon dont ils

sont résolus. Les ennemis sont les perturbateurs de l'ordre trifonc-
tionnel ; ils refusent de rester à leur place, ou bien ils affichent
la prédominance excessive d'une "fonction", et c'est peut-être en
ces termes qu'il faudrait analyser les trois principaux Opposants de
la Continuation-Gauvain : le Guiromelant, Bran de Lis et le Riche
Soudoier — nous y reviendrons.

Cependant tout "trajet" n'est sans doute pas à exclure, et G.
Dumézil note qu'un seul personnage peut cumuler, progressivement,
les fonctions :

> "Romulus d'abord berger (associé à Rémus), puis com-
> battant (associé à Lucumon) enfin souverain fondateur
> des cultes de Jupiter (associé à Tatius) [100]".

Il n'est pas téméraire d'envisager un itinéraire analogue pour le jeune
Perceval, d'abord associé aux bouviers de sa mère, puis combattant
impénitent à qui la conversion doit permettre d'accéder à la Souveraineté du Graal. Dans un roman qui s'inspire visiblement de celui de
Chrétien, Fergus, le jeune et futur héros est même découvert à la
charue [101]. Le pieux Enée lui-même avait commencé par s'enliser
dans le luxe et la volupté de Carthage avant d'entreprendre, héroïquement, la conquête de la Souveraineté. Nous avons peu de chances
de trouver l'équivalent dans la Continuation-Gauvain, dont l'objet
n'est guère de retracer un ou plusieurs "parcours d'individuation" —
mais qui sait ?

Car ce que l'on ne peut trouver au niveau des héros, et au
fil des "Branches" juxtaposées, il n'est pas impossible de le faire au
niveau de l'ensemble, et du "chef". Non que notre auteur nous raconte
l'ascension du roi Arthur, comme le fait la "pseudo-histoire" (depuis
le moment où il retire l'épée de la pierre — encore des "images dumé-
ziliennes"), mais, s'il y a une quelconque progression dans cette oeuvre
apparemment décousue, c'est au niveau de l'"empire arthurien", depuis
le moment où l'ost fastueuse d'Arthur se met en route vers le Château

des Mères pour rencontrer les conrois encore plus fastueux du Guiro-melant, jusqu'à celui où le roi s'apprête à célébrer la fête de la Toussaint. Et surtout la Continuation est une description, en action, de la gloire et de la Souveraineté arthurienne, et il y aura certaine-ment des choses à dire sur cette société idéale, notamment sur la "triade" qui la gouverne : celle d'Arthur, de Gauvain et de Keu (sans adjonction évidente — au contraire de ce que l'on observe chez Chrétien — d'un "principe féminin" que représenterait la reine Guenièvre).

En tout cas nous attendons avec impatience le beau livre que Joël Grisward doit nous donner sur l'interprétation "tri-fonctionnelle" du cycle arthurien.

*

*   *

Mehr Licht ! Est-ce un hasard, une bienheureuse rencontre, si la thèse de Ch. Méla et le dernier essai de D. Poirion [102] s'achèvent sur l'ultime désir goethéen ? De même que la conférence prononcée en 1968 par Gilbert Durand à Eranos évoquait la "Lumière victoriale" et la lux perpetua [103].

Il n'y a pas que la "faille", il y a aussi la lumière. Au début, certes, "les ténèbres couvraient l'abîme", mais aussitôt Dieu dit : "Fiat lux." Et facta est lux. Et vidit Deus lucem quod esset bona. Le constant désir de l'humanité est de jouir de la lumière, de la conserver, de l'augmenter — et ceci est principalement "l'honneur des poètes" (nous y incluons Platon et Praxitèle, et Virgile et Dante, et Rembrandt et Beethoven) : le "faire" de tout "poète", l'"accroisse-ment" de tout auctor ont moins pour objet de combler la "béance" que d'aviver la lumière. A sa modeste place, avec ses 22 occurrences du substantif clarté, le conteur de la Continuation-Gauvain témoigne de cette aspiration et participe à cet effort, à cet "héliotropisme".

Toute oeuvre digne de ce nom est elle-même "faille" — dans la monotonie et la convention, "faille" bienheureuse qui entrouve la grisaille, et fait descendre – ou remonter ? – dans le coeur de l'homme quelque joie et quelque lumière. Toute oeuvre véritable est une rupture de l'écoulement terrifiant du Temps, est un creux et un vide béni dans lequel deux âmes, au moins, peuvent se rencontrer, et c'est cela le bonheur.

La Continuation-Gauvain apparaît, aussi, comme une "faille" dans la continuité du "Perceval" — c'est-à-dire de l'ensemble que constituent le Conte du Graal et ses trois dernières Continuations. "Faille" précieuse, qui nous permet, comme à un géologue, d'entrevoir les couches superposées du terrain qu'encombrent souvent, à sa surface, les végétations folles et les constructions importunes. Ce caractère de "faille" est encore accentué par la mentalité et le style, qu'on serait tenté de qualifié d'"'archaïsants", du "premier auteur" (que le responsable de la rédaction courte L reflète le mieux), et les copistes et les remanieurs-interpolateurs-délayeurs successifs tentent par tous les moyens, sinon de combler cette "faille", du moins d'en polir les bords et les aspérités, voire de la tapisser d'un "euphémisant" gazon. Notamment pour en dissimuler les mentions trop fréquentes — beaucoup trop à leur goût "courtois" - du corps et de la mort.

Ce faisant, ils n'ont rien compris ; ils ont manifesté qu'ils ne voulaient rien comprendre — ni à leur modèle, ni à l'homme — tout simplement parce qu'ils n'étaient pas, eux, des "poètes", des "auteurs". Leurs essais de "ravalement" sont hautement significatifs, et notre étude fait justement ressortir que tout ce qu'ils ont considéré comme des "lézardes" est ce qu'il y a de plus "éclairant" dans l'oeuvre. L'obsession de la "sépulture", par exemple — qui n'est pas sans évoquer la virgilienne (peut-être à travers l'Eneas ?). Ou l'allègre don que la Pucelle de Lis fait à Gauvain de son amor et de son cors — ils n'ont pas compris, ces moralisateurs iconoclastes du XIIIe siècle, que le Lys pouvait vouloir réserver au Soleil l'ouverture de sa blanche corolle. Ils ont déprécié, ces prétentieux tâcherons des lettres, les précieuses   images. Ils ont passé sur un texte éclatant un vernis de bon ton, qui, heureusement, se craquèle de partout. Ils ont voulu colmater ce qu'ils prenaient pour des fissures — par où coulait la vie.

PREMIERE PARTIE

DE LA FORME ...
(DES MOTS ET DE LEURS JEUX)

L I V R E I

LE RECIT
(ANALYSE DE LA CONTINUATION-GAUVAIN)

CHAPITRE I

ANALYSE DE LA CONTINUATION-GAUVAIN

BRANCHE I

GUIROMELANT

Sommaire. Le messager de Gauvain arrive à la cour d'Arthur. Le roi, la reine et toute la cour se rendent devant le Château de la Merveille. Retrouvailles. Préparatifs du duel de Gauvain et du Guiromelant. Le duel est interrompu par Clarissant, soeur de Gauvain et amie du Guiromelant. Mariage du Guiromelant et de Clarissant.

(Interpolation des mss **TMQEU** : Visite et échec de Gauvain au Château du Graal : puis Gauvain doit se battre contre un certain Dinasdarès et contre Guingambresil : le roi Arthur, prévenu, vient et interrompt ce combat inégal).

(Interpolation des mss **EU**, avant et après la visite de Gauvain au Château du Graal : aventures de Gauvain - avec la Pucelle au Cor d'ivoire persécutée par Macarot de Pantelion ; chez la demoiselle jadis violée par Greoreas ; enfin à Montesclaire où il conquiert l'Epée aux Etranges Renges).

(L 1-1070 ; A 1-1172 ; R 1-1405 ; T 1-2053 ; E 1-5508)

Episode 1. Arrivée du messager de Gauvain à la cour d'Arthur. Le roi, la reine et toute la cour se rendent devant le Château de La Merveille.

Emoi à la Cour d'ARTHUR, où l'on croit que le VALET envoyé

3

par GAUVAIN apporte de mauvaises nouvelles (R développe : LORE de Branlant prévient la REINE). Mais le messager rassure le roi : Gauvain est sain et sauf ; il a conquis le plus beau château du monde (MQEU : allusion à ses aventures précédentes), mais il demande à son oncle de venir lui servir de garant pour le duel que le GUIROME- LANT lui a imposé (MQEU : le roi promet qu'il ira, avec toute la cour). Grande joie dans la salle ; musique (MQ om.). YSAVE de Carahés prévient la REINE (MQ om., EU déplacent), qui accourt avec ses suivantes dans la salle ; le roi demande au valet de lui transmettre les paroles de Gauvain. Le sénéchal KEU, parlant courtoisement, fait l'éloge de Gauvain (MQ om.).

> Dans MQEU, Arthur envoie le valet avec Keu et GIRFLET prévenir la reine, ce qui n'empêche pas EU de recopier le passage précédent d'après un ms. proche de la réd. courte L : Ysave vient prévenir la reine, qui accourt et rencontre les messagers ; - message du valet à la reine, que EU ont déjà copié une première fois ; la reine promet d'aller au château conquis par Gauvain.

On se hâte de se mettre à table. Puis ce sont les préparatifs du départ (MQEU : le roi charge le connétable de faire bannir par la cité que l'on partira le lendemain matin). Toute la cour se met aussitôt en route (MQEU : le lendemain matin, après la messe) : soit 30 000 chevaliers et 15 000 dames, demoiselles et pucelles (A quatre cents, S cinq cents, MQEU : 2 500). Voyage. Arrivée, le 7e jour (LPT ; - ASR : le 6e ; - MQEU : le lendemain soir) au Château de la Merveille, devant lequel on dresse le camp (MQEU ajoutent : description du château ; le valet passe la rivière et va rendre compte à Gauvain) (L 1-262, A 1-270, R 1-286, T 1-278, E 1-503).

Episode 2. Frayeur des reines au Château ; Gauvain les rassure et se nomme ; leur joie. Gauvain emmène Arthur et Guenièvre au Château, cependant qu'Ygerne fait exposer les écus des cinq cents nouveaux adoubés ; ceci, joint à la disparition du roi et de la reine, emplit l'armée de frayeur.

Frayeur de la vieille reine YGERNE (TR ; - AU Yguerne, L Ygraine, E Yverne, P Genoivre !), mère d'Arthur, et de sa fille, la reine MORCADES (AEU ; - L Noncadés, RT Norcadés, S Marquadés), mère de Gauvain et de Clarissant, qui croient leur château assiégé et se demandent si les nombreuses dames de l'ost ne sont pas des fées (MQEU : Frayeur générale des dames ; MQ om. le reste, que EU recopient d'après un ms. proche de la réd. courte L). GAUVAIN et sa soeur (Clarissant) entrent dans les chambres des reines (MQEU : les deux reines sortent du palais et se rendent à la tour où réside Gauvain, qui les rassure), et Ygerne attire son attention sur les dames et demoiselles qui semblent assiéger le Château. La vieille reine demande au héros, puisque le 7e jour est passé (cf. Conte du Graal, v. 8350-53), de révéler son nom, ce qu'il fait (MQEU : auparavant il les a rassurées, l'ost est celle d'Arthur). Joie des reines, qui couvrent de baisers leur fils et petit -fils, et lui disent à leur tour qui elles sont (MQ om.). Mais CLARISSANT est consternée et se retire dans sa chambre (MQEU développent). Gauvain dit aux reines qu'il va aller voir le roi (MQEU : leur amener le roi). Il emmène 10 chevaliers (LTR; - P un, AS deux, MQEU trente) et traverse la rivière (MQEU dével.). Le sénéchal KEU, qui sort de la tente du roi DO (A : de la reine ; MQ om.), est le premier à le voir et accourt prévenir le roi (MQEU dével.), lui laissant son cheval, sur lequel le roi monte (MQEU om.). Joie des retrouvailles. [E saute deux colonnes]. Gauvain annonce au roi que sa mère l'attend ; Arthur sourit : il y a 30 ans (T cinquante, Q vingt ; Chrétien écrivait soixante) qu'il n'a plus de mère. Mais Gauvain lui raconte comment Ygerne, à la mort de son époux le roi UTERPANDRAGON, est venue s'installer dans ce pays et y a fait édifier ce château , où sa fille est venue la rejoindre à la mort de son époux le roi LOT (APRT ; LS mon père ; - MQEU : elle est venue en même temps que sa mère), elle était enceinte d'une fille (MQ om.) (cf. Conte du Graal, v. 8732 ss).

Dans MQEU, Gauvain évoque le mal piege que ce château a longtemps été, et raconte la mervoille du Château et du lit.

La joie redouble, à laquelle s'associe la reine (Guenièvre ; - MQEU : le roi emmène Gauvain à la tente de la reine).

Cependant, au Château, la reine Ygerne a fait exposer aux fenêtres et aux murs les armes (écus) des cinq cents nouveaux chevaliers (cf. Conte du Graal, 9183 ss) ; les pierres précieuses qui les constellent jettent sur le camp d'Arthur une si grande clarté que l'on se croirait en plein midi (en fait la nuit est presque tombée) ; toute l'ost se croit ensorcelée, et le roi le reproche à Gauvain, qui le rassure (Q om. ; MEU déplacent). Le roi, avec 4 compagnons (MEU trois, Q vingt), et la reine, avec 3 pucelles (Q vingt), montent à cheval et accompagnent Gauvain au Château. Joie des retrouvailles.

Dans MQEU, ce passage est très développé : chevauchée par monz et par vaux ! traversée de la rivière. Toute la population du Château sort a grant procession au devant des arrivants. On se rend d'abord à l'église : offrandes. Puis on monte au palais : joie, que le remanieur se refuse à décrire : ... qu'aloignier ne voil ma matire / ne faire fable de noient, E 882-83. Et c'est ici qu'est placée l'illumination du Château, qui jette la frayeur dans le camp du roi et provoque l'intervention de Keu.

Mais le sénéchal KEU, avec 4 compagnons (LRS ; - T trois, A cinq, P tous les keus !), vient à la tente du roi, qu'il n'y trouve pas : consternation et frayeur (Q om.) . De même les dames et les pucelles constatent la disparition de la reine (MQEU om.). Si la nuit n'était pas déjà presque tombée, toute l'armée aurait levé le camp ; les chevaliers s'arment (MQ om. ; - MQEU : contraste de la douleur du camp et de la joie du Château).

(L 263-457, A 271-487, R 287-480, T 279-481, E 504-944).

Episode 3. Retour du roi, de la reine et de Gauvain. Celui-ci se confesse et s'arme. Les cortèges du Guiromelant. Gauvain lui envoie Girflet et Yvain pour lui annoncer qu'il est prêt au combat. Beauté du Guiromelant, sa haine envers Gauvain.

Au matin, après la messe, le roi, la reine et Gauvain sortent du Château de la Merveille, accompagnés des cinq cents nouveaux chevaliers et des cinq cents pucelles, dames et demoiselles (MQEU ne précisent pas et ne comprennent donc pas que le roi fait sortir les "pensionnaires" du Château) ; ils repassent la rivière (A om.). Joie de l'ost : si le roi avait tardé davantage, toute l'armée serait repartie (MQ om.) après avoir mis le feu aux loges (A aux tentes ! - MQEU om., mais QEU développent le motif de la joie : ... ne de plus dire ne me chaut ; / por ce soit li sorplus teüz, / que ja n'an seroie creüz).

Gauvain se confesse à l'évêque SALEMON (LPRT ; - ASMEU : de CARLION ; Q om.), qui l'absout et l'assure de l'aide de Dieu (MQ om.).

> Long développement de R ; un duel n'est qu'aventure, dit l'évêque, comme un jeu où ce n'est pas nécessairement le meilleur qui gagne ; ce qui nuit au chevalier, ce sont ses péchés : s'il se confesse sincèrement, Dieu le protégera ; Gauvain n'a pas grand chose à se reprocher : s'il s'est battu avec fougue, c'est par pitié et par haine des félons et des orgueilleux ; "ah ! répond l'évêque, si tous les barons et les prélats pouvaient en dire autant !" ; Gauvain avoue avoir aimé les dames et les pucelles, mais les belles seulement, et pas pour avoir ne por riquece ; péché bien pardonnable, répond l'évêque, mais ce qui est impardonnable, c'est d'aimer une créature laide et vilaine ; l'amour courtois est sublime, et Gauvain aussi : "... plus estes q'om et poi mains d'angle", 509-624.

Les chevaliers s'empressent autour de Gauvain, lui offrant qui un cheval, qui une épée, qui une lance ; mais il ne veut que ses armes et son destrier vair, le GRINGALET (P ; - LT : le Guilodïen ; AMEU : il choisit entre deux de ses chevaux que lui garde YONET [R GUIN-GAMBRESIL !]; - T ajoute : c'est le cheval qu'il avait lorsqu'il quitta Escavalon, cf. Conte du Graal ; - M résume, Q om.). Ses amis l'aident aussi à revêtir son armure : GIRFLET et YVAIN (LT ; - ASR : Guiflez le fils du roi YDER ! ; - S : Girflet, Yvain et TOR fils ARES ; - P om.).

MQEU les remplacent par TRISTAN, le neveu du roi de Cornouaille, icil qui por Yseut la blonde / ot tant d'anui et tant de honte ; puis évoquent une "vertu" de l'épée du héros : si l'on en frappe du plat une femme enceinte sur la tête, elle est tout de suite délivrée ; ensuite MQ mentionnent brièvement sa confession à un chapelain : Gauvain se confesse donc deux fois dans M ; douleur des chevaliers et des dames qui pleurent et se pâment de pitié pour lui ; désespoir surtout de CLARISSANT, écartelée entre son affection pour son frère et son amour pour le Guiromelant.

Regardant vers le Gué Périlleux, Gauvain voit sordre une grande troupe de 3 000 chevaliers, en fort bon ordre, qui vient se placer près d'un arbre non loin du camp d'Arthur ; puis un second cortège, aussi de 3 000 chevaliers, qui rejoint le premier, et un troisième, de 4 000, encore plus beaux et arborant courtoisement des guimples et des manches ; et enfin un dernier cortège, de 3 000 dames et pucelles, les plus belles du monde, précédées de joueurs de vielle et de harpe (A dével.) ; tous s'assemblent autour de l'arbre (tout ce passage est développé dans LT, moins dans ASPR, qui insistent sur les qualités morales de Gauvain ; déplacé par MQEU). Le roi Arthur fait armer 15 000 de ses chevaliers (LPRT ; ASEU: quatre mille ; MQ om.) pour garder son ost. La reine est assise sous un arbre en compagnie de 3 000 des plus belles de ses pucelles (LT ; - omis par ASPREU qui confondent cette compagnie avec le dernier cortège du Guiromelant).

Gauvain envoie GIRFLET (A GUIGAN de Dolas) et YVAIN dire au Guiromelant qu'il est prêt à tenir sa promesse, c'est-à-dire à se battre (ASPRU : "... alez montrer mon droit") ; ils le trouveront au grand conroi autour de l'arbre (ASPR : au conroi premerain - ce qui sera contredit par MQEU) ; ils l'identifieront sans peine, car il est le plus beau de tous (MQ om.).

MQU ajoutent : Gauvain saute à cheval ; on lui passe son écu, et YDER, sa lance [E a sauté deux colonnes]. R interpole un éloge de Gauvain, de sa courtoisie envers son ennemi ; plus qu'un homme peut détester son épouse, Gauvain déteste l'envie et la médisance ; il honore sainte Eglise, 709-734.

Les messagers trouvent le Guiromelant entouré de la foule de tous ceux des Isles de mer qui ont sujet de se plaindre d'Arthur. Il est en train de se faire armer ; son exceptionnelle beauté (AS et surtout R développent ; P saute une colonne ; MQ om., et EU suppléent en recopiant un texte proche de A). Il accueille très courtoisement les deux messagers et leur demande leurs noms : il sait gré à Gauvain de lui avoir envoyé les deux chevaliers dont il désirait le plus faire la connaissance (MQ om.), mais il renouvelle sa déclaration de haine contre le héros (MQ om. ; développé par ASP, davantage encore par EU, et surtout par R).

R développe : Envie, qui ne peut aimer les bons, n'a rien à reprocher à Gauvain ; Clarissant est bien femme : elle devrait détester l'ennemi de son frère, ou alors le Guiromelant devrait aimer le frère de son amie - cf. Conte du Graal, v. 8772 ss ; devant l'éloge qu'Yvain fait de Gauvain, le Guiromelant reconnaît que celui-ci n'a pas norri en celui-là un vilain ; en effet, répond Yvain, on ne peut être "mauvais" en la compagnie du héros, 845-94 .

Les messagers retournent à Gauvain

MQEU : fin de l'armement du Guiromelant ; on lui apporte une épée meilleure même que Durandart, l'épée de ROLLANT ; il saute sur son destrier noir, on lui tend son écu et sa lance ; il chevauche vers l'ost du roi, après avoir réparti ses gens en trois groupes - cf. la réd. courte, supra - qu'il suit ; ses armes "enluminent" toute son armée : rien que les pierres précieuses de son heaume valent villes et roiaume que "soutenait" GUILLAUME ; il vient avec le dernier cortège : celui des belles dames.

et lui rendent compte de léur mission. Gauvain monte alors à cheval, prend son écu, choisit une forte lance que tient YONET ; une riche enseigne, de soie d'AUMARIE, y est attachée : c'est son amie GUINLOIETE l'envoisie (L ; - T Guilorete ; AP : une fee) qui la lui avait envoyée par druerie (MQ om. ; EU empruntent à un texte proche de A ; R résume fortement le dernier trait).

C'est ici que, selon MQ, Gauvain voit arriver les trois groupes du Guiromelant ; EU emprunte leur description, ainsi que l'éloge de Gauvain, à un ms. proche de ASPR.

(L 458-782, A 488-796, R 481-932, T 482-816, E 945-1440).

9

Episode 4. Duel de Gauvain et du Guiromelant. La force de Gauvain redouble à midi. Clarissant supplie le roi d'interrompre le combat ; il refuse : qu'elle intervienne elle-même.

Gauvain sort des rangs ; le Guiromelant aussi : courte description de celui-ci (MQ om. ; - A ajoute : de son blason, à un lion blanc rampant). La lande est remplie, des deux côtés, de chevaliers, de dames et de pucelles (LT seuls). Les deux adversaires s'élancent l'un contre l'autre (LT dével. ; - MQ résument) ; au premier choc, ils s'atteignent de leurs lances au milieu des écus, et se blessent (LT, MQ om. ; - R et MQEU ajoutent : leurs lances se brisent) ; eux et leurs chevaux se heurtent violemment et tous quatre s'abattent à terre. Mais les deux chevaliers se relèvent vite et s'attaquent longuement et furieusement à l'épée (LT dével. ; MQ résument, et EU suppléent d'après un ms. proche de A). Court éloge de la sagesse de Gauvain, qui ne se bat que si on l'y oblige (LT, MQ om.). A midi (LTMQ ; - ASPREU : à partir de tierce), la force de Gauvain redouble. Angoisse des spectateurs (LT, MQ om. ; R dével.), notamment du roi (LT, MQ om. ; R dével.).

> R interpole : sentiments de CLARISSANT ; Raison l'incite à prendre le parti de son frère, mais Amour, celui de son ami ; considérations sur l'amour : celui pour la mère est bien plus fort que celui pour le père, le frère ou la soeur ; allusion au thème du Demi ami ; Raison reproche à la femme qu'elle est de préférer un étranger à un membre de sa famille : un amant se remplace, mais pas un tel frère ; éloge du bon chevalier ; un chevalier faus, vilains et durs devrait s'en aller "... por Deu la oltre as Turs !" ; si Clarissant persiste dans son amour, Raison , qui a parcemin et enque, le fera savoir partout, et les frères mépriseront leurs soeurs ; Clarissant est presque persuadée, mais reste partagée et s'en remet à Dieu, 1057-1209.

(Selon ASR, la force de Gauvain, qui a déjà doublé après tierce, redouble encore quand passe l'heure de midi ; de même pour EU qui, après avoir copié un texte proche de A, copient maintenant MQ, pour qui il ne s'agit que de midi). Joie dans le camp du roi, douleur dans celui du Guiromelant ; mais le "deuil" de CLARISSANT est égal, quelle que soit l'issue.

MQEU : Raison et Amour s'affrontent en elle - cf. R, mais en bien plus court ; c'est Amour qui l'emporte ; puis EU, suivant A, écrivent qu'elle est également partagée.

Elle court au roi Arthur, se laisse tomber à ses pieds, le supplie d'interrompre le duel et de la donner en mariage au Guiromelant : le roi répond qu'il n'a pas le droit d'intervenir : qu'elle aille elle-même prier son frère d'arrêter la bataille et de la donner à son ami (MQ résument fortement).
(L 783-1000, A 797-1020, R 933-1302, T 817-1030, E 1441-739).

Épisode 5. Intervention de Clarissant, qui prie son frère d'arrêter le duel et de la donner en mariage au Guiromelant. Gauvain accepte ; le Guiromelant aussi, qui devient vassal d'Arthur. Mariage. (Fin du ms. R).

Molt fist la bele Clarisent / grant prouece et grant hardement. CLARISSANT, rejetant son mantel (MQ om.), court entre les combattants et crie à son frère d'arrêter le duel et de la donner en mariage à son adversaire. Gauvain ne demande pas mieux (ASPR, EU : "... Vous me découvrez votre coeur"), mais il ignore quels sont les vrais sentiments du Guiromelant (ASPR, EU : car souvent une femme s'imagine être aimée, et elle est en fait deceüe et gabee). Gauvain demande au Guiromelant ce qu'il pense ; celui-ci répond que, bien qu'il soit encore capable de se battre, il est prêt à épouser Clarissant, et qu'il la dotera richement de sept cités.

ASR, EU : éloge de Gauvain ; - ASPR, EU : si le Guiromelant avait demandé Clarissant avant le duel, Gauvain la lui eût donnée ; il se félicite du bonheur de son nouvel ami : "... Vos seus en avroiz la dolçor / et le déduit de ma seror ..." ; il déclare que celui-ci est le meilleur chevalier du monde ; l'autre lui rend la politesse : il est extrêmement honoré d'avoir résisté si longuement au meilleur.

C'est donc "par eux trois" seulement qu'ils mettent fin à la bataille et arrivent à l'accord. Joie générale : les deux armées se désarment et fusionnent. Le Guiromelant fait hommage au roi Arthur et reçoit de lui sa terre. Le mariage est aussitôt célébré ; avec sa petite-nièce, Arthur donne au Guiromelant deux cités : DINASDARON, en Galles, et NOTINGEHAN sur Trente (ASPR : et bien trente forteresses ; - A seul : et bors et viles plus de cent). ELIE de Dinasdire (Nasdire) et maints autres font aussi hommage au roi ; GUINGAMBRE-SIL également, à qui Arthur donne une de ses nièces, TENDREE (L Trendree, A Canete, S Tanete, P Paunontagreel !) la Petite. En toutes les Isles de la mer, il n'est aucun prince qui ne devienne ce jour le vassal du roi, sauf BRUN de BRANLANT dont l'on va maintenant parler (R, qui prend fin ici, omet l'allusion à ce dernier).

> ASP ajoutent : on fait également la paix entre Gauvain et Guingambresil - cf. Conte du Graal, v. 4747 ss, 6199 ss ; - A seul ajoute : on célèbre rapidement les noces. Le roi et Gauvain prennent congé de leurs mères ; Arthur dit à la reine GUENIE-VRE de ramener les pucelles - celles de la cour, et/ou les 500 du Château de la Merveille ? - en Bretagne, puisque lui va conduire l'ost à Branlant.

(L 1001-70, A 1021-172, R 1303-405).

Rédaction longue : accrochage de l'interpolation : Gauvain refuse sa soeur au Guiromelant. Mariage quand même. Départ de Gauvain.

> MQ (EU), réponse de Gauvain à Clarissant : "Je ne vous accorderai pas cela, tant que le Guiromelant ne se sera pas dédit de l'outrage qu'il m'impute".
> T écrit encore les mêmes cinq premiers vers de L ("J'en serais très heureux, si cela plaisait aussi au Guiromelant, mais je ne connais pas ses sentiments"), puis : "Cependant, je ne vous le cacherai pas : je ne vous accorderai pas ce don, tant que ..."
> EU commencent par suivre MQ ("Je ne vous accorderai pas ce don ..."), puis recopient une cinquantaine de vers proches de A (accord et promesse du Guiromelant, compliments réciproques), après quoi Gauvain, changeant de ton : "... à la condition que vous vous dédisiez de votre accusation". Ils rejoignent alors MQ, et il n'y a plus qu'une seule rédaction TMQEU pendant 136 vers .
>
> Le roi se joint au trio ; on discute longtemps ; Gauvain répète ce qu'il a dit : "S'il ne veut pas se dédire, qu'il revienne demain matin et nous reprendrons le duel".Les choses en restent là. Gauvain va à son ostel (?), tandis que le roi emmène le

Guiromelant et Clarissant. Joie toute la nuit et, dès l'ajorner, Arthur emmène sa petite-nièce à l'église où un archevêque célèbre son mariage avec le Guiromelant. Ils ne sont pas encore sortis de l'église que Gauvain arrive à la cort (!), tout armé ; le sénéchal KEU lui demande pourquoi il est armé, et lui apprend que le mariage est fait. Fureur de Gauvain, surtout contre son oncle : "Il m'a fait cela ! Je pars, et je ne reviendrai que lorsqu'il sera venu me chercher en estrange païs, avec 3000 chevaliers de prix".

Gauvain s'en va. Keu entre à l'église et annonce la chose au roi : "Vostre neveu perdu avez ..." Douleur du roi, de tous, de GUENIÈVRE et d'YGERNE qui se pâment, de Clarissant qui se désespère. Arthur décide le départ immédiat à la quête de Gauvain : ce sont 60 000 chevaliers (V quarante, U dix, EMQ neuf mille), sans compter les dames et les demoiselles, qui sortent tristement de la ville (sic) et chevauchent pensifs.

(T 1031 -193 , E 1740-955).

Rédaction longue : interpolation des mss EU, après 3 vers communs avec T et MQ (entre T 1196 et 1197) :

Episode 6a. Gauvain chevauche à l'aventure. Il rencontre la Pucelle au Cor d'Ivoire qui l'invite à dîner. Macarot enlève le cor : Gauvain le poursuit et le tue ; il rapporte le cor à la Pucelle, qui lui remet un anneau d'invincibilité.

Gauvain, en proie à son vif ressentiment, chevauche droit devant lui toute la journée, et continue la nuit, à la clarté de la lune : il veut mettre le plus de distance possible entre lui et son oncle qui le suit. Mais à minuit un fort orage éclate ; Gauvain s'abrite sous un chêne jusqu'à l'aube. Le temps redevient serein et, après avoir un peu sommeillé, Gauvain repart. Il arrive à une belle lande où chantent les oisillons. A midi, il rencontre une pucelle, d'une très grande beauté, montée sur une mule noire et tenant à la main un cor d'ivoire.

Gauvain la salue ; elle lui rend son salut et l'interroge ; que vient-il faire ici, dans la terre de la Damoiselle Anuieuse (U Amoureuse) qui a son recet près de la Lande Aventureuse ? Et où a-t-il passé la nuit, car il n'y a pas d'autre maison à vingt lieues à la ronde ? Apprenant qu'il a dû essuyer l'orage, la Pucelle invite Gauvain à dîner, s'il veut bien l'accompagner jusqu'au bout de la Lande. Elle sonne de son cor : des valets et des pucelles, au nombre d'une centaine, tous fort beaux et richement vêtus, jaillissent (saillirent - d'où ? de terre ?) et disposent nappes et mets sur l'herbe, sous un très grand arbre qui pourrait bien abriter cent chevaliers. Mais Gauvain refuse de se désarmer.

13

Arrive un chevalier, armé de blanc, monté sur un destrier noir, avec un écu vermeil (rouge) ; il se penche au-dessus de la Pucelle et lui prend le cor qu'elle porte au cou, puis s'en va. Douleur de la Pucelle. Gauvain remet son heaume, monte et s'élance après le ravisseur ; il le rejoint, lui dit de rendre le cor ; l'autre refuse. Duel : la lance de l'adversaire se brise et Gauvain lui enfonce la sienne dans le corps, le jetant mort à terre ; il reprend le cor, que l'autre avait suspendu à une branche, et le rapporte à la Pucelle. Repas.

Gauvain veut repartir, malgré les instances de la Pucelle. Il lui demande son nom : elle est la PUCELLE au Cor d'Ivoire. Lorsque lui-même s'est nommé, la Pucelle est fort heureuse ; le ravisseur du cor se nommait MACAROT de Pantelion, et il attaquait tous les chevaliers qui passaient par ici. La Pucelle tenait beaucoup à son cor, cadeau d'amour d'un beau chevalier, et qui préserve son porteur du froid, de la faim et de la soif. Gauvain dit à la Pucelle qu'il est tout à son service. Elle lui fait don d'un anneau qui lui donnera une force telle qu'il ne craindra pas cinq chevaliers, fussent-ils gigantesques ; mais qu'il promette de le lui rendre si elle le demande (EU 1959-2504).

Episode 6b. Gauvain rencontre un nain fort laid, qui lui reproche de n'être pas allé délivrer la Pucelle de Montesclaire.

Gauvain repart, tout joyeux de cette aventure : ainsi donc voilà cette Lande si célèbre, qu'il n'aurait jamais su où chercher. Vers none, il rencontre un NAIN, fort laid, monté sur un misérable cheval. Refus de description (2522-29), puis description (2530-95) - fortement inspirée de celles de la Laide Demoiselle, de l'écuyer "desavenant" et de son roncin, dans le Conte du Graal. Gauvain lui demande d'où il vient ; le nain commence par refuser de répondre, puis gronde et adresse de vifs reproches à Gauvain parce qu'il n'a pas tenu son serment d'aller délivrer la Pucelle de MONTESCLAIRE. Le héros le reconnaît. "Tu peux y être dans trois jours si tu maintiens la bonne direction", lui dit le nain (EU 2504-2708).

Episode 6c. Gauvain arrive à une tente où gît Macarot, dont la plaie se remet à saigner. Il est poursuivi et attaqué par quatre chevaliers ; il en tue trois et épargne le dernier : Clarinon de la Haute Forêt d'Ateine.

Gauvain arrive à un pavillon dont le pommeau doré "enlumine" toute la lande. Quand il s'en approche, il entend un grand deuil. Regardant à l'intérieur, il y voit un chevalier gisant dans une bière, et dont il voudrait bien connaître l'identité. Il entre dans la tente, récite sa patenôtre, mais voici que la plaie du mort se met à saigner abondamment. Gauvain comprend alors que c'est Macarot et se hâte de repartir.

14

Bientôt il entend quatre chevaliers qui le poursuivent, voulant venger le mort. Ils attaquent Gauvain tous ensemble, sans défi. Gauvain en tue un, mais ses forces déclinent puisque le soir tombe (allusion à son "privilège solaire"); il réussit à tuer le deuxième, puis le troisième. Le quatrième demande merci : ce sont ses trois frères qui ont été tués. Gauvain l'épargne, mais que l'autre jure de ne plus jamais attaquer un adversaire sans l'avoir défié, et qu'il aille se rendre prisonnier à la Pucelle au Cor d'Ivoire. Le vaincu refuse : il lui a fait trop de mal, elle ne lui laisserait pas la vie (cf. Conte du Graal : Anguingeron, Clamadeu). Il se nomme : CLARINON de la Haute Forest d'Ateine (U soustainne), gardien de la claire Fontaine d'Amors, qui d'or a le gravel. Gauvain a entendu parler de lui ; pour le moment, il le laisse aller, mais que Clarinon jure de "tenir prison" dès qu'il le lui demandera. Clarinon est tout heureux d'apprendre que son vainqueur est Gauvain (EU 2709-3043).

Épisode 6d. Gauvain arrive à un château désert où le repas est servi. Il doit se battre contre un chevalier, qu'il vainc. C'est le compagnon de la pucelle jadis violée par Greoreas, laquelle a fait de son château un piège afin d'y attirer celui-ci et de s'en venger. Gauvain délivre les pucelles prisonnières dont les amis ont été tués dans ce château.

Gauvain sort de la lande et suit un petit sentier qui tourne à droite dans la forêt ; il cherche à héberger, parce que la nuit tombe. A la clarté de la lune, il aperçoit un château dans une profonde vallée. Il s'y rend ; la porte est ouverte et il entre, mais la porte retombe derrière lui, au ras de son cheval (cf. Yvain). La salle est déserte, mais une table est mise, avec deux flambeaux allumés, les mets servis. Gauvain attend, appelle en vain ; il veut repartir, mais son cheval n'est plus à la porte. Il se décide à manger.

A peine a-t-il commencé qu'une porte s'ouvre violemment et qu'un grand chevalier armé fait irruption, lui interdisant de manger et le défiant. Le duel dure longtemps, mais le héros finit par l'emporter. Entre alors une très belle Pucelle (refus de description) qui, s'agenouillant devant Gauvain, le prie d'épargner son ami, qui n'agit que sur son ordre. Aucun chevalier qui est venu dans ce château n'en est ressorti vivant.

La Pucelle explique. Il y a trois ou quatre ans que, se promenant seule sur sa mule, elle arriva à une tour près de laquelle gisait un damoisel récemment tué. Comme elle s'attardait près de lui, survint GREOREAS, un chevalier qui l'avait requise d'amour en vain depuis longtemps et qui, profitant de l'occasion, la viola (cf. Conte du Graal, v. 7118 ss). Elle alla se plaindre à la cour d'Arthur, qui lui donna peu de satisfaction. Rentrée dans son pays, elle accorda son amour à un chevalier qui l'avait longtemps priée, à la condition qu'il attaquerait, tuerait ou capturerait tous les chevaliers qui arriveraient à son château ; elle espérait qu'ainsi Greoreas tomberait un jour dans le piège et qu'elle en tirerait vengeance. Gauvain répond qu'il avait, lui, infligé au violeur un châtiment fort humiliant (cf. Conte du Graal, v. 7111 ss). Joie de la Pucelle, qui ne désirait rien d'autre que de le retrouver, lui qui s'était montré particulièrement bienveillant lorsqu'elle était allée à la cour (cf. aussi Lunete dans Yvain, v. 1004 ss). Elle lui abandonne la seigneurie du château.

Entrent alors vingt pucelles, en piteux état, prisonnières dans ce château depuis que leurs amis y ont été tués, et forcées à y travailler (cf. Yvain, plainte des "ouvrières" de Pesme Avanture) : elles supplient Gauvain de les délivrer - ou de les tuer. Gauvain demande leur grâce à la Pucelle, qui lui répond qu'il est maintenant le maître. Repas. Le lendemain matin, Gauvain va repartir, malgré les instances de la Pucelle, à qui il promet son aide en cas de besoin ; il fait sortir les pucelles délivrées (cf. Yvain , fin de Pesme Avanture) ; à un carrefour il les quitte et continue à chevaucher, seul, par la forêt obscure, par vallees et par monteignes ... (EU 3044-3636).

Rédaction longue : interpolation de tous les mss (T, MQEU) ; première partie : Gauvain au Château du Graal.

Episode 7. Visite (première) de Gauvain au Château du Graal. Son échec relatif : il ne réussit pas à ressouder l'épée brisée, et il s'endort. Il se réveille dans un marais.

Gauvain arrive au bord d'une rivière, large et profonde, qu'il suit en cherchant un moyen de la traverser. Il se souvient alors de la Lance qu'il doit quêter (cf. Conte du Graal, fin de l'épisode d'Escavalon, v. 6112 ss, 6163 ss), mais d'autre part, il a promis d'aller à Montesclaire. Il s'écarte de la rivière, gravit une colline rocheuse, regarde au loin et aperçoit, à l'orée d'une forêt, une grande tour.

(T : c'était un jour de quarentaine - c'est-à-dire de carême ? - ce que MQ comprennent mal : Gauvain chevauche pendant toute une quarentaine, E une quinzaine).

CRESTIIEN en ai a garant (MQEU : Lui meïsmes !) / qui molt looit la fortereche (cf. Conte du Graal, v. 3050 ss). Gauvain se rend au château, trouve le pont baissé et la porte ouverte ; il entre ; plus de cent valets saillent pour s'occuper de lui et de son cheval ; on le conduit jusqu'à des loges (cf. Conte, v. 3075 ss) où on lui passe une robe neuve. Puis on l'introduit dans la salle, où il trouve un beau preudome tout chenu, riche-

ment vêtu, portant sur son chapel un cercle d'or plein de pierres précieuses. Ce preudome est couché (les copistes hésitent
entre seoir et gesir ; T écrit aussi acoutez, cf. Conte, v. 3092)
sur un lit, parce qu'il est mehaigniez del cors. Il salue Gauvain
et le fait asseoir près de lui sur le lit ; il lui demande qui
il est, ce que Gauvain dit. Bientôt le repas est prêt ; les valets
apportent deux tréteaux de cyprès, puis la table (refus de description) sur laquelle ils étendent la nappe la plus blanche qui
soit (cf. Conte. v. 3277 ss). La salle est illuminée par de nombreux cierges.

Ils sont à peine assis à table qu'entre, sortant d'une chambre, le plus beau valet du monde, portant une lance blanche
dont le fer saigne ; il traverse la salle. Puis vient une belle
pucelle, qui porte un petit tailloir d'argent. Puis deux valets,
portant des chandeliers pleins de chandelles ardentes. Puis une
pucelle, très belle, mais qui pleure et se desconforte, tenant
entre ses mains un Graal trestot descovert (MQEU, cf. Conte,
v. 3301, au deuxième passage ; - T écrit : le saint Graal a
descovert). Gauvain s'étonne surtout de ce qu'elle pleure ; elle
entre, elle aussi, dans une autre chambre. Enfin une bière, portée
par quatre serjanz : le corps est couvert d'un paile roial, sur
lequel repose une épée brisée - mais il faut savoir qu'elle l'est,
car elle paraît entière ; ils traversent aussi la salle, où personne
ne dit mot. Gauvain a grand envie de poser des questions (qui
sont-ils ? d'où viennent-ils ? où vont-ils ?). Bientôt revient
le valet porteur de la lance dont la pointe saigne, et si n'i
a ne char ne vaine (= Conte du Graal, v. 3549-50), puis la porteuse du tailloir, les deux valets aux chandeliers, la porteuse du
Graal ou molt ot pierres prescials, toujours pleurant, enfin la
bière. Par trois fois ils traversent ainsi la salle. Gauvain comprend bien que c'est le Graal et la Lance qu'il devait quêter.

Gauvain se rapproche du preudome et lui demande la
senefiance du Graal et de la Lance, et pourquoi la pucelle pleure,
et pourquoi l'on porte ainsi la bière, et pourquoi une épée est
posée dessus. Le preudome lui répond qu'il lui dira la vérité,
s'il est digne de la connaître ; il appelle quatre valets : "Appor-
tez-moi ma bone espee." Ce qu'ils font : elle brisée en deux.
C'est une des nièces du preudome qui la lui a envoyée, par
grant chierté (cf. Conte, v. 3145 ss). Le preudome dit à Gauvain
que, s'il peut ressouder l'épée, il saura le voir et la senefiance
de tout ce qu'il a vu. Le héros essaie : les deux moitiés s'ajus-
tent parfaitement et l'épée paraît ressoudée. Le preudome lui
dit de la prendre (par la poignée et) par la pointe et de tirer : ce que fait Gauvain, et les deux moitiés se séparent du
premier coup.

"Vous n'avez pas encore tant fait d'armes, lui dit le preudome, que vous puissiez savoir la vérité : celui qui la saura devra être le meilleur chevalier du monde". Gauvain l'écoute avec tant d'attention qu'il s'endort sur la table. Il se réveille au matin dans un marais, ses armes près de lui, son cheval attaché à un arbre. Il est fort en colère d'avoir "perdu l'avanture". Il monte à cheval et s'en retourne, pensif (T 1194-1509, E 3637-3957).

Rédaction longue : suite de l'interpolation des seuls manuscrits EU :

Episode 8a. Préparation à l'épisode de Montesclaire : Gauvain rencontre un courtois vavasseur, Galehés de Bonivent, qui l'invite, le renseigne et tient à l'accompagner.

"Il faut maintenant, se dit Gauvain, que je fasse vite autre chose, et que je la mène à bien". Il chevauche toute la journée dans une forêt obscure, où il doit aussi passer la nuit. Le lendemain, il ne rencontre personne jusqu'à none. A cette heure, il débouche en terre plaine, entend sonner un cor et voit sortir de la forêt un vavasseur qui revient de la chasse. Celui-ci salue le héros et l'invite pour la nuit ; il se nomme : GALEHES de Bonivent, et est très heureux d'apprendre que son invité est Gauvain.

On arrive au fort manoir de Galehés ; celui-ci sonne de son cor pour faire accourir ses valets. Monté dans la salle, Gauvain y est accueilli par l'épouse du vavasseur, une fort belle femme. Repas, après lequel Galehés interroge Gauvain sur sa destination. Celui-ci répond en évoquant la messagère qui, à la Cour d'Arthur, proposa l'aventure de Montesclaire (cf. Conte du Graal, v. 4701 ss).

"Vous pourrez y être demain matin, dit Galehés. Ce château de Montesclaire est construit sur une grande roche, toute ronde et fort haute : on n'y peut monter à cheval. Au pied du tertre coule la Fontaine au Lorier ; c'est près d'elle que se tiennent les trois chevaliers qui assiègent le château et ont détruit tout le pays. L'un d'eux avait requis d'amour la Demoiselle et, éconduit, avait juré de la réduire à merci. Tous ceux qui sont passés par là ont trouvé la mort. Ces trois chevaliers sont frères et se font appeler les trois Chevaliers Noirs de la lande gaste anermie".

Galehés tente de dissuader Gauvain de tenter l'aventure ; qu'il attende au moins deux jours, et Galehés lui procurera l'aide d'une dizaine de chevaliers. Mais Gauvain refuse : "... Seus i seré, car seus l'ampris, / et toz seus an avré le pris

18

...". On sert des liqueurs et des friandises (cf. Conte de Graal, v. 3325 ss) ; avant de se coucher, Galehés demande à Gauvain un don. Au matin, il lui dit de quoi il s'agit : que Gauvain lui permette de l'accompagner, car il connaît les chemins et les sentiers. Gauvain accepte, à la condition que Galehés ne l'aidera pas dans sa bataille. Ils partent (EU 3958-4310).

Episode 8b. Délivrance de la Demoiselle de Montesclaire : combat victorieux de Gauvain contre les trois Chevaliers Noirs qui assiégeaient le château ; dans une grotte merveilleuse, il prend l'Epée aux étranges renges : il refuse de séjourner, car il doit se rendre à Escavalon.

Gauvain et Galehés arrivent en vue de Montesclaire, puis du pavillon tendu près de la Fontaine. Le héros demande à son guide de ne pas aller plus loin. Il se dirige seul vers le pavillon, dont les occupants l'ont vu : ceux-ci sonnent du cor pour prévenir les assiégés - c'est leur coutume perverse, afin que les malheureux puissent assister à la défaite de leurs éventuels défenseurs. Puis ils se précipitent tous trois sur Gauvain qui tient bon et, au retour, tue le premier. Les deux autres s'escriment longuement, et le héros en tue encore un. Le dernier, dont l'épée se brise, demande merci.

Joie au château. La Demoiselle - la plus belle du monde - et ses gens, au nombre de 2 000, montent à cheval pour aller à la rencontre de leur sauveur (contradiction avec ce qui a été dit plus haut). Galehés accourt lui aussi : la Demoiselle est sa nièce (cf. Conte du Graal : Gornemant et Blancheflor !). Après les saluts, Gauvain remet le vaincu à la Demoiselle en la priant de lui laisser la vie. Elle invite le héros au château. Chemin faisant, son oncle lui apprend qui est son libérateur.

Arrivé au château, Gauvain demande l'épée merveilleuse qu'il est venu chercher. "Elle n'est pas en notre pouvoir, répond la Demoiselle, et, là où elle est depuis bien cent ans, je crains que vous ne puissiez l'obtenir sans mal". Elle conduit le héros dans un jardin où s'ouvre une profonde grotte, fermée par une porte de fer qui n'a jamais pu être ouverte. Mais, devant Gauvain, la porte s'ouvre. Son épée à la main, il descend jusqu'au fond de la grotte, il voit une clarté intense, descend encore des marches, arrive dans une chambre aux murs d'or et à la voûte d'argent, toute constellée de pierres précieuses. Au milieu, se dresse un pilier d'or, surmonté d'une escarboucle qui brille aussi clair que le soleil. L'épée merveilleuse y pend, et une inscription incite le héros à la saisir, s'il l'ose. Gauvain prend l'épée, revient sur ses pas, ressort de la grotte à la joie de tous.

On revient dans la salle. La Demoiselle demande à Gauvain son nom (elle le sait déjà !), et celui-ci s'excuse d'avoir tant tardé à la secourir. Elle lui dit qu'elle est son amie, et qu'il lui demande ce qu'il veut. Pour le moment, Gauvain lui demande la vérité sur l'Epée aux Estranges (E̲ Estroites) Renges.

"C'est l'épée de JUDAS MACABEE, répond la Demoiselle, que JOSEPH d'ARIMATHIE apporta quand il vint dans ce pays ; lorsqu'il sentit sa fin proche, Joseph envoya cette épée dans ce château, pour qu'elle fût déposée dans la grotte en attendant que le meilleur chevalier du monde la prenne. Bien des vaillants chevaliers ont tenté d'ouvrir la porte de fer : ils sont repartis fort mal en point ou hors de leur sens. Cette épée assure l'invincibilité à son porteur, s'il est dans son bon droit, mais, s'il est dans son tort, elle le condamne à la défaite". Repas.

Gauvain reste huit jours à Montesclaire, pour guérir ses blessures. Un matin, dans son lit, il se met à penser à la Lance qui saigne, et à la promesse qu'il avait faite de la rapporter à Escavalon. Il se lève et dit à la Demoiselle qu'il veut partir. Les instances de la Demoiselle n'y font rien ; elle fait apporter des armes neuves au héros, qui, ceignant l'épée merveilleuse, monte et prend congé. Il chevauche pendant quinze jours sans trouver ce qu'il cherche (E̲U̲ 4310-4828).

Rédaction longue : interpolation de tous les mss (T̲ et M̲Q̲E̲U̲) ;

Episode 9. Gauvain rencontre Dinadarés, dont il a jadis tué le père. Le duel s'engage, mais Dinadarés propose de le remettre à plus tard, devant témoins.

Quand il se rappelle son serment, Gauvain est angoissé à la pensée de ne pouvoir être à temps (à Escavalon) pour son duel (contre Guingambresil). Un matin, repartant d'un ermitage où il a passé la nuit (MQ om.), il s'engage dans une forêt, gravit une haute montagne, entre dans une lande. Il voit chevaucher un chevalier et une pucelle ; il leur demande où ils vont. Le chevalier répond insolemment, et exige que Gauvain se nomme, ce que celui-ci fait. L'autre, justement, le cherchait : "Tu vas payer la mort de mon père !" Le duel s'engage, long et furieux, jusqu'à ce que l'adversaire, lassé, propose au héros de remettre la suite à plus tard : il ne leur sert à rien de se battre ici, sans témoins ; que Gauvain se tienne prêt à recommencer le duel devant une cour. A la demande du héros, l'adversaire se nomme : DINADARES ("... Plus ai eü guerre que pés, / ainz de guerre ge ne fui las ...."). Gauvain lui dit qu'il se rend à Escavalon .

(T̲ 1510-1635, E̲ 4829-4951).

20

Episode 10a. Gauvain arrive enfin à Escavalon. Guingambresil réclame sa bataille ; survient Dinadarés qui fait de même. Gauvain devra donc se battre contre les deux à la fois. Un valet court prévenir Arthur, qui vient à Escavalon et fait la paix en donnant deux de ses nièces en mariage aux deux adversaires de son neveu.

Gauvain arrive enfin à ESCAVALON (QU Cavalon). Il entre dans la salle, salue le roi : "J'ai cherché vainement, toute une année, le Graal - (dans le Conte, cela ne lui était pas imposé) - et la Lance : je viens donc me rendre prisonnier". GUINGAMBRESIL intervient et demande sa bataille. Le roi répond qu'il doit prendre conseil de ses barons. Cependant arrive un grand chevalier, amenant trois destriers tout couverts de fer : c'est DINADARES, qui réclame aussi son duel. On discute au conseil du roi : Gauvain doit-il combattre les deux à la fois ? Le baron le plus expert en plait répond que oui et le démontre aux autres. Le roi d'Escavalon se range à son avis : que la bataille ait lieu immédiatement. Guingambresil se fait armer.

Mais un VALET qui était à la cour (d'Escavalon), un cousin de Gauvain, monte vite à cheval pour aller prévenir le roi Arthur. A une lieue du château, il rencontre le sénéchal KEU, qui lui demande à qui est ce beau château. Le valet répond et annonce que va y avoir lieu la bataille d'un seul chevalier contre deux ; questionné par Keu, il nomme les deux, puis celui qui devra les affronter ensemble. Keu, désolé, l'accompagne à l'ost du roi ARTHUR ; (joie et T) douleur de celui-ci, qui fait crier le rassemblement de son armée. YVAIN précède la troupe (cf. Chrétien, début d'Yvain), arrive à Escavalon, annonce l'arrivée d'Arthur et demande un répit, ce que le roi d'Escavalon lui accorde.

Arrivée du roi Arthur à Escavalon ; accueil fort courtois ; éloge des preudomes, trop cler semé (T amplifie). Joie de Gauvain de voir son oncle, qui ne va pas manquer de faire la paix. En effet ses deux adversaires se laissent persuader et Arthur leur donne en mariage deux de ses nièces : TANCREE (E Tanete, U Teuenette, MQ om.) la Petite à Guingambresil, et BEATRIS (EU Autandre, MQ om.) à Dinadarés. Mariages. Les deux ex-adversaires de Gauvain font hommage au roi Arthur.

(T ajoute : ainsi Gauvain s'est acquitté de la promesse qu'il fit lorsqu'il fut surpris en la tor avec la pucelle - cf. Conte du Graal, v. 5832 ss).

Hommage de tous les princes des Isles de mer (anticipé par EU qui copient d'abord un texte proche de A avant de recopier celui de MQ), sauf de Brun de Branlant (MQEU amplifient).

(T : Arthur reste trois jours en compagnie de sa mère et de sa soeur - les a-t-il donc emmenées jusque là ? ou T se croit-il encore au Château de la Merveille ?).

(T 1636-2053, E 4952-5384).

Amplification finale des mss MQEU :

Épisode 10b. Enumération des rois et des champions qui vont accompagner Arthur à Branlant.

Le roi Arthur a fait envoyer des lettres à tous ceux de son ampire pour qu'ils viennent participer au siège de Branlant. Le rassemblement a lieu à Escavalon, à une Pentecôte.

Viennent donc : le roi MARC, le roi LOT d'Orcanie, le GUIROMELANT ; BEORZ (M Broc, E Ebrox, U om.), roi de Gomeret ; le roi CAMANDAN (var.) de Norgoise (var.), le roi MERAUGIS (Merauguins etc.) d'Irlande, le roi YDER ; CARADOC, qui miauz ainme haubert que froc (allusion à son déguisement pendant sa fuite, cf. Br. III ?) ; le roi GANDON de Veline, qui molt avoit (M amoit) belle voisine ; MARQUIS (Marbruns, Mahuris, U om.), un roi d'Irlande ; le roi MENADOC (M Meriadés, Q Meliadés) ; le roi de Madoc (M MORADES), le roi LOTH de Loënois, sans oublier, bien sûr, le ROI d'ESCAVALON.

Parmi les chevaliers : GAUVAIN ; YVAIN et son père, le roi URIEN ; le comte QUINABLES (cf. Chrétien, Charrette, v. 215) ; le connétable BEDOER (M Boccier, U Desier, E anonyme) ; GAHERES aux armes bises et AGRAVAIN, l'orgueilleux aux dures mains, tous deux fils du roi Lot d'Orcanie ; KEU le sénéchal, qui de boiche iert trop desloiaux ; LUCAN le bouteillier ; LANCELOT du Lac (E seul ; MQ : CARADOC Briebraz) (U om. ces trois derniers) ; TRISTAN qui ne rist, TOR fils Arés, SAGREMOR le Desreés ; le dru à la Sore Pucelle / de la Blanche Forest, le seigneur de la Blanche Lande.

Parmi les dames et demoiselles : la Pucelle de MONTESCLERE ; BLANCHEFLOR de Biaurepaire ; les trois des Cleres Fontenelles ; la SORE PUCELLE (U om.); YSAVE de Carahés, et GUINIER, la soeur de CADOR de Cornouaille, celle qui fut ensuite l'épouse de CARADOC Briebraz et eut la mamele d'or (cf. Br. III) .

(E 5385-5508).

22

BRANCHE II

BRUN DE BRANLANT

Sommaire. Arthur et toute son armée assiègent Branlant. Première escarmouche. Yvain et les belles assiégées : le cheval chargé de vivres. Sortie et razzia de Brun : Gauvain est blessé. Promenade de Gauvain convalescent : ses amours avec la Pucelle de Lis (version "flirt", MQ om.) ; meurtre du père de celle-ci ; duel interrompu de Gauvain et de Bran de Lis. Retour de Gauvain ; fin du siège : hommage de Brun de Branlant.

(L 1071-2046 ; A 1173-2052 ; T 2054-3082 ; E 5509-6670 ; MQ 5509-756, puis 148 vv. imprimés en appendice, enfin 6657-70)

Episode 1. Arthur et toute son armée arrivent devant Branlant. Première escarmouche. On dresse le camp et on s'installe pour le siège - qui va durer sept ans.

Aussitôt (ASPMQE : le matin ; T : le mardi matin) le roi ARTHUR se met en route avec toute son ost vers Branlant - par landes, par forés plenieres / gisant sor les beles rivieres (LT seuls). Ils y arrivent au terme de la quinzaine (L ; - T : au 9e jour ; - MQEU : le soir même; - ASP : non précisé). BRUN de BRANLANT s'est bien muni et il a fait venir tous ses vassaux et ses alliés (déplacé dans les autres mss).

> MQEU ajoutent : la cité est de grant antiquité ; elle possède cinq évêchés - sic ! ; les murs sont très hauts, les fossés ont 20 toises de large ; la cité est bien garnie : vignes et gaaignaiges, granz rivieres et grant boischaiges - sic ! ; un bras de mer l'entoure, lui apportant la richesse.

Dès que l'on est en vue de Branlant, cil qui d'amors furent espris / et qui d'armes ainment le pris se hâtent de s'armer et, sans ordre, galopent vers la ville. Les défenseurs font une sortie : ils sont près de 2 000 (LT ; - APQ : trois mille ; S : quatre mille ; MU : trois

23

cents ; E : deux cents ; - T place ici : Brun a fait venir etc.). Le combat s'engage, furieux (un carnage dans MQEU : ... Tuit ocïent et esboëllent, / li vif desor les morz roëllent ...) et ce sont les royaux qui l'emportent (EU complètent MQ en faisant plusieurs emprunts à un ms. proche de L).

Le roi fait établir son camp ; loges et ramees, riches pavillons - trestout le païs reflamboi.e / des pumiaus a or reluisans / et des escus reflamboians (L seul ; - ASPEU insistent sur la longueur de la file des tentes ; - pour T, les loges durent une liue et demie entiere ... d'un seul tenant).

> MQ om. ; - EU suppléent en copiant un ms. proche de A, et placent l'installation du camp avant la première escarmouche, puis enchaînent, comme le font ASP, Brun a fait venir etc. - 700 chevaliers ; - cf. AP sept mille, S cinq cents.

Le siège va durer sept ans ; chaque année, le roi le lève avant le carême (T : au début de l'hiver ; P : après aoust), et renvoie ses gens se reposer dans leurs pays (AS : en son païs ; - MQEU : sauf les gardiens des trois châteaux - cf. infra, épis. 8). Il les rassemble après l'octave de la Pentecôte et, chaque esté, il détruit tous les blés et autres cultures, pour affamer la ville.

> Long développement de MQEU. A la fin de la première bataille, le roi Arthur fait soigner les blessés et enterrer les morts dans le cimetière (sic). Le lendemain matin, le roi fait mettre en action ses mangoniaus et ses perrieres - cf. réd. courte, épis. 2 et 3 ; les assiégés ripostent en lançant carreaux et pieux aiguisés. Arthur tient conseil ; le roi d'Irlande dit que le siège risque de durer sept ans si l'on n'organise pas le blocus de la cité : il faut interdire le port, par où arrive le ravitaillement. Arthur décide de faire édifier trois châteaux, dont deux surveilleront la mer et le bras de mer ; le premier, le Château de l'Angarde, est confié à GAUVAIN ; le second, Pencrist, à GIRFLET ; le troisième, anonyme, à TOR fils Arès (cf. réd. courte, épis. 8).

(L 1071-157, A 1173-230, T 2054-156, E 5509-783).

La rédaction MQ quitte ici la version qui va devenir commune à tous les mss, pour donner un texte très résumé du reste de la Branche :

> Dans MQ, l'épisode 2 sera réduit à moins d'un quart ; l'épisode 3 sera omis et MQ sautera directement à la fin du siège. Puis, revenant en arrière, MQ racontera très brièvement, non pas les amours de Gauvain et de la Pucelle de Lis, qui seront passées sous silence, mais le meurtre, par le héros, de Méliant de Lis et de son frère (?), et le duel interrompu de Gauvain et de Bran de Lis (épis. 6 et 7) - cf. vol. II de l'éd. Roach, Appendix, p. 607-10.

Pendant tout ce temps, EU vont transcrire un texte très proche de celui de L (T).

Episode 2. Les belles assiégées, affamées, excitent la pitié de Gauvain et d'Yvain, qui leur font envoyer des vivres. Arthur fait cesser cette pratique, mais cède une dernière fois : le cheval est tellement chargé de vivres par le sénéchal Keu qu'il en crève.

La cité , affamée, n'aurait pas pu tenir bien longtemps. Mais, parmi les assiégés, il y avait deux pucelles fort belles, LORE de BRANLANT (cf. le début de la Br. I) et YSAVE de Carahés (qui deviendra l'épouse de Caradoc père).

> MQ et EU citent cette dernière sans vergogne, bien qu'ils l'aient mentionnée dans l'énumération des princesses qui suivaient l'ost .d'Arthur ! Est-ce pour cette raison que T, qui ne donnait pourtant pas cette énumération, écrit seulement YSMAINE, et que S saute le couplet ?.

Quand il n'y avait plus rien à manger, elles se mettaient aux fenêtres de leur tour, donnant sur un beau pré où GAUVAIN et YVAIN venaient souvent bavarder avec elles (ASP ; elles demandoient Gauvain et Yvain ; A leur adjoint GUIVRET le Petit - cf. Erec), et disaient à ceux-ci leur détresse. Les courtois chevaliers allaient trouver le roi Arthur, qui faisait envoyer des vivres à la ville. Par ce moyen, la cité résista trois ans (LASPU ; - T deux ans ; E quatre ans) de plus qu'elle n'aurait dû. Le roi finit par interdire tout envoi de ravitaillement à Branlant, et il fait mettre en action ses grandes perrieres (EU recopient selon L ce qu'ils ont déjà copié selon MQ).

Mais un soir qu'YVAIN se promène autour de la ville, il entend pleurer les pucelles, qui n'avaient pas, lui apprend Lore (ASP om.), mangé depuis deux jours. Il vient à Arthur, s'agenouille et le supplie de leur envoyer encore à manger. Le roi lui accorde ce don, mais parce que c'est lui, et, appelant le sénéchal KEU, il lui commande de faire charger un somier de toutes sortes de vivres pour les pucelles assiégées. Keu fait alors la plus grande cortoisie de toute sa vie :

> T dével. : Keu était certes désagréable, mais il était aussi capable d'être vaillant et secourable - cf. Br. I/1 ; en son tans il fit mainte grant proëce et mainte larguece.

il fait chercher le plus grand cheval de toute l'armée et le fait charger de vivres à un point tel que la bête en crève avant d'atteindre la porte de la ville. Les assiégés sortent prendre les vivres, qui leur permettent de manger pendant 3 jours (T deux j. ; - Q un mois ; M trois mois !).

> MQ, dans leur résumé, ne racontent qu'une seule démarche, la dernière, attribuée à Gauvain et Yvain ; le motif du cheval qui crève est omis.

(L 1158-314, A 1231-389, T 2157-339, E 5784-940 ; MQ, Appendix, 24-82).

Episode 3. Sortie et razzia de Brun de Branlant : Gauvain, qui n'avait pas revêtu son armure, est grièvement blessé.

Brun de Branlant comprend qu'il faut faire quelque chose. Un matin, dès l'aube, il se lance avec 300 compagnons sur le camp des assiégeants encore endormis et s'empare de vivres dont il fait charger de nombreux chevaux. L'ost se réveille, court aux armes. Gauvain, follement (A om.), sans prendre le temps de revêtir son armure (A seul : sans vouloir le faire - intrépidité et non "folie"), s'élance après les ravisseurs. Brun, qui fermait la marche, le voit venir, se retourne contre lui et lui enfonce sa lance dans l'épaule. On s'empresse autour du blessé, on le remporte au camp. Douleur d'Arthur : il fait appeler les médecins qui lui promettent de rétablir son neveu. Le roi fait approcher ses engiens et lancer ses perrieres (déjà dit à l'épis. précédent). Gauvain va rester alité pendant trois mois et quatre jours (TEU : et quinze j. ; - P deux mois, AS un mois) (L 1314-424, A 1390-496, T 2340-448, E 5941-6056 ; MQ om.).

Episode 4. Gauvain et la Pucelle de Lis. Le héros, convalescent, veut éprouver ses forces et demande son cheval. Keu le voit partir et informe Arthur qui rattrape son neveu : celui-ci le rassure : il sera bientôt de retour.

Un matin que Gauvain est couché dans son pavillon, dont il a fait relever les pans pour voir le jour (ASP om.), il voit passer un sien valet qui conduit le GRINGALET ; il l'appelle, lui dit de seller le cheval, puis il se fait habiller et armer. Il monte, prend son écu et sa lance, et part. Le sénéchal KEU le voit passer et, alarmé, court au roi : "Vostre neveu avés perdu !" ; Gauvain est parti chercher les aventures, et s'il est amené à combattre, sa plaie va se rouvrir. Le roi saute (A monte) à cheval et galope après son neveu. Il le rattrape, lui demande où il va, ainsi armé. Gauvain répond qu'il ne veut qu'essayer ses forces ; il ne va que jusqu'à ces prés et ces bruellés ("bosquets") fleuris (ASP om.), pour savoir s'il est capable de supporter son armure ; il ne tardera pas à rentrer. (L 1425-519, A 1497-569, T 2449-545, E 6057-151 ; MQ om.).

Episode 5. Gauvain et la Pucelle de Lis (suite). De bosquet en bosquet, Gauvain arrive à un pavillon tendu près d'une fontaine. Il y trouve une très belle pucelle qui l'aime depuis longtemps et qui, après avoir vérifié son identité sur un portrait, se donne joyeusement à lui.

<u>Ici recomencent noveles.</u> Gauvain traverse une belle rivière (P <u>une eve</u> ; AS om.), puis des prés, arrive dans une <u>lande</u> verte et fleurie, sentant délicieusement bon (ASP om.), se dirige vers un beau <u>bruellet</u> ("bosquet, taillis") rond (<u>LT</u>) et fleuri, plein d'oiselets qui chantent, ce qui, joint au temps particulièrement beau, lui réjouit le coeur : il pique des deux, la lance allongée (<u>AP</u> levée), s'arrête, se sent parfaitement en forme. Il dépasse ce bosquet, galope vers un autre, puis vers un troisième, un quatrième. Il n'a pas envie de retourner au camp avant d'avoir appris quelque nouvelle <u>estrange</u> (<u>LTE</u>) et trouvé <u>aventure.</u>

Il voit (<u>T</u> : le troisième jour ?!), dans une <u>lande,</u> un très riche pavillon tendu près d'une fontaine ; le pommeau en est couronné d'un <u>aigle d'or qui reflamboie</u> ; des loges de ramée l'entourent (cf. <u>Conte du Graal,</u> épis. de la Pucelle au Pavillon, v. 635 ss). Gauvain va jusqu'au pavillon, descend de cheval, entre tout armé (précisé par <u>LEU</u>) et trouve, assise sur un lit, la plus belle pucelle du monde, occupée à confectionner un lacet de heaume (précisé par <u>LEU</u>). Il la salue courtoisement, elle ne répond pas ; il croit l'avoir vexée en l'appelant "<u>dame</u>" (<u>ATE</u> : "<u>amie</u>") et recommence, en l'appelant "<u>pucelle</u>". Elle répond : "Que Dieu sauve et garde monseigneur GAUVAIN, et vous bénisse, vous aussi."

Gauvain demande à la pucelle pourquoi elle salue Gauvain avant lui. "J'en fais autant pour mon père et mon frère. Il y a trois ans (<u>PT</u> deux, <u>S</u> quatre), j'ai entendu parler de Gauvain pour la première fois, et dire si grand bien de lui que je le salue toujours avant quiconque. - Je n'ai jamais dit mon nom, reprend Gauvain, s'il ne m'a été demandé, mais je ne le cache jamais quand on me le demande. - Dites-le moi donc (<u>T</u> om.). - Je suis Gauvain". Elle refuse d'abord de le croire, puis lui dit de se désarmer. Elle passe dans sa <u>chambre,</u> où se tient une SARRASINE qui venait des chambres de la reine (<u>U</u> GENIEVRE, <u>E</u> Jenevre ; <u>AT</u> GUIMART, <u>P</u> Gynmarte, <u>S</u> Guirimac ; <u>L</u> ne donne pas de nom), où elle avait exécuté en broderie un portrait de Gauvain, parfaitement ressemblant (<u>ASPT</u> : ses qualités morales apparaissent aussi sur ce portrait).

La pucelle revient, regarde attentivement son visiteur : c'est bien lui. Elle le couvre de baisers : "Amis, fait ele, en abandon / vos met mon cors et vos present / m'amor a tos jors loiaument" (S : ... mon cuer a trestot mon vivant ; AT : Vostre serai tot mon vivant). Gauvain accepte ce don et, en guerredon, lui donne aussi son amour, dont il la "saisit" par un baiser. Ils "parlent" tant d'amour et "jouent" tant qu'elle perd le nom de "pucelle" et devient "amie et damoisele". Avant de la quitter, Gauvain lui dit quand il reviendra pour l'emmener ; il s'arme et part.
(L 1520-711, A 1570-733, T 2545-723 . E 6152-343 : MQ om.).

Episode 6. Norré de Lis, le père de la demoiselle, arrive au pavillon : quand il apprend ce qui s'est passé, il s'élance après Gauvain et l'attaque ; Gauvain le blesse mortellement.

Le père de la demoiselle, NORRE de LIS (LSPE ; U Li rois de Liz ; anonyme dans A et T : Or orroiz molt fort avanture ; - cf. MQ : Meliant de Liz et son frère), arrive au pavillon et salue sa fille en l'appelant "pucelle". Elle ne répond pas. Il reprend en l'appelant "ma fille". Cette fois elle répond : "Je suis bien votre fille, mais je ne suis plus pucelle. - Qui donc a fait cela ? - Messire Gauvain, qui s'en va, emportant mon pucelage. Il y a longtemps que je vous avais dit qu'il l'aurait, sans résistance de ma part, dès que j'en trouverais l'opportunité".

Le père fait demi-tour et galope sur les traces de Gauvain. Il le rattrape et lui crie : "Traître ! vous ne vous en irez pas ainsi ! Je vais vous faire payer la mort de mon frère (sic) et la honte que vous m'avez fait en dépucelant ma fille !" Gauvain s'en sorrist : "Je ne vous ai fait nulle honte, et, si vous pensez le contraire, je suis prêt à vous donner une compensation telle que vos amis et les miens en seront fort satisfaits. Mais je récuse l'accusation de trahison". Le père l'attaque, mais sa lance se brise et celle de Gauvain

29

s'enfonce dans son corps, le blessant mortellement. Gauvain poursuit son chemin.

> MQ : Avant la fin du siège de Branlant, Gauvain était parti chercher les aventures ; il rencontra un chevalier, ME-LIANT de LIS - cf. Conte du Graal, v. 4825 ss - , qu'il tua, et ensuite son frère, qu'il tua également.

(L 1712-78, A 1734-98, T 2724-88, E 6344-410 ; MQ, Appendix, 111-19).

Episode 7. Même chose pour Bran de Lis, le frère de la demoiselle. Mais, cette fois, le duel est long, et Gauvain, dont la plaie s'est rouverte, propose de le remettre. Bran accepte, mais il attaquera Gauvain quand il le voudra, et dans l'état où il le trouvera.

Scène parallèle avec BRAN de LIS, le frère de la demoiselle, laquelle ne lui répond pas lorsqu'il l'appelle "pucelle", mais oui quand il l'appelle "ma soeur". Bran repart au galop, trouve son père baignant dans son sang, mais continue à poursuivre Gauvain : "Vous allez payer la mort de mon oncle, que vous ocesistes - noter le parfait - à tort ; et vous venez de tuer mon père (E intervertit père et oncle) et de dépuceler ma soeur !" Gauvain répond la même chose qu'au père. Duel ; les lances se brisent, les cavaliers tombent, tout étourdis ; ils se relèvent et continuent à l'épée. Bran est un beau chevalier, jeune, en pleine force, et d'un demi pied plus grand que Gauvain. Bientôt, l'ancienne plaie de celui-ci se rouvre, et le héros propose de reporter le duel. Bran y consent, mais à la condition suivante : il attaquera Gauvain dès qu'il le retrouvera et dans l'état où il sera, armé ou non. Ils se séparent. Gauvain s'arrête pour bander sa plaie ; Bran, pour emporter son père, maintenant mort, dans une abbaye où les moines célèbrent son service funèbre et l'enterrent. Ici remaint de Bran de Lis / et de sa sereur au cler vis, / mais ele est ençainte d'enfant.

> MQ : Survient le second frère, Bran de Liz, furieux de la mort de ses deux frères. Duel, qu'ils interrompent tant ques voie li rois Artus.

30

(L̲ 1779-983, A̲ 1799-995, T̲ 2789-987, E̲ 6411-6O9 ; M̲Q̲, Appendix, 12O-42).

Episode 8. Retour de Gauvain au camp. Reddition de Branlant. Les trois châteaux. Brun de Branlant fait hommage au roi Arthur.

Gauvain revient au camp. Le roi convoque ses médecins : le héros restera alité six mois (S̲ sept, T̲ deux, P̲ un). Arthur fait construire trois châteaux pour bloquer la cité de Branlant, que la faim accule à la reddition. Le roi fait raser la ville ; il "peuple" les châteaux neufs ; il donne à Gauvain le plus beau et le plus riche, PAN-CRIST (L̲P̲T̲ ; S̲ Paroiz, A̲ Baroz ; - M̲Q̲E̲U̲, cf. supra épis. 1 ; E̲ Painerist, U̲ Panterist) ; à GIRFLET (A̲ Guingan de Dolas), le second, celui des Ormiax ; à TOR fils Arés (S̲ Hector), le troisième, le Chastel de l'Angarde (S̲P̲T̲ ; L̲A̲ de la Garde).

(Retour de M̲Q̲). L'armée se sépare. Le roi se rend à QUILINI (P̲ Carmeli, M̲ Quibari), emmenant Brun de Branlant, qu'il libère et à qui il done deux cités : BARADIGAN (T̲ Caradigan !) et Quilini (var. ; - M̲Q̲E̲U̲ : seulement Quilini). Brun lui fait hommage : par la suite, il lui rendra bien des services. Sa fille (M̲Q̲E̲U̲ soeur), LORE (A̲ anonyme) de Branlant, sera l'amie du sénéchal KEU. Gauvain s'en va se reposer à son château.

T̲ : transition avec la Br. III : ... Revenir weil a ma parole / et conter du bon roi Artu, / qui encor devant Branlant fu / une aventure merveilleuse / qui a oïr ert deliteuse.

(L̲ 1984-2O46, A̲ 1996-2O52, T̲ 2988-3O82, E̲ 661O-7O ; M̲Q̲, Appendix , 83-11O, 143-48 ; 6657-7O).

BRANCHE III

CARADOC

Sommaire. Mariage de Caradoc, roi de Nantes (Vannes), avec une nièce d'Arthur, Ysave de Carahés. L'enchanteur Eliavrés fait de celle-ci sa maîtresse : il sera le vrai père du jeune Caradoc. Naissance de celui-ci ; son envoi à la cour d'Arthur. Le Jeu-parti du Décapité : Eliavrés révèle à Caradoc qu'il est son père. La reine Ysave est enfermée dans une tour.

(Interpolation des mss **PTMQEU** : Cador et sa soeur Guinier ; Aalardin convoite celle-ci et l'enlève après avoir abattu son frère ; survient Caradoc qui la délivre. Au pavillon d'Aalardin).

(Interpolation des mss **TMQEU** : le grand tournoi organisé par les rois Cadoalant et Ris. Faits d'armes multiples de Cador, Aalardin, Perceval, etc. Caradoc remporte le prix ; lui et Guinier s'aiment).

Eliavrés continue ses amours avec Ysave. Châtiment que le roi Caradoc lui inflige. Vengeance de l'enchanteur : le serpent qui s'attache au bras de Caradoc jeune. Fuite de celui-ci. Son ami Cador le quête.

(Développement des mss **TMQEU** : Cador et Guinier, apprenant le malheur de leur ami, arrivent en Bretagne. Fuite de Caradoc. Douleur de Guinier. Arthur et tous ses compagnons - et surtout Cador - quêtent Caradoc).

Cador retrouve Caradoc dans un ermitage. Il obtient par Ysave le moyen de la délivrance de son ami. Dévouement de Guinier : les deux cuves, le mamelon tranché. Mariage et couronnement de Caradoc et de Guinier. Caradoc chez Aalardin : le sein d'or. Aventure du Cor magique, test de fidélité en amour : réussite de Caradoc (et de Guinier).

(L 2046-3271 ; A 2053-3254 ; P idem, plus 770 vv imprimés en appendice ; T 3083-8734 ; E 6671-12506).

Episode 1. Mariage de Caradoc, roi de Nantes (Vannes), avec une nièce d'Arthur, Ysave de Carahés. La nuit de noces et les deux

BR. III : DEBUT DU CARADOC

suivantes, l'enchanteur Eliavrés, amoureux de la jeune reine, couche avec elle, cependant qu'il fait coucher le roi Caradoc avec une "lévrière", une truie, et une jument, auxquelles il a donné l'apparence d'Ysave. Celle-ci est enceinte.

Le roi ARTHUR en paix. Il marie une de ses nièces, YSAVE de Carahés, à CARADOC, roi de Nantes (PT ; - LASV Vanes ; E Verne, U Vaigne, M donguire, Q demoine). (Selon T, le mariage a eu lieu bien auparavant : dès la première année du siège de Branlant).

Il y avait à la cour un chevalier, nommé ELIAVRES (S Heliarés, P Gahariés ! ; MQ om.), parent du sénéchal [KEU] (T : le seneschal apartenoit ; - MQEU om.), et enchanteur extraordinaire.

> T annonce : Mais ore oiez qu'il li avint, / jamais n'orrez si grant merveille / n'onques nus n'oï sa pareille ; - et anticipe : Eliavrés pouvait prendre n'importe quelle forme d'animal, trancher une tête et la remettre en place.

Il était éperdument amoureux d'Ysave.

> MQEU : il tombe amoureux d'Ysave le jour du mariage ; il l'enchante par nigromance et conjure, et l'amène à tromper son époux.

La nuit même des noces, Eliavrés métamorphose une "lévrière" en jeune femme identique à Ysave et il la met dans le lit du roi, cependant que lui-même couche avec la jeune reine ; la seconde nuit, c'est une truie qu'il métamorphose et, la troisième, une jument. Ysave est enceinte de lui.

> Rédaction longue de MQEU. Au moment où le roi séjourne à Quinili (Q Quilini, etc.), un chevalier granz et mambruz, Caradoc, roi de Verne (var., cf. supra), vient lui demander une épouse : il ne veut la recevoir que d'Arthur. Celui-ci lui donne sa nièce Ysave. Tout le barnaige est convoqué pour le mariage, célébré un mardi matin. Description de la fête. Répugnance de l'auteur à raconter la suite : Mais ne voil ci plus demorer, / q'autre chose me convient dire / de quoi j'ai lou cuer molt plain d'ire. / Voir je vosroie estre am prison, / por oster ceste mesprison, / qu'elle n'eüst onques esté. /

33

> Molt i avroie conquesté, / car molt avroient menor blasme / les dames, que l'an a tort blasme. 6740-48.

(L 2046-87, A 2053-91, T 3083-145, E 6671-784).

Episode 2. Retour du roi Caradoc avec Ysave dans son royaume. Naissance et éducation de l'enfant Caradoc ; il est envoyé à la cour d'Arthur.

Le roi Caradoc revient avec sa jeune épouse Ysave dans son royaume. Quand il s'aperçoit qu'elle est enceinte (TMQEU seuls), il l'entoure de soins. Sa joie à la naissance de l'enfant, un fils, que l'on nomme aussi Caradoc. Quand l'enfant a 4 ans (LSP ; - TMQE cinq, U sept, A quinze), son père le met à l'étude des lettres. Quand il sait lire et entendre (T : entendre latin), son père l'envoie à la cour de son grand-oncle, le roi Arthur.

> MQEU dével. C'est à l'âge de 10 ans - U 15 - que l'enfant lui-même demande à aller à la cour d'Arthur, o les bons chevaliers. Préparatifs de son départ ; sa mère l'accompagne jusqu'au rivage ; heureuse navigation, cependant que la reine regagne Nantes. L'enfant trouve la cour d'Arthur à Carduel. Le roi l'emmène souvent à la chasse en bois ou en rivière ; il lui apprend les jeux ; il lui donne des conseils de chevalerie et de courtoisie : ... au besoing soit li miauz fesant / et à l'ostel li plus taisant, etc.

(L 2088-116, A 2092-120, T 3146-84, E 6785-935).

Episode 3. Le roi Arthur pensif au retour d'une chasse : il décide de tenir cour à la Pentecôte ; il y adoube le jeune Caradoc.

Après le siège de Branlant, le roi Arthur reste 3 ans (LS ; - T huit ans, P un an, A longuemant, MQEU plusor anz) sans porter couronne. Un soir, au retour de la chasse, Arthur tombe dans une profonde rêverie (penser) et se laisse distancer par ses compagnons qui devisent joyeusement (T : Gauvain leur raconte une aimable histoire qui lui est arrivée). Gauvain s'en aperçoit et fait arrêter ses compagnons ; au roi, qui les rejoint, il reproche sa tristesse et son isolement

(MQEU : il l'accuse d'être vilain et lui demande, en don, de leur dire pourquoi il est pensif). Le roi répond qu'il se reprochait d'être resté si longtemps sans rien faire d'utile et de généreux ; il a décidé de tenir une très grande cour à la prochaine Pentecôte et d'y multiplier les largesses (MQEU ajoutent : il y adoubera son neveu Caradoc). Gauvain le félicite de ce penser (cf. Conte du Graal, v. 4458 ss). "Où me conseillez-vous de la tenir ? - Dans les grandes salles de votre château de Carduel, qui est en la marche de Galles et d'Angleterre." Le roi fait convoquer tous ses barons et chevaliers.

Grand rassemblement à Carduel pour la Pentecôte (L seul : maint en i vint c'ainc n'i manda : - MQEU : refus d'énumération). La veille, Arthur a fait chevaliers CARADOC et une cinquantaine (T trentaine) d'autres damoiseaux.

>MQEU dével. L'adoubement a lieu le dimanche même. Après le bain, la reine GUENIEVRE envoie à Caradoc et à ses compagnons de riches vêtements ; le mantel de Caradoc est si riche que CHARLES MARTEL eût été heureux de le porter le jour de son couronnement. Beauté du jeune prince. Toute la nuit précédente, les candidats à la chevalerie ont veillé, deduit et chanté. C'est Gauvain qui chausse à Caradoc l'éperon droit, et Yvain, le gauche ; c'est le roi qui lui ceint l'épée et lui donne la colee. Puis c'est la messe, célébrée par l'archevêque de CANTORBIRE.

Après la messe, où le roi "s'est couronné", on revient au palais ; le sénéchal KEU - bel homme et richement habillé (cf. Conte du Graal, v. 2793 ss ; - MQEU om.) - annonce que le repas est prêt. Arthur lui répond que sa coutume est de ne pas commencer à manger, un jour de grande fête où il a porté couronne, avant qu'une aventure ne soit arrivée.

(L 2117-239, A 2121-243, T 3185-331, E 6936-7136).

Episode 4. Le "Jeu-parti du Décapité". Caradoc relève le défi de l'enchanteur et lui coupe la tête, que celui-ci se remet en place ; l'enchanteur donne rendez-vous au héros dans un an pour recevoir le même coup.

Arrive un très grand (MQEU om.) chevalier, richement vêtu d'un peliçon qui traîne à terre (MQEU om.), portant une longue épée (LP molt longue ; S haute, A bone ; - MQEU ne la qualifient pas mais anticipent : dont puis ot la teste copee) aux riches renges (MQEU : il arrive en chantant un sonet !). Il s'avance à cheval (MQEU n'explicitent pas) jusque devant le roi, qu'il salue et à qui il demande un don. Le roi le lui accorde : il s'agit d'une colee à donner pour en recevoir une. C'est-à-dire : si un chevalier de la cour peut lui trancher la tête d'un seul coup, et s'il peut, lui, en guérir, l'autre devra revenir dans un an recevoir le même coup. Il descend de cheval (aussi dans MQEU) et tend son épée à l'assistance.

Les chevaliers de la cour (MQEU le sénéchal KEU) se récrient : ce serait folie de tenter l'épreuve. L'inconnu dit que la cour d'Arthur n'est pas si riche qu'on le répète, puisqu'elle ne contient aucun chevalier vraiment courageux (MQEU : puisqu'on ne lui accorde pas ce "petit don" qu'il est venu chercher de bien loin), et il le fera savoir partout. Il va pour s'en retourner, mais le jeune Caradoc saute sur pieds, jette son mantel et vient prendre l'épée. Arthur intervient : son petit-neveu peut laisser cette "prouesse" (T folie) ; il y a ici beaucoup de bons chevaliers qui feraient aussi bien et même mieux que lui (MQEU om.). Caradoc rougit de honte (MQEU : douleur du roi et des barons ; Yvain se retient pour ne pas arracher l'épée des mains du jeune homme). L'inconnu baisse la tête, étend le col ; Caradoc lui porte un tel coup que la tête vole au milieu de la salle (TMQEU : jusqu'au dois, la table royale ; ASP desor le dois). Le décapité la reprend, la remet en place : "Caradoc, fait il, feru (A servi) m'as." KEU dit qu'il ne voudrait pas être à la place du héros dans un an (MQEU, cf. supra). L'inconnu donne rendez-vous à Caradoc, ici même, dans un an. Il repart. Douleur du roi et de la cour : on n'a plus envie de manger et on se sépare tristement, non sans que le roi ait dit à tous de revenir dans un an (MQEU : Caradoc dit au roi de ne pas s'affliger, "... car an Diu est de tot ").

La nouvelle arrive au roi Caradoc et à la reine, qui s'en affligent. Mais le jeune héros passe l'année à chercher les aventures / et les chevaleries dures. Ses parents ne viendront pas assister à la seconde manche (MQEU : il multiplient aumosnes et bienfait). (L 2240-351, A 2244-357, T 3332-447, E 7136-272).

Episode 5. Un an plus tard : seconde manche du Jeu-Parti du Décapité. L'enchanteur refuse les compensations que lui offre Arthur, mais il épargne le jeune Caradoc ; il lui apprend qu'il est son vrai père et comment il avait dupé le roi de Nantes.

La cour est rassemblée à Carduel pour la Pentecôte suivante : Jamais elle ne fut si nombreuse (MQEU om. ; Caradoc redoute l'aventure). Après la messe, on revient au palais et on attend. L'inconnu entre, toujours à cheval, s'avance jusqu'à la table royale et appelle Caradoc (MQEU dével. " ... Tu vas avoir ta fête ..." !). "Je suis là" répond Caradoc en venant à lui (MQEU en lui présentant sa tête). Le roi Arthur intervient, supplie l'enchanteur d'épargner son petit-neveu, lui offre toute la "rançon" qu'il voudra : "Tot le harnois / et as vilains et as borgois / de ceste cort en pués avoir" (ASPT : ... et as cortois ! - MQEU : toute la vaiselemante de la cour et les harnois aus chevaliers). "C'est peu ! Et quoi d'autre ? - Tot mon tresor (ASPT le tr.) / et les vaisiaus d'argent et d'or / qui sunt en cest palais çaiens" (ASPT : que il ont aportez ceanz ; - MQEU : tous les trésors de mon royaume). L'enchanteur répond qu'il n'accepterait pas tous les trésors du monde.

Caradoc s'impatiente : "Tu es bien couard ! Fais donc ce que tu dois !" L'autre lève son épée. Le roi se pâme. La reine accourt, éplorée : elle offre la plus belle de ses dames et pucelles, ou toutes, s'il le veut. L'enchanteur refuse, et lui dit de retourner dans ses chambres et de prier pour l'âme du jeune homme. Il lève à nouveau l'épée - la plupart des assistants se pâment - mais l'abaisse doucement (P et MQEU : il frappe Caradoc du plat) et, en louant le courage de Caradoc, lui dit de se relever.

Emmenant le jeune chevalier à part, l'enchanteur lui dit qu'il est son père. Caradoc proteste, mais l'autre lui raconte tout : comment il a transformé trois femelles d'animaux, etc. (LASP répètent presque dans les mêmes termes le récit de l'épisode 1 ; - T résume ; - MQEU refusent de répéter : Trop vos seroit ja grant annuiz / de ceste ovre reconmancier). Caradoc l'accuse de mentir : il est prêt à défendre l'honneur de sa mère. L'enchanteur repart, au vif soulagement de toute l'assistance qui, cette fois, mange joyeusement. Dons faits par Arthur (MQEU dével.)

(L 2352-491, A 2358-497, T 3448-583, E 7273-425).

Episode 6. Le jeune Caradoc revient en Bretagne et répète à son père les révélations de l'enchanteur ; il lui conseille de faire emprisonner la reine Ysave dans une tour.

Caradoc revient en Bretagne. Son père l'accueille et l'embrasse avec effusion (MQEU : en l'appelant "cher fils"). "Vous avez raison de m'embrasser, lui dit le jeune homme, car personne au monde ne vous aime plus que moi, mais je ne suis pas votre fils". Et il lui répète ce que lui a révélé l'enchanteur (MQEU, cette fois, donnent les détails des trois femelles). La reine arrive, et son fils, refusant ses baisers, lui dit qu'il ne l'aime pas. Le roi chasse son épouse (MQEU dével.). Pendant qu'elle court s'enfermer en pleurant dans ses chambres, le père demande à son fils comment il pourrait se venger ; Caradoc, n'oubliant pas que la reine est sa mère, conseille de l'emprisonner dans une tour (MQEU : de faire bâtir une tour étroite et haute), pour qu'Eliavrés n'ait plus accès auprès d'elle, et que le roi soit sûr que les enfants qui naîtront seront bien de lui-même. Ce qui est fait (T anticipe : cela n'empêche pas Eliavrés de venir voir sa maîtresse autant qu'il veut, mais T racontera cela plus tard). Caradoc (P, T, MQEU : toujours ardent de gloire), repart pour la cour d'Arthur.

(L 2492-542, A 2498-548, T 3584-657, E 7426-551 ; P : cf. A 2498-542, puis Appendix I, v. 1-19).

Les mss P et T viennent de quitter la rédaction courte pour reproduire une première interpolation commune à MQEU.

Épisode 7. Cador de Cornouaille, accompagné de sa soeur Guinier, est attaqué par Aalardin du Lac qui convoite celle-ci et qui l'enlève. Mais Caradoc la délivre en vainquant Aalardin.

Au printemps, le roi Arthur a convoqué sa cour pour la Pentecôte - encore ! Parmi les chevaliers qui se sont mis en route : CADOR, fils du roi défunt de Cornouaille, accompagné de sa soeur, la belle et bonne GUINIER, chef-d'oeuvre de Nature. (P, au début, confond et, les six premières fois, appelle Cador Carados !). Survient un chevalier, AALARDIN du LAC, dont Guinier avait repoussé l'amour. Si ne vos ai pas encor dit / coment ce fu, si com moi samble ; / ne ne puis pas tot dire ensamble : l'un dire après l'autre covient ... . Il voulait l'épouser, en faire la dame de son regne (E sa terre), mais elle n'en avait pas envie : cela point ne li venoit a cuer. Il demande à Cador de lui laisser sa soeur ; l'autre refuse. Duel. Ils s'abattent et Cador a la jambe brisée par son cheval qui tombe sur lui. Aalardin s'empare de Guinier et l'emporte pleurant et criant.

Caradoc, qui se rendait aussi à la cour, les rencontre ; Guinier le prie de la secourir. Duel long et acharné ; finalement l'épée d'Aalardin se brise et il doit s'avouer vaincu. On va rechercher Cador, toujours gisant, et on le monte sur un cheval ; Aalardin s'est engagé à le guérir.
(T 3658-4035, E 7552-925 ; P, Appendix I, v. 20-393).

Épisode 8. Au Pavillon d'Aalardin : "locus amoenus", caroles, les deux automates de l'entrée ; la soeur d'Aalardin guérit Cador ; Guinier est amoureuse de Caradoc.

Aalardin conduit ses compagnons jusqu'à un pavillon tendu dans un pré, sur une belle rivière, près d'un bois où chantent les oiseaux. Ce pavillon est d'une richesse extrême.

T dével. : un pommeau d'or le surmonte, flanqué de deux plus petits, et couronné par un aigle d'or aux ailes étendues ; cet aigle est creux et, quand le vent y souffle, il en sort une très belle melodie ; il a en guise d'yeux deux escarboucles qui enluminent tout le bois. Les broderies du pavillon retracent les meilleurs contes et les plus belles aventures qu'on ait jamais racontées.

A Carados mout atalente / cil lius qui molt est boins et biaus ... "Ha, Diex ! fait il, vrais rois celestre, / tant fait ore laiens bon estre ! ..." On entend des pucelles chanter une carole dans le pavillon, et des valets et des demoiselles dansent joyeusement dans le pré.

Ce sont deux ymages (statues) qui ouvrent et ferment la portière de la tente. L'un tient un dart dont il est prêt à frapper tout vilain qui essaierait d'entrer (T ajoute : et tout homme ayant commis une mauvaise action, selon la gravité de celle-ci). L'autre tient une harpe (T ajoute : qui dissipe la faim, la soif et tout mal et) qui joue la descorde - et une corde se brise - si une fausse pucelle (une jeune fille dissimulant qu'elle a perdu son pucelage) tente de pénétrer dans le pavillon.

T ajoute : la harpe joue notamment le Lai d'Alerion dès qu'Aalardin revient à son pavillon, prévenant ainsi les pucelles qui se hâtent d'orner et de joncher celui-ci.

Ce pavillon appartient à Aalardin ; sa SOEUR y réside, "que je aim tant come mon cors", dit-il. On descend Cador, qui se réveille au son de la harpe et ne sent plus sa douleur (T ajoute : les herbes et les épices dont est jonché le pavillon le guérissent). Aalardin appelle sa soeur et la prie d'accueillir Guinier et de remettre Cador sur pied, ainsi que Caradoc et lui-même qui sont blessés. Ce qui est fait en huit jours. Les trois chevaliers se jurent amitié, et Aalardin "fait droit" à Guinier du mal qu'il lui a fait (PQE écrivent crûment : de l'avoir esforciee). Quand ils quittent le pavillon, la soeur d'Aalardin chevauche à côté de Cador, et Guinier, de Caradoc, dont elle est fort amoureuse (T dével.)
(T 4036-283, E 7928-8078 ; P, Appendix I, v. 394-545).

P ne transcrit pas le long épisode suivant, le tournoi, qui n'est donc donné que par T et MQEU.

Episode 9. Le tournoi - dont Caradoc remporte le prix.

Aalardin, Caradoc, Cador et les deux pucelles chevauchent vers Carlion, où commence (T a commencé depuis deux jours) un tournoi, organisé par CADOALANT, roi d'Irlande, et RIS, roi de Galles (MQEU Valen et var., T de Brecheliande). Les trois chevaliers s'arment ; description de leurs écus : celui de Caradoc, à trois (TU deux) lions rampants ; celui d'Aalardin, à un aigle blanc sur fonc de gueules ; celui de Cador, de sinople et d'or. Laissant les deux pucelles dans de belles ramees, ils se dirigent vers le château (T dével. : description de Carlion, sur une grande aigue qui porte navie). Aalardin, pressé de combattre, quitte les deux autres ; à une fenêtre de la tour, une belle pucelle le salue ; la conversation s'engage et elle lui donne sa manche par druerie ; elle se nomme GUINGENOR (T Aguigenor) et n'est autre que la fille de CLARISSANT et du GUIRO-MELANT.

Aalardin, prenant le côté de Cadoalant, s'élance contre
le roi Ris et l'abat ; celui-ci est secouru par vingt chevaliers
qui attaquent le héros (T dével.). C'est du côté de Cadoalant
que sont les meilleurs de la Table ronde : GAUVAIN, YVAIN,
KEU, qui molt par iert vasaux (T ajoute : si ce n'était sa langue
trop felenesce), LUCAN le Bouteillier, et bien d'autres que
l'auteur se refuse à nommer. Du côté du roi Ris : le ROI d'ES-
TREGALES (T d'Outregales), le RICHE SOUDOIER, YDER fils
du roi Nu (E : le Bel Hardi).

T ajoute : BEDUIER, AGRAVAIN, TOR, SAGREMOR,
CLIGÈS le fils LAC - sic ; le BEAU COUARD, le LAID
HARDI, BRAN de LIS, BLÉHERI, etc. .

Cador et le Riche Soudoier s'abattent ; Sagremor s'élance contre
Cador, qui va secourir Aalardin. Cependant Guingenor admire
les faits d'armes d'Aalardin. Une autre pucelle de la tour n'a
d'yeux que pour Cador : c'est la belle YDAIN, soeur de Kaherdin,
cousine de Caradoc et aussi d'Yvain (T de Gauvain).

Le roi Cadoalant, Keu et PERCEVAL, le bon Gallois,
font irruption dans la mêlée. Le premier abat le roi YDER ;
le second, Agravain l'Orgueilleux - on ne pouvait mieux les
apparier ; se l'uns est enflez (TQU fel), l'autre plus ; / molt
sont contralieux andui, / plains de rampones (T felonnie) et
d'anui (E 8518-20 / T 4936-38). Quant à Perceval, à son premier
poindre, il abat Cligès, Tor et Ider le fils Nu. Les gens de Ris
ne peuvent résister à leur assaut.

Aalardin envoie, par Cador, à la belle Guingenor le premier
cheval qu'il a conquis. La belle Ydain donne à Cador une lance
a penon de soie et lui dit d'aller capturer GUINGAMBRESIL.
Ce qu'il fait, et il enverra bien d'autres prisonniers à son amie.
Aalardin envoie le roi d'Estregalles à son amie, puis le Riche
Soudoier et le BEAU le BON.

Arrivée de Caradoc, qui se met du côté de Ris et abat
le roi Cadoalant, MADO et GIRFLET. Keu s'élance contre lui
et se fait abattre, la main démise (cf. Conte du Graal, v. 4309
ss), et Caradoc lui rappelle comment il l'avait taxé de folie
lors du Jeu-parti ; il l'envoie se rendre à la belle Guinier, à
qui le sénéchal dira que personne ne l'avait seurmonté d'armes
devant le roi Arthur (T puis le tans le bon roi Arthus). Guinier
et Guingenor se rapprochent du tournoi, s'installant sous un arbre.
Personne ne résiste à Caradoc, sinon Aalardin. Cador et Perceval.
Celui-ci, dont l'amie n'est pas présente (allusion à Blancheflor ?),
amène son prisonnier, Cligès, à la soeur d'Aalardin, cependant
que Lucan se rend à Guinier de la part de Caradoc ; Aalardin
rend Tor à Guingenor, et Cador, Sagremor, à Ydain.

Retour d'Aalardin, de Perceval et de Cador dans la mêlée. Caradoc abat Yvain, puis lui et Perceval se renversent. Bran de Lis abat Cador, puis lui et Perceval se renversent. Duel de Caradoc et de Perceval. La mêlée est de plus en plus confuse. Caradoc et Aalardin, qui sont de deux camps opposés, se battent. C'est enfin le duel de Gauvain et de Caradoc, d'égale force ; le combat dure fort longtemps, jusqu'à ce qu'ils se demandent leurs noms et, alors, arrêtent la bataille. C'est Caradoc qui remporte le prix du tournoi.

Le roi Arthur donne sa "nièce" Guingenor à Aalardin, la belle Ydain à Cador et, avec l'assentiment d'Aalardin, la soeur de celui-ci à Perceval (sic !). Or sont asenees ces trois (T écrit même : mariees). Quant à Caradoc, il a déjà son amie Guinier.

Retour de P, qui se joint à TMQEU.

Le roi garde les trois héros (Caradoc, Cador, Aalardin) pendant plus d'un an (T deux ans) avec lui. L'auteur doit mainte-nant, à son corps défendant, revenir à la reine YSAVE et con-ter : chose qui forment me desplest ... Pleüst a Dieu que ma matire / peüsse ci androit lessier / sans mon conte trop ampi-rier ... ! Heureusement toutes les femmes ne sont pas pareilles, et une seule suffit à "abattre le blâme" que l'on serait tenté de jeter sur elles : c'est la belle Guinier, dont il parlera bientôt (T 4284-6032, E 8079-9612 ; - pour la fin : P, Appendix I, 546-90).

Episode 10. A Nantes, les amours scandaleuses d'Eliavrès et d'Ysave dans la Tour du Boufois. Le roi Caradoc fait revenir son fils. Vengeance tirée d'Eliavrés.

La reine Ysave est dans sa tour, mais a grant deduit et a bau-dor, car l'enchanteur Eliavrés vient la voir aussi souvent qu'il le veut, que fermetés nel puet tenir (PTMQEU dével. ; c'est grâce à sa nigro-mance qu'il réussit à pénétrer dans la tour). Dès que le roi Caradoc s'en va, l'autre arrive, et c'est la fête : musique, chants, illumina-tion (PTMQEU : grâce à son anchantement). Les gens de la ville vien-nent chaque nuit oïr la joie de la tor, que l'on appelle la Tor del Bofois ("arrogance" ; - PTMQEU : et elle est encore appelée ainsi dans la contrée).

Un jour que le roi revient d'un de ses châteaux, son chambellan lui apprend ce qui se passe (PTMQEU : les voisins envoient des messagers au roi pour l'informer). Le roi fait revenir son fils.

> PTMQEU développent : voyage du messager en Angleterre ; adieux de Caradoc à Arthur et à ses amis, qui le convoient jusqu'à la mer ; Cador remmène en Cornouaille Ydain et Guinier : Caradoc ne veut pas emmener celle-ci en Bretagne, par honte de sa mère.

Il lui demande conseil. Le jeune Caradoc réussit à s'emparer de l'enchanteur, que son père force, trois de nuits de suite, à coucher avec trois vraies femelles d'animaux : une levriere, une truie et une jument. De ces unions naîtront le lévrier GUINOLAC (Guinaloc), le sanglier TORTAIN et le poulain LEVAGOR (MQ Lorzagor, EU Loriagort, P Lucanor, T Lorigal), tous frères de Caradoc par leur père (AS om. ; - TMQEU ajoutent : il l'aurait même fait pendre et écorcher, mais Eliavrès était quand même le vrai père de son fils).
(L 2543-600, A 2549-597, T 6033-220, F 9613-800 ; P, Appendix I, 591-768 - puis P revient à la rédaction courte).

Episode 11. Vengeance d'Eliavrés : le serpent, placé dans l'armoire, s'attache au bras de Caradoc.

Dès qu'il le peut, Eliavrés remonte dans la tour et Ysave le conjure de les venger tous deux de Caradoc. L'enchanteur promet une vengeance molt cortoise (LASP), qui fera vivre et non valoir (TMQEU aussi) le jeune prince. Il mettra dans l'armoire un serpent molt orible et noir ; qu'elle dise à son fils d'aller y chercher son miroir (TMQEU peigne) ; le serpent sautera sur Caradoc et s'enlacera à son bras ; la chair deviendra noire et morte, car le serpent lui sucera le sang, et Caradoc ne vivra plus que deux ans. Eliavrés cherche le serpent voulu et l'apporte (TMQEU : il l'apporte et le met en place avant d'informer Ysave de ce qu'elle doit faire).

Caradoc vient voir sa mère. Elle est assise sur un lit, un peigne à la main, et demande à son fils de lui prendre son miroir (PMQEU

43

peigne) dans l'armoire. Le serpent s'élance sur lui et s'enroule autour de son bras.

    - Le ms. U quitte ici la rédaction longue et se joint à la courte -

    Ysave dit à son fils qu'il a le guerredon de son action (TMQE : elle feint la douleur, supplie la guivre de laisser son fils) ; elle conseille à celui-ci de se repentir pour le mal qu'il lui a fait, à elle et à son père (TMQE : et de prier Dieu de le délivrer).
(L 2601-54, A 2598-652, T 6221-383, E 9801-966).

    Episode 12. Départ de Caradoc, qui erre par les forêts, ne cessant de confesser sa faute aux ermites. Son ami Cador le quête et finit par le retrouver dans une abbaye.

    Caradoc descend de la tour et, se recommandant à Dieu, part dans les forêts, cherchant les ermitages pour y dire sa confession.

    TMQE. Le roi Caradoc, informé, accourt ; peu s'en faut qu'il ne tue la reine. Sa douleur, sa colère contre l'enchanteur. On descend le jeune Caradoc de la tour ; on l'installe dans une chambre, mais il ne peut trouver le repos, tant le serpent le fait souffrir. Son père fait venir tous les médecins de son royaume, qui ne peuvent rien. Il fait chercher partout médecins et magiciens, mais sans aucun résultat. La reine, elle, jubile ; on se garde bien de rapporter ses propos au roi ; si elle n'était la nièce d'Arthur, il l'eût bannie ou tuée.

    Le roi Arthur apprend ce qui est arrivé ; il décide de partir tout de suite pour voir son petit-neveu. Tempête en mer, qui le déroute vers la Normandie. Il doit se rendre à cheval en Bretagne.

    La nouvelle arrive aussi en Cornouaille, à Cador et à Guinier. Douleur de celle-ci ; long monologue : c'est elle que la mort devrait prendre. Cador et elle s'embarquent ; arrivés en Bretagne, ils chevauchent par plain et par monteigne et parviennent à Nantes.

    Caradoc apprend la venue prochaine d'Arthur, et celle de Cador et de Guinier. Monologue : il ne peut souffrir l'idée que celle-ci le voie dans cet état. Son père lui amène un mes-

44

sager qui précède Cador : nouvelles affres. Caradoc demande à rester seul, avec un valet de confiance ; c'est avec lui qu'il prend la fuite, après avoir percé un trou dans le mur du verger. Ils arrivent à un ermitage où Caradoc se confesse et où il va demeurer longtemps, menant une vie de pénitence .

(T 6384-948, E 9802-10534).

Episode 13 (dans la rédaction longue seulement). Quête de Caradoc, que Cador finit par retrouver dans un ermitage.

Arrivée à Nantes du messager d'Arthur qui annonce sa venue. Le roi Caradoc part à sa rencontre (en franchissant une monteigne !). Cador et Guinier sont arrivés à Nantes ; celle-ci appelle en vain à la porte de la chambre de son ami. On force la porte, on trouve la chambre vide, le trou dans le mur du verger. Douleur de Guinier. Leçon d'amour : Vos qui amez, or esgardez / si tiex amors sont mes cu monde ... Un messager prévient Arthur de la disparition de son neveu. Douleur du roi. On cherche partout Caradoc. On va même à l'ermitage, mais le héros, avec sa chape d'ermite, sa cotte blanche, son chaperon rabattu, passe inaperçu.

On le quête dans toute la Bretagne, toute la France, l'Allemagne, outre mer. Pendant deux ans, on n'a aucune nouvelle de lui. Cador est repassé en Cornouaille ; il y laisse sa soeur et parcourt toute l'Angleterre et l'Irlande, passe en Espagne, revient en Bretagne. Caradoc a quitté son premier ermitage ; il s'est installé dans l'espoisse d'un boischaige, près d'un autre ermitage ; il ne vit que de racine, buvant l'eau de la fontenelle près de la chapelle où il va prier chaque jour.

Cador arrive un jour à cet ermitage : on y connaît l'homme au serpent. Le lendemain, il guette Caradoc, le rejoint dans la chapelle ; il a de la peine à le reconnaître, et Caradoc refuse de l'accompagner.
(T 6949-7522, E 10535-11102).

(Rédaction courte). La nouvelle de la disparition de Caradoc arrive à Arthur, qui mène grand deuil. Le meilleur ami de Caradoc, CADOR de Cornouaille, son compagnon d'armes, se vêt en pénitent et se met à le chercher par maint païs. Il arrive un soir à l'abbaye où il trouve Caradoc. Le lendemain matin, il le ramène à Nantes (P ; LASU : Vannes) (L 2655-707, A 2653-701).

Episode 14. Cador obtient d'Ysave (qui la demande à Eliavrés) la recette de la délivrance de Caradoc ; la cuve de vinaigre et la cuve de lait ; le dévouement de Guinier, le mamelon tranché. Mariage

45

et couronnement de Caradoc et de Guinier.

Laissant Caradoc chez un vavasseur, en dehors de la ville, Cador entre dans celle-ci et monte à la tour. Quand la reine Ysave le voit, elle tombe pâmée (- d'où le connaît-elle ?). Il l'accuse d'avoir tué son fils, et lui demande s'il existe un moyen de mettre fin à son supplice. Elle lui dit de revenir le lendemain. Cador revient auprès de Caradoc.

> TMQE. Cador, laissant Caradoc à l'ermitage, vient à Nantes (T ajoute : il apprend au roi qu'il a retrouvé son fils) et remonte à la reine qu'après avoir châtié un enfant, il faut lui pardonner. "Je dis cela pour Caradoc, continue-t-il ; si vous persistez dans votre cruauté, vous n'irez pas en Paradis." Ysave lui dit de revenir le lendemain.

La nuit, Eliavrés revient voir son amie, et elle lui demande par quel moyen leur fils pourrait être délivré du serpent. Il faudrait, répond l'enchanteur, trouver une pucelle aussi noble que lui et qui l'aimât parfaitement ; il faudrait emplir deux cuves, l'une de lait, l'autre de vin aigre ; la pucelle entrerait dans la première, Caradoc, dans la seconde ; elle présenterait son sein au serpent qui, incommodé par le vin aigre et attiré par la douceur du lait et l'odeur de la chair tendre, sauterait sur la mamele offerte. Au matin, quand Cador revient, Ysave lui rapporte les paroles d'Eliavrés.

> TMQE. Quand Cador revient, Ysave lui dit ce qu'il faudrait faire ... ; il faudrait trois pieds (T quatre) entre les deux cuves ; il faudrait qu'il fust plaine lune et que, des deux cuvetes, fust plaine l'une (!) etc. Et il faudrait frapper le serpent durant son trajet. C'est Eliavrés, li aversere (ME), qui le lui a révélé la nuit précédente.

Cador revient chercher Caradoc et l'emmène dans son pays, en Cornouaille. Il avait une soeur, GUINIER, qui était très amoureuse de Caradoc (- depuis quand ?) ; en ce moment même, elle est en train de prier pour lui dans une chapelle. Elle demande à son frère des nouvelles de son ami : elle est prête, dit-elle, à entrer avec lui en un fu ardant. Quand Cador lui a expliqué le moyen de la délivrance de Caradoc, elle lui dit de faire emplir les cuves.

TMQE. Après avoir prévenu son ami à l'ermitage (devenu abaïe dans MQE), Cador repasse à Cornouaille, annonce à Guinier qu'il a retrouvé leur ami, lui explique le moyen de la délivrance. Elle se déclare prête à tout, se souvenant que Caradoc a jadis risqué sa vie pour elle (cf. épis. 7). Cador ramène donc Guinier en Bretagne. Considérations sur l'amitié et le dévouement, critique des faus amanz. Ils arrivent à l'abaïe (tous les mss). Joie de Caradoc. Description de son accoutrement et de sa laideur. Il commence par refuser le sacrifice de Guinier, finit par accepter. On remplit les cuves.

Guinier (TMQE toute nue) entre dans la cuve de lait ; Caradoc, dans celle de vin aigre ; elle conjure le serpent de laisser son ami ...

TMQE... et de venir se prendre à ses mameles ; les saints ermites, cependant, après avoir chanté la messe du Saint-Esprit, viennent o chasse et o procession appuyer l'opération de leurs prières.

Le serpent se déroule du bras de Caradoc - (manquent deux colonnes dans E) - et se lance vers le sein de Guinier. Cador, qui se tenait, l'épée nue, entre les deux, frappe, mais trop près de sa soeur, à qui il tranche le mamelon que le serpent venait d'engoler. Le serpent tombe à terre, et Cador le détrenche ; puis il soigne sa soeur et son ami.

TMQ(E). Cador fait habiller Caradoc de meilleurs vêtements. Un saint ermite met un emplâtre sur le sein blessé, puis extrait du corps de Caradoc tout le venin que le serpent y avait instillé.

Caradoc gardera toujours un bras enflé, plus gros que l'autre : c'est pourquoi il sera surnommé Caradoc Briesbras (T corrige : un bras mains gros que l'autre, et por la menreté du bras / ot a non Carados Briebras, 8001-02).

TMQE. Le roi Caradoc apprend la nouvelle de la délivrance de son fils et vient le chercher à l'abbaye, qu'il comble de dons (argent et or, / rentes, teneüres et fiez). On se rend à Quimper (!? - T Aquinparcorantin, E a un pui Carantin, Q a

cort patorantin, M a cort par un matin). De tous les pays, barons
et chevaliers accourent pour voir Caradoc ; cette presse l'incommode. On reprend le chemin de Nantes, car le bon Caradoc
a hâte de revoir sa mère ; il lui demande pardon et la délivre
de sa prison. "Je ne dis pas, conclut l'auteur, qu'elle fut par
la suite fidèle à son époux : je ne parlerai plus d'elle".

Caradoc repasse en Angleterre ; le roi Arthur, prévenu
de son arrivée, vient à sa rencontre. L'auteur ne dépeindra
pas leur joie. (T : mariage de Caradoc et de Guinier). Le héros
recommence à courir les aventures pour esprover sa grant prou-
esce.

Mort du roi Caradoc, qui laisse son royaume à son fils.

TMQE. Sentant venir la mort, le roi Caradoc fait venir
son fils ainsi que le roi Arthur. Caradoc jeune commence par refuser l'héritage : le roi de Nantes n'est pas son père,
et lui ne veut posséder la terre que s'il l'a conquise. Il finit
par accepter.

Le ms. T rejoint ici la rédaction courte (texte proche de L). Caradoc
épouse Guinier et se fait couronner à Nantes (LASU Vanes) avec elle.

MQE. Arthur décide de tenir à Nantes la cour des Roga-
tions, où Caradoc sera couronné. Description des préparatifs,
des vêtements. Un évêque célèbre le mariage de Caradoc et
de Guinier, puis leur sacre ; c'est le roi Arthur qui pose
sur la tête de Guinier une riche couronne (énumération des
pierres précieuses), contenant de saintes reliques ; puis il couronne Caradoc. Repas. Jeux. Nuit de noces. La fête dure huit
jours ; riches dons. Arthur reste longtemps en Bretagne, avec
son neveu et sa nièce. Quand il repart, il emmène Caradoc,
pour qu'on ne dise pas que celui-ci, par jalousie, se mette à
négliger chevalerie. Aventures et exploits du jeune roi.

T redit le mariage de Caradoc et de Guinier, et répète,
selon la rédaction courte, et toujours en corrigeant, que Caradoc
tire son surnom de son bras atrophié (mains gros, sechiez /
et un petitet acorchiez).

(L 2708-875, A 2702-861, T 7523-8201, E 11103-948).

Episode 15. Le mamelon d'or. Chasse du roi Caradoc ; orage ;
le chevalier dans la clarté et entouré d'oiseaux : c'est Aalardin, qui
va donner à Caradoc la boucle d'or d'un écu pour remplacer le mamelon
coupé de son épouse.

Le roi CARADOC (MQE : ARTHUR, cf. infra) va un jour à la chasse. On poursuit un cerf. Caradoc suit une vieille sente et est surpris par une tempête épouvantable. Il se réfugie sous un chêne et, là, se met à penser à la reine GUINIER, qui a perdu le mamelon de son sein. Alors qu'il est en cel pensé, il voit une très grande clarté qui approche de lui à travers la forêt, en même temps qu'il entend un délicieux concert d'oiseaux qui vient avec la clarté.

> MQE. Cour de l'Ascension à Carlion. Le roi Arthur, le soir, décide de tenir une riche cour pour la Pentecôte, et d'aller demain à la chasse, après la messe. Départ matinal pour la chasse ; on lève un sanglier que l'on poursuit tout le jour. La bête finit par se vautrer dans un marais ; la nuit est tombée et un orage épouvantable éclate. Le roi et tous ses compagnons se hâtent de rentrer. Caradoc, lui, a pris un autre chemin et s'égare.

Au milieu de cette clarté, chevauche un grand chevalier, conduisant une pucelle montée sur une mule blanche. Les oisillons les accompagnent, sautelant de branche en branche. Le couple passe tout près de Caradoc (LPUT a la longeur bien d'une espee ; AS d'une lance), qui salue le chevalier. Celui-ci ne répond pas et continue rapidement son chemin. Caradoc le suit.

> MQE. Caradoc voit un grand et beau chevalier qui chevauche, entouré d'oiseaux chantant ; une clarté l'entoure et éclaire son chemin ; il ne pleut pas sur lui. Caradoc le suit.

Mais Caradoc a beau éperonner son cheval, il ne réussit pas à rattraper le couple (MQE le chevalier) ; ils font ainsi trois ou quatre lieues, Caradoc dans le vent et la pluie, les autres (MQE l'autre) dans la clarté et le doux chant des oisillons. Ils s'engagent sur une grande chaucie, battue des deux côtés par une eau noire et parfonde et bruians (MQE omettent la chaucie).

> T dével. Ils entrent dans une large et longue vallée, au milieu de laquelle s'étale un lac rond, de deux grandes lieues de diamètre ; au milieu du lac s'élève, sur une motte, un grand château, avec hautes bretesches rapprochées, palais neuf, chapelles, praiaus et vergers ; l'entrée est du côté de la forêt, défendue par un grand pont-levis que deux chaînes d'argent permettent

49

de relever ; une large   chaucie le relie à la terre.

On arrive à une sale (MQE un riche recet), grande et riche (MQE un grand feu y est allumé), où une centaine de chevaliers jouent à divers jeux (T, MQE om.). Le chevalier descend de cheval et, en souriant : "Caradués, fait il, bien vegniés" (MQE : Amis ...). Avant de descendre de cheval, Caradoc demande au chevalier son nom : celui-ci lui répond qu'on l'appelle AALARDIN du LAC. "Vous êtes, lui dit Caradoc, le chevalier que je désirais le plus rencontrer."

> MQE. Aalardin, à son tour, demande à son invité de se nommer, et est tout heureux de retrouver son ami Caradoc. Il regrette d'être resté si longtemps sans le voir, et remercie Dieu du hasard qui l'a fait le rencontrer. Le lieu où ils sont est à plus de deux (M trois) journées de Carlion.

On désarme Caradoc, on le vêt richement (MQE évoquent à nouveau le grand feu). Aalardin l'emmène dans les chambres, où il y a grant plenté de très belles dames et pucelles qui toutes le saluent : "Caradués, bien vegniés." L'une d'elles, plus belle encore que les autres (AS : une grant ...), l'embrasse et le fait asseoir près d'elle.

> MQE : la belle GUINGENOR l'épouse d'Aalardin, entre dans la salle.

Elle lui demande comment se porte la reine Guinier et évoque le mamelon amputé (MQE om.). On se met à table.

> MQE : Caradoc séjourne là toute une semaine, cependant qu'Arthur, croyant l'avoir perdu, mène grand deuil.

Le lendemain matin (MQE : lorsque Caradoc va repartir), Aalardin offre à Caradoc tout ce qu'il peut désirer : riches destriers, chiens de chasse, oiseaux de toutes sortes (MQE om.). Puis il fait apporter son écu d'or fin, à une bande d'azur, et dit à Caradoc que l'or de la boucle, particulièrement malléable, a la vertu de s'adapter à la chair pour remplacer une partie du corps amputée. Caradoc accepte le don de la boucle (Guinier n'est pas évoquée), remercie.

    MQE : Aalardin avait un écu dont la boucle, d'or fin, avait la vertu etc. Il appelle Caradoc à part et lui fait cadeau de cette boucle, expressément pour remplacer le mamelon coupé de Guinier.

- MQE donnent maintenant le même texte que la rédaction courte LASPUT -

    MQE : Aalardin fait apporter son écu d'or fin etc. - l'épisode est donc raconté deux fois dans MQE.

Caradoc prend congé et revient a ses gens qui sont tout heureux de le retrouver.

    E seul ajoute : Caradoc revient à la cour où le roi Arthur se désespérait. Son épouse Guinier est arrivée : il l'avait fait venir pour la cour solennelle de la Pentecôte.

Caradoc emmène Guinier dans une chambre, lui dit de lui montrer son sein mutilé ; il prend le pommeau de la boucle d'or et l'adapte : l'or se soude à merveille et le sein ainsi complété est identique à l'autre. "Dame, dit Caradoc, tant que nul ne saura que vous avez d'or la mamele, je serai sûr que vous m'êtes parfaitement fidèle. Mais si quelqu'un d'autre que nous deux le savait, je vous détesterais pour toujours, car vous auriez trespassé / mon comant et ma volenté. Vous allez vous bander la poitrine, et c'est moi seul qui vous débanderai le soir, pour la nuit, et vous rebanderai le matin." Son épouse le remercie.

(L 2876-3105, A 2862-3091, T 8202-492, E 11949-2270).

Episode 16. Le cor magique, test de chasteté : tous les chevaliers, sauf Caradoc, en renversent sur eux le contenu.

    Or redirons ci en present / del roi Artu ... (LASPU ; - T : Or rediromes chi aprés / aventures sanz nul relés / com li rois Artus ...). Le roi Arthur convoque CARADOC et son épouse (MQE om.), ainsi que tous ses chevaliers et ses barons à Carlion pour la Pentecôte. Après la grande procession et la messe, on revient à la grande salle et l'on va pour se mettre à table. KEU sort d'une chambre et annonce que le repas est prêt ; le roi lui répond que sa coutume lui interdit de commencer à manger avant que ne soit survenue <u>mervelle estrange</u> <u>u aventure.</u>

Il parle encore qu'arrive à bride abattue dans la salle, monté sur un grand cheval, un chevalier <u>desfublés</u>, richement habillé de rouge, portant au col un riche cor d'ivoire à bandes d'or remplies de pierres précieuses. Il descend et présente au roi ce cor, qui, dit-il, s'appelle BONEC (<u>A</u> <u>Bonoëc</u>, <u>T</u> <u>Boënet</u>, <u>MQE</u> <u>Beneoiz,</u> etc.) ; que le roi le fasse emplir de <u>fontaine</u> et l'eau se changera en le meilleur vin du monde, inépuisable. "Voilà un riche présent !" s'exclame Keu. Mais le chevalier continue : "Aucun chevalier ne pourra, si sa femme ou son amie lui a été infidèle, y boire sans en répandre sur lui le contenu. - <u>Ostés!</u> s'écrie Keu. Votre cadeau a déjà bien moins de valeur !"

Le roi fait emplir d'eau le cor. La reine GUENIEVRE le met en garde : "Sire, n'y buvez pas : il y a là quelque enchantement" (<u>TMQE</u> dével.). Le roi répond qu'il est décidé à boire. La reine, alors (<u>TMQE</u> : dit <u>une parole cortoise</u>) : "Si Dieu veut bien exaucer ma prière, qu'il fasse que vous vous mouilliez !" (<u>L</u> seul : " ... puisque vous voulez boire malgré moi.") Le roi veut boire, mais il répand le vin sur lui. (<u>TMQE</u> ; la reine, furieuse et honteuse, baisse la tête). Keu, en riant (<u>L</u> seul), dit à Arthur : "<u>Ore est nooaus</u> ! (Voilà qui est pire !)" ; le roi, cachant son dépit (<u>ASPU om</u>.), lui réplique : "Buvez donc, sénéchal, que je ne sois pas le seul à être empoisonné !"

> <u>TMQE</u> : "C'est bien fait pour moi, je suis allé contre la volonté de la reine, et Dieu a écouté sa prière. Essayez donc, sénéchal, que je ne sois pas le seul à être tourné en ridicule ; je vous le demande par la foi que vous m'avez jurée le jour où vous êtes devenu mon homme lige."

Keu essaie et répand le vin ; le roi en est tout content.

> <u>TMQE</u> : "Nous sommes deux, sénéchal ! - Oui, et si vous m'en croyez, nous allons être bien davantage !" Le roi ordonne que tous essaient. Keu propose de donner le cor à Gauvain, qui se mouille, puis qui le tend à Yvain, avec le même résultat.

Tous les chevaliers de la table Ronde partagent leur infortune.

"Au roi Caradoc, maintenant !" dit Arthur, en envoyant YONET lui porter le cor (TMQE : ... tant que le cor arrive à Caradoc). Caradoc regarde GUINIER (avec appréhension ; - L om.), qui lui dit : "Sire, buvez seürement". Il boit, sans renverser une goutte. "Merci, Guinier : jamais dame n'a fait plus grand honneur à son mari." Tous les chevaliers doivent ensuite essayer (L ; et TMQE qui donc se répètent ; - ASPU om.), avec insuccès. Toutes les dames sont furieuses contre Guinier.

Le repas est alors servi. La cour va durer 8 jours (TQE trois, M deux, P vingt !) ; le roi distribue de riches dons. Arthur retient Caradoc auprès de lui, mais celui-ci renvoie sa femme dans son royaume, car il sait que la reine la déteste (tous les mss, sauf L, répètent : por ce qu'el dist "seürement"). Le roi passe l'hiver à se reposer (et à chasser : explicite dans SPT, implicite dans AUMQE, L om.).

(L 3106-271, A 3092-254, T 8493-734, E 12271-506).

53

BRANCHE IV

LE CHASTEL ORGUELLEUS

Sommaire. Arthur tient une grande cour pour la Pentecôte. Sa douleur lorsqu'il voit la place de Girflet vide : il décide de le quêter (au Chastel Orguelleus) et choisit les quinze champions qui l'accompagneront. Départ de la petite troupe. Chez Yder le Beau : Keu et le paon. Chez Bran le Lis ; récit que fait Gauvain de ses amours avec la Pucelle de Lis (deux versions). Duel de Gauvain et de Bran ; la Pucelle de Lis et l'enfant qu'elle a eu de Gauvain ; le roi interrompt le duel. Arrivée au Chastel Orguelleus ; série de duels ; Lucan, Bran de Lis, Keu, puis Yvain et, pour finir, Gauvain, contre le Riche Soudoier qui le prie de feindre d'être vaincu. Retour à Lis : l'enfant a été enlevé ; on décide de le quêter, Gauvain et son amie, Girflet et Keu rentrent en Bretagne.

(L 3273-6764 ; A 3255-6748 ; T 8735-12706 ; E 12507-16836).

Épisode 1. Le roi Arthur pensif au retour d'une chasse ; il décide de tenir cour à la Pentecôte.

Topos du printemps : nature qui reverdit, oiseaux qui chantent. Le roi ARTHUR va chasser avec 50 compagnons (L ; - les autres : avec beaucoup de ses chevaliers, car il déteste être seul ; TMQE ajoutent : critique des avares, dont Arthur est tout le contraire). Au retour, le soir, il s'abîme dans un penser et se laisse distancer. GAUVAIN s'en aperçoit et fait arrêter ses compagnons (L seul : le roi, s'en apercevant, pique des deux pour les rejoindre). Il reproche à son oncle d'être préoccupé ; Arthur répond qu'il se faisait des reproches (L : s'accusant de mauvaistié et de perece) : il y a trop longtemps qu'il n'a pas tenu cour et récompensé ses hommes pour tous leurs bons services ; il a décidé de tenir une grande cour à la Pente-

côte et d'y distribuer largement terres, honeurs, or et argent (L seul).
"Où me conseillez-vous de la tenir ? - A Carduel (P Caraneut, T
Carnevent, U Cernant, MQ Carahés), château grand (L et plentiveus)
et bien situé (tous sauf L : en la marche de Galles et de Bretagne)."
La nuit même, le roi fait écrire des lettres pour convoquer tous les
chevaliers (les autres : et les barons) de son royaume. (Episode légèrement résumé par ASPU).

(L 3272-374, A 3255-315, T 8735-825, MQ 12507-97 ; E : lacune d'un
folio).

Episode 2. Cour d'Arthur pour la Pentecôte. Le "penser" du
roi ; ses reproches à Gauvain et aux chevaliers : il y a longtemps
que Girflet a disparu et nul ne l'a quêté ; l'expédition (vers le Chastel
Orguelleus) est décidée, et les quinze qui y participeront, choisis.

La foule des chevaliers en provenance de toutes les parties
de l'empire (Irlande, Islande, Danemark, Norvège, Bretagne, etc. ;
L : jusque d'Escavalon), s'est rassemblée à Carduel (T Carnevent,
MQ Carahés). Après la messe de la Pentecôte, où le roi a porté couronne, Keu fait sonner l'eau (L om.) et l'on se met à table : Arthur
au plus haut dois ; les meilleurs chevaliers, au nombre de 237
(LAUMQ ; - S : 300 ; P : 260 ; T : 397), à la Table Ronde ; les
30 pairs à une autre table. Keu fait servir le premier mets (L om. ; -
AS ajoutent : quant l'aventure fu venue). Le roi aperçoit un siège
vide à la Table Ronde ; il se met à pleurer ; il prend le couteau
que tient YONET (AS Yvonet, M Quirier, Q Quinnez), le fiche en
un pain et appuie sa tête sur le poing qui tient le manche (ASPU :
il s'amuse à taillader le pain) ; la main glisse et le roi se fait une
légère blessure, qu'il se hâte d'envelopper avec la nappe. Gauvain
s'aperçoit de ce manège (L seul ; - les autres : s'aperçoit de la tristesse du roi qui s'est remis à pleurer) et vient à lui (ASPU : lui
envoie un valet) pour lui reprocher de ne pas faire joie (ASPU dével.).
Le roi répond qu'il pensait à la traïson dont il (Gauvain) s'est rendu
coupable. (Pour le développement de ASPU, cf. infra).

Gauvain rougit et proteste (toute la salle est stupéfaite par cette accusation, L om.). Arthur continue : "Et j'accuse aussi de trahison YVAIN (L ajoute : et TOR le fils Arés) et tous les compagnons." TOR bondit sur pieds, menaçant, incitant les compagnons à "se contenir" comme ils doivent le faire dès lors qu'ils sont accusés de trahison ; YVAIN prend la même position. Gauvain, déplorant qu'une cour commencée aussi heureusement doive se terminer aussi tristement, demande calmement au roi des explications.

"Vous savez bien, dit le roi, qu'il y a quelque temps, une gent se mit à "régner", à construire villes et forteresses, et le grand Chastel Orguelleus, spécialement contre nous. Vous n'avez pas voulu que j'y aille ; vous avez voulu y aller, tous (et séparément), auparavant. Beaucoup ont été tués, plusieurs capturés, et c'est là que GIRFLET est emprisonné depuis 3 ans (PU quatre ; AS : lonc tans)". (L om. tout ce passage).

ASPU développent et dramatisent la scène. - Gauvain appelle un de ses valets et l'envoie dire au roi son étonnement : Arthur devrait faire joie en voyant rassemblés tous ses (anciens) ennemis qu'il a contraints à lui obéir. Le valet s'approche du roi et attend qu'il ait laissé son pansé, puis délivre son message. Arthur répond qu'il pensait à leur (sic) trahison, etc. - et que le valet le leur (sic) dise. Le valet répète à Gauvain les paroles du roi. Les chevaliers sont indignés, et prêts à partir. Le roi YDER dit qu'il faut d'abord montrer raison au roi et, s'il maintient son accusation, le défier et lui faire la guerre.

Le repas est terminé. Arthur traverse la salle sans un mot et va se barricader dans unes loges nueves donnant sur la rivière. Emoi des chevaliers, cependant que les ennemis du roi sont tout joyeux. On décide que le roi Yder, Gauvain et MABO-NAGRAIN (AS ; - P : le beau fils du roi Urain ; - U : Yvain) iront parlementer avec le roi. Mais on ne les laisse pas entrer dans les loges. Cette fois, Gauvain se fâche : "C'est bien la première fois que l'on m'interdit l'uis de la chanbre mon seignor !" Et il défonce la porte. Les trois, fort en colère, disent au roi, également furieux, qu'il va perdre ses compagnons et peut-être même son royaume, à moins qu'il ne dise où ils ont commis une trahison. Le roi répond qu'il va le dire.

Les trois ambassadeurs repartent, mais rencontrent la foule qui fait irruption dans les loges. Le roi est appuyé à une table dormant, qu'il frappe d'un bastonet. Evocation des figures des braves, car nul n'avait le droit de s'asseoir à la Table Ronde s'il n'avait quelque cicatrice au visage. Le LAID HARDI s'avance et, quand le roi a fini son pansé et s'est assis sur la table, il lui tend un baston : "Je relève, devant tous, l'accusation de trahison. - Vous n'êtes pas habilité à parler au nom des autres. - Je parle pour moi, et chacun en fait autant." Le roi répond qu'un de ses bons chevaliers va relever le défi. "Vous n'en avez plus un seul : ils vous abandonnent tous. - J'en trouverai bien un, et qui vous prouvera qu'ancor vit li boens rois Artus ! - Certes, répond le roi Yder, vous êtes le meilleur du monde. Mais dites-nous la raison de votre accusation - Je vais vous le dire. Vous savez bien qu'il y a quelque temps etc." (comme dans TMQE).

"Si je vous ai accusés de trahison, continue le roi, c'est que vous n'avez pas cherché à retrouver votre compagnon, et moi je suis aussi traître que vous, car un roi qui perd tel prodome, par mauvaistié et par perece, / n'a droit en terre n'en hautece. C'est pourquoi j'ai décidé, foi que je dois à Dieu qui m'a donee honeur terrestre / et roiaume et terre a tenir, de partir dès demain, et de ne pas revenir avant de l'avoir retrouvé." Toute la cour l'approuve. Gauvain attire l'attention sur les difficultés de l'entreprise : les mal pas du chemin ; le voyage lui-même durera quinze grandes journées ; là-bas il y aura bataille chaque jour ; il faut choisir soigneusement ceux qui partiront avec le roi (L om. cette intervention de Gauvain).

TMQE. Le roi est d'accord, et dit qu'il faut d'abord manger ; on décidera après le repas. Celui-ci terminé, plus de 3000 chevaliers prient le roi de les emmener. Arthur répond qu'il ne le peut ...

L : 750 chevaliers sautent sur pieds et prient le roi, etc.

- il faut que la plupart des chevaliers reste pour protéger le royaume et le tenir en paix (ASPU om.). Le roi URIEN conseille de ne mener que peu de chevaliers, mais les meilleurs ; le roi Yder partage cet avis (L om.).

Que les chevaliers, conclut le roi, retournent à leurs osteus et prennent du repos : il fera porter une lance et un gonfanon à ceux qu'il aura choisis. Ce qu'il fait.

L dével. : Arthur demande à deux de ses chambellans de préparer 15 lances avec gonfanons, et il les fait porter aux élus ; à tous les autres le roi fait de riches dons.

(L 3375-562 = version réduite ; A 3316-762 = version développée ; T 8826-9148 et E 12598-920 = version moyenne).

Episode 3. Enumération des quinze champions qui vont accompagner Arthur (au Chastel Orguelleus). Départ. Chevauchée éprouvante. Keu en éclaireur au château d'Yder le Beau ; le nain et le paon rôti ; hospitalité d'Yder.

Le matin, au soleil levant, les 15 sont dans la salle. Enumération : 1er, Gauvain ; - 2e, le roi Yder ; - 3e, GASOUAIN (ASQ Agravain, T Guengasoain); - 4e, Keu ; - 5e, LUCAN le Bouteillier ; - 6e, Tor fils Arés ; - 7e, BEDOER (LPU ; - AS Guerrehés, TME Sagremor) (L intervertit Bedoer et Tor) ; - 8e, MABONAGRAIN neveu (PU fils) du roi Eurain (var.) ; - 9e, le fils du roi Urien (= Yvain) (T ajoute : Lancelot) ; - 10e, YDER fils Nu ; - 11e, le Laid Hardi ; - 12e, DOON d'AIGLIN (ou l'Aiglain ; var. ; A Guiglain l'abastardi) ; - 13e, GALEGANTIN le Gallois (L Gaila li gentius G., etc. ; - S Kalogrenant, P Galeran) ; - 14e, CARADOC BRIEBRAZ ; - 15e, TAULAS de Rougemont (M le Bachelier de Goinemont).

Q arrête la liste à Tor, ne nommant plus que le BEAU COUARD et Caradoc.

AS continuent : Bedoer, GUIVRET le Petit, COVEROX, GALENTIS, BRUN sans pitié, Sagremor, GUINGAMOR - (A seul : BRUIANT des Isles, GAUDIN, le BEAU COUARD, AMAUGIN) -, CLAMADEU et ANGUINGUERRON, l'enchanteur MABON, CADOR de Cabriel, HAGUENIAX (S Anguimar) et CADRIEL (S om.), CYRION de Cuiteniac, EREC fils Lac (S ajoute : LOHOT le fils du roi Arthur) - soit en tout une centaine.

Le roi Arthur apparaît, armé et monté, magnifique : tos li mons l'aloit esgarder (TMQE ajoutent : la reine l'accompagne jusqu'à la porte du palais). Toute la cour les convoie jusqu'à 3 lieues (P deux) de la cité (AS : seulement jusqu'à la sortie de la cité). Bientôt la petite troupe a quitté la Bretagne ; on entre dans un pays inhospitalier. Un jour, on n'a même pas à manger ; dans une lande grande et gaste, la chaleur est accablante ; on s'arrête à une fontaine sous un arbre. Gauvain regarde au loin et montre à Keu une maison : "Je crois qu'il y a des gens dans ce hamel" (APU ostel, T toitel, MQ bordel, E borde). Keu part en éclaireur, trouve dans la maison (L sablon) une vieille femme qui ne peut lui donner aucune vitaille (L om.) et lui dit qu'il n'y a aucune habitation à 20 lieues à la ronde, sauf la maison forte du roi (LE comte) de Meliolant ; celui-ci l'a fait bâtir pour venir chasser ; s'il y est, il hébergera richement les affamés ; du grand arbre, là devant, on peut apercevoir le château.

Keu se rend à la maison, qui est en effet bien fortifiée, avec fossés, palissade, pont-levis et une grande tour (selon L ; - les autres mss insistent sur l'abondance : vergers, vignes, prés, étangs, moulins, viviers). Le sénéchal monte dans la salle, où il trouve un grand feu allumé et un NAIN occupé à rôtir un paon fort gras. Keu lui demande s'il y a quelqu'un d'autre ; le nain ne répond pas, et le sénéchal l'injurie en prétendant manger le paon ; le nain lui répond qu'il n'y goûtera pas et qu'il ferait mieux de s'en aller ; Keu lui donne un grand coup de pied qui projette le nain contre un pilier de la cheminée (cf. Conte du Graal, v. 1054 ss).

Le nain crie, une porte s'ouvre bruyamment, un grand chevalier entre, fort beau et richement vêtu, tenant en laisse un lévrier (A deux l.). Il reproche à Keu d'avoir assomé son serjant. Réponse insolente de Keu, à qui le chevalier demande son nom ; lorsque le sénéchal l'a dit,"Je vous crois, répond l'autre ; je vous aurais reconnu a vostre simplement (LPU franchement, AS dolcemant) parler. Il n'est pas coutume de refuser à manger dans cette maison : voici votre part du paon." Levant la broche, il en assène un grand coup sur le sénéchal ; le paon éclate (AS om.) et la graisse bouillante se répand parmi les mailles du haubert : Keu en gardera toute sa vie une laide tache. Puis le chevalier jette le paon à ses deux lévriers (sic), et deux sèrjant expulsent le sénéchal.

Keu revient auprès du roi et des compagnons ; il leur faudra, dit-il, chevaucher fort loin (L répète vingt lieues) avant de trouver un ostel et à manger. Gauvain lui fait remarquer que celui qui l'a renseigné doit bien manger, comme tout le monde, et avoir des réserves. "Sans doute, répond Keu, mais c'est un vassal si orgueilleux qu'il refusera de nous héberger. - Il est donc bien vilain, commente le roi. Gauvain, allez-y donc." (AS : c'est Gauvain qui se propose).

Gauvain arrive, désarmé, au château ; le chevalier le reçoit très courtoisement et le presse d'aller chercher le roi et les autres. Avant qu'ils arrivent, l'hôte fait crever tous ses étangs. Il reçoit ses invités avec grand honneur, les conduit dans la salle où les lévriers sont toujours occupés avec le paon, ce qui surprend le roi, qui le fait remarquer ; le chevalier sourit sans rien dire ; Keu se garde de souffler mot (L om.). Le dîner est servi. Puis c'est la sieste, qui dure jusqu'au soir (TMQE : jusqu'au lendemain matin !). Puis on se remet à table pour le souper. A la veillée,on rit beaucoup de la mésaventure de Keu, car le nain n'a pu tenir sa langue (ni Keu ni l'hôte n'auraient rien dit) ; on traite le sénéchal de "teigneux" (T om.) - -et on peut le dire, commente l'auteur (TMQE om.), car j'ai tellement entendu dire du mal de lui (LPU seuls ; - PU ajoutent : car il est fel / fol et deputaire). Le lendemain matin, un déjeûner est servi. Le roi demande le nom de son hôte : c'est YDER le Beau, qui prie Arthur de le laisser les accompagner, mais le roi refuse.

(L 3563-909, A 3763-4121, T 9149-495, E 12921-3283).

Episode 4. Arrivée chez Bran de Lis : le beau pays, la route frayée ; Gauvain en éclaireur : les deux "damoiseles" à la fontaine, la ville regorgeant de richesses, le château désert où le repas est servi (têtes de sangliers dans des "graaus") ; frayeur subite de Gauvain.

Des or est li romans trop lons, / mais je ne puis a mains conter (L ; les autres : mes je ne le voel abregier). Le roi et les quinze chevauchent deux jours (S, MQE un jour) sans manger, avant d'arriver au Verger des Sépultures (T des aventures) u l'on trovet les aventures. Là ils mangent avec les 12 (PU trente, ASTMQE cent) reclus. L'auteur ne peut raconter maintenant les mervoilles du cimetière (TMQE : on ne les tiendrait pas pour vraies), ni l'usage (TMQE : - LPU l'establement, l'establissement ; A l'ordenement) que tenaient les reclus : il y passerait trop de temps. La petite troupe y passe un jour (TMQ deux jours).

Le lendemain on repart, et on entre (L manois, "aussitôt") dans la plus belle terre que l'on puisse trouver : forêts, prés, rivières (LP ; - A viviers ; les autres : vergers), arbres de toutes manières (L ; - PU fruitiers ; - les autres : chiers). Dans la forêt l'herbe est si haute qu'elle atteint le ventre des chevaux. On trouve, vers la vespree (AS matinee), une voie frayée par une troupe nombreuse, sans doute de mille chevaliers (LPU ; - TMQE cent ; - AS : par dix chevaliers de front). Gauvain propose d'aller en éclaireur. En sortant de la forêt, il aperçoit sur un pui (LPU - les autres tertre) une centaine de chevaliers (LPU cinq cents) qui s'escriment à la lance ; il descend dans la vallée, gravit le pui, mais il n'y a plus personne. Par contre, il aperçoit en contrebas, sur une grande rivière, un chastel magnifique, extraordinairement riche (L biaus et bons), dans lequel il voit entrer la grande troupe qu'il suit. Gauvain descend du pui / tertre et galope jusqu'au pont.

A la tête de ce pont, à droite, une fontaine coule entre quatre cyprès (M oliviers, T om.) ; deux damoiseles en bliauts de pourpre

61

viennent d'y puiser de l'eau dans deux vases (justes) d'or fin. Gauvain les salue et les interroge : c'est pour le "bon chevalier" (A bachelier) qu'elles servent et qui ne se lave jamais les mains dans une autre eau ; c'est justement lui qui rentre au château.

Gauvain passe le pont et entre dans la ville ; il n'en a jamais vu d'aussi riche : les rues sont toutes ornées de courtines ; il y a de nombreuses tables de changeurs, avec de riches vaisselles d'argent et d'or, des monnaies de tous les pays ; il voit dans les maisons (osteus ; - AS ovreors, "ateliers") de riches fourrures. Car toutes les portes sont ouvertes, mais pas âme qui vive. Gauvain se dit que les habitants sont au château et il s'y rend.

Il pénètre dans une salle immense ; les tables sont garnies de riches nappes et le couvert est mis, ainsi que le pain (L très blanc, buletés) et le vin (L : dans de riches coupes d'or) ; dans une loge, plus de cent têtes (S côtes !) de sangliers sont disposées dans autant de graaus (M platiaus, V tailloirs, P grailles ! - S ne comprend pas) d'argent (AS om.), avec le poivre chaud dans des écuelles à côté. Gauvain, stupéfait par ce spectacle, se signe (AS om.) ; mais il ne veut pas s'attarder, puisqu'il n'y a personne. Il revient donc sur ses pas ; il espère retrouver les deux pucelles et leur poser des questions (TME : où est allé le seigneur qu'il a vu entrer), mais il ne les voit plus.

> (LE ajoutent : Gauvain ne sait pas trop ce qu'il doit faire ; il craint, s'il quitte la ville, de ne plus pouvoir y revenir ; d'un autre côté, s'il tarde trop, Arthur et les autres auront pris un autre chemin).

Gauvain galope vers ses compagnons (LE : qu'il a aperçus en remontant sur le pui) ; il leur annonce qu'ils auront un excellent ostel (LE cette nuit ; AS ajoutent : mais il n'y a personne ; - AE ajoutent : "il n'y aura qu'à se laver les mains"). Joie de Keu : "Cis mos n'est pas vilain (AS om.) ; je suis tout prêt à servir un repas déjà préparé !" On arrive à la ville, où Keu dit un mot cortois : "Château, celui qui pourrait vous emporter ne devrait pas manquer de le faire !"

Le roi et ses compagnons entrent à cheval (AS om.) dans la salle ;
il n'y a malheureusement rien à donner à manger aux chevaux, et
Arthur dit qu'après souper on ira dans les prés ; ils attachent leurs
montures à des branches de cerfs et de daim (ASPU om.). Après s'être
lavé les mains dans des bassins d'argent (L d'or) fin, on se met à
table et Keu sert à chacun une tête de sanglier, en disant : "Celui
qui en voudra d'autre n'aura qu'à demander : le repas ne m'a rien
coûté ! Si nos chevaux pouvaient manger des têtes de sangliers, nous
ne serions pas près de quitter les lieux, car je vois de trop beaux
lits dans cette chambre !"

En effet, par une porte entrouverte, on aperçoit l'intérieur
d'une chambre, et Gauvain y voit pendre un écu (L om. ; - TMQE
ajoutent : avec un tronçon de lance muni d'un riche gonfanon) ; il
regarde attentivement, soupire (L ; APU panse ; S est effrayé ; TMQE :
toz li sans li bout et esmuet), jette le couteau qu'il tenait, se lève
précipitamment, va ressangler son cheval, remet son heaume et se
rassied sur un banc, son écu près de lui. Tous sont interloqués : "Qu'a-
t-il ?" On craint qu'il n'ait un coup de sang : il a fait si chaud pendant la journée. Son oncle le prie de s'expliquer. Gauvain refuse de
répondre : "Mais, vous, pressez-vous de manger." Il déteste cet endroit,
et regrette bien d'y être entré. Arthur répond qu'il ne mangera pas
tant qu'il ne saura pas la vérité ; Gauvain se résout à la dire (L
omet une colonne) .

(L 3910-4188, A 4122-394, T 9496-802, E 13284-610).

Episode 5. Récit rétrospectif que Gauvain fait de ses amours
avec la Pucelle de Lis : version "flirt" dans LAS, version "viol" dans
PUTMQE.

Version commune (sauf PU) : "Vos savez bien qu'il a (cinc)
ans ..." - Gauvain rappelle qu'il y a 5 ans (SP ; L lacune ; A quatre,
- U un ! - TEMQ dix !), pendant le siège de Branlant, il reçut à
l'épaule un coup de lance dont il faillit mourir et qui le maintint

63

longtemps alité (TMQE dével.).

> PU : Arthur tint à Branlant une riche cour de la Pente-
> côte, à la fin de laquelle il envoya tous les "bons chevaliers"
> quêter les aventures pendant trois mois (U quatre jours, puis
> quatre mois). Gauvain n'était pas revenu au terme de ce délai,
> et il va maintenant raconter pourquoi. - A rapprocher de la
> version très résumée de MQ pour II/4 : Gauvain, pendant le
> siège de Branlant, était parti chercher des aventures (il n'était
> nullement question de sa blessure ni de sa convalescence).

Un matin, il était couché dans son pavillon, etc. (cf. Br. II, épis. 4 :
AS suivent un texte proche de A ; TMQE, un texte proche de LEU;
- PU om. ; - fin de la lacune de L).

Version "flirt" (LAS) : Gauvain traverse une belle rivière (L
seul, comme LTEU dans II/5), arrive à un bruellet feuillu et pleir
d'oiseaux. Il a le coeur tout réjoui et ne sent plus sa plaie (L seul :
il décide de ne pas rentrer avant d'avoir trouvé une aventure = II /5,
tous les mss). Les trois autres bruellez passés (S om.), il arrive dans
une belle lande où il chevauche (L seul : jusqu'à midi).

Version "viol" (PUTMQE) ; Gauvain chevauche deux jours (U un
jour) sans trouver à héberger ni à manger. Le troisième jour (cf.
T dans II/5), il entend la clochette d'un ermitage (P il voit un ermitage) et se rend à celui-ci pour entendre la messe, après laquelle
le saint homme le fait déjeûner (pain noir, beurre et cidre). Lorsque
Gauvain quitte l'ermitage, le temps est si beau, la forêt sent si bon,
les oiselets (PU turtres et coulons) chantent si bien que, avec la messe
qu'il a entendue, il lui prend une grande envie de "changer sa vie" ;
ce pensé lui dure jusqu'à midi.

Version commune L + PUTMQE (résumée par AS) : à l'heure
de midi, une resplendor le frappe au visage (AS om.) ; il se tourne
et voit sur sa droite (L om., mais ajoute : près d'une fontaine = II/5,
tous les mss) un très riche pavillon (L ajoute l'aigle d'or qui le couronne et les loges qui l'entourent = II/5, tous les mss) ; à cause de la
chaleur, la portière est fermée (contredit II/5, où l'huis était ouvert ; -
L seul ajoute : Gauvain se dit qu'il va aller voir de plus près = II/5,

mais dans ASPT). Gauvain approche de la portière, l'écarte, passe la tête, et voit à l'intérieur trois lits (AS seuls : un lit ; - les autres contredisent donc II/5 : un lit). Sur l'un, le plus riche (L om.), est couchée (L assise ; - AS om.) une très belle pucelle. Gauvain descend de son cheval (L seul : qu'il attache à un caisnot : cf. II/5, tous les mss) et entre dans le pavillon, jonché d'herbes et de fleurs odorantes (AS om.).

Version "flirt" (LAS) : Gauvain salue la pucelle, etc. - L suit assez étroitement, en résumant un peu, la version de II/5 ; AS résument beaucoup, omettant en particulier le détail du portrait consulté ; - selon L, Gauvain promet à la pucelle de revenir la chercher (=II/ 5) ; selon AS, il lui promet de ne pas avoir une autre amie qu'elle ; - L est seul à ajouter que la pucelle remest grose et ençaintiee (cf. fin de II/7).

Version "viol" (PUTMQE) : Gauvain s'assied devant le lit, admirant la beauté de la pucelle. Les bonnes dispositions qu'il avait à l'ermitage s'envolent. Il n'ose pas réveiller la jeune fille, mais il l'embrasse. Celle-ci, sans ouvrir les yeux : "Frère (PMQ ; - TE : Beau sire ; - U om.), laissez-moi dormir." - Gauvain interrompt son récit : "Sire, mangez. Le coq chanterait avant que j'eusse tout conté, et nous aurons de grands ennuis si nous restons ici." Mais Arthur le presse de continuer. Gauvain continue à embrasser la pucelle, qui ouvre enfin les yeux : "Mais vous n'êtes pas mon frère ! - Non, mais votre ami." Elle répond qu'elle n'a jamais eu d'ami, qu'un autre bien lui est destiné (T om.), qu'il s'en aille vite, car, si ses deux frères et son père le trouvaient dans le pavillon, il serait vite detrenchié. Gauvain lui dit qui il est. Elle a entendu parler de lui, mais Gauvain n'est pas vilain au point de ne pas attendre le retour de ses frères et de son père qui ne manqueront pas de lui faire fête. Gauvain finit par se désarmer, se coucher dans le lit, et la dépuceler de force, malgré sa résistance, sa douleur, ses larmes.

Version "flirt" (LAS) : Gauvain repart ; bientôt il entend un

65

chevalier qui le poursuit et le défie ; au premier choc, Gauvain le porte à terre, mortellement blessé ; puis il continue sa chevauchée.

AS développent, c'est-à-dire restent plus proches du récit de II/5 : "Traître, je vous ferai payer la mort de mon père (!?), et vous avez dépucelé ma fille !" (A intercale : "et vous avez brisiee ma tente"). Gauvain a beau offrir une compensation, l'autre veut le combat.

Version "viol" (PUTMQE) : Gauvain tient la pucelle pâmée entre ses bras lorsqu'arrive un chevalier armé, très beau : "Ma soeur, qui est avec vous ? Ce cheval appartient à un estrange home. Et il a abîmé mon pavillon !" La pucelle se ranime pour crier : "Frère ! qui me tuera ce chevalier qui m'a deshonorée ? Il est perdu, li bienz qui m'estoit destinez ; il est brisé, l'amour qui nous unissait !" Le chevalier, tranchant de son épée un pan du pavillon, entre à cheval. - A nouveau Gauvain prie son oncle de manger, et Arthur lui ordonne de continuer. - Le chevalier regarde Gauvain : "Je ne puis le tuer : il n'est pas armé. Mais quel menestreus êtes-vous donc ?" Le héros se nomme. "Allons donc ! Jamais Gauvain n'aurait fait une telle vilenie. Vous n'êtes même pas un chevalier, mais un pautonier. Vous avez honni ma soeur, vous lui avait fait perdre le grant bien (PU l'honneur) qu'elle devait avoir. Armez-vous donc !" Gauvain s'avance vers la pucele et lui promet formellement de l'épouser. Elle dit à son frère que, puisqu'elle est déshonorée, il la laisse changer sa vie. "Certes non, répond le chevalier ; je vous marierai hautement. - Si vous tenez à me marier, alors donnez-moi Gauvain : lui au moins ne pourra pas me reprocher mon déshonneur." Le chevalier la traite de pute (PU .om.) : "Qu'il est vite torné, le coeur d'une femme ! Mais ce n'est pas là Gauvain. Et je vais le tuer." Gauvain s'est armé, a repris son cheval ; les deux hommes s'affrontent dans la lande : au premier choc, le héros enfonce sa lance dans le corps de son adversaire et l'abat mort. La douleur de la pucelle redouble ; elle reste longtemps pâmée, et Gauvain a beau lui arroser le visage, elle ne revient pas à elle.

66

Bientôt arrive un autre chevalier qui, voyant le mort, se met à regretter MELIANT de Lis (PU : c'est ainsi qu'il se nomme) en l'appelant son fils (TM ; - PUE : son frère, puis son fils ; - Q om., puis son fils) ; il accuse Gauvain de l'avoir tué, d'avoir brisé sa tente. "Quant à ma fille, je ne sais si vous l'avez dépucelée, mais je déteste la voir entre vos bras." La pucelle se ranime, raconte l'affaire à son père. Celui-ci force Gauvain à s'armer et, rejetant toute promesse de mariage, commence le duel : lui aussi est tué du premier coup. La pucelle s'évanouit une fois de plus.

Version "flirt" (LAS) : un autre chevalier poursuit Gauvain, lui criant qu'il va lui faire payer la mort de son oncle, et celle de son père (L intervertit père et oncle, comme le faisait E dans II/7), et le pucelage qu'il a pris à sa soeur, ce matin même. Gauvain lui répond qu'il lui offrira toutes les compensations qu'il voudra, mais l'autre refuse et le défie. - Tout ceci est donc proche de II/7.

Version "viol" (PUTMQE) : un troisième chevalier, d'une très grande taille, montant un très grand destrier, arrive au pavillon et fait grand deuil en voyant les deux cadavres, qu'il jure de venger. Gauvain est appuyé à un lit, tenant entre ses bras la pucelle évanouie. Le chevalier lui demande qui a tué les deux autres. Gauvain se pâme - ce qu'il n'a jamais fait depuis. Lorsqu'il reprend ses sens, le chevalier lui demande qui il est. Le héros lui répond qu'il est son plus mortel ennemi, puisqu'il a tué son frère et son père. L'autre refuse d'abord de le croire ; il faut que Gauvain lui raconte tout (PU seuls) et que la pucelle, revenant enfin à elle, le confirme. Gauvain crie merci au chevalier, lui offrant cent homages, et cent moines, et cent moniales et cent convers, et s'engageant à prendre sa soeur en mariage. Le chevalier répond que, s'il était arrivé le premier, son frère et son père seraient encore en vie ; il refuse toute compensation ; il préfère mourir avec eux que de languir a honte dans ce monde ; il dit à Gauvain de s'armer.

A partir d'ici, retour à une version unique, PU étant plus proche de AS que TMQE.

Version commune : les deux adversaires prennent du champ (L : Gauvain seul), s'élancent l'un contre l'autre, s'abattent mutuellement (leur étourdissement, noté dans II/7, ne l'est plus ici) et continuent furieusement à l'épée. Mais Gauvain sent qu'il va avoir le dessous :

> L seul rappelle que son ancienne plaie se rouvre ; le sang coule abondamment sur sa poitrine (comme dans II/7, tous les mss) ; - ASPU : le heaume de Gauvain est si detrenchié que le sang lui coule sur le visage ; - TMQE om.

et il se porpense d'un engien pour protéger sa vie. Il demande le nom de son adversaire : c'est BRAN de Lis ; son père (U frère) s'appelait NORRE (L seul ; - UTMQE Yder, P Morré, AS om. comme le faisaient AP dans II/6) de Lis, et son frère (U père), MELIANT de Lis (AS om.).

> PUTMQE ajoutent (ou LAS omettent) : "Si vous m'aviez tué, moi aussi, vous auriez conquis les trois meilleurs chevaliers du monde".

Gauvain remontre à Bran que s'il le tue, lui Gauvain (L inverse : si Gauvain tue Bran), on ne pourra jamais le croire ; il faut remettre le duel à plus tard, devant des témoins, à la cour d'Arthur par exemple. Bran de Lis accepte, à la condition qu'il attaquera Gauvain la première fois qu'il le trouvera, armé ou désarmé.

Gauvain n'a plus jamais entendu parler de Bran de Lis, mais, tout à l'heure, il a aperçu dans la chambre l'écu de Bran, avec, encore fiché dedans, le tronçon de sa propre lance, muni de son gonfanon. C'est pourquoi il s'est empressé de s'armer, et il a pressé ses compagnons de manger. Arthur tente de le rassurer, mais Gauvain refuse de se remettre à table ; les autres mangent rapidement .

(L 4189-459, A 4395-652, T 9803-10474, E 13611-4288 ; - pour PU voir t. III/1, Appendix II : 542 vv.).

68

Episode 6. <u>Keu et le brachet. La fête dans le verger. Bran de Lis accourt et s'arme ; il refuse les compensations offertes par le roi Arthur.</u>

Peu après, sort d'une chambre un brachet, tout blanc (<u>AS om.</u>), avec un riche collier d'orfroi (<u>L om.</u>) et une longue laisse, et qui se met à aboyer (<u>AS om.</u>) contre ces convives qu'il ne connaît pas. Keu dit au roi : "Emmenons-le, cela fera un bon compagnon pour HUDENT" (cf. <u>Tristan</u> ; - <u>MQ</u> hideux ! <u>P om.</u>). Le roi est d'accord. Mais le brachet s'enfuit, poursuivi par le sénéchal qui tente de marcher sur la laisse pour le retenir ; ils traversent ainsi cinq chambres, puis arrivent dans un beau <u>jardin</u>, planté de pommiers, de lauriers et de pins (<u>L</u> ; - <u>UMQ</u> : lauriers et pins ; - <u>ASPT</u> : oliviers et pins). Le verger est plein d'une multitude de gens qui s'amusent à divers jeux, guerriers (escrime) et de société (échecs, tables) ; (<u>L</u> est seul à donner ces détails ; les autres mss ont un refus de description, ce qui n'empêche pas <u>E</u> de copier les uns et l'autre !). C'est en effet le jour de la fête d'un grand saint de la contrée.

Au milieu du verger, à l'ombre d'un olivier, un grand chevalier est en train de se désarmer ; le brachet se réfugie entre ses jambes. Keu s'est arrêté, tout interdit. Le grand chevalier crie : "Il y a ici <u>estrange home</u> !". Il aperçoit Keu qui s'en retourne et dit à ses gens de le lui amener. Il le reconnaît (? - en tout cas, il l'appelle par son nom), lui demande où est le roi ; Keu répond ; puis si Gauvain est avec lui. Sur la réponse affirmative de Keu, le grand chevalier saute sur pieds et, traînant encore une <u>chauce</u> de fer qu'il n'a pas eu le temps d'ôter, court vers la salle (<u>LE</u> : il passe de chambre en chambre). Toute la foule du verger le suit.

Le grand chevalier salue courtoisement le roi Arthur ; il commande à ses gens d'apporter des cierges, car le soir vient, et d'autres mets. Il est très heureux d'accueillir le roi et ses compagnons - sauf un, qu'il ne voit pas. Les cierges et chandelles arrivent ; le chevalier frappe sur ses gens à coups de bâton pour les faire sortir, mais ils grimpent partout : sur les tables, aux fenêtres, dans les galeries supérieures. Gauvain ne peut plus se cacher : il monte sur son destrier. Bran de Lis, alors, le voit ; il jette son bâton et demeure un moment (AS longuement) "pensif", puis se dirige vers Gauvain. Il lui rappelle (LE leur bataille - "... vous avez tué mon père, et Meliant de Lis s on [E mon] frère" - et) leur convention ; il est dépité de retrouver son ennemi armé. Il fait apporter encore plus de cierges et, s'asseyant sur un riche tapis au milieu de la salle, se fait armer (L dével.). Il dit au roi de manger vite, et joyeusement. Lui, il est fort, et fiers, et legiers, dit-il, et Gauvain aussi. Et l'un des deux va mourir. Le roi pleure : Bran de Lis le lui reproche avec mépris.

> LE ajoutent (?) : le roi répond à Bran qu'il a de quoi être affligé ; il lui rappelle les compensations offertes par Gauvain ; les quinze champions lui feront hommage ; lui-même fondera deux abbayes pour le repos de l'âme de son père et de son frère (E ; - L : et de son oncle). Bran refuse. - Notons qu'à la place de ces 42 vers, ASPU ont un refus de conter.

(L 4460-742, A 4653-881, T 10475-710, E 14289-592).

Episode 7. Duel de Gauvain et de Bran de Lis ; intervention de la Demoiselle de Lis, qui met entre les combattants l'enfant qu'elle a eu de Gauvain. Arthur interrompt le duel.

Bran de Lis finit de s'armer (L a ici la formule de refus de raconter de ASPU : Ne vuel' le conte a plus mener). Il monte à cheval, prend sa lance (APU : qu'il choisit entre cent, S entre trente) et son écu à la guige d'orfroi (L om.). Sa beauté. Il laisse à Gauvain le choix du côté (sic !) : Gauvain est bien là où il est.

> LE ajoutent : l'assistance reste immobile et muette ; il y a une telle clarté qu'on se croirait en plein midi.

Au premier choc, les lances se brisent, cavaliers et chevaux tombent. Le combat continue à l'épée, furieux. Douleur et effroi du roi Arthur

(LASPUE : qui ne peut regarder). A une pause de la bataille, la porte d'une chambre s'ouvre (L seul : molt tost), et une demoisele en sort, extrêmement belle, d'une vingtaine d'années, richement vêtue (LE : d'une robe vermeille ornée de lionceaux d'or) ; elle s'appuie à une table et regarde le duel qui reprend, encore plus enragé (TMQ om. dix vers, que E recopie sur un ms. très proche de L). Le sang coule de la tête des combattants jusque sur le pavement. Gauvain semble avoir le dessous.

Alors la belle demoiselle court à la chambre et revient, portant un ENFANT qu'elle met debout (ATMQ om.) sur la table ; c'est un garçonnet d'environ 5 ans (MQ dix !), d'une beauté extraordinaire, richement vêtu (ASPU : habillé de la même étoffe que celle du vêtement de Bran de Lis). Gauvain, que le sang empêche de voir, doit reculer (LE : le roi ne peut les regarder). La demoiselle prend l'enfant et lui dit : "Beau fils, allez à votre oncle Bran de Lis, et suppliez-le d'épargner votre père." Elle le met à terre, et l'enfant court à Bran, lui embrasse la jambe et lui baise le pied : "Sire, ce dist ma mere / que vos n'ociés pas mon pere." Bran de Lis injurie l'enfant, secoue brutalement la jambe et le fait tomber sur le pavement, évanoui, le visage en sang. Arthur se lève et va prendre l'enfant qu'il embrasse avec amour - tant cuidoit avoir de retor, / par foi, de monsigneur Gavain ; / nel cuidoit jamais veoir sain. Et le roi reproche à Bran sa vilenie et sa cruauté. Bran lui répond avec mépris. Le roi continue à lui parler, afin de permettre à Gauvain de reprendre haleine et d'essuyer le sang qui l'empêche de voir.

Les forces reviennent à Gauvain ; il se sent en forme et, quand il voit le roi, son amie, tout le peuple qui le regarde, il a honte.

TMQE intercalent : la force de Gauvain double à l'heure de minuit, comme elle le fait à celle de midi.

Il redouble de coups, fait voler le heaume de son adversaire (ASPU dével. ; L résume), finit par l'acculer à une table. La demoiselle reprend l'enfant et se jette entre les combattants : "Fils, priez votre père de ne pas tuer mon frère." Mais l'enfant est charmé par l'éclat

71

des épées, il rit. Gauvain cesse d'attaquer, mais Bran continue. La demoiselle tend l'enfant à bout de bras entre eux : "Or i parra ... Maintenant on va voir lequel de vous deux va le tuer !" Ils se contentent de se menacer de leurs épées, et l'enfant rit de plus belle, jetant ses manetes vers la clarté des armes dans lesquelles il se voit (LE dével. : ... car li miudres enfes del mont ere). Toute l'assistance, émue aux larmes, crie au roi d'aller les séparer.

Le roi se lève (LE : suivi par ses compagnons) et va séparer Gauvain et Bran (LE : ce sont les chevaliers qui les séparent).

AS omettent une trentaine de vers, ce qui peut correspondre à une colonne, mais ils ont tendance à condenser toute la fin de l'épisode ; - le texte correspondant de PU est imprimé en Appendix III).

Il prie Bran d'accepter les offres qui lui ont été faites : lui-même est prêt à devenir son homme. Tous s'écrient que c'est là le plus grand honneur que l'on puisse faire à un chevalier. Bran répond que c'est à lui de faire hommage au roi, mais il considérera les pairs de la Table Ronde comme ses otages et ils devront lui faire hommage. On reparle des abbayes : le roi est prêt à tout. Bran fait hommage au roi (TMQ résument - ou LE dével. ?), puis reçoit l'hommage de Gauvain, qu'il assure de son amitié, et celui de ses quatorze compagnons.

LE donnent ici une "pause de conteur" - ou d'auteur ? : Signeur, por Diu rendés le droit / volentiers que cis livres doit : / certes si ferois que cortois. / Dites por l'ame au LODONOIS / une Paternostre trestuit, / que li contes ne vos anuit. / Et por toz les faüs defuns / bien la doit comencier cascuns.

Signeur, ensi con je vos di, / la bataille la nuit parti. Les deux blessés sont portés dans une chambre richement décorée,

LE dével. : les fresques représentent l'histoire de Troie, comment Paris ravit la belle Helaine ...

éclairée par 80 cierges (LE ; - les autres : quatre) si bien placés que leur lumière ne les incommode pas. Le médecin (L le nomme :

72

JUVENAUS - ?) regarde leurs plaies et promet de les guérir en 15 jours (A dix-huit, S quatorze, PU un mois).

> LE : la nuit, le roi dit à Bran le but de leur expédition - retrouver GIRFLET (E : qui est au Chastel Orguelleus ; - dans L, c'est Bran qui l'apprend au roi), et Bran l'assure qu'il les accompagnera, car il est le plus à même d'obtenir la délivrance du prisonnier.

Le roi et ses compagnons restent 15 jours (AS un mois, U deux mois) chez Bran de Lis, toujours servis à volonté. Le roi quitte rarement Bran, écoutant les bons contes qu'il li contoit, et notamment tout ce qui concerne le Chastel Orguelleus. Bran dit qu'ils emmèneront des serjanz, son pavillon qui est fort grand, et la meilleure de ses meutes, car il y a là-bas beaucoup de bonnes forêts où leurs gens pourront chasser. Gauvain, lui, passe tout son temps avec son amie, laquelle lui donne joie sans autre vilonie toutes les fois qu'il le désire ; il embrasse souvent son fils. Signor, ne vos en mervelliés, / qu'il n'estoit pas mesaaisiés, / ains a canqu'il viut et desire. (L 4743-5267, A 4882-5334, T 10711-1205, E 14593-5181).

Episode 8. Arrivée en vue du Chastel Orguelleus ; on dresse le camp ; Lucan demande la première joute.

Dès qu'ils (Gauvain et Bran) peuvent chevaucher (L seul) on fait les préparatifs (LE) et la petite troupe, augmentée de Bran de Lis (LE : et des sergents et écuyers qu'il emmène), se met en route (TE : au chief de la quinzaine, MQ de la semaine !), un mardi matin. (TMQE : le voyage dure 7 jours). On traverse plusieurs forêts et l'on arrive à une plaine (AS lande, ME païs), en vue du Chastel Orguelleus.

On dresse le pavillon, entouré de loges, près d'un bois d'oliviers (Q lauriers). Peu après, on sonne au château une grosse cloche, que l'on entend à 5 lieues (U sept) à l'entour. Arthur interroge Bran : c'est pour informer par la contree que le château est "assiégé" ; bientôt 3 000 écus (L seul ; E trois cent mille !) vont être exposés. En effet on voit sordre aux murs plus de 3 000 gonfanons (Q quatre

73

cents) et autant d'écus sont accrochés aux créneaux. De grandes troupes de chevaliers débouchent des forêts et entrent au château. Refus de décrire celui-ci, mais on n'en a jamais vu un pareil.

Cependant au pavillon on se met à souper en devisant joyeusement.

LE : "... celui qui querra chevalerie, il peut être assuré qu'elle n'i faudra mie" (cf. Conte du Graal, v. 4699-700).

Le bouteillier LUCAN, en remplissant de vin une coupe, demande à Arthur de lui donner la première joute : c'est le privilège de sa fonction. Le roi est d'accord et lui dit de manger avec Gauvain (A avec Keu ; S,E om.). Après souper, on essaie les armes ; les compagnons demandent au roi de fixer à chacun son jour (de bataille) : il s'y refuse, voulant les maintenir en ceste paor. On va enfin se coucher.

(L 5268-370, A 5335-422, T 11206-309, E 15182-293).

Episode 9. Joute de Lucan ; il est d'abord vainqueur (et il aurait pu libérer Girflet), puis il livre une seconde bataille et se fait capturer.

Le matin, on se lève tôt et l'on va à une chapelle à l'orée de la forêt (LPU ; - contredit par AS : bien loin du bois ; - TMQ en un bois ; E hors du bois) ; c'est là que sont enterrés tous les chevaliers tués ; les estranges aussi bien que ceux du pays. Après la messe (TMQE : du Saint-Esprit), l'on déjeûne et l'on arme LUCAN. Celui-ci se dirige vers le château

— TMQE : aux quatre coins du pré, quatre oliviers délimitent le champ des duels ; celui qui sort de cette limite est déclaré "récréant" —

d'où sort bientôt un chevalier armé. Au premier choc, c'est celui-ci qui est abattu ; Lucan se contente de prendre son destrier et revient

au pavillon (AS : où il fait don au roi du cheval du vaincu). "Bouteillier, lui dit Bran de Lis, ce siège aurait été fini si vous aviez capturé
aussi votre adversaire, car Girflet aurait été libéré en échange" (LE
dével.). Lucan est fort fâché ; il retourne au pré ; un autre chevalier
sort du château et lui enfonce sa lance dans le bras ; le bouteillier
doit se rendre et est emmené au château. Gauvain dit que, à la condition que Lucan ne soit pas grièvement atteint, c'est là une bonne
chose : Girflet va ainsi apprendre que ses compagnons sont ici. Bran
de Lis demande la joute pour le lendemain ; le roi est réticent, mais
(LE : Bran fait remarquer que c'est le premier don qu'il demande)
il finit par accepter.

(L 5371-520, A 5423-552, T 11310-462, E 15294-470).

Episode 10. Lucan retrouve Girflet au Chastel Orguelleus.

On a mené Lucan directement (LE) à la chambre où est enfermé
Girflet (L : il y a 3 ans qu'il est emprisonné). Joie de celui-ci, et
qui redouble quand Lucan lui apprend que le roi Arthur a "assiégé"
le château. Girflet demande des nouvelles des pairs (LPU) de la Table
Ronde. Lucan répond que beaucoup ont été tués, mais remplacés par
d'autres bons chevaliers. "Je ne connais plus grand monde !" commente
Girflet. On leur apporte à manger, et ils passent la nuit à bavarder ;
celle-ci est d'ailleurs fort courte, car l'on est après la Pentecôte (ASPU
et avant la Saint-Jean, TM après, E autour de ; LQ om.).
(L 5521-78, A 5553-98, T 11463-510, E 15471-534).

Episode 11. Joute de Bran de Lis, qui est vainqueur, et de Keu,
qui sort des limites du pré et est considéré comme "recréant".

Le lendemain il fait très beau ; après la messe et un solide
déjeûner, on arme Bran de Lis.

LE dével. : à l'heure de prime ; riche tapis au milieu du pavillon ; haubert blanc comme neige ; c'est Gauvain qui lui lace le heaume, le roi Yder qui lui ceint l'épée.

Dès que Bran est au pré, un chevalier sort du château ; ils s'abattent (LE : Bran blesse son adversaire à la cuisse - E à l'épaule). Bientôt l'autre doit s'avouer vaincu, et Bran (LE le fait remonter à cheval et) le ramène au pavillon. On couche le blessé dans une ramée (faite pour la circonstance, - sauf dans L, puisque, pour celui-ci,de nombreuses ramées ont été faites dès le premier jour ; - E ne se souvient plus qu'il avait recopié ce détail).

Le soir, à la fraîcheur, on va jouer / s'esbanoier (tous sauf L : à l'ombre - sic - d'un olivier) ; on se plaît à écouter les veilleurs qui, sur les tours du château, sonnent des instruments les plus divers et échangent des plaisanteries (TMQE : pour mieux les entendre, le roi fait taire ses compagnons). Le roi en oublie d'aller se coucher. Keu fait remarquer que la joute du lendemain est oubliée : "Je vous la donne", dit Arthur. Le sénéchal dit qu'il aimerait mieux un bon rôti, ce qui fait rire.

Le lendemain, après la messe et le déjeûner, Keu est armé ; il se dirige vers le château. Lui et son adversaire s'abattent ; bientôt l'épée du sénéchal se brise et il recule ; l'autre le presse et lui fait franchir les "bornes" du pré (délimitées par les quatre oliviers : c'est la première fois que LASPU en parlent). Alors le chevalier du château le laisse et repart en emmenant le destrier du sénéchal. Celui-ci ne comprend pas, reste à attendre, puis revient au pavillon, où les railleries fusent de toutes parts. Bran finit par faire comprendre au sénéchal qu'il a franchi les limites du pré et qu'il a donc été considéré comme "recréant". Keu bougonne ·

(L 5579-790, A 5599-776, T 11511-712, E 15535-778).

Episode 12. Trêve au château, le samedi et le dimanche, en l'honneur de Notre-Dame. Le dimanche, chasse ; Gauvain s'écarte de ses compagnons et rencontre un grand chevalier fort "pensif", puis une belle demoiselle fort pressée. Bran explique que c'est le Riche Soudoier, le maître du Chastel Orguelleus, et son amie. Liesse nocturne au château.

A midi, toutes les cloches du château se mettent à sonner. Bran de Lis explique : "Nous sommes le samedi, et toute activité cesse au château, car ici on honore la Mère de Dieu plus qu'en aucun autre lieu de la chrétienté. Tous les gens vont prier dans les églises. Le lundi matin, à tierce (ΛSPU à prime ; L entre tierce et midi), l'activité reprend. Comme nous n'aurons pas de bataille, nous pourrons aller à la chasse demain."

Ce qu'ils font. Gauvain s'écarte de ses compagnons, avec deux chiens qui poursuivent un cerf (ASPU om.). Il attrape la bête, l'écorche, prélève le forcié et un des côtés (L ; - les autres : l'échine et les deux côtés). Les chiens le guident sur le chemin du retour. Tout à coup Gauvain entend (L : sur sa gauche) crier un autour (AS une voix !). Il se dirige de ce côté et arrive à une maison forte, entourée d'une palissade et d'un large fossé plein d'eau claire, que l'on peut traverser sur un riche pont de bois -

    - les autres ont tendance à "agrandir" ; AS : un donjon ; PU : fermetés et donjons ; TMQE : la plus belle fermeté du monde, avec salle(s) et grande tour.

A cette extrémité-ci du pont, sous un pin (LTME ; - ASPU : un arbre), est assis, sur un riche tapis (ASE om.), un très grand chevalier, tout "pensif".

    ASPU, anticipant, l'ont présenté avant de décrire le site, et AS ont insisté sur l'état de prostration du chevalier. Gauvain le salue, à trois reprises, et l'autre ne répond rien. Notre héros déplore qu'un si bel homme soit aveugle, sourd et muet, et se propose de l'emmener au roi ; mais, quand il essaie de le soulever,

77

l'autre saute sur pieds et le menace : "Allez-vous en vite, et laissez-moi mourir !" Gauvain repart.

Bientôt il croise une demoiselle, très belle, montée sur un palefroi (LP blanc) qu'elle excite vivement de sa corgie. Elle ne dit pas un mot à Gauvain. Celui-ci la poursuit, la rattrape, lui dit de s'arrêter ; d'abord elle ne répond pas et précipite encore son allure, puis elle dit qu'elle ne peut s'attarder, car elle a tué le meilleur chevalier du monde. Elle lui avait donné rendez-vous, à midi (et nous ne sommes pas loin du soir), à une tour. "Il y est toujours, dit Gauvain, et bien vivant."

AS explicitent : "C'est pour moi, dit la demoiselle, qu'il est pansis ; seule ma venue peut le reconforter."

Elle continue son chemin, et Gauvain le sien, en regrettant de ne pas lui avoir demandé qui était le grand chevalier.

Gauvain arrive enfin en vue du château et rejoint ses compagnons anxieux de son absence. Il leur raconte son aventure (LE dével.) et Bran de Lis lui dit que le grand chevalier n'est autre que le Riche Soudoier, le maître du Chastel Orguelleus, éperdument amoureux de cette belle demoiselle. Et voilà que, dans une grande poussière, toute la population du château sort et se dirige vers la forêt. Ils vont, dit Bran, à la rencontre de leur seigneur et de son amie : c'est la première fois que celle-ci vient au château ; cette nuit il y aura grande joie en son honneur, et chacun des riches soudoiers fera trois nouveaux chevaliers.

La nuit, en effet, une extraordinaire illumination embrase tout le chastel ; il y a des luminaires partout : sur les maisons, les tours, les clochers, dans les arbres même (AS om.) ; chants et musique toute la nuit.

(L 5791-6041, A 5777-6016, T 11713-958, E 15779-16054).

Episode 13. Joute d'Yvain, qui est vainqueur. Le vaincu révèle que c'est le Riche Soudoier qui combattra le lendemain ; Gauvain demande la joute.

Le (lundi) matin, Arthur confirme le don que le sénéchal Keu, par dépit et boutade, avait fait de la joute à Yvain (fin épis. 11 ; - L seulement que le roi donne la joute à Yvain). Après le déjeûner (UTMQE ; - AP après la messe, S la messe et le déjeûner ; - L : ni l'un ni l'autre), Yvain est armé et s'en va au pré. Un chevalier (AS aux armes blanches, sur un destrier blanc) sort du château ; il se fait abattre du premier coup (AS dével.) et ne peut résister à Yvain, qui le force à se rendre et l'amène au pavillon. Le vaincu est un des nouveaux chevaliers ; il est d'Irlande (AT Islande, S om.), fils du comte (AS roi) Blandugan (var., dont T Brangeli). Il était au service de l'amie du Riche Soudoier, et c'est pour l'amour d'elle que le maître du château l'a adoubé la veille et lui a donné la joute (L om.; bien qu'il y ait au château beaucoup de bons chevaliers).

Gauvain lui demandant qui doit combattre le lendemain, le vaincu répond que c'est le Riche Soudoier en personne. Il y a en effet une coutume au Chastel : dès qu'une pucelle, demoiselle ou dame voit l'adversaire au pré, son ami va s'armer. Or l'amie du Riche Soudoier a demandé à toutes de la laisser aller la première aux murs. Gauvain, alors, demande la joute au roi ; celui-ci voudrait qu'il la laisse à ses compagnons et ne combatte que l'avant-dernier, avant lui-même, mais Gauvain menace de s'en aller, et Arthur lui donne la joute .

(L 6042-123, A 6017-115, T 11959-12047, E 16055-151).

Episode 14. Duel de Gauvain et du Riche Soudoier. Grâce à son privilège mythique, Gauvain a le dessus, mais, à l'instante prière de son adversaire, il consent à feindre d'être vaincu et à se rendre à l'amie de celui-ci.

Le lendemain, dès l'aube, Gauvain réveille Yvain et ils vont tous deux <u>deduire fors a la rousee</u>, dans laquelle Gauvain (<u>LE</u> tous deux) se lave(nt) le visage, les pieds et les mains (<u>AS</u> om. tout ce passage, que <u>LE</u> dével.). Une fois Gauvain habillé (<u>AS</u> renvoie après la messe), on se rend à l'église pour entendre la messe (du Saint-Esprit : <u>AS</u> om.). Le déjeûner pris, Gauvain (<u>AS</u> s'habille et) s'arme, sur un riche tapis étendu au milieu du pavillon. Le roi lui-même aide son neveu, il lui prête même ESCALIBOR, sa bonne épée.

> P dével. : son bliaut est à <u>trois boutons d'or,</u> avec des broderies qui représentent bêtes et oiseaux ; c'est Gonoains - sans doute Gossouain - qui lui met son heaume.

Jamais nulle dame ne put embrasser <u>plus bel cors de chevalier.</u> Il se rend au pré.

Peu après, on entend une retentissante sonnerie de cor, depuis la <u>maistre tor</u> du Chastel. Bran de Lis dit que c'est le Riche Soudoier qui commence à s'armer. Seconde sonnerie : il a mis ses chausses de fer. Troisième sonnerie : il a revêtu son haubert ; quatrième : il a mis son heaume. On entend la foule qui l'accompagne jusqu'à la porte ; on la voit monter aux murs pour assister au duel.

Le premier choc est rude : cavaliers et chevaux s'abattent. Un furieux combat s'engage à l'épée ; les adversaires sont d'égale force ; la chaleur est accablante. Mais, à midi, la force de Gauvain redouble. Tel est en effet son privilège, et il en va de même à minuit, ainsi qu'on l'a vu lors de son duel avec Bran (<u>UTMQ</u> om. ; <u>LE</u> dével.). Le Riche Soudoier donne des signes d'épuisement ; la soif le torture (<u>AS</u> om.). Tous deux se renversent ; Gauvain se relève et dit à son adversaire de se rendre. Mais celui-ci est évanoui. Quand il revient à lui, c'est pour s'exclamer : "Dieu ! qui me tuera ? Maintenant elle est morte, la meilleure du monde, celle que j'aimais trop !" Et il se pâme de nouveau. Gauvain lui enlève son heaume ; il est embarrassé : il ne veut pas le tuer, mais, s'il retourne au pavillon chercher de l'aide, il risque de ne plus le retrouver. Il s'assied auprès de lui. Le Riche Soudoier finit par reprendre ses esprits ; il demande le nom de son vainqueur et est heureux de l'apprendre.

"Et maintenant, lui dit Gauvain, il faut venir vous rendre au roi. - Si je le fais, je vais tuer mon amie, et j'en mourrai ensuite." Et, promettant que personne du Chastel Orguelleus ne fera plus jamais le moindre tort (au royaume d'Arthur), il supplie Gauvain de feindre d'être vaincu : qu'il l'accompagne à la tour et se rende à son amie. "Si vous refusez, tuez-moi ici-même." Gauvain, considérant la force de leurs sentiments, répond qu'il accepte. L'autre jure qu'il fera ensuite tout ce que le roi voudra ($\underline{AS}$ précisent : il reviendra avec Gauvain au pavillon). Tous deux remontent à cheval et se dirigent vers le château.

($\underline{L}$ 6124-421, $\underline{A}$ 6116-407, $\underline{T}$ 12048-345, $\underline{E}$ 16152-467).

Episode 15. Deuil d'Arthur qui croit son neveu vaincu. Après la feinte reddition, Gauvain revient au pavillon, avec le Riche Soudoier, Girflet et Lucan. Hommages au roi. Séjour au Chastel Orguelleus et départ pour la Bretagne.

Deuil du roi Arthur lorsqu'il voit son neveu emmené au château. Les compagnons ne comprennent rien : Gauvain semblait bien avoir eu le dessus. Arthur va se coucher sur un lit, se couvre la tête de son manteau. Les gens du château courent avec allégresse à la rencontre de leur seigneur, qu'ils croyaient bien avoir perdu ; on se hâte de prévenir la demoiselle qui d'ire et de duel s'ocioit. Gauvain se rend à elle, et elle est au comble de la joie. Le Riche Soudoier dit alors à son amie d'aller, avec une escorte de 100 chevaliers ($\underline{ASUQ}$ cinq cents) au Chastel de Dobliers ($\underline{T}$ Boviers ! $\underline{Q}$ soudoiiers !) ; qu'elle fasse préparer les chambres : il la rejoindra demain. Ceci pour éviter qu'elle ne voie la suite. Car, une fois l'amie partie, on ne cache plus la vérité, et l'on va délivrer Girflet et Lucan. Le Riche Soudoier fait apporter quatre riches robes et seller quatre chevaux, et les quatre (lui, Gauvain et les deux prisonniers libérés) se rendent au pavillon du roi.

Les compagnons les voient, courent prévenir Arthur. Celui-ci ne bouge pas, mais se contient plus noblement : "Ils viennent nous dire que les prisonniers ne seront pas délivrés (SPUTM : d'aller avec eux en prison), mais je ne repartirai pas sans eux."

- ici commence la grande lacune de E : v. 16579-19006 -

Mais il est bien vite rassuré, car le Riche Soudoier lui avoue tout - (TMQ om. la suite) - et lui rend son épée (et jure de ne plus jamais lui faire de tort = répétition, L om.). Puis le Riche Soudoier fait venir tous ses gens à la chapelle pour faire hommage au roi (L seul ; - ASPU : il envoie au château faire dire à ses chevaliers de jurer obéissance au roi) ; sortie de ce riche barnage, dont Arthur apprécie la beauté et la fierté, et dont il reçoit les hommages (L seul). Jamais Arthur ne conquit tant de chevaliers en un seul jour, comme nous le dit BLEHERIS (A ; - LS Bliobliheri / Bleobleheris, U Blioberis, P Bran de LIs) ; ils lui seront fort utiles par la suite.

> ASPU : on doit honorer celui qui conquiert par les armes si grand honneur (A seul : c'est-à-dire Gauvain, à qui nul ne peut s'égaler). - Cette idée figure aussi dans TMQ, suivie d'une formule de conclusion : Or m'en tairai, n'en weil plus dire (que SPU donnent aussi).

Tout le monde se rend au Chastel (seuls LMQ précisent que le roi entre au château, et L, qu'il y est reçu à grand honneur). Le roi et ses compagnons vont y rester 8 jours (L ; - PUTMQ quinze, S quatre, A trois).

> L : on ne peut décrire les richesses que le roi y trouva ; - SPUTMQ : le Riche Soudoier fait chercher tout ce que le roi peut désirer ; - A om.

Mais les compagnons désirent rentrer en Bretagne (L seul). Le roi et ses compagnons repartent, "convoyés" un temps par tous les gens du Chastel (L om.). Le Riche Soudoier va accompagner les royaux (M avec sept de ses chevaliers, "lui huitième" ; - Q "lui vingtième" ; -

T̲ "lui centième").

(L̲ 6422-568, A̲ 6408-568, T̲ 12346-490, E̲ 16468-614).

Episode 16. Retour par Lis, où le fils de Gauvain vient d'être enlevé. Sa quête est décidée. Mais Gauvain, Keu, Girflet et d'autres rentrent en Bretagne. L'amie de Gauvain est accueillie par la reine.

La petite troupe revient à Lis pour y apprendre une triste nouvelle : le fils de Gauvain et de la Demoiselle a été enlevé. C'est une dame (L̲ trois dames) qui raconte(nt) au roi comment le garçonnet était à s'amuser avec les autres enfants (L̲ : dehors au plain ; - PTMQ : hors de la ville, sur le grand chemin ; - A̲ : en un chemin ... es prez ; - S̲ : en un jardin !) ; on ne sait qui est passé et l'a emporté.

   L̲ : des chevaliers passaient sur le chemin, qui, trouvant l'enfant si beau, l'ont emporté ; on ne sait qui ils étaient.

Les gens de la ville sont au désespoir (A̲ om. ; - PUTMQ : plus de 10 000 [MQ vingt mille] s'en sont pâmés). Le roi décide de faire chercher l'enfant ; lui-même participera à la quête ; Bran de Lis y mettra tot son pooir (L̲ om.) ; le Riche Soudoier dit qu'il y emmènera 1000 chevaliers (LSPU ; - [PU ou deux mille] ; - Q̲ cent , A̲ cent ou plus, TM cent ou deux cents). Bran dit qu'il faut d'abord manger, et Keu, qu'il est tout à fait d'accord (AS om.) ; ce que les compagnons relèvent en riant : "Keu veut qu'on aille manger !" ; le roi lui-même rit. Arthur, prenant avec lui le roi YDER (tous sauf L̲ ajoutent : et Girflet et Yvain), va réconforter la jeune mère, l'amie de Gauvain.

   Tous sauf L̲ ajoutent : le Riche Soudoier y va aussi ; A̲ ajoute encore TAULAS et YDER fils Nu.

"Ce n'est pas tant pour lui que j'étais inquiète, dit la Demoiselle au roi, car il est impensable que l'on fasse du mal à un si bel enfant, que pour vous, qui avez pris la chose tellement à coeur."

Après manger, on fait des plans pour la quête. Keu déclare qu'il n'y participera pas : il n'y entend rien à (L il n'a que faire de) quêter un enfant. Gauvain dit qu'il rentrera avec lui en Breta - gne : il ne se mêlera pas de cette quête "sur les oncles de l'enfant" (LU ; - TMQ : il serait fou d'aller en quête d'un enfant, ASP : de son propre enfant). Arthur lui dit de remmener Girflet qui a besoin de repos ; qu'il dise à la reine que, dans un mois, il sera à la Lande des Quarrefors, aux quatre pins (LUTMQ ; - AV puis ; - S, P ne com - prennent pas) des Trois Soeurs. "Qu'elle y fasse (LU que Gauvain y fasse) tendre mon (AP son) pavillon."

TMQ ajoutent : "Le Riche Soudoier reviendra avec moi, car il désire faire la connaissance de la reine."

"Et faites chasser par les forêts, que nous ayons à manger. Si mon petit-neveu n'est pas encore retrouvé, tous les pairs de la Table Ronde se mettront à sa recherche" (ATMQ om.). Dès le lendemain matin, les quêteurs se mettent en route.

Gauvain part aussi, avec ceux qui doivent rentrer en Bretagne - ou y aller pour la première fois, comme plusieurs chevaliers du Riche Soudoier (LU seuls) et l'amie de Gauvain, que Girflet conduit par le frein. Refus de description de la richesse du palefroi qu'elle monte. On arrive (un jeudi : LU om.) au Chastel des Ormiaus (LU rappellent : qu'Arthur avait donné à Girflet, cf. II/8) où réside alors la reine. Un messager a été envoyé en avant : joie de la reine ; ses dames et pucelles s'attifent à qui mieux mieux (développé en dialogue : "Suis-je bien ? - Oui, et moi ?" etc. - sauf dans A qui résume). Tous ces préparatifs fébriles sont en l'honneur de l'amie de Gauvain (A om.), celle qui a leur cent biautez et qui est fort fêtée lorsqu'elle arrive. Pause-résumé du conteur : "Vous avez bien entendu comment l'amie du bon chevalier vint à la cour."

Tous, sauf LU, ajoutent 4 vv. où figure le nom de la Demoiselle de Lis : A Galoiete, M Guiolete, Q Guignolete, T Guilorete, V Guinelorete, P Gloriete, A Agaloete.

Bientôt il est confirmé que le roi reviendra dans le délai fixé. La reine se rend à la Lande des Quarrefors, en compagnie d'un grand nombre de chevaliers, pour l'y attendre.

(L 6569-764, A 6569-748, T 12491-706, M 16615-836).

BRANCHE V

GAUVAIN A LA SALLE DU GRAAL

Sommaire. Un chevalier inconnu passe devant le camp. Keu échoue à le faire revenir ; Gauvain réussit, mais l'inconnu est mystérieusement tué. Gauvain s'est chargé de sa mission et monte sur son destrier qui le conduira à destination. Chevauchée fantastique : l'orage, la Chapelle à la Main (Noire), la "chaucie" dans la mer. Arrivée à la salle du Graal : déception des assistants. La bière et l'épée brisée ; l'office funèbre ; le Roi et le repas servi par le Graal ; la Lance qui saigne. Gauvain ne réussit pas à ressouder l'épée. Révélations quand même ; la Lance est celle dont fut frappé le Christ en croix.

(Interpolation des mss **LAMQU** : le Graal est le vase dans lequel Joseph d'Arimathie recueillit le Précieux sang. Voyage et installation de Joseph en Angleterre).

Gauvain s'est endormi ; il se réveille au bord de la mer. Mais la fertilité a été rendue au pays.

Exploits et naïvetés du fils de Gauvain, que l'on retrouve, jeune chevalier, en compagnie d'une demoiselle. Duel avec son père ; reconnaissance. Gauvain emmène son fils à la cour, où un inconnu vient reprendre les armes et le cheval du chevalier mystérieusement tué.

(L 6765-8310 ; A 6749-8306 ; T 12707-14118 ; M 16837-18374).

Episode 1. Un chevalier inconnu passe devant le camp sans saluer. La reine envoie Keu le chercher. Insolence du sénéchal, qui se fait abattre. Gauvain, envoyé ensuite, réussit à persuader l'inconnu, dont il s'offre à achever la mission.

Au camp de la REINE, un mardi (U om.) après midi ; la reine joue aux tables avec le neveu du roi Urain (L ; - AUT Urīan, MQ Urïen, S Evrain ; = MABONAGRAIN ?) ; de nombreux chevaliers les regardent. Vers le soir, un CHEVALIER passe à vive allure devant le camp sans ralentir ni saluer. La reine est choquée ; elle dit à KEU de s'armer et d'aller rechercher l'inconnu. Keu obéit, galope après le chevalier ; (LU : le soleil est presque couché quand) il le rejoint ; il le somme de revenir au camp. L'autre répond que son grant besoing le lui interdit. Keu menace de le mettre à terre ;

— U rejoint MQ, tout en restant très proche de L —

l'inconnu répond qu'il en serait fort fâché, car il ne sait aler a pié ; il promet de s'arrêter en revenant, si Dieu le garde d'être tué (ASP om.). Keu s'élance contre lui ; le chevalier en fait autant et abat le sénéchal, dont il prend le cheval. Keu s'en revient tout honteux aux pavillons ; il se met à calomnier l'inconnu qui, selon lui, dirait le plus grand mal de la reine. GAUVAIN lui répond que cela est impossible, et qu'il n'a pas à se venger ainsi de son échec. La reine dit alors à Gauvain d'aller lui chercher le chevalier.

Gauvain monte, sans s'armer. La nuit est presque tombée quand il rejoint l'inconnu ; il lui parle courtoisement ; l'autre lui demande son nom, que Gauvain lui dit. "Pour vous, je reviendrais sur mes pas (A ajoute : et pour la reine), mais je ne puis. Personne ne peut mener à bien ma mission - vous, peut-être, mais cela ne servirait à rien (ou bien : ce n'est pas vous que l'on attend) (ASPT : mais vous y auriez trop grant paine.") Gauvain insiste : "Keu est en train de dire le plus grand mal de vous. - Peu m'importe ce que dit Keu. J'accepte cependant, pour vous. Mais mon voyage sera abandonné." Gauvain l'assure qu'il l'aidera, qu'il est prêt à "fournir le message" à sa place. Le chevalier a confiance en lui et ils prennent la direction du camp (LUMQ : le soleil est maintenant couché).

(L 6765-922, A 6749-905, T 12707-877, M 16837-996).

Episode 2. En revenant au camp, le chevalier est mystérieusement frappé à mort. On accuse Keu. Gauvain confie le mort à la reine et, prenant les armes et le destrier de l'inconnu, part à l'aventure.

Au moment où ils pénètrent dans le camp, à la hauteur des premiers pavillons (ASP om.), le chevalier inconnu sursaute en poussant un grand cri (MQU : KEU lance brusquement [un javelot]) : "Ha ! sire Gauvain, je suis mort ! Le tort en est sur vous. Faites ce que vous m'avez promis : prenez mes armes et mon destrier, qui vous mènera au grant besoing (LUMQ : allez là où il voudra)." Puis il dit : "Dieu ! pourquoi m'ont-ils tué ? je ne leur ai pourtant fait aucun tort (forfis, mesfis ; L mesdis)." Gauvain est stupéfait : il n'a rien vu. Le chevalier s'affaisse en avant sur son cheval : le fer d'un javelot sort de son dos ; il s'écroule à terre, mort. Personne n'a eu le temps de lui demander son nom, d'où il venoit ni où il allait.

On s'attroupe, on "regrette" le mort, et Keu le plaint (M se plaint) plus fort que les autres (LUMQ).

ASPT : la rumeur (P li auquant, AS li plusor, T tuit) accuse le sénéchal, mais il nie et plaint le mort.
Gauvain se dirige vers Keu, le heurte de son cheval, l'abat (T presque) et le foule aux pieds de son destrier (SPT om. ; - T : on s'interpose enre Gauvain et Keu) en le traitant de traître. "La vérité de sa mort sera connue, et vous en aurez grant anui (APT : je suis certain que c'est vous qui l'avez tué)." Keu (T ne répond rien et) se hâte de se perdre dans la foule.

Le mort est porté (T sur l'écu de Cauvain, ASP par Gauvain et les autres) au pavillon de la reine. Gauvain le prend/porte entre ses bras (LUMQ) et dit : "Voici celui que je devais vous amener, il avait accepté de revenir ; (LUMQ : je vous rends son corps) ; c'est en votre conduit qu'il est mort, et vous devez en avoir grand honte (MQ, A atténuent : MQ nous devons, A peser). Moi-même j'en suis honni."

Il le fait désarmer ; la foule "regrette" cet homme si beau, et que personne ne reconnaît.

Gauvain revêt les armes et monte sur le destrier de l'inconnu. "Que faites-vous ? lui demande la reine (ASP : il fait nuit). - Il faut que je continue sa mission, je le lui ai promis ; son cheval doit me mener, je ne sais où ni à quelle fin. A vous de mener l'enquête sur sa mort (ASP om.). Je ne sais quand je reviendrai, mais il faut que je le venge (MQ om.)." Tout le monde pleure, et Gauvain part, laissant le mort entre leurs mains (AS om.).

LUMQ, Pause du conteur : Maintenant chacun doit dire une Paternostre as defuns ; / puis nos ferés le vin doner : / ja ne m'orés avant conter.

(L 6923-7038, A 6906-7018, T 12878-13002, M 16997-17114).

Episode 3. Chevauchée de Gauvain. L'orage ; la Chapelle à la main (noire) ; la chaussée dans la mer, où le cheval de l'inconnu s'engage de force.

LUMQ continuent la "pause du conteur" : Signeur, la brance se depart / del grant conte, se Dex me gart ; / des or orois coment il fu / de ce c'avés tant atendu.

LU ajoutent : Cil del LODUN (U de Loudon) le contera, / qui cest rice romans dira.

La nuit fu molt laide et oscure et le destrier de l'inconnu emporte Gauvain à vive allure.

T anticipe : un violent orage éclate ; c'est merveille que Gauvain y ait survécu, mais sa grande "loyauté" et sa grande "débonnaireté" le sauvent une fois de plus.

Gauvain arrive à une grande chapelle, élevée dans un carrefour, et où brille un peu de clarté (A contredit : une très vive clarté ; - T om.). Il y entre pour s'abriter d'un violent orage (LUMQ : qui l'empêche de continuer à chevaucher). Sur l'autel (T tout descovert ;

88

AS couvert d'une tenture noire) brûle un gros cierge dans un chandelier d'or (ASP om.). Bientôt Gauvain voit entrer, par un trou (L boël, MQU pertuis, P trau ; - AST : par une fenestre) sur la gauche (LUMQ ; - AS sur la droite ; - P dessous un autel), une gigantesque main (ASPT noire) qui prend le cierge et l'éteint (AS : qui avait empoigné un frein dont elle éteint trestoz les cierges). Une voix se plaint (AS plusieurs voix) si fortement que toute la chapelle en tremble (ASP om.) et que le cheval se cabre violemment. Gauvain sort de la chapelle (AS : le cheval l'emporte dehors ; - T Gauvain se signe et sort) et continue sa chevauchée parmi l'oré, marmi le vent (LUMQ ; - T contredit : le temps se calme immédiatement ; - ASP om.).

Les grans mervelles qu'il trova / tote nuit, si com il erra (ASPT: don maintes foiz s'espoanta), / ne loist pas a nul home dire ; / et cil quis dist en a grant ire, / car c'est del secré del Graal. / Si fait grant orguel et grant mal (ASPT : Avoir an porroit poinne et mal) / cil qui s'entremet del conter / fors ensi com il doit aler. Gauvain chevauche toute la nuit, terrorisé. Au matin, il s'aperçoit qu'il a quitté la Bretagne. Il entre dans une grande forêt qu'il met la journée à traverser. Le soir, il arrive en vue de la mer. Il est au comble de l'épuisement (ASPT insistent). Le cheval l'emporte jusqu'au rivage. De là on ne peut aller plus loin, sinon par une large (ATU contredisent : pas large) chaussée qui s'en va loin, vers la haute mer (ASP om.). Cette chaussée est, des deux côtés, bordée d'arbres (P : gimples !) : cyprés, lauriers, inbenus et oliviers (selon L; - var. : amandiers, pins, poiriers !), dont les branches se rejoignent par dessus. La nuit est presque tombée). En se penchant, Gauvain voit, au bout de la chaussée, très loin, comme une clarté. La chaussée est violemment battue par la mer, et les arbres, par le vent ; Gauvain ne veut pas s'y engager avant le matin, mais le cheval s'y lance avec violence. Gauvain se résigne, éperonne même sa monture, mais à minuit la clarté semble toujours aussi loin.

(L 7039-152, A 7019-122, T 13003-140, M 17114-226).

89

Episode 4. Gauvain arrive à la salle du Graal : la déception des assistants ; la bière et l'office des morts ; le repas servi par le Graal ; la Lance qui saigne ; l'échec de Gauvain à ressouder l'épée ; les révélations du Roi du Graal.

Gauvain arrive enfin dans une grande salle pleine de gens. Il descend de cheval (AS om.) et est accueilli avec grande joie et grand honneur ; on le mène devant un grand feu, on le désarme, et voilà que les gens se troublent, murmurant : "Ce n'est pas lui". Tous disparaissent en un clin d'oeil (esvanuï ; - MQU om.)

Gauvain reste seul. Au milieu de la salle est dressée une grande bière, recouverte d'une riche étoffe vermeille avec croix d'orfroi (SMQU : une croix d'or est posée dessus !), et, sur la croix, est posée la moitié supérieure (du côté de la pointe) d'une épée brisée ; il y a quatre chandeliers d'argent à la tête et au pied de la bière : ils portent de gros cierges allumés et quatre encensoirs d'or (ASPT allumés) y sont accrochés. Gauvain reste longtemps seul, effrayé et "pensif".

Il entend un grand deuil (ASPT om.), relève la tête et voit entrer un grand clerc, vêtu d'une aube et d'une tunique (AS om.), portant une riche croix d'argent rehaussée d'or et de pierres précieuses ; une grande procession de chanoines le suit, tous richement vêtus de chapes de soie. Ils commencent à chanter le vigile (MQ les vêpres et la vigile) des morts, puis (AS contredisent : mais avant... : - T : en même temps) encensent la bière.

D'un seul coup, la salle s'est remplie de gens menant grand deuil. Gauvain est resté debout (ASPT om.), faisant bele contenance. Le service terminé et les encensoirs raccrochés aux chandeliers, la foule entière (y compris les religieux) disparaît en un clin d'oeil (LUMQ : esvanuï ; - ASP modifie : les clercs s'en vont, le corps reste ; T om. complètement). Gauvain se signe et se rassied, "pensif", se cachant les yeux avec les mains.

90

Un grand bruit se fait entendre ; Gauvain relève la tête et voit que toute l'assistance est là ; 2O serjanz (ST om.) apportent des nappes qu'ils étendent sur les tables ; puis sort d'une chambre un ROI ; un chevalier grand et fort, un peu "chenu", portant couronne d'or, sceptre royal (ASP om.) et un gros anneau orné d'un rubis (ASPT om.). On dit : "Le roi veut l'eau" ; après s'être lavé les mains dans des bassins d'or (A d'argent ; T om.), le Roi commande de donner l'eau à Gauvain (A au style direct : le roi nomme donc Gauvain). Puis il prend le héros par la main et l'assied près de lui à table.

Entre alors le (A un) riche Graal, qui se met à servir (T : sans que nul ne le porte) : il met le pain sur les tables, remplit de vin les grandes coupes d'or qu'il dépose également sur les tables, puis apporte le premier mets dans de grandes écuelles d'argent. Gauvain est stupéfait de voir servir le Graal (T explicite : que personne ne porte ; LUMQ : Gauvain n'ose pas manger seürement). Le Graal ôte le premier service, apporte le second. L'auteur refuse de détailler la suite du repas. Quand celui-ci est terminé, l'assistance disparaît (esvanuï ; - LUMQ : en tant com uns ix clot et oevre).

T : l'assistance se retire (s'en voise) ; - AS : les tables sont ôtées, l'assistance se lave les mains et s'évanouit.

Gauvain, resté seul, se couvre la tête de son manteau (LUMQ ; - ASPT : prie Dieu de le protéger).

Gauvain recouvre hardement, se redécouvre le visage (ASPT om.) et ne voit dans la salle, outre la bière, qu'une lance (ASP dans un lancier, P hanstier) fichée dans un vase d'argent (orcel ; - AP coupe, S lancier !). Cette lance saigne à foison : le sang vermeil apparaît tout autour de la lance et tombe dans l'orcel (S lancier !).

ASPT : c'est de la pointe que le sang sort a grant esploit. - T : deux grands cierges brûlent devant elle ; de la pointe du fer, blanc comme neige, sort un rais de sang qui descend

91

jusqu'à l'arestuel (cf. Conte du Graal, v. 3197 ss, et ici-même, Interpolation de la Br. I, T 1334 ss) - et les gouttes paraissent tout autour de la lance.

Le trop plein du vase est évacué par un tuyau d'or, auquel fait suite un conduit d'émeraude (ASP d'argent), qui l'emporte hors de la salle.

Gauvain entend s'ouvrir la porte d'une chambre : deux valets en sortent, portant deux cierges ardents (LUMQ seuls), précédant le Roi qui tient l'épée du chevalier inconnu, que Gauvain a apportée. Il fait se lever Gauvain et le conduit auprès de la bière ; il se met, en pleurant, à "regretter" le mort ; "Ah : gentil cors qui ci gesés, par la mort de qui ce royaume est gastés (Q mon pays ; T perist ; ASP toute la terre perist) ; Dieu fasse que vous soyez vengé et que le peuple (S le monde entier) retrouve la joie."

> AST ajoutent - AS : et que la terre, longtemps gastee, soit recouvrée ; - T : et que la terre soit repeuplée, qui a été détruite par vous et par cette épée.

Le Roi tire alors du fourreau l'épée qui est brisée et dont l'autre moitié repose sur la bière ; il la tend à Gauvain et lui dit que, s'il plaît à Dieu, elle sera ressoudée par lui : qu'il joigne les deux parties (T ajoute : "si l'épée se ressoude, vous êtes le meilleur chevalier du monde"). Ce que fait Gauvain, mais l'épée ne se ressoude pas. Douleur du Roi, qui recouche (la moitié supérieure de) l'épée sur le corps (T ajoute : et remet l'autre au fourreau).

Prenant alors Gauvain par la main, le Roi l'emmène dans une chambre où est assemblée une foule de chevaliers (LUMQ+S et de dames) ; ils s'asseoient devant un lit, et le Roi dit à Gauvain : "Le besoing pour lequel vous venez ne sera pas mené à bien par vous (LU : or, "maintenant") : il faut que vous valiez beaucoup plus (T om. ; S douloir ! ; - AS ajoutent : celui qui le mènera à bien aura tout le pris du monde) ; mais si Dieu vous "avançait" tant votre "prouesse", au point de vous permettre de revenir ici, vous pourriez le mener à bien. Personne ne peut achever la mission s'il n'a auparavant ressoudé l'épée.

AS ajoutent : "Ce n'est pas chose facile que de revenir
ici : nul ne peut le faire s'il n'est plein de grande "prouesse"
et exempt de mauvaistié et de "paresse". "

Celui qui l'avait entrepris est resté dans votre pays. Vous êtes venu
(à sa place) par grand hardement (AS mais vous avez échoué). Si
vous désirez nul bel avoir que nous ayons en cette terre, vous l'aurez ;
et posez les questions que vous voudrez sur ce que vous avez vu."

Gauvain est épuisé et a grand envie de dormir, mais plus encore
d'entendre les merveilles. Il pose les questions sur le sang qui coule
de la lance, sur l'épée et la bière. Le Roi répond que nul n'a encore
osé demander cela, mais il dira à Gauvain toute la vérité.

"La Lance est celle dont le Fils de Dieu a été frappé au coeur
sur la croix (T ajoute : celui qui le frappa s'appelait LONGIS ; il
se repentit et il est sauvé). Elle a toujours, depuis, été ici (LPUMQ;
- AST : saigné ainsi) et elle saigne et saignera sans arrêt jusqu'au
jour du Jugement, dans cette salle même (T insiste). Ce jour-là, on
verra le Créateur saigner (LUMQ : tout aussi fraîchement comme il
fait maintenant), et les Juifs (LUMQ ajoutent et les pêcheurs) qui
le tuèrent devront avoir grand peur. Cependant nous y avons gagné
car son Sang est notre rançon : ce coup nous a rachetés de l'enfer.
Mais l'autre coup, celui qui fut porté avec l'épée, nous a tout enlevé ; il a détruit maint roi, maint conte et maint baron, / mainte
dame et mainte pucele / et mainte gentil damoisele. Vous avez entendu
parler de la grande Destruction du Royaume de Logres, par le coup
que porta cette épée. Je vais vous dire qui fut tué et qui le tua."

(L 7153-482, A ·7123-444, T 13141-512, M 17227-552).

Episode 5. - Interpolation des mss LAMQU : Histoire de
Joseph d'Arimathie. Comment il recueillit le Sang du Christ
dans le Graal, comment il fut emprisonné puis banni, comment
il aborda à l'île Blanche, en Angleterre ; sa descendance.

"Mais avant, continue le Roi, je veux vous informer sur
le Graal que vous avez vu servir, lorsque nous étions à table,
dans cette salle si grande que 5OO chevaliers (A deux cents)

93

pourraient y manger. C'est ce Graal que Notre-Seigneur honora de son Sang. C'est JOSEPH d'ARIMATHIE qui le fit faire et, le jour de la Crucifixion, il vint au Calvaire et recueillit dans son Graal le Sang qui coulait des pieds de Dieu. Puis il demanda à Pilate, pour ses soudees, de lui donner le corps du Crucifié, qu'il ensevelit au monument. - Il y aurait beaucoup à dire, mais cela ne concerne pas ma matire et je veux en revenir au Graal. Joseph l'enferma dans une riche armaire, devant laquelle brûlaient sans cesse deux cierges ; chaque matin il allait y prier. Il fut aperçu par ses gens et dénoncé aux félons Juifs qui l'emprison-nèrent dans une haute tour ; mais il n'y resta pas longtemps, car il pria Notre-Seigneur de l'en délivrer : la tour se souleva et Joseph sortit. Apprenant cela, les Juifs décidèrent de le chasser du pays, ainsi que NICODEMUS, dont la SOEUR avait sculpté un voult à l'image de Notre-Seigneur sur la Croix - la plupart de vous le savent, pour l'avoir vu à Lucques (AMU : ilueques !).

Lorsque Joseph apprit qu'il devait partir, il prit le saint Voult et le mit à la mer. Puis il équipa une navie et prit la mer avec ses gens ; il finit par aborder au pays que Dieu lui avait promis : c'est l'ISLE BLANCHE, une partie de l'Angle-terre. Les deux premières années de leur séjour furent paisibles, mais, la troisième, les gens du pays les guerroyèrent. Quand Joseph avait le dessous et que la nourriture lui manquait, il priait Dieu de lui prêter le Graal, et celui-ci les servait. C'est ainsi qu'il maintint le pays. A la fin de sa vie, il pria Dieu que sa descendance ait l'honneur de garder le Graal ; Dieu l'exauça, et c'est ainsi que le RICHE PESCHEOR fut l'un de ses descendants, ainsi que ses héritiers, dont GUELLANS GUE-NELAUS (L ; A Gulle Genelax, M Grelogrevaus, U Grelogrenaus, Q, Galozgrenax) et son fils PERCEVAL.

Je vous ai découvert ce que je pouvais, cette fois-ci ; le reste est si secret que je n'oserais vous le révéler, car vous n'avez pas achevé l'uevre ni ressoudé l'épée dont la moitié gît sur le mort ; l'autre moitié devait être apportée par le chevalier en échange duquel vous êtes venu ; il devait savoir que vous étiez outreement d'armes proisiés lorsqu'il vous confia les siennes et son cheval. Et maintenant, oiiés con li contes vait du chevalier qui frappa l'autre d'un tel coup qu'il brisa l'épée : c'est par ce coup que furent détruits la terre et le royaume de Logres. On ne peut écouter ni conter cette histoire sans pleurer."

(L 7483-708, A 7445-670, M 17553-778).

Episode 6. Gauvain s'endort en écoutant le Roi du Graal, et se réveille près du rivage de la mer. Le pays a retrouvé sa fertilité mais n'est pas complètement restauré. L'auteur ne racontera pas les errances et les batailles de Gauvain - il revient au fils de celui-ci.

Le Roi, en pleurant, se met à raconter ; mais il voit que Gauvain dort et il ne veut pas le réveiller. Le matin, Gauvain se réveille près de la mer, en un jaonois (LM ; - A gachois, Q geolois, U glaionois ; - SPT refont : près de [T sur] la falaise [P fuellie !] de la mer) ; ses armes et son cheval à côté de lui. Il ne voit aucune habitation à l'entour. Il s'arme et monte ; il est bien fâché de s'être endormi, de n'avoir pas demandé qui devait "peupler" le pays (ST om.). Il est décidé à se pener d'armes, de façon à mériter de revenir à la cort, de ressouder l'épée et d'achever la besogne (LUMQ), et de poser les questions sur le Graal (LUMQ+T - bien que, dans les premiers, il y ait été répondu) et sur la bière (LUMQ). Il ne rentrera pas en Bretagne avant de valoir davantage (MQ ; - LU : valoir d'armes ; - ASPT : d'avoir fait davantage d'armes).

Cependant la contrée qu'il traverse est la plus riche du monde, en eaux, bois, prairies. C'est le royaume détruit, encore stérile la veille, et à qui Dieu a rendu, comme il le devait (LUMQ), la fertilité dès que Gauvain a posé la question sur la Lance. Si le pays n'est pas complètement restauré ("peuplé"), c'est parce que le héros n'a pas posé davantage de questions. Les gens du pays qui le voient passer le bénissent : 'Tu nous a mors et garis ; c'est grâce à toi que nos biens nous sont rendus, mais, d'autre part, nous devons te haïr parce que tu n'as pas écouté del Graal por quoi il servoit - aucun ms. ne tient donc compte de l'interpolation - ; personne ne pourrait dire la grant joie qui en eût résulté."

Gauvain erra par maint pays et se pena longuement d'armes avant de consentir à rentrer en Bretagne.

95

Transition : l'auteur ne racontera pas ses batailles, ni les merveilles qu'il trouva ; il ne parlera pas non plus du chevalier tué au
pavillon, ni de la venue du roi (?), ni de Bran de Lis et des autres
quêteurs qui ne retrouvèrent jamais le fils de Gauvain. Il faut qu'il
revienne à la grant matere. Il ne racontera pas qui enleva l'enfant,
ni qui l'éleva, ni qui l'adouba en lui apprenant à tenir chers ses armes
et son destrier ; il ne parlera pas de la pucelle proisie qui le trouva
sur le chemin et le retint de sa maisnie (P : le detint en sa contree),
ni des nicetés qu'il disait et qui la faisaient bien rire (AS contredisent : je vous conterai des nicetés qu'il disait et des enfances qu'il
faisait).

(L 7709-816, A 7671-795, T 13513-624, M 17779-880).

Episode 7. Quelques exploits et naïvetés du fils de Gauvain
(il ne réalise pas qu'il a tué son adversaire, il tient par-dessus tout
à protéger son écu). Sa demoiselle le met à garder un gué.

Un jour (AS un matin, MQU un soir), le fils de Gauvain et
sa demoiselle chevauchaient dans une lande ; ils virent passer un chevalier, dont la demoiselle demanda à son jeune compagnon d'aller s'enqué-
rir. "Et s'il se défend ? - Vous le frapperez hardiment. - Comment ?
Elle lui montra comment tenir sa lance et son écu. Il y alla ; l'autre
refusa de répondre ; au premier choc, le chevalier fut tué et le fils
de Gauvain eut l'écu traversé. Le jeune homme ne réalisait pas que
son adversaire était mort et s'obstinait à l'interroger, essayant même
de l'emporter à sa dame. Il se lamenta beaucoup sur son bel écu troué,
et la demoiselle le consola en lui en promettant un autre, plus beau
et plus solide.

A la tombée de la nuit, ils virent passer un autre chevalier,
et la demoiselle demanda au "valet" de le lui amener. Cette fois,
pour que son écu ne fût pas endommagé, il le rejeta derrière lui ;
il tua le chevalier, mais fut lui-même blessé et tomba pâmé (LAPT).
La demoiselle lui reprocha de ne s'être pas servi de son écu. "Mais

moi je guérirai, tandis que lui il ne guérira pas !"

L'auteur ne racontera pas tout le conte et la matire du riche écu d'ivoire et d'or qu'il gagna aux noces du roi d'AMBERVAL (AT ; L d'Anbreval, S de Bernal, P d'Abernal, MQU Brandeval) en abattant celui-ci ; il ne racontera pas non plus de la sale qu'il delivra (LU à sa dame qui l'honora/ l'hébergea), ni l'abatement (AS l'antassemant) du planchier, ni sa bataille sur le pont, ni le montement des degrés. Il se cachait dans la chambre, comme un homme sauvage : c'est là (ASP om.) qu'il fut appelé LIONIAUS (P Yoniaus ; MQU li oisiaux !). La demoiselle l'amena à un pavillon, près d'un gué qu'elle le mit à garder.

(L 7817-8036, A 7796-8044, T 13625-864, M 17881-18100).

Épisode 8. Duel, au gué, entre Gauvain et son fils ; le père fait semblant d'être vaincu. Reconnaissance. Gauvain revient à la cour avec son fils et la demoiselle. - Transition.

Un jour qu'il garde ainsi le gué, le jeune homme voit venir (LMQU après midi, ASPT vers none) un chevalier "pensant", tête baissée - car il y avait longtemps qu'il n'était pas revenu dans son pays (T om.) - , se dirigeant droit vers le gué (AS : qu'il veut passer, mais Lioniaus le lui interdit). Ils joutent (LU : car autrement le jeune homme ne laisse passer personne) et s'abattent (T : au milieu du gué) ; ils continuent à l'épée. L'auteur ne cachera pas les noms (AS le jeune homme s'appelle Lieons ; P c'est li briés et li lons) : le chevalier n'est autre que Gauvain, qui se bat contre son fils. Les heaumes tombés, Gauvain s'étonne de la jeunesse de son adversaire et, en le félicitant de sa valeur, il lui demande son nom : "Je n'en sais rien ; à la riche salle de Lis, où je fus nourri, on ne m'appelait que "le neveu de son oncle", et mère me disait que l'on n'osait pas nommer mon père à cause du grand dommage qu'il avait fait à mon lignage."

Gauvain comprend qu'il s'agit de son fils : il continue à essaier le jeune homme (T contredit : il remet son épée au fourreau) et lui dit de se rendre (LT : qu'il se rendoit pris ; M rendroit) ; Lioniaus répond qu'il ne se rendra jamais, et que c'est à lui d'aller se mettre en la prison de la pucelle du pavillon. Ne voulant pas endommager son fils, Gauvain y consent. La pucelle lui fait remarquer qu'il ne semble pas trop éprouvé par le duel et lui demande son nom. Quand Gauvain s'est nommé, son fils baisse la tête, songeur (APTQ : lors s'ambruncha ; - LSMU : court l'embrasser, lués l'enbraça), et dit : "Je crois bien que c'est ainsi que ma mère (AS : ... foi que je doi saint Pere) nommait mon père." La demoiselle les fait désarmer, et dit que jamais deux hommes ne se sont autant ressemblé (AS dével. : ils ont les mêmes bones faitures). Gauvain raconte à son fils comment il l'engendra, et comment il tua son aïeul (PT ses deux oncles). Joie au pavillon.

Le lendemain matin, Gauvain prend le chemin du retour en Bretagne, emmenant son fils et la demoiselle. C'est à Glomorgan (LMQU ; - ASPT Carlion) qu'ils trouvent la cour (LMQU insistent sur la douleur du roi, qui ignorait ce qu'était devenu son neveu). Joie du roi et de la cour : tous se précipitent sur Gauvain, qui est presque étouffé par les embrassades.

Cependant un homme entre dans la cour, reprend les armes et le destrier du chevalier inconnu, et repart. Seul Gauvain l'a vu, et il regrette de ne rien conserver de celui qui les lui avait confiés.

La joie redouble lorsque, à une question du roi sur ce jeune homme qui l'accompagne, Gauvain répond que c'est son fils. C'est à YVAIN, esleüs ce jour-là comme le chevalier le plus courtois, qu'Arthur confie l'éducation de son petit-neveu. Puis Gauvain raconte son aventure à la salle du Graal. Ensuite il demande des nouvelles de son frère GUERREHES et d'YDER fils Nu : "Ils sont partis à votre recherche, ainsi que bien d'autres chevaliers, et nul n'est encore revenu." Gauvain, fatigué, va à son ostel et se couche.

Pause-Transition du conteur : absente dans ASP ; - 4 vv. seulement dans T : Seignor, se Damediex me saut, / li contes de l'escu

98

chi **faut** ; / si comence cil del calan / qui ariva en Glomorgan (sic) ;
- 12 vv. dans <u>LMQU</u> : <u>Li grans contes cange</u> (<u>MQU</u> <u>faut</u>) entresait, /
a une autre brance se trait (<u>MQ</u> revet), etc.

(<u>L</u> 8073-310, <u>A</u> 8045-306, <u>T</u> 13865-14118, <u>M</u> 18101-774).

BRANCHE VI

GUERREHES

Sommaire. Arrivée de la nef au cygne, portant le corps d'un
chevalier qui réclame vengeance ; allusion à la honte de Guerrehés
au verger. Vains essais pour ôter le tronçon de la blessure. Ce qui
était arrivé à Guerrehés au verger : le Petit Chevalier invincible et
le "jeu-parti" imposé. Retour à la cour de Guerrehés, que Keu force
à raconter son aventure, et que le tronçon désigne comme vengeur,
Guerrehés repart, tue le Petit Chevalier et son maître. Une demoiselle
l'emmène dans l'île de la reine-fée Brangespart, puis le ramène à
la cour d'Arthur, à qui elle demande de rendre le corps du roi Brangemuer vengé. La nef au cygne remporte le corps.

(<u>L</u> 8311-9509 ; <u>A</u> 8307-9457 ; <u>T</u> 14119-15322 ; (<u>E</u>)<u>M</u> 18375-19606).

Episode 1. Orage nocturne. Le roi Arthur, levé, assiste à l'arrivée de la nef au cygne. Il y découvre le corps d'un beau chevalier,
ayant encore dans la poitrine le tronçon de la lance qui l'a tué. Une
lettre, trouvée dans l'aumônière du mort, demande au roi de le venger,
et fait allusion à la honte de Guerrehés au verger. Le corps est trans-
porté dans le palais ; la nef au cygne repart.

Cette même nuit un violent orage éclate. Le roi ARTHUR ne
peut dormir ; il fait venir ses chambellans (<u>PTU</u> deux, <u>LQ</u> tous, <u>AS</u>
une partie), s'habille et se fait éclairer par des cierges jusqu'aux <u>loges</u>
qui donnent sur la mer - et d'où l'on peut descendre au rivage par
une poterne (<u>AS om.</u>).Appuyé à une fenêtre (<u>AS om.</u>), le roi voit s'apai-
ser l'orage, la nuit redevient claire (<u>AS om.</u>). Bientôt il voit apparaître
dans la mer une <u>clarté</u> qui ressemble à une étoile, mais qui se rappro-

che ; ses chambellans le lui confirment. Quand elle est assez près, on voit qu'elle vient d'un chaland (AS nef), très riche, tendu de courtines de pourpre ; personne à bord : le chaland est tiré par un cygne qui lui est relié par une chaîne d'argent attachée à l'anneau d'or qu'il porte au col (ASP om.). Arrivé sous les loges, le cygne se met à crier (S om.) et à battre la mer de ses ailes (STM om.).

Le roi fait ouvrir la poterne (SM om.) et descend sur le rivage. Il entre dans la nef qu'éclairent deux cierges, un à chaque extrémité, et regarde sous la courtine tendue au milieu du pont : il aperçoit, étendu sur une riche étoffe, le corps d'un grand (LUMQ) chevalier, portant encore dans sa poitrine le tronçon de la lance qui l'a tué ; le reste du corps est recouvert d'une riche couverture d'hermine. Le mort est d'une beauté extraordinaire (le roi ôte la couverture pour le regarder complètement), très richement vêtu, portant aux pieds des éperons d'or. Arthur le "regrette" (AS anticipent : "Je crois qu'il a été très aimé, comme le montrent bien les joyaux qu'il porte") ; la richesse de la ceinture et de l'aumônière qui y est attachée attirent l'attention du roi ; il ouvre cette dernière et y trouve une lettre, qu'il déplie et lit.

La lettre est adressée à Arthur. "Ce corps, dit-elle, est celui d'un roi qui, avant de mourir, vous a demandé de le laisser dans votre salle jusqu'à ce que le tronçon soit ôté. Si quelqu'un retire le tronçon de la blessure et n'en frappe pas le meurtrier, au même endroit du corps, qu'il soit honni comme GUERREHES le fut au verger. Le corps est embaumé et peut rester exposé plus d'un an. S'il n'est pas vengé au terme de l'année, faites-le enterrer ; s'il est vengé, on saura qui il était, d'où il venait et comment il fut tué à tort."

Le roi remet la lettre dans l'aumônière et, aidé de ses chambellans - ici commence une lacune d'un folio du ms. U -, emporte le corps jusqu'à la salle du grand palais où il le dépose sur le mestre dois, le disposant comme il était dans la nef. Arthur défend aux chambellans de rien dire de ce qu'ils ont vu. Il retourne aux loges (ASP

om.) ; le cygne crie, bat des ailes et fait tourner le chaland ; les cierges s'éteignent (T om. ; - AS : c'est le cygne qui les éteint !) et
la nef repart. Le roi revient à son lit où il ne s'endort qu'au matin.
(L 8311-496, A 8307-468, T 14119-286, M 18375-556).

Episode 2. Au matin, Gauvain et les chevaliers découvrent
le corps dans la salle ; le roi feint d'en faire autant et donne lecture
de la lettre ; la mission est jugée impossible.

Au matin, lorsque sonnent les cloches, GAUVAIN se lève le
premier et fait se lever ses compagnons, car il veut aller avec eux
à la messe (MQ à matines !) à la chapelle (du palais) en haut -

- AS : aller à la cour pour entendre la messe avec le
roi ; - T om. tout ce qui est relatif à la messe ; P om. aussi,
mentionnant que Gauvain a l'habitude de se lever de bonne
heure.

Sa surprise - et celle de ses compagnons - en entrant dans la salle,
d'y trouver le corps de ce chevalier que nul ne connaît (AS dével. :
insistance sur sa beauté). La nouvelle se répand dans la cité, la foule
accourt pour regarder la mervelle.

Gauvain se rend à la chambre du roi pour l'informer, et Arthur,
qui fait semblant de ne rien savoir, se lève et vient dans la salle ;
il s'exclame sur la beauté de l'inconnu (AS : en souhaitant que son
âme ait eu autant de bonté), détaillant ses membres, ses éperons d'or
(L seul), disant qu'il a certainement été beaucoup aimé, etc. (cf. AS,
supra, qui l'omettent ici ; - P om. ; T remanie). Le roi rouvre l'aumônière, reprend la lettre, qu'il parcourt. On le presse d'en dire le contenu. "Ce corps a grande confiance en ceux de la Table Ronde, dont
il attend qu'ils le vengent ; il vous prie tous de tenter d'ôter le tronçon
de sa blessure ; il veut rester un an et un jour en un sarcu dans
ce palais, etc."

- seul T précise qu'il s'agit d'un roi, et que ce n'est que s'il est vengé que l'on saura qui il est ; les autres disent que l'on connaîtra son identité au terme de l'année, quand on l'enterrera.

Le roi termine en évoquant la honte subie par Guerrehés au verger. TOR fils Arés s'élève contre cette requête : où aller le venger ? il ne nomme même pas son meurtrier ! Gauvain, lui, estime irréalisable la modalité de la vengeance : frapper le meurtrier exactement au même endroit du corps ; il conclut : "Ce corps peut rester longtemps là, et celui qui tentera d'ôter le tronçon fera un bien grand hardement !" On cherche un sarcu de marbre, on y dépose le corps. Le roi assure qu'il respectera la volonté du mort. Mais nul ne sait rien de la honte survenue à Guerrehés.

(L 8497-642, A 8469-610, T 14287-432, M 18557-688).

Episode 3. Ce qui était arrivé à Guerrehés. Comment il était arrivé à un château, splendide et désert ; comment il traversa trois chambres, descendit dans un verger et entra dans un pavillon où il trouva un grand chevalier blessé, lequel fut fort irrité de son irruption.

GUERREHES quêtait son frère (Gauvain). Après avoir chevauché trois jours sans rencontrer personne, il arriva à midi (AS avant midi ; PT entre tierce et midi ; MQU après midi) à une très belle prairie, traversée par une grande (TMQU om.) rivière, sur laquelle se dressait le plus beau château du monde, entouré de hauts remparts vermeils (ASP om.) et bis, tout de marbre et de liais, rehaussés de rohal (L, rohart), d'ivoire et d'os (LUM) –

- pour rohal, PMQ comprennent roial ! ; U, coral ; - A énumère des couleurs ; T voit le décor en damier ; S om. -

renforcés de hautes tourelles très rapprochées. Refus de décrire le château lui-même . Guerrehés, poussé par la faim, se hâte d'y entrer (T : en passant le pont). La ville est d'une extrême richesse, mais déserte.

Le héros monte (T) au chastel, également vide, entre dans la salle et y descend de cheval. De là il passe dans une première chambre, où il trouve trois lits très riches, d'or et d'ivoire : il attache son cheval au montant d'un lit et s'assied sur un autre où il pose son écu ; il ôte aussi son heaume ; la chambre est toute peinte, plafonnée de lambris ; elle a été le jour même jonchée d'herbe fraîche (ASPT mentionnent l'odor). Guerrehés dit : "Ostel, je serais bien sot si je vous laissais, à la condition que je trouve à manger pour moi et mon cheval !"

Il voit une porte sur la droite, et pénètre dans une seconde chambre, encore plus grande et plus belle que la première, avec deux riches lits. De là il passe dans une troisième, somptueuse, toute décorée d'or, avec un seul lit, lequel est couvert d'une courtepointe de diaspre ornée de bêtes d'or ; cette chambre n'est éclairée que par l'or qui y est répandu à profusion (T ajoute : et par une grosse escarboucle ; - AS omettent toute cette description). Guerrehés ouvre la fenêtre qui donne sur un beau verger (AS jardin) où sont tendus deux splendides pavillons. Il voit sortir du plus grand (LPU ; - T du plus petit ; AS om. ; MQ ; il voit dans un pavillon !) un NAIN, fort beau, portant un hanap d'argent, couvert d'une toaille (AS om.), et qui, traversant le verger (LUMQ om.), entre dans l'autre pavillon. Guerrehés descend par la fenêtre dans le verger et se dirige vers le second pavillon, où il entre.

Il trouve une belle DEMOISELLE assise sur un fauteuil d'argent, devant un riche lit (description proche de celle du lit de la Pucelle de Lis dans le récit "viol", IV/5 ; - AS om.) où est étendu un GRAND CHEVALIER blessé, vêtu d'une jupe de porpre (LP ; - T : bandé de porpre ; - les autres om.) ; soutenu par un VALET, il absorbe du lait d'amandes avec du pain que la demoiselle émiette dans le hanap tenu par le nain, et dont elle le "paît" avec une cuiller d'or.

Guerrehés les salue ; le grand chevalier, fort irrité, renverse le hanap d'un coup de main et s'écrie : "Dieu ! qui m'ôtera ce cheva-

lier ?" Il se retourne si brusquement que sa plaie se rouvre, ensanglan-
tant les draps. Guerrehés s'excuse et dit qu'il repart. Le valet assure
que le PETIT CHEVALIER ne va pas tarder et qu'il les vengera. La
demoiselle reste impassible.

(L 8643-804, A 8611-750, T 14433-602, M 18689-850).

Episode 4. Arrivée du Petit Chevalier, qui força Guerrehés à
se battre contre lui et, contre toute attente, l'abattit, puis lui fit
jurer de revenir dans un an pour choisir l'un des termes d'un "jeu-
parti" (ou devenir tisserand, ou recommencer à se battre contre lui).

Le PETIT CHEVALIER entre alors violemment dans le pavillon.
C'est un nain, fort beau et bien proportionné, monté sur un destrier
à sa mesure, armé d'un petit écu d'or et d'une petite lance (mais
sans armure). Il s'écrie : "Où est-il allé, le mauvais chevalier ?" (T :
"Couard, mauvais, pourquoi êtes-vous entré ici ?" ; AS om.). Il aperçoit
Guerrehés, lui donne un coup de lance sur la tête et lui dit de s'armer.
"Ne le laissez pas sortir du verger, dit le grand chevalier, avant de
l'avoir honni." Guerrehés sort de la tente, près de laquelle il trouve
son cheval et ses armes. "Je suis prêt à m'en aller, dit-il au nain,
montrez-moi le chemin. - Vous allez d'abord être honni, car vous
allez jouter contre moi. - Non, je m'en vais, dit Guerrehés en riant
(L seul) : j'ai trop peur de vous !" Le nain s'élance, le héros aussi,
mais sa lance se brise et celle du nain le jette à terre. Puis le Petit
Chevalier saute à terre, met son pied sur le col de Guerrehés en
lui disant de se rendre, ce que le héros est bien obligé de faire.

"Sachez d'abord, lui dit le Petit Chevalier, l'establissement
du verger. Les chevaliers que je conquiers sont astreints au plus vil
métier : celui de tisserand. Mon seigneur en tire une grande rente,
car je lui ai déjà procuré mille (LAP ; - les autres : cent) chevaliers
qui sont devenus tisserands. D'ailleurs ce sont eux qui ont demandé
à l'être. Voici en effet les deux (AS;- les autres : trois) "jeux-partis"que

104

je vous propose. Vous allez repartir et réfléchir pendant un an. Lorsque vous reviendrez, au terme de l'année, ou bien vous accepterez d'être tisserand ; ou bien nous nous battrons à nouveau et, si je ne puis vous abattre, vous vous en retournerez libre ; si vous n'acceptez pas cette alternative, je vais tout de suite vous couper la tête." Guerrehés, évidemment, préfère s'en aller et accepte le "jeu-parti" - pour dans un an. Le nain lui dit de repasser par la fenêtre, tandis qu'un valet lui ramènera son destrier dans la salle.

(L 8805-946, A 8751-890, T 14603-752, M 18851-992).

Episode 5. Comment Guerrehés fut honni dans chacune des trois chambres qu'il dut retraverser, puis dans la grand salle et dans les rues de la ville. Mais, une fois sorti de celle-ci, il n'entend plus parler de sa honte et il revient à la cour d'Arthur.

Guerrehés repasse donc par la fenêtre et a la surprise de trouver la troisième chambre maintenant pleine de pucelles (AS corrigent : chevaliers), 80 ou 100, occupées à confectionner lacets, rubans, aumônières et autres "joyaux" et qui s'écrient : "Dieu ! d'où sort ce mauvais chevalier que le petit nain a vaincu ? Jamais il n'y eut plus lâche !".

- ici se termine la grande lacune de E.

Le héros, tout honteux, passe dans la deuxième chambre : là, ce sont des valets et des demoiselles qui jouent à la pelote / aux pelotes (LUMQ et à d'autres jeux ; - TE corrigent : qui font maintes ovres, et des valets sont venus pour deduire et jüer) et qui le honnissent de la même manière. Même accueil dans la première chambre, où dames et chevaliers jouent aux échecs, et aux tables (L : et aux "roues" (?)) : "Voyez le couard que le petit nain a vaincu !" (TE dével. en anticipant sur la scène suivante). Et encore dans la grande salle, pleine de gens (TE dont des borjois = anticipation ?) qui jouent à des jeux plus vifs, comme la lutte et l'escrime (LUMQ, surtout LU qui reprennent les mêmes termes que LE dans la scène analogue du verger de Lis, cf. IV/6), et huent Guerrehés : "Vous laisser honnir

105

par une aussi pauvre _faiture_ ! Vous devez détester votre grand corps, aussi lâche que beau ! Vous êtes déshonoré à jamais !" (TE différents : "On devrait vous pendre ...").

Guerrehés se hâte de sortir, il retrouve son cheval, son écu et sa lance. Personne dans la cour ni dans le reste du château. Mais dans la ville, en bas, les bourgeois et le petit peuple ont envahi les rues et les injures pleuvent dru ("Voyez le lâche ! ... Le monde entier connaît sa honte !"), renforcées, quand le héros passe dans la rue (LUMQ ; - A le marché ; PTE parmi les bancs, S les étals) où l'on vend viandes et poissons, par des jets de tripes, boyaux et autres abats (AS et MQ n'insistent pas). Jamais personne ne fut davantage honni. Guerrehés sort enfin du _chastel_ ; persuadé que tout le monde connaît sa honte, il évite toute rencontre, ne cherche même pas à héberger la nuit. Mais, le lendemain matin, il rencontre des écuyers et des _garçons_ menant des _somiers,_ qui le saluent de façon tout à fait normale. Guerrehés n'entendra plus jamais parler de sa honte. Il revient en Bretagne et, apprenant que Gauvain est rentré, se hâte de rejoindre la cour qui se trouve alors à TINTAGEL (TE ajoutent : le roi et Gauvain lui font particulièrement joie).

(L 8947-9082, A 8891-9020, T 14753-900, M [E]18993-19154).

Episode 6. _Un jour, par mégarde, Guerrehés accroche le tronçon qui lui jaillit dans la main. A une cour, Keu contraint Arthur à demander à Guerrehés de raconter son aventure honteuse. Son récit achevé, Guerrehés part._

Ce n'est que longtemps après que les compagnons de Guerrehés lui parlent du mort et de sa lettre ; ils lui demandent (AS : Keu lui demande) s'il est allé dans un verger où il a été honni ; Guerrehés le nie et accuse la lettre de mensonge.

Plus tard, la cour revient à Glomorgan (LTUMQ ; - ASPE Carlion), où se trouve toujours le corps, bien en évidence et dont personne n'a jamais tenté d'ôter le tronçon. Un matin où les compagnons partent à la chasse et se rassemblent dans la salle, Guerrehés regarde ce mort qu'il déteste tant et dit : "Ce tronçon peut bien rester là longtemps !" Ce disant, et en le désignant, il l'effleure de la main : il accroche une écharde et le tronçon saute (<u>sailli</u> ; - <u>ASP</u> sort, "<u>issi</u>") de la blessure. Gauvain, très irrité, reproche à son frère son imprudence, mais Yvain dit qu'on ne peut rien changer à ce qui est arrivé (<u>TE dével.</u>). On se passe le fer de main en main, en s'étonnant qu'il soit aussi brillant que s'il sortait de chez le fourbisseur : on s'y mire mieux que dans nul miroir. Puis on le rend à Guerrehés qui, faisant bonne figure, dit qu'en tout cas c'est un beau fer de lance. Il rentre à son <u>ostel</u> et fait fixer le fer sur la plus grosse de ses hampes.

A la cour de Pâques qui suit, toujours à Glomorgan (<u>T</u> rejoint <u>ASPE</u> : Carlion), Guerrehés est fort "pensif" pendant le repas ; KEU vient au roi et lui demande, en don (contraignant), d'obliger le héros à révéler la raison de son <u>penser</u>. Le roi et les chevaliers blâment fort le sénéchal (<u>TE dével.</u>) et Arthur dit que c'est le dernier <u>penser</u> qu'il donnera jamais ; cependant il doit s'exécuter, et Guerrehés aussi. Mais celui-ci, avant de conter son déshonneur, prévient le roi qu'il va ensuite le délivrer pour toujours de sa présence. Court résumé de son aventure dans <u>LUMQ</u>, absent des autres mss. Son récit achevé, Guerrehés quitte la table et la cour, se rend à son <u>ostel</u>, s'arme, demande la lance munie du fameux fer (<u>LUMQE</u> seuls) et part.

(<u>L</u> 9083-239, <u>A</u> 9021-165, <u>T</u> 14901-15056, <u>E</u> 19155-318).

Episode 7. Guerrehés revient au château, tue le nain, puis son maître, le grand chevalier, en lui portant le même coup que celui qui avait tué le chevalier de la nef au cygne. Une pucelle - l'amie du mort de la nef - lui recommande de laisser le fer dans la blessure ; Guerrehés la remmène avec lui.

Guerrehés chevauche (<u>ASP</u> : portant la lance munie du fer, cf. <u>LUMQE</u> supra) jusqu'à ce qu'il arrive, au jour dit, en vue du château. Sur le chemin, il rencontre le Petit Chevalier tout armé sur son destrier - et sambla singe sor levrier (AMQ : sor somier !) - qui se rendait à la cour pour lui rappeler sa promesse. Ils vont au verger, où le grand chevalier tient riche cour. L'auteur ne racontera pas en détail : qu'il suffise de savoir que Guerrehés tua le nain. Le grand chevalier se fait aussitôt armer pour venger celui qui tant l'avoit servi (LUMQ ; - ASPT : son nain que il avoit molt chier), saute à cheval et défie Guerrehés. Au premier choc les lances se brisent et ils s'abattent (ASE corrigent et explicitent : la lance du grand chevalier se brise, et Guerrehés lui plonge la sienne dans la poitrine, où elle se brise également). Guerrehés se relève aussitôt et voit avec étonnement que tous les gens s'enfuient du verger ; il tire son épée et vient à son adversaire, qu'il trouve mort.

Arrive alors une PUCELLE, très belle et très richement vêtue, qui se baisse sur le corps et regarde la blessure, puis demande à Guerrehés d'où vient ce fer de lance. Elle dit qu'elle était l'amie de celui qui en fut tué, et elle demande s'il est déjà enterré. Le héros répond que non ; il regarde lui aussi la plaie et s'émerveille (ASPTE soupira !?), car le fer a pénétré exactement au même endroit du corps qu'il l'avait fait dans celui du chevalier de la nef. (TE anticipent : il veut retirer le tronçon de la blessure). La demoiselle dit au héros (ASP ajoutent : de l'emmener à la cour) de ne pas toucher au tronçon ; s'il le retirait, il serait vite lui-même detrenciés et depeciés (LUMQ insistent ; - UMQ : "nous serions ...") ; tant que le fer restera dans le corps, les hommes du grand chevalier ne pourront pas le venger (LUMQ ; - TE résument ; - ASP. om.).

La pucelle demande à Guerrehés d'aller lui chercher son palefroi dans un pavillon ; elle monte, et le héros repart vers la cour en l'emmenant avec lui (TE ajoutent : ils laissent le corps enferré ; E ajoute : ils ne trouvent personne dans le château).

(L 9240-328, A 9166-262, T 15057-146, E 19319-419).

Episode 8. Guerrehés et la pucelle passent d'abord dans l'île de la reine-fée Brangespart, mère du chevalier mort de la nef, où le héros est fêté, mais s'endort à table. Puis la nef au cygne les ramène à la cour d'Arthur, à qui la pucelle demande de lui rendre le corps du roi Brangemuer, mi-mortel, mi-immortel. Elle repart avec le mort sur la nef qui les remmène à l'île.

Le soir, Guerrehés et la pucelle arrivent à la mer, en vue d'une île où se dresse un très beau château. Ils y passent (A précise : la pucelle appelle un notonier qui les fait passer). - Formule de résumé dans LPTUMQ : Que vos porroie plus conter ? - C'est là que Guerrehés eut le plus bel ostel que l'on puisse imaginer.

> AS ajoutent : ils entrent dans la ville, très riche, puis dans le palais, très riche aussi, et Guerrehés affirme qu'il n'a jamais vu tant de ... (cf. infra).

Il n'y eut jamais salle remplie de tant de dames et de chevaliers (TE dével.), ni tant de chandelles et de nappes (LPUMQ), ni tant de coupes d'or et de riche "vaisselle de trésor".

> T ajoute : on fait à Guerrehés la plus grande joie du monde ; - AS suivis par E ajoutent : jamais chevalier ne fut plus honoré que Guerrehés le fut alors.

On se met à table (pas explicité dans LPUM).

> T suivi par E ajoute : on place Guerrehés au maistre dois et on le sert avec de grands honneurs.

Mais ce qui intrigue le héros, c'est qu'il entend souvent nommer GUIN-GAMUER (S ; - AP Guinganmuer [P : c'est le nom du château !], LPU Guingannier, etc. ; Q Guinemer).

> T suivi par E : il voit la plupart des assistants parler à voix basse et soupirer, et les entend regretter leur seigneur (E), le roi Brangemor.

Et, d'autre part, il entend dire que la reine BRANGESPART (SMQ Brandegart, etc. ; U Brandefart, P de boine part !) a grande joie parce que son fils est vengé. Le repas terminé, notre héros est si épuisé qu'il s'endort au milieu de l'assistance.

La nuit, il parcourt cent lieues sur la mer (L seul) ; le matin, quand il se réveille, il se trouve sous les murs de Glomorgan (L + UMQ = var. ; - ASPTE Carlion), dans un très riche lit, au milieu du pont du chaland tiré par le cygne. C'est la veille de la grande cour de la Toussaint (AS om.). On annonce au roi Arthur l'arrivée de la nef au cygne, et il se hâte de s'y rendre avec ses compagnons (AS suivis par E dével.). Ils voient sous la tenture la pucelle assise devant le lit, et qui se lève en leur disant de laisser se reposer le meilleur "bachelier" du monde. Le roi répond que celui-ci aura le loisir de se reposer une autre fois, et il est fort étonné de reconnaître son neveu Guerrehés ; il le réveille (bis !), l'embrasse, et l'on revient au palais.

Dès que la pucelle entre dans la salle, elle va tout droit au sarcu (T tombe) et "regrette" le mort : "Ha ! gentis cors de cevalier (T : Ha ! gentix cors qui ci gisez = le "regret" du Roi du Graal sur le mort de la bière, V/4, dans LUMQ), jamais nul homme ne fut plus aimé que vous. Vous êtes vengé maintenant, et tous vos hommes en sont heureux"(A élimine à deux reprises les mots vengié, vengement ; - LUMQ ajoutent : vos gens désirent que votre corps leur soit rendu [MQ : qu'il soit enterrez !]).

Elle s'agenouille devant le roi et le prie de lui rendre le corps du roi BRANGEMUER (S Baudeguer, MQ Branganer, P Guingamuer !), que Guingamuer (var. : Guingemors etc., M Guingaber !) engendra en une fee qu'il trova. "Vous avez bien entendu raconter comment il chassa le sanglier et comment ma dame le detint. C'est la reine Brangespart (var.), qui sera très heureuse si vous lui renvoyez le corps (S om. 8 vv.). Il fallait qu'il mourût ça hors ; il était mortel par son père, mais non par sa mère (T om. 8 vv.), et c'est pourquoi son nom était mipartis ; Brangemuer (M Granmagor !) étant composé de "bran", qui venait de la reine, et de "ge muers" (MQU var. aber-

rantes), qui venait de son père." (L'explication étymologique ne figure
que dans LUMQ). Il était roi de cette île où nul mortel n'habite ;
ses gens l'attendent ce mois-ci ; quand il reviendra dans son pays,
une grant merveille y adviendra.

　　　　　TE : quand il partira d'ici, une mervelle arrivera à la
cour, mais je n'ai pas le droit de dire laquelle (!)
Rendez le corps à la reine : elle aura sa joie enterine lorsqu'elle verra
revenir son fils."

　　　Le roi Arthur accepte, avec l'accord de ses compagnons ; il
fait transporter le corps sur le chaland, et installer comme il l'était
à son arrivée. Le cygne encline le roi (LUMQ) et fait tourner la nef ;
la pucelle prend congé ; le cygne remmène la nef ; on reste à les
regarder aussi longtemps qu'ils sont visibles. Puis on revient dans la
salle et l'on se met joyeusement à table (ASPTE ; - LUMQ : la nuit
- déjà ! - le roi tint grant cour, comme il le devait à la veille d'une
aussi grande fête qu'est la Toussaint).

　　　　　Epilogue dans LASUMQ (PTE om.) : Seigneurs, vous avez
bien entendu comment le cygne repartit avec le chaland, qui
portait le mort et la pucelle qui souffrit pour lui si grande douleur. d'iaus deus le conte ci vos lais (LAS ; - MQU : Du conte
lerons ci ilés [var.]).

(L 9329-509, A 9263-457, T 15147-322, E 19419-606, - "fin indépendante"
de MQU [= en fait L] imprimée à la p. suivante).

　　　La Continuation-Perceval commence donc, dans LASUMQ, avec
le second vers du couplet (... si vos diromes ci aprés), au contraire
de ce qui se passe dans la rédaction EPT - qui va se maintenir pendant
les 620 premiers vers (D'eus vos lairai ore a itant / et si orroiz d'or
an avant ...). Seuls les mss A et P marquent une coupure entre les
deux premières Continuations.

L I V R E II

LE TRAVAIL DES COPISTES-REMANIEURS
(OU DE L'EXCELLENCE DU MS. L)

Voilà donc, en plus d'une conclusion du Conte du Graal, une suite de cinq "aventures" qui n'ont entre elles aucun rapport nécessaire, et encore moins avec le roman de Chrétien de Troyes, et dans laquelle s'intercale tout un roman, court ou long selon les manuscrits : celui de Caradoc. Les cinq aventures sont : le siège de Branlant, les amours de Gauvain avec la Pucelle de Lis et tout ce qui s'ensuivit, la conquête du Chastel Orguelleus, la visite de Gauvain à la salle du Graal, la mésaventure de Guerrehés et la vengeance qu'il fit du mort de la nef au cygne. A cela, les interpolateurs de la rédaction longue ajoutent encore d'autres aventures, toutes attribuées à Gauvain, et qui n'ont aucun rapport avec les précédentes, mais un peu davantage avec le Conte du Graal, puisque Gauvain passe au Château du Graal, dans des conditions bien plus proches de celles de la visite de Perceval que de celles de la visite de Gauvain dans la Br. V de la Continuation, et que, d'autre part, il réussit à délivrer la Pucelle de Montesclaire, comme il s'était engagé à le faire après le passage de la Laide Demoiselle (Conte du Graal, v. 4701-20). Ces interpolations ainsi que celles du Caradoc et la rédaction longue de celui-ci retiendront peu notre attention : elles n'ont rien à voir avec l'esprit de la rédaction courte, ni avec son style, son lexique, sa versification ; elles ne correspondent pas au dessein du "premier auteur".

115

Mais l'oeuvre - si l'on peut l'appeler ainsi ? - de celui-ci a-t-elle quelque unité ? A première vue, ce n'est pas celle des aventures, indépendantes les unes des autres et qui ne sont liées (parfois) que par des "transitions" plus ou moins habiles. Ces aventures sont de natures très diverses - un grand duel, un siège, des amours, une biographie (de Caradoc), une expédition collective, une chevauchée fantastique, une vengeance mystérieuse - et elles n'ont même pas le même héros (Gauvain, le plus souvent, mais aussi son frère Guerrehés, et ce Caradoc qui vient d'un tout autre horizon). Ne parlons pas de la chronologie : elle est des plus fantaisistes ; un seul exemple : en tenant compte de la Br. III, Caradoc, le fils de Gauvain devrait, lorsque son père le voit pour la première fois, avoir non pas cinq ans, mais vingt-cinq ou trente ! Ces histoires n'ont pas non plus la même tonalité ; triomphale dans le Guiromelant, romanesque dans Brun de Branlant, galante et fort amorale dans les "Amours de Gauvain" (version "flirt", car, dans la version "viol", elle est édifiante, "pénitentielle", assez larmoyante), fort contrastée dans le Caradoc (où le tragique et l'odieux se mêlent au magique, au merveilleux, au comique), allègre dans le Chastel Orguelleus, effrayante dans la Visite de Gauvain au Graal, mystérieuse et surnaturelle (extra-naturelle) dans le Guerrehés. A-t-elle au moins une unité de style ? Plutôt oui dans la rédaction courte LAS (P), dont P, T, R, U, E, MQ tantôt se rapprochent et tantôt s'écartent, ensemble ou séparément ; mais non dans la rédaction "longue", puisque celle-ci ne l'est pas continûment, que MQ tantôt développent et tantôt résument, que E (U) se sert généralement de deux modèles ; c'est seulement dans T que l'on · peut déceler certaines habitudes assez constantes.

Disparité des Branches, disparité des rédactions : n'y a-t-il pas un lien entre les deux ? Le manque d'unité de l'oeuvre a certainement encouragé les copistes-remanieurs à prendre les libertés les plus grandes avec elle. Ils n'y sentaient aucune cohérence qu'ils dussent respecter. Et la première incohérence, qui autorisait toutes les divagations, c'était que cette Continuation, mise à part la Br. I, ne continuait nullement le Conte du Graal, qu'elle racontait tout autre chose, qu'elle contredisait même complètement l'oeuvre du maître - ainsi dans la Branche du Graal. Alors, pourquoi se gêner ?

Et ils ne se sont pas gênés, les copistes-remanieurs. Ni petitement, ni grandement : ni au niveau de l'ensemble, ni à celui du détail, du vers. On commence par ne pas respecter la lettre et l'on en vient très aisément à trahir l'esprit. Les grandes "échappées" des rédactions dites "mixte" et "longue" ont leur correspondant, et peut-être leur source dans le sans-gêne constant des copistes.

Prenons, à titre de première illustration, les cent premiers vers de la Br. I. Il n'y en a pas un seul qui soit copié de façon absolument identique dans l'ensemble des manuscrits. Certes, MQ présentent alors une rédaction totalement différente. Mais EU ajoutent au texte de MQ des passages entiers qu'ils copient dans un manuscrit de la rédaction courte (assez proche de L) : il n'y a, sur ces 44 vers communs, qu'un seul (L 76) qu'aucun copiste n'a réussi à modifier. A l'intérieur de la rédaction courte, nous ne trouvons que 8 autres vers qui soient rigoureusement communs - soit donc au total 9 sur 100. A l'opposé, 6 vers se lisent différemment dans chacune des copies. On ne compte pas moins, dans ces 100 premiers vers, de 40 groupements différents - avec L, plus 11 contre lui. Les plus fermes, ou les moins inconsistants, sont : LR (9 fois), LP et LASPR (6 fois chacun), LT et LPR (3 fois) ; les autres n'apparaissent que deux ou une fois. Les copistes les plus indépendants semblent être ceux de T (qui s'écarte 9 fois de l'ensemble unanime) et de P (6 fois) ; A, S et R ne le font chacun que 4 fois ; L est déparé par 6 bourdes, dont la plupart sont légères, et qui ne témoignent pas d'une volonté de modifier le sens, ni même un mot. Au total, L er R s'accordent 57 fois ; L et P, 53 fois ; L et A, 49 fois, de même que L et S - mais L, A et S ne sont d'accord ensemble que 36 fois -, L et T seulement 42 fois. Avec ou sans L, A et S ne sont d'accord que 42 fois : c'est dire que le groupe AS n'a guère de force. Le foisonnement des variantes est tel qu'il ne faut prendre en considération que les chiffres les plus élevés ; c'est ainsi que le groupe ASP n'a pas, ici, avec une trentaine d'accords, la fermeté qui justifierait qu'on l'imprime à part ; que le groupe LAS est plus ferme, avec 36 accords, et que l'impression séparée (L d'une part, ASP de l'autre) ne semble guère, ici, justifiée ; qu'enfin le groupe LPR, avec 36 accords également (au total), est le plus intéressant, puisque les trois manuscrits appartiennent, selon l'édition de Roach, à trois versions différentes : l'hypothèse peut être formulée que les vers communs à ces trois copies ont de fortes chances de correspondre au texte du "premier auteur". Mais tout ceci pour les cent premiers vers. Car, cinq cents vers plus loin, les choses - c'est-à-dire les groupes - ne sont plus les mêmes, et, à plus forte raison, trois mille vers plus loin (R aura d'ailleurs disparu). Tout stemma que l'on croît possible de proposer à un moment donné se trouve infirmé ou démoli quelques centaines de vers plus loin. L'impossibilité d'établir un stemma, à laquelle aboutissait A. Micha au terme de son examen du Conte du Graal, est, pour la Continuation-Gauvain, décuplée [1] . De toute façon, l'examen de toutes les variantes de tous les manuscrits est nécessaire, mais il faut faire un tri et ne s'attacher qu'à celles qui sont significatives, qui témoignent d'une intention, ou du moins d'une mentalité différente de celle du "premier auteur". Ce ne sont, d'ailleurs, pas toujours les variantes les plus étendues qui sont les plus significatives : parfois le changement d'un seul mot (même réputé "insignifiant") peut être fort symptomatique.

Mais nous ne pouvons songer à présenter au lecteur la totalité de cet examen : nous nous bornerons à rendre compte de celui de trois tranches du texte, de 500 vers chacune, à partir desquelles nous croyons légitime d'extrapoler, les réactions des copistes-remanieurs étant à peu près toujours les mêmes. Et de conclure - puisque tel est notre premier dessein - au bien-fondé de notre choix de la rédaction qui s'écarte le moins du texte du "premier auteur" : celle de ms L.

C H A P I T R E   II

PREMIERE PRESENTATION DES COPISTES

Les manuscrits autographes étant l'exception, un récit médiéval est d'abord, et avant tout, une suite de mots écrits par un ou plusieurs copistes. La part de celui-ci, ou de ceux-ci, est toujours importante, parfois prépondérante : elle peut transformer l'oeuvre de l'auteur, et il importe, autant que faire se peut, de la distinguer.

Mais commençons par la présentation des textes dans leur matérialité, c'est-à-dire par celle des dix, puis neuf manuscrits [2] que W. Roach a si soigneusement transcrits et édités dans ses trois volumes : $\underline{T}$ dans le vol. I (nous négligerons $\underline{V}$, qui se confond pratiquement avec lui, puisqu'il est, sinon sa copie, du moins celle de leur modèle immédiat) ; $\underline{E}$, $\underline{M}$, $\underline{Q}$ et la plus grande partie de $\underline{U}$ dans le vol. II (la rédaction dite "longue") ; $\underline{L}$, d'une part, et $\underline{A}$, $\underline{S}$, $\underline{P}$, de l'autre, que Roach a édités respectivement sur les pages de gauche ($\underline{L}$) et sur celles de droite ($\underline{ASP}$) du vol. III/I : ce sont les rédactions dites "courtes", que $\underline{U}$ rejoint à un moment donné, et dont $\underline{P}$ se sépare à un autre ; leurs textes sont suivis de celui de $\underline{R}$, qui ne contient que la première Branche de la Continuation. Nous ne parlerons pas de deux autres textes, dont Roach tient compte, mais que nous avons choisi de négliger complètement : la mise en prose imprimée en 1530 (G) et la traduction allemande de Wisse et Colin exécutée entre 1331 et 1336 (D) ; le Fragment de Namur (contenant environ 200 vers du Caradoc long), publié par E. Brayer et F. Lecoy dans la "Romania" de 1962, ne retiendra pas non plus notre attention.

PRESENTATION DES MANUSCRITS

A (BN 794, anciennement Cangé 73) est un grand (317 x 237 mm.) et épais manuscrit (433 feuillets, 3 colonnes de 44 vers par page). Il est signé Guiot et a été exécuté à Paris, sans doute dans la première moitié du XIIIe siècle. Il commence par les quatre premiers romans de Chrétien : Erec, Lancelot, Cligès et Yvain. Puis il donne les textes d'Athis et Prophilias, du roman de Troie, du Brut de Wace, des Empereurs de Rome de Calendre et, enfin, Perceval le Vieil, c'est-à-dire le Conte du Graal, suivi de la Continuation-Gauvain et du début (les 812 premiers vers) de la Continuation-Perceval. Le roman de Chrétien est bien séparé de la Première Continuation (par la formule "Explycyt perceuax le uiel", précédée et suivie d'une ligne blanche) et celle-ci commence par une très grande capitale ; par contre, il n'y a aucune interruption entre les deux Continuations. Tout le manuscrit est écrit de la même main. Il ne contient pas de miniatures, mais quelques grandes initiales historiées et quelques grandes onciales dorées. Les initiales ordinaires sont assez nombreuses, assez bien réparties, et intelligemment placées. Son dialecte, enfin, est champenois [3] .

E (Edimbourg 19.1.5) est un manuscrit de format assez moyen (277 x 190 mm. ; 262 feuillets, 2 colonnes de 40 vv. par page), daté de la première moitié du XIIIe siècle. Il ne contient - comme la plupart de ceux qui nous intéressent - que le Perceval, la Continuation-Gauvain, la Continuation-Perceval et celle de Manessier. Il est écrit par un seul scribe, qui ne marque aucune espèce de séparation entre les oeuvres qu'il copie. Son dialecte est de l'Est de la France. Il n'a aucune miniature ; quelques grandes capitales ornées ; les initiales ordinaires ne sont pas très nombreuses, mais assez bien placées. Ce manuscrit a perdu un grand nombre de feuillets, notamment au début (le Perceval ne commence qu'au v. 5493) et à la fin (environ les 2050 derniers vers de Manessier), mais aussi vers la fin de la Continuation Gauvain (deux quaternions, soit près de 2500 vv.). Malgré cela, W. Roach l'a choisi comme manuscrit de base (en le complétant par M) pour l'édition de la rédaction dite "longue" de la Continuation-Gauvain (vol. II) et des quelques 1500 premiers vers de la Continuation-Perceval.

L (Londres, British Museum, Additional 36614) est un assez grand manuscrit (310 x 220 mm. ; 279 feuillets, 2 col. de 30 vers), daté de la seconde moitié du XIIIe siècle. Son dialecte est généralement picard [4]. Il contient le Perceval et ses deux premières Continuations, suivies d'une Vie de sainte Marie l'Egyptienne en vers. Il est composite, ayant été écrit par plusieurs scribes, et sur des quaternions qui n'ont pas tous le même nombre de feuillets. Un premier scribe a copié le Conte du Graal ; un second a inséré le prologue dit Bliocadran juste après le prologue de Perceval ; un troisième a copié, après le texte du Perceval, sans nulle interruption, celui de la Continuation-Gauvain et, sans davantage de coupure, le début de la Continuation-Perceval (environ 740 vers) ; un quatrième a pris, au milieu d'un vers [5], sa suite et a mené la Continuation-Perceval jusqu'à sa fin ; c'est un cinquième qui, bien plus tardivement, a copié la Vie de sainte Marie l'Egyptienne. Il n'y a pas de miniatures dans ce manuscrit ; les petites capitales sont nombreuses, assez régulièrement réparties et assez judicieusement placées. Le texte de L de la Continuation-Gauvain, tout en appartenant à la rédaction "courte", est si longuement différent de celui des autres mss de cette rédaction que W. Roach a dû l'imprimer à part (pages de gauches du vol. III).

M (Montpellier H 249) est un manuscrit de la fin du XIIIe siècle , de format assez grand (295 x 212 mm. ; 296 feuillets, 2 col. de 40 vv.

par page), qui contient, comme E, le Perceval et ses trois Continuations ordinaires (Continuation-Gauvain, Continuation-Perceval et celle
de Manessier). Un seul copiste y a travaillé, et les quatre oeuvres
se suivent sans aucune sorte de coupure. Un "salut d'amour" a été
copié au verso du dernier feuillet. Le dialecte du copiste est francien.
Le manuscrit M est orné de 55 miniatures ; elles sont nombreuses
au début (24 dans le Perceval), puis s'espacent de plus en plus (il
n'y en a plus une seule dans le texte de Manessier). Les petites capitales ne sont pas nombreuses, et pas toujours bien placées.

P (Mons 331/206), manuscrit du XIIIe siècle, est de format
analogue (289 x 205 mm. ; 244 feuillets, 2 col. de 45 vv.) et de
contenu semblable, sauf qu'il nous transmet, à la place du prologue
du Perceval, les textes de l'Elucidation et du Bliocadran ; tous sont
séparés par des rubriques. Aucune coupure, par contre, ni aucun signe
n'annoncent la fin du Perceval et le début de la Continuation-Gauvain ;
à la fin de celle-ci, une rubrique introduit la Continuation-Perceval,
à laquelle est soudée celle de Manessier. Le manuscrit est tout entier
de la même main ; le dialecte du copiste est du Nord-Est. Une miniature initiale ; 40 lettrines historiées ; les petites capitales, alterna-
tivement bleues et rouges, sont à peu près en même nombre que
dans A, mais moins bien placées. C'est le manuscrit jadis édité par
Potvin.

Q (BN 1429) est un manuscrit de format plus court (269 x 210
mm.), plus épais (379 feuillets, 2 col. de généralement 30 vers), de
la seconde moitié du XIIIe siècle. Toujours le même contenu : le
roman de Chrétien et ses trois Continuations ordinaires, écrites d'une
seule main, à la file, sans nulle interruption. Il manque le premier
feuillet (les 116 premiers vers du Perceval) et (au moins) les deux
derniers (les 145 derniers vers de Manessier font défaut) [6]. Le dialecte
du copiste est champenois. Aucune enluminure ; 19 grandes capitales
ornées ; les petites capitales sont nombreuses, réparties de façon
très irrégulière et souvent en dépit du bon sens [7].

R (BN 1450) est un important recueil de la première moitié du XIIIe siècle, de format assez grand (302 x 215 ; 264 feuillets, 3 col. de 59 vv.). Son contenu s'apparente à celui de A. On peut y lire, en effet, le roman de Troie, celui d'Eneas, la première partie du Brut de Wace, puis les romans de Chrétien : Erec d'abord ; puis Perceval, amputé de son prologue et suivi sans interruption de la Br. I de la Continuation-Gauvain (le Guiromelant) [8]; viennent ensuite Cligès, Yvain et Lancelot ; le Brut reprend alors, jusqu'à la fin, suivi par le Roman de Dolopathos. Il faut noter que l'oeuvre romanesque de Chrétien apparaît comme une illustration de ce que Wace disait, dans un passage souvent cité, des "aventures" trouvées au temps d'Arthur ; le copiste a même ménagé, en avant d'Erec et à la fin de la Charrette, deux courtes transitions avec le Brut [9]. Le manuscrit R est écrit d'une seule main ; son dialecte est picard. Quelques initiales ornées, notamment en tête de chaque roman de Chrétien (sauf Lancelot) ; les petites capitales sont nombreuses, assez bien réparties, mais étrangement placées [10].

S (BN 1453) est un manuscrit du XIVe siècle, de format assez moyen (analogue à celui de E : 275 x 190 mm. ; 290 feuillets, 2 col. de 36 vv.) et qui, comme E, M, P et Q, ne contient que le Perceval et ses trois Continuations ordinaires. Il est, lui aussi, écrit d'une seule main, à la file, sans aucun signe de début ou de fin des oeuvres. Son dialecte est francien. Il contient 52 miniatures (cf. M : celles de S sont légèrement plus grandes, et un peu mieux réparties) et 12 initiales historiées ; les petites capitales sont très nombreuses et assez également réparties (presque une par colonne), mais très bizarrement placées [11].

T (BN 12576) est un manuscrit de grand format (310 x 230 ; 284 feuillets, 3 col. de 43 vv.), qui a le grand mérite de nous transmettre le texte de la Continuation de Gerbert de Montreuil. Il est daté par A. Hilka et A. Micha du début du XIIIe siècle et, par W. Roach, de la seconde moitié de ce siècle [12]. Il doit être plus proche

123

de celle-ci que de celui-là, puisqu'il contient, outre le Perceval, l'ensemble de ses quatre Continuations (celle de Gerbert étant interpolée avant celle de Manessier). Le manuscrit se termine par un poème sur la Mort du comte de Hainaut, un mémorandum de onze lignes, le Miserere et le Roman de Carité du Renclus de Moiliens. Son dialecte est picard. Il a été écrit par deux copistes, le second intervenant entre les feuillets 95 et 121 (il a donc pris quelque 800 vers avant la fin de la Continuation-Gauvain, et est allé jusqu'avant le milieu de la Continuation-Perceval). Il n'y a aucun signe de séparation entre les cinq oeuvres ; à la fin du texte de Gerbert, les 14 dernières lignes de la Continuation-Perceval sont recopiées, puis le texte de Manessier commence immédiatement. Le manuscrit T est orné de 4 miniatures, dont deux grandes au début du Perceval et du poème sur le comte de Hainaut, et de 19 lettrines enluminées ; les petites capitales sont relativement peu nombreuses, assez bien réparties et assez bien placées. W. Roach a choisi ce ms. pour son édition, chez Droz, du Conte du Graal et pour celle de la rédaction dite "mixte" de la Continuation-Gauvain (vol. I).

U (BN 12577) est un beau manuscrit du XIVe siècle, de grand format (320 x 230 mm. ; 275 feuillets, 2 col. de 45 vv.), qui contient le Perceval et ses trois Continuations ordinaires. Il est écrit par un seul copiste, qui ne marque nulle interruption entre les quatre oeuvres. Son dialecte est francien. Il est orné de 52 belles miniatures, bien réparties entre les oeuvres. Les petites capitales sont très nombreuses, mais placées en dépit du bon sens [13].

V (BN, nouv. acq. 6614) ne retiendra guère notre attention, tant il est semblable à T ; il est, de plus, affreusement mutilé, ayant perdu 24 feuillets au début (les 5890 premiers vers du Perceval), 16 feuillets à la fin de la Continuation-Gauvain (708 vers) et au début de la Continuation-Perceval (quelque 3500 vv.), et plus de 60 à la fin (presque tout Manessier), sans parler de feuillets isolés manquants ou de colonnes coupées. De format assez grand (295 x 220 mm.),

il ne contient plus que 170 feuillets (contre plus de 270 à l'origine) ;
3 colonnes de 40 vers par page. Il est daté du XIIIe siècle avancé ; son dialecte est du Nord. Il contient (contenait), comme T, le
Perceval de Chrétien et ses quatre Continuations, dont celle de Gerbert, intercalée avant celle de Manessier. Il est écrit d'une seule
main, sans nulle interruption (autant qu'on peut en juger). Il est peu
orné : pas de miniatures ; il reste 10 lettrines historiées ; les petites
capitales sont très peu nombreuses et très irrégulièrement réparties.

*

*   *

Soient donc, pour reprendre la terminologie de Micha, 7 mss
"individuels", ne contenant que le Perceval de Chrétien et ses suites ; 2 "recueils" (L et T) contenant, avec le Perceval et ses suites,
d'autres oeuvres qui ne sont pas de Chrétien ; 2 "collectifs" (A et
R) contenant tous les romans de Chrétien, et il convient de noter
que ce sont ceux qui s'arrêtent le plus tôt dans la reproduction desdi-
tes suites, puisque R ne donne que la Br. I de la Continuation-Gauvain,
et que A, après avoir transcrit toute la Continuation-Gauvain, ne
transcrit que le début de la Continuation-Perceval (les 812 premiers
vers).

Rappelons que le Conte du Graal, sans aucune suite, figure
dans 4 autres mss : 2 "individuels", C et F, ne contenant que le Perceval et datant de la fin du XIIIe ou du début du XIVe siècle, et 2
"recueils", B (du XIVe s.), qui contient une collection de 75 dits ou
fabliaux (dont quelques "contes d'aventure" arthuriens comme le Chevalier à l'épée, la Mule, le Mantel) et se termine par le Perceval,
et H (2e moitié du XIVe s.), qui contient des oeuvres d'intérêt anglo-
normand (le Brut, l'Estorie de Gaimar, le lai d'Haveloc, etc.), le Perceval se situant vers la fin. Notons aussi que le ms. K, recueil de
la fin du XIIIe s., contient les oeuvres les plus diverses, dont la Continuation-Perceval, seule, munie d'une conclusion indépendante (dite
"de Rochat").

125

On a donc, plus d'un siècle après la mort de Chrétien, continué à copier le Conte du Graal seul, alors que, depuis longtemps, d'autres "amateurs" le réclamaient muni de ses suites. Rappelons l'ordre progressif de la transcription des Continuations, ordre qui ne correspond pas nécessairement à la date d'écriture des manuscrits :

- R (1re moitié du XIIIe s.) : début de la Continuation-Gauvain (version courte) ;

- A (1re moitié du XIIIe s.) : Continuation-Gauvain (version courte) et début de la Continuation-Perceval ;

- L (2e moitié du XIIIe s.) : Continuation-Gauvain (version courte) et Continuation-Perceval ; - de plus, le Conte du Graal est précédé d'un prologue (postiche) ; le Bliocadran ;

- (K) (fin XIIIe s.) : Continuation-Perceval seule ;

- S (XIVe siècle) : Cont.-Gauvain (version courte), Cont.-Perceval, Continuation de Manessier ;

- P (XIIIe s.) : Cont.-Gauvain (version courte, mais avec des emprunts à la longue), Cont.-Perceval, Cont. de Manessier ;- de plus, le Conte du Graal, est précédé, non seulement du Bliocadran, mais aussi de l'Elucidation ;

- M (fin XIIIe s.) et Q (2e moitié XIIIe s.) : Cont.-Gauvain (version longue, mais résumé de la Br. II), Cont.-Perceval , Cont. de Manessier ;

- U (XIVe s.) : Cont.-Gauvain (tantôt version courte, tantôt version longue, mais contient les interpolations supplémentaires de la Br. I), Cont.-Perceval, Cont. de Manessier ;

- E (1re moitié XIIIe s.) : Cont.-Gauvain (version longue, avec emprunts incessants à la version courte ; interpolations supplémentaires de la Br. I), Cont.-Perceval, Cont. de Manessier;

- T (début du XIIIe s. ? ou 2e moitié ?) : Cont.-Gauvain (version dite "mixte", c'est-à-dire version courte avec de larges emprunts à la longue), Cont.-Perceval, Cont. de Gerbert, Cont. de Manessier ;

- V, fin XIIIe s. : même contenu que T).

Une première remarque s'impose : la rédaction longue n'apparaît

126

qu'après l'intégration de la Continuation de Manessier (P̲, U̲, T̲, M̲, Q̲, E̲), mais on peut encore continuer à transcrire la rédaction courte (S̲) ; avant l'intégration de la Continuation de Manessier, il n'y a pas trace d'emprunt à la rédaction longue (R̲, A̲, L̲). Une première hypothèse peut être suggérée : le remanieur-délayeur-interpolateur ne se met au travail qu'après la parution de la suite de Manessier, c'est-à-dire après 1227, ou même 1237. C'est pourquoi il est étrange que le ms. T̲ ait pu être daté du début du XIIIe s., et satisfaisant que W. Roach l'ait repoussé dans la seconde moitié. Rien, par contre, n'incite, nous le verrons, à attribuer au Bliocadran une date aussi avancée : il peut très bien dater du début du XIIIe s. et son incorporation dans le ms. L̲ n'oblige pas à assigner une date tardive à la composition de ce recueil ou de son modèle immédiat.

LES COPISTES ET LE ROMAN DE CHRETIEN

Nous savons, grâce à la thèse d'A. Micha, comment se comportent les copistes des romans de Chrétien de Troyes. Relevons les conclusions obtenues pour ceux qui nous intéressent.

Le copiste de A̲.

Le ms. A̲ est sans doute le plus ancien qui nous ait été conservé : le scribe Guiot le copiait peut-être peu après l'année 1213, sans doute dans le premier quart du XIIIe siècle [14]. Il semble exclu cependant que Guiot ait eu pour modèles les autographes de Chrétien : un ou plusieurs intermédiaires viennent s'intercaler entre ceux-ci et le ms A̲. Voici le jugement qu'A. Micha porte sur ce copiste :

> ... il nous lègue à coup sûr le meilleur texte de la Charrette, le meilleur texte du Cligès (immédiatement après le ms. d'Annonay), de bons textes du Perceval, de l'Erec et de l'Yvain. Aucun d'eux certes ne peut se passer de contrôle, mais nous discernons chaque fois derrière ces copies des modèles moins remaniés qu'ailleurs ... Ou bien le texte est le moins retouché,

> ou bien parmi les moins retouchés, et d'autre part les copies dérivent de la meilleure famille ; enfin les corrections dues à l'incompréhension des mots peu courants sont infiniment moins nombreuses que partout ailleurs ... [15]

Si Guiot comprend bien les "mots peu courants" de son modèle, c'est qu'il en est encore assez proche dans le temps, et même aussi dans l'espace (s'il est lui aussi Champenois - de Provins, peut-être). Mais il ne s'ensuit pas qu'il soit très respectueux de l'oeuvre du grand romancier. Il opère dans les textes de Chrétien de trop nombreuses coupures (27 dans Erec, plus de 50 dans Perceval, soit 284 vv. ; 23 dans Cligès, mais beaucoup moins dans Lancelot et Yvain) qui, pour être de peu d'importance (portant ordinairement sur un ou deux couplets : maximes, considérations générales, détails jugés superflus) et assez habilement faites, n'en sont pas moins préjudiciables. Il modifie souvent les vers en changeant la construction ou l'ordre des mots ; il intervertit souvent les vers d'un couplet ; bref, il change pour le plaisir de changer. A Micha a dénombré quelque 400 variantes de quelque importance pour Erec, 450 pour Yvain, 500 pour Perceval, un assez grand nombre aussi pour Cligés, en revanche fort peu pour Lancelot. Par contre, Guiot ajoute peu à son modèle : en dehors des deux importantes interpolations d'Erec (où il insiste sur les dons magnifiques que les jeunes mariés font au trésor de la cathédrale), Micha ne décompte que 2 vv. supplémentaires dans Erec et dans Yvain, 4 dans Cligès, aucun dans Lancelot, 11 dans Perceval.

Le copiste ne prétend donc pas compléter son modèle, mais l'améliorer, voire le corriger, généralement parce qu'il ne le trouve pas assez "courtois" ! Ici, il supprime ou atténue des imprécations ou des injures ; là, l'expression trop vive de la douleur ; ailleurs, une allusion trop directe à la mort, ou à la pauvreté, ou à la sensualité, ou à la violence. A. Micha a bien noté la propension du copiste à employer "des termes moins forts qui affaiblissent ou décolorent l'idée". Guiot n'a pas d'excuses : il sait ce qu'il fait ; c'est un copiste intelligent, mais prétentieux, un copiste qui pense (et souvent à contretemps), et qui se croit capable de faire aussi bien que son modèle. Se sent-il l'étoffe d'un auteur ? Nous reviendrons sur son cas.

Le copiste de R.

Le copiste de R est moins intelligent que celui de A. De plus, alors que Guiot avait sous les yeux un bon exemplaire d'un recueil déjà homogène, les modèles de R sont fort disparates :

> ... celui de la Charette n'était pas bon, celui de l'Yvain médiocre, celui ou ceux de Cligés bien meilleurs, mais déjà retravaillés, comme celui du Perceval qui ... représente une bonne tradition ; celui de l'Erec meilleur encore, malgré les remaniements subis, auxquels notre scribe a largement ajouté les siens [16].

Il semble avoir eu la manie d'abréger, puisque A. Micha a dénombré près de 100 lacunes dans son texte d'Erec (355 vers au total), plus de 40 dans le Perceval (une centaine de vers), mais bien moins dans Yvain (11, ne totalisant que 14 vv.). Ses additions sont fort peu nombreuses, sauf dans le Perceval, où A. Micha en compte 26, totalisant près de 60 vers - "... texte interpolé et farci de leçons aberrantes [17]." Les variantes individuelles sont nombreuses : près de 600 dans Erec, de 650 dans Perceval, beaucoup aussi dans Cligès et dans son fragment du Lancelot, mais beaucoup moins dans Yvain.

Ce qui, d'après A. Micha, caractérise ce scribe, c'est son "inaptitude à la psychologie" ; sans cesse il fait "bon marché de ce qui intéresse caractères ou sentiments des personnages" (à propos d'Erec), "il n'aime pas trop les analyses de sentiments et ne saisit pas trop les nuances psychologiques" (à propos de Cligés), il est inapte à "saisir les pensées délicates" (à propos de Lancelot). La courtoisie, en général, ne l'intéresse pas ; dans Erec, notamment, il témoigne de son indifférence - voire de son hostilité - au "souci d'élégance et de jouissance", à cette "aspiration à la vie courtoise et raffinée qui se manifestent tout spécialement à la cour de Marie de Champagne". Ses lacunes portent la plupart du temps sur les vers qui relatent "des détails sur les fêtes, les cérémonies, les réceptions, les tournois", sur tout ce qui est luxueux. Cette propension est également manifeste, quoique moins systématique, dans le Perceval, où le copiste se montre plutôt imperméable à l'humour et à l'ironie - traits "courtois", au sens premier du terme. En somme, il apparaît assez bien comme le contraire de Guiot : "hypo-courtois" au lieu d'"hyper-courtois". Il aurait plutôt l'esprit chagrin. Ses additions au Perceval manifestent, d'après A. Micha, une tendance à pousser "la répétition jusqu'au rabâchage" ; ses remaniements de détail témoignent d'une "continuelle tendance à faire piétiner le récit, à expliquer sans nécessité aucune [18]."

Le copiste de L.

Si le ms. L n'est pas parmi les plus anciens du Conte du Graal, il est à coup sûr parmi les meilleurs. Il est, en tout cas, parmi les moins retouchés : A. Micha n'y a relevé que 290 variantes individuelles - contre, rappelons-le, 500 dans A, 650 dans R ; seul T est encore moins retouché [19]. Très peu de non-sens parmi ces retouches, note A. Micha ; à peine une dizaine de vers où le sens est mauvais ; quelques répétitions et quelques constructions brisées ; très peu de mots non compris (4). Seulement 8 additions, chacune d'un couplet, et dont certaines ne sont pas mauvaises ; elles se rencontrent surtout entre les vv. 640 et 814 et doivent être le fait du modèle, plutôt que du copiste même de L.

A. Micha a relevé 18 lacunes, ce qui correspond à une honnête moyenne ; parmi les passages (généralement un couplet) sautés, "six sont nécessaires pour le sens ou la construction" ; le copiste "semble surtout avoir péché par distraction, car aucune lacune n'entraîne des corrections dans le contexte." Les coupures de L, en effet, semblent rarement intentionnelles ; à trois reprises, le copiste doit avoir sauté du même au même ; deux autres fois, il semble avoir sauté la fin du paragraphe pour aller directement à l'initiale qui devait lui attirer l'oeil. Les passages omis sont toujours utiles, certes, mais pas absolument indispensables.

Un copiste, donc, généralement soigneux, parfois distrait, parfois pressé, mais ne manifestant aucune prétention, aucun penchant au délayage, aucune volonté de modifier un modèle qu'il respectait. Ce n'est évidemment pas un tel homme qui prendra l'initiative, sitôt recopié le v. 9234, de se mettre à diverger de son modèle et, souvent, à donner sa propre version des événements racontés.

Le copiste de S.

Il n'en va pas du tout de même du copiste de S, qui, dans le Conte du Graal, se montre presque aussi prétentieux que Guiot, à cette différence près qu'il n'est, lui, ni intelligent ni adroit. Selon A. Micha, il est "uniformément dénué de goût ... aussi hardi que maladroit [20]." Son texte du Perceval "vient en tête de tous les mss pour le nombre et l'importance des additions, suppressions, corrections de détail [21]." Il supprime une bonne centaine de vers, de façon tout à fait injustifiée. Pour compenser, il en ajoute environ 140 de son cru ; généralement des couplets, qui n'améliorent en rien le texte, plus deux interpolations, de 32 vers chacune, d'un "style empâté et filandreux" (une digression sur la hardiesse et la courtoisie de Gauvain - le héros de notre Continuation, notons-le ; un bavardage oiseux que s'offre Greoreas agonisant) ; en somme, il brode gauchement, piétine, répète les idées et, ce qui est plus grave, les mots.

Le copiste de S remanie près de 900 vers (un sur dix !) :

> ... sur ce total, il faut compter environ 450 équivalents. La volonté bien arrêtée de modifier se voit aux interversions de mots, très fréquentes, et aux changements de construction (une trentaine). En tête viennent les obscurités ... Les reprises d'idées confirment ce penchant au délayage que nous avaient montré les interpolations ... La suite des idées est constamment en défaut [22]."

Aux nombreux exemples, relevés par A. Micha, de la stupidité de ce copiste, ajoutons que, dans son souci de "variété", il remplace souvent, pour désigner Perceval, li vaslez par li dansiaus, ou li Galois,

131

voire même par Perceval - bien avant que celui-ci n'ait "deviné" son nom !

Plus d'une trentaine de vers n'ont aucun sens ; en maint endroit, le copiste ne comprend pas son modèle : ni ses idées, ni ses mots - en un siècle et demi ou deux, la langue a certes pas mal changé, mais il ne fait guère d'efforts pour trouver des substituts plus "modernes" qui soient justes. En bref, S détient la palme de la bêtise : il ne peut être l'auteur de quoi que ce soit d'intelligent.

Le copiste de P.

Le copiste du manuscrit de Mons se distingue d'abord par ses trois grandes interpolations : celle de l'Elucidation (476 vv.), celle du Bliocadran (800 vv. - le ms. L donne aussi ce texte), et une de 204 vv. où l'on nous raconte que l'épée remise à Perceval par le Roi-Pêcheur se brise et qu'un valet, envoyé à cet effet, en rapporte les morceaux au Château du Graal (notons que H, le ms. de Londres, donne les mêmes détails en plus de 500 vers, et que T fait aussi allusion, mais de façon bien plus brève, à la brisure de l'épée) - il faut justifier la présence de l'épée brisée dans les Continuations. Les autres additions de ce copiste sont peu nombreuses (10 en tout) et assez médiocres. Les lacunes sont également peu importantes (11, totalisant 29 vv.). A. Micha a dénombré 550 variantes individuelles, qui, pour la moitié, sont obscures, bizarres, ou n'ont aucun sens : ce manuscrit viendrait en tête, avec S, "pour le total des expressions ou mots non compris". En conclusion, le ms. P, "malgré un texte d'une bonne tenue, porte la trace de nombreux remaniements [23]."

Une question vient à l'esprit : le copiste de P est-il le responsable des trois interpolations ? Il ne peut être l'auteur du Bliocadran, puisque ce prologue figure aussi dans L, lequel - ou son modèle - est sans doute plus ancien que P. Rien dans le style ne permet, d'autre part, de rapprocher l'Elucidation de l'addition relative à la brisure de l'épée, et le style du Bliocadran ne se rapproche guère de celui

132

de l'une ou de l'autre : les trois additions peuvent être dues à trois "auteurs" distincts. Le copiste de P pourrait-il être l'auteur de l'Eluci-dation ? Celle-ci a certainement été rédigée par quelqu'un qui connais-sait la Continuation-Gauvain (au moins la visite - authentique - de Gauvain à la salle du Graal, Br. V), mais rien n'indique qu'il puisse s'agir d'un copiste-remanieur plutôt que d'un autre - sinon la pauvreté de la rime, qui exclut les responsables de la rédaction "longue" de la Continuation-Gauvain (M, Q, E, U, et aussi T, qui dans ses nom-breuses additions, semble quêter la rime riche). L'auteur de l'interpo-lation, selon P, sur l'épée brisée, cherche lui aussi la rime riche ; il se distingue donc des auteurs du Bliocadran et de l'Elucidation et se rapproche des auteurs des interpolations de la rédaction longue de la Continuation-Gauvain, MQ, EU, ainsi que des responsables des additions de T et de R. A titre de comparaison, l'interpolation analogue de H est plutôt pauvrement rimée - ce qui la situe bien dans la tradi-tion anglo-normande.

Le copiste de T.

Le ms. T semble le moins retouché de tous ceux du Perceval. A. Micha y compte seulement 230 variantes individuelles ; il s'agit surtout de répétitions (en nombre analogue à celles de L), et d'une dizaine d'obscurités, que W. Roach, l'avant-dernier éditeur du Conte du Graal, n'a pas toutes jugées graves puisqu'il n'en a corrigé que la moitié. La copie de T ne présente que 3 omissions d'un couplet, dont aucune n'est très grave et dont deux sont explicables par un saut du même au même. Il n'y a également que 3 additions : un couplet, un vers isolé, et la petite interpolation de 20 vv. sur l'épée brisée - est-ce elle qui a déclenché celles, bien plus amples, de P et de H ?

Indiscutablement, T est un très bon manuscrit du Perceval. Il est, écrit W. Roach, "si soigné que les corrections à y faire sont relativement rares [24]", et c'est, sans doute, le seul ms. du Conte du Graal dont l'on puisse affirmer cela - L venant ensuite dans la hiérarchie des mss les plus fidèles. D'après ce que l'on a conservé du ms. V, celui-ci mérite le même compliment, lequel est donc à faire à leur modèle commun.

Les interventions de T (V) sont, de façon continue, les plus modérées qui soient et, de façon générale, les plus justes ; on n'y décèle presque jamais ni erreur, ni gauchissement ni déperdition du sens ; elles sont, pour la plupart, destinées à rendre le texte de Chrétien - un demi-siècle ou trois quarts de siècle plus tard - plus lisible, plus coulant, plus clair, plus "moderne" sans doute. Mais, encore une fois, de façon plus discrète (et, généralement, plus élégante) que ne le fait aucun autre copiste. Et sans aucune prétention. Le responsable de TV était un homme intelligent et sage, et ses deux successeurs, les responsables de T et de V, sont aussi mesurés que lui [25].

Le copiste de U.

En ce qui concerne le texte du Conte du Graal, la copie de U apparaît moyennement retouchée. Avec plus de 600 variantes, ce manuscrit se situe entre P et R. Ses interventions ne sont pas heureuses ; dans une centaine de cas, le copiste écrit un non-sens, ou pèche contre la syntaxe ou la logique ; ses autres réfections sont superflues, ou inopportunes, ou plates. Le copiste de U est, après celui de S, le moins intelligent, le moins soucieux (ou le plus incapable) de comprendre le texte qu'il reproduit ; ce ms. abonde en mauvaises lectures. Ses additions, relativement nombreuses (15) sont banales ou bizarres : elles gâtent le texte, la versification même, et n'apportent jamais rien d'utile. Le nombre de ses lacunes est également assez élevé (26) et la plupart affecte gravement la compréhension du texte ; elles sont dues à l'inattention, car jamais le copiste ne se mêle de corriger le contexte. Le grand nombre des mots non compris résulte sans doute de la date tardive de la copie ; pour celui des mots rares (et parfois étranges), ce manuscrit, dit A. Micha, vient en tête. En somme, un copiste passablement médiocre [26].

Le copiste de M.

Le ms. M est assez peu retouché : 434 variantes individuelles d'une certaine importance. "Les impropriétés dominent", écrit
A. Micha ; certaines ne sont pas très graves, mais le terme substitué
est moins juste ou plus faible que celui de Chrétien ; quelques réfections sont provoquées par une mauvaise lecture, mais les véritables
bourdes y sont l'exception. Le copiste de M est loin d'être inintel-
ligent.

Il n'est pas non plus prétentieux, et ne fait aucune addition.
Tout au plus est-il parfois distrait, comme le montre la majorité
de ses omissions (une vingtaine) : il laisse tomber quelques vers sans
raison apparente ; parfois il saute du même au même, ou bien il
est victime d'une rime trop riche ou équivoquée (il croit avoir déjà
copié le second vers du couplet) ; il se montre gêné par les inversions,
par les termes rares ; il est parfois conscient de la coupure qu'il
opère, puisqu'il refait le contexte. En particulier, il contredit Chrétien
à propos de la Lance qui saigne ; il saute deux vers et refait le troisième : la pes sera par ceste lance, au lieu de sera destruiz par cele
lance, cf. vv. 6169-71. En conclusion, nous avons avec M un copiste
plutôt attentif, soigneux et conscient [27].

Le copiste de Q.

Le ms. Q, qui fait souvent groupe avec M, est, lui, l'un des
plus mauvais du Perceval. A. Micha a relevé 670 variantes individuelles ; selon lui, le texte de Q "est copieux surtout en impropriétés
(32 cas), en bizarreries (16 cas) ; il s'y trouve 22 vers inexplicables ...
16 vers où le sens est mauvais" : à cinq reprises, au moins, il dit
"le contraire de ce qu'on attendait [28]." Les quelques exemples donnés
par Micha sont édifiants : le copiste a l'art d'amener un non-sens
au milieu du vers le plus clair ; il écrit, sans aucune justification
(et sans s'en rendre compte), précisément le contraire de ce qu'écri-

vait Chrétien, ou encore quelque chose qui n'a rien à voir avec le texte de son modèle.

Sa dizaine d'additions n'a aucun intérêt et ne sert qu'à montrer sa sottise ; il gâte, par ses délayages, les expressions les plus belles et les plus justes. Ses 26 lacunes procèdent du même esprit et ont le même effet ; il semble bien qu'aucune ne soit le fait de la distraction : c'est intentionnellement que le copiste saute 2, 4 ou 6 vers qu'il juge superflus et, si besoin est, il corrige le contexte. Ces lacunes deviennent très nombreuses entre les vv. 6950 et 7900 : a-t-il eu à ce moment-là un modèle particulièrement lacunaire, ou bien a-t-il été pris lui-même d'une fringale de coupure ? En somme, le copiste de Q ne manque pas d'attention : il a peu d'intelligence, encore moins de goût ; il a l'esprit assez faux.

Le copiste de E.

Le ms. E est l'un des plus anciens ; il a peut-être été exécuté du vivant de Manessier, dont il nous transmet la Continuation. En ce qui concerne le Conte du Graal, il est parmi les moins retouchés. A Micha a relevé 115 variantes individuelles, sur 3741 vv., ce qui représente une proportion analogue à celle de L. et supérieure à celle du seul T. Mais, avec "huit vers inexplicables ... sept non-sens" et un assez grand nombre d'impropriétés, il apparaît nettement moins bon que L et T. Le copiste de E fait fréquemment de mauvaises lectures, dont certaines sont impardonnables et ne plaident pas en faveur de son intelligence ; il se permet des retouches, des substitutions, qui ne sont presque jamais heureuses. Ses omissions ne sont pas nombreuses (4 pour le fragment), mais elles sont fâcheuses, encore qu'explicables et conscientes. Il ne fait aucune addition, et ne témoigne donc pas encore de cette manie qu'il aura, en copiant la Continuation-Gauvain, d'aller chercher des compléments dans un modèle secondaire : il est vrai que la question ne se pose guère pour un roman de Chrétien [29].

136

En somme, dans l'ordre décroissant d'excellence, nous avons :

1er : T - 230 var. ; pratiquement pas d'erreurs ; intelligent, discret ; veut rendre le texte plus lisible ;

2e : L - 290 var. ; peu d'erreurs ; soigneux ; parfois distrait ou pressé ;

3e : E - [115 var.] ; impropriétés, mauvaises lectures ;

4e : A - 500 var. ; peu d'erreurs ; nombreuses coupures volon taires ; veut rendre le texte plus courtois (en fait l'affaiblit); intelligent mais prétentieux (hyper-courtois) ;

5e : M - 434 var. ; impropriétés, distractions ; assez intelligent, pas prétentieux ;

6e : P - 550 var. ; trop d'expressions ou de mots non compris, obscurités, bizarreries ;

7e : R - 650 var. ; manie d'abréger ; piètre psychologue, indif- férence (sinon hostilité) à la courtoisie ; aucun humour, ten- dance au rabâchage, esprit chagrin (hypo-courtois) ;

8e : U - 600 var. ; réfections illogiques ou inopportunes ; trop de mauvaises lectures ; inattentif et peu intelligent ;

9e : Q - 670 var. ; trop de coupures ; impropriétés, bizarre- ries, non-sens ; esprit faux ;

10e : S - 830 var. : le record ; généralement stupide (oiseux, prétentieux, sans goût, etc.).

Un mot, enfin, des groupements de ces copies. Dans le Conte du Graal, ils se font et se défont. A. Micha a fait justice du bel arbre généalogique de Hilka, que rien, finalement, ne fondait de façon durable [30]. Micha ne trouve, lui, que deux groupes, fort restreints, qui ne semblent guère se démentir : AL et RU, d'où, de temps à autre, les groupements ALR (notamment entre les vv. 6700 et 7300) et, plus vaguement, ALRU ; - le groupe MQ est également assez stable, mais se disloque entre 7300 et 7800, et le groupe MS apparaît plus consistant que lui dans les 4 000 premiers vers ; le groupe PS est éphémère ; le groupe EMQ est assez net (à la fin de l'oeuvre) ; l'histoire du groupe MQS est fort embrouillée ; le groupe APSU apparaît entre les vv. 6160 et 6740. Mais tout cela est d'une simplicité enfantine au regard de ce que l'on peut observer dans la <u>Continuation-Gauvain</u> !

Avant d'aborder celle-ci, il peut être instructif de revenir plus en détail sur le "cas Guiot", sur ce ms. <u>A</u> qui apparaît comme le chef de file de la rédaction courte de la <u>Continuation</u>. N'y a-t-il pas quelque rapport entre le comportement habituel de ce copiste devant le texte du <u>Conte du Graal</u> et la tonalité particulière de sa version de la <u>Continuation</u> ?

LE CAS GUIOT (MS. <u>A</u>)

Guiot est donc le plus ancien copiste de Chrétien et, à ce titre, et comme il est fort intelligent et que son texte est très lisible, on lui a fait, au XXe siècle comme au XIIIe, trop confiance. Mario Roques, puis Félix Lecoy l'ont fait imprimer sans sourciller et sans le corriger, mais ce n'est pas le texte de Chrétien que nous lisons dans les "C.F.M.A.", c'est celui de Guiot. Aucun copiste n'a poussé plus loin et plus insidieusement l'art du ramaniement discret et efficace. Ph. Ménard a récemment critiqué, avec sévérité et justesse, dans les 4500 premiers vers du <u>Conte du Graal,</u> un certain nombre de fautes manifestes que le dernier éditeur n'a pas cru devoir amender, ou s'est ingénié à justifier [31] ; on peut en trouver beaucoup d'autres.

Passons rapidement sur les faits de langue - mais qui conditionnent souvent ceux du lexique, car ajouter un pied en développant une forme contractée ou enclitique (comme <u>jel</u>, <u>jes</u>, <u>nel</u>, <u>nes</u>, <u>sel</u>, <u>ses</u>, que Guiot n'aime guère) peut obliger à remplacer un substantif, un adjectif ou un verbe par un (presque) synonyme qui comporte une syllabe de moins ; un exemple entre, peut-être, une trentaine :

> ses leissa lor duel demenant (Chrétien, sans doute)
>
> si les leissa lor duel feisant (Guiot, Perc., 2652/50)

(le premier numéro est celui de l'édition Hilka ; le second, de l'édition Lecoy) ; notons que la rime de Guiot est bien moins riche (isnelement : feisant) que celle de son modèle (maintenant : demenant) et portons cela à son actif : il ne cherche pas la rime riche, ce qui est en soi, nous le verrons, une preuve d'ancienneté. Ou encore c'est une conjonction ou un adverbe qui doit sauter : et aux vv. 3001/2995 et 4098/84, ja au v. 2961/55, mais au v. 4098/80, etc. Broutilles? Mais c'est ainsi qu'on démolit un style et une logique. Démarche inverse : une forme dissyllabique, jugée peut-être trop lourde (un peu archaïque ?), comme trestuit (etc.), est remplacée par une monosyllabique (tuit, etc.), et là il faut trouver un pied de plus ; à 15 reprises A fait cette opération - parfois seul, parfois associé avec S, ou M, ou T - au prix d'acrobaties assez élégantes, mais aussi d'une répétition fâcheuse (1345/41), de l'emploi d'un mot rare (entaschiez, 2443) ou d'un diminutif (boclete, 2803), de l'interversion partielle des vers d'un couplet (3300-1/3288-9), d'une altération plus ou moins grave du sens (2757/55, 5593/37), de l'addition d'un verbe (2718/16) ou d'un lien syntaxique nullement nécessaire (5761/695, 7680/428).

C'est ainsi, petitement, que l'on commence, et le pli se prend. Il serait facile de décupler les exemples. C'est peut-être d'abord pour des raisons "grammaticales" que le copiste prétentieux lève sa plume, cherche et trouve un mot de remplacement ; cette gymnastique de l'esprit lui plaît, le repose peut-être ; il se prend au jeu, et bientôt ce sera sans raison particulière qu'il changera, pour le plaisir de changer. Cela ne tire pas à conséquence, de changer chose en rien, avoir en argent, corage en talent, covenir en estovoir, armer en atorner, arester en atarder, peser en anuier, araisnier en aparler, etc. On en remplirait des pages ! Le copiste ne se rend pas compte que, peu à peu, il altère, il gauchit l'idée ; il s'y habitue, et il en vient à contredire son modèle, à affirmer qu'il veut mieux doner au lieu de laisser beer, alors que Chrétien avait écrit veer (1027/25 - ici encore la rime est moins riche !), à nous montrer le "sot" iriez, alors qu'il est toz liez (1254/50), ou les assaillants de Beaurepaire sarré et atirié, alors qu'il sont desreé et desrangié (2465/63 - rime bien moins riche que chez Chrétien), à préciser que, si le faucon abandonne l'oie sauvage, c'est qu'il est trop tard, quand Chrétien avait écrit trop main (4182/62) - c'est l'un des plus beaux symboles de l'oeuvre qui s'évanouit ! On a souvent répété comme un compliment que Chrétien était "déjà un classique" : mais Guiot l'est bien plus que lui, et c'est sans doute celui-ci qui a mérité à celui-là une telle réputation, par son souci constant d'élégance, de variété (il fait la chasse aux répétitions !), de bon ton, de clarté (nombreuses modifications syntaxiques, rétablissement du sujet sous-entendu), de légèreté (il élimine ou réduit souvent les énumérations, les accumulations), d'aisance (il démembre de longues périodes de Chrétien, substitue souvent la parataxe à la syntaxe, etc.). Un grand nombre de subtilités du maître lui échappent : son humour, son ironie, son goût de la litote, ses outrances calculées, son lyrisme discret. Sans cesse, Guiot tend à rendre manifeste ce qui est latent (dans la mesure où il le comprend) et, inversement, à atténuer, voire à refouler, la réalité que Chrétien décrit et qui n'est pas toujours de bon goût.

Le mot-clé de ses préoccupations est la courtoisie. D'abord ne pas choquer. Guiot remplace de pute ore par de male ore (3435/23). Cachez ce sein : les larmes de l'infortunée Pucelle du Pavillon ne lui coulent que jusqu'au manton - chez Chrétien, jusqu'au sain (3735/19) ; vêtue de lambeaux, elle essaie de couvrir sa char, écrit Chrétien - de se mieux couvrir, corrige Guiot (3743/27). L'idée de Perceval et Blanchefleur dans le même lit ne peut être estompée ; Perceval la trouve toute naturelle, puisque ledit lit est assez large (lez, 2055), mais on s'interroge sur l'idée que Guiot se fait de ce lit, lorsqu'il écrit, lui, qu'il est "assez long" (2053) ! L'autre bien qu'évoque Blancheflor pourrait être l'amour (2095) : Guiot élimine l'expression, et le doute. Cela peut aller loin : jusqu'à remplacer le verbe enfanter (à propos de la Vierge Marie) par le verbe naistre (6276/6068) !

Ensuite atténuer le plus possible les mentions des réalités désagréables. C'est déjà assez que de nommer le duel, l'angoisse, la destrece, il est inutile de les renforcer par grant : l'adjectif est supprimé (v. 3639/25 - au prix d'un hiatus ; v. 6777/533 - au prix d'une tournure on ne peut plus alambiquée que l'éditeur, dans son Glossaire, s'ingénie à justifier). Même hypothétique, un accident fâcheux ne doit pas être accentué ; Guiot supprime molt devant grief (3686/72 : cette fois l'éditeur a rétabli la leçon commune). Le verbe mesavenir est moins fort que meschëoir (4358/34) ; se demanter ("donner libre cours à son désespoir") est moins bruyant, moins gênant pour les autres, que crier et plorer (3432/20). La cousine va jusqu'à maudire l'heure où elle fut engendree - deux idées malséantes : deux vers sont coupés, le reste est refait (3436-39/24-25). Chrétien écrit que le roi Arthur a molt grant pesance de la blessure de Keu (4330) ; ceci est désagréable, d'une part, et, d'autre part, l'on n'a pas à s'apitoyer sur le discourtois sénéchal - Guiot et le copiste de R sont d'accord pour refaire complètement le vers en le raccordant à ce qui précède : (Perceval se rappuie sur sa lance) por esgarder cele samblance (4306). La Pucelle aux Petites Manches a seulement failli avoir honte (5347/13 : por po au lieu de por vos) - elle a pourtant reçu une gifle magistrale : qu'est-ce qu'il lui faut de plus ! On pourrait quadrupler le nombre de tels exemples.

La réalité la plus désagréable est évidemment la mort, et Guiot fait son possible pour l'éluder. On ne compte dans son texte que 115 occurrences du verbe morir ou du substantif mort, contre 128 dans celui de ms. L. "Einz m'oci tu", dit Anguingueron à Perceval au v. 2312/08, se répétant ainsi à deux vers d'intervalle, mais la formule est moins sinistre que celle qu'employait Chrétien : "La iert ma morz"; c'est peut-être une bourde, mais elle est significative. La cousine, inconsolable, ne veut pas quitter le mort, de la mort duquel son coeur li diaut (3689-90) ; Guiot trouve sans doute trop lourde la répétition,

ou l'insistance : il fait sauter le second <u>mort</u>, le remplaçant par <u>mout</u>
(3675-76). Les reines et leurs pucelles se désolent de voir partir Gauvain vers le Gué Périlleux, c'est-à-dire <u>a sa mort</u> (8456) ; Guiot corrige : <u>a sa honte</u> (8202). Deux vers où Chrétien résume la vive bataille
devant Beaurepaire :

> ... cestui <u>ocit</u>, cestui afole,   <u>Perc</u>. 2452-53
> celui abat, et celui prant

sont condensés par Guiot en un seul :

> ... cestui abat, cestui afole   (CFMA, 2450)

le vers suivant étant refait - le verbe <u>ocire</u> a disparu. L'idée, émise
par Perceval, que sa mère puisse être morte ("... <u>se ele est vive</u>",
2993) est changée par Guiot en celle que la mère soit en bonne santé
("... <u>sainne et vive</u>", 2985) ; sans doute le hiatus <u>se ele</u> autorisait-
il une réfection, mais d'autres copistes ont corrigé en <u>s'ele estoit</u>
<u>vive</u>. La Veuve Dame disait à son fils tout ce qu'il devait faire pour
arriver "à bonne fin", et l'idée était soulignée par l'expression <u>"en</u>
<u>cest siecle"</u> - par opposition à la vie <u>post mortem</u> : Guiot la fait
sauter (570/68). Ici encore, certaines réfections frisent le comique :
les marchands de la nef qu'un vent heureux amène à Beaurepaire
ont des bêtes sur pied, <u>por tuër</u> (R : <u>por cuire</u>) ; Guiot substitue
<u>por vandre</u> (2541/39), comme si les assiégés affamés allaient les reven-
dre !

Guiot adoucit les échanges de réparties trop vives ; il supprime
un <u>"Teisiez</u> !" trop peu courtois (7622/370), un <u>"ce est la some"</u> trop
catégorique (2496/94) ; il adoucit un <u>"je le vos comant"</u> (le Roi-Pêcheur dit à Perceval de s'asseoir près de lui) en <u>"jel vos lo bonement"</u>
(3118/06) et transforme donc un ordre en une demande plus enrobée ;
ainsi encore aux vv. 4028 et ss. : "<u>je voldroie</u>, dit l'Orgueilleux, que
la reine et ses pucelles viennent entendre ce que j'ai à dire" - chez
Guiot : "<u>Mes tant anquerre vos voldroie</u>" (4009). Les formules tran-
chées, voire impertinentes, introduites par <u>qui que</u> (du type "qui qu'en
grogne"), ne lui plaisent pas, il les refait (2698, 6044). A trois reprises,

la malheureuse amie de l'Orgueilleux crie à Perceval "Fuiiez !" :
Guiot saute la troisième (couplet 3015/16 omis) ; c'est bien le même
qui, dans la Charrette, sautait la troisième sommation du Défenseur
du Gué à Lancelot (v. 757-62), ce qui ne l'empêchait pas, ensuite,
de parler de trois foiees ! Guiot trouve superflu de retranscrire les
injures que Perceval n'adresse pas - n'adresse plus ! - au Roi-Pêcheur
lorsqu'il a enfin aperçu son château : les vv. 3061-64 sont sautés -
même niée, une injure n'est pas de bon ton. Est-ce pour éviter les
répétitions ? Certes, mais surtout celles des choses désagréables.
Les pénitents du Vendredi Saint ont fait suffisamment de reproches
à Perceval : Guiot saute le couplet final (6299-300).

Dans ses nombreuses lacunes, donc, on retrouve les mêmes
hantises : celles de la mort, de la chair, du sang - fût-ce celui
de l'oie sauvage (4199), ou de la Lance (6375-78) ! Celle de la chair
de la femme, surtout (3727-28). Celle de la femme elle-même :
pourquoi a-t-il supprimé la fin des "trois conseils" de l'oncle ermite,
où il était question d'aider les pucelles, les veuves et les orphelines
(v. 6465-70) ? Parce que cela lui semble impropre dans la bouche
du saint homme ? Parce que la mère et le mentor (Gornemant)
l'ont déjà dit ? Parce que les mots veve et orfeline évoquent des
réalités désagréables ? Parce que Chrétien attribue à cette "bonne
oeuvre" (aumosne) une valeur enterine ? Pour toutes ces raisons,
sans doute, et d'autres. Mais on ne dira pas que le sens du roman
n'en prend pas, familièrement parlant, un sérieux coup dans l'aile !

Et de couper allègrement toute une scène, de 140 vers, l'une
des plus fameuses et des plus pittoresques de l'oeuvre de Chrétien :
le siège de Gauvain et de la soeur du roi par la "commune" des
bourgeois d'Escavalon. Car il y a là tout ce qui peut déplaire à
Guiot : la posture plutôt ridicule du héros, le comportement viril
de la princesse qui, de surcroît, jure comme un charretier et fait
pleuvoir, outre les pièces d'échecs, les injures sur les bourgeois :
"Hu, hu ! fet ele, vilenaille, / chien enragié, pute servaille ...!" etc.
(5955 ss) ; il y est question de gros et gras, de trahison, de mort,

de colère, de vilains, de pueple, de fourches, de fléaux et de massues, de limace, d'écerveler, etc. C'est d'un grotesque ! C'est ubuesque avant la lettre. C'est intolérable. Imagine-t-on cela débité dans la "chambre des dames" ? Quatre vers suffisent (éd. Lecoy, 5821-24), d'une platitude insigne.

Imaginons, maintenant, que cet homme intelligent, qui sait ce qui lui plaît et ce qui ne lui plaît pas, et agit en conséquence, avec logique et constance, qui maîtrise ordinairement la langue et la versification, qui sait faire - qui aime à faire - des retouches habiles, imaginons qu'au lieu d'avoir devant lui le roman le plus fameux et l'écrivain le plus célèbre du XIIe siècle, une oeuvre d'une rigueur et d'une subtilité exemplaires, il ait un texte absolument composite, sans rime ni raison (à la fois sans aucune recherche de versification et sans aucune nécessité intérieure), sans queue ni tête (la première mise à part, rien n'interdit de bouleverser l'ordre des Branches), sans véritable progression, bourré de redites (scènes parallèles de bataille, topos d'Arthur pensif au retour d'une chasse), que va-t-il faire ? On lui demande ce texte : il va le copier. Mais va-t-il laisser passer tout ce qui lui déplaisait et qu'il retouchait dans le roman de Chrétien ? Il ne serait plus lui-même. Si l'un des dix copistes de notre Continuation a eu la volonté et la possibilité de procéder à un incessant remaniement du texte du "premier auteur", c'est bien Guiot. Gageons donc que, des deux versions imprimées par Roach en regard l'une de l'autre, c'est celle où A sévit qui est la plus remaniée - peut-être même la seule remaniée. Aucun autre copiste n'a montré qu'il était capable de - qu'il voulait et qu'il pouvait - prendre de telles libertés avec un modèle.

Autre argument qui, par la négative, va dans le même sens : Guiot ajoute peu aux textes de Chrétien, et la version A de la Continuation n'est pas plus longue que la version L. C'est R qui fait des additions dans le Perceval, et il en fera encore davantage dans la Continuation ; c'est S qui ajoute 70 couplets au Conte du Graal, et il ne s'arrêtera pas en si bon chemin. Guiot change, rectifie, corrige, etc., mais il ne délaye pas, et il n'invente rien. C'est ce qu'il va continuer à faire, mais il y aura tellement plus de choses à amender ! Les autres copistes écrivent, pour la plupart, trois quarts de siècle, ou un siècle, ou plus même, après l'époque où l'oeuvre a été composée, et, s'ils touchent au texte, c'est souvent pour le rajeunir, le mettre au goût du jour. Guiot, lui, est encore plus près de la Continuation-Gauvain rassemblée (sinon de la première mise par écrit de certains des "contes d'aventure" qui y sont juxtaposés) que de Chrétien lui-même ; après tout, s'il travaillait dès 1213, il pourrait en être l'auteur : il est d'autant plus à l'aise pour la remanier. Il la comprend, pourrait-on dire, comme s'il l'avait faite ... mais il ne l'aurait jamais faite ! Aussi tente-t-il de limiter les dégâts !

Un mot, enfin sur les associations, dans le Conte du Graal, du ms. de Guiot (A) avec d'autres copies. Les leçons particulières et les additions du groupe AL ne portent pas la trace de la main de Guiot (ne témoignent d'aucun de ses soucis et de ses hantises), et il en va de même pour celles du groupe ALR. Il semble bien que l'accord de ces trois mss, qui sont parmi les meilleurs et les plus anciens, nous donne le texte même de Chrétien, ou reflète le travail d'un copiste antérieur à Guiot. Par contre, certaines leçons de AB semblent imputables à Guiot : ainsi, aux vv. 6501-04, la suppression de frugal menu de l'ermite, que Perceval doit partager (erbetes, cerfuel leitues et cresson, pain d'orge et d'avoine !), ou celle, dans la présentation des "valets" du Palais de la Merveille, des plus âgés (plus blans que laine, 7572) - la vieillesse est aussi une chose désagréable. Et surtout les leçons propres au groupe A (C)PSU, aux vv. 5061-62 (insistance des dames à accuser Gauvain de n'être qu'un marchand), 6077 (substitution de merveillier à correcier, avec rime moins riche), 5092 (substitution de paroles à ranposnes), 6082 (vers refait pour gommer la comune), 6163-66 (condensation du passage relatif à la Lance qui saigne : des deux verbes lermer et plorer on ne garde que le second, on élimine aussi un des deux messire), 6733-34 (l'Orgueilleuse ne pourrait pas maîtriser le destrier de Gauvain), 6752 (suppression de "cent" devant les deable auxquels les spectateurs la vouent), 9041-42 (évacuation d'une hypothétique pesance). On sait que le groupe ASPU, qui n'apparaît nettement qu'entre les vv. 6000 et 6800 du Perceval, va se maintenir (à l'exclusion de U, qui va et vient) pendant toute la Continuation, et que A en est évidemment le chef de file.

PHYSIONOMIE DES REDACTIONS
DE LA CONTINUATION-GAUVAIN

Procédons d'abord à une rapide mise en place des rédactions, Branche par Branche, d'un point de vue purement "matériel", c'est-à-dire en examinant la longueur des épisodes, les additions et les suppressions attestées sur les manuscrits et les groupes.

Branche I : GUIROMELANT

L : 1070 vv.	T : 2053 vv.	
A : 1172 vv.	M : 2268 vv.	
S : 1066 vv.	Q : 2279 vv.	
P : 1008 vv.	E : 5508 vv.	
R : 1405 vv.	U : 5430 vv.	

La branche I est caractérisée d'abord par l'interpolation de longs épisodes dans le groupe TMQEU (visite de Gauvain au château du Graal, conclusion de l'épisode d'Escavalon) et surtout dans le groupe EU (la Pucelle au Cor d'ivoire, le château désert et la pucelle violée par Greoreas, la délivrance de la demoiselle de Montesclaire et l'épée aux étranges renges), ensuite par une différence extrême entre la rédaction MQ (EU) et les autres (L, ASP, T, R), enfin par le fait que le manuscrit R ne contient qu'elle.

Les rédactions L, ASP, T et R sont assez proches les unes des autres : T est généralement plus proche de L, alors que R l'est de ASP : c'est à partir du milieu de la branche que L et ASP se mettent à diverger. La rédaction A présente de nombreuses additions (une trentaine), généralement d'un couplet, surtout vers le milieu de la branche. Le manuscrit P présente au contraire de nombreuses lacunes (une vingtaine) qui se multiplient surtout vers la fin. La copie de S est assez sage. Le groupe SP est fort ; on serait tenté de croire, d'après la présentation de l'éditeur, qu'il s'écarte souvent de A : en fait, c'est A qui s'écarte souvent de la "version commune". ainsi que le manifestent alors les accords de SP avec L (T, R). Le responsable de la version T se montre assez modéré dans ses incessantes réfections et dans ses additions (une quinzaine, généralement d'un couplet). Celui de R remanie moins, mais interpole de longs passages (5O, 1O4 et même 152 vers).

La rédaction MQ n'a presque rien à voir avec la "version commune" ; on peut à peine parler de remaniement ou de réfection : si la matière est la même, la mise en écriture est totalement différente. Quant au responsable du groupe EU, il compile : c'est-à-dire qu'il additionne les deux rédactions ; il "farcit" le texte de MQ d'emprunts (une quarantaine) faits à la "version commune" - emprunts qui peuvent aller jusqu'à des tranches de 4O, de 5O, même de 88 vers [32]. Ce procédé va en s'intensifiant, surtout dans le dernier tiers de la partie commune. Ni M ni Q ne semblent faire d'additions ; par contre, ils font quelques suppressions, plus nombreuses dans M (une dizaine), plus importantes dans Q (une demi-douzaine, dont une de 22 et une de 46 vers). Le copiste (?) de U est assez sage dans la partie commune, un peu plus libre dans les grandes interpolations (une quinzaine de lacunes - à moins qu'il ne s'agisse d'additions de E). Celui de E est encore plus modéré, sinon qu'à deux reprises, il saute deux colonnes de 32 vers (128 en tout).

Branche II : BRUN DE BRANLANT

L : 976 vv.   T : 1029 vv.

A : 880 vv.   M : 410 vv.

S : 868 vv.   Q : 410 vv.

P : 845 vv.   E : 1162 vv.

                       U : 1172 vv.

Cette branche II est caractérisée par l'abandon de MQ qui, après deux cents vers, se met à résumer fortement l'épisode des pucelles assiégées (en 55 vers, contre environ 150), omet complètement ceux de la blessure de Gauvain (environ 200 vers) et de ses amours avec la Pucelle de Lis (environ 200 vers), et ne donne que les grandes lignes de ses combats contre les frères (?) de ladite Pucelle (en 34 vers, contre environ 300) - sans doute parce que ces épisodes seront racontés en détail par Gauvain dans son récit rétrospectif de la Branche IV.

Les versions L et ASP sont assez différentes dans les premiers épisodes, et tendent à se rapprocher à partir du milieu de la Branche. Le manuscrit L offre davantage de leçons particulières que dans la Branche I. Au contraire, le manuscrit A en présente beaucoup moins (il ne fait que 5 additions), car il reste bien plus proche de SP. Le copiste de S semble un peu moins sage que dans la Branche I ; celui de P le serait plutôt davantage : il pratique un peu moins de coupures. Le groupe SP reste cohérent. La rédaction de T reste caractérisée pour la réfection incessante et la propension au délayage ; elle est plus proche de ASP que de L.

Le groupe EU reste très soudé. Lorsqu'elle peut suivre MQ, la rédaction EU ne manque pas de le farcir d'emprunts à la "version commune" (de L, parfois de ASP) ; quand MQ lui fait défaut elle copie fidèlement un texte très proche de L, qu'elle ne manque pas de farcir à son tour d'un emprunt au résumé de MQ (v. 6627-54) ! la copie de E est plus littérale, celle de U est plus lâche (7 additions et 4 suppressions d'un couplet).

Branche III : CARADOC

L : 1225 vv.	T : 5652 vv.
A : 1202 vv.	M : 5765 vv.
S : 1360 vv.	Q : 5739 vv.
P : 1885 vv.	E : 5836 vv.
	U : 3814 vv.

La tradition manuscrite de la branche III est encore plus complexe que celle des deux premières. Il y a deux rédactions extrêmement différentes : une courte, représentée par LASP (mais P suit aussi la longue), et une longue, celle de TEMQU (mais T d'une part et U d'autre part suivent aussi la courte) , qui ajoute au récit de grandes interpolations, dont une description d'un tournoi, réputée la plus "ennuyeuse" de toute la littérature médiévale (plus de 1500 vers !).

L et A sont plus proches l'un de l'autre qu'ils ne l'ont jamais été. Contrairement à ce qui se passait jusqu'à présent, c'est L qui semble le plus indépendant des deux : il contient une dizaine de couplets absents des autres manuscrits et présente de nombreuses variantes (?). Si A semble beaucoup plus sage, c'est qu'il constitue avec S un groupe très fort, dont il s'écarte peu, alors que S ne se prive pas de le faire, notamment par ses nombreuses additions (plus d'une cinquantaine). La copie de P est plus fidèle que celle de S au groupe ASP, mais elle lui fausse compagnie pour raconter, selon la rédaction longue, la rencontre mouvementée de Cador et d'Aalardin ; P ne contient pas la description du tournoi, mais continue à suivre un temps la rédaction longue (récit du châtiment d'Elia- vrès) puis revient à la courte pour les six cents derniers vers. Quant à U, qui jusqu'à présent suivait la rédaction longue, il la quitte pour suivre la courte pendant plus de 4 000 vers (jusqu'au début de la branche V) ; ce premier "virage" intervient juste après le retour à P à la courte, et le groupe PU demeurera très uni tout le temps que U restera dans la famille ASPU.

Côté rédaction longue — dont le texte n'a presque rien à voir avec celui de la courte, sauf à partir du milieu de l'avant dernier épisode (le sein d'or) —, le groupe MQ est caractérisé par d'assez nombreuses suppressions (mais sans doute s'agit-il d'additions de EU). La copie de M est extrêmement fidèle au groupe, tandis que celle de Q montre une propension accentuée (depuis la première branche) aux additions (une quinzaine) et surtout aux suppressions (une trentaine). Cette propension est beaucoup plus faiblement attestée dans U et encore plus dans E, presque aussi fidèle que M. Quant à T, qui suit la rédaction courte jusqu'au moment où la longue se met à interpoler des épisodes entiers, il continue de se livrer à son démon du délayage, mais pas constamment : il ajoute très peu à l'épisode de la Décapitation et au premier épisode d'Aalardin, puis, après avoir encore amplifié l'insupportable tournoi, il s'assagit et se montre fort respectueux du texte de la rédaction longue. Il lui fausse compagnie au moment d'aborder le couronnement de Caradoc, revient à un texte assez proche de L et, dès lors, se remet à ajouter (54 vers de description du château d'Aalardin, etc...) ; trois cents vers avant la fin il revient à la rédaction longue, laquelle tend d'ailleurs - enfin - à se rapprocher de la courte, et la suit fidèlement.

Branche IV : Le CHASTEL ORGUELLEUS

L : 3490 vv.	T : 3972 vv.
A : 3452 vv.	M : 3989 vv.
S : 3690 vv.	Q : 3790 vv.
P : 3855 vv.	E : [4326 vv.]
U : 3824 vv.	

Avec la Branche IV, c'en est fini des grandes interpolations et des longs délayages. La rédaction longue a pris fin. Il n'y a plus qu'un texte, sur lequel s'effectue petitement, opiniâtrement, le travail des remanieurs. Un seul accident : la dualité de rédaction du récit rétrospectif que fait Gauvain de ses amours avec la Pucelle de Lis - un joyeux flirt selon <u>LAS</u> (conformément à la narration de la Branche II), un viol odieux selon tous les autres (dont <u>PU</u>, qui se détachent alors du groupe <u>ASPU</u>) : cette version aberrante (?) est presque trois fois plus longue que la version normale (?) : environ 66O vers contre 26O.

La version de <u>L</u> est la plus différente ; sa longueur égale à celle de <u>A</u> ne doit pas nous tromper : en maint endroit <u>L</u> semble développer ou résumer le texte - à moins que ce ne soit le premier responsable des autres versions qui résume ou développe ? Sans cesse, dans le détail, sa rédaction s'écarte des autres, mais sans cesse, elle les rejoint (ou ils la rejoignent ?), notamment celle de <u>PU</u> et, bien sûr, celle de <u>E</u>. Le manuscrit <u>A</u> s'écarte toujours très peu du groupe <u>AS</u> (une douzaine d'additions, une demi-douzaine de lacunes), mais c'est <u>S</u> qui le fait, et abondamment : 34O vers ajoutés et 1OO supprimés, pour ne pas parler d'innombrables variantes. Le groupe <u>AS</u> s'affirme cependant avec force, en regard de <u>PU</u> qui se rapproche beaucoup plus (ou s'écarte beaucoup moins) de <u>L</u> : <u>AS</u> fait 36 additions et 17 suppressions. Le groupe <u>PU</u>, qui se détache donc de la version dite "courte" à l'occasion du récit de Gauvain, reste cohérent d'un bout à l'autre : <u>P</u> demeure modéré dans les additions et les omissions ; <u>U</u> l'est moins (14 additions, 25 suppressions, surtout vers la fin).

Les rédactions dites "longue" (<u>MQU</u>) et "mixte" (<u>T</u>) n'en font plus qu'une. Le responsable de <u>T</u> est devenu subitement très raisonnable : il ne s'écarte presque jamais de <u>MQ</u>. Ni <u>M</u> non plus : c'est <u>Q</u> qui continue à pratiquer de nombreuses coupures (56 en tout). Quant à <u>E</u>, il continue imperturbablement à farcir la rédaction <u>MQ</u> d'emprunts faits à un texte proche de <u>L</u>, surtout lorsque celui-ci présente une version divergente ou plus complète. Notons que <u>U</u> n'a plus aucun rapport avec lui, sinon lorsque tous deux concordent avec <u>L</u>.

Il y a donc maintenant trois rédactions courtes : - <u>L</u>, <u>ASPU</u> et <u>TMQE</u> - dont les relations sont fort complexes et fort variables

Branche V : GAUVAIN AU CHATEAU DU GRAAL

L : 1546 vv.	T : 1412 vv.
U : 1542 vv.	P : 1201 vv.
M : 1530 vv.	S : 1220 vv.
Q : 1524 vv.	A : 1558 vv.

Le texte unique continue dans toute la Branche V : il n'est rompu que par l'interpolation, dans les manuscrits LAMQU, du récit du Roi sur les origines du Graal ("Evangile de Nicodème"). Le travail des remanieurs devient moins systématique - sauf en ce qui concerne T et AS. Les groupes LU et MQ tendent à se rapprocher, souvent rejoints par T , lequel semble entraîner ASP à sa suite.

A de très rares exceptions près, L ne s'écarte pas du sous-groupe LU, et même du groupe LUMQ. Le sous-groupe LU ne se permet guère plus de fantaisie, tandis que MQ se montre un peu plus indépendant avec 2 additions et 4 omissions. Le texte de U reste très fidèle à LU(MQ), et celui de M à MQ(LU). Le copiste de Q s'est considérablement assagi (2 lacunes d'un couplet). Cette cohésion a-t-elle quelque chose à voir avec l'absence de E, dont la perte de deux cahiers nous prive de toute cette branche ?

Le responsable de T, lui, s'est remis à délayer (plus d'une soixantaine d'additions) et à changer pour le plaisir de changer. Celui de S continue à supprimer (34 lacunes) mais ajoute beaucoup moins (6 couplets seulement). Celui de P ajoute peu, mais retrouve son taux de suppression des deux premières branches (18 fois). Si le copiste de A ne se permet guère de libertés (6 additions), le responsable de AS intervient une trentaine de fois de façon voyante, presque toujours pour allonger (76 vers ajoutés, 6 omis).

Notons que dans l'interpolation de l'Evangile de Nicodème les cinq manuscrits concordent presque parfaitement, surtout L et A dont U se rapproche beaucoup, alors que M et Q (et surtout Q) s'en écartent assez souvent, mais pour des détails seulement.

Branche VI : GUERREHES

L : 1199 vv.	P : 1059 vv.
U : [1035 vv.]	S : 985 vv.
M : 1131 vv.	A : 1151 vv.
Q : 1129 vv.	T : 1200 vv.
	E : [600 vv.]

Il n'y a plus aucune interpolation dans le <u>Guerrehés,</u> ni aucun long délayage, mais les choses restent assez compliquées. Les remanieurs sont toujours à l'oeuvre, modifiant souvent tout ce qu'ils peuvent : ils ont seulement moins d'envergure, ou bien ils sont essoufflés. Ici encore, il n'y a qu'un texte, et il se confirme souvent que ce texte apparaît dans les accords (nombreux) de <u>LUMQ</u> : <u>T</u> s'en écarte, d'une part, <u>P</u> et <u>AS</u>, de l'autre. La grande lacune de <u>E</u> se termine 600 vers avant la fin.

Les copies de <u>L</u> et <u>U</u> restent très proches (la seconde est déparée par une lacune de 136 vers) et font souvent groupe avec <u>MQ</u>. C'est le sous-groupe <u>MQ</u> qui s'écarte parfois de <u>LUMQ</u>, notamment par ses coupures (il n'a aucune addition en propre) : <u>M</u> persiste dans sa sagesse, et <u>Q</u> reste aussi discret que dans la Branche V.

Le groupe <u>ASP</u> a beaucoup moins de cohérence. Le copiste de <u>A</u> ajoute une vingtaine de vers, celui de <u>S</u> en supprime plus de 140. Les écarts de <u>P</u> sont moins dûs à son copiste qu'à celui du responsable de <u>AS</u> qui effectue de très nombreux remaniements de détail (<u>P</u> reste alors assez proche de <u>LU</u>).

Lorsque <u>E</u> rentre en scène, il se livre toujours à son goût de la farcissure, mais, comme <u>L</u> est maintenant fort proche de <u>MQ</u>, c'est à <u>T</u> que <u>E</u> s'adresse pour allonger la sauce, parfois aussi à <u>A</u> (ou à un texte proche de <u>A</u>), voire même aux deux.

153

Au total ...

L : 9507 vv.	T : 15322 vv.
A : 9457 vv.	M : 15093 vv.
S : 9189 vv.	Q : 14871 vv.
P : 9853 vv.	U : 16827 vv.
R : 1405 vv.	E : [19606 vv., moins la lacune]

Nous avons assisté successivement à la confection et à la dis-location des groupes LASP, SP, MQEU, ASP, PU, LAS, LPU, LAUMQ, etc. Nous avons vu P osciller d'un groupe à l'autre, E compléter MQ par L puis par T ou A, U coller d'abord à E, puis à P, puis à L, etc... Nous avons vu ici une rédaction dite "longue" qui raccourcissait, là une rédaction dite "courte" qui allongeait. Tantôt un copiste (T) qui semble voué au délayage interrompt brusquement ses additions, un autre (Q) qui s'est spécialisé dans la suppression cesse d'en faire ; S ajoute dans les Branches III et IV, omet dans les Branches IV, V et VI : A ajoute dans la branche I, et AS dans les Branches IV et V. Et quand nous disons que des manuscrits sont "assez proches", cette proximité n'a rien à voir avec celle que l'on constate dans la tradition manuscrite d'autres oeuvres, comme les romans de Chrétien ; elle ne permet pas l'établissement d'un texte : en maint endroit il n'y a pas un vers sur vingt, voire sur cent, qui soit commun à l'ensemble des manuscrits. Sur 9500 vers, il n'y en a pas 2000 dont on puisse affirmer qu'ils appartiennent au texte original. Qui penserait, alors, à établir un stemma ? il en faudrait un par tranche de 500 vers, et encore serait-on bien incapable de l'esquisser.

Il y a, dans la Continuation-Gauvain, plus d'une trentaine de "tournants", où les groupes se font et se défont, se quittent ou se retrouvent, où les "auteurs" changent plus ou moins complètement de comportement :

- à la hauteur de L 500, les premiers "groupes" se défont, et T se rapproche énormément de L, au point que l'on peut voir en LT un texte unique ; EU, qui, pour compléter MQ, faisaient des emprunts à un texte de la rédaction courte proche de L, les font maintenant à un texte proche de A ;

- à la hauteur de L 1016, T quitte la rédaction "courte" et rejoint hardiment la rédaction "longue" qui lui est contradictoire (Gauvain refuse le mariage de sa soeur, à moins que ...) ;

- à la hauteur de T 1197, EU commence sa première grande interpolation ;

- au v. E 3637, EU rejoint MQT pour la première visite de Gauvain au Château du Graal ;

- à la hauteur de T 1509, EU repart pour sa deuxième série d'interpolations ;

- au v. E 4829, EU rejoint MQT pour les derniers épisodes interpolés ;

- au v. 2005, T abandonne EUMQ et revient à la rédaction courte ;

- à la hauteur de E 5757, MQ résume en 148 vers les 900 de la rédaction dite "longue" (Branche II : Brun de Branlant) ; EU suit L, dont T est également proche. Il y a deux rédactions assez différentes : LEUT et ASP ;

- à la hauteur de L 1712 (intervention du père, puis du frère de la Pucelle de Lis), le groupe ASP se rapproche de plus en plus de L. Cette union durera pendant tout le Caradoc, mais avec des ruptures temporaires ;

- dès que MQ reparaît, EU se hâte de le rejoindre (E 6627), et c'est le début de la rédaction (vraiment) longue du Caradoc ; T suit toujours la courte ;

- à la hauteur de L 2542, P et T rejoignent la rédaction longue de EMQU qui entame la première interpolation (Caradoc, Cador et Aalardin) ;

- après 546 vv., P quitte le camp des interpolateurs, lesquels s'engagent vaillamment dans le tournoi ;

- à la hauteur de T 5989, P reparaît et reste en compagnie de TEMQU pendant 224 vers, pour l'épisode de la punition de l'enchanteur, fortement délayé (ou fortement condensé par LAS ?) ;

- pour le récit de la fuite, de la quête et de la guérison de Caradoc, TEMQU commencent une rédaction extrêmement amplifiée (près de 2500 vv. contre 500 dans la rédaction courte) ;

- mais U tourne court rapidement (après 120 vers, à la hauteur de E 9923) et revient rejoindre la rédaction courte ;

- T aussi se fatiguera, mais bien plus tard, à la hauteur de E 11746, et reviendra à la courte, qu'il amplifiera ;

- pour le "Lai du Cor", T rejoint la version légèrement amplifiée et passablement différente de EMQ ;

- au début du Chastel Orguelleus, E a perdu un folio et TMQ présentent une version assez proche de A mais amplifiée, et surtout la rédaction de L est très différente de toutes les autres ;

- puis, très rapidement, à la hauteur de L 3433, c'est de L que TMQ se rapprochent, pour une rédaction condensée (une soixantaine de vers contre 240 dans ASP) ;

- mais bientôt, à la hauteur de A 3641, TMQ reviennent à la rédaction de ASP ;

- sitôt la petite expédition partie (L 3563), toutes les rédactions se rapprochent ;

- à la hauteur de A 4395, PU, T et EMQ entament la version aberrante du récit rétrospectif de Gauvain (le début de ce récit est très différent dans PU) ; pendant ce temps, L est très différent de AS qui résume fortement ;

- lorsque PU revient à AS (A 4540), TEMQ le suivent ; L se rapproche aussi de AS, tout en présentant une rédaction plus longue ;

- au v. E 16579 commence la grande lacune de E (perte de deux cahiers) ;

- presque aussitôt après, à la hauteur de E 16690, le groupe PU commence à se disloquer, et U se rapproche de L ;

- deux cents vers plus loin (MQ 16886), W. Roach signale que U revient à la "rédaction longue" ; en fait U reste toujours très proche de L, dont MQ se rapproche également ;

- à la hauteur de L 7483, début de l'interpolation de l'Evangile de Nicodème par LAMQU ;

- lorsque nous retrouvons E (v. 19007), ce n'est plus à L qu'il emprunte ses compléments, mais à T.

On peut dès maintenant porter, sur les diverses rédactions, un jugement de valeur, qu'un examen plus approfondi des interventions individuelles (additions, suppressions, réfections, variantes) ne fera sans doute que confirmer. Les copies de E et de U sont évidemment "mixtes" : elles suivent des modèles appartenant à des familles fort différentes et n'ont d'autre valeur que celle du texte auquel elles s'adressent. Dans le groupe MQ, fort original et fort cohérent, le manuscrit

Q est disqualifié par de trop nombreuses suppressions (plus d'une centaine portant sur près de 4OO vers). Il en va de même, dans le groupe AS, pour le copiste de S qui intervient presque 35O fois, soit pour ajouter, soit pour supprimer un ou plusieurs couplets. Le responsable de T pratique trop incessamment l'art du délayage pour être digne de foi. La copie de P glisse à deux reprises d'une famille à une autre ; elle est aussi trop déparée par les omissions (75, totalisant plus de 25O vers).

Restent trois rédactions cohérentes : celle de L ; celle de M, représentant le groupe MQ ; celle de A représentant le groupe AS. Ce dernier groupe, toutefois, semble être le produit d'un remaniement assez important (près de 8O additions, et de 3O suppressions, pour ne pas parler des réfections plus poussées) dont nous verrons bientôt les modalités. Seuls donc les textes de L et de M apparaissent, d'un point de vue strictement matériel (compte des vers), comme les témoins les plus dignes de foi : le premier, de la rédaction dite "courte", le second, de la rédaction dite "longue".

Mais cette rédaction "longue" (à laquelle il arrive d'être fort courte) n'existe que dans les Branches I à III, et l'on voit ensuite MQ concorder avec T dans la Branche IV, puis avec L dans les Branches V et VI. Si T, dans la Branche IV, est fidèle à lui-même, il doit continuer à remanier, et s'il concorde avec MQ, c'est que ce groupe le suit et perd donc sa qualification d'originalité. Il en va de même pour les deux dernières branches, où MQ, conforme à L, n'a plus rien de commun avec le MQ du Guiromelant ou du Caradoc.

Seule donc la rédaction courte nous intéresse, et ce sont les mss qui la donnent (presque) d'un bout à l'autre que nous devons examiner. Si l'étude de la langue et du style de L confirme qu'il s'agit bien d'une rédaction unique, du début à la fin, due à la plume d'un seul et même "auteur", nous pourrons conclure que L est le témoin le plus valable de la première Continuation du Conte du Graal.

Mais, cette étude, nous n'allons pas la mener de façon exhaustive dans la totalité de l'oeuvre : cela serait fort fastidieux. Nous allons faire trois sondages, de 500 vv. chacun, pour le début de la Br. I, pour la fin de la Br. II et, plus loin, pour la première partie de la Br. V (la Visite de Gauvain à la salle du Graal). Là nous examinerons toutes les variantes, si soigneusement consignées par l'éditeur - mais à partir des rédactions courtes, notamment en ce qui concerne la Br. I : il ne servirait à rien de relever toutes les variantes de la rédaction longue EMQU, laquelle procède d'une main totalement différente ; nous nous bornerons à noter, lorsque cela sera utile, les différences les plus importantes qu'elle présente avec les rédactions courtes, ou encore à signaler les emprunts que tel ou tel responsable de ces quatre mss (presque toujours celui de E) fait aux rédactions courtes. Dans la seconde moitié de la Br. II, la question ne se pose plus puisque, en l'absence de MQ, les deux autres mss de la rédaction longue (E et U) ne donnent qu'un texte fort proche de celui de L. Dans la Br. V - et la grande lacune de ms. E n'y est pour rien - la famille MQU suit la rédaction courte, c'est-à-dire, encore une fois, un texte proche de celui de L.

Les résultats de ces trois sondages peuvent légitimement être "extrapolés". La Br. III (Caradoc) ne requiert pas un examen approfondi, puisque la rédaction longue n'a rien à voir avec la courte, dont elle quintuple la longueur - par le délayage, l'amplification, l'addition d'immenses épisodes (comme le fameux tournoi) ; le fait qu'alors la rédaction courte AS (que P et U quittent temporairement) ne présente que très peu de différences avec la version de L soulève un tout autre problème, qu'il ne sera sans doute pas en notre pouvoir de résoudre. Dans la Br. IV, le remanieur-délayeur-interpolateur du XIIIe siècle (le responsable - qui est peut-être pluriel - de la "rédaction longue" des Br. I et III) a terminé son "travail", et le texte de EMQ correspond à une "rédaction courte" analogue à celles de L et de AS (PU) : elle se rapproche plutôt de la première. Cette tendance se confirme dans les deux dernières Branches, où MQU - et surtout U - rejoignent souvent

L, contre la famille ASP. Ce n'est qu'à la fin que le responsable de E, sans vraiment allonger le texte, s'écarte du groupe MQ pour rejoindre une rédaction proche de celle de T, mais nous aurons l'occasion de relever les plus significatifs de leurs écarts.

Nous arriverons assez vite aux constatations suivantes - et nous les vérifierons sans cesse, jusqu'à la fin de ce travail : les rédactions courtes sont évidemment les plus proches du texte originel et, parmi elles, au premier chef, la version de L ; en faisant abstraction de la rédaction vraiment "longue", qui ne nous intéresse pas directement puisque notre dessein n'est pas d'étudier l'imaginaire d'un romancier du XIIIe siècle, mais du XIIe, nous n'avons à opposer à L que le responsable (ou les responsables) du groupe ASP(U), dont le souci évident et permanent est d'amender un modèle qui semble bien proche de L ; dans ce groupe "contestateur", la copie de A (celle du scribe Guiot) fait figure de chef de file - ce qui ne veut pas dire que Guiot soit l'ancêtre de cette famille, car il en apparaît parfois comme le dernier descendant, qui renchérit sur les "prétentions" de cette "école", mais c'est lui qui donne le texte le plus cohérent. Ce que nous savons des responsables des copies S, P et U ne nous permet de leur faire crédit ni de cohérence, ni d'inventivité, ni d'une volonté consciente d'améliorer leur modèle, mais leur texte, lorsqu'il leur est vraiment commun, trahit les mêmes préoccupations que celui de A. Aussi sommes-nous tenté de parler de l'"'école" de Guiot et de voir en celui-ci un grand copiste-libraire, qui a .dû régner sur une grande génération d'exécutants, qui a sans doute copié et fait copier plusieurs fois le Perceval et sa première Continuation, et qui n'a cessé de vouloir "perfectionner" ce qui sortait de son officine.

C'est Guiot qui est le plus souvent cité et visé dans le Chapitre de synthèse que nous consacrerons aux "tendances générales des remaniements". Le texte de Guiot est la meilleure "pierre de touche" pour vérifier le texte de L - a contrario évidemment. Le comportement de Guiot implique, nécessairement, la présence d'un modèle ressemblant fortement à L - un peu comme les inégalités de la marche d'Uranus impliquaient, nécessairement, pour Le Verrier, l'existence de Neptune.

Disons-le : L (nous entendons le responsable du texte donné par ce manuscrit) écrit, sinon mal, du moins de façon assez particulière, surprenante, et cent fois incommodante, irritante, frustrante pour un copiste-libraire "courtois", habitué aux grâces, au bon ton, à l'aisance et à la fluidité du style de Chrétien de Troyes ou de Benoît de Sainte-Maure. Ce qui nous apparaît, à nous, comme des qualités - le caractère primesautier, emporté, heurté, sans cesse hyperbolique, du texte de L - le faisait comme autant de défauts aux yeux de Guiot ; son indifférence assez grande à la "psychologie", sa conception "virile" et sommaire de la "courtoisie", sa morale assez lâche (en certains domaines), et peut-être surtout son absence complète de "détours" et de "finesses", tout cela provoquait immédiatement et constamment la réaction d'un copiste conscient des désirs de sa clientèle ... laquelle n'était plus dans la salle de garde. Et lorsque Guiot abdique - dans le Caradoc, qui lui semble "inamendable" -, c'est un de ses successeurs, à la mentalité très différente de la sienne, qui va retrousser ses manches et se mettre à délayer, à "diluer", l'affreuse histoire.

Comme il est absolument impensable qu'un copiste du XIIIe siècle ait pris sur lui de rendre heurté un texte coulant, rugueux un style uni, moins courtoise une oeuvre plus courtoise, voire "archaïque" une façon plus "moderne" d'écrire, etc., il s'ensuit que L - qui n'était pas fou : son texte nous en donne mainte preuve - doit se situer non à la fin de la chaîne de la transmission de la Continuation-Gauvain, mais tout près du début.

Il importait d'établir cela, avec le maximum de sûreté, avant de procéder à l'étude de notre objet propre : à savoir la mentalité et l'imaginaire du "premier auteur" de la Continuation-Gauvain. Car nous ne voulions pas travailler sur un "magma" (c'est-à-dire un vague

161

texte commun aux diverses rédactions, même en se limitant aux courtes), ni sur un texte évidemment, et en mille endroits, retouché et
remanié (comme l'est celui de A), ni même sur un "bon texte", moins
constamment retouché peut-être, mais visiblement postérieur (comme
celui de T), mais sur un texte unique, cohérent, et qui avait le plus
de chances de représenter l'archétype. Nous avons le bonheur de l'avoir:
c'est le texte de L.

C'est à partir du texte de L, et seulement de lui (cent fois
confirmé par les remaniements qu'opèrent les autres copistes), que
l'on peut se poser les questions essentielles. C'est à partir des mots,
des mots authentiques, mais de tous les mots, que l'on peut tenter
de répondre à ces questions :

- **quoi** ? - qu'est-ce qu'a écrit, exactement, le "premier auteur" ?

- **pourquoi** ? - pour quelle cause et dans quel but ?

- **comment** ? avec quels mots,   quelles expressions, quel rythme,
Jans quelle "optique" ? - ce qui nécessite la comparaison de son oeuvre
avec celles de ses contemporains ;

- et, encore, **quoi** ? - que dit-il, au fond, ce "premier auteur" ?
- conte-t-il pour le plaisir de conter et, même si cela est, ne nous
dit-il pas autre chose, et de bien plus important que les histoires
merveilleuses de Gauvain, de Caradoc et de Guerrehés ?

- et pour finir, et tout le temps : **qui** ? - qui était-il, "dans
sa tête", ce "premier auteur", et dans son corps aussi bien, autrement
dit dans cette faculté centrale de son être : l'imagination ? Et, à
travers lui, qu'était l'homme de la fin du XIIe siècle ?

C H A P I T R E   III

LES COPISTES (DE LA REDACTION COURTE) DANS LES 500 PREMIERS VERS DE LA BRANCHE I

L'examen des textes présentés en ce début de l'oeuvre par les six mss de la rédaction dite "courte" (L, A, S, P, R et T) ne se veut qu'analytique. Il ne prétendra pas être "constructif", aboutir à un "stemma", que ce soit en suivant la méthode de Lachmann (dite des "fautes communes") ou celle de Dom Quentin (statistique de tous les accords) - après un fort long temps passé à essayer de l'une, puis de l'autre, elles ne nous ont pas semblé, en l'occurrence, "opératoires". Il nous a paru bien plus important de regarder de près, non seulement la matérialité des leçons individuelles (et aussi de celles des "groupes" de mss), mais surtout leur **sens**, c'est-à-dire les réactions qu'elles manifestent et les options qu'elles traduisent. En étudiant les réfections qu'opèrent les copistes-remanieurs, il est assez aisé de déterminer contre quel genre de texte, contre quelle façon de concevoir l'histoire et le récit, contre quelle pensée et quel imaginaire ils réagissent et sont incités à faire des amendements divers.

Le copiste de L.

Dans ces 500 premiers vers de la Br. I de la Continuation-Gauvain, la copie de L est, très nettement, celle qui présente le moins

163

de leçons individuelles. Nous n'avons relevé que 38 interventions - mais peut-être faudrait-il parler seulement d'écarts - qui portent pratiquement toutes sur un seul mot. Aucune addition ni aucune omission individuelles. Presque partout, donc, L est d'accord, soit avec un autre ms. (28 fois avec R seul, 27 fois avec A seul, 24 fois avec P seul, etc.), soit avec deux autres (notamment avec S et R : 23 fois ; avec P et R, ou P et T, ou R et T), soit avec trois autres (en particulier S, P et R). Nous laissons de côté ses accords avec le groupe EU qui, bien qu'appartenant à la rédaction longue, fait de nombreux emprunts à la courte : à un ms. très proche de L. C'est avec A, la copie de Guiot, que L s'accorde le moins souvent : quant aux mots, quant aux idées, quant au style, L et A représentent les extrêmes opposés : le plus "courtois" des transcripteurs s'opposant à celui qui, évidemment, l'est le moins.

Sur ces 38 "variantes", je ne relève que 7 ou 8 erreurs : caiere au lieu de caceor (33), i vinrent au lieu de n'issirent (111), ne fui mais au lieu de ne fumes (181), etc. ; - le copiste a pris escume pour un verbe (156 : anaientist et escume, pour com escume). Quand L écrit en vient pour s'en vet (121), en fu alés pour s'en fu tornez (431), ainc nus pour onques (443), cela ne tire guère à conséquence. Par contre, quand il substitue grans à genz (183), bones à totes (gens, 184), blances à beles (landes, 233), etc., ses leçons ne sont pas moins bonnes que celles des autres : elles révèlent des nuances de mentalité et/ou un "imaginaire" différent, et il n'est pas du tout exclu qu'elles soient celles de l'original. Si, au v. 152, L remplace ataïné par mal parlé, c'est peut-être pour éviter une répétition (ataÿneus au v. 153). Quelques mots, formes ou expressions que L emploie semblent peut-être archaïques aux autres copistes : itex pour tex (14), iluec pour la (385), nen pour ne (114), senglement (419) pour solement (AT) ou ensement (PR) : rien ne prouve qu'ils ne figuraient pas dans l'archétype. Au v. 237, le lor de L est sans doute moins bon que le li des autres mss (sauf A, qui refait), car le valet s'adresse au roi, mais on peut se demander si le veü du v. 270 n'est pas aussi bon que le vescu des autres ("Nous en avons assez vu pour savoir que nous sommes assiégées" au lieu de "Nous avons assez vécu, puisque nous sommes assiégées"). Au v. 288, Roach corrige le vos de L (et de P) en nos (donné par ASRT), mais en faisant dire à la Vieille Reine "Voyez quels gens vous ont assiégé (au lieu de "nous ont assiégé(e)s"), on nous rappelle que Gauvain est maintenant le maître du Château. En tout cas, le encor miiedi de L 408 est meilleur que le entor ou le androit midi des autres, car, effectivement, midi est passé depuis longtemps.

L est le seul à écrire correctement le v. 452 :

> Mainte brognë a clos sarcite
> i veïsiés geter en dos...

- lectio difficilior, que les autres ne comprennent pas : ainsi SP (a or, comme si l'or pouvait consolider le haubert, ou R (bien parfite) - ou bien ils refont complètement le vers (A, T) - mais notons que EU reproduisent le texte de L. Notre copiste est aussi le seul à écrire logiquement :

> ... si compagnon, non li auquant   L 470-71
> mes tuit   ensamble, s'esmeüsent ...

- les autres éludent l'opposition entre "un certain nombre" et "tous" (si compeignon, tuit li auquant, dans A, ... et li auquant, dans EU) ; de plus, la plupart ont été gênés par l'enjambement, qu'ils suppriment en refaisant le second vers, comme A, R, EU, ou les deux, comme SP et T.

De façon générale, le style souvent heurté, haché, de L semble avoir gêné les autres copistes, qui substituent la "syntaxe" à la "parataxe", ou au moins ajoutent des coordinations :

> "Vés que d'espius, que de gisarmes, L 274-75
> que de lances et que d'espees !"
>
> "Vez que d'espiez et de jusarmes A, R, EU
> et que de lances et que d'espees !"

S rattache le premier vers à ce qui précède ; T également, en le refaisant ; P l'omet ; S lie le second vers en remplaçant et que d'espees par acerees (les lances). On pourrait multiplier les exemples, et nous en rencontrerons souvent.

Voir encore, au v. 277, le changement d'interlocuteur : la jeune reine répond à sa mère "Ne sai, mes nules damoiseles ..." ; SPR gardent la coupure ; EU aussi, sans doute, mais W. Roach ne la marque pas ; A l'élimine complètement en refaisant le passage, tandis que T la rend plus explicite en ajoutant deux vers. Il nous semble bien plus probable que la rédaction la plus heurtée - ce qui la rend souvent difficilior - soit l'originale, et que les copistes postérieurs ajoutent du "liant" ; le mouvement inverse - qu'un remanieur substitue la parataxe à la syntaxe - nous paraît bien plus improbable. Lorsque, dans de tels cas (ou dans d'autres), L est isolé, c'est sans doute qu'il est le seul à respecter la leçon originelle, et à plus forte raison lorsqu'il s'unit avec un ou deux autres manuscrits.

Le copiste de A (Guiot)

Guiot, le plus fameux des copistes de l'oeuvre de Chrétien - et sans doute l'un des moins fidèles, nous l'avons vu - est l'un de ceux qui retouchent le plus fréquemment l'oeuvre de son premier continuateur. Dans ces 500 premiers vers, il ne fait pas moins de 228 interventions ; 140 sont mineures (85 portent sur des mots isolés, 55 sur des hémistiches), 39 concernent un vers entier ; Guiot intervertit à trois reprises les vers d'un couplet, il change la rime dans six autres ; il ajoute 36 vers de son cru, et en omet 4 qui devaient figurer dans son modèle (ils sont donnés par SP) : cf. A 229-31, où il condense en 3 vv. les 5 que donnent les autres copistes, et 451-52, où il réduit à 2 vv. les 4 des autres.

On peut dire que Guiot change pour le plaisir de changer, par exemple lorsque, dans les verbes, il remplace anvoier par doner (102), recriembre par criembre (439), demorer par arester (483), faillir par defaillir (176), gehir par regehir (521), prendre a par comancier (245), sorrire par s'an rire (385), traire (32) par tirer (plus moderne ?). Au v. 116, sa leçon s'an vindrent est peut-être un peu meilleure que le entrerent des autres - il s'agit de la venue précipitée au "palais" de la reine et de sa suite ; si elles y sont déjà entrées, on ne comprend pas bien pourquoi le roi leur envoie un messager ; mais c'est surtout que A est, comme les autres copistes, gêné par la forme ancienne de négation nen qu'utilise L :

... nen entrerent si el palais	L 114
... n'entrerent issi el palais	R 132
... ensi n'entrerent onques mais ... (avec inversion des hémistiches)	P 116
... Ensi s'an vindrent el palés	A
... n'en sale a roi n'entrerent mais (avec inversion des hémistiches)	T 123

les leçons de S et de E étant aberrantes (n'issirent aussi - E mes fors - de palés), celle de U, délayée et à peine compréhensible.

Au v. 22, il semble à Guiot plus logique qu'un granz dielz soit "entendu" plutôt que "vu" ; cependant, quatre vers plus haut, il a laissé subsister La veïssiez ... durement crier ... : veut-il éviter une répétition ? - en tout cas, sa rime (chevelx : dielx), partagée d'ailleurs par SP, est moins riche que celle de LRT (caveus : greveus) ; mais c'est qu'un duel si greveus a été jugé trop fort par un premier remanieur ASP, qui lui a substitué si granz (ou tes) deus. De même, pour A (481) comme pour T (477), metre (le haubert sur le dos) est préférable à geter, car moins vif. Et peut-être aussi avoir peor (289) que grever.

167

Quand l'ost est arrivée devant le Château de la Merveille, les "sergents" se mettent à faire des "loges de ramée" et des "feuillées" :

>   ... mainte loge galesque funt   L 244-48
>   et si ont fait mainte ramee
>   de la forest c'ont entamee
>   et decaupee et despoillie,
>   si en ont fait mainte follie ...

Voilà, pour le goût de A et de quelques autres, une accumulation excessive de verbes "diaïrétiques", et trop d'insistance sur la confection de ces logements rudimentaires et peu courtois (les chevaliers et les dames logent dans des tentes) ; T fait sauter deux vers, en refaisant ; S également, mais sans refaire ; A refait et le résultat n'est pas heureux :

>   ... mainte loge galesche font   A 252-56
>   de la fuelle et de la ramee.
>   Une forest ont ancontree
>   que decolpee ont et tranchiee,
>   si en ont la terre jonchiee.

- ainsi, on fait des loges de ramée sans le secours de la forêt ; puis l'on rencontre une forêt, et on y taille abondamment ... mais pour joncher le sol (cela, c'est "courtois") !

Parmi les substantifs, pourquoi Guiot transforme-t-il "mule" en "cheval" (210), avenant en covenant (168), chastel en païs (404), etc. ? Une gent qui "mène joie" est plus "courtoise" qu'une ost (421) ; la vitaille, plus abstraite sans doute que la viande (226) ; l'expression flors de chevalerie, plus imagée que sire de chevalerie (184). Mais hyper-courtoisie conduit Guiot à écrire des bêtises : ainsi à substituer les tentes aux loges (504) que les chevaliers seraient prêts à brûler !

Parmi les adjectifs et les adverbes de manière, le remanieur préfère cortoise (409) à bien faite, plaisant (410) à gente, un plat veraiemant (457) à un trop vif esranment, etc. Il contredit son modèle en substituant plus à mains (204 : il l'agit du repas qui précède le départ, fort court pour l'auteur, fort long pour le remanieur !).

Passons sur les incessantes modifications apportées aux conjonctions (Guiot remplace souvent car par que, ainc par onques - ce qui l'oblige à remanier le vers) ; aux adverbes (il préfère si à molt, lors à puis - nous y reviendrons), etc. Et passons aussi sur les changements incessants qu'il apporte aux temps ou aux modes verbaux, remplaçant le présent par l'imparfait ou le parfait - ou faisant l'inverse ; substituant une forme simple à une composée - ou l'inverse ; changeant un subjonctif en un indicatif ou un impératif, etc. Tout ceci n'est pas nécessairement grave, mais entraîne d'autres transformations (de sujet, de tournure, etc.).

L'essentiel pour Guiot, ici comme dans le Perceval (et, bien sûr, beaucoup plus !), c'est de rendre le texte de son modèle plus courtois : dans le fond (les idées, les mots) et dans la forme (le style, l'allure, la phrase). Constamment, Guiot s'efforce d'atténuer le caractère trop heurté à son gré (trop rapide, nerveux, coupé) d'un modèle qui semble bien proche de celui de L. Il substitue donc la syntaxe à la parataxe :

"... bone novele orés par tens.   L 88-89
Li rois conjot molt le mesage ..."   (et SP, R, EU)
   (A : que il a leanz un message ...)

- notons que cette modification n'est pas bonne : on dirait que c'est la première fois qu'il est question du messager, alors que son arrivée a déjà été annoncée à la reine par Lore au v. 4 :

Bien vos puis dire sans mentir :   L 192-94
li bacin valent un tresor,
car li pluisor sunt de fin or ...
   (A : que deus bacins i avoit d'or
        qui bien valoient un tresor ...)

169

```
        "... et vauroit                              L 359-60
    a vos parler, si a grant droit."                  (et S, T)
    (A : a vos parler, que ele a droit)
    (cf. R : ... et si a droit)
```

```
    "... fonda cest castel, sil fist suen ;          L 373-74
      (A : fonda ce chastel qui est suens)            (et SP, R, T)
    ne sé nul mellor ne si buen..."
      (A : qui assez est et biax et buens)
```

- au besoin en délayant le texte :

```
        "... li semes jors est ja passés.            L 296-97
    Or vuel jo vostre non savoir."                    (et R) (SPT)
      (A : "... que li sesmes jorz est passez ;
        se de covenant ne faussez,
        je voldrai vostre non savoir.")
```

- et en le dénaturant, comme dans l'exemple déjà cité :

```
        ... mainte loge galesque funt                L 244-45
    et si ont fait mainte ramee ...                   (et SPT, R)
      (A : de la fuelle et de la ramee)
```

("ramee" étant pris par Guiot dans le sens de "branchage", au lieu de celui de "hutte, loge de feuillage").

C'est avec la même intention de rendre le style plus "coulant" que Guiot supprime ou atténue les enjambements et surtout les rejets que fait son modèle :

```
        ... et veïst tant mur espanois,              L 206-08
    tant bon ceval, tant palefroi                     (et S, T)
    enselé ; sunt tuit en esfroi ...
      (A : ... et maint boen cheval espenois
        anseler et maint palefroi ;
        an espans sont et an esfroi ...)
      (cf. R : ... enselé sont ; et en esfroi ...)
      (cf. bourde de P : .. ensamble tuit sont ...)
```

```
    "... par tot la plus soutille terre              L 370-71
    qui fust, tant que ci asena ..."                  (et S, T)
      (A : ... tote la plus soutainne terre,
        si vint tant que ci asena)
      (cf. R : ... qui fust sossiel, s'i assena)
```

(on voit que R s'essaye, lui aussi, sinon à supprimer le rejet, du moins à le rendre moins vif, en allongeant le membre de phrase rejeté) ;

> Au tref qu'il a molt rice et buen   L 475-79
> descent, et cascuns d'iaus al suen.
> La roïne a la soie tente
> descent, et mainte dame gente ;
> n'i remaint pucele a descendre.

- il faut avouer que le style de L n'est pas d'une extrême élégance, et qu'un parallélisme aussi poussé, marqué par des rejets identiques, ne s'imposait pas. Tous les autres copistes ont essayé de corriger : sept manuscrits, sept leçons différentes (E et M sont quand même très proches l'un de l'autre), dont aucune - sauf celle de A - n'est meilleure que celle de L. T et EMU conservent le premier rejet et suppriment le second - et avec lui l'idée de "descendre" :

> ... la roïne a la soie tente,   T 501-02
> et od li mainte dame gente ;
>   (EMU : qui molt estoit/est (et) cortoise et gente)
> n'i remest ...

(dans EMU, on ne sait qui est cortoise et gente : la reine, ou sa tente ?). P corrige le premier :

> ... descent cascuns d'iaus et sist ens ...

et garde le second ; R corrige le premier et change le sens de la suite :

> ... descent li rois, cascuns al soen.   R 500-03

(ce qui n'est ni correct ni clair)

> La roïne a la siue tente
> et mainte damoisele gente
> corent li chevalier descendre.

S corrige le premier (<u>descent le roy quant li fu bon</u>), corrige aussi le second en marquant le parallélisme au moyen du préfixe <u>re-</u> (<u>la reïne... / redescent a mesniee gente</u>), puis ajoute deux vers. Quant à <u>A</u>, il remanie tout le passage, changeant le temps du premier "descendre" :

<blockquote>
Il <u>est</u> a son tref <u>descenduz</u>   <u>A</u> 508-13
que il avoit et riche et buen,
et chascuns d'ax revait au suen.
La reïne a la soe tente
<u>descent o conpaignie gente</u> ;
n'i remest ...
</blockquote>

Il semble évident que toute cette activité est suscitée par une <u>lectio difficilior</u> qui "passait mal", sans doute du genre de celle de <u>L</u>. C'est Guiot qui remanie le plus, et c'est sa leçon qui est, sinon la plus claire (car celle de <u>L</u> l'est), mais la plus aisée.

A plusieurs reprises, <u>A,</u> déjà "classique", élimine les répétitions de son modèle :

<blockquote>
"...Au <u>besong</u> pert qui est amis :   <u>L</u> 61-64
en <u>besognes</u> m'a ça tramis   (et <u>SP</u>, <u>R</u>)
a celui qui les <u>besogneus</u>
maintient contre les orgelleus."
</blockquote>

<u>A</u> et <u>T</u>, différemment, éliminent <u>besognes</u>

<blockquote>
"... et <u>por ce</u> m'a il ci tramis ..." $\frac{A}{T}$
"... <u>Mesire Gavains</u> m'a tramis ..."
</blockquote>

<u>U</u> essaie aussi de réduire la répétition :

<blockquote>
"... qu'au <u>tesmoing</u> pert qui est amis ..."   <u>U</u> 127
</blockquote>

et <u>E</u>, comme s'il voulait écarter <u>besogneus</u> de <u>besognes</u>, intervertit les seconds hémistiches des deux derniers vers, ce qui aboutit à une monstruosité (celui qui maintient les orgueilleux contre les "besogneux" !).

> "... Or puet l'on veoir le conquest   L 165-66
> que cil conquiert qui prodom est ..."   (et S, EU, T)

P change conquiert en akiert ; - R refait avec modération :

> "... Or puet l'on veïr le conquest   R 185-86
> que puet atendre qui bons est ..."

mais A y va plus carrément, éliminant les deux termes :

> "... Or puet l'an veoir en apert   A 169-70
> que cil fet qui prodome sert..."

ce qui n'a plus du tout le même sens et est, au demeurant, fort
plat.

Si Guiot coupe des phrases qui lui paraissent trop longues (voir
115-16, 257-58 etc.), bien plus souvent il allonge celles qu'il estime
trop courtes, notamment dans les dialogues :

> "Est ço vertés ? - Ma dame, oïl ;   L 325-27
> n'en dotés mie, ço est il.   (et PT, R, S)
> - Or m'est molt tart dont que jel voie ..."

> (A : "Biax dolz niés, est ce veritez ?
>   - Oïl, dame, onques n'an dotez.
>   C'est il por voir, n'an dotez mie.
>   - Foi que ge doi sainte Marie,
>   fet ele, tart m'est que gel voie ..."

- ce qui l'amène à faire, lui aussi, des répétitions, et du pur remplissage ! Assez souvent, Guiot supprime une réplique, un changement
d'interlocuteur (cf. A 99-101, 284-87, etc.). Il estime parfois que
les interlocuteurs ne sont pas suffisamment désignés et ajoute un
vers entier :

> Messire Gauvains li respont ...   A 339
> "Par foi, fet messire Gauvains ...   390

Aux vv. 54-56, il ajoute deux vers pour présenter, de façon bien
claire, l'adversaire de Gauvain, le Guiromelant.

Les additions nombreuses de Guiot sont destinées, d'une part, à
ralentir le style trop vif de son modèle et, d'autre part, à en faci-
liter la compréhension :

173

Li vaslés adés les conduist   L 231-35
a molt grant joie et a deduit
    (A ajoute : et si vos di ge bien por voir
          qu'il herbergierent chascun soir
parmi plains et par blances landes,
a molt grant plenté de viandes,
    (A ajoute : si ont bien le chemin tenu.
        Tant ont erré qu'il sont venu
droit au castel que Gavains tient.

Voir encore vv. A 242-45, 472-76, 494-97.

Il insiste sur les sentiments ; là où LSPRT ont un vers, il en écrit cinq : - la mère de Gauvain embrasse son fils qu'elle vient de retrouver :

... les mains li baise et la poitrine.   L 307

Or li est vis que buer fust nee,   A 319-23
molt a grant joie demenee
quant ele l'a requeneü,
que piece a mes ne l'ot veü ;
le vis li beise et la peitrine.

Souvent ces délayages sont peu nécessaires : ainsi aux vv. 3O3-O4, 315-18, 352-55, 461-62, 485-86, 495-96.

On voit bien dans quel sens vont tous ces remaniements : il faut rendre le modèle plus "courtois". Les personnages parlent de façon plus posée, plus polie, plus enrobée. Même le sénéchal Keu est tout gentillesse et prévenance, lorsqu'il invite le roi à prendre sa monture (A 366-71 ; - les autres disent seulement que le sénéchal descend de son palefroi et que le roi y monte).

Nous retrouvons donc bien le Guiot qui copiait et "amendait" le Conte du Graal - alors avec quelque modération, tandis qu'ici il s'en donne à coeur joie. C'est un homme de bon ton, de bonne compagnie ; un homme posé, à qui répugnent les mouvements trop brusques, les paroles trop vives, les répliques trop abruptes. Il privilégie l'esprit et le coeur, au détriment du corps ; il exalte plutôt la beauté et la courtoisie que la robustesse et le courage physique (cf. biaus au lieu de bons, 247). Le charme et le luxe de la vie de cour le séduisent ; pendant le voyage vers le Palais de la Merveille, il parle beaucoup plus des tentes que des loges ; il en jonche le sol ; il les multiplie : la reine a la sienne propre, il y insiste (cf. vv. 269-70, 362). Guiot multiplie les formules de politesse. Il émonde son modèle de traits archaïques ou qui sentent leur "jongleur", comme le démonstratif "épique" ces (cf. L 19-20, 225, 403-04), l'expression hom vivans (L 75), des tournures du genre lui quint (L 432) qu'il corrige en o cinc - ce qui fait six ! - , des périphrases épiques ("Cil Dex qui maint la sus ...", L 122, devient Cil qui tot fist par son esgart", ce qui est plus abstrait, moins populaire).

L'aisance avec laquelle Guiot modifie son modèle, le refait, l'amplifie, le corrige (?) presque dans le moindre détail - souvent pour rééquilibrer un octosyllabe qui ne lui paraît pas assez harmonieux et coulant (cf. vv. 133, 208, 234, 237, 433, etc.) - cette facilité à écrire font de lui plus qu'un copiste : un véritable "auteur", au sens propre de "celui qui augmente". On a le pressentiment que, le moment venu, rien n'empêchera Guiot de se lancer à composer des tirades d'une plus grande envergure. L'a-t-il fait, dans cette Continuation ? Peut-être dans la version très amplifiée de la "Crise à la cour d'Arthur" (Br. IV/2), qui n'est donnée que par ASPU ? Mais peut-être n'a-t-il que le génie du remaniement ? Quoi qu'il en soit, le texte qui excite sans cesse son irrépressible manie de remanier devait présenter tous les "défauts" - trop "réaliste", trop "héroïque", trop rapide (et parfois laconique au point de n'être pas suffisamment clair), trop coupé et heurté, trop peu courtois en un mot - de celui que nous a transmis le manuscrit L.

Le copiste de P

Le copiste de P a, lui aussi, la manie de modifier son modèle, mais à un degré inférieur à celui de Guiot et, surtout, il est beaucoup moins intelligent et attentif. Dans cette première tranche de notre

Continuation, j'ai relevé 152 leçons individuelles, dont 120 portent sur un mot ou un hémistiche, et 18 seulement sur un vers entier ; à cela s'ajoutent 8 omissions, 3 interversions de vers ou d'hémistiches finaux et 3 changements de rime. Ce copiste ne fait, dans ce passage, aucune addition. Le premier et le dernier couplet qu'il omet (cf. A 51-52, et 527-28) ne sont pas indispensables à la compréhension du texte ; la seconde omission (v. 58, 60) fait sauter le nom de Guiromelant et l'on ne sait donc pas contre qui Gauvain doit se battre (remarquons qu'ici le modèle présente une rime redoublée : deux couplets en -ir) ; la troisième (279, 282) oblige le copiste à remanier légèrement le contexte.

Ce qui caractérise P, ce sont les bourdes : plus d'une trentaine sur 500 vers ! Beaucoup d'erreurs de lecture - c'est-à-dire beaucoup d'inattention - vos pour nos, nus pour uns, mais (adv.) pour mes (possessif), avons pour a voir, d'aus pour Dex, oïs pour onis, qui pour queu ("cuisiniers !), loge pour liue, armés pour omes, iluec pour avoec, ensamble pour enselé, mangiers pour mes gens, anoncier pour anuitier, etc. ; - plus inexcusables : anciele pour aiole (356, peut-être a-t-il voulu dire anciene ?), oiseleur (!) pour orgueilleus (64), li hom pour li biens (418), sagement pour seulement (446), princier pour mollier (cf. L 306), Genoivre pour Igerne (271), etc. Tout ceci exclut que P écrive sous la dictée : c'est son modèle qu'il lit de travers.

Lorsque les autres écrivent (il s'agit de Keu, qui, pour une fois, parle courtoisement de Gauvain) :

> "... se l'avoit il ja ranprosné   L 151-53
> trestot adés et mal parlé.
>   (AS, R, T : ataïné : ramposné)
> Cui caut ? Tes est ataÿneus ...

P, lui, écrit :

> ... si l'avoit sovent ranprosnee
> et de sa proëce enviee.
> Mais, je quic, tes est envieus ...

176

- d'une part, P ne comprend pas les mots ataïner/ataïneus et, d'autre part, d'où sort-il ce féminin ? Pense-t-il à la reine, et se souvient-il de la scène d'ouverture d'Yvain, où Keu la rabrouait ? Mais que viendrait faire là-dedans la proëce ?

Voir encore 164-65 : répétition de vers Diu ; 296-98 : cascuns au lieu de lassus (addition d'une idée : chaque chevalier de l'ost a sa dame avec lui) ; 447-48 : interversion, c'est-à-dire que l'on arrive au chastel avant d'avoir traversé la rivière (par un gué tout à fait absent du roman de Chrétien !), etc.

Beaucoup de changements lexicaux : veoir remplacé par oïr (73) ou par savoir (169), toucier (les harpes) par tentir (74) et retentir par resoner (76), mener (ost) par esmovoir (288), sauter (à cheval) par monter (368 - cet adoucissement est bien dans la manière de A, qui d'ailleurs a la même modification, mais dans un contexte refait), morir par finir (393 : même remarque, mais A garde ici morir), trover par savoir (469), etc. Le copiste de P remplace omes par armés, en refaisant la rime (: adoubés) et en faisant sauter deux vers ; loges (auxquelles on était prêt à mettre le feu) par ost (504) ; parole par raison (533), etc.

Quant aux mots-outils, P transforme presque systématiquement lors en dont (73, 191, 352, etc.) ; autrement, il substitue, çà et là, que à car, ou quant à que, ou ains à mais, ou sovent à ja, ou mie à pas, etc. L'ost chemine aval ces plains (cf. L 225), alors que les autres écrivent parmi ces plains.

P semble partager avec A l'intention de rendre le texte plus coulant. Ici il supprime une césure :

Mais je quic tes est envieux ...   P 157
(les autres : Cui caut ? Tes est ataïneus ...)

là, un enjambement :

"... car j'ai veü un mesagier   L 4-5
ens el palais, si m'en creés ..."
    (P : qui est ens ou palais entrés)

L'amor de Gavain lors ensagne   L 203-05
c'aient tost fait. Tant mainte ensagne
i oïst l'on crier manois ...
        (P : qui ot tost fait tant maint besoingne.
             Qui dont veïst tout demanois ...

- le texte ne gagne pas en clarté, et la rime homonyme est détruite.
Voir encore 211-12 : le rejet _enselé_ est transformé en _ensamble_
qui est lié au reste du vers. Encore un exemple :

"... Ygerne ça s'en a fuï   L 368-72
o son tresor, et prist a querre   (et S, T, A,
par tot la plus soutille terre   R)
qui fust, tant que ci asena.
Del grant avoir qu'ele amena ..."

qui devient dans P :

"... Ygene s'en ala et fuï ;   P 394-98
de son tresor molt en porta ;
tant par les tieres cemina
que tant fu chi et conversa.
Del grant avoir qu'ele amena ..."

- l'idée de la "solitude" est tombée, et le remanieur fait une rime
redoublée. Tel autre remaniement aboutit à un contresens :

Mais Gavains a tant dit et fait   L 415-1
que li rois s'emble et si s'en vait
        (P : que _le roi samble_ qu'il s'en vait
o quatre de ses compagnons ...

- comme s'il s'agissait d'une disparition "magique" de Gauvain !
Voir encore 95-98, où l'addition du relatif _qui_ associe bizarrement
le "cuer" aux instruments de musique ; - 472, où, remplaçant _gent_
par _k'ains_, P restreint à telle dame l'émoi qui s'empare de toute
l'armée.

Décidément, le copiste de P apparaît fort étourdi, assez prétentieux, passablement malhabile à corriger (!) son modèle et surtout

à lier logiquement ses corrections au contexte ; il est peu hardi pour inventer (aucune addition), mais peu respectueux du texte qu'il a à transcrire.

Le copiste de S

Le manuscrit S est, en ce début de l'oeuvre, moins retouché que P : je ne relève que 115 leçons individuelles, soit 93 "corrections" (!) portant sur un mot ou un hémistiche, 12 sur un vers entier, 4 changements de rimes, 2 interversions de vers, l'omission d'un couplet et l'addition d'un autre. Comme il est sans doute postérieur d'un siècle et demi au texte du "premier auteur", le sens d'un certain nombre de mots échappe au copiste, ou bien celui-ci juge archaïque ou désuète telle tournure : ainsi s'explique, semble-t-il, la plupart de ses initiatives.

Le copiste S ne comprend plus espiez ("épieu", mais plutôt "lance") et écrit espees (282) ; il prend le verbe parole pour un substantif (37) ; l'expression cort aüner est remplacée platement par joie mener (73) ; les adjectifs (ou participes passés) amati et enpirié (L 162) sont supprimés, et le passage est refait, avec insistance redondante sur la joie (Gauvain est non seulement vivant, mais preuz et joiant, sains et hetié). Il remplace estormir par assaillir (487), seignier ("bénir" par enseignier (527), et trouve Diex beneÿe plus clair que Dex t'aït (38). L'emploi ancien de s'apercevoir (de quelqu'un) fait place à apercevoir (quelqu'un, 499). Il semble ne pas comprendre l'expression "retenir (quelqu'un à la cour)" et remplace bizarrement cette idée par celle de "vestir" (142). Le sens du verbe anaientir (160) lui échappe.

Autres "rajeunissements" : croire pour cuidier (388), venir pour movoir (232), tres bien pour por voir (97), pluseurs pour mainte (253), tantost pour atant (190), onques pour ainc (passim). Ajouter à cela la perte de la déclinaison : monseigneur pour messire (380), neveu pour niés (28), etc. ; - ou encore celle de telle habitude grammaticale, comme l'accord systématique du participe passé avec le complément :

> Molt a Dex <u>faite</u> grant honor   <u>L</u> 173
> (<u>S</u> : Molt <u>a</u> <u>or</u> Dex <u>fet</u> gr. h.)   [—](et <u>APR</u>)
> (<u>cf.T</u> : Molt <u>en</u> a D. <u>fait</u> gr. h.)

Il transforme <u>maintenant que</u> en <u>aussi tost que</u> (374) ; il préfère <u>desus</u> à <u>sor</u> (231), <u>dusques</u> à <u>deci</u> (374).

Mais quand <u>S</u> écrit <u>estre</u> au lieu de <u>seoir</u>, <u>oïr</u> pour <u>savoir</u>, <u>mestier</u> pour <u>afaire</u>, <u>preudons</u> pour <u>sainz hom</u>, <u>sachiez de voir</u> pour <u>n'en dotez mie</u>, ou <u>nel mescreez</u> pour <u>si m'en creez</u>, etc., cela ne nous apprend pas grand chose sur sa personnalité. Tantôt il renforce l'idée (<u>espouenter</u> pour <u>desconforter</u>, 10), tantôt il l'affaiblit (<u>nice</u> pour <u>vilain</u>, 194) ; ses réfections frisent souvent la platitude : <u>toute la conpaignie</u> au lieu de <u>la bele c.</u>, ou <u>la douce c.</u> (26, 526) ; il substitue ou ajoute souvent l'adjectif <u>grant</u> (vv. 110, 409, 424, 432, 501).

Comme tant d'autres copistes, il tente d'apporter du "liant" à son modèle, tentant de corriger un rejet ou un enjambement (100, 510), une inversion du complément (40) ou du sujet (209), mais il se risque moins souvent que les autres à remanier profondément le texte.

Il essaie d'être plus "courtois" que son modèle. Il précise que, si le roi <u>rist</u> (ou <u>sorrist</u>), c'est <u>sanz moquier</u> (385). Il insiste sur la <u>joie</u> (cf. ses corrections à <u>L</u> 71 et 162 citées <u>supra</u> ; - ailleurs il remplace bizarrement <u>a l'anuitier</u> par <u>a la joie</u>, 424). Il change un <u>molt dignement</u> en <u>benignement</u> (524). Il remplace par des <u>damoiseles</u> les <u>damoisiaus</u> qui servent à table (191) ! Il fait parler à Ygerne de son <u>cuer</u> (348), etc.

Bref un copiste moyen, assez dérouté par le style parfois archaïque et trop vif d'un texte relativement ancien, qu'il essaie de mettre au goût du jour, mais sans beaucoup d'intelligence, de hardiesse, ni surtout d'esprit de suite.

Le copiste de R

On a pu voir, d'après notre résumé, que le copiste de R affectionne l'interpolation, le plus souvent moralisante, et qui ne se distingue pas toujours par une courtoisie bien raffinée :

- 16 vv. au début : douleur de Lore de Branlant (comme si elle voyait son père mort, ou si la mort de toute sa famille lui était annoncée) ;
- 116 vv. (509-624) après L 484 : dialogue entre Gauvain et l'évêque à qui il se confesse (de fort menues peccadilles, insignifiantes en regard de ses immenses vertus, et l'évêque de conclure : "Vous êtes plus qu'un homme et un peu moins qu'un ange" !) ;
- 26 vv. (709-34) après A 630 : éloge de Gauvain (où perce une étrange misogynie) ;
- plus de 50 vv. (entre 837 et 894) après A 748 : encore l'éloge de Gauvain (et critique du comportement de Clarissant) ;
- 20 vv. (1021-40) après A 894 : crainte des assistants pour Gauvain (Ice n'est pas mellee en rue, / la ou l'om brait et la on rue) ;
- 152 vv. (1057-1208) après A 910 : sentiments partagés de Clarissant ; débat entre Amour et Raison ; éloge de Gauvain, critique de sa sœur, qui est bien femme !

Soient plus de 380 vers, auxquels s'ajoutent une bonne vingtaine, disséminés (par un ou deux couplets) et dont l'élévation du ton n'est pas la caractéristique :

> "... Sovent avient que coer devine   R 115-16
> plus tost que voisins ne voisine ..."

- encore un éloge de Gauvain :

> "... Et ce li vient de la savor,   R 201-04
> que son travail et sa suor
> a mis tos jors por retenir
> cevalerie et maintenir ..."

- développement de l'idée de sa générosité :

> "... selt enricir les povres gens,   R 208-10
> et si les soloit enorter
> de faire bien et de doner."

(répétition fâcheuse du verbe soloir, et idée bizarre selon laquelle les pauvres, qui reçoivent les dons de Gauvain, doivent, à leur tour, en faire !).

Bref, c'est bien le même "clerc", à l'esprit bizarre, pesant, rabâcheur, misogyne et chagrin, que nous avons vu à l'oeuvre dans sa transcription du roman de Chrétien.

A part ces additions, j'ai relevé 158 interventions de R, soit 109 variantes mineures (dont une dizaine de bourdes relevées par l'éditeur, et 49 changements d'un seul mot), 45 vers refaits, 3 rimes changées et une interversion de vers. Lorsqu'il remplace mander par requerre, grever par doloir, s'an venir par revenir, demorer par atarder (479, rime plus riche), criembre ou recriembre par doter, movoir par venir, cela n'a guère d'intérêt. Mais quand il écrit fermer au lieu d'emprendre (41), peçoier au lieu de decauper (271), joie faire au lieu de joie avoir (410), estre emblez au lieu de s'en aler (455), il semble manifester des goûts archaïsants, ou peut-être est-il le seul à garder la leçon de l'original ? Il préfère caceor à cheval, eve à riviere, castel à palais ; il a une prédilection pour l'adjectif bon (186, 236, 508), pour l'adverbe ensement (437, 443), pour l'expression sossiel (378, 395), pour le comparatif forçor (413, 467, 584, etc.). Il ajoute des formules "épiques" avec veïssiés et veïstes (466-67).

Est-il gêné par les enjambements, les rejets ou les inversions ? Ici il semble vouloir les supprimer (228, 279, 452, 500), mais ailleurs c'est lui qui en fait (100, 328, 481). Il ajoute parfois des coordinations, des relatifs, et le résultat n'est pas toujours fameux :

... entre une riviere et un plain (?)   R 253
(les autres : sor une riviere, en un plain)

ou encore :

Cele eve dont on dit passerent   R 445
(les autres : a l'eve vinrent, si passerent)

Il ne manque pas d'un certain souffle et développe une anaphore :

"... Or nos aliege molt cis max,   R 176-79
or est molt no joie a olverte,
or mais n'averon nos mais perte,
or en tendons à Deu les mains...

- dont il faut avouer que le style est assez détestable (pour les deux vers centraux qu'il ajoute).

Ses retouches, pour la plupart, ne sont guère fameuses : c'est ainsi qu'il fait construire des foillies pour les chevaliers (272-73 - au lieu des chevaus !). Il n'a pas raison de dire que Gauvain "est venu" conquerre le Château de la Merveille (263) : le héros en a acquis la seigneurie, mais il n'était pas venu pour cela. Ygerne a cherché le site le plus écarté pour y édifier son château, non la meillor terre, comme R le dit (394 - cf., supra, sa prédilection pour l'adjectif bon). Le copiste supprime souvent des détails nécessaires (cf. vv. 180, 295, 411, 433, 459, 483), et ceux qu'il ajoute le sont nettement moins (208, 255, 265-66, 392, 500). Il ressasse, se répète : coer aux vv. 114 et 115, mangier aux vv. 223 et 228, sont aux vv. 232 et 233 ; - surtout les mots qui lui sont propres : rice à 65 et 69, tocié à 216 et 218, caceor à 360 et 366, sossiel à 378 et 395, ensement à 437 et 443, etc.

R fait très peu de modifications allant dans le sens d'une plus grande courtoisie ; il n'a pas, comme d'autres, la phobie du corps et de la chair, ni celle de la mort. Son ton (notamment dans ses interpolations) est à la fois prétentieux et populaire, voire vulgaire. Il est sans doute un clerc, mais qui ne fréquente certainement pas la haute société. Pour avoir copié les romans de Chrétien, il ne s'en inspire guère et, au rebours de Guiot semble ne pas s'en souvenir.

Le copiste de T

Le copiste de T, ou plus exactement le responsable de la rédaction TV, si modéré dans sa transcription du Conte du Graal, l'est ici beaucoup moins. C'est en effet lui qui détient le record des retouches (248 , contre 228 pour A). Outre 30 vers ajoutés (contre 2 omis : L 247-48), on compte 48 vers complètement refaits, 160 modifications plus restreintes (dont 103 portant sur un seul mot) et 8 changements de rimes.

Très peu de bêtises dans cette masse de remaniements. En plus des cinq erreurs rejetées par Roach, signalons la substitution de coart à hardi (478 - mais ce peut être un antithèse voulue), de destiner à deviner (105, mais on peut comprendre "annoncer"), de cinquante à trente (386) et à cinc cens (488) - mais, nous le verrons, on ne peut tirer grand chose des variations sur les nombres.

Quelques remplissages, inévitables, surtout dans les additions : ce quit veraiement (10), et sachiez que (22), bien le vos di, si est vertez (62), por voir vos puis conter et dire (69) ; voir aussi vv. 172-73, 180, 294, 308, 448. Certaines interventions n'apportent pas grand chose : corant s'en vient au lieu de en est alee (114), plus lieement au lieu de a si grant joie (219), etc. ; guerpi ... et delaia (403) est redondant (les autres : guerpi ... si s'essilla). La périphrase de la version commune li fius sen pere (L 333) est remplacée par sanz ire amere (T 355), qui procure une rime riche. La réfection des vv. 493-94 oblige T à répéter quant ; l'enchaînement mais ainc mais (295) n'est guère heureux.

Parmi les équivalences de mots : prier pour mander (58), nomer pour apeler (322), veoir pour savoir (342), rendre pour doner (430), mes pour mesagier (10), destrier pour cheval (225), merveille pour

novele (408), ire pour duel (467), chiers pour dols (330), etc. Le ton
de T est parfois plus vif que celui de la version commune : ainsi
quand il change venir en corir (99), rendre en destendre (370) ; -
mesmener n'a pas exactement le même sens que a mal aler (156
- et la rime de T est moins riche) ; - joiant est peut-être moins
courant que lié (138), ou blanc argent que fin argent (211). Notons
que le remanieur n'aime guère attaquer une phrase par Molt, qu'il
refait en Mais, ou en Et.

Le responsable de T (V) partage avec Guiot la double préoccupation de rendre le texte plus coulant et plus courtois. Mais il en ajoute
une troisième, que son relatif éloignement dans le temps rend explicable : rajeunir son modèle, le mettre au goût du jour. C'est ainsi
qu'il substitue respondre à paroler (41), laissier à müer ou tenir (au
sens de "s'empêcher de", 354), corant à isnel (358), durement à forment
(282). Il chasse l'adverbe ensement (410, 451). Il emploie davantage
le verbe faire, dans des tournures comme fist querre (391, au lieu
de prist a querre), comme fait le doel (468, au lieu de plaint le duel),
comme "que ferons nous ?" (344, au lieu de "quel conroi iert il de
nos, - ou prandrons nos de nos ?" L, A).

T n'est pas spécialement gêné par les rejets et enjambements ;
il en fait lui-même assez souvent dans ses additions (77-78) et ses
réfections (99-100, 172-73, 317-18, 321-22, etc.). Mais il unifie une
construction :

> ... ne nule dame ne pucele   L 108-10
> qui ne get jus s'afubleüre   (et ASPR)
> et vont après grant aleüre
> (T : et n'aille ...)

coordonne ce qui n'est que juxtaposé :

> ... rentre en sa cambre et ne dist mot. L 314-15
> Iloc comence duel a faire ...   (et SPR)
>   (T : entre en sa chambre à l'ains qu'el pot
>   et comence grant doel a faire ...)

185

(on aura remarqué sa réfection de la fin du premier vers : il serait plus logique en effet, d'écrire que Clarissant ne dist mot et s'en va dans sa chambre - nos anciens auteurs sont souvent indifférents à la gradation ou même à la succession vraie des faits - ; T laisse tomber, trouvant que le silence de la jeune fille est suffisamment impliqué par sa hâte) ; - surbordonne ce qui n'est que coordonné :

Li rois l'entent et saut en piés   L 29
  (T : Et quant il l'ot, si saut en piez) (et ASPR)

Joie funt grant trestout a tire.   L 77-79
Nus n'i fet rien s'il n'a matire,   (et ASPR)
et cil ont la greigneur du mont.
  (T : ... qu'il en ont le meillor matyre
      qui onques fust oïe el mont)

Gent ne fu mais si esperdue.   L 446-47
Ja n'i eüst plus fet sejour ...   (et S, R)
  (T : Toute en est l'ost si esperdue
    que maintenant, sanz nul sejor ...

Voir encore vv. 113, 167, 216-18, 480-81, 497-98, 5O2, etc.

Le souci de logique, de clarté et de précision apparaît constamment chez T : il ajoute tot sanz mantel à desaffublee (115) ; il précise respont au vallet (137, au lieu de respont encontre) ; com grant ost (3O6) est plus précis que quel gent ; le copiste trouve inutile de noter qu'Arthur monte à cheval, mais utile de préciser qu'il revient arriere ens en l'ost (484), etc. Il trouve inutile de préciser chaque fois que Keu est li seneschaus (cf. 361) ; le père d'Arthur est mort depuis longtemps, et celui-ci "doit sa foi" à son âme, non à lui (385).

D'autres réfections vont dans le sens d'une plus grande élégance et courtoisie - mais de façon moins sytématique que chez Guiot. Elégance du style : ici, l'on supprime une formule épique comme veïssiés (477), ou une hyperbole rebattue (47O) ; là, on glisse une litote (Ne quidiez pas qu'il li desplace, 376) ; on élimine une répétition (de que, v. 338-39 ; de damoisele, v. 117-21 ; de descent, v. 5OO/O2), une redondance (tentes et pavillons, devenu viandes et paveillons, (241). Elégance des idées : T élimine souvent ce qui sent trop son "féodal", comme le mot baron (259), ou hom (141) ; les espiez et les jusarmes sont remplacés par les hiaumes reluisans et les escus reflamboians (289-90 - noter l'importance des notations visuelles, brillantes). La chevalerie cède la place à la cortoisie (196) ; comme chez Guiot, le roi ne saute pas à cheval : il y monte ; les chevaliers ne jettent pas leurs armes sur leurs dos : ils les y mettent. On ne s'adresse pas à une dame sans l'appeler "Dame" (134), même à une reine (320). Les détails trop "physiques" sont estompés : le coeur ne saute plus el vantre, mais de joie (326) ; on ne tend plus les mains vers Dieu : on se contente de le mercïer (173). On se repent de cuer, sans manifestations extérieures. On fait joie, plutôt que feste (452 - car les animaux, eux aussi, "font feste").

Clarté et logique, élégance et courtoisie : les additions du responsable de T vont aussi dans ce sens. Le moins que l'on puisse dire, c'est qu'il a vraiment peu d'estime pour son modèle, dont il corrige ou refait à peu près un vers sur deux ! Il semble, comme Guiot, avoir un véritable tempérament d'auteur, et il est même souvent plus habile que son vieux confrère. On peut imaginer que, le moment venu, il ne se priverait pas d'interpoler plus abondamment le texte de son modèle.

LES "GROUPES" AU DEBUT DE LA BR. I

Sur ces 500 premiers vers, seulement 41 sont rigoureusement identiques dans les 6 mss de la rédaction courte (L, A, S, P, R, T) ; ainsi :

"Ha ! france roïne honoree..." riens ne me puet asouagier ..."	L 2-3
"... lor a tel novele aportee ..."	9
... ronpent lor dras et lors caveus	21
" ... salus vos mande com a roi ..."	27
"... je le laisai sain et haitié ..."	44

187

- ce sont généralement des vers où il est difficile de changer quelque chose sans s'exposer à la nécessité d'un remaniement trop étendu (ou qu'il ne semble ni nécessaire ni utile de faire).

Inversement, on en compte 32 pour lesquels chaque copiste a sa leçon différente ; ainsi :

Ainc <u>nus</u> ne vit duel si greveus	<u>L</u> 22
Ainc <u>hom</u> ne vit dol si greveus	<u>T</u> 24
Ainc dels <u>ne fu</u> mais si grevex	<u>R</u> 38

pour le "groupe" <u>LRT</u> ; et, pour le "groupe" <u>ASP</u> :

Einz ne fu <u>oïz si granz</u> dielx	<u>A</u> 22
Ains mais ne fu <u>veüs tes</u> dels	<u>P</u>
<u>Onques</u> mes ne vit <u>nus</u> tel deus	<u>S</u>

- autre exemple, où chaque copiste écrit selon ce qu'il sait (ou imagine) de l'exécution musicale :

... harpes toucier et dois souner	<u>L</u> 72
... harpes toichier, cordes soner	<u>A</u> 74
... harpes toucher et sainz soner	<u>S</u>
... harpes tentir et sons soner	<u>P</u>
... harpes soner et retentir	<u>T</u> 82
... harpes touchier et estiver	<u>R</u> 9O

auxquels on peut ajouter <u>E</u> et <u>U</u>, qui empruntent ici à la rédaction courte pour allonger la rédaction <u>MQ</u> :

... harpes toichier, sonez chanter	<u>E</u> 15O
... harpes penre, sonez chanter	<u>U</u>

Ces réfections indépendantes sont souvent mineures. Certaines sont entraînées par une <u>lectio difficilior</u> de l'original (que <u>L</u> semble avoir

généralement le mieux comprise et reproduite) : ainsi celles des vv.
L 62 (besognes), 156 (anaientist), 332 (müer), 452 (brogne a clos sar-
cite), 471 (le li auquant du v. précédent). D'autres, par un enjambement
ou un rejet :

... d'afubler : nient ne l'en sovient ...	L 103
... d'afubler ; ains ne li sovint ...	P 105
... d'afubler soi ; ne li sovient ...	R 121
... d'afubler, qu'il ne l'an sovint	A 105
... de l'afluber ne li sovient ...	S
... mais d'afubler ne s'entremet tant se haste ne l'en sovient.	T 112-13
... de fubler (!), ne ne l'an sovient ...	E 239
... d'afubler, il ne li sovient	U

Voir aussi L 204 et ses variantes.

A 98 reprises, c'est un seul manuscrit qui s'écarte de l'ensemble
unanime, soit :
- L : 2 fois ;
- S : 7 fois ;
- A : 15 fois ;
- P : 24 fois ;
- T : 30 fois ;
- R : 20 fois, auxquelles l'on peut ajouter les 18 derniers vers de cette
tranche, qui concernent la confession de Gauvain (on sait que R la
développe énormément). Ainsi se confirment : les idées arrêtées de
R ; la modération de A - mais nous verrons bientôt le groupe AS
à l'ouvrage ; la timidité de S ; l'étourderie de P ; la hardiesse de
T ; la remarquable fidélité de L.

Les accords de 2 mss s'observent à 175 reprises, dans un total de
128 vers. Les voici dans l'ordre décroissant de leur importance :

189

LR : 28 cas	AT : 12 cas	RT : 5 cas
AS : 27 cas	PT : 12 cas	AR : 3 cas
LP : 24 cas	AP : 10 cas	PR : 3 cas
LT : 19 cas	SP : 7 cas	ST : 3 cas
LS : 12 cas	LA : 7 cas	SR : 2 cas

Les quatre premiers chiffres sont absolument probants : il y a bien des accords significatifs, sinon des "groupes" LR, LP, LT et AS ; les quatre derniers, au moins, le sont aussi, mais dans l'autre sens: 2 ou 3 accords ne peuvent être que le fruit du hasard, et les "groupes" AR, PR, SR et ST n'existent pas. Les sept autres seront à apprécier.

Une autre constatation s'impose : le ms. L, avec 90 accords avec un autre ms., est, à priori, le moins excentrique ; c'est le ms. R, avec seulement 42 accords, qui l'est le plus. Et nous noterons que R s'accorde bien plus souvent avec L seul qu'avec tous les autres (seuls) additionnés. On ne peut pourtant pas dire que LR représente vraiment un groupe : car, si cela était, pourquoi Roach n'aurait-il pas imprimé R avec L, quitte à transcrire en plancher de page ou en appendice ses interpolations ? L et R ne forment pas un groupe : leurs leçons communes reproduisent le texte du "premier auteur", dont les autres s'écartent - T, d'un côté, ASP, d'un autre, et parfois ASPT ensemble. Ainsi le texte du "premier auteur" peut-il se lire : 1) dans les 41 vers identiques ; 2) sans doute dans les 96 vers où l'un des 5 ms (A, S, P, T, R) s'écarte isolément d'une leçon commune ; 3) dans les 28 vers que L et R sont seuls à transcrire de façon identique ; 4) et sans doute dans un bon nombre des 62 vers où L s'unit à l'un des quatre autres mss. Mais voyons plus en détail à qui et comment s'opposent ces "groupes" de 2 mss.

Les accords de L et de R - Disons tout de suite qu'ils n'ont en commun aucune leçon fautive ; seulement une un peu surprenante, au v. 289/313 ;

"... La sus n'en (ou nen ?) a se dames non ..."

dit la Vieille Reine, en regardant du haut des loges l'armée qui campe dans la plaine - A et T corrigent en deçà. Le "groupe" LR n'existe que parce que les autres copistes "corrigent", séparément ou ensemble, un modèle dont le style leur semble susceptible d'être amendé. Nous savons déjà tout ce qui les rebute :

- certains mots ou tournures qui leur semblent archaïques ; ainsi l'adverbe ens qui vient renforcer la préposition en : songeons que L l'emploie 39 fois dans l'ensemble de la Continuation, alors que - au moins dans les mêmes contextes - T ne le fait qu'une douzaine de fois, ASP dix fois seulement, au moins, et qu'il est généralement évident que ce sont eux qui "corrigent" un modèle du genre de L, et que ce n'est pas L qui en ajoute à plaisir ; ici, ils laissent subsister le premier (L 5 : ens el palais), sauf T, qui refait, mais expulsent le second (L 84, même expression), que R aussi conserve (104) ; - l'adverbe d'intensité par n'est, lui aussi, pas trop bien vu : A le chasse (225) ; - L n'abuse pourtant pas de l'adverbe forment, mais il y en a qui n'aiment pas : A le supprime (274), T le remplace par durement (282) ; - l'emploi de l'ordinal pour marquer l'accompagnement est moins clair que celui du cardinal : lui quint de L (432) et R (456) devient o cinc chez A (456) - ce qui fait six ! - , cependant que T change aussi le nombre (soi quart, 456) et refait fâcheusement qu'ot (assamblés) en toz, et que P n'y comprend rien du tout (il ot les keus tos assamblés !) ; - l'adverbe meïsmes est chassé par A (493), et mal lu (?) par S, P, et T, qui écrivent maine ou amaine (et T achève de détruire le parallélisme, puisque ce ne sont plus que cinquante, et non cinq cents, demoiselles qui sortent du Palais) ; - le relatif distributif que ... que ... est chassé par T (entre ... et ...), et par A qui préfère ajouter que les demoiseles sont cortoises et beles (493-94) ; - on préfère taindre à entaindre (LR 16/32), comancer a à prendre a (ibid.), mander ou requerre à querre (LR 48/66), esjoïr à esbaldir (LR 118/36), etc. ; - là où LR entendent crier les enseignes (205/29), et S aussi. A les voit drecier (209) et T, lacier (223), et P ne voit ni n'entend rien du tout ;

191

- un style peu coulant, avec 1) de nombreuses inversions qu'on peut corriger, comme celle du v. 58 (R 76) :

... s'il au desus en puet venir

que AS rétablissent (s'il an puet au desor venir ; - P et T ne comprennent pas bien, et sautent) ; ou celle du v. 77 (R 95) :

joie funt grant trestout a tire ...

ASP rapprochent l'adjectif du substantif (grant joie font ... ; - T refait); ou du v. 474 (R 498) :

s'en (R si) est l'ost toute retenue ...

AS écrivent, eux, s'an est tote l'oz retenue (P : remeüe !) et T ajoute un lien de subordination (497-98 : ... tant ... / que toute en est l'ost retenue) ; ou encore celle du v. 398 (R 422) :

... a l'anuitier dirai que fet
qui devient chez A :
... or oëz qu'a l'anuitier fait
et chez T, au prix d'un hiatus :
... oiez la nuit que ele fait

(S et P ne comprennent pas et écrivent des non sens) ; ajoutons que "oëz" est moins "personnel" et sans doute de meilleur ton que "dirai" ; il est plus coulant de dire :

"Ma dame, il n'i a nul peril ..."   A(T) 341/45

que

"N'i a voir, dame, nul peril ..."   L(R) 323/47

(ce qui induisait P̲ à mal lire : "N'i a̲v̲o̲n̲s̲, dame ...") ; - 2) un excès de parataxe, alors qu'il est si facile (!) d'ajouter du "liant", par exemple en supprimant ou en intégrant les incises : à l'exemple cité ci-dessus ("d̲a̲m̲e̲"), ajoutons le "f̲a̲i̲t̲ i̲l̲" du v. 38, chassé par A̲, P̲ et T̲, ou le "s̲i̲r̲e̲" du v. 48, expulsé par A̲S̲P̲T̲, etc. ; le "g̲e̲l̲ v̲o̲s̲ d̲i̲" du v. 407 est intégré par A̲ (t̲e̲l̲ c̲o̲n̲ g̲e̲ d̲i̲) et S̲ (s̲i̲ c̲o̲m̲ v̲o̲u̲s̲ d̲i̲) ; nous avons déjà évoqué le "n̲o̲n̲ l̲i̲ a̲u̲q̲u̲a̲n̲t̲" du v. 470, mal compris par A̲ (t̲u̲i̲t̲ l̲i̲ a̲u̲q̲u̲a̲n̲t̲), intégré à tort par S̲P̲ (e̲t̲ l̲i̲ a̲u̲q̲u̲a̲n̲t̲ !), banni par T̲, etc.

Il n'est pas toujours facile de distinguer les modifications des formes des "coups de pouce" donnés aux idées - et les unes et les autres vont souvent de pair. En présence de ces vers (il s'agit de la mère de Gauvain qui, à la mort de son époux, quitta son pays) :

> "... Tote la terre qui est nostre   L̲ 380-81
> guerpi i̲s̲s̲i̲, s̲i̲ s̲'̲e̲s̲s̲i̲l̲l̲a̲."

où s'additionnent un rejet et une idée "désagréable" (l'exil), l'un essaie de renforcer le lien (P̲ : ... guerpi, e̲n̲s̲i̲ s'en essilla), l'autre, de substituer au moins e̲t̲ à s̲i̲ (T̲ : ... guerpi enfin e̲t̲ delaia - redondance !), ou bien de changer l'idée (A̲ : ... guerpi, ensi s̲e̲ c̲o̲n̲s̲e̲l̲l̲a̲), voire de faire les deux (S̲ : ... guerpi e̲t̲ si s̲'̲e̲n̲ c̲o̲n̲s̲e̲l̲l̲a̲ !) ; il est certain que, d'un point de vue "euphonique", le texte de L̲ et R̲ n'était pas une merveille (... p̲i̲ i̲s̲s̲i̲ s̲i̲ s̲'̲e̲s̲s̲i̲ ...) : les autres ont tenté de "dire" mieux, mais n'ont pas "pensé" mieux - en tout cas, il est impensable qu'un remanieur (un hypothétique responsable du "groupe" L̲R̲) ait eu la constante tendance à rendre le texte moins coulant, moins courtois, plus coupé et heurté, plus rude à l'oreille, plus archaïque et/ou populaire !

Prenons encore le v. L̲ 188 (et R̲ 212) - il s'agit des d̲a̲m̲o̲i̲s̲i̲a̲u̲s̲ qui s'empressent de mettre les tables et de servir) :

> ... si bien vestus, si gens, si biaus ...

Deux défauts, semble-t-il : style haché, qualificatifs trop rebattus A; remplace les si par des et ; P précise (en lisant mal ?) qu'il sont vêtus de gens bliaus ; T, lui, insiste sur leur noblesse (toz frans homes et gens et biaux) ; quant à S, il les transforme carrément en damoiseles ! Aucune leçon n'est meilleure que celle de L et R - c'est-à-dire que celle du "premier auteur". Un dernier exemple : au v. L 127 (et R 145), la reine répond au messager qui apporte des nouvelles de Gauvain :

> "... Dex le saut,
> et il le face lie et baut ..."

Correction "hyper-courtoise" de AS et de T : "Dex vos (T te) saut" (au messager), "et Gauvain (T lui) face lié (T joiant) et baut" ; la reine est trop préoccupée de son cher neveu pour penser à faire des politesses à l'écuyer, et ce sont L et R (auxquels P reste joint) qui ont raison.

Nous avons longuement insisté sur le "groupe" - "fantôme" - LR : ce qui nous dispensera de le faire autant sur les autres copistes, c'est-à-dire sur les "groupes", plus réels, AS, ASP et ASPT, lesquels ne font pas autre chose que de s'écarter du texte originel, pour le rendre plus "aimable".

Les accords de L et de P - Des remarques analogues peuvent être faites à propos des accords de L et P, lesquels ne forment pas davantage un vrai "groupe" que L et R ; il semble évident qu'ils ne s'unissent jamais pour diverger d'un modèle, mais qu'au contraire ils en gardent la leçon lorsque les autres - notamment A, T et parfois R - s'en écartent. Souvent, d'ailleurs, les leçons de S, ou de ST, ou de T, ou de R ne diffèrent de celles de L et de P que par un détail insignifiant (ainsi aux vv. L 90, 120, 343, 354, 364, 366, 437, 448, etc.). En un seul cas une autre rédaction est meilleure que celle de LP : le que que R (241) et T (235) écrivent au lieu d'un de dans la "distribution"

> ... que̲ puceles   (LP̲ de̲ puceles),
> que̲ dames et que̲ damoiseles.

La variante de R̲, La oïssiés grant mariment (34), contre LP̲ La veïsiés, n'est pas mauvaise : elle attire l'attention, en tout cas, sur l'imagination "visuelle" du "premier auteur" et sur le fait qu'à cette époque, on le sait, un "deuil" qui ne se traduit pas par des gestes (que l'on voit) ne saurait être complet ! Même chose pour LP̲ 489/523, où l'évêque voit et ot̲ que Gauvain se repent (AS̲ "intellectualise" en écrivant set̲, et T̲ se montre encore plus "contritionniste" en ajoutant de cuer) : pour le "premier auteur", le repentir doit avant tout être visible et audible.

L̲ et P̲ sont proches de R̲ et T̲ au v. 306 (l'ore qu'il nasqui dans LP̲, au jor qu'il nasqui dans RT̲), alors que S̲, visiblement, ne comprend pas et que A̲ refait complètement le passage ; - ou encore au v. 448, où les quatre s'accordent sur un autresi que AS̲ remplacent par aussi (l'adverbe autresi, assez fréquemment utilisé par L̲, est sans doute jugé trop lourd, et les autres copistes lui font la chasse, surtout dans la première moitié de la Continuation : sur ses 24 occurrences, au total, dans L̲, P̲ n'en reproduit que 10, A̲ et T̲, que 9, S̲, que 8) ; au v. 328, L̲ et P̲ sont seuls à le donner (les autres transforment le vers de façon à l'éviter.

Assez souvent les "réfections" des autres copistes ne manifestent pas d'intention bien nette : substituer respont à parole, ou requiert à mande, ou tel à si grant, ou por voir à bien, n'engage pas à grand chose, et n'améliore en rien la leçon de LP̲. Nous avons déjà commenté la variante vos de LP̲ au v. L̲ 288 (les autres écrivent : "Voyez quels gens nos ont assiégés"), la rédaction LP̲ du v. 478 (descent, et mainte dame gente), et celle des vv. L̲ 245 ss (forêt entamee/ et decaupee et despoillie, pour confectionner des "loges de ramée") : dans tous les cas, L̲, avec qui s'accorde alors P̲, est le meilleur. Préciser, comme le font AS̲, quant jorz esclaire (487), alors que LP̲ se contentent d'écrire quant il esclere, est bien inutile (pour le "premier auteur", la clarté implique le jor).

195

Pour L, P et T, la reine Ygerne amena en exil son (grant) avoir (L 372), tandis que pour A, S et R, elle l'aporta ; ceux-ci imaginent donc plutôt la richesse sous forme monétaire et somptuaire (coffres emplis de pièces, de bijoux, de "vaisselle" précieuse, etc.), et les premiers, peut-être, sous une forme plus "foncière" : la Vieille Reine n'a pas dû se mettre en route sans tout un "charroi", et, ce qui serait vraisemblable (sinon romanesque), un cheptel ; le "premier auteur" avait une vision plus "réaliste" et les remanieurs, une plus "courtoise" - à laquelle ils tiennent, même au prix de la richesse de la rime (amena : asena).

Constatons-le une fois encore : la plupart des "corrections" vont dans le sens d'une plus grande "courtoisie". Ainsi au v. L 90, où Ysave annonce à Guenièvre la venue du messager et le soulagement du roi :

"... qui molt l'aliege et asouuage ..."   L, P, E

AS, R et T s'accordent pour faire bénéficier Ysave elle-même de ce soulagement :

"... qui molt m'aliege et asoage ..."   R 110
"... qui molt m'agree et asoage ..."   AS 92
"... joïst molt ; ce me rasouage ..."   T 100

et U l'étend à tous les compagnons :

"... qui molt agree au grant barnage ..."   U 100

Pour le "premier auteur", le roi d'abord.

La reine répond à Ysave que Dieu l'entende, et elle-même, Guenièvre, et ces dames et ces puceles, qui, toutes, étaient fort inquiètes pour Gauvain,

"... e nos envoit bones noveles ..."   L 100

- ce qui reprend, en somme, les "beles noveles" annoncées par la suivante, et ce qui paraît faible et/ou redondant aux divers remanieurs : R supprime ; T transforme complètement (et ces cortoises damoiseles, 110) ; AS et EU répètent Dex (à la place de la conjonctions et), sans doute pour être plus clairs ; de plus, S et A changent bones en voires (vraies) ; A et U, envoit en an doint ; S change nos en leur, et U, en vous ; enfin A supprime la réplique et c'est toujours Ysave qui parle. La leçon de LP est donc la meilleure.

Au v. L 160, Keu commence son discours en disant qu'il faut remercier Dieu :

"... s'en tendons tot vers Diu les mains ..."

expression imagée - qui va toujours dans le même sens : pas de sentiment (ici de gratitude envers Dieu) qui ne s'accompagne de gestes-; tous les remanieurs sont gênés par l'adverbe tot (peut-être une erreur pour le pronom tuit ?) et sans doute aussi par l'élision de si devant en, d'où une poussière de réfections : (U : si an tandons ... ; - R : or en tendons ... ; - AS : si an tandons ... nos mains) ; E garde tot et ne comprend rien du tout (si en tandons a tot le mains !) ; quant à T, il délaie allègrement :

"... trestot devons, sanz contredit,   T 172-73
Dieu merciër, au mien avis ...

... Or mercions Dieu le manant   178-79
qui sain et sauf l'a tant gardé ..."

l'image gestuelle a disparu.

L'annonce, très orale et "jongleresque" du v. 437

Revolés oïr des puceles,
des dames et des damoiseles ?

est modifiée par T (Se volez oïr ... - la formule reste en l'air), encore plus par R (Mais or vos dirai ...), et davantage encore par AS :

> Or vos redirai les (S des) noveles
> des dames et des dameiseles.

Qui a entraîné qui ? C'est difficile à dire. En tout cas, c'est la leçon de L et P qui transcrit celle de l'original.

Les accords de L et de T. - Ils sont plus rares et moins significatifs et, de toute façon, eux aussi n'existent que parce que les autres copistes "corrigent" le modèle commun. Le plus souvent, pour le mieux lier, pour substituer la conjonction à la juxtaposition, la subordination à la conjonction : ainsi R au v. L 52 ; A et P au v. L 46 (et boen et bel au lieu de si n'a plus bel) ; les mêmes au v. L 371 (suppriment le rejet, que R, de son côté, atténue en ajoutant sossiel). Au v. L 331, l'appellation "roïne dame" n'est guère élégante, mais l'inversion de SP et R (dame roïne) ne vaut guère mieux ; A refait : " ... s'il vos agree et s'il vos plest" (style moins haché, courtoisie plus grande).

Le v. 496 n'est pas, lui non plus, un modèle d'élégance :

> ... ne doit avoir paor jamés

mais inverser paor et avoir, comme le font A, S, P et U, n'arrange rien (E ne comprend pas et écrit pooir !). Au v. L 349, AP refusent l'adverbe tot placé en tête de la phrase et le remplacent par et ; quant à S, c'est la locution maintenant que qu'il remplace par aussi tost que. L'expression n'i a une n'en (ou ne SP) n'est guère euphonique : A et R remplacent une par celi (L 440).

Au v. L 395, AS remplacent par la gent l'ost des mss LPRT : cela fait moins "guerrier". Au v. 319, A est seul à tirer la conclusion de la reconnaissance qui vient d'avoir lieu : la Vieille Reine appelle maintenant Gauvain "Biax dolz niés", les autres copistes continuent à écrire "amis", voire "sire" (P !).

Revenons sur un passage que nous avons déjà examiné en partie à propos des mss A et R. Il s'agit du voyage de la cour vers le Palais de la Merveille ; L et T donnent un texte qui n'est pas très clair :

> ... Aroté sunt parmi ces (T les) plains ;   L 225-31
> a si covint les daesrains
> a une liue herbergier
> d'iloc (T del liu) dont murent li promier,
> sor une riviere en un plain.
> Matin sunt meü l'endemain
> Li vaslés adés les (T les maine et) conduit ...

Il faut comprendre, sans doute : on se met en route parmi les plaines (et l'ost est si longue que, le soir, quand on dresse le camp) au bord d'une rivière, toujours dans la plaine, la fin du convoi s'installe à une lieue de son commencement ; on repart dès le lendemain matin ... Au v. 227, P écrit loge à la place de liue ce qui n'arrange rien ; au v. suivant, P et R remplacent murent par vinrent (R vienent), et S, par lievent, et l'on comprend encore moins : il faudrait remplacer dont murent par ou furent. Ou alors - hypothèse extrême - il faut comprendre que le convoi est si long qu'il n'avance guère plus en un jour, que de sa longueur, et que les derniers campent, le soir, à une lieue seulement de l'endroit d'où est partie, le matin, l'avant-garde ? Mais le détail est donné pour le premier jour du voyage, et l'on est parti de la ville : cela veut-il dire que, le premier jour, le convoi a mis tant de temps à se déployer que sa fin n'a pu faire qu'une lieue ?

Le copiste de A, en tout cas, a vu là un véritable casse-tête et il a refait tout le passage, en dédoublant d'ailleurs le motif du campement : le premier soir, on s'arrête en une bele praerie ... delez un plain (!) et, ensuite, chascun soir, an biax plains et an beles landes - ce qui n'est pas trop original, mais a le mérite d'être clair. Il est étonnant que T, souvent plein d'initiative, n'ait rien entrepris pour corriger l'original, que lui et L, à coup sûr, représentent le mieux. Et nous comprenons encore autre chose : c'est que, en présence d'un texte aussi "dur", aussi précipité, un copiste-remanieur, une vingtaine ou une trentaine d'années plus tard, ait éprouvé le besoin de le récrire totalement ; dans MQ, le voyage ne présente aucune difficulté ; il ne dure d'ailleurs que deux petites journées (ce qui correspond à l'indication donnée par Chrétien lui-même dans le Conte du Graal, v. 8891) - alors que, dans la "rédaction courte", il durait six ou sept jours ... mais si l'ost n'avançait que d'une lieue par jour ! Ici, évidemment, EU n'ont nullement éprouvé le besoin d'aller "piocher" des compléments dans un manuscrit du genre de L !

LS et LA. - Les autres accords, encore moins fréquents, de L avec S (12 fois) ou avec A (7 cas) ne contredisent pas notre affirmation : ils ne se réalisent que parce que les autres copistes s'écartent plus ou moins du texte d'origine. Plutôt moins que plus, d'ailleurs. Ecrire errer (APT) au lieu d'aler (LS 211), vitaille (A) au lieu de vïande (LSP 222), ferma (R) au lieu de fonda (LASPT 373), assis (T) au lieu de seant (LASP 47), ne tire guère à conséquence.

Signalons, à propos de LS, quelques "corrections" imaginées par leurs confrères. La juxtaposition disgracieuse "que Keu", "peste" pour les critiques modernes, en était aussi une pour les écrivains médiévaux : contre LS 430, T supprime la conjonction, P et R la transforment en car, et A, avec plus d'originalité, en Dan, appellation ironique bien appropriée au sénéchal d'Arthur. Au v. L (S) 373, P et T coordonnent en ajoutant et, tandis que A subordonne en transformant l'indépendante en relative. Au v. 272, tous les copistes ajoutent un d' entre tant et homes, rendant l'expression plus proche de l'usage moderne, alors que LS écrivent encore tant homes. Au v. 404, L, S, M et E s'accordent sur le "démonstratif de notoriété" (ou "épique") ces, que A et U changent en les et P en lor (!), tandis que T refait le vers.

Quand la mère de Gauvain retrouve son fils,
            ... les mains li baise et la poitrine   L(S) 307
(R : baise ses m. et sa p.). Serait-ce peu "courtois"? A et T substituent le vis, et P et E les iols, aux mains, tandis que U écrira "sauvagement" : li mort et baise la poitrine ! Lorsque les reines, effrayées, demandent :

"... et quel <u>conroi</u> iert il de nos ?" <u>L(S)</u> 322

<u>A</u> change <u>iert il</u> en <u>prandrons</u> ; <u>P</u> modernise <u>iert</u> en <u>sera</u> (et supprime <u>il</u>) ; <u>R</u> substitue <u>consel</u> à <u>conroi</u>, ce qui est un peu plus clair ; quant à <u>T</u>, il emploie une tournure toute moderne :

"... por amor Dieu, <u>que ferons nous</u> ?"

- la leçon de <u>LS</u> est la plus "archaïque", donc l'originelle.

Gauvain, retrouvé par le roi, la reine et toute la cour, est couvert de baisers ; il s'en serait bien passé, dit l'auteur, qui ajoute cette remarque générale :

> Mais quant li biens est desirrés,   <u>L</u> 392-94
> cascun prent garde a son talent
> plus c'a celui qui le despent.

Comprenons : lorsqu'on se trouve enfin en présence du bien que l'on convoite, on se laisse davantage guider par son désir que l'on ne fait attention à celui qui présente ou dispense ce bien. <u>S</u> ne change que <u>desirrés</u> en <u>aprestez</u>, ce qui n'est pas mauvais du tout. <u>R</u> ne change, au 3e vers, que <u>plus qu'a</u> en <u>plus que</u>, et l'idée devient incompréhensible. <u>A</u>, <u>P</u> et <u>T</u> vont supprimer "<u>garde</u>", et il ne s'agira plus que de "saisir" (le bien), et l'idée de "faire attention à", "se laisser guider par la considération de", va être perdue : dans ces trois rédactions, l'axiome n'a plus aucun sens - le comble du non-sens étant atteint, naturellement, par <u>P</u> :

> Mais quant <u>li hom</u> est desirrez,
> cascuns <u>en prent</u> a son talent
> plus qu'il ne viut, car nel desfent.

Une fois de plus, c'est <u>L</u> - ici suivi par <u>S</u>, qui s'est le moins hasardé à remanier - qui a raison et représente le texte du "premier auteur".

Quant aux six ou sept accords exclusifs de <u>L</u> et <u>A</u>, ou bien ils sont quasi accidentels et ne portent que sur des broutilles (cf.

L 29, 379), ou bien tous les autres copistes divergent (cf. L 301, 342, etc.), ou encore l'identité n'est qu'apparente, car, ensuite, A ajoute un couplet :

> "... nule demande ne feïse   L(A) 293-94
> de vostre non ne enquesise".

écrit L, mais A n'admet pas cette redondance et il accroche une suite :

> "... ne anqueısse   A 302-04
> de vostre estre ne tant ne quant.
> Je nel voel sofrir en avant ..."

- et notons que T, tout à fait indépendamment de A, en fait autant :

> "... ne n'enqueïsse
> de vostre lignage ja rien.
> Et je m'en sui tenue bien ..."

Il va de soi que les leçons ponctuellement communes à ces deux copistes aussi divergents que L et A ont toutes chances d'être celles de l'original.

Le groupe AS. - En fait, il n'y a qu'un seul groupe véritable de deux mss dans ce début de la Continuation, c'est AS. Et le nombre de ses interventions est nettement plus élevé que celui que nous avons indiqué (27), car nous n'avons alors tenu compte que de l'identité formelle de l'expression ; dans plus d'une vingtaine d'autres cas, A et S sont seuls à émettre la même idée, sous une forme légèrement différente.

Le groupe AS est d'abord attesté par une addition ; là où L et les autres écrivent :

> Et cil en vient sans dire plus   L 121-23
> e dist : "Cil Dex qui maint la sus,
> qui tout a fait par son esgart ..."

A et S donnent :

> Et cil s'an vet sanz dire plus   A 123-27
> un po des chevaliers ansus
>   (S : tout droit en la sale la sus)
> ou a la reïne trovee ;
>   (S : a la reïne encontree)
> si li dist : "Gentix enoree,
>   (S : de celui Dieu l'a saluee)
> Cil qui tot fist par son esgart ..."
>   (S : qui tot a fet par son esgart)

Sans doute cette addition a-t-elle été provoquée par la volonté d'éliminer la répétition fâcheusement contradictoire du verbe dire (L : ... sans dire / e dist), mais il y avait des moyens plus économiques de la faire (T : sanz targier plus) ; et il semble que ce soit S qui suive le plus fidèlement le modèle AS, auquel Guiot ajoute une pointe de sophistication (un po des chevaliers ansus, gentix enoree). Il fallait aussi mieux marquer le mouvement, le changement de scène, pallier le laconisme du texte originel. Ce qui n'était pas facile, car, selon la rédaction courte, la reine et ses suivantes sont sorties des chambres et accourent au "palais", c'est-à-dire qu'elles descendent à la "salle". Pour AS, elles sont encore à la salle de l'étage supérieur, ce qui n'est pas juste, car, dès que le messager a fini de parler, Keu entame l'éloge de Gauvain - à la grande salle en bas, bien sûr. Faut-il imaginer que la reine a écouté le messager en descendant les "degrés" ? Il aurait fallu que le "premier auteur" fasse envoyer le valet à la reine avant qu'Ysave ne prévienne celle-ci de la grant joie del palés - ce que fait, non le ramanieur de MQ, mais le responsable de la rédaction "mixte" de EU (cf. E 202 ss), pour qui le valet peut monter tranquillement aux chambres (E écrit même ou palais la sus, cf. le commentaire de Foulet dans son Glossaire, s. v. palés), au moment même où Ysave prévient la reine ; ce second remanieur supprime également l'autre difficulté, puisque, pour lui, Keu a déjà prononcé son éloge (E 161 ss), devant donc seulement les hommes. Le "premier responsable" de la rédaction longue, MQ, ne donnait ni l'un ni l'autre passage (Ysave prévient la reine, Keu fait l'éloge de Gauvain), que le compilateur de EU recopie selon son second modèle. On voit donc comment la façon de raconter (heurtée, rapide, et un peu brouillonne) du "premier auteur" a suscité des réactions diverses : MQ supprime, AS ajoute, EU recomplète MQ en recomposant la scène dans un ordre plus satisfaisant.

A et S sont encore unis par la transformation de l'evesque Salemon en l'evesque de Carlion (v. 516) qui figure aussi dans M et EU (cf E 982). Quelle est la raison de ce changement ? Une rime plus riche, certes (: confession). Mais aussi, par la suite (notamment dans les deux dernières Branches), le groupe ASPT situera régulièrement à Carlion la cour d'Arthur, que LUMQ placeront, non moins régulièrement, à Glomorgan. Des considérations géographiques seraient oiseuses, mais que faisait l'évêque de Carlion à la cour d'Orcanie, si celle-ci a quelque rapport avec les Orcades ?

Les modifications communes que A et S, seuls, apportent au texte, certainement plus proche de l'original, représenté par LPRT (ou trois d'entre eux, ou L et un autre ms.) ne peuvent pas avoir été trouvées, séparément, par l'un et par l'autre - étant donné ce que l'on sait de l'inventivité et de la prétention (intelligente) de A et de l'inertie (généralement inintelligente) de S. Or, ce qui est remarquable, c'est qu'elles vont toutes dans le même sens que celles que A seul va apporter, en plus, au texte commun (voire à celui de AS).

Mis à part quelques choix lexicaux (ausi au lieu d'autresi, dont nous avons déjà parlé ; - verité au lieu de verté ou de vreté que AS, entre autres, bannissent presque systématiquement ; de même que veez, dissyllabique, au lieu de vés qu'emploient plus régulièrement L et, plus tard, UMQ, etc.) et grammaticaux (por au lieu de de au v. A 171, s'en va au lieu de en va au v. 373, la mere le roi au lieu de au roi au v. 422, n'i a celui au lieu de n'i ot un seul au v. 266, etc.), toutes les modifications de AS tendent à apporter au texte de base plus de clarté, de logique, de précision, de "liant", d'élégance et, surtout, de courtoisie.

Ainsi les inversions dans l'ordre des mots aux vv. 6O, 492, 5O6 (AS, comme A, a tendance à tirer le mot tot du côté de l'adjectif-pronom, alors que L et les autres le font du côté de l'adverbe) ; l'interversion des hémistiches finaux des vv. 151-52 veut rendre le style plus coulant. Par contre, l'on ne voit pas l'intérêt d'intervertir anchanté et anfantosmez à la fin des vv. 436 et 438 : le premier couplet rime plus richement dans AS (: clarté), mais le second, moins (:vantez). AS substituent la syntaxe à la parataxe (addition de et au v. 219, de que au v. 2O3, de quant au v. 68) ; - par contre, la relative du v. 36 est transformée en une indépendante (et li vaslez la lor descuevre, au lieu de que li vaslés au roi d.), mais c'est que, pour AS, le messager se doit de renseigner toute la cour, non le roi seul.

AS marque une première étape dans la correction de L 151-52 :

      ... si l'avoit il ja ranprosné   L
      trestot adés et mal parlé.
      Cui caut ? Tes est ataÿneus ...

- "mal parler quelqu'un" est à la limite de l'incorrection -

      ... si l'avoit il ataïné   AS 155-57
      trestot adés et ranponé.
      Cui chaut ? Tex est ataïneus ...

- rime plus riche, rime "grammaticale" aussi, ou, plus justement, "quatrain" (imparfait) avec ce jeu sur ataïné et ataïneus - nous examinerons plus tard ce procédé. R et T franchissent une seconde étape en remplaçant l'archaïque trestot adés par par mainte fois. EU réagiront d'une autre façon en intervertissant les deux premiers vers et en rattachant parlé (en bien, cette fois) à ce qui précède :

      ... molt cortoisement   E 162-65
      an a par devant toz parlé.
      Si l'avoit il ataïné :
      cui chaut ? Tiez est ataïneus ...

<u>P</u> aussi avait réagi différemment, amorçant lui aussi un "quatrain" mais introduisant un féminin aberrant :

>   ... si l'avoit sovent ranprosnee
>   et de sa proece <u>enviee</u>.
>   Mais je quic tes <u>est envieus</u> ...

Nous avons déjà signalé qu'<u>esjoïr</u> était sans doute plus élégant, plus "moderne" et de meilleur ton qu'<u>esbaldir</u> (cf. <u>AS</u> 120), la <u>gent</u> que l'<u>ost</u> (421), <u>se tenir</u> que <u>muer</u> (352), <u>comancer a</u> que <u>prandre a</u> (16, - cf. <u>A</u> seul 245), etc. Dire les <u>loges</u> (du palais) est plus précis et sans doute plus élégant que les <u>estres</u> (272). Remplacer les <u>besogneus</u> par <u>au besoing</u> est moins lourd et permet d'éviter une répétition (146-48). "<u>Or vos redirai</u>" sent moins son "jongleur" que "<u>Revolés oïr</u> ... ?" (463) ; - quant <u>jorz esclaire</u>, plus précis (inutilement, d'ailleurs) que <u>quant il esclere</u> (489) ;

>   ... venoit o cinc de ses privez   <u>A</u> 456

est plus coulant que

>   ... i vint, <u>lui quint qu'ot assamblés</u>   <u>L</u> 432

mais c'est l'expression de <u>A</u> ; celle de <u>AS</u> doit être représentée par la leçon, intermédiaire, de <u>S</u> :

>   ... i vint, <u>li quint de ses privez</u>

et <u>S</u> ne s'est pas aperçu du rapprochement fâcheux à la rime de <u>privez</u> et de <u>priveemant,</u> que <u>A</u> va repousser d'un vers en lui substituant un banal <u>veraiemant.</u>

Ecrire que toute la cour était <u>fors de voie</u> est plus imagé que <u>fors de joie</u> (<u>AS</u> 173) et permet une rime plus riche, homonyme, avec le "se Dex me <u>voie</u>" du vers suivant. Nous avons déjà noté de menus remaniements courtois, comme le "<u>Dex vos salt</u>" du v. 131, le "<u>molt m'agree</u>" du v. 92. Point trop n'en faut, cependant, et <u>AS</u> trouve un peu déplacé que la Vieille Reine s'adresse à son nouveau seigneur (dont elle ne connaît pas encore l'identité) en l'appelant "Biaus dols amis" (LPRT) : S écrit "Douz amis", et A, "Biax amis" ; - MQ (EU), eux, se contenteront de "Sire" (E 545). La courtoisie, c'est la mesure : AS réduit à deus les dis chevaliers qu'emmène Gauvain (359) - et P à un seul (!), tandis que MQ(EU) n'en compteront pas moins de trente ! Par contre, pourquoi porter de 3OOO à 4OOO le nombre des chevaliers qui escortent les dames de la cour (265) ? La tendance générale de A(S) est de réduire les nombres (voir L 177, 217, 6O3, 3948, 66OO, 89O5 - nous y reviendrons au chapitre des Nombres) : pourquoi ne le fait-il pas ici ? Au v. 398, c'est l'adjectif grant (dont L et, sans doute, le "premier auteur" usent et abusent - nous y reviendrons) qui est sauté ; de même au v. 395 ; au v. 18, le grant marement cède la place à l'adverbe comunemant : élimination d'un adjectif rebattu et d'une idée "désagréable".

AS présente bien toutes les tendances de A. L'idée, également pénible, d'"exil" est remplacée par celle de "conseil" (4O7). Au v. 7O, le "premier auteur", sans doute, a écrit que la courtoisie était trestote perdue depuis que l'on n'avait plus de nouvelles de Gauvain : pour AS, Gauvain restaurait (ou restaurerait ?) la courtoisie.

> ... s'ele del tot perdue estoit

ce qui est nettement moins fort. Au v. L 38O, Gauvain, évoquant son royaume perdu, parle de "tote la terre qui est nostre" ; AS changent est en fu, et le ton est moins revendicatif. A Gauvain confessé, le bon évêque promet que Dieu, partout, le sauvera (L 497) ; AS corrige : l'aidera seulement. Tendance à la rationalisation, à l'intellectualisation aussi : AS remplace oïr par savoir (121) ; nous avons déjà signalé comment l'évêque set bien que Gauvain se repent (523), dans A, alors que L écrivait voit et ot - S se situant entre les deux : voit et set.

Nous l'avons constaté plus d'une fois : S semble servir d'intermédiaire entre L (et P, R, T) et A. Tout se passe comme si S était ici le témoin d'une "première révision", encore assez discrète, opérée

par le responsable de AS, que Guiot aurait ensuite reprise et intensi-
fiée. Ne peut-on émettre l'hypothèse que AS représente une "première
édition" de la "librairie" de Guiot, et A, la seconde édition, "revue
et corrigée" ?

Autres groupes de 2 mss. - Les accords de A et T ne sont
pas faits pour surprendre ; pour la grande majorité, ils ne portent
que sur des détails et témoignent d'une même (et intelligente) volonté
de rendre le texte plus coulant : ces leçons, apparemment communes,
peuvent très bien avoir été trouvées, indépendamment, et par A
et par T. Ainsi soutainne, adjectif qu'un copiste du Conte du Graal
(v. 75) ne risque pas d'oublier, contre soutille ou soutive (et surtout
contre l'aberrant millor de R) ; ainsi seulement, contre senglement ;
ainsi tant d'omes au lieu de tant homes ; ainsi l'ordre des mots
aux vv. A 137 et 341. Même le neïs du v. AT 122/130 (au lieu du
ne de LP), et le deça du v. 297/309 (au lieu de l'étrange la sus
de LPR) peuvent avoir été imaginés par l'un et par l'autre. En aucun
cas, A et T ne sauraient représenter le texte original, mais la réaction
analogue, répétons-le, de deux copistes avisés.

On pourrait s'attendre à ce que les accords de A et P représentent les leçons du "groupe" ASP, dont S s'écarterait, mais ce
groupe ASP n'existe, du moins pour ces 500 premiers vers, que
sur le papier, je veux dire dans la colonne de droite du vol. III/1
de l'édition Roach, et qu'il n'a, alors, aucune espèce de consistance.
En fait, les accords de A et P ne portent que sur de menus détails
(un pronom ajouté, un temps changé, etc.) et dans des vers où la
plupart des mss (notamment R et T) divergent ; ils n'ont guère de
signification, à part celui du v. 20, où AP changent en les le ces
"épique" de LR (S écrit cent ! ; - T refait).

Même constatation en ce qui concerne les accords de P et
T ; la moitié semble due au hasard (tous les autres mss alors divergent, et PT s'uniraient deux fois à L si le copiste de celui-ci ne
commettait une bourde, v. 36 et 40). Le plus important de leurs

accords se trouve au v. A 517 : et li evesques li a dit, contre li sainz evesques donné par tous les autres - ce n'est pas là une preuve indéniable de parenté !

Les accords de S et P sont insignifiants, et ne représentent pas du tout ce à quoi l'on serait en droit de s'attendre : à savoir un "décrochage" de A du prétendu groupe ASP ; ils ne portent que sur des broutilles, voire des maladresses (v. 104 : quë ele ; v. 260 : Yvain(s) le fils roi Urïen, au lieu de Y., filz le roi U.), ou des incompréhensions (v. 502 : et li auquant), qu'ils peuvent avoir commises indépendamment. Les accords de R et T, quoique encore moins nombreux, sont beaucoup plus intéressants : fu au lieu de vi au v. 22/6 ; par mainte(s) fois au lieu de trestot adés au v. 170/62 ; que puceles au lieu de de p. au v. 241/35 ; al jor qu'il nasqui au lieu de l'ore qu'il n. au v. 330/28 ; et surtout le harnois le (al) roi (v. 246/40), substitué à la vïande (LSP) ou à la vitaille (A), dont il est difficile de penser qu'il ait été "trouvé" deux fois. Y a-t-il eu un premier remanieur, très différent de celui de AS, et qui n'aurait fait que quelques modifications intelligentes ? Ou bien T, relativement tardif et fort curieux de tout ce qui pouvait compléter ou embellir son texte, s'est-il inspiré d'un ms. du genre de R ?

Les accords de trois manuscrits. - J'en ai relevé 131, qui se répartissent ainsi :

LSR : 23 cas	LAP : 6 cas	APR : 1 cas
LPR : 18 cas	LAR : 6 cas	APT : 1 cas
LPT : 16 cas	LAT : 5 cas	SPR : 1 cas
LRT : 12 cas	ASP : 4 cas	SPT : 1 cas
LST : 9 cas	ASR : 3 cas	(ART : 0)
LSP : 8 cas	AST : 3 cas	
LAS : 8 cas	STR : 3 cas	
	PTR : 3 cas	

Ici encore, le ms. L, s'accordant 111 fois avec deux autres mss, apparaît comme le moins excentrique, ou le plus central : c'est bien lui qui reproduit le plus souvent le texte du "premier auteur". A l'extrême opposé, ce n'est plus R qui apparaît comme le plus original : c'est A, avec 37 accords seulement - ce qui confirme bien que c'est Guiot qui "corrige" le plus abondamment son modèle. Les autres copies se tiennent ; la plus "originale", après A, est T (53 accords) ; puis viennent P (59 accords), S (63) et R (70).

On aura compris que les six premiers "groupes" ne sont, en fait, que des "cas de figure" du "groupe" LSPRT, c'est-à-dire de la "version commune" moins les remaniements de A, avec "décrochages" de deux autres mss, ensemble ou séparément.

Il serait hautement fastidieux de reprendre ces 131 cas : le plus grand nombre, d'ailleurs, a déjà été évoqué à propos des "groupes" de 2 mss, auxquels s'opposaient fréquemment des "groupes" de trois. Je ne donnerai donc que quelques compléments significatifs.

Prenons le "groupe" le plus nombreux, LSR. Groupement contre nature, pourrait-on dire, puisqu'il unit trois rédactions imprimées séparément par l'éditeur ! Pourtant ces 23 accords sont bien nets. Mais comment sont-ils obtenus ? Par des divergences, menues de P (souvent un seul mot changé, plus quelques bourdes), bien plus importantes de A et de T, presque toujours séparément. Autrement dit, LSR n'est qu'une disposition particulière de LSPR, lequel transmet (sauf quelques changements, distractions ou bêtises de P) le texte du "premier auteur", pour un certain nombre de vers un peu difficiliores, au moins amendables, qui excitent chez les deux copistes les plus hardis le désir de corriger, voire de refaire le texte (réfections importantes de T aux vv. L 123, 158, 165 ; de A aux vv. L 123, 207, 225, 346). Lorsque EU (voire M) ont des vers communs avec la rédaction courte (cf. L 86/ E 222, 107/243, 165/177, 201/359, 434/906), ils donnent très généralement le même texte que LSR (sauf au v. 158/170 où ils refont, comme A, cis maus en nostre maus - ce qui est effectivement meilleur et qui peut être trouvé indépendamment). Aucun accord significatif de APT (ou partiel, de AT, AP ou PT) contre LSR.

Constatations analogues pour LPR, qui n'est qu'un LSPR dont, momentanément, S s'écarte - pour de menus changements (parfois médiocres cf. v. 500 : répétition de quant), pour des réfections banales (234 : et li autres le sivent tuit - parbleu ! puisque le valet les guide tous), et surtout parce que dans la plupart de ces 18 cas S fait groupe avec A (voir alors à AS - quant à T, il écrit autre chose). Ou bien S est le témoin d'un premier remaniement AS, que A va encore "perfectionner", ou bien S "régresse" de AS vers la version originelle ; on peut se poser la question à propos du v. L 108 :

> Il n'i a nule damoisele   L 107-09
> ne nule dame ne pucele
> qui ne get jus s'afubleüre ...

- leçon de S pour le second vers :

> ne dame tant grant ne pucele

- et leçon de A :

> ne si orguelleuse pucele

"tant grant" semble ouvrir la voie à "orguelleuse", dont, le moins que l'on puisse dire, c'est que l'on ne voit pas l'intérêt, ici, de cette notation morale. Besoin de varier ? T intervertit les vers et écrit ne nule franche damoisele - notation plutôt d'ordre institutionnel mais à connotation morale. Remarquons que A semble avoir eu le souci de rétablir la hiérarchie - descendante : dame ... dameisele ... pucele. Mais signalons aussi que S semble affectionner l'adjectif grant (v. 409, pour le bien faite de LPR, que A changera en cortoise, et T, en gente !). Visiblement le copiste (le responsable) de S n'est pas (ne sera pas) à la hauteur des prétentions du remanieur de AS - et encore moins de celles de Guiot. En tout cas, en face de LPR - que suivent généralement EU dans leurs emprunts - pas de "groupes" significatifs AST, ni AT, ni surtout ST.

Le "groupe" LPT correspond aux moments où AS, d'une part, et R, d'autre part, divergent du texte de base, ceci à sept reprises, et, plus souvent, aux moments où tous (A, S, R) diffèrent - S plus médiocrement (aucune réfection d'envergure), A et R bien plus carrément, surtout le premier (quatre réfections totales).

Aux 12 accords de L, R et T pourraient correspondre 12 manifestations du "groupe" ASP : celui-ci n'apparaît en fait qu'une seule fois (v. 172) et pour une modification que n'importe qui pouvait apporter (addition d'un ne) ; par contre, c'est à quatre reprises que LRT s'opposent à AS (cf. L 144, 324, 337, 462), P écrivant alors autre chose (et plutôt à tort qu'à raison). Dans la majorité des cas, donc, A, S et P diffèrent.

LST ne s'oppose pas davantage à un "groupe" APR, qui est inexistant ; ni LSP, à un "groupe" ART dont nous n'avons aucun exemple, etc.

Les accords de quatre manuscrits. - Ils sont au nombre de 97, se répartissant de la façon suivante :

LSPR : 18 cas	LASP : 8 cas	ASRT : 3 cas
LASR : 10 cas	LAPR : 8 cas	LART : 1 cas
LAST : 10 cas	LAPT : 7 cas	APRT : 1 cas
LPRT : 9 cas	LSPT : 7 cas	SPRT : 1 cas
LSRT : 9 cas	ASPT : 4 cas	(ASPR : 0)

L s'unit donc à trois autres mss 88 fois sur 97 ; à l'opposé, A, seulement 52 fois, et T, 53 fois. Entre ces extrêmes, se situent S (71 fois), P (64 fois) et R (60 fois). Le ms. L est ainsi désigné, une nouvelle fois, comme celui qui retouche le moins le texte de l'original, et A et T comme ceux qui le font le plus.

Que le groupement ASPR n'apparaisse jamais, manifeste, d'une part, que les remaniements de R n'ont rien à voir avec ceux de AS et, d'autre part, confirme l'inexistence du "groupe" ASP. Le "groupe" ART - c'est-à-dire celui des trois plus grands "retoucheurs" - reste impensable : il ne peut exister (à peine) qu'en s'accordant avec S, ou L, ou P. Que le "groupe" LART n'apparaisse qu'une seule fois en 500 vers : voilà qui souligne, d'une part, que A, R et L travaillent chacun pour soi, et, d'autre part, que, de toute façon, leurs "corrections" seront toujours dirigées contre le texte du "premier auteur", que représente évidemment L. Le "groupe" SPR ne peut exister qu'en passant par L : c'est dire qu'ils présentent alors le texte du "premier auteur". Il en va de même pour le "groupe" APR, ou pour le "groupe" PRT. On peut clore le débat : il est prouvé que L, celui par qui il faut passer pour s'unir, présente le texte de base, le "degré premier" de l'écriture - au moins des 500 premiers vers de la Continuation-Gauvain.

Une récapitulation de tous les accords de 2 mss - dans les "groupes" de 2, de 3 et de 4 mss - sera instructive :

LR : 142 fois	LA : 76 fois	ST : 53 fois
LP : 131 fois	RS : 73 fois	AP : 50 fois
LS : 122 fois	PR : 63 fois	AT : 47 fois
LT : 104 fois	PT : 62 fois	RT : 47 fois
AS : 80 fois	PS : 60 fois	AR : 36 fois

Ainsi donc R, qui représente une copie ancienne (puisqu'elle ne contient que la Br. I la Première Continuation), est le plus proche de L, et en même temps le plus éloigné de A, qui est également une copie ancienne (puisqu'elle ne contient, à la suite de la Continuation-Gauvain, que le début de la Continuation-Perceval). Les "groupes" avec L occupent partout la première place, sauf AS, qui, lui, est un véritable groupe ; tous les autres groupements de 2 mss se réalisent majoritairement par l'intermédiaire de L (c'est particulièrement net pour <u>SR</u>, <u>PR</u>, <u>RT</u> et <u>AR</u> - ce qui confirme l'hypothèse qu'un accord de <u>L</u> et de <u>R</u> représente presque à coup sûr la leçon originelle).

Additionnons enfin tous les vers pour lesquels chaque ms. s'allie à au moins un autre :

<u>L</u> : 425 vv.	<u>P</u> : 293 vv.
<u>A</u> : 274 vv.	<u>T</u> : 264 vv.
<u>S</u> : 316 vv.	<u>R</u> : 272 vv.

La copie de <u>L</u> est donc, et de loin, celle qui se rencontre le plus souvent avec l'une ou l'autre, ou plusieurs, des autres copies. Il n'y a, pour ce phénomène, que deux explications possibles : ou bien <u>L</u> est le plus proche de l'archétype, ou bien il se situe tout à fait à la fin de la tradition et il est totalement "mixte" (le copiste a tous les mss sous les yeux et s'ingénie à s'accorder le plus souvent possible avec l'un ou avec l'autre). Cette seconde explication est non seulement complètement invraisemblable, mais absolument aberrante : <u>L</u> n'a rien d'un copiste - "caméléon", et c'est au contraire son texte qui présente la plus grande cohérence et unité (à tous les points de vue : lexique, style, syntaxe, versification, et surtout imaginaire). C'est donc la première explication qui est la bonne : le texte de <u>L</u> est le plus proche de celui de "premier auteur".

CHAPITRE   IV

LES COPISTES
DANS LES 500 DERNIERS VERS DE LA BRANCHE II

Un simple coup d'œil sur l'édition Roach suffit à montrer que les choses changent assez considérablement à partir, justement, du v. 500 de la Br. I. D'une part, L et T vont beaucoup se rapprocher, au point de présenter un texte unique et de constituer un véritable groupe LT, manifestant donc, par contrecoup, l'existence d'un autre groupe, ASP, auquel se rattache R quand il ne part pas dans ses extrapolations et interpolations ; d'autre part, lorsque le groupe EU fait des emprunts à la rédaction courte, c'est maintenant à un manuscrit de la famille A(SP) qu'il s'adresse (et non plus à un texte proche de L). Au lieu de la prédominance du groupe LPRT (+ EU) contre AS (et, bien sûr, MQ), on a maintenant celle du groupe ASPR (+ EU) contre LT (et, toujours, MQ).

Que s'est-il passé ? Nous n'en savons rien. Notons au moins en quoi consiste l'écart entre LT et les autres copies. Le responsable de LT développe d'abord beaucoup la description des cortèges (conrois) du Guiromelant, qui prend chez lui 70 vers, alors que ASP la fait en 30 w., et même seulement 16 (une fois ôté un éloge de Gauvain, de 14 vv., qui ne figure pas dans LT). La rédaction longue MQEU repousse cette description après l'ambassade d'Yvain et de Girflet, envoyés par Gauvain au Guiromelant, et la description de l'armement de celui-ci - pour être plus juste, elle en intercale une première moitié entre l'armement de Guiromelant et le retour des deux ambassadeurs auprès de Gauvain : les conrois sont présentés d'abord à leur départ, lorsque l'ost d'Arthur ne peut encore les voir, puis lorsque Gauvain commence à les apercevoir ; EU complète, naturellement, en empruntant à la famille A les 14 vv. d'éloge de Gauvain. Notons que cet éloge est bien plus dans la veine moralisatrice de R que dans celle, courtoise, de A ; au risque d'anticiper sur notre examen de la versification, on relève, dans ces 7 couplets, 4 rimes riches ou très riches, ce qui correspond parfaitement à la manière de R, et pas du tout à celle de A (ou de AS).

ASP développe l'armement du Guiromelant et insiste sur l'exceptionnelle beauté de celui-ci : 35 vers au lieu de 27 dans LT ; - mais au moins 41 dans R (déparé par une lacune dont on ignore l'étendue) ; dans ces passages, on compte une rime riche dans LT, 5 dans ASP et 10 dans R. Cette description de l'armement du Guiromelant est donnée deux fois dans la rédaction longue : une première fois dans EU seuls qui empruntent les 35 vv. de la famille A, et une seconde fois dans MQEU (1288-314, soit 27 vv.) ; le double emploi est cependant évité, car MQ ne décrivent que la fin du processus (on lui lace son heaume, on lui apporte une épée, on lui amène un cheval, etc.) - tout se passe comme si la rédaction courte (LASPR) et la longue (MQ) s'étaient partagé la tâche.

L'ambassade d'Yvain et de Girflet est davantage développée dans ASP (78 vv.) que dans LT (66 vv.), mais encore beaucoup plus dans R (119 vv.) : EU y consacrent 102 vv., dont 58 empruntés à la famille A pour compléter MQ (qui l'expédiait en 44 vv.). Elle constitue, pour un remanieur, une belle occasion de "montrer sa courtoisie" (assaut de politesses et de compliments), ce qui procéderait bien des intentions de Guiot et de son "atelier", mais pas particulièrement de celles de R ; celui-ci garde (?) la version développée de ASP et y ajoute une cinquantaine de vers de considérations mora-

216

les, qui lui sont bien propres.

Le duel lui-même de Gauvain et du Guiromelant occupe à peu près le même nombre de vers dans LT (entre 214 et 218) et dans ASP (224 dans A, 214 dans S), mais seulement 186 dans P, qui présente de nombreuses lacunes (à moins que ce ne soit le groupe AS qui fasse de nombreuses additions à un texte de base ASP, plus court). Seulement le récit n'est pas du tout distribué de la même façon, LT en développent beaucoup la première moitié (faits d'armes purs), et ASP, la seconde (émotion des assistants, surtout de Clarissant, péripéties finales). Dans LT les deux moitiés sont rimées médiocrement (entre 21 et 23 % de rimes riches) ; dans ASP la première moitié est rimée bien plus richement (près de 40 %), la seconde retombant au niveau de LT (26 %), mais, dans R, cette seconde moitié continue à être rimée plus richement (36 % : rime perfectionnée à R 1041-42, 1215-16, 1235-36, 1255-56, etc) - sans tenir compte de ses interpolations, où le pourcentage des rimes riches s'élève à 44 %. Il semble donc bien que R soit pour quelque chose dans l'écart qui s'est creusé entre L(T) et AS(P). Il faut sans doute s'imaginer un premier "réviseur" à l'oeuvre, du type de R, que le responsable de la famille ASP choisisse alors de suivre.

Pour la description du duel, la vraie rédaction "longue" MQ est bien plus courte que toutes les autres : 116 vv., auxquels EU en ajoutent 186 (U seulement 180) qu'ils empruntent à la famille A : autrement dit, EU "farcissent" la rédaction MQ avec la presque totalité de la rédaction AS (ils ne partagent pas les lacunes ou les coupures de P).

Le dernier épisode de la Br. I (intervention de Clarissant, cessation du combat, paix entre Gauvain et le Guiromelant) est beaucoup plus développé dans ASP (surtout dans A : 152 vv., contre 118 dans P et 110 dans S) que dans L (70 vv.) - dont T va "décrocher" pour rejoindre la rédaction longue (mariage à l'insu de Gauvain, colère et départ de celui-ci). Ici, R est légèrement plus court que la plus brève des copies de la famille ASP (c'est-à-dire S) : 102 vv. seulement, puisqu'il s'arrête 8 vv. avant la fin de SP (paix entre Gauvain et Guingambresil, et A ajoutera 30 vv. sur les noces, sur le départ du roi vers Branlant et le retour de la reine en Bretagne).

Au début de la Br. II, Brun de Branlant, R n'est plus là, et T est revenu à la rédaction courte, et, de nouveau, à un texte très proche de celui de L. Ainsi est reconstitué le groupe LT, en face du groupe ASP, et du groupe MQ, dont la version est assez différente, et que EU continuent, dans le premier épisode, à compléter par de larges emprunts faits, d'abord à un texte proche de A, puis à un texte proche de L. Dans ce premier épisode, la rédaction MQ est effectivement bien plus longue (231 vv. - celle de EU, "farcie", en fait 273) que la rédaction "courte" LT (87/92 vv.), et surtout que celle de ASP (58 vv.), qui ne donne que l'essentiel.

A partir du second épisode (la "courtoisie" d'Yvain et de Gauvain envers les belles assiégées), il ne faut plus tenir compte de MQ, qui se met à résumer, de façon de plus en plus concise et laconique , tout le reste de la Br. II. Privé de son modèle principal, EU se tourne vers un texte extrêmement proche de L. Les deux familles de la rédaction courte diffèrent moins que dans le premier épisode : L compte 157 vv., et A, 159 (155 dans S, 145 dans P qui saute plusieurs couplets). T compte 174 vv., c'est dire qu'il fait quelques additions à un texte toujours voisin de L, mais qui se rapproche parfois de A(SP).

Dans le troisième épisode (la "razzia" de Brun de Branlant et la blessure de Gauvain), toutes les versions se rapprochent encore : LEU forment un groupe très net (110 vv. dans L, auxquels EU ajoutent 3 couplets, et U un quatrième), dont T (109 vv.) reste proche ; le groupe ASP (entre 107 et 109 vv.) ne diffère plus beaucoup de LEU(T). Cette configuration se maintient dans l'épisode suivant (Gauvain convalescent part se promener), à ceci près que la version ASP condense nettement la fin (entre 61 et 73 vv. contre 95 dans LEU, auxquels T ajoute   un couplet).

*

*   *

Dans les 500 derniers vers de la Br. II, que nous allons maintenant examiner en détail, le groupe ASP tend de plus en plus à
se rapprocher du groupe LEU. Voyons d'abord le comportement de
chaque copiste.

Le copiste de L.

Le ms. L contient, dans les 500 derniers vers de la Br. II
(Brun de Branlant), presque deux fois plus de leçons individuelles
que dans les 500 premiers vers de la Br. I, mais il reste encore
celui qui s'écarte le moins du texte originel. En plus d'une dizaine
de bourdes rejetées par l'éditeur, je n'ai relevé que 70 "variantes" :
57 portant sur un seul mot, 8 sur un hémistiche, 3 sur un vers entier,
plus une intervention d'hémistiche (1777-78) et un changement de
rime (1897-98). Aucune addition, aucune omission. Une bonne moitié,
d'ailleurs, des écarts de L ne le sont que par rapport au groupe
EU, avec lequel notre ms. est étroitement uni - ASP(T) donnant
souvent une rédaction assez différente.

N'insistons pas sur les bourdes et étourderies, assez rares,
de ce copiste qui les corrige d'ailleurs parfois (cf. v. 1890, 1999) :
elles semblent imputables à la fatigue (elles interviennent par "accès" : 4 entre 1713 et 1732, 8 entre 1999 et 2031).

Dans la plupart de ces leçons individuelles, qui pourraient
apparaître comme des "décrochages" de L du groupe LEU, il semble
bien qu'il s'agisse, en fait, du contraire : c'est le responsable de
EU qui modifie son modèle (très proche de L), et ses réfections
vont dans le sens d'une plus grande "lisibilité", c'est-à-dire souvent
d'un certain "rajeunissement". C'est EU qui préfère maintenant à

219

esranment (L 1606 / EU 6238), isnellemant à vistement (1655/6287), finement à durement (1680/6312), ou durement à estrangement (1902/ 6534), certenement à veraiement (1790/6422 - d'autant plus que ce veraiement rimait avec voirement !) ; qui remplace por que par si que (1836/6468), le puis cher à L par un si (1585/6217), ensamble o lui par avec lui (1708/6340) etc. ; qui préfère parler de lances que de tronçons (1882/6514), de paveillons que de rices trés (1582/ 6214), de chesne que de caisnot (1960/6590), et faire dire, en s'adressant à une jeune fille, "Douce amie" plutôt que "Pucele" (1644/6276), etc. On voit que la courtoisie n'y perd pas, bien au contraire. Voici encore quelques autres transformations :

L	EU
... qu'il perçoit (1583)	... quant lou voit (6215)
... et voit laiens (1592)	... si a veü (6224)
... de li s'en part (1710)	... de li se part (6342)
... li vostre ami (1757)	... vostre ami (6389)
... c'assés as (1944)	... que molt as (6574)

On rend le style plus coulant en supprimant des enjambements, des césures, des répétitions, en pratiquant l'élision, etc. :

L	EU
... por coi il doie pas laisier	
armes porter né cevaucier (1553-54)	
	... por que deüst armes laissier
	ne chevauchier un jor antier (6185-86)
	(U : ne qu'il lessast le chevauchier)
... parmi l'escu, parmi l'auberc (1771)	
	... parmi l'escu et le haubert (6403)

L   EU

... vers lui vient molt tost, si l'embrace (1687)

        ... lors vient à lui et si l'ambrace (6319)

... bien set, se il l'estor maintient (1911)

        ... bien set, si l'estor plus maintient (6543)

- ce qui ne va pas sans quelque trahison du sens :

"... Va tost, si me quier mon ceval,
si m'en maine, car n'ai nul mal" (1809-10)

        "... Va, si m'amoine mon cheval,
        si monteré, car n'ai nul mal" (6441-42)

(on aura noté, dans les derniers exemples, la suppression de l'adverbe tost, si caractéristique de L - c'est-à-dire du rythme précipité que le "premier auteur" imprime sans cesse à son oeuvre).

Et ceci, à l'intérieur du groupe LEU. Que dire des réfections "courtoises" que le groupe ASP (ou ASPT), ou Guiot tout seul vont pouvoir apporter à ce texte si "rocailleux" ! Nous les verrons en temps voulu ; donnons seulement quelques exemples de lectiones difficiliores de L qui induisent les autres copistes à faire des modifications plus ou moins heureuses.

Nous avons déjà cité les deux vv. de L - por coi il doie pas laisier / armes porter ... (1553-54) - que EU remanie : ASPT les suppriment. Pour ceux (L 1809-10) où Norré de Lis, grièvement blessé, demande à son fils Bran de l'emmener, la leçon de L est la meilleure ; celle de SP est redondante ("... si me quier .../ sel m'amaine ..."), et EU explicite l'idée que le père veut remonter à cheval ("... si monteré") - ce qu'il n'est évidemment pas capable de faire. Mais, dans ces 5 mss, le père se montre rassurant ("... car n'ai nul mal"), ce qui autorise sans doute Bran à différer lé secours qu'il doit lui porter et à continuer de poursuivre Gauvain. Les remanieurs de A et de T se veulent plus logiques : Norré, blessé à mort, se plaint ("... que trop ai mal"), mais on comprend mal alors la dureté, fort "discourtoise", de son fils.

Dans la réponse de Gauvain à l'étrange salut de la Pucelle de Lis, le trissyllabique aamé de L fait difficulté ; P le remplace par salué ; EU, par acostumé ; S coupe et commence la réponse de la Pucelle ("... pour quoi le fetes. - Gel diré...") ; A et T remanient complètement, en supprimant un échange de répliques, en délayant courtoisement la réponse de Gauvain mais en supprimant sa seconde demande : leur texte est plus coulant, moins vif, mais moins complet.

Vers la fin de l'épisode, ce sont ASPT qui suppriment un échange de répliques entre Gauvain et Bran de Lis (cf. L 1932 ss : "... à la condition suivante. - Dites-la donc. - Très volontiers ...") : là, rien d'essentiel n'est perdu, sinon le ton. Il faut dire que les copistes ont été surpris par l'attaque Fait Bran de Lis (1934) qu'ils ont dû prendre pour une incise : EU corrigent en Bran de Liz dist ; ce genre d'attaque, si chère à Jean Renart, est assez inhabituelle chez notre auteur, qui ne l'utilise que deux autres fois, à propos du sénéchal Keu :

Fait mesire Qex : "Nains, di moi ..."   L 3685

(tous les autres copistes corrigent : "Nains, fet messire Keus - ou fait li seneschaus -, di moi ...")

Fait Qex : "Cis mos n'est pas vilains ..." L 4096

(EMT conservent ; - Q corrige en Quex dist ; U, en Dist Keus ; P, en Dist que - mais on ne sait pas qui parle ; - A et S refont, plus ou moins lourdement : A, Lors li a dit messire Kez ; S, Lors a parlé messire Kex, et l'expression remarquable mos ... pas vilains disparaît).

Les adverbes primes et premiers posent aussi problème aux autres copistes : ·

"... qu'oï primes de lui parler ..."   L 1629

- SP et E conservent ; U et AT corrigent : que j'oï de Gauvain parler (U), que j'ai oï de lui parler (AT) ;

"... mes nons ne fu encor només   L 1637-38
premiers, s'ains ne fu demandés ..."

- tous les autres, déroutés de plus par le rejet, refont de façons diverses, les leçons de U (par moi s'ainz ...), et même de P (poroec qu'il) et de S (pour quoi qu'il ...) s'écartant moins du texte original, difficilior, que A, T et E remanient plus profondément.

Bran de Lis, chevauchant après Gauvain, tombe sur son père :

... et vint pognant parmi la lande   L 1801-02
sor son pere, si li demande ...

- venir sor, plus un enjambement, c'est plus qu'il n'en faut pour provoquer un remaniement ; dans l'ordre :

U : ... a son pere et si li demande

P : Son pere voit, se li demande

ASE : Son pere trueve ....

T : ... vint a son pere...

(ce qui a obligé T à remanier aussi le vers précédent).

Au v. 1880, L écrit que les adversaires, gisant à terre, n'ont song de séjorner ; ASP changent song en talent ; EU, d'une part, et T, de l'autre, refont complètement le vers :

Mais tant viaut l'un l'autre grever   EU 6512

- ce qui procure une rime riche avec lever ;

... a poi ne les estut crever   T 2892

(même remarque). Au v. 2021, L écrit que la grant rote (l'armée qui assiège Branlant) se disperse ; ASP changent en (toz) li sieges, et T, en toz li grans os (EU a un texte différent, puisqu'il se dispose à rejoindre MQ, mais, à cette hauteur, il emploie le mot siege). L'adjectif angoiseus (L 1995) s'édulcore progressivement en dolanz (E, - U : ot grant paour), en esmaiez (SPT), en esbahiz (A) ! Le copiste de L (et sans doute aussi le "premier auteur") affectionne l'adjectif estrange (et l'adverbe estrangement) : nous y reviendrons, mais signalons qu'ici, à deux reprises, estrange n'est gardé que par TE (L 1564) et E (1576), les autres corrigeant en aucune, autre, mainte, bele.

Toujours les remanieurs essaient d'être plus "courtois" que L. Exclamation du père, quand la "Pucelle" lui dit ce qu'elle est devenue :

"Ha ! fille, qui a donc ço fait ?"   L 1725

(U : "... qui vous a ce fait" ; - S : "... qui t'a donc ce fet") - ce qui est trop brutal pour A et T :

"Ha, Dex ! qui a donques ce fet ?"   A 1747
"Ha ! fille, qui aroit ce fait ?"   T 2737

Et la fille de répondre allègrement : "Messire Gauvain ...

"... Mon pucelage en porte o li ..."   L 1728

U et T édulcorent : "... me toli". Mais elle insiste : "Je vous avais bien prévenu qu'il l'aurait,

"... si tost come je le verroie   L 1731-32
se je leu et aise en avoie !"

- c'en est trop : U refait le second vers, et ASPT suppriment tout ce couplet.

Toujours la hantise du corps, chez les remanieurs courtois ; la Pucelle de Lis demande à son visiteur de se désarmer :

> "... car veoir vuel sans coverture L 1649-50
> vostre vis et vostre faiture."

(U : figure) ; ASPT écrivent, de façon bien plus abstraite :

> "... bien savrai (T verrai) se c'est voirs ou non
> quant ge verrai vostre façon"
> (T : bien conistrai vostre façon)

- du coup, ASPT omettent de nous dire que Gauvain se desarme (cf. L 1655, ET 6287) ; ils seront bien obligés, plus loin, de préciser que le héros s'est desarmé (A 1705), mais il ne l'a pas fait en présence de la jeune fille !

Ce qu'elle s'en va regarder, dans la "chambre" du pavillon, c'est un portrait de Gauvain - un portrait "physique", on s'en doute, mais, dans ASPT, c'est aussi un portrait "allégorique", "moral" :

> ... Ses boenes teches, sa biauté A 1697-98
> sa corteisie et sa bonté
> i portrest si bel et si bien ...

- rien de tel dans L, que suit EU. Déjà, parmi les qualités de Gauvain qui ont excité l'amour de la Pucelle, le remanieur de ASPT n'a pas manqué de glisser le sens (A 1659, T 2649).

Où va se nicher la tendance "hyper-courtoise" des remanieurs ? Selon L(EU), Gauvain trouve la Pucelle occupée à confectionner un las de hiaume (L 1597) ; cela, sans doute, n'est pas courtois, et puis une jeune fille qui manie des armes, même défensives ! ASPT font sauter quatre vers.

Ce qui doit exciter la veine des copistes "courtois", ce sont les descriptions d'objets somptuaires : ici le pavillon de la Pucelle de Lis. Pourquoi le remanieur de ASPT modifie-t-il la description de L(EU), sans rien y ajouter ?

225

>   ... a bestes, a oisiaus, a flors,   L 1572-74
>   entaillié de ciers dras de soie.
>   Un aigle d'or qui reflanboie ...

ASP laisse tomber les oiseaux :

>   ... de riches dras ovrez a flors ;   A 1606-08
>   bestes i a de mainte guise.
>   Un aigle d'or avoit asise ...

T les garde (au prix d'un diminutif), mais supprime aussi le "reflamboie-ment" :

>   ... pains a oiselés et a flors   T 2598-600
>   et a beste de mainte guise.
>   Desus fu l'aigle d'or assise ...

- sans doute est-ce le mot entaillié qui les a gênés, et l'on attendrait logiquement la présentation de l'étoffe avant celle de ses ornements. Mais on dirait aussi que le caractère trop "diurne" de l'aigle d'or offusque leur regard.

Il n'est pas "réaliste" non plus, sans doute, que Gauvain voie que l'intérieur du pavillon est jonché de fleurs, avant de s'en être suffisamment approché ? Mais ce serait faire trop d'honneur aux remanieurs. En réalité, ils sont gênés par l'inversion de L(EU), et ils attribuent ce "jonchement" ... aux loges de ramée !

>   Si vos di bien qu'entor avoit   L 1578-82
>   ramees et loges galesques.
>   Des flors soëf olans et fresques
>   ert tos jonciés par la dedens
>   li rices tres qui tant ert gens.

- ce qui devient :

>   Anviron ot loiges galesches   A 1611-14
>   soëf oillanz, beles et fresches ;
>   de flors estoit (!) jonchiez dedanz.
>   Il dist soëf antre ses danz ...

Pas une fois sur dix les remaniements "courtois" n'amendent en quoi que ce soit le texte "archaïque" de L ; une fois sur deux, au moins, ils le gâtent. Le "premier auteur" avait l'imagination plus vive, et emportée, que le goût élégant, et son écriture était peu "artistique". Mais il était concis et précis, et remanier intelligemment son texte n'était pas à la portée de n'importe qui.

Le copiste de A.

Le copiste de A, Guiot, est beaucoup moins indépendant au cours de ses 500 vv. : on ne relève que 78 leçons individuelles (contre 228, rappelons-le, au début de la Br. I), dont 51 portent sur un mot, 22 sur un hémistiche, 2 sur un vers entier - plus une interversion des seconds hémistiches d'un couplet, et l'addition d'un seul couplet (courtois, évidemment ; Et ele respont maintenant / come cortoise et avenant, A 1637-38). C'est que A est maintenant intégré à un groupe très net : ASPT (76 leçons communes, dont 36 ont une importance certaine), ou - généralement par suite d'un nouvel écart de T - au groupe plus restreint ASP (46 leçons communes, dont 36 assez importantes), ce qui ne l'empêche pas de faire aussi un duo avec T (le groupe AT est attesté par un total de 57 leçons communes, dont 41 sont importantes).

Que reste-t-il à l'actif de A lui-même ? Assez peu de modifications portant sur le lexique ; certaines sont insignifiantes : detenir pour retenir, acravanter pour craventer, leissier pour remanoir, sauver pour garir (A 2007 ; cf. déjà, au v. 1588, sains au lieu de gueriz, mais fâcheuse répétition de sains en trois vers) ; au v. 1756, aprés le siut est redondant et moins bon que aprés en vait de LSE ; au v. 1672, cuit est moins bon que croi de LSP ; porpanser (1979) est plus abstrait (inutilement) que ramembrer ; croler est moins brutal que se plaier (1884) ; au v. 1782, esfreïz marque une euphémisation par rapport aux marris, aramis ou engramis des autres mss ; de même, au v. 2005, esbahiz, contre esmaiez, angoisseus ou dolanz, etc.

Passons sur une poussière de variantes portant sur les mots-outils ; ici A ajoute un et, là il remplace un si (1586, par toz ;

227

1794, par <u>il</u> ; 1970, par <u>sel</u>) ; il substitue <u>que</u> à <u>car</u> conjonction, ou <u>or</u> à <u>car</u> adverbe, mais il fait aussi bien l'inverse. Il continue à "moderniser" le texte - le travail a été commencé par les responsables des groupes <u>ASPT</u> et <u>ASP</u> (s'ils sont différents de lui) -, écrivant <u>plus granz</u> au lieu de <u>graindres</u> ou de <u>greignor</u> (1905), <u>tot maintenant</u> au lieu de <u>isnelement</u> (2000). Et aussi, bien sûr, à le rendre plus courtois, changeant <u>ireement</u> par <u>vistemant</u> (1907), <u>molt durement</u> par <u>parfitemant</u> (2026) ; corrigeant une formule périphrastique et trop jongleresque, comme

Li glorios <u>rois</u> qui ne ment   <u>LSEU</u>

en

Cil glor<u>i</u>ex <u>Dex</u> qui ne ment   <u>A</u> 1628

- que <u>T</u> réduit à <u>Li vrais Diex qui ne ment.</u>

Parfois ces réfections sont malheureuses ; quand <u>L</u> écrit :

Que qu'il <u>pense</u> et <u>vait l'ambleüre</u>   <u>L</u> 1566

<u>A</u> remanie bizarrement :

Que qu'il <u>va pansant l'anbleüre</u>   <u>A</u> 1600

et <u>T</u> développe, non sans contredire :

En cest <u>penser</u> sanz demoree   <u>T</u> 2590-91
s'en va <u>molt tres grant aleüre</u> .

Au premier choc, les deux adversaires (Gauvain et Bran) résistent à la poussée des lances, qui se brisent, mais ensuite ils se heurtent si violemment, <u>de cors et d'escus</u>, qu'ils se projettent à terre,

...· c'andeus les senestres genos   <u>L</u> 1874-75
s'escorcierent et tos les vis

- pour Guiot, ce sont les chevaux qui le font :

... qu'andui <u>li cheval</u> les genols   <u>A</u> 1892-93
s'escorchierent et <u>tos les vis</u>

et <u>T</u> va éliminer ce détail bizarre des chevaux s'écorchant les <u>vis</u> !

Li cheval furent as genols   <u>T</u> 2885-86
tout escorchié, <u>dont lor fu pis.</u>

Si A varie si peu, c'est que la plus grande partie du travail a déjà été fait, au stade de ASPT, de ASP, et peut-être même de AT, sur lesquels A, d'une part, T, de l'autre, renchérissent au besoin - comme nous le verrons en examinant ces groupes.

Le copiste de P.

Les leçons individuelles de P sont un peu moins nombreuses que dans la Br. I (130 contre 152) : 109 portent sur un mot ou un hémistiche, 13 sur un vers entier ; on compte 2 interversions et 5 changements de rime, plus 13 vers omis (mais aucune addition). Les omissions concernent les vv. A 1611-12 (les loges galesches, dont A écrit bizarrement qu'elles sont soëf oillanz), 1666-67 (saut du même au même : demandez ... demander), 1739 seul (Cele anbruncha un po son vis - détail bien venu et dont la suppression est fâcheuse, d'autant plus que le vers conservé du couplet reste en l'air), et surtout 1917-24 (grands coups d'épée, et la blessure de Gauvain se rouvre - passage absolument nécessaire).

Pas mal de bourdes : d'yvoir au lieu d'uevre (1690) ; mere au lieu de pere, puis pere au lieu de frere (1649-50), droit au lieu de geu (1722 : Gauvain et la Pucelle "rient" et "jouent" en parlant de droit ! - le copiste est-il entraîné par l'idée de "saisine" du v. précédent ?), guerredon (1717) au lieu de riche don ; répétition de faiture à la rime (1701-02), répétition de s'entrefierent et de se fierent dans le même couplet (1907-08), il ne comprend pas le nom de Château des Ormiaus (2024 : et plus biaus) ; il donne à la suivante le nom de la reine :

... qui vint des chanbres la roïne   A 1688- 89
Guimart qui molt estoit cortoise.

... qui est des chambres la roïne.
Gynmarte ot non, molt fu cortoise.

- sans doute est-ce l'enjambement qui l'a induit en erreur.

P modifie quelques formes, mots ou tournures qui ne lui sont plus familières : il écrit vrais au lieu de verais (1737), s'en prendre regart au lieu de se regarder (1594), cote d'armes au lieu de cote a armer (1794). Il confond les catégories, prend l'adverbe chier pour un adjectif (1832), le substantif vis ("visage") pour un adjectif ("vif", 1893), le substantif abandon pour un verbe (1718), etc. La plupart des changements de mots ne tire pas à conséquence : anvaïr pour assaillir, angoissier pour destraindre, aler pour errer (deux fois), consivre pour aconsivre, creanter pour fiancier, demorer pour sejorner, peçoier pour archoier ; - mat pour desvé, agu pour trenchant, fort pour hardi, vallans pour vassaus, bien corant pour tost alant, etc. - em bas pour soëf, dalez pour dejoste, ja nul liu pour jamés, mortelment pour a mort, nequedent pour neporquant, etc.; mais estre n'a pas le même sens que venir (1616), mesdire que mesprendre (1633), retenir que reçoivre (1715), veoir que trover (1822), etc. Non seulement P change pour le plaisir de changer, mais il se permet des approximations.

Peu de tendances bien nettes. Parfois P semble vouloir être plus précis (remplacement de li rois par Artus, 2030), rendre le texte plus clair (1654 : que Gauvain avés salué, contre L, por que l'avés si aamé). Une touche de pittoresque (le sor l'erboie du v. 1788), voire de préciosité (1874 : courans au lieu de chevaus). Un accès de pudibonderie :

"Suer, ki vos toli casteé ?"　　　　　　　P 1814

contre la version commune :

"Suer, qui vos a despucelee ?"

Le copiste ne craint pas les évidences aveuglantes :

... einz s'encontrent par de devant　　　　P 1885

- comme si l'on pouvait se rencontrer par derrière ! (les autres ont maintenant, durement).

Aucune de ses réfections n'est heureuse. Aux vv. 1591 ss,

Gauvain passe un premier bruel, puis un troisième et un quatrième :
le second est fâcheusement omis. Le héros quitte son amie :

> Puis prent congié, s'en est tornés ;   P 1731-32
> de li s'en part, si est montés ...

le moins que l'on puisse dire, c'est que cela piétine ! - comparer L :

> Puis prent congié, si s'est armés ;
> de li s'en part, si est montés ...

et surtout A :

> Puis se rest bien et bel armez,
> congié prant et si est montez.

Les additions de hui aux vv. 1764 et 1778 sont malencontreuses. P ne
comprend pas l'expression joste aplaideïce (1869 : "sportive, bien ré-
glée") qu'il transforme bizarrement en joste d'aprociet, opposée à
joute de lonc bien eslaissiet !

Est-ce à nouveau par pudibonderie que P nous montre Gauvain
bandant sa plaie par deseur les braies (1976), au lieu de par dessus
les costés ? - Les vv. 2038-40 sont devenus chez lui incompréhensibles
(est-il gêné, une fois de plus, par l'enjambement ?) ; voici ce qu'écrivait L :

> Li rois retint o lui set jors   L 2030-32
> Brun de Branlant, puis le quita
> et deus cités li redouna ...

devient chez P :

> Li rois remest iluec set jors.   P
> Bruns de Branlant lors s'acorda
> et deus chités puis li douna ...

- on dirait que c'est Bruns (cas-sujet) qui fait cadeau à Arthur de
deux châteaux ; l'omission de l'idée de quiter engage P dans un
contresens.

Bref, le copiste du manuscrit de Mons reste un scribe médiocre, étourdi, sans-gêne, incapable d'améliorer son modèle, toujours

aussi peu inventif, mais toujours aussi peu respectueux du texte qu'il transcrit.

Le copiste de S.

Le copiste de S paraît assez constant dans son "travail" : j'ai relevé dans cette seconde tranche 120 leçons individuelles (115 dans la première) - 97 portant sur un mot ou un hémistiche, 9 sur un vers entier, une interversion de vers, un changement de rime ; par contre, 6 vers omis et 6 vers ajoutés. Les omissions peuvent être expliquées par un saut au même (1591/4 : passa ; 1929/31 : Bien/Bran) ou par un enjambement figurant dans le modèle (1991-92). Les additions (après 1664 et 1666, 1703, 1951) ne sont que des redondances, voire des chevilles.

Ce scribe ne comprend pas toujours son modèle. Il fait de mauvaises lectures (1707 : au cors enssement pour au contenement ; 1931 : pas ne l'aime pour pas ne sainne ! etc.). Lui posent problème ; le substantif ais (1915 : supprimé), le diminutif caisnot (L 1960, ou kesniel dans P, refait par A et T en chasne/chaisne qui ne l'eût point induit en erreur ; S écrit chemin !), l'expression en merci (2013), la locution que que au sens de "pendant que" (1600), etc. Il n'aime pas trop les formes développées trestuit ou trestoz (1778, 1853), ou andui (1902 ; - cependant ambedui à 1892) ; ni l'adverbe ainc, ou ainz qu'il remplace par onc ou si (1882, 1932), ou bien il change ainz que en et puis (1645).

Il n'a pas nécessairement raison d'écrire voloir (1648) au lieu de querre, apoier (1879) au lieu d'archoier, font chiere au lieu de font esme (1896), venue (1874) au lieu de ravine, vigueur (1790) au lieu d'ire, etc. Il n'aime pas beaucoup les verbes composés avec le préfixe entre- (1907, 1920). La perte de la déclinaison est chez lui assez sensible (1735 : pere au lieu de peres, d'où réfection pour récupérer la syllabe perdue ; - 1998 : malade au lieu de malades, d'où l'addition de bien, mais il laisse ensuite subsister pales), et le copiste de S est amené à changer la rime, voire à remanier le texte :

> "Avoi ! biaus sire cevaliers   L 1829-30
>   (S : chevalier)
> si m'aït Dex, li Sire ciers
>   (S : le droiturier)

> ... graindres que mesire Gavains.   L 1887-88
>   (S : greigneur ... Gauvain)
> Les espees nues es mains
>   (S : Le brant d'acier nu en la main)
> s'entrevinrent ...
>   (S : requiert l'un l'autre ...)

Pas mal d'inconséquences, de bizarreries : un chastel au lieu de trois chastiaus (2008, mais au v. 2019 il est bien obligé de parler, comme les autres, de "trois châteaux") ; répétition de mort au v. 1985 ; changement de pan en tref (1604 : les tref du pavillon !) ; transformation de mesprendre (LA) ou de mesdire (P) en un mentir beaucoup trop fort (1633). Change-t-il pour le plaisir, ou est-il simplement étourdi ? Il écrit chier pour riche, ou buen, ou biaus, ou dolz (1606, 1650, 1742), bele pour gente (1642), destre pour senestre (1892 !), quatre pour trois (1655), set pour sis (2006) ; il réduit bruelet à bruell (1576, 1759, 1970) ou garde le diminutif (1820, 1836, cf. aussi 4320).

Au v. 1836, S change l'issue d'un bruellet (L, P, EU) en l'oraille, ce qui a pu mettre A et T sur la voie de leur lecture : en l'ombre d'un bruillet. Ce n'est pas la seule fois que S semble servir d'intermédiaire entre le texte originel (L + EU + P) et les variantes les plus élaborées (A, T). Ainsi, au v. 1686, il semble bien être responsable de la transformation en un substantif du participe passé entree :

> ... si est par desos ens entree   LPEU
> ... si ot par desouz une entree   S
> ... s'i ot une petite entree   A, T 2676

Aux vv. L 1690 ss, la Pucelle de Lis s'offre à Gauvain :

> "... en abandon   L, EU
> vos met mon cors et <u>vos present</u>
> <u>m'amor</u> a tos jors loiaument."

Ce double enjambement va gêner ; P le conserve, S aussi mais il change le dernier vers :

> "... et vos present
> mon cuer <u>a trestout mon vivant</u>."

A et T vont couper après <u>present</u> :

> "... et vos presant.   A, T 2704
> <u>Vostre serai to mon vivant.</u>

Voir encore L 1546 et A 1582 (S introduit <u>tout,</u> au lieu de <u>si</u>), L 1785 et A 1805 (S garde <u>redist</u> de L et introduit <u>cil</u> de A), L 1852 et A 1870 (S garde le <u>serjant</u> de L mais introduit le second <u>devant</u> de A), etc. Le texte de S est donc, comme celui de P, le témoin d'un premier remaniement <u>ASP</u> (ou <u>ASPT</u>), sur lequel A et T vont encore "travailler" - ensemble ou séparément.

Parfois S s'efforce de réduire des enjambements (cf. vv. A 1924-26, 2012-13) - et ses réfections sont maladroites, voire incompréhensibles. Mais, d'autres fois, c'est lui qui en fait (cf. A 1667-68). Parfois il change la parataxe en syntaxe (v. 1731 : remplacement de <u>si</u> par <u>quant</u>), mais, d'autres fois, il fait l'inverse (cf. 1851, suppression de <u>se</u>). Ailleurs encore, il change un <u>que</u> comparatif en un consécutif (1661) et la phrase ne tient plus.

Bref, dans cette fin de la Br. II, S n'est pas meilleur qu'au début de la Br. I : il est toujours aussi étourdi, irréfléchi, inconséquent ; il est un peu plus fortement maintenu par le groupe <u>ASP(T)</u>, qui, maintenant, existe indiscutablement ; il commence à prendre des initiatives en ce qui concerne les suppressions et les additions : dans la Br. III, il ajoute 32 couplets, 12 "quatrains", parfois même six vers de suite ; dans la Br. IV, il ajoute 78 couplets, 25 "quatrains" - au total 340 vv., mais il en supprime 146 ; dans la Br. V, c'est le contraire : S n'ajoute que 12 vv. et en omet près de cent ; dans la Br.

VI, enfin - de plus en plus fatigué ? -, il n'en ajoute plus que 8 et en supprime 142 ! Décidément, ce qui caractérise S, c'est le manque d'esprit de suite.

Le copiste de T.

Ici encore, c'est T qui détient le record des retouches : 287 interventions, dont 98 portant sur un mot, 86 sur un hémistiche, 58 sur un vers entier ; on relève 4 changements de rime, 4 interversions de rimes ou de vers ; T omet 5 vers mais en ajoute 32.

Aucun doute : le responsable de T(V) change pour le plaisir. Il serait fastidieux d'énumérer toutes les modifications qu'il apporte au texte ; signalons, parmi ses variantes lexicales les moins "senefiantes" mais les plus significatives (de sa manie), les (presque) synonymes : coper pour trenchier, crier pour escrier, demorer pour atendre, doner pour otroier, flairer pour oloir, pooir pour devoir, salver pour garder, etc. Il n'y a pas une possibilité de variation qu'il n'exploite, mais l'on peut se demander si dire a bien le même sens que penser (2586), atorner que metre (2771), querre qu'avoir (2945), savoir que veoir (2950 - ou l'inverse, 2665) ou trover que veoir (2593), etc. Il écrit brochier (2770) ou passer (2815) au lieu de poindre, mais poindre au lieu de ferir (2748) ; corre (2973) est plus vif qu'aler, mais aler moins imagé que voler (2778). Parmi les substantifs, il change sire en amis, orguel en blasme, cote en bliaut, cheval en destrier, faiture en figure, bruellet· en gaut, honte en mal, etc. Passons sur le ballet des adjectifs bel, riche, dols, permutables semble-t-il à l'infini ; mais il est un peu hardi de changer un auqueton frois en un vert (2615) ! Côté adverbes, errannment vaut maintenant, et jus, aval ; mais briement et veraiement n'ont pas le même sens (2804) ; forment est moins fort que mortelment (2783), tandis qu'isnel est plus fort que droit, etc. Prépositions et conjonctions connaissent les mêmes fluctuations.

Sans cesse, le responsable de T(V) modifie les modes, les temps et les voix des verbes. Il passe d'une catégorie à l'autre, remplaçant sire par fait il, ou fait il par certes, etc. ; il substitue le nom esfors à l'adverbe fors (2812) ; il fait du verbe raie un substantif (2819), comme ailleurs il prend le mot sepulture, "action d'enterrer", dans le sens de "cimetière" (2983), etc. Tout ceci entraîne souvent la néces- sité de supprimer ou de récupérer un pied : ce n'est pas cela qui le gêne.

Les réfections provoquées par l'évolution de la langue ou de la mode sont, au fond, peu nombreuses. L'élimination de mots comme ais (2909), danz (2841), dervez (2810), plaier (2878), traval (2914), etc., en relève peut-être - mais aussi de la "courtoisie", car certaines des idées omises sont "désagréables". De même, sans doute, que le changement de graindre en plus haut (2899), de ravine en aleüre (2868), de los en gré (2847), ou le remaniement de sereur en suer, de traïtor en traïtre, de verais en vrais, etc. ; la transformation de la formule épique cil glorios rois en li vrais Diex (2620). Mais, bien souvent, notre copiste ne se montre nullement gêné par des formes ou des tournures "archaïques" : il ne les change que lorsqu'il en a envie. Ni ainc, niançois, ni dalez, ni iluec, ni lués ne lui font peur : parfois il les remplace par un mot équivalent, d'autres fois il les introduit (réintroduit ? conserve ?) lui-même (2624, 2656, 2788, 2878, 2884, 2964, etc.).

Ces remaniements sont si nombreux que leurs tendances sont difficiles à dégager : celle qui s'affirme le plus nettement, c'est le désir de changer le texte qu'il a sous les yeux, presque de le récrire. Certes, il a toujours le dessein de le rendre plus clair et plus coulant ; ici, il ajoute un nom propre (Gauvain, 2606, 2776, 2840), mais il peut aussi bien le supprimer (2779). Ici, il élimine un rejet ou un enjambement (2898-99, 2967, etc.), mais, là, il en fait lui-même (2618-20, 2791-92, 2818-19, etc.).

Il tâche de supprimer une césure, une coupure à l'intérieur

du vers :

L   T

"... si m'aït Dex, li Sire ciers ..." (1830)

        "... par cele foi que je Dieu doi..." (2842)

Bien set, se il l'estor maintient (1911)

        car s'il la bataille maintient (2921)

Bran de Lis voit, qui pas ne saine (1913)

        Si voit que Bran de Lis ne saine (2923)

Il ajoute souvent la conjonction et :

a bestes, o oisiaus, a flors (1572)

        pains a oiselés et a flors (2598)

le ceval point, la lance prent (1760)

        le destrier broche et l'escu prent (2770)

(il est peut-être, en effet, plus normal, une fois élancé, de saisir l'écu que la lance)

parmi l'escu, parmi l'auberc (1771)

        tres parmi escu et hauberc (2781)

mais il peut tout aussi bien la supprimer, lorsqu'elle accentue trop le rythme :

        ... et roide et mort (1971)

        ... tot froit mort (2975)

        ... et son service et sa droiture (1980)

        ... son service ont fait a droiture (2984)

Le remanieur de T a beau être parfaitement à l'aise, dominer parfaitement la langue, ce n'est pas impunément qu'il se livre à sa manie, et plus d'une fois le sens en souffre ; il croit pouvoir substituer sejorner à s'arester et des que à tant que, mais le résultat est fort différent :

> Il dist soëf antre ses danz   A 1614-16
> que jamés ne s'arestera
> tant que au pavellon vanra.

> Et Gavains dist entre ses dens   T 2606-08
> que jamais ne sejornera
> des que le tref veü avra.

- la rédaction LEU n'a pas un mot sur les intentions du héros : elle nous le montre seulement qui se hâte vers le pavillon ; le remanieur de ASP(T) explicite son désir, ce qui est assez inutile d'ailleurs : arriver au plus tôt au pavillon ; le remanieur de T lui fait penser tout autre chose : ne pas s'attarder après en avoir vu l'intérieur !

La tendance du groupe ASPT est d'économiser les répliques (toujours pour atténuer la vivacité, le caractère heurté du style) ; T renchérit et, aux vv. 2658-61, fait prononcer à Gauvain les paroles de la Pucelle :

A (1669-71)

> - "Donc vos pri ge par corteisi e
> que vos nomez - Ma dolce amie,
> j'ai non Gauvains. - ..."

T

> "... Mais je vos pri, ma dolce amie,
> que vos m'amez par cortoisie :
> j'ai nom Gavains. - ..."

- mauvaise lecture de nomez ? élimination de la césure ? En tout cas, on aboutit à cette requête du héros, surprenante autant qu'inutile, puisque la Pucelle ne demande qu'à l'aimer !

La Pucelle demande à son visiteur l'autorisation de passer dans la "chambre" pour vérifier, grâce au portrait, son identité :

238

LA COPIE DE T

LEU(SP)

Il li otroie, et ele en (SU i) vait.   L 1661-64
Un cier paile (SP Un riche bort) soslieve et trait
qui la cambre ot avironee,
si est par desos ens entree.

A (1683-86)

Il li otroie, et ele vet.
El pavellon avolent fet
chambre d'un bruel (!!!) avironee,
s'i ot une petite antree.

T (2673-76)

Il li otroie, et ele vait
el paveillon, ou avoit fait
chambre d'un bort avironnee ;
s'i ot une petite entree.

- La Pucelle n'a pas à "entrer au pavillon", puisqu'elle y est déjà !
Mais l'on voit bien dans quel sens s'opère le remaniement "courtois" -
générateur de bévues : il faut éliminer ce mouvement, cette posture
quasi humiliante et donc discourtoise de la Pucelle se glissant, en
se penchant, sous la courtine (si est par desos ens entree) - un peu
comme un serpent qui rentrerait dans son trou, fût-ce pour aller chercher une émeraude ! Une jeune fille courtoise se tient debout ! Un
passage étroit, passe, mais pas un passage bas.

On peut faire des remarques analogues sur les réfections des
vv. L 1681-82 (T 2693-94 : platitude et redondance), ou 1918-21 (T
2928-31 : Gauvain commande à Bran de "se reposer" !), etc.

Les additions de notre copiste ne sont guère plus heureuses.
La première contredit la version commune et contient une absurdité :

L (1566-67)

Que qu'il pense et vait l'ambleure,
si voit en une lande plaine ...

<u>T</u> (2590-93)

En cest penser sanz demoree
s'en va <u>molt tres grant aleü̈re.</u>
Droit <u>al tierç jor,</u> ce est la pure,
trova en une lande plaine ...

D'abord le convalescent ne va pas se précipiter à très vive allure. Et maintenir cette allure pendant trois jours, sans qu'il soit question qu'il mange, boive ni dorme. Et d'où sort ce "tiers jour" ? De la "version viol" des amours de Gauvain et de la Pucelle de Lis, contenue dans le récit que fait le héros dans la Br. IV (cf. <u>T</u> 9856-59, <u>EMQ</u> 13668-71, <u>PU</u> <u>Appendix II</u> 29-33), récit que <u>T</u> a sans doute déjà copié et dont il se souvient ici intempestivement.

Les quatre vers <u>T</u> 2793-96 sont absolument inutiles. Les deux vers ajoutés entre 3060 et 3064 n'aboutissent, paradoxalement, qu'à faire sauter une idée capitale (<u>quites les tint tot son aage,</u> <u>L</u> 2036). L'addition du couplet 3033-34 place les <u>borjois</u> aux côtés des chevaliers - signe des temps ? Quant aux 22 vers que <u>T</u> ajoute après 2990, les détails qu'ils donnent sur la blessure de Gauvain, l'inquiétude d'Arthur et les soins des médecins, sont tout aussi superflus.

Notons que le remanieur a, de temps à autre, mais sans excès, le souci de la rime riche : 2847-48, <u>amis : malmis,</u> contre <u>amis</u> : <u>pris</u> ; 2891-92, <u>lever : crever,</u> contre <u>relever : sejorner</u> ; 2903-04, <u>branz : granz,</u> contre <u>branz : pesanz</u> ; etc. (2943-44, 2961-62, 3017-18).

Bref, rimeur habile, esprit fertile, dominant bien la langue et le style (ceux du XIIe comme ceux du XIIIe siècle), le responsable de la rédaction <u>T</u>(V) ne témoigne pas toujours d'une intelligence à la hauteur de ses prétentions. La virtuosité qu'il manifeste dans la réfection incessante, quasi systématique, de son modèle ne le met pas à l'abri de graves mécomptes.

Le copiste de E.

Le copiste de E s'écarte fort peu du groupe EU (lui-même très proche de L, rappelons-le) ; il est celui dont le texte présente le moins de leçons individuelles : 66 au total, dont 42 portant sur un seul mot, 10 sur un hémistiche, 8 sur un vers entier, plus 2 inter-versions de rimes, et 4 vv. omis (après 6596 : on ne voit pas Bran revenir auprès de son père et le trouver mort).

Les bourdes ne sont pas rares : trover au lieu de torner (deux fois : 6195, 6290), que au lieu de qui (6227, 6253), etc. : interversion de pere et d'oncle (6454-56 - souvenir de la "version viol" ? en tout cas, c'est le père, non l'oncle, que Gauvain vient de tuer) ; amie au lieu de dame au v. 6235 (A et T font la même erreur, mais persis-tent, logiquement, tandis que E revient ensuite à dame, 6239, qu'il croit avoir écrit).

E s'écarte parfois de LU : einsint pour si tres (6312), quant pour qui (6231), la ou je pour en quel liu (6566), etc. C'est rarement qu'il s'écarte de L seul (dont, généralement, il est nettement plus proche que U qui, alors, remanie plus complètement) : pucelle pour amie (6283). Il s'écarte parfois de la "version commune" (bien rarement attestée !), écrivant brunche pour ambrunche (6236), escovenir pour covenir (6544), esliz pour hardiz (6412), li mien pour mi ami (6469), avant que pour ainçois que (6337), a l'ainz que pour plus tost que (6513), etc.

Quelques-unes de ses variantes tiennent à un compte différent des syllabes, à la pratique de l'élision ou de la diérèse : l'iaume (6221) contre le hiaume, que au (6588) contre qu'a un, que une (6154 = + 1 !) contre qu'une, puez (en une seule syllabe, 6375) contre poës, etc.

Lorsque E se sent obligé de corriger, il ne s'en tire pas toujours très bien, sauf lorsqu'il refait cette lectio difficilior de L 1553-54 (por coi il doie pas laisier ...), devant laquelle d'autres réagissent plus mal que lui (ainsi U, qui répète le verbe laissier, et l'on sait que ASPT renoncent, et sautent le couplet). Mais ses réfections des vv. L 1590 et 1682 sont redondantes (6222 : leanz en la tante antrez ; - 6314 : fors issue).

Le copiste de E ne brille ni par l'intelligence, ni par la hardiesse, ni par l'originalité. Il est sans doute moins mauvais que d'autres, mais il semble absolument incapable d'ajouter quoi que ce soit de sensé à son modèle.

Le copiste de U.

Le ms. U comporte beaucoup plus de variantes individuelles que E, dont il est pourtant fort proche. J'en ai compté 113, dont 61 portent sur un mot, 28 sur un hémistiche, 17 sur un vers entier. Le copiste de U décale un vers (6579, reporté après 6581), en intervertit deux autres (6568-69), et en ajoute 6 de son cru : un couplet (inutile) après E 6186, un autre après E 6220 (il précise que Gauvain se rend au pavillon - on s'en doute !), un troisième après E 6229 (nous allons y revenir).

La majorité des modifications apportées par U tient à l'état différent de la langue (et de la mode), puisque le copiste travaillait peut-être deux siècles après le "premier auteur". Il ne comprend plus, on ne veut plus utiliser, un certain nombre de mots ou de tournures : peçoier (qu'il change en brisier), cailloz (devenus pierres), dervez ou desvez (il écrit dolent), se tenir de (changé bizarrement en se taisir) et se tenir a (U écrit tout autre chose). Il essaie de ne plus se servir des adverbes adés, iluec, primes, par, et car (il transforme presque tous les car en que !).

Le vocabulaire - et peut-être même la réalité - de la chevalerie lui est devenu quelque peu étranger ; il lit chiers pour l'abréviation courante de chevaliers (6563) ; il refait toz a eslais en toz aprestez (6395 ; - A et T : apareilliez) ; il élimine l'adjectif preuz (6412) ;

l'expression traîtres provez (6453) ne lui est plus familière, il refait le vers ("Traïtre, ainsi n'en irez...") ; il ne saisit pas la litote du v. 6404 (E : li fait ou cors un si let merc, transformé en parmi le cors l'espié li met) ; pour un cheval, il change tost alant en remuant (6478). Nous avons vu que ASPT n'admettaient pas que Gauvain trouve la Pucelle occupée à confectionner un laz a hiaume (E 6229, qui suit L, 1597) ; U, sans doute, n'y comprend rien, s'en va dans une toute autre direction, et ajoute deux vers de son cru :

> ... moult la sot bien Nature faire ;   U 6229
> (add. : en li n'avoit riens que desplaire ;
>   el monde n'avoit sa pareille)
> (LEU) de sa grant biauté se merveille...

En refaisant le v. 6525, U aboutit à une absurdité :

> ... uns cols si durs et si pesans   (L, T, EU)
> que les cercles d'or fin coperent
>   (U : que les pierres jus en volerent)
> et les hiaumes molt enbarerent ...

- il y a eu rupture de construction : le sujet n'est plus les adversaires, mais les objets - que les pierres volent, passe encore, mais que les heaumes se cabossent eux-mêmes ! Le copiste croit pouvoir attribuer à Gauvain la grant alcüre de Norré de Lis (6343), alors que l'auteur parlait de petite ambleüre : comment Norré, puis Bran, pourront-ils le rattraper ?

Le copiste de U ne comprend rien à la description du pavillon, qu'il nous montre jonché de fleurettes et d'arbres domesches (6212) ! On le voit : U écrit un peu n'importe quoi. Voici comment il exprime le "covenant" que Bran impose à Gauvain - d'abord la version E :

> "... que la ou je vos troverai   E 6566-70
> premieremant, vos combatroiz
> a moi toz si con vos seroiz,
> ou san armes ou toz armez,
> ainsint con vos seroiz trovez ..."
>   (L : ce vos di bien par verité)

et le remaniement de U :

"... en quel lieu que vos troverai,
encontre moi vos combatrez,
ou sans armes ou tos armez,
ou tout ainsi com vos serez,
que ja ne vous en mentirez ..."

- suppression de l'idée capitale exprimée par premierement (Bran attaquera Gauvain aussitôt qu'il le rencontrera), redondance (le 4e vers : comment Gauvain pourra-t-il être autrement qu'armé ou désarmé), absurdité du dernier vers (il faudrait au moins mentirai), suite de quatre vers construits sur la même rime.

Pourquoi mettre au conditionnel le verbe fiancier du v. 6580 ? Bran promet à son père de venger sa mort ! - U est bien pressé, les autres copistes ne parlent que de duel, et le père vient d'affirmer qu'il n'a nul mal ! Notre scribe ne comprend pas bien le "sourire" de Gauvain, lorsque Bran lui reproche d'avoir dépucelé sa soeur :

A soi meïsmes s'an sorrit,   E 6382-83
puis li respont : "Chevalier sire ..."

U écrit lourdement :

A soi meïsmes pensse et dit
qu'il li dira : "Chevalier sire ..."

- est-ce encore l'attraction de la "version viol", selon laquelle le héros avait réellement forcé la jeune fille ? Comme ASPT, mais avec un vers de retard, il ampute la déclaration triomphante de l'amoureuse à son père :

" ... si tost conme je le verroie,   E 6363-66
si je leu et aise en avoie."
    (U : Atant se remet a la voie)
Et quant li peres ce oï,
    (U : li peres quant il l'entendi)
le chief dou cheval a ganchi ...

- comment Norré peut-il "se remettre à la voie" avant même d'avoir fait tourner son cheval (ganchir) ?

Parfois <u>U</u> veut être plus clair que son modèle : il ajoute des pronoms (6258, 6327, 6424 -65, etc.), ou le nom de Gauvain (6186b, 6222, 6261, 6315, 6460, 6542). Ici, il ajoute une coordination (6591 : <u>et si</u>, au lieu de <u>iluec</u>, transformant un rejet en enjambement), là, il supprime une proposition trop courte :

<u>LE</u>   <u>U</u>

"Por que jel fas ? Sire, par foi ..." (1618)
              "Sire, fait elle, par ma foi ..." (6250)

mais ailleurs il ajoute une réplique : Bran demande à son père

     ... qui si l'avoit a mort navré.
     "Biaus fius, fait il ... (1805-06)
              "Pere, qui vous a ci navré ?
              - Biaux filz, fait il "... (6437-38)

Au v. 6277-78, il supprime un enjambement, mais il ajoute un rejet au début du v. 6314.

Passons sur un grand nombre de retouches mineures (un substantif pour un autre, le changement de catégorie grammaticale), bien plus abondantes que chez son confrère <u>E</u>. Le copiste de <u>U</u> s'avère finalement assez médiocre, cédant souvent à la facilité, incapable de réfléchir suffisamment aux conséquences de ses interventions.

LES GROUPES A LA FIN DE LA BR. II

Le groupe ASPT (et le groupe LEU). - Les accords du groupe <u>ASPT</u> contre les leçons des mss (généralement unis) du groupe <u>LEU</u> sont au nombre de 76, dont 14 portent sur un mot, 7 sur un hémistiche, 22 sur un vers entier, 2 sur une interversion de vers, un sur un changement de rime, 2 sur un vers ajouté, 28 sur un vers omis. La rédaction ASPT est en effet plus courte d'une trentaine de vers. Notons que ces accords vont en se raréfiant : il y en a près de 30 dans les 100 premiers vers, près de 20 dans les 100 suivants, à peine 10 dans chacune des trois dernières tranches de 100 vers. - sans doute, en partie, parce que T tend de plus en plus à rejoindre la "rédaction longue" qui va vraiment reparaître à la fin de la Br. II.

L'action du responsable de ASPT s'exerce donc dans le sens d'une contraction du texte, ou plutôt de l'élimination d'un certain nombre de (petits) passages qui le dérangent. Le mouvement inverse - additions de LEU - est, nous le verrons (et nous l'avons déjà vu en partie), très peu vraisemblable. Ce sont donc les omissions (qui entraî- nent d'ailleurs la plupart des réfections) de ASPT que nous devons étudier en détail, et en revenant, au besoin, sur certaines d'entre elles que nous avons déjà signalées. Prenons-les dans l'ordre du texte.

1. ASP saute (et T remanie complètement) le couplet qui con- tient une lectio difficilior de L : Gauvain se sent en pleine forme et estime que sa plaie ne présente plus aucun danger

... por coi il doie pas laisier   L 1553-54
armes porter ne cevaucier

- enjambement, emploi positif de pas : nous avons vu comment EU s'en tire (por que deüst armes laissier ...). Ces deux vers ne semblent pas indispensables à ASPT, d'autant plus que ASP ont déjà remanié le couplet précédent en supprimant le lien syntaxique, et même à deux reprises :

Fort et legier se trueve et sain,   L(EU,T) 1550-5
si que de rien mais ne s'esmaie
  (T : que tant ne quant mais ne s'esmaie)
  (P : que de nule rien ne s'esmaie)
  (AS : De nule rien mes ne s'esmaie)
qu'il ait nul peril en sa plaie (idem T)
   (ASP : Toz cuide entre sains (SP Gueriz cuide
       estre) de sa plaie)
, por coi il doie pas laisier (EU : por que deüst ...)

> (T : Ja ne laira mais a errer.)
> (ASP omet)
> armes porter ne cevaucier
> (E : ne chevauchier un jor antier)
> (U : ne qu'il lessast le chevauchier)
> (T : Lués erranment sanz demorer
>   = pur remplissage)
> (ASP omet)

Notons le sens paradoxal de ces réactions : pour une fois que L(EU) lie, ASP(I) délie !

2. Description du pavillon de la Pucelle de Lis. Nous l'avons déjà commentée. ASPT supprime un couplet, mais refait et refond si bien le passage que l'essentiel semble y être ; il ajoute même une idée :

> ... quar d'or fin esmeré estoit   A 1610
> (SP : de fin or esmerez (P a pieres) estoit)
> (T : con cil qui toz dorez estoit)

- malheureusement cette précision concerne le pomel de la tente, lequel cler luisoit (T reluisoit), et non l'aigle d'or qui, pour ASPT, ne reflamboie plus.

3. ASPT remanie bizarrement, nous l'avons vu, le passage qui concerne les loges de ramée, peu "courtoises" - abri pour les valets, voire les serjanz - et qu'il embellit en les jonchant de fleurs ! Deux vers de L(EU) tombent :

> ... Si vos di bien qu'entor avoit   L   1578
> ramees et loges galesques
>   (ASPT : Anviron et loges galesches)

> ... li rices tres qui tant ert gens   L 1582
>   (ASPT : Il dit soëf entre ses danz ...)

lesquels vers sont un peu du remplissage, mais cela ne justifie pas le contresens. Ensuite, LEU nous dit que Gauvain se hâte vers le pavillon, et ASPT, qu'il se dit qu'il va se hâter ...

247

4. Juste après, deux vers sont omis, c'est-à-dire deux idées. D'abord, Gauvain pend son écu à un chêne, y aresne son cheval, et, entre les deux, chez L,

> ... après sa lance i apoia   L 1587
> (ASPT omet)

(EU, par contre, omet l'idée d'attacher le cheval, et développe - délaye - celle d'appuyer la lance :

> ... a un chaisne son escu pant ;   E 6218-20
> après sa lance i rapoia
> au chesne, et plus ne s'atarja)

(et U de continuer :

> ainz s'en ala isnellement   U 6220 ab
> vers le paveillon lieement.)

Seul L est complet. Pourquoi cette omission chez ASPT ? Je crois qu'il est pressé de sauter le vers suivant, qui contient une idée parfaitement "discourtoise" :

> Le hiaume lacié, toz armés ...   L 1589

Gauvain pénètre dans la tente. Notation discourtoise, mais parfaitement nécessaire, puisque, ensuite, la Pucelle demandera au héros de se désarmer : essentiellement d'ôter son heaume, pour qu'elle voie son visage. La "réaction" de ASPT est instinctive, et inconséquente.

5. On sait que ASPT omet le vers où nous est montrée la Pucelle occupée à "appareiller un las de hiaume" ; le remanieur en profite pour réduire l'éloge, qui lui semble redondant, de la beauté de la jeune fille :

248

```
Une pucele sist el lit,                    L (et tous) 1594
qui de si grant biauté estoit                1595-1601
    (ASP : qui de molt grant biauté estoit.)
    (T : qui de grant biauté estoit plaine.)
qu'el mont tant bele rien n'avoit ;
    (ASPT omet)
un las de hiaume i aparelle.
    (ASPT omet)
    (U : Moult la sot bien Nature faire :
         en li n'avoit riens que desplaire,
         el monde n'avoit sa parelle)
De sa grant biauté se mervelle
    (ASPT omet)
mesire Gavains qui (E quant) l'esgarde.
    (ASPT omet)
Puis vient vers (E a) li, plus (U qu'il) ne se tarde,
    (ASP : Quant messire Gauvains la voit)
    (T : Monseignor Gavain droit amaine)
si li a dit (P li dist molt) cortoisement (tous sauf T)
    (T : aventure. Cortoisement)
```

Deux choses, outre l'hyperbole, ont pu gêner le remanieur. Le fait que Gauvain "vienne vers" la Pucelle, alors qu'il est déjà entré dans le pavillon. Et ce temps d'attente, de station de Gauvain qui vient de franchir la portière, cette "contemplation" marquée par le verbe esgarder. Les deux choses ne font qu'une. Un héros parfaitement galant ne doit pas rester sans parler, il doit tout de suite s'avancer et saluer. Mais la rédaction de L(EU) est bien dans la manière de L et, très vraisemblablement, du "premier auteur", comme nous le verrons lorsque nous étudierons l'adverbe puis.

6. Gauvain a dit à la Pucelle qu'il ne refuse jamais de se nommer lorsqu'on le lui demande. ASP raccourcit de deux vers le dialogue qui continue :

```
"Donc vos pri je par cortoisie         L(EU) 1641-45
    (T : Mais je vos pri, ma dolce amie)
que vostre non ne celés mie,
    (ASP : que vos nomez. - Ma dolce amie)
    (T : que vos m'amez par cortoisie)
biaus sire, car jel vuel savoir.
    (ASP, T omettent)
- Pucele, bien saciés por voir,
    (ASP, T omettent)
je sui (ASP j'ai non) Gavains - Gavains, fait ele ..."
```

Ici encore, le texte de LEU peut sembler un peu redondant, mais il est normal que la Pucelle reprenne le mot celer que Gauvain a employé quatre vers plus haut ; il est normal qu'elle insiste pour connaître son visiteur, et que celui-ci insiste, aussi, sur sa sincérité. On a déjà noté que T supprime les répliques, et que la déclaration de Gauvain y revêt un caractère de fatuité difficilement supportable.

7. La Pucelle demande alors à Gauvain de se désarmer, et ASPT vont supprimer quatre vers :

> "Douce amie, molt volentiers,   L(EU) 1651-58
>   (SPT : Pucele, fait il ; - A : Pucele gente)
>   (EU : Douce pucele (U Et Gauvain respont)
>   je l'outroi)
> ce li respont li cevaliers,
>   (EU : si m'aïst Diex an cui je (U je cuit et) croi)
>   (SP : Il se desarme endementiers)
>   (AT : - Quar (T Or) faites donc : andemantiers)
> ja por itant n'i perdrai rien
>   (ASPT omet)
> qui me doie avenir de bien."
>   (ASPT omet)
> Il (U Lors) se desarme vistement (EU isnellemant),
>   (ASPT omet, mais cf. SP supra)
> et el (EU elle) li (E om.) dist molt (U om.) francement :
>   (ASPT omet)
> "Biaus sire ciers, laiens irai
>   (SP : "Sire, fet el (P un petit) laienz irai)
>   (AT : (T que je) an ma chanbre m'en (T om.) anterrai
> en ma cambre (U aj. et). Tost revenrai (EU tornerai),
>   (SP = L)
>   (A : la dedanz et tost revanrai)
>   (T : La dedens bien vos conistrai)

Les deux premiers vers omis sont importants, et bien caractéristiques de la mentalité de Gauvain : une grande confiance en soi, et en l'avenir (l'aventure) qui ne peut lui réserver que du bien (il "croit à son étoile"). Et les deux vers suivants ne sont pas non plus superflus : Gauvain se désarme tout de suite (SP a gardé l'idée, ce n'est que le second remanieur qui l'a chassée), il commence au moins à le faire avant que la Pucelle ne soit sortie (entrée dans sa "chambre") ; cela lui demande au moins autant de temps que, pour la Pucelle, d'aller jeter un coup d'oeil sur le fameux portrait, qui n'est certainement pas enfoui au fond d'une malle ; il faut que, quand elle revient, elle trouve son visiteur désarmé, et convenable, c'est-à-dire ayant passé un mantel - détail de courtoisie élémentaire, que le remanieur "courtois" ASPT aura la sottise de laisser tomber :

Tantos est de la cambre issue,   L(EU) 1682-84
s'a le chevalier esgardé
(U : et si a Gauvain regardé)
(S̄P̄ = L (S resgardé)
(ĀT̄ : le chevalier voit (T si voit le vassal) desarmé)
qui son (? - U le, E un) mantel ot afublé.
(P̄ : qui son cief avoit desarmé)

- bêtise de P, pour qui Gauvain s'était déjà désarmé : -

(S : Quant ele l'ot bien ravisé ...)
(Ā : si l'a molt tres bien ravisé)
(T̄ : Lors l'a tost molt bien ravisé)

- on ne peut dire que cette accumulation de trois adverbes (et même de quatre, en comptant le si/lors initial) soit des plus heureuses : cela sent son remaniement (maladroit). D'autre part, le verbe esgarder est, nous le verrons, particulièrement cher à L (et, osons l'avancer, tout à fait dans la manière du "premier auteur").

8. Nous avons déjà signalé la suppression de la fin, quelque peu cynique, de la réponse triomphante de l'ex-Pucelle à son père :

"... Mon pucelage en porte o li.   L(EU) 1728-32
Pieç'a que vos avoie dit
que il l'avroît sans contredit
si tost come je le verroie,
    (ASPT omet)
se je leu et aise en avoie."
    (U : Atant se remet a la voie / li peres ...)
    (ĀSPT omet)

9. Bran de Lis trouve son père grièvement blessé par Gauvain :

                    ... si li demande,   L(EU) 1802-05
        quant il vit a terre le sanc
            (ASPT omet)
        qui li saloit parmi le flanc,
            (ASPT omet)
        qui si l'avoit a mort navré
            (P : qui l'avoit mortelment navré)

et T parfait cette coupure (d'une chose désagréable, pénible - ce qui est tout à fait dans la manière de Guiot) en "euphémisant" le dernier vers, avec une sorte d'humour que l'on est en droit de ne guère apprécier :

            ... qui l'avoit einsi atorné.   T 2817

        10. ASPT s'accordent encore pour "économiser" quatre vers dans l'exposition du covenant que Bran impose à Gauvain :

        "... par un covent que je diroie.   L(EU) 1932- 41
            (T : et en quel liu que vos verroie)
        - Dites donc, sire cevaliers."
            (ASPT omet)
        Fait Bran de Lis : "Molt volentiers
            (EU : Bran de Liz dist ...)
            (ASPT omet)
        le covent vos deviserai,
            (ASPT omet)
        qu'el liu u je vos troverai
            (SP : qu'el (P c'au) premier leu ou (P que)
                            vous verrai (P serés)
            (A : qu'ainsi con ge vos troveré)
            (T : coment que fuissiez acesmez)
        promierement vos conbatroiz
            (U : encontre moi ...)
            (S : que nous combatrons vous et moi, - rime !
                puis aj. soiez armé ou desarmé,
                    que ja par vous n'iert destourné)
            (APT : ou (T fust) sanz armes ou tot armé)
        a moi tos si con vos seroiz
            (U : ou sans armes ou toz armez)
            (S : mes tout ainssi com vous serez)
            (P : issi sans plus u vos trovrai)
            (A : ensi sanz plus con vos seroiz)
            (T : en itel point que vos serez)
        ou sans armes ou tos armés.
            (E : ou toz armez ou san armez - sic !)
            (U : ou tout ainsi com vous serez)
            (AST : tantost a (T encontre) moi vos conbatroiz)

                        252

        (P : tantos a vous me combatrai)
Ce vos di bien par verités, (sic !)
        (E : ainsint con vos seroiz trovez)
        (U : que ja ne vous en mentirez - sic !)
        (ASPT omet)
ja (P, EU : que ; - S : qu'il) n'i avrois (AS avra ;
        - T querrez) ne plus ne mains".

Nous avons tenu à citer tout le passage et à donner toutes les variantes, afin de montrer, au moins une fois, la complexité de la tradition manuscrite de la Continuation-Gauvain. Et comment, ici, aucune
copie n'est parfaitement claire et impeccable - sauf celle de A. On
pourrait expliquer la chute des trois premiers vers omis par un saut
au même (covent), mais c'est plutôt, sans doute, la volonté d'alléger
le texte, qui piétine un peu - encore que cette "emphase" initiale,
chez LEU, ne soit pas mal venue. Il y a autre chose qui gêne les
remanieurs : c'est l'adverbe premierement de L, suivi par E, et dont
SP gardent la trace (au premier endroit ...) ; nous avons vu plus haut
(à propos du copiste de L) que les adverbes primes et premiers posaient
également problème (et que seuls SP et E, également, conservaient
le premier) ; il y a là, certainement, comme une "signature" du "premier auteur" - nous y reviendrons au Chapitre des adjectifs.

    11. Gauvain accepte : promesse réciproque :

        La bataille ensi respitierent,   L(EU) 1949-56
        mais ambedui rafiancierent
            (A : et puis si s'antrefiancierent)
            (T : et andoi bien acreanterent)
        que le covent ensi tenroient
            (ASPT omet)
        com iluec devisé l'avoient.
            (ASPT omet)
        En la semonse Bran de Lis
            (ASPT : qu'an la semonsse Bran de Lis
        remaint. Es les vos departis.
            (ASPT : rasanbleront, ce m'est avis)
        En lor cevaus remonté sunt,
            (ASPT : Atant departent, si s'en vont)
        grant aleüre s'en revont.
            (ASPT : an lor chevax remonté sont)

- ainsi, selon ASPT, ils s'en vont avant de remonter à cheval ! La lectio difficilior qui a incité ASPT à remanier et à condenser le passage est celle du v. L 1954 : le rejet et l'emploi absolu de remaint. On trouve celui-ci trois autres fois dans la rédaction L, mais précédé de l'adverbe ici ou ensi, ce qui rend la compréhension plus claire :

Ici remaint de Bran de Lis ...   L(SPEU) 1981

que A change en Ici leirons, et T, en Or vos lairai ;

Ensi remest. Adonc fu quis ...   L 8633

ici tous suivent L (Q : Lors si remest) ;

Ensi remest. Li rois tenoit ...   L(PMQU) 9099

quatre copistes allongent la formule :

Ensi remest puis (E la) longuement   ASTE

et AS la relie au vers suivant, de pur remplissage (et si vos di veraiement / que li rois Artus ...) : AS ajoute en fait deux vers. Mais pour en revenir à notre passage, le mot semonse fait aussi difficulté ; pour LEU, la "semonce", l'ordre vient d'être proféré (Gauvain s'est engagé à accepter la bataille ...) ; pour ASPT, elle est à venir : lorsque Bran rencontrera Gauvain, celui-ci devra répondre instantanément à son appel.

Ainsi nous voyons que les suppressions de ASPT tendent à alléger, mais aussi à clarifier un texte souvent difficile, et que le résultat de ses remaniements n'est pas toujours heureux. Rendre le texte moins pesant (parfois moins redondant) et plus lisible, c'est aussi le rendre plus "courtois" : nous l'avons vu plus explicitement aux passages 3, 4, 5, 7 et 8. C'est le sens, aussi, de l'unique addition de ASPT ; le héros a demandé à la Pucelle pourquoi elle saluait toujours "Gauvain" avant ses visiteurs, et ASPT ajoute :

"... Molt desir a savoir por coi,   A 1646-47
se il vos venoit a plesir."

et il remanie le vers suivant :

"Sire, ja nel vos quier teisir ..."   A 1648

répond la Pucelle, décidément très bien élevée, alors que le ton de celle de LEU est nettement plus vif :

"Por que jel fas ? Sire, par foi ..."   L 1618

C'est le sens de presque tous les autres remaniements de ASPT : cortoisement au lieu de molt francement (L 1608) ; "se covrir des blasons" au lieu de les "joindre as pis" (L 1843 : le corps estompé) ; suppression du mot plaie au v. L 1991, etc. Réponse du frère à sa soeur qui vient de lui annoncer qu'elle n'est plus pucelle - dans LEU :

"Taisiés, ma douce ciere amie."   L 1792

et dans ASPT :

"Comant ? Dites le vos a gas ?"
(SP : "Le dites vous, fait il, a gas ?")
(T : "Ha ! ma suer, dites vos a gas ?")

- soupçonner une femme de plaisanter est moins discourtois que lui intimer l'ordre de se taire.

La Pucelle voulait voir à découvert le vis et la faiture de Gauvain (L 1950) : c'est encore trop de corps et de chair pour ASPT, qui ne parle que de façon. Le portrait qu'elle s'en va regarder représentait très fidèlement Gauvain - au physique, bien entendu, selon LEU . Mais pas selon ASPT, du moins pas uniquement :

Ses boenes teches, sa biauté,   A 1697-702
sa corteisie et sa bonté
i portrest si bel et si bien
que l'image sor tote rien
monseignor Gauvain de peinture
sanbloit et ert de tel feiture.

Décrire l'acte d'amour est impossible dans un roman courtois ; il est généralement "métaphorisé" par la "parole" et le "jeu", ainsi que celui de Gauvain et de la Pucelle :

> Des <u>geus</u> d'amors sans vilonie   <u>L(EU)</u> 1700-03
> ont <u>puis</u> tot (<u>EU tant</u>) ensamble <u>parlé</u>
> et bonement entr'eus <u>güé</u>
> qu'ele perdi non de pucele ...

- c'est encore trop fort pour <u>ASPT</u>, qui insiste davantage sur la <u>pa-role</u> :

> D'<u>amor,</u> de <u>jeu</u> (<u>P</u> de droit !), de <u>corteisie</u>
> ont <u>puis</u> ansanble tant <u>parlé</u>
> et boenemant <u>ris</u> et <u>jöé</u>
>   (<u>S</u> : et debonerement <u>jöé</u>)
> qu'ele a perdu non de pucele ....

Ainsi ils passent un long temps à parler d'amour - c'est l'essence de la "fin amors" - et à parler de courtoisie ! La périphrase obligée, que le "premier auteur" utilisait avec quelque lourdeur, peut-être, la voici devenue l'essentiel ; l'acte n'a été qu'un épiphénomène, un accident plus qu'un événement, survenu au milieu des ris et des jeux et surtout des courtoises discussions ... sur la courtoisie elle-même ! Disons aussi que <u>corteisie</u> rime plus richement que <u>vilonie</u> avec le <u>saisie</u> du vers précédent.

Signalons en effet quelques enrichissements de rimes : aux vv. <u>A</u> 1643-44 (<u>antandez : randez.</u> au lieu de <u>celés : rendés</u>), 1647-48 (<u>plei-sir : teisir</u>, addition de <u>ASPT</u>), 1677-78 (<u>volantiers : andemantiers,</u> au lieu de : <u>cevaliers</u>), 1701-02 (<u>painture : faiture,</u> réfection de <u>ASP</u>). Remarquons que cet effort ne porte guère que sur les 150 premiers vers du fragment étudié.

Cette dernière préoccupation mise à part, toutes les autres - élimination des traits physiques, des idées désagréables ; accentuation de la courtoisie ; souci de rendre le texte plus clair et plus coulant, etc. - sont tout à fait dans la manière de Guiot, le "copiste" du ms. <u>A</u>. Mais qu'il faut sans doute considérer comme un grand "libraire", un "chef d'atelier", qui avait fait transcrire, et transcrit lui-même, et pas qu'une seule fois, tous les grands récits à la mode, en particulier les romans de Chrétien, et qui avait certainement déjà copié une fois,

au moins, la Continuation-Gauvain (ainsi que le prouvent ses réminiscen-
ces, ses anticipations, ses corrections et hyper-corrections faites à
l'avance, comme l'élimination injustifiée de Girflet dans le début de
l'oeuvre, lequel Girflet est sans doute censé être déjà captif au Chastel
Orguelleus, etc.). On a la très nette impression que la rédaction ASPT,
ici, porte sa marque, et que le ms. A, ensuite, ne représente qu'une
2e - ou une Nième -   "édition", à laquelle Guiot n'a plus beaucoup
à reprendre.

Et l'on a aussi une autre impression : c'est que, si ASPT -
appelons-le Guiot I - condense, raccourcit tellement le texte de la
Br. II (presque 100 vers de moins que dans L), c'est qu'il n'y est pas
parfaitement à l'aise, que cette histoire preste de flirt très poussé
et fort rapide l'indispose légèrement, tant elle jure avec la réelle "courtoisie". Il la transcrit, soit, en faisant ce qu'il peut pour la   rendre
plus courtoise, moins sommaire, plus "intellectuelle" et moins "physique",
et   il ne manque pas l'occasion d'accentuer les qualités morales (le
san, la cortoisie) de son héros. Il ne peut transformer, hélas ! l'ardente
et obstinée Pucelle de Lis en "jeune fille de bonne famille", et il est
à cent lieues de soupçonner qu'elle n'est qu'un avatar de la fée-amante.
Il transcrit donc l'histoire, rondement, sans trop de réticences, parce
qu'il n'a pas l'esprit chagrin. Mais imaginons, à sa place, un copiste
du genre de R... Et ne serait-ce pas la raison pour laquelle le copiste
de R n'a pas dépassé la fin de la Br. I ? Est-il inimaginable qu'un
autre remanieur, de type nettement "clérical", entreprenne de refaire
de fond en comble tout cet épisode, et de transformer la "version
flirt" en "version viol" ?

Le groupe ASP. - Maintenant, il existe. Mais l'on peut toujours se
demander s'il n'est pas un "cas de figure" du groupe ASPT, dont T se
détacherait pour pousser plus loin la réfection, pour encore amender
davantage le texte, ou simplement pour le plaisir de changer. Ou peut-
on le considérer comme représentant une 2e ou une 3e "édition" sortie
de la "librairie" Guiot ?

Les mss ASP sont unis par deux omissions d'un couplet, vers la fin de la Br. II. Le premier est donné par LEU, et T qui a rejoint la version L : le château qu'Arthur donne à son neveu.

... celui qui sist el plus bel leu   L 2012-15
de forés et de praeries
    (ASP omet)
et de bounes guaagneries :
    (ASP omet)
Pancrist (var.) ot non, trop par ert biaus

- c'est sans doute la construction (... el plus bel leu de forés ...) qui a gêné le remanieur, mais peut-être aussi guaagneries évoque-t-il trop la campagne et les "vilains" ?

Le premier vers du second couplet omis figure aussi dans T : Brun de Branlant reçoit d'Arthur deux châteaux,

... et si li fist tot lige homage ;   L 2035-36
quites les tint tot son aage ...

- là, on ne voit pas trop ce qui a gêné ASP ; l'adjectif quites, qui n'apparaît que trois fois dans la Continuation, et la troisième fois (L 5540) dans L seul (les autres refont le vers) ? ou le mot - et l'idée - d'"âge" : ASP éviteront d'évoquer celui du Roi du Graal (cf. L 7262) ? Ou plutôt le mot lige, qui apparaît 5 fois dans L, plus un ligement et un lijance : de ces 7 occurrences ASP n'en conservent qu'une (L 1061), soit qu'ils omettent tout le passage qui en contient trois (L 5105-43), soit qu'ils estiment l'idée suffisamment exprimée par le contexte (cf. A 1098-99 : le Guiromelant "devient l'homme" du roi ; - A 6398 : AS suppriment même l'expression "je suis votre homme" que P conserve). Alors, "lige" fait trop "féodal" ? pas assez courtois ?

Mais il y a encore une meilleure explication - qui ne contredit pas les autres, car une réfection peut être "sur-déterminée" - et c'est la présence, à deux reprises en deux vers, de l'adverbe tot. Ce mot est une des "signatures" du responsable de L - et donc, sans doute, du "premier auteur" (car les autres copistes le reproduisent dans la mesure où leur texte se rapproche de celui de L) - qui l'emploie deux fois plus souvent que les écrivains de son époque, et qui a tendance, en particulier, à le mettre là où l'on attendrait l'adjectif (tot, toz), voire le pronom (tuit, toz). Que l'on compare ces deux leçons :

```
... et murs et tors tot trebucasent        L(T) 2006
... et murs et tours touz craventassent    SP 2016
```

(refait par A, qui chasse tot ou touz :

```
... et torz et murs acraventassent)
```

ou encore celles-ci :

```
... par l'ost tot le gregnor ceval          L(P) 1280
... le greignor somier de tot l'ost          ASE 1360
```

Aux 60 premières occurrences de l'adverbe tot dans la copie de L (jusqu'au v. 2133) correspondent les nombres suivants dans les autres copies

(L)	A	S	P	T	R	E	U
(60)	15	19	20	30	[2]	[31]	[23]

(le chiffre de R ne correspond qu'aux 22 premières occurrences ; ceux de E et U, aux 36 occurrences de L dans les passages qui leur sont communs). Les copistes de R et de A sont les plus acharnés à l'éliminer (A n'a que 3 occurrences de tot dans la Br. I, contre 22 dans L ; P et S en laissent passer un peu plus : respectivement 4 et 5 ; T en laisse subsister 11). Tout cela implique au moins une substitution d'un mot monosyllabique (le pronom ou l'adjectif, ou un autre adverbe ou une conjonction comme lués, molt, bien, tant, si, et, etc.) ou une réfection plus ou moins poussée. On remarque que E et U font bien moins de retouches au texte, proche de L, qu'ils suivent - surtout E, qui reproduit la presque totalité des occurrences de l'adverbe tot.

Ceci montre bien que rien n'est à négliger dans la recherche

des causes des réfections : tantôt c'est une idée qui déplaît aux remanieurs, tantôt un mot signifiant (substantif, verbe, etc.), tantôt une
tournure, et souvent un mot qui semble insignifiant - et il n'est pas
rare qu'une "réfection" habile réussisse à "amender" le texte primitif
sur plusieurs de ces chefs, voire sur tous.

L'élimination des adverbes tot est à mettre au compte du
remanieur de ASP, ce qui n'empêche pas Guiot de faire ensuite la
chasse à ceux qui lui auraient échappé lors de la "première édition"
(celle qui reste attestée par SP). Et comme T semble ne pas toujours
respecter les "interdits" du remanieur dont il suit le texte, on en
arrive à se demander si son responsable n'a pas deux modèles à sa
disposition : l'un du type A (SP) et l'autre du type L(EU).

En tout cas, la "hantise" de tot doit encore avoir motivé le
remaniement, par ASP, des vv. 1779 et 1992. Et l'"obsession" de la
"totalité" que l'on constate chez L - de façon tout à fait uniforme
du premier au dernier vers de la Continuation-Gauvain - et qui se
traduit par l'emploi de l'adverbe tot, mais aussi par celui du pronom-
adjectif tot (tuit, tos, tote) et par celui de la forme développée trestot
(etc.), également deux fois plus nombreuse chez lui que chez la plupart
des écrivains de la fin du XIIe et du début du XIIIe siècle (101 occurrences, contre 57 dans le Conte du Graal - et 7 chez Béroul, 4 chez
Marie de France !), représente un aspect non négligeable de la "psychologie" du "premier auteur", comme nous le verrons plus tard.

A l'actif de ASP, un certain nombre de remaniements que
nous avons déjà eu l'occasion d'évoquer (à propos du groupe ASPT,
lorsque T s'en sépare plus ou moins, soit pour renchérir, soit au contraire pour revenir à un texte proche de L) : aux vv. L 1575 (à propos
de l'aigle d'or), 1595 (élimination de la consécutive si ... que, préludant
à celle du las de hiaume), 1600 (l'entrée de Gauvain dans le pavillon),
1631 (addition du san aux qualités du héros), 1643 (la Pucelle exige
que Gauvain dise son nom, "car jel vuel savoir") - formule peu courtoise), 1650 (élimination du vis), 1894 (les heaumes "embarrés" : rédac-

tion maladroite de ASP), 1967-68 (Bran "se porpense" qu'il retournera auprès de son père), 1991 (élimination du mot plaie).

En voici quelques autres, que T ne partage pas. Au v. L 1561, ASP coupe une phrase, jugée sans doute trop longue ; de même au vv. 1590 et 1592. Des broutilles : substitution de tantost à molt tost (L 1990), de et à car (2025), de ainz à et (1562), suppression d'un des deux et (1971 - P les garde), etc. Des changements de mots (vint au lieu de fu, L 1959), de temps des verbes (1978 : l'enterrerent au lieu de l'ont enterré) ; des interversions de mots (1850, 1974), etc. Le remanieur a-t-il raison de corriger sor en an (une prairie, 1976) ? Pour L, l'abbaye semble dominer la prairie, pour ASP elle est édifiée au milieu de celle-ci. On hésite à choisir lorsque L nous dit que les trois châteaux ont été construits devant la cité de Branlant (1999), et ASP, antor : trois châteaux peuvent-ils "entourer" une ville?

L'idée d'apel est plus abstraite et moins pénible que celle de bataille (cf. L 1921) ; "vos porriez" est moins fort que "vos deveriez" (1831) ; l'expression "por amor Deu" (1615) peut apparaître comme du remplissage : ASP l'élimine ; ici comme ailleurs, le remanieur n'aime pas l'expression nus hom vivans (L 1677 ; - L est aussi seul à l'écrire aux vv. 6691, ou rien vivant au v. 7322, et ASP l'élimine encore aux vv. 3321 et 4027).

Le remanieur de ASP ne manifeste pas l'indépendance et l'initiative de celui de ASPT, ou de celui de A. Mais, répétons-le, étant donné que tous ces "amendements" vont dans le même sens (celui de l'euphémisation, de l'édulcoration), il nous semble probable que les trois ne fassent qu'un - Guiot, sans doute - qui, dans un premier temps (ASPT), fait d'importants changements, puis, dans un deuxième temps (ASP), procède à quelques "époussetages" supplémentaires, et enfin, pour une "troisième édition", se lance dans de nouvelles (et plus restreintes) opérations de révision - c'est le ms. A qui en résulte.

Le groupe LEU. - Du groupe LEU, nous avons suffisamment parlé, soit en traitant de L, que EU suit donc de très près, soit, a contrario, en étudiant les groupes ASPT et ASP qui s'opposent à lui. Sur ces 500 vers, on le trouve 216 fois, ce qui, étant donné le fourmillement des variantes, est beaucoup : ASP n'apparaît que 167 fois.

LEU, c'est L confirmé ; c'est le représentant de la "version commune", par opposition à la version "courtoise" de ASP(T) ; c'est lui qui excite le responsable de la seconde à "amender" son modèle. Redisons les caractéristiques du texte de L(EU) qui provoquent ces réactions du (des) remanieur(s) courtois : rejets et enjambements, coupures au milieu du vers, inversions (qu'il est facile de rétablir, et le style devient plus coulant), phrases trop longues et difficiles à suivre ou, au contraire, trop courtes (style heurté, haché), dialogues trop vifs, mots et tournures vieillis ou sentant trop leur jongleur ; en un mot, une certaine rudesse ; le goût pour les réalités matérielles, physiques, et fort peu d'appétence pour l'abstraction ; une "psychologie" en action plutôt qu'en paroles, et tant de choses à revoir du point de vue de la clarté, de l'élégance, du bon goût, de la politesse et de la courtoisie. Tout incline à faire penser que L(EU) est plus proche que ASPT du texte originel.

Le groupe EU. - Les copies de E et du U s'accordent une quarantaine de fois, seules, le plus souvent sur des points de détail, sur un mot. Evidemment, ces accords sont dirigés, si l'on peut dire, contre L, et non contre ASP(T), dont EU sont aussi éloignés que l'est L, sauf quelques exceptions. Des oppositions de EU à L, nous avons déjà parlé en traitant de celui-ci : ce sont de légères réfections, tendant à rendre le style de L plus clair et plus coulant, un peu plus "moderne" (remplacement de tant par plus, de lués par lors, de cuidier par croire, etc.). Aucune modification, notons-le, ne porte sur les adjectifs. Quelques changements d'ordre grammatical, de temps ou de mode, sur lesquelles nous ne nous arrêterons pas maintenant.

Les réfections un peu plus développées sont assez habiles. Gauvain et Bran se donnent de grands coups d'épées, selon L,

> ... si qu'il fendirent   L 1896-98
> et cuir et ais, tant com atainsent,
> car de bien ferir ne se fainsent ...
> (ASPT : ataignent : faignent)

-ceci devient chez EU :

> ... si qu'il les fandent   E 6528-30
> tant conme chascuns an ataint,
> car tant ne quant ne se sont faint ...

(répétition de tant) ; sans doute EU est-il gêné par l'expression et cuir et ais (des écus), comme le sont aussi S (et cuir et quanque il ataignent) et T (tout decolpent quanqu'il ataignent). La même expression figurait déjà dans le duel de Gauvain et du Guiromelant et, là, seul T avait la même rédaction que L et n'était pas gêné par le cuir et les ais (L 859 / T 891) - notons que, dans cette partie, c'est à un texte proche de A que EU s'adressait pour compléter MQ.

Le v. 6392 de EU, Atant li ganchi fierement, vaut bien celui de la "version commune", Le ceval point, la lance prent (L 1760). Le v. 6512, Mais tant viaut l'un l'autre grever, est moins banal que celui des autres copistes, Mais il n'ont song (ou Mais n'ont talant) de sejorner/demorer (L 1880). Le duel terminé, Gauvain bande sa blessure qui s'est rouverte :

> ... si s'est bendés   L 1963-65
> estrois par desus les costés,
> si que sa plaie est estancie ...

- ainsi remanié :

> ... s'an a bandee   E 6593-95
> sa plaie qui iert escrevee,
> si que lués est tote estanchie
> (U : si qu'ele est tote restanchiee)

ce qui est plus clair : on comprend plus vite qu'il s'agit de l'ancienne blessure, infligée par Brun de Branlant ; d'autre part, la version commune ne laisse pas supposer que Gauvain se bande à même la chair (sous le haubert, le bliaut et la chemise), ce qui semble mieux suggéré par EU.

Remplissage pour remplissage, celui de EU 6284 vaut bien celui de L, surtout si, en ponctuant autrement que Roach, on le relie à ce qui suit :

> "... molt volentiers
> ce li respont li cevaliers,
> ja por itant ..."   L 1651-52

> "... je l'outroi.
> Si m'aïst Diex an cui je croi,
> ja por itant n'i perdrai rien
> qu'il me doie avenir de bien."   E 6283-86

- correction de la ponctuation rendue nécessaire si l'on transcrit le texte de U : "... Si m'aïst Diex, je cuit et croi / que por ice n'i perdrai rien...".

C'est peut-être U qui a la meilleure leçon pour ce souhait de Bran à sa soeur :

> "... Diex mete en joie vostre cuer,
> telle con li miens cuers desire."   E 6418-19

Celle de E est fautive (répétition de vostre cuer). Certes il y a répétition de cuer, mais toute répétition n'est pas fâcheuse, et la leçon des autres mss n'est pas meilleure :

> "... itel (AST tele) com il viut et desire ..."
> (P : ... com ge veull ...)

D'autres réfections, par contre, que nous avons évoquées à propos de L, sont moins heureuses. Mais enfin le responsable de EU ne manquait ni d'intelligence ni de modération.

A 16 reprises, EU est d'accord, contre L (le plus souvent seul), avec un, deux ou trois mss de la famille ASPT. Disons qu'aucune de ces leçons n'a grande importance. Parfois, c'est L qui diverge, en commettant une bourde (1666), en employant un terme rare (caisnot, 1960), en donnant un vers imparfait (1558), ou un ordre des mots moins naturel (1672, 1790) - et si tel était le texte de l'original, les autres copistes n'ont pas eu tort de l'amender. Pour la plupart, ces retouches - mineures, répétons-le, et allant seulement dans le sens d'une plus grande lisibilité du texte - pouvaient facilement être trouvées par les uns ou les autres, indépendamment. Aucune faute (ou addition ou omission) commune , aucune variante de quelque envergure, rien qui prouve que EU ait "passé par-dessus la tête" de L pour aller retrouver le groupe adverse. Simplement, plusieurs copistes ont réagi de la même façon, par exemple devant ce vers :

... que sa lance trestote arçoie   L 1767

ainsi corrigé :

... que tote sa lance an archoie   AS, T, EU

ou en supprimant li devant vostre (L 1757), en devant vait (1799), en supprimant parmi - dont L fait une très grosse consommation (23 occurrences dans les deux premières Branches, contre 6 dans A, 8 dans P, 11 dans S et T) - comme au v. 1771 (parmi l'escu, parmi l'auberc, changé en : parmi l'escu et le hauberc - mais notons que AP gardent la répétition), ou en le remplaçant par une autre préposition (fors ou hors au v. L 1909), etc.

Le groupe SP. - Ces deux mss s'accordent, et seuls, à 25 reprises, et, plusieurs fois, d'une façon significative et qui ne doit rien au hasard. Ils semblent jouer le rôle d'intermédiaire entre les deux principales familles, LEU et ASPT :

Il se desarme vistement   L(EU) 1655-56
         (EU isnellemant)
et el li dist molt francement ...

Il se desarme endementiers.   SP 1678-79
"Sire, fet el, laïenz irai ...
         (P : Sire, un petit l. i.)

265

"Quar faites donc ! Andemantiers   A, T 2668-69
an ma chanbre m'an anterrai
        (T : que je en ma ch. enterrai)

autre exemple :

Un cier paile soslieve et trait   L(EU) 1662-63
qui la cambre ot avironee...

Un riche bort solieve et trait   SP 1684-85
qui la chambre ...

El pavellon avoient fet   A, T 2674-75
        (T : ... el p., ou avoit f.
chambre d'un bort (A bruel !) avironee

ou encore :

"... que doies estor maintenir ..."   L(EU) 1947
"... que tu doies estor tenir...."   SP 1961
"... que tu doies estor soffrir...."   A, T 2953
        (T : que doies tel estor soffrir...")

Voir encore L 1843, où SP est plus proche de AT, ou, au contraire, L 1629 s., où SP est plus proche de LEU (en conservant primes et granz biens), ou L 1893 (SP conserve l'or des cercles), etc. Au v. 1951, l'idée de premierement (LEU) est conservée par SP sous forme de el premier liu, avant d'être éliminée par T (en quel liu que) et par A (ainsi con).

Il en va peut-être de même L 1810, où une réfection (une mauvaise lecture ?) de SP a pu entraîner une modification plus importante de AT - Norré, blessé à mort, dit à son fils : "Va me chercher mon cheval,

"... si m'en maine, car n'ai nul mal."   L 1810
"... sel m'amaine, car n'ai nul (P je n'ai) mal   SP
"... si m'an irai, que (T car) trop ai mal   AT

(EU refait, dans le même sens que SP : "si monterai, car n'ai nul mal").

Mais, d'autres fois, SP se montrent indépendants de l'une ou l'autre rédaction, ainsi au v. A 1797 (Iriez et pensis, au lieu de LEU, Atant le lait, et de AT, qui nomment Gauvain); au v. A 1807, où

266

ils s'accordent sur un ge vuel (contre le il viut de L et de AT); au v. A 1842 ("... Mon pere avez navré a mort", au lieu de "Mon pere me ravez hui mort" - le remanieur n'est plus familier avec l'emploi transitif du verbe morir).

Il n'est pas interdit de supposer l'existence d'un "modèle commun" à S et P, mais qui, de toute façon, garderait le souvenir du "premier remaniement courtois" qu'a opéré le responsable de la famille ASPT, avant les nouvelles vagues d'amendements qu'introduiront ceux de ASP, de A, de T, et, sans doute entre temps, celui de AT.

Le groupe AT. - A 41 reprises, les mss A et T s'accordent sur une leçon particulière ; ils n'ont cependant en commun aucune addition, ni omission, ni faute grave. Le groupe AT se définit de deux façons : soit contre le groupe ASPT (et donc le sous-groupe SP), soit contre la "version commune" représentée par L, SP et EU. Mais, quel que soit le texte qu'il veut "amender", ses réactions manifestent certaines constantes. Tout d'abord, le remanieur a le souci d'éliminer certains mots, formes ou tournures, qui ne sont plus au goût du jour (ou à son goût). Ici, il supprime les adverbes primes (L 1629), ou onques (1605), ou durement (1738) ; il préfère dedanz à laiens (1665) ; il lui semble inutile de préciser aval après le verbe embrunchier (1717 : refait en un po). L'expression par grant ire lui paraît peut-être vieillie : il la remplace par l'adverbe tres roidement (A 1790) ou durement (T 2780). Il corrige verté en verité (L 1793) ; il n'admet plus le datif autrui (1948). Il ne veut pas multiplier les consécutives avec si ... que (espacés de deux ou trois vers) : il supprime les conjonctions (cf. L 1915-17) ou au moins les rapproche (cf. L 1774-75, et A 1795).

Son effort porte surtout sur les substantifs : il remplace honte (1753) par tort, moins "pénible" ; à l'expression grans biens (1630) il substitue bones noveles ; il élimine le mot onor (1632), que SP ont déjà (ou de leur côté) remplacé par biauté. Il ne comprend plus bien la présence des serjans garants d'une joste aplaideïce, et les remplace par le chastel (A 1870). L'expression a eslais (de plein eslais) lui paraît peut-être vieillie : il la remplace par apareilliez (por ferir, cf. A 1783). La formule épique Cil glorios rois a besoin d'être précisée : Cil gloriex Dex (A 1628 ; - T 2627 : Cil Diex).

Il est plus courtois, sans doute, et moins agressif, que des ennemis ne se tutoient pas (réfection de L 1744-47). La Pucelle de Lis ne court pas molt tost (L 1687) vers Gauvain, elle ne se jette pas sur lui. L'adjectif dolce semble plus courtois que belle (L 1720 : "Ma bele fille ..."). Le remanieur transforme dame (L 1603) en amie, ce qui est d'ailleurs une erreur, que E commet de son côté (6235).

Pourquoi remplace-t-il le mot cote, ou coute, par auqueton (A 1623) ? L'auteur avait écrit :

> ... et voit laiens un lit covert   L 1592-93
> d'une grant cote (EU coute) de samit.

et A refait :

> Leanz avoit un lit covert   A 1622-23
> d'un auqueton de frois samit.

Mais, ou bien l'auqueton est une étoffe (notre "coton") et ne peut pas être en même temps du samit (qui est de la soie) ; ou bien, par extension, un auqueton est une "cotte" (variante ordinaire : porpoint, bliaut, gambison), qui ne peut recouvrir un lit (quoi qu'en pense Foulet : Glossary, s. v. auqueton) ; T corrige cette inconséquence en dédoublant :

> Laiens voit un bel lit covert   T 2614-15
> d'auqueton vert et de samit.

- T amende donc A, qui prenait la coute (la "courtepointe") - écrit sans doute cote dans son modèle - pour un vêtement.

Il n'est peut-être pas très courtois d'interpeller sa soeur en disant "Suer !", ni son frère en disant "Frere !" (L 1793-94) ; AT corrige dans les deux cas (Et au lieu de Suer, Einçois ou Naie au lieu de Frere). Il est plus courtois de prier Dieu qu'il donne (doint) longue vie à quelqu'un que de constater qu'il le maintient en vie (L 1722) : remarquons que SP avait préparé la voie en substituant à l'indicatif le subjonctif maintiegne (P) ou vous tiegne (S) en vie. Il est plus élégant de remplacer, pour un cheval, l'épithète de nature tost alant (L 1846, suivi par E, et aussi S, alors que P écrit bien corant, et U, remuant) par l'expression de la satisfaction de leurs cavaliers (AT : a lor talant).

Rares donc sont les modifications qui ne sont pas inspirées par le souci de rendre le texte plus courtois, comme ra dit pour redist (L 1785), decoper pour coper (L 1893), se desfandre pour atandre (2001), Par foi pour Certes (1942 ; - S écrit Sire). Quelques amendements d'ordre syntaxique : suppression d'une coupure interne trop forte (L 1658), d'un enjambement (L 1691-92), d'une inversion (L 1860-61). Nous avons déjà relevé les changements que AT apporte à L 1622-26 (suppression d'une réplique, conservée par SP), 1655-56 (idem, et suppression de l'idée, conservée par SP, que Gauvain se désarme), 1661-64 (la petite antree - S a préparé la voie), etc. AT réduit de quatre à trois le nombre des actions de Gauvain énumérées par la version commune (L 1709-11 : Gauvain prend congé de la Pucelle, s'arme, quitte le pavillon, remonte à cheval) et surtout lui fait prendre congé après s'être armé - ici encore S est l'intermédiaire obligé :

Puis prent congié, si s'est armés ...	LEU(P)
Puis prent congié quant fu armez	S 1731
Puis (T Lors) se rest bel et bien armez	AT

AT est seul à faire dire à Norré (quand Bran le retrouve) qu'il a trop mal (au lieu de qu'il n'a nul mal), ce qui est certainement plus conforme au vrai, mais le père, ici, doit mentir à son fils pour le rassurer.

Ce père, d'ailleurs, reste anonyme, dans U d'une part (6344 : Li rois de Liz ; 6398 ; Le roy ...), dans T de l'autre, qui ne fait que suivre la voie tracée par A :

> Norés de Lis, grant aleüre,   L 1712-14
> li peres a la damoisele,
> vint en la tente ...

> Or orroiz molt fort avanture.   A, T
> Li peres a la dameisele
> vint a la (T sa) tente ...

(à la seconde occurrence, L 1766, A reproduit Norrez, mais T écrit seulement Cil).

Ces accords ne peuvent être dûs au hasard. Ils vont dans le même sens (la courtoisie) que les réfections de ASPT, de ASP, de A. Mais où placer le groupe AT ? Est-il intermédiaire entre ASPT et A ? Ou postérieur à celui-ci ? La question mériterait d'être approfondie, si l'on n'était pas convaincu que T se présente, en bien des endroits, comme un manuscrit composite, tantôt s'attachant à L, tantôt s'en écartant, tantôt suivant MQ, etc. N'est-il pas plus simple de penser qu'ici il s'attache à A ?

*   *
*

A titre de comparaison avec ce que nous avons observé au début de la Br. I, notons que, sur ces 500 derniers vers de la Br. II, seulement 24 sont rigoureusement identiques dans les 7 mss. qui contiennent cette partie, et ce n'est que pour 11 vers que nous trouvons autant de leçons que de copies. Bien que les 7 textes soient généralement, ici, moins écartés d'une "version commune", ils sont sans cesse différents dans le détail.

Ce qui est principalement la "faute" de T, car voici comment se répartissent les 55 vers où tous les mss, sauf un, sont d'accord :

270

L : 2 fois   S : 6 fois

P : 2 fois   E : 7 fois

U : 3 fois   T : 31 fois (!)

A : 4 fois

Les accords de 2 mss s'observent à 271 reprises - c'est-à-dire bien plus souvent que dans la Br. I. Voici les principaux :

AT : 41 cas	LU : 14 cas	LA : 7 cas
LE : 41 cas	AP : 12 cas	SU : 6 cas
EU : 38 cas	LT : 10 cas	LP, PU : 5 cas
AS : 30 cas	LS : 9 cas	AE, TU : 4 cas
SP : 25 cas	PT : 8 cas	AU, ST, PE : 3 cas

Les cinq premiers chiffres soulignent bien l'existence du groupe LEU, dont U s'écarte bien plus souvent que les deux autres ; - du groupe ASP, auquel P fait davantage d'infidélités que les deux autres ; - du groupement AT.

Les accords de 3 mss se rencontrent 205 fois, ici encore nettement plus souvent que dans la Br. I ; seuls les premiers sont significatifs :

LEU : 74 cas	LSE : 10 cas	APT : 6 cas
ASP : 36 cas	LAS : 6 cas	SPT : 6 cas
AST : 11 cas	LSP : 6 cas	ASE, LPE : 5 cas

Le groupe LEU est indiscutable. Le groupe ASP aussi. Le groupe ASPT est davantage tiraillé, mais on le reconnaît, incomplet, 59 fois. Comme dans la Br. I, c'est L qui se trouve le plus souvent dans ces groupements par trois ; à son extrême opposé, c'est T qui est manifestement "en bout de chaîne". Le caractère d'intermédiaire de S s'affirme : cette rédaction semble être, non au début, mais au centre de la tradition manuscrite ; A et E (5 fois) ou U (2 fois) ne communiquent guère

271

que grâce à lui ; mais S̲ est impuissant à mettre en relation T̲ avec E̲ (aucun accord à trois) et U̲ (idem).

Les accords de 4 mss sont au nombre de 125 :

ASPT : 36 cas	LASE : 8 cas	LTEU : 5 cas
LASP : 12 cas	LSPE : 6 cas	LAST : 4 cas
LPEU : 11 cas	LAEU : 5 cas	LAPE : 4 cas
LSEU : 10 cas	LSPU : 5 cas	LASU, LAPU : 3 cas

Le groupe ASPT est indiscutable. En dehors de lui, c'est L̲, bien sûr, que l'on rencontre le plus souvent. Mais, ce qui est sensible, c'est que A̲ ne répugne pas à s'allier avec L̲ si SP l'appuie. Et ce qui est également évident, c'est l'"'excentricité" absolue - en dehors du groupe ASPT - de la rédaction de T̲, qui figure dans 11 des 12 groupes de 4 mss qui sont inexistants (LATE, LATU, LSTU, LPTE, etc.). Le "groupe" SP et surtout le ms. S̲ fait toujours office de "pont", s'alliant tantôt à l'un, tantôt à l'autre des deux grands groupes (LEU et ASPT).

C'est ce que manifestent encore mieux les accords de 5 manuscrits :

LASEU : 16 cas	LASPE : 5 cas	ASTEU : 2 cas
LSPEU : 13 cas	LASPT : 3 cas	LASTE : 2 cas
LAPEU : 11 cas	ASPEU : 2 cas	LAPTE : 2 cas

On ne peut dire que SP fassent communiquer L̲ et EU̲ : le groupe LSPEU représente simplement le texte originel dont A̲ et T̲ (ensemble ou séparément) s'écartent. LASEU et LAPEU sont deux autres cas d'une figure analogue ; accord de tous, sauf de P̲ et de T̲, ou, plus rarement, de S̲ et de T̲. Ce dernier reste toujours le grand "excentrique". Quant à L̲ et A̲, on le voit, ils s'accordent de plus en plus souvent : il n'est que de combler le vide entre eux.

Un accord de L̲ et de A̲, et, à plus forte raison, de L̲ et de

272

T a toute chance de nous présenter un vers originel.

Récapitulons tous les accords de deux mss, dans les groupes de 2, 3, 4 et 5 mss :

LE : 240 fois	AT : 121 fois	PT : 70 fois
EU : 204 fois	LA : 107 fois	AU : 67 fois
AS : 191 fois	LP : 103 fois	PE : 67 fois
LU : 181 fois	SE : 91 fois	PU : 62 fois
SP : 161 fois	AE : 81 fois	LT : 46 fois
AP : 147 fois	ST : 77 fois	TU : 29 fois
LS : 127 fois	SU : 72 fois	TE : 18 fois

Il est un peu amusant de constater que T, qui suivra pendant fort longtemps la "rédaction longue" MQEU, n'a ici que fort peu d'affinités avec E et U ! Les accords les plus nombreux sont toujours ceux de L. Viennent ensuite, presque à égalité, mais de façon fort différente, ceux de S, de A et de E : ce dernier, parce qu'il suit de très près un texte du type L ; le second (A), parce que Guiot, le plus proche dans le temps du "premier auteur", est un homme assez pondéré, et qui ne change pas toujours pour le plaisir de changer (il a parfois de "bonnes raisons") ; le premier (S), parce qu'il semble jouer le rôle d'intermédiaire, c'est-à-dire conserver le mieux le texte d'un premier remaniement. Ensuite encore, P et U : le premier, étourdi et bizarre, se détachant bien plus souvent que S du texte du premier remaniement ; le second, tardif, et donc tentant souvent de moderniser le texte, bien moins fidèle que E à leur modèle commun. Et le dernier, T, le plus "excentrique", qui change, lui, pour le plaisir de changer, et qui a peut-être eu deux modèles à sa disposition. Le ms. T est, pour ce passage, le moins fiable, du moins pour qui cherche à approcher le texte originel. Il est vraiment regrettable que W. Roach l'ait imprimé en premier, ce qui a fait que, d'une part, Foulet a établi son glossaire principalement à partir de T, et que, d'autre part, de nombreux lecteurs et érudits en sont restés à ce texte, à ce vol. I de la Continuation-Gauvain : c'est, le plus souvent, T qui est cité, alors que son texte est le plus éloigné de celui du premier auteur.

Si l'on additionne tous les cas où chaque manuscrit s'allie à au moins un autre, on aboutit aux chiffres suivants - nous les redonnons aussi pour l'autre tranche examinée, celle des 500 premiers vers de la Br. I :

	Br I	Br. II
L	425 vv.	423 vv.
A	274 vv.	390 vv.
S	316 vv.	376 vv.
P	293 vv.	332 vv.
T	264 vv.	226 vv.
E		387 vv.
U		343 vv.

Si ces chiffres ne coïncident pas tout à fait avec ceux que l'on pourrait obtenir en soustrayant de 500 le nombre des "leçons individuelles", c'est que, d'une part, nous avons laissé tomber un certain nombre de variantes tout à fait mineures et très peu significatives et que, d'autre part, nous ne tenons pas compte, pour ces chiffres-ci, des additions individuelles (30 dans T, par exemple, pour le second passage), ni de celles que peut faire tel groupe opposé à L. Le chiffre de R (pour la Br. I) était 272.

Nous remarquerons que, dans l'une comme dans l'autre Branche, c'est toujours T qui se rencontre le moins souvent avec ses confrères et que, paradoxalement, c'est L - le copiste qui nous donne le texte le plus "rocailleux", le moins "coulant" - qui le fait le plus souvent, et de façon remarquablement constante. Rien que cela nous autorise à affirmer que la copie de L est la plus proche du texte du "premier auteur".

C H A P I T R E   V

LES FAMILLES DE MSS

DANS 500 VERS DE LA BRANCHE V

Nous n'épuiserons pas la patience du lecteur avec l'analyse aussi détaillée de plusieurs autres tranches de la Continuation-Gauvain. La lecture attentive du résumé que nous avons donné au Chap. I lui confirme suffisamment les tendances et les particularités de chaque copie et de chaque groupe, que nous regrouperons bientôt, et que nous évoquerons bien souvent dans la suite de cette étude. Mais nous lui fournissons encore, plus brièvement, les résultats d'un dépouillement analogue de 500 vers pris beaucoup plus loin, au début de la Br. V (Visite de Gauvain à la salle du Graal - v. 6983-7482).

Dans la Br. V, où malheureusement le texte de E fait défaut, il n'y a plus qu'une version, mais les variantes sont plus fourmillantes que jamais. Je n'ai relevé que 16 vers qui soient rigoureusement communs. A l'opposé, pour 10 vers, il y a autant de leçons que de mss. Pour 26 vers, un seul ms. s'écarte d'une version commune :

L : 2 fois   T : 8 fois
A : 2 fois   M : 1 fois
S : 7 fois   Q : 1 fois
P : 3 fois   U : 2 fois

C'est dire que tous les mss sont très généralement solidaires des groupes ; c'est à cause de leur sottise que S, P et Q s'en écartent, et T, à cause de sa manie de changer. Voici, par ms. (ou groupe), le nombre des erreurs (bourdes, leçons incompréhensibles ou illogiques, bizarreries, contradictions, etc.) ;

L : 4	T : 9	MQ : 11
A : 7	M : 16	MU : 4
S : 28	Q : 26	MQU : 9
P : 22	U : 18	AS : 6

Non seulement T change sans cesse, mais il augmente : aux 500 vv. de L correspondent chez lui 566 vv. ; - MQU suivent L de très près 496 vv. ; - la tendance de ASP est de résumer : 480 vv. dans A, 442 dans S et 438 dans P. Les additions de T n'ajoutent absolument rien d'important ; les coupures de A, et surtout de S et de P font tomber plusieurs idées ou détails nécessaires.

Les leçons individuelles se répartissent ainsi :

L : 124	T : 274
A : 127	M : 71
S : 151	Q : 127
P : 198	U : 80

Le chiffre de T se passe de commentaire. Ceux de MQU sont faibles, car le groupe LUMQ, nous allons le voir, est très fort ; - la copie de Q se situe "en bout de chaîne" et son scribe prend plusieurs (petites) initiatives malheureuses.

Voici les principaux groupements :

- de 2 mss :

AS : 120	MU : 24	PT : 12
MQ : 64	AP : 22	LM : 9
LU : 43	LT : 12	LP : 6
		SP : 5

Le groupe AS est maintenant extrêmement fort : A s'en écarte quatre fois moins souvent que dans les Br. I et II, ce qui signifie que, au dernier stade de la réfection, Guiot se mêle beaucoup moins de corriger son modèle - modèle qu'il a peut-être lui-même élaboré au cours d'une précédente révision. Les groupes LU et MQ ne sont que des aspects, ici opposés (faiblement, le plus souvent), du groupe LUMQ. Le remanieur de T continue à faire cavalier seul et, bien qu'appartenant nettement au groupe ASPT, il se rapproche parfois, et de façon non négligeable, de L. La copie de P semble être au centre de la transmission, s'alliant aussi bien avec le "primitif" L et l'"excentrique" T qu'avec A et S (membres comme lui du groupe ASP) ;

- de 3 mss :

MQU : 69	AST : 12	APT : 5
ASP : 52	LMQ : 8	LPT : 4
LMU : 33	LQU : 8	LPU : 4

Les accords LMU, LMQ et LQU ne sont que des cas de figure du groupe LUMQ, dont s'écarte souvent Q, et beaucoup moins M et U. La force de ASP vient en grande partie, sans doute, de ce que T quitte fréquemment le groupe ASPT ; le copiste de P le fait beaucoup moins, et celui de S, encore moins ; l'inexistence du groupement SPT (aucun cas) montre bien que A est indispensable à la cohésion du groupe : si S, P et T sont d'accord, A ne saurait les quitter, ce qui est une sorte de confirmation que Guiot est bien le responsable du premier remaniement "courtois" ASP - et il ne se dédit pas. On trouve toujours P, faiblement mais nettement marqué, en position intermédiaire (3 cas de LAP, 2 de LSP, 2 aussi de LPU, mais, quand même, aucun de LPM et de LPQ). Dans la famille LUMQ, le sous-groupe MQ "tire" dans un sens différent de celui auquel P reste attaché - les deux cas de LPMQ ne sont dûs qu'à des bourdes de U qui, normalement, devrait se joindre à eux. Le groupement le plus remarquable est celui de MQU - généralement contre leur modèle, proche de L - : nous y reviendrons.

- de 4 mss :

LUMQ : 103	LAPU : 5	LTMU : 5
ASPT : 41	LPMU : 5	

(aucun autre groupement de 5 mss n'est attesté plus de deux fois - comme LPMQ et PMQU - ou d'une seule fois - c'est le cas de 14 groupements, qui relèvent vraisemblablement du hasard ; les trois quarts des groupements théoriquement possibles ne sont pas attestés). La situation est nette ; il y a deux familles : LUMQ, très fortement représentée, et ASPT, qui devrait l'être autant, mais dont P et surtout T s'écartent très souvent ; d'autre part, la famille ASPT n'est "positive" qu'une douzaine de fois, le reste, c'est-à-dire la majorité, de leurs accords se faisant sur les omissions d'un vers, de deux vers, de deux ou plusieurs couplets qui figurent dans LUMQ et qui ne semblent pas y avoir été ajoutés. Le remanieur de ASPT contracte bel et bien le texte originel - nous y reviendrons. Les trois autres groupements confirment les positions d'intermédiaires de U (entre L et MQ) et de P (entre les deux grandes familles).

- de 5 mss :

LPMQU : 9	LAPMU : 3	LATMU : 2
LTMQU : 9	LASPT : 2	LPTMQ : 2

P et T sont donc intermédiaires entre ASPT et LUMQ, lorsque A, S et T, ou A, S et P, s'écartent, ensemble ou séparément, de leur famille. Mais ces groupements à 5 mss sont loin de correspondre en nombre à leurs "complémentaires" ; ainsi, ce n'est qu'à deux reprises (L 7145 et 7439) que LTMQU s'opposent à ASP ensemble - ils s'opposent plus souvent à AS seuls (dont alors P s'écarte) ; et ce n'est donc que 2 fois seulement sur 59 que ASP se trouvent groupés contre leur opposé LTMQU, soit parce que L et MQU, ou LU et MQ divergent, ou, bien plus souvent, on s'en doute, parce que T écrit tout autre chose.

- de 6 mss :

LAPMQU : 8	LASMQU : 3	LATMQU : 2
LPTMQU : 6	LASTMU : 2	

Remarque analogue : ce n'est qu'une seule fois sur 8 que S et T présentent une leçon commune contre LAPMQU (cf. L 7279 : par devant toz les chevaliers, au lieu de par tot devant les ch.) - "correction" qu'ils ont très bien pu faire séparément ; par contre, étant donné la force du groupe AS, on ne s'étonnera pas que ce soit 4 fois sur 6 que leur couple s'oppose à LPTMQU. Les trois accords de LASMQU ne correspondent nullement à des accords opposés de P et de T : il s'agit de vers qui feraient l'unanimité si deux copistes n'avaient cru bon de s'écarter de la version commune, pour des changements mineurs et peu significatifs.

279

Comme pour les Br. I et II, récapitulons tous les accords de 2 mss, dans les groupements de 2, 3, 4, 5 et 6 mss :

MQ : 300 fois	AT : 84 fois	AM : 36 fois
LU : 284 fois	PT : 81 fois	MT : 35 fois
AS : 243 fois	LP : 73 fois	PQ : 35 fois
QU : 230 fois	ST : 64 fois	AQ : 33 fois
LM : 219 fois	LT : 61 fois	AU : 32 fois
MU : 194 fois	LA : 49 fois	QT : 29 fois
LQ : 174 fois	PU : 48 fois	LS : 21 fois
AP : 157 fois	PM : 44 fois	SQ : 15 fois
SP : 109 fois	TU : 44 fois	SM : 13 fois
		SU : 13 fois

Sont confirmées les familles LUMQ, qui est très homogène, et ASPT, qui l'est beaucoup moins. Les quatre derniers chiffres, négligeables, indiquent que, maintenant, S est le plus éloigné possible du groupe LUMQ et qu'il ne joue plus du tout un rôle d'intermédiaire entre les deux familles, maintenant dévolu à T et surtout à P (n'oublions pas que PU s'était affirmé comme groupe très net, généralement contre AS, et notamment pour le récit - version "viol" - des amours de Gauvain, dans la Br. IV). Malgré son extrême fantaisie, la copie de T s'écarte bien moins souvent que celle de Guiot des leçons de la famille LUMQ.

En totalisant tous les accords de chaque ms. avec au moins un autre, nous aboutissons aux nombres suivants de vv., que nous juxtaposons à ceux obtenus pour les Br. I et II :

Br. V	(Br. I)	(Br. II)
L̲ 374 vv.	(425 vv.)	(423 vv.)
A̲ 352 vv.	(274 vv.)	(390 vv.)
S̲ 296 vv.	(316 vv.)	(376 vv.)
P̲ 253 vv.	(293 vv.)	(332 vv.)
T̲ 178 vv.	(264 vv.)	(226 vv.)
M̲ 425 vv.		
Q̲ 369 vv.		
U̲ 411 vv.		(343 vv.)
(E̲)		(387 vv.)
(R̲)	(272 vv.)	

L̲ est maintenant dépassé par M̲ et U̲, et presque rejoint par Q̲, à cause de la force du groupe MQU : 253 vv. au total (dont seulement 179 en commun avec lui, L̲) ; mais cela ne veut pas dire que MQU soit plus proche que L̲ de l'archétype (c'est même évidemment le contraire dans l'immense majorité des cas, comme nous allons le voir). Le nombre relativement élevé des accords de A̲ est expliqué par la fermeté du couple AS, qui apparaîtrait encore bien plus souvent si S̲ ne persistait pas à faire des retouches (généralement sans intérêt ou aberrantes) à leur modèle commun, de même que le groupe ASP serait plus fourni si P̲ ne se mettait si souvent à "divaguer" (et ASPT ... si T̲, etc.). Le responsable des remaniements de T̲(V̲) est assez cohérent dans sa manie de changer pour le plaisir : apparemment, il ne s'en fatigue pas.

Mais attachons-nous quand même un peu au contenu des varian-tes, d'abord de celles de la famille ASPT (par opposition à LUMQ), ensuite de celles du groupe MQU (par opposition à L̲).

LA FAMILLE ASPT

Passons sur les traits stylistiques de L(UMQ) qui semblent avoir gêné le(s) remanieur(s) de ASPT, comme, notamment, les enjambements et rejets (cf. L 7079, refait aussi par MQ ; - 7201, refait par ASP et T ; - 7222, refait par AS et T ; - 7625-66 : ASP om., T refait ; - 7274, refait par S et T ; - 7290, refait par ASPT ; - 7417-20, plus ou moins refait par ASP, T et aussi MQU).

Cette famille est avant tout caractérisée par les omissions (suppressions), et il n'est pas toujours facile de décider lesquelles sont volontaires et lesquelles, involontaires. Voici les principales :

- ASP suppriment le couplet L 7017-18 : Gauvain dit à la reine qu'elle doit mener une enquête sur le meurtre du chevalier inconnu (ce qui n'est pas courtois : Gauvain n'a pas à donner des ordres à la reine ; idée et mot de mort) ;

- ASPT suppriment la "pause du conteur" de L(UMQ) 7035-44 ;

- ASP, et T (moins), contractent L(UMQ) 7052-60 : l'orage oblige Gauvain à s'abriter dans la Chapelle (le héros en situation d'infériorité ?) ;

- AS omet de parler du chandelier et ne parle pas d'emblée du cierge (LUMQ 7061-65) ; il s'est mis en tête qu'il y avait beaucoup de cierges (ce qui correspond à la molt grant clarté de A 7025); P résume encore bien plus : T suit LUMQ ;

- ASPT omettent le couplet (L 7123-24) sur la "beauté" et la solidité de la chaucie ; et, surtout, pour ASP, la chaussée ne s'engage pas vers la haute mer (cf. L 7117, T 13100-01) - elle pourrait tout aussi bien être parallèle au rivage !

- S omet, AP remanie, T remanie et déplace L 7191-92 : le "tronçons" de l'épée (mot impropre ? plutôt réservé à la lance) ;

ASPT ont aussi omis le couplet L 7187-88 où figurent à la fois le mot mort et l'interpellation "signeur" ;

- ASP omettent L 7205-06 : Gauvain entend un duel qui approche de la salle (idée désagréable ; mais on ne voit pas pourquoi Gauvain relève la tête) ;

- ASP font l'économie du v. L 7209 : ... entrer trestot promiement (il s'agit de la croix qui précède le cortège des chanoines) : on sait que le(s) remanieur(s) n'aime(nt) ni la forme développée trestot (ni l'emploi adverbial de tot, trestot), ni l'adverbe premierement (ou premiers) ; nous reviendrons sur le verbe entrer ;

AS omet la description du vêtement liturgique du grand clerc qui porte la croix (L 7215-16) ;

- S a omis de préciser que les encensoirs étaient suspendus aux chandeliers (A 7169, refait) ; plus loin, ASP omettent de (re-) préciser que les encensoirs pendoient (idée désagréable ?) aux chandeliers (L 7226) ; plus loin encore, T omettra de préciser que les chanoines les remettent en place (L 7237-40) ;

- ASPT omettent de dire que, l'office funèbre terminé, toute l'assistance, chanoines compris, disparaît en un clin d'oeil (L 7241-44) ; Li clerc s'an vont, écrit AS, au lieu de Lors faut li dius (idée désagréable - même niée !) ;

- pour ASP, le Roi du Graal n'est pas "un peu chenu" (L 7262 - la vieillesse, même relative, est chose désagréable) ;

- pour ASPT, le Roi du Graal ne porte pas le gros (épithète malséante - nous y reviendrons) anneau royal, et le sceptre même est omis par ASP (L 7264-66) ;

- ASPT suppriment L 7310 : Gauvain se couvre la tête de son manteau (manifestation, trop visible, d'un sentiment trop indigne : la peur); - et puis, à quoi bon ? puisque, 9 vv. plus loin, il redécou-

283

vre son visage ! (au lieu de cela, pour ASPT, le héros adresse une prière à Dieu) ;

- ASP suppriment les deux valets porteurs de cierges qui précèdent le Roi, lorsque celui-ci rentre en portant l'épée (L 7341-42) ;

- AP et T s'unissent pour supprimer les dames dans l'assistance (L 7385) - est-ce parce qu'il n'est pas courtois que Gauvain se trouve, en leur présence, en situation d'infériorité ? ou bien le remanieur s'est-il fait l'idée d'une "mesnie" purement masculine du Graal ?

- ASP omettent de préciser que, lorsque le Christ fut frappé par la Lance, il était pendus sur la croix (L 7444 - idée désagréable) ; AS remplace par un vers de pur remplissage ;

- ASPT omettent de préciser que c'est ici, dans la salle, que la Lance a toujours saigné (L 7445-46) : idée fort peu orthodoxe ? - AS supprime, de plus, L 7450 : si come Dex l'a proposé ;

- ASP contractent (refusent d'insister sur) L 7451-54 : le jour du Jugement, tous verront le Créateur sainier tot ausi frescement qu'il (c'est-à-dire la Lance) le fait maintenant (idée désagréable et peu orthodoxe) ;

- ASPT suppriment L 7460 : le Sang du Christ ne rachètera pas les felons (mot et idée désagréables - même niés !).

- omissions individuelles : S supprime le deuil de la cour au départ de · Gauvain (A 7013-16), la chevauchée de Gauvain sur la chaussée (A 7113-20), les quatre cierges autour de la bière (A 7165-66 - mais les chandeliers subsistent !), et, pour lui, le Roi n'engage pas Gauvain à poser des questions (A 7381-84) ! - P contracte en 6 les 26 vv. relatifs à la Chapelle à la Main (il ne mentionne même pas le cierge - ou les cierges), il réduit beaucoup tout ce qui concerne la chaucie, etc. ; - T, qui n'est pas avare d'additions, laisse tomber A 7091-92 (il semble fort périlleux de s'engager sur la chaussée),

7205-12 (les chanoines ne remettent pas les encensoirs en place, l'assistance ne disparaît pas) ; pour lui, ce n'est pas le Graal qui dispose pain et vin sur les tables (T a même omis de préciser que le Graal entrait !), etc. On admettra que, pour la plupart, ces omissions de la famille ASPT sont loin d'être négligeables - et insignifiantes !

Quant aux additions : AS ajoute le deuil que mène l'amie de Gauvain lorsque celui-ci part (7011-12), il précise que le héros se signe et n'a pas peur (7033-34) et que l'assistance se lave les mains aussi après le repas (7272), il insiste sur la déception et la douleur du Roi du Graal (7334) et sur les qualités exigées de celui qui réussira l'épreuve et qui, ainsi, obtiendra le prix du monde (7349-52, 7361-66) ; il précise et complète les questions posées par Gauvain (7397-98) : qui est le mort de la bière, et qui l'a tué ? Le Roi du Graal adoucit les reproches qu'il adresse à Gauvain (7373-76).

ASPT précisent que les encensoirs sont allumés et insistent sur la fumée (ST et la douce odeur) qu'ils répandent (A 7170-72 T 13196-200). Ils insistent sur la courtoisie que le Roi du Graal témoigne à Gauvain (A 7237, 7239). Au lieu d'être accablé, terrorisé même, le héros prie Dieu (A 7276 ; T développe : 13318-31). Le remanieur insiste enfin sur le caractère maléfique de l'épée (qui mar fu forgiee et tranpree, 7428). APT développent l'idée de l'épuisement de Gauvain, qui a subi l'orage et n'a ni mangé ni bu (7075-76). P et T comptent les mets apportés par le Graal : dix pour le premier (7250), sept pour le second (13292). Au lieu d'écrire simplement que l'épée "gît" sur le pis du mort (L 7364), AS écrivent qu'elle est (estoit, et non gisoit) sur la croix du samit, et A continue en rappelant que celui-ci est étendu sur le cors (7317-38 - élimination de trois idées pénibles ou trop "physiques").

Mais c'est surtout T qui ajoute (34 additions, totalisant près de cent vers). Son premier souci est de rendre le texte plus clair : il précise bien que Gauvain monte sur le cheval de l'inconnu (12969-

7O), que la chaussée s'engage vers la haute mer (13100-01), que toute l'assistance disparaît (13162 ss - mais, plus loin, il omet de le faire), que la Lance est celle de Longin (13471-73), etc. Il insiste sur le fait que Gauvain entre dans la Chapelle (13034-39), sur le fait que l'épée apportée est celle du chevalier mystérieusement assassiné (13354-55), sur le fait que la lance saigne, bien qu'elle soit de fust (13347) - et il insiste sur la blancheur de son fer et ajoute deux cierges devant elle (13323, 13327-28) : ce n'est pas à lui que l'on pourra reprocher de n'avoir pas lu le Conte du Graal ! Il ajoute que le Roi remet l'épée au fourreau (13397) ; il ajoute aux questions posées par le héros : comment l'épée se ressoudera ? comment le cors sera vengé (13451-52) ? Au début de l'épisode, il insiste sur l'orage que subit Gauvain et en profite pour glisser un éloge des qualités du héros (13005-17) ; plus loin il fait affirmer au Roi que Gauvain est le meilleur chevalier du monde (13387-88), etc. Tout ceci montre, entre autres, que ce n'est pas la première fois que le responsable de T(V) copie la Continuation-Gauvain. Ce que manifestent aussi, bien sûr, ses anticipations : 13005-18 (l'orage), 13102-03 (le cheval veut s'engager sur la chaucie), 13143-44 (hauteur et grandeur de la salle), etc.

On aura compris que l'un des mots-clés de toute cette entreprise de réécriture est l'euphémisation, l'adoucissement généralisé, par réduction ou élimination des idées désagréables, des sentiments pénibles, de la notation trop précise des réalités physiques. En conclusion de la première partie de l'épisode, l'auteur écrivait :

... cil remest mors entre leurs mains.   L 7034

C'est le texte donné par LUMQ, et aussi P et T, mais AS transforme complètement le vers en une proposition relative exaltant le héros :

... qui de proësce estoit certains.   A 7018

Au lieu d'écrire seur le pis del mort, nous l'avons vu, AS écrivent desus la croiz del samit, et il est vrai que le mot pis avait déjà été mal lu par M, P et T qui l'avaient transformé en piés ! Même gentis, un cors (mort) est quelque chose d'affligeant et l'on appréciera la réfection "métonymique" de ASPT :

"A ! gentis cors qui ci gesés ..."   L(UMQ) 7355
"Li granz domages qui ci gist ..."   A(SPT) 7305

Il est malséant de qualifier le Roi du Graal de membrus, ou membrez (L 7261, suivi par MQU et T) : S change en quarrez, et A, en formez, cependant que P écrit noble persoune. Le Roi s'adresse dolcemant à Gauvain (AS et T, 7342/13408) - au lieu de adonques de L (UMQ) conservé par P. Le héros relève la tête d'aïr (L 7254), c'est-à-dire vivement, violemment : non pour P qui écrit por oïr. "Vous êtes arrivé jusqu'ici par vigor et par hardement", dit le Roi au héros - dans L seul (7405) : hardement, passe, mais non vigor, que MU lisent mal (? par honor), et Q encore plus (par ammor) et que ASPT éliminent, quitte, pour les deux premiers, à écrire un vers de pur remplissage ("Je sai molt bien veraiemant"). Il est impensable que Gauvain fasse honte à la reine, il se contente de lui dire qu'elle doit avoir de la peine (peser, ASP 6966). Même niée, l'idée de "haine" est discourtoise : pour L, Gauvain n'a jamais haï l'inconnu (6990); MQU transforment : jamais pareille chose n'est arrivée au héros (ne m'eschaï MU, ne me meschaï Q), et ASPT donnent un vers de remplissage ("De fine verité vos di"). L'auteur a écrit, sans doute, que les Juifs et les pécheurs devront avoir molt grant paor le jour du Jugement, eux qui tuèrent le Christ par traïson (L 7456-57) ; idées trop fortes et trop dures : Q commence par changer les Juié en les mauvés ; ASPT éliminent la traïson ; T continue à accuser, anonymement, "cil qui en crois le pendirent" ; ASP transfèrent la peur à tous ceux qui verront (S virent !) revenir Notre-Seigneur. Charité chrétienne ? Non : seulement volonté de ne pas heurter.

On ne quitte pas des gens, la cour surtout, précipitamment :

Atant se part d'iaus sans delai ...   L 7022

287

Q atténue un peu :

    Lors s'an vet, plus n'i atandi ...

mais ASPT n'ont garde d'oublier l'essentiel - le congié :

    Atant s'en part, si prent congié ...   T 12992

et, à lire ASP, on se demande même si Gauvain part :

    A icest mot a pris congié ...   A 7004

    Cela peut aller jusqu'à la contradiction - et à l'intérieur même du camp ASPT ! Il est assez rare que cette famille s'oppose en totalité à LUMQ (cf. ASP 6992, "N'an sai dire la vérité", contre L 7008, "...çou est vertés" ; - ASPT 7056, avoir an porroit poinne et mal, contre L 7088, si fait grant orguel et grant mal ; - ASP 7130, Gauvain reste une piece assis près du feu avant que l'assistance s'aperçoive que ce n'est pas lui qu'elle attend, contre L 7167, si tost com... etc.). - AT contredit non seulement l'autre famille, mais aussi la moitié de la sienne, lorsqu'il parle d'une grant clarté dans la Chapelle (7025/13033) ; AS semble contredire expressément T lorsqu'il déclare que l'autel est couvert d'un parement noir (7031-32 ; - cf. T 13028-29 : tot descovert), et il contredit toute la tradition en parlant de plusieurs cierges (trestoz, trestuit) et de plusors voix (7039 ss). Pour AS, encore, Gauvain s'arrête à l'entrée de la chaussée (7084 - pour S, après l'avoir franchie !), alors qu'il est évident que son destrier ne le lui permet pas ; - pour AP, c'est à la nuit que Gauvain a aperçu la mer (7071), tandis que, pour les autres, c'est au vespre (LUMQ) le héros est à la chaussée ains l'anuitant - si la nuit est complètement tombée, comment peut-on décrire les arbres qui bordent la chaussée ? Pour S, l'entrée de cette chaussée est large, pour A, elle est le contraire, mie large (7085) ; il semble que, pour AS, il n'y ait que cette entrée qui soit bordée d'arbres, les autres ne disent rien de tel. Pour AS, la chaussée est battue seulement par la mer (7101 ss) ; pour LUMQ et T, par la mer et le vent ; pour P, par ni l'une ni l'autre. La chaussée elle-même est large pour LUMQ et P (7115), et pas lee pour T (13106), A et S transférant à l'entrée cette largeur ou son contraire. Pour tous, le destrier que monte Gauvain a sans cesse une allure rapide, violente, sauf pour P, qui écrit que la monture emporte tout a soué son cavalier vers la mer (cf. A 7081-88), puis trestout em pais et tout soué sur la chaussée (7111-16) !

Le remanieur de T semble fatigué d'écrire que l'assistance s'esvanuit, disparaît en un clin d'oeil : aux vv. 13237-38, c'est posément que les chanoines quittent la salle, qui se remplit alors de gens (ce qui contredit toutes les autres versions), puis, aux vv. 13308 ss, toute l'assistance s'en va après le repas, en suivant le Roi. Ces chanoines ont-ils encensé la bière après le chant des vigiles des morts (LUQ 7224-26), ou pendant (T 13233), ou avant (AS 7196) ? Pour T, c'est avec grant douçor que le Roi repose l'épée sur le corps (13394) ; pour AS, c'est avec grant iror (7332). Bien plus haut, T se contredisait lui-même en écrivant que l'orage s'apaisait dès que Gauvain quittait la Chapelle (13056-59), puis que le héros continuait à chevaucher en doel, en ire et en paor (13071).

Passons sur les bizarreries : le cors (de l'inconnu) ... qui molt estoit cortois et sage (ASPT 6967-68) ; le frain dont s'empare la Main noire pour éteindre les cierges (AS 7038) ; la gent menue qui se presse dans la salle du Graal (ASPT 7129 - pour mieux rimer avec venue ?), P détaillant la distributio de cette foule : jovene et kenu, bloiseus et lens (après A 7142) ! On passe à Gauvain un mantel vert (ASP), au lieu de vair (LT 7165/13155). Le remanieur de S, lui, a une vue d'ensemble du "château" du Graal : un grant manoir bien atourné (7124), alors que tous les autres ne parlent que de l'espace intérieur, la sale. N'énumérons pas les vers de remplissage qui pullulent dans le remaniement ASPT (6991, 7019, 7082, 7174, 7234, 7237, etc.).

Tout ceci montre que, le moins que l'on puisse dire, c'est que les remanieurs courtois ne sont pas à l'aise dans la Br. V, qu'ils comprennent assez mal ce qui s'y passe, qu'ils ne "visualisent" ni les lieux ni les actions - bref, que leur mentalité et leur imaginaire sont à bien des lieues de celle et de celui du "premier auteur". Il est inutile d'insister sur le fait que toutes leurs retouches vont toujours dans le même sens que celui que nous avons si souvent souligné à propos des Br. I et II : davantage de clarté (mais, ici, ce n'est guère possible), davantage de courtoisie (positivement, c'est ici rarement possible), au moins adoucissement et euphémisation, évacuation (autant que faire se peut) des émotions trop fortes et des sentiments pénibles, des idées qui peuvent heurter, et aussi des réalités trop charnelles ; tendance, au contraire, à la "moralisation", du moins à l'exaltation des qualités chevaleresques et courtoises. La tonalité dramatique et fantastique de la Branche du Graal ne se prête guère à tout ce petit travail d'amendement : les remaniements ont un caractère tâtonnant, voire contradictoire. On observerait un phénomène analogue dans la Br. VI, où l'aventure de Guerrehés n'est pas toujours d'une courtoisie exemplaire et ne semble guère destinée à la "chambre des dames". Mais dans la Br. III, Caradoc, où nous est contée une histoire encore plus horrible, les choses ont été simplifiées : le grand remaniement-délayage courtois de la rédaction longue était alors nécessaire, et il semble avoir "désamorcé" l'entreprise d'amélioration du ou des responsable(s) de la version (courte) courtoise ASP, qui s'écarte alors bien moins de la rédaction L. Inversement encore, dans la Br. IV (le Chastel Orguelleus), où sont exaltées la chevalerie et la courtoisie (au moins entre hommes), tout le monde se sent à l'aise, mais ce n'est pas une raison pour reproduire fidèlement le texte du "premier auteur", et les variantes de foisonner - dans la bonne humeur !

LA FAMILLE LUMQ

Il ne s'agit pas ici du même genre de problème : MQU, et surtout MQ, n'ont aucune raison "idéologique" bien nette de corriger le texte, très proche de L, qu'ils recopient, et la question est surtout celle de sa compréhension - par les copistes eux-mêmes, et par le public, nettement postérieur à celui du "premier auteur", pour lequel ils travaillent.

Les remaniements portent donc avant tout sur les mots et les tournures, sentis comme peu clairs, inélégants, vieillis. On peut les présenter par catégories grammaticales.

Prépositions et conjonctions. - Ains l'anuitant de L (7113) est plus juste que a l'a. de MQU ; - endroit la more (MQU 17263) est fautif (répétition du mot, qui figure au v. précédent) : c'est devers (L 7189) qui est bon. - La juxtaposition ne ne de L 7016 est juste, mais peu euphonique : tous refont (Q : ne je ne ... ; - MU : certes ne ... ; - ASPT, plus radicalement : ne le besoing ...) ; - le por ce que de MQU (17200) est plus "moderne" que le por tant que de L (7116, - ASP ont car) ; - MQU développent le si que de L (7142) en si fort que (précision qui va de soi) ; - MQU sont plus heureux en changeant le mais de L 7290 en un simple et (il n'y a, en effet, aucune opposition).

Pronoms, adjectifs pronominaux. - Il arrive souvent à L de ne pas élider certains pronoms, comme le démonstratif ce (que le copiste écrit alors généralement ço, çou) ; les autres corrigent une fois sur deux, comme MQU 17084, c'est veritez, contre L 7008, çou est vertés. Notons encore l'emploi chez L de ce corrélatif :

"... si verrons ce, s'el sauderont". L 7371

que MQU suppriment :

"... si verrons s'eles souderont."

Au v. 7148, c'est L qui a raison d'employer cil pour désigner le destrier : le il de MQU (17222) peut aussi bien renvoyer à Gauvain. Par contre, MQU sont meilleurs en changeant en dont le que de L :

... tot cil que (MQU dont) vos avés oï. L 7742

Le responsable de L̲ pratique souvent l'enclise, et les formes enclitiques, notamment celles qui sont composées de qui̲ ou de que̲ (quel̲, quil̲, quis̲) et celles qui sont au pluriel (nes̲, ses̲, etc. - les formes au singulier, comme jel̲ ou nel̲, passent mieux) sont très mal supportées par tous les autres copistes (ou responsables des groupes) ; c'est ainsi que sur quarante de ces formes les plus difficiliores̲ attestées dans L̲ (à vrai dire seulement 38, le copiste du ms. L̲ ayant écorché deux d'entre elles, 4512 et 7584) - et réparties, notons-le, dans toute l'oeuvre, même dans l'interpolation sur Joseph d'Arimathie - ses confrères n'en laissent subsister que bien peu :

	Formes enclitiques	Formes décomposées	Incompréhensions	Réfection mineure	Texte différent
L̲	38	/	2	/	/
A̲	6	7	2	9	14
S̲	5	5	2	6	18
P̲	7	6	2	7	14
T̲	12	6	/	3	14
U̲	6	6	8	5	13
M̲	7	1	7	5	14
Q̲	4	6	3	3	16
E̲	(6)	3	2	6	13

(la différence entre le total et 40 étant due aux lacunes, ou à l'absence complète de texte correspondant à celui de L̲).

Dans. le passage qui nous occupe, la forme quis̲ de L̲ 7086 n'est développée que par T̲ (correctement) et P̲ (incorrectement) !

... et cil quis̲ dist en a grant ire	L̲
... cil qui les̲ dist en a grant ire	T̲ 13064
... cil ki le̲ (!) dist en a grant ire	P̲ 7054

AS̲ écrivant autre chose :

| ... tost li porroit torner a ire | A̲ 7054 |

et MQU écrivant un non sens :

> ... et (U com) cil qui est (M ert)
>
> en grant desirre   M 17160

La forme nes de L 7300 - jointe à l'interpellation "Signeur" (que la version courtoise gomme quasi systématiquement) - déclenche des transformations tout aussi surprenantes :

... signeur, nes aconterai ja	L
... seignor, ne vos conterai ja	M 17372
... seingneurs, vous aconteré ja (= contradiction)	U
... saingn (!?) ne vos conterai ja	Q
... ne vos deviserai je ja	A 7264
... saciés ne vos mentirai ja (idée différente, contexte refait)	P

- on comprend que S et T aient ici respectivement sauté 4 et 6 vers. Les (bonnes) raisons de changer le texte sont toujours nombreuses, les réfections sont souvent "sur-déterminées" : il n'est pas aisé de décider si c'est la langue (le lexique), le style (la syntaxe, les tournures) ou les idées qui ont poussé les remanieurs à leur travail - ce peuvent être les uns et les autres. D'où la nécessité de tout regarder : aucun mot, le plus insignifiant soit-il, n'est indifférent.

Nous avons déjà signalé les réticences des copistes-remanieurs devant les formes développées trestuit, trestot, etc. Le trestuit de L 7168 a peut-être déclenché une cascade de réfections : elles sont manifestes dans MQU (U : tres bien, - M : tantost, - Q : entr'ax), tandis que le responsable de ASPT a écrit tout autre chose (si le regardent a merveille). Au v. 7235, L écrit que Gauvain assiste à l'office funèbre, debout, o l'autre gent ; variante de MQU : entre la gent - l'idée d'altérité, et donc d'étrangeté, a disparu ; ASPT sautent le couplet. Il y aurait toute une étude à faire sur le mot autre et ses composés, qui ne sont pas aussi innocents qu'ils en ont l'air.

Autre pronom adjectif qui mériterait une analyse complète : chascun. Notre auteur l'emploie assez souvent - plus que celui du Roland ou que Marie de France, mais moins que Chrétien dans Erec et Cligès (mais beaucoup plus que dans le Conte du Graal), et surtout moins que Jean Renart ou l'auteur de Galeran. Ce mot est assez bien reçu par les autres copistes, qui le remplacent cependant assez souvent par tuit, trestuit, etc. Le responsable de MQ(U) le refuse quatre ou cinq fois : à L 2901, cascuns des oisellons, comme dans ASPU (MQE toz ceus qui ; T tuit) ; - à L 5158 (TEMQ ambedui ; ASPU refont le passage) ; - à L 5247 (et ASPU : de cascun mestier deus serjans, - TEMQ ne comprennent pas et écrivent : vallés, escuiers et sergans) ; - à L 7308, s'est lués cascuns esvanuis (U suit L ; MQ écrivent : si se sont tuit ... ; les autres refont, mais S garde tuit) ; à L 8622, "... mais de c'est bien cascuns certains ..." (U : que de ce sui je bien certains ; MQ : que de ce ne sui pas certains ; ASPT : réfection plus poussée). Or il est important de noter que "chacun" figure dans trois grandes "pauses du conteur" - lequel s'adresse à chaque membre de son auditoire - et que, là, le groupe (E)MQ(U) le garde (L 5178 = E ; 7035 = MQU, en l'absence de E, lacunaire ; 8303 = MQU, idem). Ces pauses "jongleresques", nous verrons que le remanieur "courtois" de ASPT les expulse toujours, et manifestement : elles sont tout à fait dans la veine "orale" et "archaïsante" du "premier auteur", que suit L, lequel ne répugne jamais, sans doute, à reproduire ses occurrences du mot chascun.

Adverbes. - C'est surtout sur les adverbes que porte le "travail " des copistes-remanieurs. Sur les adverbes de manière : le certainement de L 7228 changé en veraiement par MQU (et T - ce vers de remplissage étant sauté par ASP), mais EU (et S) ont fait l'inverse pour le veraiement de L 1790 ; MQU changent aussi en veraiement l'étrange devinement de L 7441 (peut-être une erreur pour demainement donné par APT) ; - le molt irieement de A et, à la rigueur, l'isnelement de T), est changé par MQU en un delivrement beaucoup moins bon (moins stupide,. quand même, que le tout soué de P) ; si le "premier auteur" avait voulu écrire delivrement, il l'eût fait, car il emploie une douzaine de fois cet adverbe assez rare (une seule occurrence chez Béroul, chez Marie, dans Erec, Yvain et Perceval, 4 dans le Lancelot) - et, de cette douzaine d'occurrences, les "copistes courtois" n'en conservent que deux (remplaçant delivrement par vistement, hastivement et surtout isnelement), tandis que le responsable de MQU ne manifeste pas un tel refus, ce qui lui permet d'en ajouter un ici.

Sur les adverbes de temps, surtout. Le remanieur de MQU, comme les autres, refuse l'adverbe lués, cher à L - nous y reviendrons au chapitre des adverbes ; il a tendance, comme les autres encore, à remplacer puis, si caractéristique du style de L, par lors, ou si, ou à le supprimer - nous y reviendrons également. Adont est souvent changé en (et) lors, ou en atant. De même que ainçois, en ainz, et, quasi systématiquement, ainc en onques (parfois onc). L'adverbe avant, dont L fait une (relativement) forte consommation (deux fois plus souvent que Chrétien), notamment pour renforcer, de façon quelque peu redondante, les verbes aler et venir, est assez mal reçu par le groupe ASP, qui le chasse deux fois sur trois ! MQU l'admet mieux (reproduisant la moitié des 40 occurrences - dans l'ensemble de l'oeuvre), mais le remplace cinq fois par devant : à L 4045 (EMQ + T), 4705 (U + ASP - EMQ diffèrent), 5350 (EMQ + T), 6255 (EU + AS), 7759 (tous, sauf L, écrivent devant). - Le tantost de L 7381 est changé par MQ en molt tost (U suit L), de même que le maintenant de L 7164 (par MQU). - Quant à l'adverbe or, ore, qui va pourtant se multipliant sous la plume des romanciers, et que L emploie relativement peu, mais toujours de façon juste (avec le sens exprès de "maintenant"), les copistes-remanieurs devraient le conserver et, s'ils changent, c'est pour le plaisir, et parce qu'ils ne sont peut-être pas d'accord avec l'utilisation caractéristique qu'en fait le "premier auteur" (ou L), à savoir exclusivement (ou presque) dans le discours direct - et dans les "interventions d'auteur" ou "de conteur", que la version courtoise élimine fort souvent ; dans le groupe (E)MQU, c'est surtout le responsable de Q qui lui substitue un autre mot (car à L 2969, bien à L 3324, orandroit à L 3202) ; cet adverbe, encore une fois, est si répandu (et de plus en plus) que les remanieurs - pas plus (E)MQ (U) que ASPT - n'ont de "politique d'ensemble" à son endroit.

Parmi les adverbes de lieu, iluec (ilueques), que Chrétien n'emploie presque jamais, est très caractéristique du vocabulaire de L, et les autres copistes ne l'écrivent guère que dans la mesure où leur modèle, à tel ou tel moment, se rapproche du texte de L : c'est-à-dire, T dans la Br. I, ASP dans les Br. II et III, E dans les Br. II et IV, MQU dans les Br. V et VI. Ce sont eux qui changent de comportement, ce n'est pas L. L'adverbe-préposition desus (et desor, deseur, plus nettement prépositions), qui ne semble pas ajouter grand chose aux monosyllabiques sus, sor, seur - sinon un pied de plus - est changé en sus par MQ au v. 17209 (L 7135), comme il l'était (en sus ou en sor) par la plupart des copistes de la famille E(MQ)U aux vv. L 1776, 3197, 3212, 4037, 4051, etc. ; mais cette réaction est tout à fait partagée par la famille ASPT, en tout ou en partie: sur les 46 occurrences de la forme dissyllabique dans l'ensemble de la copie de L, seulement 15 sont reproduites par A et S, 14 par T, 12 par P ; c'est U qui, avec 21 occurrences, la respecte le mieux. Chaque copiste a ses habitudes : c'est ainsi que S préfère nettement la forme sus, A et P la forme sor ; mais trouver une syllabe de plus oblige à un petit remaniement - qui peut devenir grand. De toute façon, le "premier auteur" employait aussi les formes sus et sor beaucoup plus souvent que ses contemporains : c'est là l'un des aspects de sa "vision du monde" que nous étudierons bientôt.

L'adverbe droit, qui qualifie généralement le mouvement dans l'espace (aler, venir), est très souvent employé par le responsable de L. Au v. 17009 (L 6935), U est le seul à le conserver ("... si alez droit ou il voudra ...", changé par MQ en : si alez la ou ...) ; au v. 17134 (L 7060), MQU le suppriment (en est alez, au lieu de est droit alés) ; au v. 17680 (dans l'interpolation sur Joseph, L 7612), ils le changent en droitement) ; vers la fin de la Br. V, au v. L 8045,

l'expression, chère à L, le droit chemin n'est conservée, maladroitement, que par M (droit le chemin), cependant que U et T écrivent
le grant chemin, P et Q tout le chemin, et A le mestre chemin.
Inutile de dire que ASP(T) écartent encore davantage ce mot, si
caractéristique de style de L, et qui exprime si bien sa conception
de l'action, qui correspond si bien à son imaginaire "héroïque" - nous
y reviendrons au chapitre des adverbes ; ici comme ailleurs, les autres
copistes reproduisent (avec réticence) le mot droit dans la mesure
où leur rédaction se rapproche de celle de L, autant dire de celle
du "premier auteur".

Passons sur des modifications moins "signifiantes", comme le
changement d' ainsi (ou d'ausi) en si (ou son omission), celui de pas
en mic, l'élimination fréquente de l'adverbe-adjectif tot, la transformation contradictoire de un poi (L 7110) en adés (M) ou en touz jours
(U), etc. Attardons-nous un instant sur l'adverbe d'intensité par, que
MQU éliminent à L 7029(en changeant le présent demainent en l'imparfait demenoient, ce qui leur permet de récupérer le pied manquant -
cependant que AP et T l'escamotent d'une autre façon), qu'ils changent
en quar à L 7202 (ASPT procèdent d'une autre manière à la même
opération) ; au v. L 6780, seul U conservait par, tous les autres copistes remaniant plus ou moins le vers pour le supprimer. Au total,
sur 51 occurrences de par, adverbe, répartis assez uniment dans toute
la rédaction L (surtout à partir des vv. 4000), U n'en conserve que
16 et M que 15 (ces deux-ci sont les plus fidèles à leur modèle, alors
proche de L) ; E n'en garde que 13 (mais il en aurait davantage si
ce n'était sa grande lacune, justement au moment où il est le plus
proche de L) ; T, que 11 ; A, P et Q, que 10, et S, que 6 ! L'intensité
(de l'action, des émotions, des sentiments) est certes l'un des aspects
les plus évidents de la conception que se fait L de ses personnages:
pensera-t-on qu'il l'ait ajoutée au texte du premier auteur ? Si cela
était, pourquoi serait-ce justement à ces moments où L la marque
expressément que les autres copistes s'engagent (et s'égarent assez
souvent) dans leurs petits travaux de réfection, avec la volonté assez

évidente d'éliminer les mots qui la notent ?

Verbes. - Ils sont un peu moins retouchés. Substituer errer (U 17226) à aler (L 7152), joindre (MQU 17441) à joster (L 7369 - P écrit ajoster, et AST metre ensemble), et même corre (MQU 17400) à coler (L 7328) ne tire guère à conséquence. Le sens commence à être gauchi lorsque MQU écrivent n'avoit (17364) au lieu de n'i voit (L 7292 + ASP), ou MQ, estoit (17262) au lieu de (i) avoit (L 7188, + A, T). Au v. L 7256, la modification de qu'il ot veü (la gent) en qu'il i trova est faite par tous : elle est destinée à éliminer la répétition du verbe veoir - on sait que L n'a pas la phobie des répétitions - et à corriger le manque d'accord du participe passé ; il est difficile d'imaginer que L ait pris sur lui de s'écarter d'une version commune et satisfaisante pour commettre une faute et une "imperfection" : sa leçon doit être celle de l'archétype. Aux vv. L 7315-16, MQU (l'autre famille n'a pas ce passage) semblent préoccupés de la concordance des temps lorsqu'ils changent doie en poïst (MU 17387), mais chacun des trois copistes commet une faute plus grave : U a interverti les verbes "devoir" et "pouvoir" et, au second vers, il revient au présent (doie. au lieu de L puise) ; M écrit poïst aux deux vers, et Q, puise! Seule la leçon de L est correcte.

D'autres réfections altèrent vraiment le sens. Au v. L 6990,
"... mais onques nul jor nel haï"
MQU, peut-être choqués par la redondance (onques nul jor), écrivent :

"... mes a (U ainz) nul jor ne m'eschaï" MU   17066
"... tant nul jor ne me meschaï" (!)   Q

- il ne s'agit donc plus de haine, même niée, mais de malheur ; ASPT, de leur côté, nous l'avons vu, écrivent une platitude. Au v. L 7053, MQ changent toner en plovoit : il n'y a donc plus d'orage, mais seulement des rafales de vent et de pluie. Le remanieur se représente la chaussée, non plantee (L 7118, + AS, T), mais assise par deux rangées d'arbres - et U transcrit bêtement assez ! Au v. L 7152, au lieu de

> Lors se hasta de <u>bien aler,</u>

<u>U</u> écrit :

> Lors se hasta <u>molt</u> de l'<u>errer</u>   <u>M</u> 17226

mais <u>MQ</u> "intellectualisent" bizarrement l'action :

> Lors <u>pensa</u> il <u>mot</u> de l'<u>aler.</u>

En écrivant que le Roi du Graal <u>tenoit</u> (<u>M</u> 17336), et non <u>portoit</u>
un sceptre et un anneau, <u>MQU</u> font une faute : "tenir" est peut-être
meilleur que "porter" en parlant du sceptre, mais l'anneau que l'on
<u>tient</u> (à la main) n'est pas celui que l'on <u>porte</u> (au doigt) ; on sait
que <u>T</u> supprime le <u>gros anel</u> et que <u>ASP</u> suppriment également le
sceptre.

Un passage particulièrement <u>difficilior</u> est celui du Sang qui,
recueilli dans l'<u>orçuel,</u> en est évacué par un tuyau d'émeraude : autant
de rédactions que de copies ; celles de <u>MQU</u> font groupe avec <u>L</u>,
mais leurs auteurs ne comprennent pas mieux que ceux de la famille
<u>ASPT</u> :

> Si tos con cil sans i <u>estoit</u>   <u>L</u> 7333
>   (c'est-à-dire dans <u>le vase</u>)
> <u>MQU</u> : ... li (<u>U</u> cilz) sans en (<u>U</u> s'en) <u>issoit</u>
>   <u>(de quoi ? - du vase ? ou de la lance ?)</u>
> par un tüel d'or s'en <u>issoit,</u>
>   <u>U</u> : ... s'en <u>vessoit</u> <u>(?!),</u> <u>MQ</u> : i <u>entroit</u>
>   (dans quoi ? - dans le vase ?)
> s'<u>entroit</u> (<u>Q</u> s'aloit) en un conduit errant
> d'une esmeraude verdoiant ;
> hors de la sale (<u>Q</u> lance !!) s'en <u>aloit</u>
>   <u>MQU</u> : s'en <u>issoit</u>

<u>T</u> dédouble inutilement le "conduit en un <u>tüel molt riche et grant</u>
(pourquoi ?) / <u>d'une esmeraude</u> ... et en un <u>canel d'or</u> qui fait suite
au premier ; <u>ASP</u> dédoublent aussi, mais suppriment l'émeraude et
finissent par du remplissage :

El veissel (S lancier !!) un tüel avoit   A 7286
    (P : par un tuiel d'or en issoit)
par ou descent en un chanel
(qui descend ?)
    (P : puis court parmi un calemel)
d'argent, jamais ne verroiz tel ;
fors de la (S om.) sale ist par esgart ...
    (P om. : le Sang ne sort pas de la salle)

Seule la rédaction de L est, sinon lumineuse, du moins logique et "économique".

Autrement, MQU ont la manie de changer les temps des verbes, afin de respecter une "concordance" des temps dont, au XIIe siècle, les meilleurs auteurs se moquent passablement ; certaines corrections se justifient, d'autres non :

- à L 7195, furent changé en erent, après deux verbes à l'imparfait : c'est dans U que la correction se justifie le mieux, puisqu'il continue, comme L, à l'imparfait (dans un couplet omis par MQ, lesquels passent au parfait) ;

- à L 7125, le changement de fist en fet est injustifié, puisque le contexte est au passé ;

- à L 7143, le passage au passé (vousist ou non) est injustifié, puisque le contexte est au présent ;

- à L 7338, le passage à l'imparfait (ne savoit, au lieu de ne set) est justifié, puisque le contexte est au passé (T : ne vit, mais AS : ne set) ;

- à L 7341, dans un couplet propre à LUMQ, après un verbe au passé, LU emploient le présent (voit), MQ restent au passé (vit), mais, chez les uns comme chez les autres, le verbe suivant est au présent (ist) : les deux leçons se valent ;

- juste après, L 7343 emploie deux verbes au présent (ist et tient),MQU mettent le second au passé (tint), mais Q, plus logique, en a fait autant pour le premier (vint), de même que T (a veü ... tenoit) et ASP (vi/oï ... tint) ;

- à L 7351, MQU et T ont tort d'introduire le présent (l'amaine) dans un contexte au passé (L l'a mené, P vint, AS vindrent) ;

- à L 7352, c'est avec justesse que LU et PT laissent le verbe regreter au passé (imparfait), et à tort que MQ et A le mettent au présent ; la leçon de S est aberrante ;

- une réfection plus grave met en jeu l'adverbe or, qui rapproche le passé, et onc, qui l'éloigne et renforce la négation ; il s'agit de l'épée que le héros n'a pu ressouder, comme le rappelle le Roi du Graal :

"... qui or ne pot estre saudee ..."   L 7466

(c'est-à-dire par vous, Gauvain, tout à l'heure)

"... qui onc ne pot estre soudee ..."   M 17536
"... qui ainz ne pot estre trouvee ..."   U

(c'est-à-dire jamais jusqu'à présent, ce qui implique que l'épreuve a été souvent tentée)

"... qui ne puet mie estre soudee"   Q

(c'est-à-dire, peut-être, qu'elle ne le peut, décidément) ; c'est sans doute à cause de ces diverses possibilités d'interprétation que le remanieur de ASPT a choisi d'écrire tout autre chose (qui mar fu forgiee et tranpree) ;

- plus grave, encore, le problème de saignement permanent de la Lance et son rapport avec celui du Christ ; au dernier jour, dit le Roi, tous verront saigner le Créateur,

"... come ore fait, pas ne vos ment ..."   L 7454

(pour L, la Lance représente donc le Christ, c'est le Christ qui saigne perpétuellement, c'est le sang de Dieu qui coule ici) ;

> "... come (Q si con) <u>lors fist</u> ..."   <u>M</u> 17526

(la Lance est mise entre parenthèses : il faudra attendre le jour du Jugement pour voir se renouveler le saignement du premier Vendredi Saint) ; <u>T</u> dit la même chose, et l'on peut facilement faire un contre-sens si l'on n'est pas attentif au rejet qui suit :

> "... <u>come il fist lors, el grant torment</u>   <u>T</u> 13488-89
> seront, et nos en joie irons ..."

Une fois de plus, <u>ASP</u> tourne la difficulté en écrivant tout autre chose. Mais soulignons que la pensée de <u>L</u> est à la fois symbolique et hétérodoxe (la Lance = le Christ, et il n'est pas orthodoxe de dire que le Christ saigne toujours), et que celle de <u>TMQU</u> veut (?) être plus orthodoxe : à la limite, le saignement de la Lance n'est qu'une "image", qu'un rappel imagé du Calvaire, c'est la Lance qui saigne, non le Christ. Dans <u>L</u>, il y a miracle et mystère ; dans <u>TMQU</u>, il n'y a que "vision" quasi "allégorique". On voit, en tout cas, comment de petites modifications, des "coups de pouce" apparemment "insigni-fiants", peuvent avoir une importance capitale pour le sens du récit.

<u>Adjectifs qualificatifs</u>. - Très peu de modifications, nous l'avons déjà signalé à propos de <u>EU</u>, portent sur les adjectifs. Pour <u>L</u>, la chaussée est <u>saine</u> (7123 - solide, ferme, en très bon état) ; pour <u>MQU</u> est elle <u>plaine</u> (17197 - unie, plate - on s'en doute !) ; pour <u>LU</u> elle est <u>bele</u> ; pour <u>M</u>, elle est <u>dure</u> (répété au v. suivant) et, pour <u>Q</u>, <u>ferme</u>. Le <u>mantel vair</u> ... d'une <u>porpre</u> de <u>L</u> 7165-66 a choqué : <u>ASP</u> ont changé <u>vair</u> en <u>vert</u> ; <u>ASPT</u> ont supprimé la <u>porpre</u>, et <u>MU</u>, au contraire, n'ont laissé subsister qu'elle, que <u>Q</u> a éliminée en la remplaçant par un <u>bliaut</u> ! Pour le vêtement, chacun a sa petite idée et croit pouvoir intervenir ; une fois de plus, la leçon de <u>L</u> est <u>diffi-cilior</u> - mais pas absurde : un <u>mantel</u> peut être <u>vair</u>, c'est-à-dire plus ou moins moiré, de couleur changeante, et être fait de cette étoffe précieuse qu'est alors la <u>porpre</u>.

Les autres changements apportés par MQU portent souvent sur l'adjectif omniprésent grant - auquel il nous faudra consacrer tout un chapitre : tantôt MQU lui substituent biaus (17285), tantôt, au contraire, ils l'écrivent à la place de bons (destriers, L 7013) et du déjà "inélégant" gros (cierge ! L 7062). Cet adjectif gros, auquel les copistes répugnent, est aussi, qualifiant le vent (L 7058), corrigé par U en grant, par MQ en fort ; - qualifiant les quatre cierges de la bière (L 7194), corrigé par U en grans, supprimé par MQ ; - qualifiant l'anneau du Roi (L 7265), gardé par U, supprimé par MQ. A fortiori, ASPT l'éliminent.

Substantifs. - Ce sont des mots sur lesquels tous devraient être le plus souvent d'accord, mais il s'en faut. Ecrire cheval à la place de destrier n'est pas grave, la monture du chevalier étant généralement le destrier. Le mot rare remuete (L 7253) est changé en temulte par MQU (et aussi AST, P écrivant tormente) ; de même pour orcel (L 7332), à la place duquel MQU (et T, P) préfèrent répéter vessel. Au lieu de rains (L 7135), MU écrivent arbres. Au lieu de l'étrange imbenus de L 7120, M et U s'accordent sur le non moins bizarre periers (Q a granz pins). La tendance à l'euphémisation est générale, même si MQU y sont moins acharnés que ASPT : au lieu du mort (L 7187), MQU parlent de la biere qui le contient, et ASPT, du samit qui le recouvre. Dans L, la Main entre par un boël (qui traverse le mur, 7069), que MQU changent en pertuis, plus vague, alors que P parle d'un trau sous l'autel, mais AST, d'une fenestre, bien plus "diurne" et "normale" (c'est peut-être pour cela qu'ils éprouvent le besoin de préciser que la main est noire ?). L'orguel de L (7088) est traduit par pechié (moins fort, plus banal), puis c'est pechié lui-même qui est refait (à L 7370, l'épée n'est plus brisée par pecié, mais en deus parz, ou deuz moitiés). La vigor elle-même est remplacée par l'honor (MQ) ou l'amor (Q) - mais ce peut n'être qu'une erreur de lecture (dans la Br. II, à L 1945, EU avait conservé vigor). On ne saisit pas comment la grant ire de L 7086 a pu devenir, pour MQU, un grant desirre ! Par contre, on comprend bien l'image affaiblissante du maus geus (de l'épée, MQU 17537), là où L (ainsi d'ailleurs que ASPT) parlaient de "mauvais coup", maus caus.

Autres mauvaises lectures. - Un candeler d'or sus avoit (L 7061) devient un chandelier desus avoit (MQU 17135). Une seule lettre mal lue peut changer complètement le sens : la bière est recouverte d'une grant samit vermel grigois, vraisemblablement orné de broderies de fils d'or, lesquels sont plus denses dans la croix qui en marque le centre et qui est, elle, vraiment d'orfrois (L 7185-86)

... o une crois parmi d'orfrois   L 7186

U change d' en l' (et o en et) :

... et une crois parmi l'orfrois   U 17260

et voici que la croix, au milieu de la riche étoffe, peut s'en détacher, devenir amovible, se transformer en une pièce d'orfèvrerie posée sur le samit :

... et une croiz d'or espanois   MQ

T et P gardent le d' de L et le et de U :

... et parmi une crois d'orfrois   T 13186

... et une crois rice d'orfrois   P 7160

et, de même que chez A (ou avoit une croiz d'orfrois), on peut encore comprendre que l'étoffe est ornée d'une croix ; mais S affirme l'autre possibilité de lecture, absurde :

... ou avoit posee une crois   S

- ce qui fait que l'épée sera posée, en équilibre instable sans doute, sur cette croix de métal ! S ne s'en tient pas là et superpose encore une mitre (!), mauvaise lecture pour la moitié de l'épée ! La leçon de L est la plus claire.

Nous avons déjà signalé comment MQU lisent entr'eus au lieu de entrer (L 7209), clamez (!) au lieu de canus (L 7262), en issoit au lieu de i estoit (L 7333). Ils lisent aussi - au moins M - vin au lieu de vit (L 7258), ce qui déclenche un énorme contresens - il s'agit des préparatifs du repas qui sera servi par le Graal, les serjans se contentent de mettre des nappes sur les tables :

>   ... qui portent dobliers   L 7257-58
>   seur les dois vit venir premiers

MQ commencent par changer portent et metent, et M va répéter   ce verbe, avec, nécessairement, un autre complément d'objet :

>   ... qui metent dobliers   M 17329-30
>   sor les dois vin metent premiers

et Q d'enchérir (pour éviter la répétition de metent ?)

>   ... qui metent dobliers   Q
>   sors les dois pain et vin premiers

- ce qui ne les empêchera pas d'écrire, vingt vers plus loin, que c'est le Graal qui dispose le pain et le vin sur les tables ! Si A, ou T, ou ASPT pratiquent l'anticipation, c'est généralement de façon sensée, car ils ont lu le texte en avant : ce n'est jamais le cas du remanieur de MQ(U).

Changements de catégorie, changements syntaxiques. - L'infinitif substantivé toner de L (7053) devient le substantif tonnerre dans U, que MQ, détruisant l'enjambement, changent en si plouvoit (17127). Le substantif porpre de L (7166) devient un adjectif pour Q (17239). Là où L écrit :

>   ... et se contint molt belement,   L 7236

MQU donnent :

>   ... et fu de bel contenement.   M 17308

Le remanieur coupe différemment et écrit bizarrement (il s'agit du Graal qui a disposé le pain et le vin sur les tables) :

... puis en a les tables garnies   M 17355-56
et as seignors et as mesnies.
Aprés rasist l'autre mengier ....

alors que L (suivi ici par U) écrivait :

... puis en a les tables garnies.
Si tos con il les ot fornies,
    (U : garnies = répétition !)
s'asist aprés l'autre mengier...

Les copistes, surtout tardifs, n'aiment guère une expression qui est assez chère à L : hom vivant, ou rien vivant, surtout lorsqu'elle est redoublée par del mont ; c'est ainsi que la leçon de L :

... mais n'i voit rien vivant del mont   L 7322

est corrigée par MQU :

... mes n'i voit riens qui soit el mont   U 17394

... mes n'i voit nule rien du mont   M(Q)

Nous avons déjà vu le changement d'une proposition relative, introduite par dont (L 7166), en une indépendante, introduite par lors ou puis (MQU 17239). Le lien syntaxique est également détruit à MQU 17291-92, où le pronom chascuns, nous l'avons vu, semble poser problème :

... cascuns qui revestus estoit   L 7219-20
rice cape de paile avoit.

... et chascuns revestuz estoit :   MQU
    (Q : ch. environ e. !)
une (U riche) chape de paile avoit.

Ou bien la rédaction de L est maladroite, ou bien il veut dire que tous les chanoines ne portent pas l'habit liturgique, ce que contredisent vigoureusement T (trestuit revestu estoient) et surtout ASP (trestoz li plus povres avoit / chape de paile an son androit) - de toute façon, une fois de plus, sa leçon est difficilior.

Autre lectio difficilior de L, du moins pour un lecteur inattentif - les chanoines raccrochent les encensoirs aux chandeliers :

> ... as quatre candeliers remisent   L 7239-40
> les encensiers que il i prisent.

T supprime (?) tout le passage (14 vv.) ; ASP refont de façon très claire :

> ... repandirent les ancenssiers   A 7207-08
> arriere as quatre chandeliers.

M, Q et U pataugent un peu :

> ... aus quatre chandeliers remistrent   M 17311-12
>   (U encenssiers !)
>   (Q revindrent !)
> les encensiers ou il les pristrent
>   (MQ et puis repristrent !)

Ordre des mots, inversions. - Les copistes du groupe MQU se permettent (?) de modifier l'ordre des mots - modifications fort mineures en regard de celles que s'autorisent ceux de la famille ASPT. Tantôt ils rapprochent le (pronom) sujet du verbe :

> ... que il fu en la croiz panduz   QU 17518
> L : que il en la crois fu penduz (7444)
> (cf. M : quant en la croiz fu estanduz)

(notons que M élimine le hiatus que il). Tantôt ils inversent le complément après un adverbe :

> ... ja par moi ne vos iert celé   QU 17506
> LM : ja (M si) ne vos iert par moi celé (M veé)
> (cf. PT : si ne vos ert mie celé)

ou, au contraire, n'inversent pas le sujet après un adverbe :

> Einz mes hom n'osa encerchier   QU(+P) 17504
> LASTM : Ainc mais n'osa hom (AST nus) encerquier

Ils rapprochent l'adverbe du début du syntagme (ou bien rapprochent les compléments) :

> ... fors solement li et la biere   MQU 17395
>
> L : fors lui seulement et la biere (7333)

Ils inversent le sujet après le relatif dont, accentuant ainsi le caractère interrogatif de celui-ci :

> ... dont vient li sans qui va entor   MQU 17498
>
> L(ASPT) ... dont li sans vient ...

Ils ne donnent pas à seul une valeur adverbiale :

> ... par le (MQ un) seul cop de ceste espee   17548
>
> L : par seul le cop ... (7478)

(ASPT tournent la difficulté : par le cop que fist cele espee). Ils mettent puis en tête de la phrase, diminuant ainsi sa valeur d'adverbe de temps :

> Puis a esté toz jorz ici   MQU 17519
>
> (cf. P : s'a puis adés issi sanné)
>
> LT : Tos jors a puis esté (T sainié) ici (T adés)
>
> (cf. AS : que ele a puis sainnié adés).

Comme on le voit, il n'y a pas un sens bien précis à ces remaniements, sinon, parfois, le souci de rendre le texte plus "coulant", plus immédiatement intelligible.

Enjambements et rejets. - Le remanieur de MQU semble beaucoup moins gêné que celui (ceux) de ASPT par les rejets et les enjambements attestés par L ; il en remanie cependant quelques-uns. Le cheval se cabre si d'aïr

> ... que por un poi ne fist caïr   L 7O78-8O
> monsignor Gavain. Lués saut hors
> et il raquiut son cemin lors ...

```
        ... qu'a poi que il ne fist chaïr.            M 17152-54
        (U a pou qu'il ne le f.)
        (Q que par poi ne la (sic) f.)
        Mesire Gauvains sailli (U lors saut) hors
        et son chemin acueilli lors ...
        (U et il requeust son ch. l.)
```

- cette correction (!) - bien plus nette dans ASPT - tend à éliminer l'ambiguïté du texte de L : qui bondit dehors - le cheval ou Gauvain ?

Les chanoines et l'assistance disparue, Gauvain reste seul avec la bière :

```
        Ne puet müer que ne se saint          L 7246-49
        mesire Gavains quant il voit
        la mervelle qui avenoit.
        Adont s'asist tot en pensant ....
```

- ce qui devient dans MQU, avec la ponctuation - peut-être discuta-table - de l'éditeur :

```
        ... ne puet estre (U müer) qu'il ne se saint.
        Mesire Gauvains, com (U quant) il voit
        la merveille qui avenoit,
        adonc s'asist tout (U moult) en penssant ...
```

(bourdes de Q : quant ne se soint, et de U : qu'il ne se faint)

(T omet tout ce passage ; - ASP suivent L, sauf que AP écrivent qu'il ne se saint, comme M, que S change müer en estre, comme MQ, et que P change qui avenoit en que il la voit - répétition et non sens). La leçon de L est évidemment la meilleure.

Et voici un passage particulièrement "haché" dans L et que les autres copistes essaient d'"'amender" :

```
        Mesire Gavains ot vellié             L 7415-20
        la nuit devant, et travellié
        le jor : s'ot talant de dormir ;
        mais molt gregneur l'avoit d'oïr
        les mervelles : si s'esforça
        de veillier. Lors li demanda ...
```

- la première chose à faire, c'est de supprimer le rejet le jor, et travellié s'applique (comme vellié) à la nuit ; pour retrouver les deux pieds manquants, on écrit molt grant talant (AP), ou si ot grant t. (ST), ou s'avoit grant t. (MQU) ; - la seconde, c'est de remplacer Lors li par et si (ASPT) ; - mais l'on peut encore mieux faire, c'est intervertir les premiers hémistiches des deux derniers vers, en terminant la première phrase à oïr auquel l'on donne comme complément, non plus les mervelles, mais simplement le pronom neutre l' ("cela", ce que le Roi lui propose d'apprendre) ; ce sont MQU qui parachè - vent l'opération :

> Mesire Gauvains ot veillié   M 17489-94
> la nuit devant et traveillié :
> s'avoit grant talent de dormir,
> mes greignor avoit de l'oïr.
> De veillier lors si s'esforça
> et des merveilles (MQ noveles) demanda ...

Imagine-t-on un remanieur assez pervers pour hacher comme paille un discours aussi lisse ? C'est L qui représente l'archétype.

Aux vv. L 7442-44, l'auxiliaire n'est pas dans le même vers que le verbe, et le pronom relatif, que son antécédent :

> "... dont li fius Diu fu voiremant
> le jor entresc'au cuer ferus
> que il en la crois fu pendus."

- il n'y a pas que cuer, ferus, et surtout pendus qui gênent les remanieurs, il y a aussi la syntaxe impossible de l'auteur. La solution, c'est de faire sauter le dernier vers, qui ne s'impose pas (ce n'est évidemment pas un autre jour que le Christ reçut le coup de lance !) : ainsi font AS et P, les premiers écrivant un vers de remplissage (De ce voel bien estre creüz), le second ne prenant même pas cette peine. Mais MQU conservent ce vers (et T aussi, qui va développer l'idée en évoquant Longin) ; ils descendent fu d'un vers, le rapprochant ainsi de ferus, et trouvent un pied en changeant (fu) voiremant en omnipotent ; T ne le fait pas, c'est au jor qu'il descend d'un cran, le soudant ainsi au relatif ; M veut, lui aussi, éviter cet écart : il remplace le relatif que par la conjonction quant, et le jor reste en l'air. Tous ces remaniements sont dictés par un modèle senti fort imparfait, et qui devait ressembler comme un frère jumeau au ms. L.

Dans l'exemple suivant, il s'agit d'une coupure différente, due à l'interversion des hémistiches finaux des vv. L 7319-20 :

> ... si redescuevre lués son vis.
> Parmi la sale, ce m'est vis,
> esgarde et aval en amont ...

- la cheville (ce m'est vis) est fâcheuse, mais enfin le texte est compréhensible. Il n'en va pas de même dans MQU (ASPT n'ont pas ce passage) :

> ... si redescuevre, ce m'est vis,   MQ 17391-93
> parmi la sale tout son vis.
> Si esgarde aval et amont

U reste plus proche de L, mais il commet une autre bourde :

> ... et redescuevre lors son vis
> parmi la sale, ce m'est vis.
> Parmi la sale, aval, amont,
> mes n'i voit riens qui soit el mont.

(le verbe esgarder est omis, comme si le fait, pour Gauvain, de découvrir son visage implique qu'il regarde).

Encore quelques maladresses insignes ou contresens de MQU. Pourquoi contredisent-ils L et T en écrivant que Gauvain, forcé de s'engager sur la chaussée, n'éperonne pas sa monture (17220-21)? A la fin du premier "tableau" (l'accueil), ils ne comprennent pas que l'assistance a disparu en un clin d'oeil ; l'auteur écrivait : la sale remest esfreïe, ce qui veut dire, sans doute, "prit un aspect propre à effrayer" (Foulet) ; eux comprennent que c'est, par métonymie, l'assistance qui reste effrayée (U esbahie, Q estormie) ; mais ils reproduisent le vers suivant, ce qui n'a aucun sens, puisqu'il concerne la salle en tant que construction, espace ; après quoi ils reviennent à l'assistance, innombrable selon eux (ils commettent un contresens analogue à celui de Wolfram, qui voit réellement quatre cents chevaliers dans la salle du Graal qui, selon Chrétien, aurait pu les contenir !) :

> La sale remest esfreïe,   MQU 17250-52
> qui estoit haute et longue et lee ;
> onc si grant gent ne fu nombree.

(L écrit : ainc si grant - il s'agit bien sûr de la salle - ne fu esgardee). MQ croient bon de faire précéder la vigile des morts par les vêpres, et ils en oublient de dire que les chanoines encensent la bière (ils prennent les encensoirs, mais n'en font rien, v. 17297-98 ; - U garde la bonne leçon de L). Pour vouloir éliminer le pechié, cause de la brisure de l'épée, MQU ne craignent pas la redondance :

> "... Tenez, joingniez les deus parties   MU 17441-42
> qui en deus parz sont departies ..."
>   (Q : en deus moitiez sont parties)

Il est bien évident que c'est un texte très proche de L que MQU veulent corriger, et il est non moins évident qu'ils le gâtent bien plus souvent qu'ils ne l'amendent. Le remanieur de ASP(T), lui, en présence de ces passages périlleux (les lectiones difficiliores de L), choisit généralement de rédiger tout autre chose.

Conclusion : excellence du ms. L. - Dans ces 500 vers de la Br. V, on ne relève que 8 erreurs ou bourdes de L : 4 cacographies (7097, 7325, 7327, 7472), dont nous ne tenons pas compte (pas plus que dans les autres copies), et 4 fautes minimes (7082 : et est en trop ; 7441 : devinement pour demainement ; 7398 : la pour le ; 7452 : li pour le). L est donc une excellente copie.

On ne relève pas une seule faute commune à L et à un autre manuscrit (ou à plusieurs autres) - comme on le fait, par exemple, pour MQU, MQ, MU, AS, etc. Ce qui signifie que L se situe en dehors des familles des remanieurs : ce sont visiblement elles qui se rapprochent de lui (ou de l'archétype) - parfois ASPT, très souvent

MQU. Ou bien L se situe tout à fait en fin de tradition - ce qui est absolument incompatible avec son caractère "archaïque" si souvent souligné ; ou bien il est composite - ce que rien, absolument rien, ne permet de suggérer ; ou bien il est tout à fait en tête de ligne, c'est-à-dire le plus proche de l'archétype - et c'est cela la vérité. Ce n'est pas, bien sûr, contre le ms. L que les remanieurs travaillent, c'est contre l'archétype, que L représente le plus constamment.

Dans ces 500 vers, la rédaction LUMQ est généralement bien meilleure que le remaniement ASP(T), et le texte de L est constamment meilleur que celui de MQU, et surtout, avec ou sans U, que celui de MQ.

L'examen de la trentaine de leçons particulières à L - les vers où ce ms. s'oppose non seulement à ASPT, mais aussi à M, Q et U (dans le désordre) ne fait que confirmer l'excellence de ce manuscrit. Au v. 7014, l'indéfini un est meilleur que le démonstratif (U ce, M cest, Q ceste) : Gauvain ne peut "désigner" une mission dont il ignore tout. Aux vv. 7035-36 (pause du conteur), L est meilleur que U (une paternostre as defuns, contre U : dire Pater nostre aus defuns), M et Q écrivant des absurdités. Au v. 7096, si est suffisant (le molt des autres est excessif). Au v. 7110, adonques marque mieux l'opposition que et. Au v. 7117, L est seul avec T à dire que la chaussée va loin en la haute mer. Au v. 7118, seuls L et T sont bons : la chaussée est d'ambesdeus pars plantee (U assez !, MQ assise, AS de totes parz, P de molt rices gimples plaissie !!!). Aux vv. 7143 et 7321, la répétition de u et de et marque mieux l'opposition. Au v. 7340, L et T sont les meilleurs, en employant à la fois les verbes ovrir et oïr. Au v. 7381, le molt tost de MQ est excessif, le tantos de LU suffit. Au v. 7422, L écrit : si m'en puis molt amervellier, contre M et Q : si me pris (Q m'an pris) molt a merveillier - l'étonnement de Gauvain dure encore. Au v. 7428, le "s'il vos plaist" de L vaut bien le "Por Deu" de MQU et P, et se rapproche du "s'il ne vos grieve" de T. Etc.

On aura remarqué que L et T sont souvent proches, surtout pour le fond (l'idée), car, pour la forme (les mots, les tournures), T remanie très librement - pour ne pas parler de ses nombreuses additions et de ses "variations" développées. Après L, c'est T qui comprend le mieux le texte qu'il copie (et qu'il lui arrive de contredire, mais il semble le faire consciemment) ; ici comme ailleurs, le responsable de T(V) est le plus intelligent des copistes-remanieurs. Mais la question de l'intelligence de L ne se pose pas en ces termes, puisqu'il n'est pas un "copiste-remanieur".

Il nous semble hors de doute que toutes les caractéristiques de L sont, sinon celles de l'archétype, du moins dans le droit fil du dessein, du tempérament et de l'imaginaire du "premier auteur". L'abondance des adverbes qui marquent la rapidité (lués, maintenant, tantost, tost, et aussi droit) et l'intensité (molt, par, tot et trestot, tres, trop), l'emploi si fréquent de l'adjectif grant (et l'emploi d'un adjectif aussi peu courtois que gros), etc., devaient aussi caractériser le texte primitif, contre lequel les remanieurs courtois réagissent avec une belle constance. Pour étudier la mentalité, l'imaginaire, la "vision du monde", la conception du récit du "premier auteur", il ne peut y avoir de meilleur témoin que L.

CHAPITRE VI

TENDANCES GENERALES DES REMANIEMENTS

Récapitulons, non seulement à partir de l'examen approfondi des trois tranches de 500 vers, mais aussi à partir de l'analyse détaillée que nous avons faite, au Chap. I, de l'ensemble de la <u>Continuation-Gauvain</u>, les principales tendances que manifestent les responsables des diverses rédactions.

I - GOMMER LE CARACTERE ORAL, "JONGLERESQUE".

Nous reviendrons sur les interventions d'auteur, ou de conteur, mais notons seulement, ici, à titre de mot-clé fondamental, le sort qui est fait aux interpellatifs "Seignor", désignant le public des auditeurs (25 dans <u>L</u>, sur les 67 occurrences du mot).

	L	A	S	P	T	(R)	U	M	Q	(E)
"Seignor"	25	2	3	7	3	(O)	16	13	10	(3)

Dans <u>L</u>, ces 25 occurrences se répartissent ainsi : 1 dans la Br. I, aucune dans la Br. II, 1 dans la Br. III, 10 dans la Br. IV, 9 dans la Br. V, 4 dans la Br. VI. C'est donc, d'une part, dans la Br. V (<u>Graal</u>) qu'elles sont, relativement, les plus nombreuses ; et, d'autre

315

part, les trois premières se placent dans la première moitié de l'oeuvre (vv. 781, 2063, 3933), les vingt-deux autres, dans la seconde (à partir du v. 4817) - ceci sera à prendre en compte lorsque nous mentionnerons (bientôt) et que nous étudierons (plus tard) une hypothèse qui tend à voir dans la première rédaction de la Continuation l'oeuvre de deux auteurs (successifs).

Les impératifs "épiques" (lors) veïssiés (29 occurrences dans L, surtout dans les Br. I et IV) et oïssiés (9 occurrences, seulement à partir du v.5092) subissent une "érosion" analogue - moindre cependant :

L	A	S	P	T	(R)	U	M	Q	(E)
38	18	18	21	19	(4)	19	19	19	(16)

Bornons-nous pour l'instant à ces termes. Les chiffres sont éloquents : ou bien L représente la réfection d'un "jongleur", qui manifeste le vif souci de garder le contact avec son auditoire, ou bien c'est le "premier auteur" qui avait ce dessein, et donc ce "statut" (d'auteur-conteur-jongleur), ou qui, du moins, écrivait sciemment en vue de la récitation publique de son oeuvre.

II - MONTRER SA "SCIENCE" (LITTERAIRE).

On pourrait considérer que la copie de L représente le "degré zéro" en matière d'"intertextualité", de culture littéraire et spécialement arthurienne, de connaissance de l'oeuvre de Chrétien et en particulier du Conte du Graal.

Connaissance du "Conte du Graal". - Evidemment, tous connaissent la fin de la partie Gauvain du Conte du Graal, qu'ils reprennent et complètent : c'est l'objet de la Br. I, Guiromelant.

Mais l'on sait que le responsable de la rédaction longue a aussi le dessein de mettre un point final à l'autre aventure de Gauvain laissée en suspens par Chrétien : celle d'Escavalon, et l'on va donc reparler du roi d'Escavalon et surtout de Guingambresil, son champion (cf. E 3647 ss, 4829 ss ; T 1208 ss, 1510 ss). Et ce qui est étrange, c'est que les copistes de la rédaction courte, en achevant la Br. I, reparlent aussi, très brièvement, de Guingambresil.

Selon L, celui-ci s'est mis el consel le roi (v. 1054), ainsi qu'un mystérieux Elies de Dinasdire (1052), et Arthur lui donne - auquel des deux ? à Guingambresil, sans doute, dernier nommé, mais le texte est au moins maladroit - en mariage une de ses "niè-ces", Trendree la Petite (1057-60) ; puis L conclut en disant que les deux (Elies et Guingambresil) deviennent les home lige d'Arthur et tiennent de lui leurs terres. - Selon R, c'est Helye de Dynasdire qui reçoit une jeune "nièce", anonyme, du roi (v. 1391-96), et Guin-gambresil, faisant lui aussi hommage à Arthur, n'est point marié par lui. Signalons que R a eu la sottise, quelque 750 vv. plus haut, de faire figurer Guingambresil dans l'action, comme gardien des chevaux de Gauvain (v. 636 - au lieu d'Yonet) ! - Selon la version ASP, qui développe un peu plus, Elies de Nasdire (S Dynasdire, P Dynadire) et maint autre font hommage au roi Arthur (v. 1113-15), puis l'on parle plus expressément de Guingambresil, qui reçoit une "nièce" d'Arthur, par non Canete (S Tanete, P Paunontangreel !) la Petite (1116-22), et l'on répète que maint autre baron deviennent home lige du roi.

La rédaction courte s'inspirerait-elle de la longue ? L'inter-polateur, en effet, nous parle fort longuement, non plus d'Elie de Dinasdire, mais d'un certain Dinadarés (Disnadarés) - le Pirée pris pour un homme ? - que Gauvain rencontre bizarrement et qui reproche à celui-ci d'avoir jadis tué son père : réitération d'une situation à laquelle nous a habitués la partie Gauvain du Conte du Graal. Duel, interrompu à la demande dudit Dinadarés qui est le plus lassez ; on recommencera à la première occasion, devant témoins (E 4842 ss, T 1520 ss) - tout ceci semble fort inspiré par l'affaire de Gauvain

et de Bran de Lis, à la Br. II ! Or Gauvain dit qu'il se rend à Escavalon, et l'autre en fait autant. Notre héros doit donc se battre,
à la fois, contre Dinadarés et Guingambresil - l'arrivée d'Arthur
(qui a le temps d'être prévenu et d'accourir !) empêche ce double
duel ! Et l'on fait la paix, comme dans la rédaction courte, mais
ici le roi Arthur a deux "nièces" disponibles, et il donne à Dinadarés
une certaine Autandre (E seul ; - M enceison, Q entendu, U entendi)
et, à Guingambresil, Tanete (U Teuenette, MQ om. 6 vers) la Petite.
Et l'évêque d'Escavalon célèbre incontinent le mariage : assez i
ot mitres et croces (E 5310 - le vers vient tout droit d'Yvain, 2156).
Mais T revient encore à Guingambresil, pour lui faire dire que Gauvain
s'est bien acquitez de son serment (cf. Conte, v. 6187 ss) - ce qui
n'est pas vrai du tout, puisque celui-ci n'a pas rapporté la Lance
à Escavalon.

On le voit : tout cela est cousu de fil blanc, et fort peu
original. Il n'est pas impossible que ce soit le "premier auteur" qui
ait voulu "liquider" en deux mots (en 6 vers) l'affaire d'Escavalon,
cette "hypothèque" qui pesait lourdement sur son héros Gauvain.
Mais pourquoi a-t-il ajouté Elie de Dinasdire, et où a-t-il été le
chercher ? Le remanieur-interpolateur de la rédaction longue, toujours
à l'affût de ce qui pourrait exciter son imagination, s'est jeté sur
cette idée, ainsi que sur ce nom de (Elie de) Dinasdire : il a réussi
à en tirer encore 500 vers supplémentaires. On sait que l'autre
interpolateur de la rédaction longue, celui de EU, fera également
un sort à ce qui n'était qu'un nom dans le Conte du Graal : la Demoiselle de Montescleire, que Gauvain s'était engagé à aller délivrer
(Conte, v. 4701-20 - d'où 850 vv. dans EU).

C'est le même passage du roman de Chrétien (reproches
de la Laide Demoiselle à Perceval, désignation d'objectifs glorieux
aux autres) qui contenait le nom du Chastel Orguelleus (Conte, v.
4688 ss), où Girflet jure de se rendre (4721-23). Cela a alimenté,
sans doute, l'imagination du "premier auteur", qui a consacré sa

plus longue Branche (IV) à l'expédition d'Arthur et des quinze vers ledit Château où Girflet avait été capturé. Normalement, le nom de Girflet ne devrait pas apparaître dans les Br. I à III de son oeuvre, mais notre continuateur n'y a pas pris garde. Seul Guiot s'est efforcé d'en éliminer les mentions de Girflet, soit en l'omettant (à L 739), soit en le remplaçant par Mabonagrain (A 261), ou par un mystérieux Guigan ou Guingan de Dolas (A 617, 707, 2025), ou encore par un autre Girflet, qui serait fils non du roi Do, mais du roi Yder (A 555 - repris par S 705 s.) ! Quant à l'aventure du Mont Douloureux, non proposée par la Laide Demoiselle, mais assumée par Kahedin (Conte, v. 4724-26), il appartiendra à l'auteur de la Continuation-Perceval de lui faire un sort, mais Kahedin sera oublié et c'est Perceval qui accomplira l'aventure.

Un autre épisode du Conte du Graal qui ne demandait pas de suite en reçoit cependant une : c'est celui de Greoreas ; mais ce n'est pas lui que l'on revoit : c'est la pucelle jadis violée par lui et chez qui, selon l'interpolateur EU, Gauvain arrive un beau soir - d'où 600 vers de plus (cf., au Chap. I, notre analyse de l'épisode 6d de la Br. I). On aura noté que l'interpolateur s'est beaucoup servi d'Yvain : porte tombant au ras de la queue du cheval ; pucelle n'obtenant pas satisfaction à la cour, mais bien traitée par le héros ; pucelles captives et condamnées à un travail forcé, délivrées par le héros, qui les fait sortir devant lui.

On sait que l'épisode authentique de la Visite (ici de Gauvain) au (Château du) Graal - celui de la Br. V - ne doit pratiquement rien à celui qu'écrivait Chrétien : c'est à se demander si le "premier auteur" de la Continuation-Gauvain a lu la première moitié de l'oeuvre de son prédécesseur. Par contre, le remanieur de ASPT l'a fait, et il tente - un tout petit peu - de concilier les deux versions. Au moins sur un point : le saignement de la Lance. Le "premier auteur" le concevait fort abondant, comme un suintement incessant de gouttes de sang tot entor de l'arme (et donc, principalement, de la hampe).

319

Or, chez Chrétien, c'est seulement le fer qui saigne, et Wolfram ainsi que l'auteur du Peredur le suivent eux-mêmes sur ce point - bien que, pour eux, le sang coule abondamment, comme chez le continuateur, ils n'ont pas osé cette image du "bois saignant", du sang substitué à la sève - nous y reviendrons. Le responsable de L, suivi par M et U, ne démord pas de sa "vision", que les autres corrigent de façon plus ou moins conséquente : pour A, S, P, T et Q, le sang coule du fer (Q du sommet) de la lance, mais tous ces copistes, sauf A, laissent subsister l'adverbe entor, ou environ, qui contredit cette idée, en particulier T, qui, vraiment "mixte", affirme d'abord qu'uns rais de sanc descend du fer (13329-31) et ensuite que les traces de gouttes paraissent tot entor du bois jusqu'à l'arestuel (13332-34) ! Dans T (seul), les deux cierges qui brûlent devant la Lance (v. 13327-28) peuvent également venir du Conte (v. 3213 ss : les deux chandeliers qui viennent après la Lance et "devant" le Graal). Est-ce aussi pour ne pas être trop infidèles à Chrétien que ASP suppriment, sinon la couronne du Roi du Graal, du moins l'autre signe de sa royauté : le sceptre ? Car, dans le Conte, on ne connaît la qualité royale de ce personnage que lorsque la cousine l'apprend à Perceval.

Par contre, la Visite "postiche" de Gauvain au Château du Graal, ajoutée à la Br. I par le remanieur-interpolateur de TEMQU (voir notre analyse de 1/7), doit énormément à Chrétien, que T cite même nommément comme garant (v. 1234) - il est vrai que T cite Crestïens une seconde fois, au v. 4118, dans un passage qui n'a rien à voir avec l'oeuvre du grand romancier (la harpe magique du Pavillon d'Aalardin) !

Ce sont surtout les rédacteurs et interpolateurs de la version longue qui se souviennent du Conte du Graal. Dans la Br. I, selon MQEU, le valet résume au roi les dernières aventures de Gauvain (v. 71 ss) ; Gauvain lui-même raconte à son oncle le mal piege du Palais de la Merveille et du Lit en particulier (v. 748 ss.). De son côté, R reproduit une remarque que Gauvain, chez Chrétien, adressait au Guiromelant : il (le Guiromelant) devrait l'aimer (lui, Gauvain), en tant que frère de son amie (R 873 ss ; - cf. Conte, 8772 ss). Le responsable de T, à deux reprises, évoque expressément l'épisode d'Escavalon (cf. v. 538 ss - Conte, 6206 ss : chevaux renvoyés par Gauvain ; v. 2029 ss - Conte, 5832 ss : Gauvain dans la tour avec la pucelle).

L'interpolateur EU s'inspire souvent, on s'en doute, du Conte du Graal : comme les adversaires de Blancheflor, celui de la Pucelle au Cor d'ivoire refuse d'aller en la prison de son ennemie (EU 2976 ss) ; la description de la laideur du nain (EU 2517 ss) combine les portraits de la Laide Demoiselle et de l'écuyer vilain, et celle de sa monture (2584 ss) rappelle celle du roncin du même écuyer desavenant et celle du palefroi de l'infortunée Pucelle du Pavillon (cp. EU 2589 ss et Conte 3708 ss). La pucelle violée par Greoreas s'est d'abord comportée un peu comme l'aînée de Tintagel, avant de le faire comme l'Orgueilleuse de Logres (en cherchant à se venger des hommes). Comme la cousine à Perceval, la Pucelle au Cor d'ivoire dit à Gauvain qu'il n'y a pas d'ostel à vingt lieues à la ronde - mais on trouve aussi ce trait dans la rédaction commune de la Branche IV (épisode d'Yder le Beau). Comme le Roi-Pêcheur à Perceval, le bon Galehés de Bonivant fait servir à Gauvain, son hôte, après souper, vins épicés et électuaires divers (EU 4247 ss, cf. Conte 3326 ss). Il n'y a pas jusqu'à la haute forest d'Ateine (selon E, 3004) qui ne devienne, chez U, soustainne, comme celle qui, au début du Perceval, entoure le manoir de la Veuve Dame.

Les compilateurs connaissent l'amie de Perceval, Blancheflor de Biaurepere (EMQU 5466), et l'évoquent dans le fameux tournoi - même si Perceval ne lui semble guère fidèle. Ils citent même la Sore Pucelle (E 5451, 5469), qui n'est pour eux qu'un nom (comme elle l'était dans le Conte, v. 3145), mais qu'ils dotent cependant d'un dru : le Sire de la Blanche Lande - comme elle est, elle, de la Blanche Forest (5451-53) ! Dans le tournoi, Keu est abattu, la main démise (EMQU 8803 ss/ T 5223 ss - cf. Conte du Graal, v.

321

4309 ss) ; dans l'un et l'autre cas, le sénéchal reçoit ainsi le châtiment de son comportement antérieur. On voit Gauvain féliciter Arthur de son pansers, qui n'est mie vilains (EMQU 7022), comme il le faisait à Perceval (Conte, 4458). On pourrait doubler la liste de ces exemples (les noms de Galvoie, de Limoges, de Meliant de Lis, etc., figurent dans le Conte du Graal). Les interpolateurs de la Continuation-Gauvain connaissent fort bien le Conte du Graal, sans doute pour l'avoir souvent copié, et c'est là qu'ils vont chercher une bonne partie de leur inspiration.

Et les responsables de la rédaction courte ? Le remanieur de ASPT (ou ASP) et Guiot lui-même, dans son "édition définitive" (ms. A), sont beaucoup plus mesurés. C'est plutôt à l'esprit de Chrétien qu'ils veulent rester fidèles, notamment en exaltant les belles qualités (morales) du héros principal, ainsi que nous l'avons noté à plusieurs reprises - et, bien sûr, en se montrant plus "courtois" que le "premier auteur" : nous y reviendrons encore. Le topos arthurien du refus de passer à table avant que l'aventure ne soit arrivée, que AS rappelle discrètement et énigmatiquement aux vv. 3341-42, figure dans le Conte du Graal, mais aussi dans la rédaction primitive de notre Continuation (cf. les épisodes 3 et 16 du Caradoc). On sait que AS allonge, fort sottement, la liste des quinze champions que le roi emmène au Chastel Orguelleus (A 3787 ss) ; c'est l'occasion pour le remanieur de montrer sa science : il cite Clamadeu et Anguinguerron (Conte du Graal, épisode de Beaurepaire) ; tous, sauf L et P, connaissent Sagremor ; A seul cite les deux autres - en plus de Guerrehés - frères de Gauvain : Gaheriet (écrit Gueherés ; T, au v. 5098, cite plus correctement Gahariës, par qui il remplace Lucan de EMQU ; ceux-ci comblent confondre Gaheriet et Guerrehés, cf. E 5435 Gaherés, M Guerrehès, Q Karaués ! mais U Gaheriés) et Agravain (3770 - LP Gassouains, U, Joserains !) - les responsables de la rédaction longue connaissent eux aussi ce dernier. ASPT, enfin, insistent sur le caractère désagréable et le comportement fâcheux du sénéchal Keu - nous y reviendrons plus tard.

Mais le "premier auteur" n'ignorait pas, lui non plus, le Conte du Graal - si l'on excepte l'épisode, justement, du Graal ! Il connaît, bien sûr, le Gué Périlleux (qui figurait dans le "Guiromelant" de Chrétien). Tous - sauf EMQU ! - s'accordent avec L pour écrire que le roi Arthur, quittant le Château de la Merveille, en fait sortir les cinc cens cevaliers noviaus et les cinc cens ... demoiseles (ex frustrées) - notons la bourde de T qui, pour celles-ci, n'en compte que 50, mais V donne 500 (v. 488). Ils n'oublient pas qu'au début du récit Arthur est à Orcanie ; ils ressortent, nous l'avons vu, Guingambresil ; tous connaissent le jeune Yonet ou Yvonet. LASP sont seuls à citer Dinasdaron en Gales (L 1047-48 ; cf. Conte 2732, 2753) ; LEMQ, seuls à citer le royaume de Gomeret (L 3381, E 5407), qui figure aussi dans Erec ; tous connaissent le nom du fameux cheval de Gauvain, le Gringalet - mais, la première fois que L et T le mentionnent, ils l'appellent le Guilodïen : est-ce une erreur, ou s'agit-il d'un autre cheval ?

Mais notons que les noms d'Escalibor, de Tintagel, d'Uterpandragon et d'Ygerne figurent aussi dans le Brut (et, pour Tintagel, dans les romans de Tristan), que Taulas de Rougemont a été rendu célèbre par Jaufré (peut-être antérieur, nettement, à 1200). LASPT évoquent la beauté de Keu (L 2221 ss.) dans des termes assez proches de ceux du Conte de Graal (2793 ss) - mais sans les commentaires défavorables que faisait Chrétien, et, là, nous posons la question : qui vient de qui ? Le même Keu, dans l'épisode d'Yder le Beau (IV/3), envoie un nain d'un coup de pied dans la cheminée - comme il le faisait pour le "sot" au début du Conte du Graal. Qui vient de qui ? - puisque l'épisode "Keu et le paon" est l'objet d'une allusion dans Jaufré (v. 6640-41). Le romancier provençal copiait sans doute chez Chrétien son portrait du sénéchal (v. 123 ss.), mais Chrétien n'avait jamais parlé du "coup du paon". Rappelons que, dans la tradition galloise, Kei était fort beau - mais nous devrons revenir plus longuement sur le sénéchal. Lorsque L (seul, suivi par E) retrouve l'expression même de Chrétien pour annoncer que ce n'est pas en vain que l'on cherche chevalerie au Chastel Orguelleus :

> "Qui or querra cevalerie,   L 5329-30
> tot soit seürs n'i faudra mie ..."

> " ... qui viaut faire chevalerie,   Perc. 4699-
> se la la quiert, n'i faudra mie ...."   700

est-il allé la rechercher dans le Conte du Graal ? Ou bien, au contraire, Chrétien ne s'était-il pas fait l'écho d'un "conte d'aventure"
qui exaltait ce fameux château ? Et qui oserait prétendre, sincère-
ment, que l'épisode de la Pucelle de Lis ait été inspiré par celui
de la Pucelle du Pavillon ? Alors que le mouvement inverse - nous
y reviendrons - paraît au moins aussi vraisemblable.

**Connaissance des autres romans de Chrétien et de la litté-
rature romanesque et/ou "bretonne".** - Nous avons déjà signalé les
emprunts évidents faits à Yvain par l'interpolateur EU (épisode I/6d :
Gauvain chez la demoiselle jadis violée par Greoreas). Le copiste
de S se souvient de Calogrenant (écrit Kalogremant, var. pour le
Galegantin de A 3782) ; celui de Q aussi, semble-t-il, lorsqu'il cite
un Galozgrenax (M 17741) dans l'interpolation sur Joseph d'Arimathie,
là où les autres écrivent Grelogrenaus (U), ou Greloguevaus (M),
ou Gulle Genelax (A), ou Guellans Guenelaus (L) : pour ces deux
derniers, ce personnage serait le père de Perceval (!?). Le responsable
de TV cite Brecheliande (4300), comme royaume du roi Ris (EMQU :
Ris de Valen, une lande - var.) ; celui de Q aussi, deux fois (10884,
12602), là où les autres écrivent Norhomberlande.

Lancelot est cité une fois par E seul (5445, dans une énumération de barons d'Arthur), alors que MQ écrivent Caradoc (U saute
6 vers), et une fois par T (9165), dans l'énumération des quinze,
en position de 9e bis. Plus étrange est la citation du mystérieux
comte Guinables (ou Kinables) de la Charrette (v. 215), nommé à
deux reprises dans la rédaction longue : à E 346 (: tables, - U ne
le reproduit pas) et 5433 (: connestables ; - Q Garnables, U Cana-

bles !) ; on le retrouve aussi dans Meraugis (v. 871 : estables).

Cligès est l'un des participants du fameux tournoi (EMQ le nomment à 3 reprises ; la première fois, Q estropie son nom : Eligés ; - T le cite encore une autre fois, dans une énumération qui lui est propre, au v. 4675, et Cligès est devenu fils du roi Lac !). Les toponymes de Cesaire et de Hantone, figurant dans la seule rédaction longue, sont trop répandus dans la littérature pour que l'interpolateur ait dû les emprunter au second roman de Chrétien. Il en va de même pour Quantorbire (rédaction longue, toujours), qui figurait dans Cligés et Erec ; - pour Thesale (T seul), que Chrétien mentionne dans ses trois premiers romans. Et aussi pour Aumarie, que cite, cette fois, L (suivi par ASPR), et que l'on trouve dans Cligès (v. 2361 : soie d'Aumarie, qu'a brodée la fee Morgue - or, dans la rédaction courte, l'enseigne de soie d'Aumarie qu'arbore Gauvain lui a été envoyée par son amie Guinloiete "l'enjouée" - une fee précisent A et P). Quant à l'histoire de Paris et d'Helaine, que L seul (suivi par E) nous montre peinte sur les murs d'une chambre du château de Lis, point n'est besoin de recourir à Cligés pour la connaître (L 5190-94).

C'est Erec qui semblerait fournir le plus gros apport en onomastique - mais Erec (nous pensons, bien sûr, à la grande énumération des invités aux noces) se voulait déjà une sorte de "répertoire" arthurien. Tous les copistes de la Continuation connaissent aussi les noms du Beau Couard (sauf L, S et P) et du Laid Hardi, de Mabonagrain (sauf P, U, Q), de Galegantin (sauf L, S, P, U et Q), de Lucan, de Tor fils Arés, du roi Yder (distinct d'Yder fils Nu), des cités de Carduel et de Rahés (Rohais). Et, bien sûr, de Bedoer, fort célèbre depuis le Brut. Les responsables de la rédaction longue mentionnent le roi Cadoalant, Gales li Chaux, Tristan qui ne rist, un certain Menadoc en qui il faut sans doute reconnaître Meriadoc (ou Meriadeuc - fort attesté par ailleurs), la cité de Caradigan, le royaume d'Estregales ou Outregrales ; EU connaissent même Limors ; les auteurs du Caradoc long placent sans guère d'hésitation à Nantes - et non à Vannes - l'action de leur roman.

Mais les responsables des versions courtes - à vrai dire surtout ceux ou celui de A, de AS et de ASP - s'inspirent encore plus nettement d'Erec. Guiot cite deux fois Guivret le Petit : d'abord dans l'épisode (II/2) des belles assiégées de Branlant, où, avec Gauvain et Yvain, il complète le trio des trois chevaliers les plus courtois de l'ost ; puis, bien sûr, dans la liste allongée des quinze, en première position de surnuméraire (A 3789, S suit A ; - Beduier, qui le précède aurait dû figurer plus haut, mais AS lui a préféré Gaheriet). Le responsable de ASP cite l'oncle de Mabonagrain, le roi Evrain (ou Eurain - variantes !). Erec lui-même est cité par A seul, au début de la Br. V (v. 6757). Le même Guiot mentionne encore Bruiant des Isles, Cador et Cabrïel (Erec : Cadoc de Tabriol), Emauguins (Erec : Amauguin), Cyrions (Erec : Quirions) ; A et S citent Brun sans pitié ; S seul, Lohot, le mystérieux fils d'Arthur (v. 3800 a, cf. Erec 1732), et le même transforme en Brandigan le Baradigan de LA. Ce sont L, S et U qui écrivent Bliobliheri (L 6552), comme dans Erec, alors que A, T et EMQ emploient la forme Bleheris, plus proche du nom gallois du fameux fabulator.

Il est bien évident que Guiot et/ou son "équipe" se sont inspirés d'Erec, et en particulier de la liste des invités. Mais cela n'explique pas tout. Car il convient de faire remarquer, d'une part, qu'un certain nombre de ces noms est attesté, avant Chrétien, par Wace (Avalon, Carlion, Hantone, Orcanie, Cantorbire, etc.), et que d'autres, apparemment inconnus de Chrétien, pourraient bien provenir directement du Brut, comme Glomorgan ou Glamorgan (cher à L), comme le Mont-Saint-Michel, comme le royaume de Norhombellande, etc. Et, d'autre part, ce qui est plus surprenant : presque une trentaine de ces noms, assez peu courants, figurent dans le Bel Inconnu, comme Bedoer, Bliobliheri, Bruiant des Isles, Cadoalant, Cadoc, Eurain ou Evrain, Gales li Chauz, Gaudin, Guinglain évidemment (mentionné par A au v. 3780 : Guiglain l'Abastardi), Guingamuer, Kahadin, le

Beau Couart et le Laid Hardi, Mabon l'enchanteur (AS 3796), Meliant de Lis, etc., jusqu'à un Sor de Montesclere qui semble condenser, en les masculinisant, la Sore Pucelle et la Demoiselle de Montesclaire. Que Renaut de Beaujeu se soit inspiré d'Erec, c'est une chose bien connue, mais n'oublions pas que l'histoire qu'il raconte relève du même "archétype" que celle qui constitue, finalement, le leitmotiv de la Continuation-Gauvain, à savoir les amours de Gauvain et/ou de son fils avec une fée. Détail supplémentaire : le seul manuscrit qui nous a conservé le Bel Inconnu contient aussi Erec (et Yvain et Lancelot) - et aussi la Vengeance Raguidel, dont les liens avec le Guerrehés sont évidents et dont l'auteur connaissait, lui aussi, un Amaugin, un Guengasouain, un Tristan qui ne rist, une Ydain, etc.

Autres rencontres : le roman d'Yder cite les noms de Bedoër, de Gasoudenc (qui doit ne faire qu'un avec Gassouain), de Talac de Rougemont, de Tor fils Arès ; son héroïne se nomme Guenloïe - fort proche de la Guinloiete de L. Or les divers rédacteurs de notre Continuation, non seulement citent souvent Yder (fils Nu), mais ils le "démultiplient" à plaisir : en le roi Yder, en Yder le Beau, et la rédaction longue donne le nom d'Yder au père de la Pucelle et de Bran de Lis (E 14198), personnage que les autres copistes - et même, ailleurs, ceux de la rédaction longue - appellent Norré de Lis (ou n'appellent point du tout). Le roman d'Yder raconte, lui aussi, l'histoire d'un fils qui quête son père, disparu - comme Gauvain - après sa procréation. Et encore, et surtout, l'Isdernus de l'Archi-volte de Modène est associé non seulement à Winlogee (Guinloïe-Guinloiete), mais encore aux trois principaux héros de la Continuation-Gauvain : Galvaginus, Artus de Bretania et Carrado - sans oublier Che (Keu) qui, comme dans L, ne semble pas encore affecté de l'impopularité que lui conféreront plus tard les romanciers. L'Archi-volte de Modène, Erec, le Bel Inconnu, la Vengeance Raguidel, Yder : nous sommes, avec cette représentation et ces "romans", très proches des générations des "conteurs d'aventure" (n'oublions pas le prologue d'Erec) qui ont précédé celles des "romanciers" et dont semble bien

327

relever l'inspiration de notre prétendu "continuateur".

La rédaction longue, elle, fait feu de tout bois. L'un de ses responsables, au moins, semble affectionner la geste épique, et cite Rollant et Durandart (EMQU 1295), Guillaume (1331) et même Charles Martel (7070) ! D'autre part, elle se garde bien de laisser tomber la célèbre geste tristanesque : Tristan, Iseut et Marc sont cités. Mais, surtout, elle sent son XIIIe siècle (et l'interpolation EU encore davantage que MQ), avec ces noms "allégoriques" : cette Blanche Forest ou cette Blanche Lande, ces Cleres Fontenelles, ou cette Fontaine au Lorier, cette Lande Aventureuse et cette Lande Merveilleuse, cette Lande gaste anermie, cette Forest del Pin, qui semblent tout droit sorties des grands romans en prose - pour ne parler ni de la Pucelle au Cor d'Ivoire, ni des personnifications d'Amors et de Raisons (déjà dans R), ou de Nature. Elle fait aussi étalage de connaissances géographiques, surtout continentales, citant, à côté du Loënois et de la Norhomberlande, l'Alemaigne, l'Angau, la Bergoigne, l'Espaigne, la France, la Frise, la Gascoigne, Halape, la Hongrie, le Maine, la Normandie, le Poitau, la Sessoigne et la Tiesche Terre, la Toraigne ; - auxquelles T ajoute la Bougrie, la Calabre, la Champaigne (V), Chypre, le Danemarche, Gennes, la Loheraigne, la Lombardie, la Moriane, la Puile, la Romenie, la Roussie, la Tosquane et la Zezile ! Le copiste de Q, lui, donne Senlis comme variante au Brandiz de E (16352) et de LAS (6306) ou au Paris de T (12228), de M et de P. Visiblement, la création romanesque se concentre en France (par opposition à la Grande-Bretagne) et même en Ile-de-France (par opposition aux régions de l'Ouest - ou de l'Est). Elle se rapproche des Grandes Ecoles, où nos auteurs tardifs se familiarisent avec le maniement de l'abstraction - comme nous le verrons.

III - MONTRER SA CONNAISSANCE DE L'OEUVRE ELLE-MEME

Mais, pour les remanieurs, la meilleure source d'inspiration est encore l'oeuvre elle-même. Soit qu'ils y puisent, pour y trouver des détails, des motifs, et, lorsque ce phénomène s'observe même chez L, on peut se demander si le "premier auteur" n'avait pas, parfois, procédé de cette façon : c'est là un problème assez épineux et, en tout cas, bien caractéristique de l'écriture d'une "compilation" ; chez les véritables remanieurs, et, à fortiori, chez les interpolateurs, le problème est plus simple. Soit qu'ils introduisent des rappels, ce qui est assez facile (il suffit d'avoir de la mémoire), et, ce qui est plus difficile et requiert une connaissance de la suite de l'action, sinon de sa totalité, des anticipations, proches ou lointaines. Soit enfin qu'ils veuillent apporter des précisions qu'ils jugent nécessaires, voire corriger ce qu'ils estiment être des inconséquences de leur modèle.

Les rédactions longues (et leurs interpolations). - Nous passerons assez vite sur les grandes amplifications et additions de la rédaction longue dans les Br. I et III : l'analyse détaillée faite au Chap. I a déjà renseigné notre lecteur, et tout cela ne nous éclaire pas toujours sur ce qui est notre objet essentiel : l'oeuvre du "premier auteur" et sa genèse.

Est-ce directement à la Visite du Graal (authentique) de la Br. V que l'auteur de la Visite (postiche) de la Br. I a emprunté ce qu'il ajoute de l'épisode du Conte du Graal (qui demeure sa source essentielle) - c'est-à-dire tout ce qui a trait au mort de la bière et à l'épée brisée ? Il semble que oui, et qu'une tierce source soit superflue. Ainsi, c'est la présence (le passage) du corps dans la bière qui provoque les pleurs de la Porteuse du Graal. Le héros - qui n'est pas le jeune et nigaud Perceval, "bloqué" par les conseils de son mestre - n'a aucune raison de se retenir de poser les questions. Le Roi n'apporte pas lui-même l'épée, parce que, comme chez Chrétien, il est "méhaignié" : il la fait apporter par quatre (pourquoi quatre ?!) valets. Comme dans la Br. V, il ne répondra à Gauvain que si celui-ci réussit à ressouder l'épée. Logiquement, le Roi ne commence pas ses révélations, et les quelques mots qu'il dit suffisent à endormir Gauvain qui n'est pourtant pas spécialement épuisé. Le héros, au matin, se réveille en un marois, qui répond au gachois de A 7681 et au glaionois de U 17789 (cf. Glossaire de Foulet, s.v. jaonnois).

Les auteurs postérieurs, comme celui du Didot-Perceval, introduiront de nouveaux éléments, qui impliquent la connaissance d'autres sources, dont le Joseph de Robert de Boron. Le Roi-Pêcheur s'appelle Bron ; il est fort vieux et fort malade, et il n'est pas dans la salle lorsque Perceval y est introduit : il s'y fait porter par quatre serjans. La porteuse du tailloir (ici deux tailloirs), qui était passée en deuxième position dans l'interpolation de la Br. I, entre maintenant la première ; la Lance saigne trois gouttes de sang (symbolisme trinitaire) ; le Graal, étant le saint veissel, est nécessairement porté par un homme, et l'on s'incline sur son passage. Ce n'est pas la soudure de l'épée (absente) qu'attend le Roi-Pêcheur, mais sa propre guérison. Etc. Tout cela représente un nouveau stade d'élaboration, dont il n'y a pas trace dans l'interpolation TEMQU : l'auteur de celle-ci ne fait que combiner le Conte et la Continuation (Br. V).

L'auteur des interpolations propres à EU (Br. I) est souvent inspiré, peut-être, inconsciemment, par la rédaction courte. L'orage nocturne, assez peu fonctionnel, de l'épisode 6a se trouve déjà dans les Br. V (chevauchée de Gauvain) et VI (début du Guerrehés) ; l'orage tout court, obligeant le héros à se réfugier sous un chêne, dans le Caradoc (III/15 : début de l'épisode d'Aalardin), où l'on trouve également, par contraste, le temps serein qui entoure l'enchanteur et, ici, succède à la tempête (le topos belle matinée + chant des oisillons est particulièrement exploité par le "premier auteur" dans l'épisode de Gauvain et la Pucelle de Lis). Le pavillon au pommeau doré qui "enlumine" toute la lande (EU 2718 ss) évoque, bien sûr, celui de la Pucelle de Lis, ainsi que celui de l'amie de l'Orgueilleux, dans le Perceval (v. 638 ss), mais cette tonalité joyeuse et "diurne" jure complètement avec le contenu dudit pavillon : le cadavre de Macarot ! - encore heureux qu'il ne soit pas tendu sur une fontaine ! L'anneau que remet au héros la Pucelle au Cor d'ivoire et qui lui conférera la force de cinq hommes (EU 2470 ss) est, lui, fonctionnel, puisque

Gauvain devra se battre contre quatre chevaliers ; on peut croire qu'il est substitué au "privilège solaire" de Gauvain, si souvent évoqué dans l'oeuvre (nous y reviendrons), car celui-ci est mentionné par l'interpolateur (EU 2822 ss), qui précise qu'il ne joue pas, car le soir approche ! Le quatrième adversaire a la vie sauve, mais devra se tenir à la disposition de Gauvain (EU 3012 ss), comme celui-ci devait le faire envers Bran de Lis. Le nain fort laid, pour lequel EU s'est tellement inspiré de Chrétien, n'est pas sans évoquer aussi celui d'Yder le Beau (il commence par refuser de répondre au héros). N'insistons pas sur le topos du Château désert où le repas est servi (EU 3076 ss), mais la porte qui s'ouvre violemment et l'entrée agressive du grand chevalier (3515 ss) se trouvent déjà dans l'épisode d'Yder le Beau (L 3712 ss). L'évocation d'une demoiselle trouvant près d'une tour un damoisel mort (EU 3310 ss) peut provenir de la rencontre que fait Gauvain, près d'une tour, du Riche Soudoier prostré (L 5850 ss ; la tor figure au v. 5958). C'est à la rédaction longue du Caradoc que le second interpolateur peut emprunter le refus d'aimer de la pucelle qui se refuse à Greoreas (EU 3353 ss ; — cf. EMQU+T+P 7617 ss). Etc.

Que les rédacteurs du Caradoc long doivent beaucoup, et même tout, ce qui est essentiel à celui du Caradoc court, voilà qui n'a pas à être démontré. On aura noté les réticences du "délayeur" forcé de revenir à son horrible "matière" :

> ... ne puis plus-metre ariere dos.   E 9586-89
> Mes deslais plus n'i puet monter
> qu'il ne me coviegne a conter
> tel chose dont molt me desplest ...

Il a eu beau retarder - et le "retardement" (deslais) est l'essence même du Caradoc long - il faut qu'il y vienne ! On aura remarqué que ce passage est donné par EMQU+T+P, c'est-à-dire les mêmes qui donneront la version "viol" des amours de Gauvain et de la Pucelle de Lis - ou qui l'ont déjà donnée. Au début, déjà, on a eu beau insister sur la joie des noces de Caradoc père, il a bien fallu raconter l'odieuse supercherie :

> ... autre chose me <u>covient</u> dire   E 6741-43
> de <u>quoi j'ai lou cuer molt plain d'ire.</u>
> <u>Voir, je vosroie estre am prison</u> ...

A ce moment-là ni <u>P</u> ni <u>T</u> n'avaient rejoint la rédaction longue. La rédaction <u>ASP</u> ne manifestait aucune répulsion ; <u>L</u> avait un vers d'introduction, qui pouvait ne pas être de pur remplissage :

> ... <u>signors, ja celer ne vos quier,</u>   L 2063-64
>   <u>quant Caradoc se dut coucier</u> ...

que <u>ASP</u> a très bien pu supprimer (à cause de l'interpellatif <u>Sig-nors</u>) ; <u>T</u> marquait davantage l'étrangeté de l'affaire :

> Mais ore oiez qu'il li avint :   T 3096-98
> <u>jamais n'orrez si grant merveille</u>
> <u>n'onques nus n'oï sa pareille</u> ...

Et tous concluaient l'épisode en évoquant la suite du récit - ou bien leur source "incontournable" :

> ... si con <u>li contes</u> le retrait.   L 2087

Tout est bon, on le comprend, qui puisse servir à retarder le drame (le serpent), puis son dénouement (la guérison de Caradoc). En particulier les voyages : on se déplace beaucoup dans le <u>Caradoc</u> long - au moins une quarantaine de fois, alors qu'on ne le faisait qu'une dizaine de fois dans la version primitive ! Ces voyages sont pleins de péripéties : rencontres, duels, tempêtes. On multiplie les messagers ; les visités vont au-devant de leurs visiteurs et les "convoient" lorsqu'ils repartent. Le héros doit-il s'embarquer ? on l'accompagne jusqu'au rivage et l'on reste à regarder la nef jusqu'à ce qu'elle ait disparu (<u>E</u>, III/2, v. 6845 ss. ; - cf., dans la version commune, le départ final de la nef au cygne, mais, là, il n'y avait qu'à descendre du palais sur le rivage).

Le topos, déjà redondant dans la <u>Continuation</u> courte, de la partie de chasse qui précède la cour est encore repris (<u>E</u>, III/15 :

prélude à l'épisode d'Aalardin). Celui du locus amoenus qui entoure le pavillon est remployé pour la première rencontre d'Aalardin (E, III/8) ; rivière, bois, prairie, oiseaux chanteurs ; - T amplifie : le pommeau d'or qui couronne la tente est flanqué de deux plus petits, et surmonté de l'aigle d'or (T 4043 : noter l'article défini) qui ne manque pas d'"'enluminer" le bois (non par l'or, il est vrai, mais par les deux escarboucles qui lui servent d'yeux). Gauvain demande en don au roi de révéler son penser (E 6988-89), comme, dans la Br. VI, Keu obtient la révélation de celui de Guerrehés. Au tournoi, Caradoc abat Keu et le foule aux pieds de son cheval (E 8807-08), comme le fera (faisait) Gauvain dans la Br. V (après le meurtre de l'inconnu) ; c'est pour le punir de l'avoir critiqué lorsqu'il avait accepté le défi de l'enchanteur - à dire le vrai, Keu avait bien, dans la rédaction longue, taxé de folie celui qui oserait décapiter le provocateur (E 7173-74), mais cela n'était pas spécialement dirigé contre Caradoc, qui ne s'était pas encore manifesté, et c'était dans la rédaction courte que le sénéchal, une fois le coup porté, disait qu'il ne voudrait pas être à la place du héros un an plus tard (L 2316-18). On ne peut décider si l'interpolateur a en tête la version originelle ou bien son propre remaniement.

Car le responsable du Caradoc long s'autocopie, évidemment. Il a sa thématique propre : description de mariage (E 6691 ss ; celui de Caradoc et d'Ysave ; E 11773 ss : celui de Caradoc fils et de Guinier, plus leur couronnement) ; navigation en mer (E 6841 ss, 10093 ss) ; chevauchée par plaines et monteignes (en Petite-Bretagne ! E 10212, 10591) ; le héros commence par refuser - le sacrifice de Guinier (E 11410 ss), l'héritage de son père (11720 ss) : moyen typique de "retardement" romanesque ; monologues, considérations sur l'amour, etc. Et il ne manque pas de justifier une invention par un rappel : si Guinier accepte de se sacrifier pour Caradoc, c'est parce que, jadis, il a risqué sa vie pour elle (E 11287-88 ; - cf. le duel contre Aalardin, III/7, E 7715 ss). Il s'inspire aussi des autres interpolations de la rédaction longue : au cours du tournoi, il nous présente Guigenor, la fille de Clarissant et du Guiromelant (E 8245-54), sur le mariage desquels insistait le premier "délayeur" (E 1851 ss.). Le responsable de T, qui en rajoute encore, décrit Carlion et son site (4379 ss), comme EMQU l'avaient fait de celui de Branlant (II/1, E 5520 ss) - il reprendra d'ailleurs cette description dans son tournoi de la Continuation-Perceval (éd. Roach, App. VII, v. 227 ss). En dehors du Caradoc, signalons encore ce topos de Gauvain repartant au matin d'un ermitage, dans EU seuls (MQ et T om.), avant sa rencontre avec Dinadarés : on le retrouve dans son récit de IV/5 (version "viol" de ses amours avec la Pucelle de Lis).

Reprises, répétitions, rappels. - Les interpolateurs reprennent à plusieurs reprises les situations et les topoi de la rédaction courte. Ainsi la convocation de la cour pour la Pentecôte (passim). Comme dans L, II/4, c'est le sénéchal Keu qui prévient Arthur du départ de son neveu - Gauvain, convalescent - quitte le camp :

"Vostre neveu avés perdu !"	L 1463
"... vostre neveu perdu avez ..."	E 1896

- Gauvain vient d'être cruellement mortifié d'apprendre que sa soeur s'est mariée. C'est d'ailleurs, semble-t-il, le moyen de chantage du neveu sur l'oncle : dans la version commune, au Chastel Orguelleus, lorsqu'Arthur commence par lui refuser la joute du lendemain, Gauvain menace de partir (L 6121 - la rédaction longue concrétise dans la Br. I ce qui n'était que virtuel dans la Br. IV de la courte). Dans l'amplification finale du Caradoc, le héros, enfin délivré de son serpent, est accablé par la presse qui l'entoure (E 11631 ss), comme il l'est, dans la rédaction courte, lorsqu'il revient enfin à la cour (L 8222 ss), comme il l'était aussi, dans la Br. I, lorsqu'il retrouvait le roi et la reine (L 387 ss).

Le phénomène, disions-nous, est plus étrange lorsqu'il apparaît dans la rédaction courte elle-même. En présence du doublement ou d'un triplement d'un thème, d'un motif, on se demande si cela relève de la thématique propre du "premier auteur", de son "imagination créatrice", ou si cela ne provient pas du fait qu'il juxtapose des "contes d'aventures" où interviendraient les mêmes situations et les mêmes actions. Passons sur les duels, monnaie courante dans ce type de récits. N'insistons pas non plus sur d'autres topoi, comme l'arrivée dans un château désert où le repas est servi, ou comme le refus d'Arthur de passer à table tant qu'une "aventure" n'est pas arrivée, ni sur les rassemblements, précédés de convocations, de la cour, qui se répètent au début des Branches. Mais le topos d'Arthur pensif au retour d'une chasse, rejoint par ses compagnons et leur disant qu'il veut tenir une grande cour à la prochaine Pentecôte, il est quand même étonnant de le trouver, presque textuellement répété, au début des Br. III et IV ; Guiot tente d'estomper ce monu-mental "doublon" en résumant quelque peu la seconde occurrence (61 vv. au lieu de 103 dans L). Mais le récit rétrospectif, à la Br. IV, des amours de Gauvain et de la Pucelle de Lis, repris, presque mot pour mot par L, résumé encore une fois par AS, et complète-ment transformé par les autres ("version "viol") ?

Dans les Br. IV et V, Gauvain, bien que vainqueur, accepte de se rendre à l'amie de son adversaire vaincu (le Riche Soudoier, son fils Lionel). Dans les Br. IV et VI, les arrivants (ou l'arrivant) au Château-désert-où-le-repas-est-servi "font un mot" : pas question de le quitter (L 4111-12 et 8690-93) ; - dans la salle où repasse Guerrehés, on joue aux mêmes jeux sportifs qu'au verger de Lis (L 8990 ss et 4492 ss). C'est surtout dans les deux dernières Branches qu'apparaissent les situations, les descriptions, les paroles quasi identi-ques : ici et là on s'extasie sur la beauté de ce mort que personne ne connaît (L 6992 ss et 8518 ss) ; ici et là, le héros voit les assis-tants qui parlent à voix basse (conseillier) : Gauvain dans la salle du Graal (L 7169 ss), Guerrehés au château de l'île (selon T et E, 15175 ss / 19449 ss) ; il s'endort à table (L 7415 ss et 7711 ss, - et 9349 ss) et se réveille sur le rivage du continent (L 7717 ss et 9357 ss). A l'intérieur même de la Br. VI, c'est à deux reprises qu'on (Arthur d'abord, puis Gauvain et les compagnons) découvre le mort apporté par la nef au cygne ; c'est à deux reprises que le roi lit la lettre contenue dans l'aumônière.

Un tel nombre de reprises, de répétitions, est sans exemple, à notre connaissance, dans la littérature romanesque de l'époque. On n'imagine pas cela chez un Chrétien qui, au contraire, évite soigneusement de se répéter ("Mais je ne vais pas vous redire ... ce serait peine perdue et temps gâché ..."). Ce phénomène, distinct de la récurrence que l'on observe dans les oeuvres plus tardives (romans en prose, et aussi en vers, dont les auteurs pratiquent l'entre- lacement, et où, faute d'imagination, abondent les parallélismes), ne s'explique pas lorsque l'auteur compose librement, personnellement, et écrit d'un seul jet : se souvenant de ce qu'il a dit, il évite de le redire, au moins sous la même forme, et ses récurrences et ses parallélismes marquent une opposition ou une progression. Ici, rien de tel, puisque les Branches n'ont pas de rapport entre elles. L'ex- plication du phénomène est double : d'une part, le "premier auteur" n'est, au fond, qu'un compilateur, qui juxtapose des "contes d'aventu- re" - lesquels ont parfois un certain "air de famille" - ; d'autre part, il lui est complètement indifférent de se répéter et, de ce point de vue, le responsable de L partage allègrement son insoucian- ce !

Mais c'est justement là - dans cette identité dans la dispa- rité - que gît la raison profonde de tant de remaniements, petits ou grands, auxquels vont se livrer, selon leurs exigences et leurs possibilités, tous les copistes tant soit peu conscients. L'imperfec- tion, évidente de ce point de vue, du texte du "premier auteur", les y incite, les en excuse. Le texte du "premier auteur" n'est pas respectable. Il n'est pas vraiment élaboré. Il peut même n'apparaître que comme un "canevas" - c'est certainement vrai en ce qui concerne le Caradoc court. Le malheur est que, en tentant de l'améliorer sur ce point - et autorisés par cette impression d'être en présence d'un centon fort mal structuré, et donc mal pensé (croient-ils) -

ils vont le gâcher sur de nombreux autres.

Si certains copistes sont parfois conscients, sans doute, de ce "vice" - la répétition pure et simple, le parallélisme complet sans opposition ni progression - de leur modèle, il faut constater que ce n'est que bien rarement qu'ils tentent vraiment de le corriger, et que, lorsqu'ils le font, c'est généralement pour d'autres raisons. Ainsi le responsable de MQEU refuse - et il le dit :

                Trop vos seroit ja grant annuiz   E 7392-93
                    (Q : Ne vos seroit pas granz deduiz)
                de cesté ovre reconmancier

- de répéter le récit des trois nuits d'Ysave et d'Eliavrés, et celui de T le résume au minimum (3553-56), mais c'est que l'affaire est particulièrement de mauvais goût. (C'est pour la même raison que AS, plus tard, couperont la fin de la scène correspondante - les produits du coït forcé de l'enchanteur avec des femelles, cf. L 2590-600).

Tous, sauf L (4711-39) suivi par le seul E (14561-89), refusent de développer les offres de compensation qu'Arthur fait à Bran de Lis, bien qu'elles soient beaucoup plus précises que celles qu'avait faites Gauvain (L 1832-37, reprises dans son récit, 4345-49) - et ici, ce sont ASPU qui donnent la formule de refus :

                Je ne vuel or plus aconter.   A 4881
                (PU : Ne vos en voel ...)
                (S : Que vous iroie or el conter ?)

- mais ce n'est pas pour éviter une redite, c'est parce que le roi n'apparaît pas sous un jour particulièrement glorieux (Bran vient d'ailleurs de le traiter de "lâche"), et parce qu'il est question, dans ce passage, du père et de l'oncle (ou du frère) de Bran, ce qui est en contradiction avec le récit primitif de la Br. II, où le héros n'a eu affaire qu'à deux hommes, non à trois.

Nous avons vu que ASPU condensent l'épisode IV/1 (le roi

pensif au retour de la chasse, etc... v. 3255 ss) et AS, le début du récit de Gauvain (IV/5, voir notamment les vv. A 4446-69, qui en résument près de cent de L), mais c'est là l'exception. En d'autres cas, l'on s'efforce de varier, comme le fait T pour le discours d'Arthur devant le mort de la nef (14336 ss).

Il est d'ailleurs périlleux de résumer un texte comme celui du "premier auteur", car celui-ci courait généralement bon train et n'écrivait que peu de choses inutiles. C'est pourquoi les copistes préfèrent remanier dans le détail, ou alors refaire complètement (comme le fait la rédaction longue).

Un exemple typique de "parallélisme", voulu, et qui, nous le verrons, correspond bien à l'imaginaire du "premier auteur" : les arrivées successives des trois cortèges du Guiromelant, plus un quatrième, composé celui-là de 3000 dames et pucelles. L et T se complaisent à les détailler : le premier cortège (L 533 ss), puis le second (550 ss), puis le troisième (563 ss), leur jonction sous l'arbre (583 ss), enfin le cortège féminin, précédé des musiciens (590 ss). A ces soixante-dix vers n'en correspondent que 30 dans ASP, dont 14 vers d'éloge de Gauvain ; A nous parle d'un premier conroi, puis, en bloc, de trois autres - mais le total est quand même de trois (572) ! Puis, après la jonction des troupes masculines, A développe la description du conroi des pucelles (598-614) - cela, c'est courtois ! Mais L en est déjà à présenter, en parallélisme, les 3000 dames et pucelles qui, entourant la reine, s'installent pour assister au duel. Et le remanieur de ASP les omet ! Alors que ç'aurait dû être, pour lui, le plus important ! Guiot se serait arraché les cheveux s'il s'était rendu compte de cet oubli ! R fait la même omission, mais ce n'est pas étonnant de sa part : les femmes, ce n'est pas son fort !

Et MQEU ? D'abord, ils renvoient cette arrivée après la confession de Gauvain et l'envoi de son ambassade au Guiromelant - il faut en effet que celui-ci ne soit pas en présence, sous l'arbre "mythique", et que les messagers traversent plains, mons et vaus

(E 1129) pour l'aller trouver - cette notation, complètement invraisemblable et illogique, est, remarquons-le, tout à fait dans la veine
de l'auteur du Caradoc long (cf. supra). Alors les trois conrois sont
brièvement cités : ils se mettent en marche, suivis du Guiromelant,
sur qui se focalise l'attention (description hyperbolique, sa supériorité
sur le héros épique Guillaume), et qu'entourent les dames - le remanieur de ASP n'a pas osé pousser la "courtoisie" aussi loin ! Et,
dans un second temps, ils arrivent en vue de l'ost d'Arthur - la
répétition, on le voit, ne gêne pas le remanieur, ni la contradiction,
car, partis, selon E, à 7000 (v. 1319-23 ; - MQU corrigent :
10 000 pour MQ, 8 000 pour U), ils arrivent à 11 000 (E 1388-
92) ! De plus, ces guerriers, au moins ceux du 3e conroi, s'antre-
tiennent galamment par les mains (MQEU 1393) ! Avec quoi tiennent-
ils donc leurs rênes, leurs écus, voire leur lances ? C'est parmi
eux, selon MQ, que se trouve le Guiromelant - nouvelle contradiction,
qu'évite EU, lequel s'en est allé copier dans un ms. proche de A
un passage de 34 vv. qui se termine par la présentation du cortège
des dames, parmi lesquelles vient le terrible adversaire de Gauvain.
Aucune mention n'est faite du cortège de la reine.

On le voit, la rédaction MQ, même farcie par EU, est insen-
sée ; la rédaction ASP(R) est tronquée ; seule la rédaction LT est
juste et logique, mais son caractère répétitif - qui la rapproche
de la manière épique : les trois (ou quatre) conrois pourraient être
présentés en trois (ou quatre) laisses successives - la rend inaccep-
table. On n'écrit pas comme cela ! Ou bien le "premier auteur"
- car il n'y a aucune raison de penser que ce soient L et T qui
aient remanié le texte primitif - était, en tant que "romancier",
un fieffé original, ce qui n'était pas spécialement dans les moeurs
de l'époque, ou bien il n'était pas un véritable romancier, mais bien
plutôt un (clerc-)jongleur, plus familier sans doute avec la matière
épique, et le style épique, qu'avec la matière et le style romanesques.
Mais, en tout cas, si les remanieurs tentent inlassablement d'amender
son style, ils se cassent le nez lorsqu'ils essaient de toucher à sa

"conjointure", qu'il leur faut bien admettre.

De véritable rappel - à une certaine distance -, il n'y en a finalement qu'un seul dans la rédaction courte ... et il est faux ! Lors du duel de Gauvain contre le Riche Soudoier, le héros n'est vainqueur que grâce à son "privilège solaire" (sa force double à midi), et le rédacteur de L, suivi par E, rappelle que ce "don" lui a été fort utile, jadis, lorsqu'il se battait contre Bran de Lis, au château de celui-ci :

Jadis li ot molt grant mestier   L 6267-75
ce saciés, au bon cevalier,
encontre le signor de Lis.
Je ne doi pas estre desdis :
bien avés la bataille oïe,
autrement nel creïsiés mie.
Des cant la mïenuis passa,
savés bien coment il ala.
Mais a cel jor dont je vos cant ...

- il s'agissait alors plutôt d'un privilège "lunaire" ! Guiot écrit plus brièvement :

Ce li ot an mainz leus mestier,   A 6255-58
au preu, au vaillant chevalier,
nes contre le seignor de Liz :
ja par nul n'an serai desdiz.

P est un peu plus proche de L et conserve (?) les vers :

Saciés, ne m'en creüssiés mie
se vous ne l'eüssiés oïe
la batalle conter ne dire ...

S a le texte de A, mais le 2e vers est ainsi refait :

... encontre maint bon chevalier ...

MQ ne conserve que les deux premiers vers, mais le second est fort ambigu :

... que ce li ot molt grant mestier   E 16313-14
et nut molt au bon chevalier ...

340

- c'est généralement Gauvain qui est appelé le "bon chevalier" : comment son privilège a-t-il pu lui nuire ? TV ont le même texte, mais, si V conserve l'ambiguïté, T la corrige :

    ... et nuist molt al bon Soldoier   T 12202

ainsi il s'agit du Riche Soudoier, et il n'y a pas du tout de rappel. U, enfin, omet les 4 vv. de A.

    Nous reviendrons longuement sur le "privilège solaire" de Gauvain (au Chap.XXIII), mais notons ici que ni L ni ASPU ne l'avaient alors fait intervenir (et LASP croient maintenant qu'ils l'ont fait), alors que T et EMQ l'avaient fait intervenir (et ils ont oublié, ou ne disent plus, qu'ils l'ont fait) ! Qu'en déduire ? Qu'aucun copiste ni responsable de groupe n'a bonne mémoire, à moins de 1300 vv. de distance ! Ou que l'un ou l'autre a, entre temps, changé de modèle ? Que L et ASPU avaient alors "censuré" le texte du "premier auteur" et refusé d'attribuer au milieu de la nuit le même privilège qu'au milieu du jour ? On peut multiplier les hypothèses, mais une chose est certaine : les copistes - et L en particulier - ne "dominent" pas leur texte. Pas plus, sans doute, que le "premier auteur" !

    L fait un rappel immédiat - il s'agit plutôt d'une formule de conclusion : Si con je vos ai conté ci (6415) et il est étrange que seuls AS donnent, à la même hauteur, une formule équivalente : Ensi con vos l'avez oï (6399). Par contre, il est le seul (suivi par U), à rappeler, tout à fait à la fin de la Br. IV, qu'Arthur avait donné à Girflet le Chastel des Ormiaus (6701-04), quelque 4700 vv. plus haut (2016-18) - ce qui est à porter à son actif, et certainement aussi à celui du "premier auteur". C'est là le rappel le plus net, et il n'est pas faux (si l'on ne tient pas compte des trois ans de L, ou des set de U, qui, de toute façon, ne correspondent à rien). C'est dans L seul, également, que Gauvain, dans son récit de IV/5, rappelle la blessure reçue devant Branlant et qui s'est rouverte au cours de son duel avec Bran (4368 ss, cf. 1904 ss), mais l'on peut se demander s'il ne s'agit pas ici d'un phénomène d'auto-copie, comme lorsqu'il est le seul, au même endroit, à rappeler correctement le nom du père de son adversaire, Norés de Lis (4381, cf. 1712) ; - P écrit Morré ; U, T et EMQ, Yder ; AS le laissent anonyme. Par contre, L nomme alors Meliant de Lis (4382), et il le répète même au v. 4626, alors que, chez lui, il n'en avait jamais été question, ni dans la narration (Br. II), ni dans la rétrospective (IV/5) ! Mais ne nous engageons pas pour le moment dans ce maquis !

Dans L seul (5991-94), suivi par E (15997-16001), Gauvain fait à ses compagnons un court résumé de sa rencontre avec le Riche Soudoier ; les autres l'omettent, parce que l'événement est encore trop proche (trop frais dans la mémoire) et, surtout, parce que le héros n'y apparaît pas totalement à son avantage (il a eu peur : "pres c'o son pung ne me tua").

LUMQ donnent un court résumé du récit que Guerrehés fait de sa mésaventure (L 9215-25 : comment il fut abattu par le nain au verger, puis hué dans les trois chambres, la salle et le bourg), qu'omettent "courtoisement" ASP, et T suivi par E : une chose désagréable suffit, point n'est besoin de la répéter (ASP ne parlent que de honte, TE évoquent le grant anui et la viltance).

Dans le Caradoc, aux baisers de son père, le jeune prince, informé depuis peu du secret de sa naissance, répond : "Vous avez raison de m'embrasser, car personne ne vous aime plus que moi, mais je ne suis pas votre fils" (rédaction courte) ; cette réponse prendrait toute sa valeur si le roi avait appelé Caradoc "mon cher fils", et c'est ce qu'il a fait dans la rédaction longue (EMQU 7435), et l'on ne peut s'empêcher d'évoquer l'échange de répliques entre Norré de Lis et sa fille (version "flirt" : "Pucelle ... ma bele fille ..." - "Votre fille, oui, mais pucelle, non") ; malheureusement, dans le passage du Caradoc, LASPT, s'ils ont donné la réponse complète, n'ont pas reproduit l'appellation ("mon cher fils"), et EMQU,

qui donnent l'appellation, ne le font pas de la réplique complète :
les uns et les autres se souviennent peut-être de la scène du Pavillon
de Lis - ou le "premier auteur" s'en est souvenu - mais il faut additionner les deux rédactions pour avoir l'ensemble bien complet.

Disons, ici, que ce n'est pas la seule fois que le phénomène
se produit : lorsque Gauvain informe le roi et ses compagnons qu'il
a trouvé un riche "ostel" (le château de Bran de Lis, où le repas
est servi), le sénéchal Keu commente joyeusement le "mot" (L et
tous, sauf AS : "Cis mos n'est pas vilains", 4O96/9682/13486), or
le "mot" ne figure que dans A (4296, suivi par le seul E) : "N'i
a fors de laver les mains". Pour que la chose ait tout son sel, il
faut additionner les deux rédactions - ce que fait E, qui, pour une
fois, n'a pas tort de le faire ! L'ensemble, bien complet, figurait-
il dans l'archétype, que les copistes auraient démembré, que E aurait
reconstitué ? Peut-être, mais si l'on comprend la suppression par
A de la réplique du sénéchal (elle contient le mot discourtois "vilains",
même nié !), on ne comprend pas que L et les autres aient laissé
tomber le "mot" lui-même ; ou bien le responsable de L (etc.) a
détérioré le texte du "premier auteur", ou bien celui-ci ne l'a pas
complètement écrit (ce qui n'est pas impossible, étant donné le caractère souvent rapide, pressé, trop laconique de sa rédaction) !

Pour en revenir aux rappels, on peut considérer comme tel
le fait que Bran, avant son duel avec Gauvain (au Château de Lis),
choisisse, selon ASPU, entre cent (S trente) lances (A 4885-86), comme
Gauvain, avant son duel avec le Guiromelant, choisissait entre dix
lances (L 764 ss, et tous les mss sauf MQ). La réminiscence est
évidente, chez T seul, lorsque celui-ci fait dire à la pucelle qui
retrouve le corps de son roi (Brangemuer) vengé : "Ha ! gentix cors
qui ci gisez" (15251) - au lieu de "Ha ! gentis cors de cevalier
(L 9417, et tous) - c'est-à-dire l'expression même qu'employait le
Roi du Graal à l'égard du mort de la bière, mais seulement dans
LUMQ (7355/17427), les autres usant, nous l'avons vu, d'une "métonymie" ("Li granz domages qui ci gist"). Ainsi, T se souvient d'une

expression qu'il n'a pas employée ! A-t-il changé de modèle, ou bien a-t-il deux modèles ? La question est insoluble.

Les anticipations. - Le problème des anticipations est tout aussi complexe : certaines sont involontaires (inconscientes, oiseuses), d'autres sont sans doute volontaires mais inutiles (et plus ou moins oiseuses), d'autres semblent légitimes et ne sont pas inutiles, et, parmi elles, celles des remanieurs lorsqu'ils donnent une précision bien avant que $\underline{L}$ ne le fasse.

D'ailleurs il peut s'agir parfois d'un "oubli" de $\underline{L}$ (et du "premier auteur" ?) : ainsi lorsque ce copiste, au début de la Br. IV, ne parle pas du Chastel Orguelleus, où, selon tous les autres, Girflet est retenu prisonnier ($\underline{A}$ 3645 ss, $\underline{T}$ 8981 ss, $\underline{E}$ 12753 ss) ; pour $\underline{L}$ le roi et les quinze partent en quête de leur compagnon, au hasard, apparemment sans savoir ce qu'il est devenu ni où il est - ce qui est plausible, et c'est expressément Bran de Lis qui, au v. $\underline{L}$ 5223, leur apprendra que Girflet est au Chastel Orguelleus. $\underline{E}$ ne manque pas de recopier aussi ce passage, d'après un ms. proche de $\underline{L}$ (cf. $\underline{E}$ 15125 ss), alors qu'il a pourtant déjà écrit, comme tous les autres (sauf $\underline{L}$), que le roi le savait dès le départ ($\underline{E}$ 12767 ss, 12784 ss). Mais la leçon de $\underline{L}$ ne serait-elle pas celle de l'original ? Si Arthur sait, dès IV/2, que Girflet est au Chastel Orguelleus, pourquoi parle-t-il, au moins dans $\underline{TEMO}$, de l'aller "querre, / ja n'ert en si lontaine terre" ? $\underline{ASPU}$, plus logiques, n'ont pas cette expression : c'est vers le Chastel Orguelleus, et non ailleurs, que l'on se dirige, pour délivrer (aquiter) le vaillant Girflet. Oubli du "premier auteur" ? ou volonté de "suspense" ? intention de ne dévoiler que progressivement le but de l'expédition ? inutilité de le désigner dès le départ ? Dans ce cas, on a bien anticipation de la part du remanieur de $\underline{ASPU}$.

Phénomène analogue, quoique de portée moindre, au sujet des quatre oliviers qui déterminent le champ des duels au Chastel Orguelleus. Dans $\underline{LASPU}$, il n'en est question qu'au moment où Keu franchit ces bones (L 5719 ss), et Bran de Lis explique ensuite au sénéchal que c'est la raison pour laquelle son adversaire l'a considéré comme "recréant" (L 5779 ss). Tout cela est compréhensible, mais il faut être attentif. Il n'est pas oiseux de présenter cette "costume" avant même le début du premier duel, celui de Lucan, et c'est ce que fait la rédaction dite "longue" (qui ne l'est plus) TEMQ :

> Seignor, es quatre cors del pré   T 11341 ss
> erent quatre olivier planté ...   (E 15323 ss)

Oubli du "premier auteur" ? Omission du premier responsable de la tradition commune L + ASP ? Ou plutôt addition-anticipation du remanieur de TEMQ, qui irait jusqu'à plagier le style du "premier auteur" en introduisant l'interpellatif Seignor ? Cela nous semble l'hypothèse la plus vraisemblable. D'une part, le "premier auteur" va au plus vite, ne dit que l'essentiel et, ce faisant, ménage, comme malgré lui, le "suspense" : l'auditeur n'apprend la "coutume" qu'en même temps que l'actant qui en est victime ; d'autre part, le remanieur a le souci d'être clair, et comme, pour avoir déjà copié le texte, il sait ce qui va se passer, il met tout en place dès le début. Lorsque le sénéchal franchit les bornes, il est intéressant, pour nous, auditeurs, de savoir ce qui va en résulter - intéressant, mais pas indispensable : dans TEMQ, l'effet de surprise est détruit, et le comportement de l'adversaire, qui s'arrête net, remonte à cheval, prend celui de Keu et s'en va, n'est plus "estrange". Notons enfin une autre anticipation, mineure et sans doute inconsciente : près de 1800 vv. plus haut, les quatre arbres qui entourent la fontaine devant le Château de Lis ne sont pas, pour E, des cyprès (cf. L 3983), mais des oliviers (13369 ; - 6 vv. omis par T : saut de voit à avoit).

Au v. L 3331 (scène d'ouverture de la Br. IV : le roi pensif au retour de la chasse), Arthur s'accuse de mauvaistié et de perece (parce qu'il y a longtemps qu'il n'a pas tenu cour) ; il reprendra ces mots dans la scène suivante (L 3492 : le roi pensif à table - parce qu'il se reproche de n'avoir pas quêté Girflet). TEMQ citent les deux termes à la seconde occurrence (9035/12807), mais seulement

perece à la première (8790/12562). Le remanieur de ASPU, qui développe énormément la seconde scène, ne les cite jamais : sa réfection
est destinée à montrer un roi Arthur fort, autoritaire, et qui ne
fait de reproches qu'aux autres. Mais sont-ce TEMQ qui ont supprimé
mauvaistié la première fois, ou L qui l'a ajouté par anticipation ?
De toute façon, son texte, avec le verbe rare aperecir (3333), est
difficilior.

La petite troupe est à peine installée devant le Chastel Orguelleus qu'une grosse cloche y sonne et que 3 OOO gonfanons "sourdent"
aux murs (L 5306-08, et tous). Or ceci - l'apparition des gonfanons -
vient d'être, selon L seul (5303-04) suivi par E, annoncé par Bran
de Lis, dont L précise généralement et amplifie la fonction de "guide
dans l'Autre Monde" (cf. supra : c'est lui qui révèle que Girflet
est au Chastel). Les autres copistes ont pu trouver inutile cette
répétition ou plutôt cette anticipation.

Mais ce sont principalement les remanieurs, surtout ceux de
la rédaction longue, qui pratiquent l'anticipation. D'abord en ce qui
concerne les personnages. C'est ainsi que les héros de la Br. III,
Caradoc, Cador et Guinier, sont cités dès la fin de la Br. I (E 5413-
14, 5473 ss : énumération de la "cour" qui va partir assiéger Branlant). On sait que Cador, Guinier et Aalardin apparaissent dans le
Caradoc long bien plus tôt que dans le court. Le Riche Soudoier
(fin de la Br. IV) apparaît dans le tournoi du Caradoc long, ainsi
que , pour T, Bran de Lis, déjà connu depuis la Br. II (et qui ne
profite pas de l'occasion pour attaquer Gauvain). Dans leur complément
à la liste des quinze, AS ajoutent Guingamor et Guerrehés, qui ne
devraient pas intervenir avant la Br. VI.

Dans MQEU, c'est dès le second jour du siège de Branlant
qu'Arthur fait dresser ses mangonneaux et ses pierrières (5660 ss) ;
dans la rédaction courte, c'est seulement au bout de trois ans (L
1204 ss : juste avant l'ultime tentative des belles assiégées). De
même, dans la rédaction longue, c'est dès son arrivée devant Branlant

(II/1) que le roi fait édifier trois châteaux ; dans la rédaction courte, c'est seulement après le retour de Gauvain (II/8). Dans le Caradoc long, Arthur annonce qu'il adoubera son "neveu" (E 7018-20) ; dans le court, on ne l'apprenait qu'une fois la chose faite (L 2202 ss). Anticipation manifeste de MQEU introduisant Eliavrés portant l'épée dont puis ot la teste copee (E 7146) ; mais T anticipe encore davantage en ajoutant, dès III/1, qu'Eliavrés, non seulement pouvait prendre l'apparence d'un oisel ou d'une beste, mais encore qu'il pouvait trancher les têtes et les recoller parfaitement (3107 ss). Dans la Branche du Graal, T fait, avant les autres, éclater l'orage et revenir le beau temps (13005 ss) ; il précise, mieux que les autres et avant eux, que le Graal se déplace de lui-même (13282). Dans la Br. VI, T suivi par E, avance d'une pièce les injures adressées à Guerrehés (T 14799 : dans la 3e chambre ; L 9000 ss : dans la salle), de même qu'il introduit dans la salle (14814) les borjois que les autres copistes (sauf E) ne trouvent normalement que dans les rues (L 9016). Dans l'avant-dernier épisode, T et E sont seuls à préciser que le héros veut retirer le tronçon de la lance du corps du grand chevalier (15129/ 19393), ce qui provoque la mise en garde de la part de la demoiselle (L 9309 ss).

Dans le "regret" que le Roi du Graal prononce sur la mort de la bière, AS et T, en évoquant la terre qui doit être recovree (A 7309) et (re-)pueplee (T 13369), anticipent sur ce que l'on ne saura que le lendemain (L 7733-34, 7766 ss). De même, dès l'épisode 1 de la B. VI, AS anticipe en faisant deviner à Arthur que le mort de la nef a dû être beaucoup aimé (A 8390 ss), ce que les autres copistes ne disent que dans la scène suivante (L 8561 ss).

L'anticipation prend d'ailleurs souvent la forme d'une interversion de scènes ou d'actions. Dans la Br. I, Gauvain, selon MQ, saute à cheval aussitôt après avoir envoyé ses messagers au Guiromelant (cf. E 1106-07) ; selon les autres, seulement après le retour desdits (L 754 ss) ; - dans EU, on s'en doute, il monte deux fois à cheval

347

(1106-07, selon MQ, et 1364, selon A, bien qu'il ait déjà "porsailli" sa monture !). Au début de la Br. II, c'est, selon la rédaction courte, dès leur arrivée devant Branlant que les royaux attaquent ceux de la ville (L 1094 ss), tandis que, dans la longue, on dresse d'abord le camp (E 5548 ss) ; - à dire le vrai, la chose est plus compliquée, car MQ ne parle pas de l'établissement du camp, que EU recopie d'après un texte proche de A, mais avant le récit de l'escarmouche, et non après (il faut dire aussi que, selon MQEU, 5521, l'armée n'est arrivée devant Branlant que le soir, tandis que, pour L 1091, elle l'a fait dès le matin).

Dans le Caradoc long, Eliavrés apporte le serpent avant d'en parler à sa complice Ysave (E 9843 ss ; - cf. L 2609 ss). Dans l'épisode 12 de la Br. IV (Gauvain rencontre le Riche Soudoier pros-tré), ce sont ASPU qui présentent le mystérieux grand chevalier avant de décrire le site : la réfection est maladroite, car le remanieur est amené à parler deux fois de l'arbre sous lequel est assis le Soudoier (A 5831, 5844) ; L, suivi par EMQ et T, est plus "visuel" : ce que Gauvain voit d'abord, évidemment, c'est la maison forte, sa palissa-de, etc., et non un homme assis au pied d'un arbre.

Peut-on dire que MQEU anticipent lorsque, chez eux, Keu taxe de folie celui qui relèverait le défi de l'enchanteur (E 7173-74) ? Dans la rédaction courte, ce sont tous les chevaliers qui le font. Plus loin, dans le Caradoc long, le héros le reprochera au séné-chal en le châtiant durement (E 8807 ss). Le responsable de MQEU a-t-il remanié la première scène pour pouvoir écrire la seconde ? Ou s'est-il, pour celle-ci, souvenu de sa version propre de celle-là ? Nous avons vu que, pour la seconde, il anticipait sur la Br. V, où le héros - Gauvain, alors - foulera Keu aux pieds de son cheval. Mais, pour la première, il anticipe aussi, en attribuant à Keu une réaction primesautière - fort traditionnelle, il est vrai - analogue à celle que le sénéchal aura dans le "lai du Cor" (III/16, L 3167-68, 3175-77 - la rédaction EMQ a le même texte).

Parfois, au lieu de l'anticipation, on trouve son contraire. C'est ainsi que, dans la rédaction longue, l'exposition intimidante des cinq cents écus est renvoyée après l'entrée d'Arthur au Palais de la Merveille (E 888 ss) ; dans la courte, elle a lieu avant (L 396 ss). Le remanieur a dû estimer qu'il était inutile d'effrayer deux fois l'ost d'Arthur : une première, par cette exposition, une seconde, par la découverte de la disparition du roi : il a réuni les deux causes, et c'est parce que l'armée est effrayée par l'illumination que le sénéchal se rend à la tente du roi, qu'il n'y trouve pas. Mais l'esprit est changé. Dans la rédaction courte, Ygerne fait exposer les armes dès qu'elle sait qui est le nouveau seigneur du château (son petit-fils) et que celui-ci l'a quittée pour aller voir son oncle : elle fait décorer le Palais en l'honneur de son fils (Arthur) qu'elle attend ; quant à Gauvain, alors arrivé au camp, il ne tient qu'à lui de rassurer l'armée. Mais il ne le fait pas ; il ne rassure que son oncle, qu'il emmène aussitôt, comme en cachette (L 416 : ... que li rois s'emble), ainsi que la reine, au Palais. L'armée reste sur sa peur, et c'est alors que le sénéchal vient à la tente royale. Le "suspense" fait place à la terreur, et l'ost s'arme, prête à s'enfuir. C'en est trop, et MO n'a pas ce dernier passage, que EU s'en va copier dans la version courte. Dans la rédaction longue, l'exposition des armes n'a pas le caractère d'annonce, d'invitation, d'espoir, qu'elle a dans la courte : elle n'est que le couronnement des festivités en l'honneur du roi (réception solennelle, avec procession, service à l'église, etc.). Une fois de plus, le remaniement "courtois" nuit à l'effet dramatique, au "suspense" et aussi au symbolisme. Le roi et la reine sont préservés de l'erreur et de la peur. L'illumination n'a plus ce caractère d'appel mystérieux et ambigu : elle n'est plus qu'ostentation, manifestation de la satisfaction, ce qui permet au remanieur d'opposer la joie plénière du palais à l'effroi et au sentiment de déréliction de l'armée, et de faire de belles antithèses rhétoriques :

> Mais li jeus est molt mal partiz,   E 938-44
> car cil chantent, et deça crïent ;
> cil deça plorent, et cil rïent.
> Par une meïsme achoison
> plorent et chantent par reson :
> el chastel chantent por lou roi,
> et an l'ost an sont an esfroi.

Tout est clair : il faudrait être stupide pour ne pas comprendre, alors que, dans la rédaction courte, il s'agissait de ressentir, d'éprouver, de deviner. Ici, on enfonce le clou. Cela passe par la tête : c'est "raisonnable" (reson), cela suit le "principe de causalité" (achoison). En un mot, c'est, au moins. contemporain de la Queste : le récit est devenu "littérature".

C'est bien le même remanieur qui, au début du Caradoc, nous montre Eliavrés tombant amoureux d'Ysave le jour même de son mariage avec le roi de Vannes (Nantes), alors que, pour la rédaction courte, il l'aimait depuis longtemps. Il faut disculper la jeune reine : aussi Eliavrés l'anchante, la "dompte" par nigromance, barat et conjure (E 6759-61). Et il faut certainement comprendre qu'Ysave, ces trois nuits, croit bel et bien coucher avec son mari - dont l'enchanteur a pu facilement prendre l'apparence ; cela n'est pas dit, mais le texte est pour le moins ambigu - plus exactement, ce n'est pas celui de E qu'il faut lire : Eliavrés a donc si bien subjugué et envoûté Ysave

> ... que son seignor fait elle injure.   E 6762-66
> Qant se cuida (le roi) a li (elle) couchier,
> ainz ne s'i sot si bien gaitier
> que tote celle nuit premiere
> ne jeüst o une levriere.

- c'est celui de MU, qu'il convient de ponctuer différemment :

> ... a son seignor fait telle injure (var.)
> quant se cuida (elle) o lui (le roi) couchier.
> Ainz ne s'i sot ...

- notons que E écrit, lui aussi, a lui (seul Q écrit a li), et la correction de W. Roach n'est pas justifiée. Cela n'empêchera pas qu'Ysave ne devienne une véritable garce, mais, si l'on peut dire, ce n'est pas sa faute : elle a été sorprise (Q 6759, contre amprise de EM) et anchantee (U doit trahir l'idée en écrivant : esprise et eschaufee). Comme sa presque homonyme Yseut, Ysave, au début, est plus victime que coupable. Mais, d'autre part, c'est bien le même "premier auteur" qui ne nous dit pas un mot sur les "états d'âme" de la jeune princesse, ne fait pas la moindre réserve sur sa culpabilité, affirme même que la première nuit (et les autres aussi) se passe

... a grant joie et a grant deduit   L 2072

(vers que MQEU se garde bien de reproduire, et idée que T atténue : c'est l'enchanteur qui prend son plaisir - et ot sa joie et son deduit, 3130), et qui nous a déjà raconté, et la récrira sans nul changement, l'allègre "coucherie" de Gauvain et la Pucelle de Lis.

IV - MONTRER SA COMPREHENSION DE L'OEUVRE, FACILITER CELLE QUE L'AUDITEUR DOIT EN AVOIR.

Il faut rendre le texte plus clair, plus immédiatement compréhensible. Cela au moyen de précisions (lesquelles peuvent être de petits rappels, de petites anticipations) ajoutées au texte primitif (tel qu'il semble bien être représenté par L) ; cela aussi en insistant, voire en développant quelque peu, de telle sorte qu'il soit impardonnable de ne pas comprendre.

La précision et les précisions. - Disons que ce n'est pas le procédé le plus fréquent, et qu'au contraire, plus souvent, ce sont les remanieurs qui laissent tomber les précisions que donne L (LEU, LUMQ). Celles-ci sont-elles le fait d'un premier remanieur (le responsable de L), ou viennent-elles du "premier auteur" ? Voilà qui est bien difficile à décider.

On pourrait dire que c'est également par un souci de précision que les remanieurs "élaguent" le texte de leur modèle, procèdent à de menues ablations pour le rendre plus net. Mais le style du "premier auteur" n'était pas spécialement touffu, et il n'écrivait pas pour ne rien dire, comme le feront si souvent les grands remanieurs-interpolateurs du XIIIe siècle, pour lesquels la richesse de la rime et la complexité (! c'est-à-dire la confusion, du moins le piétinement, le ressassement) de la pensée (!) vont de pair et s'entraînent mutuellement.

A parcourir la liste des omissions et suppressions de A (AS, ASP, ASPT), ou de MQ(EU), ou de T, on n'a que bien peu souvent - on n'a, à proprement parler, jamais - l'impression que les remanieurs tendent, par ces moyens, à une plus grande lisibilité du texte : c'est pour de tout autres raisons qu'ils pratiquent ce genre d'intervention - nous y reviendrons - et c'est de tout autres moyens (la correction, l'addition, insistance)   qu'ils emploient pour rendre leur modèle plus clair.

Un seul cas mérite discussion. Dans l'épisode du Cor magique, après l'éclatante "victoire" de Caradoc et de son épouse, le roi, dans L (3237-41), continue à faire circuler le dangereux objet. ASPU n'ont pas ce passage, mais c'est que, chez eux, le cor a circulé avant (A 3212-16), tandis que, pour L, il est passé directement d'Arthur à Keu, et de Keu à Caradoc. Dans la rédaction longue TEMQ, le cor circule et avant et après (T 8672-76 et 8692-97). Libre à chacun de choisir sa formule : le héros triomphe d'abord, puis les autres échouent (L) ; tous échouent, puis le héros triomphe (ASPU) - c'est le topos du conte populaire (Cendrillon, Peau d'Ane, etc.) - ; le héros triomphe au milieu des échecs généralisés (TEMQ). Esthétiquement, ou dramatiquement parlant, la formule ASPU est la meilleure, mais elle n'est guère de mise ici : pourquoi Caradoc, roi, héros particulièrement en vue (invité spécialement par Arthur), essaierait-il en dernier ? La formule L est la plus vraisemblable, mais, après

le succès du héros, l'histoire perd de son sel ; il faut cependant
qu'elle continue, et que tous essaient, pour que toutes ces dames
se mettent à détester la reine Guinier. La rédaction longue juxtapose
piètrement les deux formules. Mais, dans le traitement de L, on
reconnaît bien la "patte" du "premier auteur", son souci d'aller tout
de suite à l'essentiel. Notons aussi que la lectio de L, dans cet épisode, est difficilior, car l'auteur n'oublie pas que Caradoc est maintenant roi, et Guinier, reine, et il les appelle ainsi, ce qui risque de
provoquer quelque confusion avec Arthur et Guenièvre ; AS fait
comme L, mais PU tournent la difficulté en remplaçant li rois (le
roi) par un pronom (lui au v. A 3198, il au v. 3210) ou par son
nom, Carados (v. 3205). La rédaction longue EMQ n'appelle jamais
Caradoc et Guinier "roi" et "reine" ; pour elle, il n'y a qu'un roi,
et c'est Arthur ; c'est sans doute pour cette raison que le remanieur
a transformé le début de l'épisode III/15 (chasse, qui conduit Caradoc
chez Aalardin) : li rois qui organise la chasse n'est pas Caradoc
(comme dans LASPUT), mais Arthur.

Quant aux précisions "positives" apportées par les remanieurs
au texte du "premier auteur", elles ne sont pas légion, et elles sont
plus souvent oiseuses qu'utiles. Dans le Caradoc long, il est précisé
qu'Eliavrés, lors de la seconde "manche" du Jeu-parti, se contente
de frapper le héros dou plat de son épée ; les copistes de la rédaction
courte ne donnent pas de détail - sauf P (v. 2444 de A - commence-
rait-il à regarder du côté de la rédaction longue qu'il va rejoindre
cent vers plus loin ?) - et se contentent d'écrire que l'enchanteur
abaise l'épée (L 2436), ou boute dolcemant Caradoc (AS - avec l'é-
pée ?), ou rien du tout (T). Le même remanieur précise que la Tour
du Boufoi porte encore ce nom :

Et encor est ele apelee   T 6099-100
li Boffois en cele contree   (et EMQU+P)

- ce qui est parfaitement juste, du moins si tout cela se passe bien
à Nantes, non à Vannes, mais ce que laissait aussi sous-entendre
la rédaction courte :

> Cil del païs (AS terre) d'iluec entor   L 2560-61
> l'apelent la Tor del Boufois.

Il précise que la prière que la reine Guenièvre, dans l'épisode du Cor, adresse à Dieu pour que son époux soit mouillé est une parole cortoise (E 12354), c'est-à-dire plaisante (tot an rient pour EM, mais pas pour Q : ireemant !) et, en tout cas, astucieuse ; la rédaction courte n'a pas ce qualificatif, que l'on peut estimer, en l'occurrence, paradoxal et légèrement déplacé. Je sais que LASP emploient également cet adjectif, de façon un peu surprenante, pour qualifier la vengeance qu'Eliavrés va tirer de Caradoc (le serpent ! - cf. L 2610) ; ceci a peut-être inspiré cela ; les deux exemples, en tout cas, montrent combien ce mot de "courtois", fort à la mode, pouvait recevoir de significations détournées et assez spécieuses.

C'est le remanieur de ASP qui, au début de la Br. V, lorsque Gauvain part, fait dire à la reine : "Ja est il nuiz" ; on le sait, mais cette réaction de Guenièvre est bien vue. Il se croit aussi obligé, un peu plus loin, de préciser que les encensoirs sont allumés et répandent une grande et odorante fumée (A 7170 ss, encore plus développé dans T, 13196 ss) - mais il s'agit plutôt ici d'une addition. A la fin de la Br. V et au début de la Br. VI, c'est T qui se montre en veine de précisions : Gauvain et son fils s'abattent au milieu du gué (13877, - les autres copistes écrivent a la terre) ; c'est si le mort de la nef est vengé que l'on connaîtra son identité (14384-86) - pour les autres, c'est au terme de l'année, lorsque le corps sera enterré, vengé ou non ; T est le seul à préciser que Guerrehés entre dans la ville déserte en franchissant le pont (14455), ce qui n'est qu'impliqué par les autres, et qu'il monte (14456 : contremont) au château.

Mais il faut reconnaître que le copiste qui donne le plus de précisions est encore celui de L :

- avec T, le nom du cheval de Gauvain, le Guilodïen (513) ; P écrit son Gringalet ; les autres copistes le laissent anonyme ;

L et T le nomment encore une autre fois (758/794), tous les autres ne parlant toujours que de "cheval" ;

- L et T sont les seuls à préciser, nous l'avons vu, que l'assistance féminine au duel est composée de deux fois 3 000 dames et pucelles (1/3) ;

- les mêmes que l'armée s'achemine vers Branlant

... par landes, par forés plenieres   L 1077-78
gisant sor les beles rivieres.   (T 2057-58)

- L, seul à dire le "reflamboiement" de tout le pays, du fait des pommeaux d'or reluisans des tentes de l'armée royale et des écus reflamboians des champions arthuriens (1134-36 ; - les autres, vaguement : "riche", "bel", "chier") ;

- L et T voient "roont" le premier bosquet (bruellet) qui attire Gauvain 1535/2561) ; les autres ne le voient que "haut", "grant" (E : - L aussi), "bel" et "bien feuillu" ;

- selon L, T et E, Gauvain ne rentrera pas au camp avant d'avoir appris quelque estrange nouvelle (L 1564) ; les autres ne parlent que d'autre ou d'aucune ;

- nous avons déjà examiné (Chap. IV) tout ce que L apporte en propre à la description du pavillon de la Pucelle de Lis ;

- seul L, suivi par EU, précise que Gauvain entre toz armés dans le pavillon et qu'il trouve la Pucelle occupée à confectionner un las de hiaume ;

- dans le "lai du Cor", dans L seul Keu se moque joyeusement de l'insuccès d'Arthur : tot en riant (3198) ;

- à la chasse qui ouvre la Br. IV, seul L précise que le roi a emmené 50 compagnons (3277) ;

- ibidem, qu'Arthur éperonne (3309) pour rejoindre ses compagnons ;

- ibidem, seuls L et T, que Gauvain se range près de lui (T, comme les autres, le prend par le frein) tot (en) rïant (3310/8770) ; - les autres : errant, erranment, maintenant, tantost, isnelement - réfection oiseuse, pourquoi cette vivacité ?

- ibidem, L seul : à la cour qu'il vient de décider, le roi distribuera largement

"... terres, honeurs, or et argent ..."   L 3350

les autres, vaguement : il donnera tant ;

- ibidem, L est seul à employer l'adjectif plentiveus (3364) pour qualifier le "château" de Carduel ;

- à table, c'est dans L seul qu'Arthur accuse aussi Tor (3459), ce qui provoque la répartie de celui-ci, inexplicable chez les autres ;

- chez Bran, L, suivi par E, est seul à préciser que Bran, pour venir à la salle, passe de chambre en chambre (4559) ;

- pendant le duel de Gauvain et de Bran, L précise que la porte de la chambre par où entre la Pucelle s'est ouverte molt tost (4817) ; PU ont également cette précision, mais ils ont aussi le v. précédent, par lequel un premier remanieur a "traduit" molt tost :

Ne demora que un petit ...   A 4943

- par rapport à quoi ? il n'y a pas de terminus a quo ! Le premier remanieur a voulu éliminer l'interpellatif Signeur de L ; PU sont les témoins de son travail ; un second remanieur a éliminé le molt tost, incompatible, sans doute, avec la bonne éducation féminine ;

- L, suivi par E, précise que la robe de l'amante de Gauvain est ornée de lionciaus d'or (4824) : anticipation remarquable, lorsqu'on sait que leur indomptable fils ne pourra être appelé que Lioniaus ! Idée et idéologie fort différentes, tout à l'heure, dans AS(PU) qui nous donneront une précision, fort jolie apparemment, sur le vêtement du petit Lionel : taillé dans la même étoffe que celui de son oncle Bran (A 5038-42) ;

- L, est seul à donner le nom du médecin qui va soigner les adversaires : Juvenaus 5207 - qu'on pourrait tout aussi bien, comme l'écrit Roach dans sa note à ce vers, lire Ninenaus, ou Vivenaus, etc.) - d'où le sort-il ? Mystère ; mais pourquoi l'aurait-il ajouté au texte du "premier auteur" ?

- au v. 5269, L est seul à préciser que la petite troupe quitte Lis dès que Gauvain et Bran sont capables de chevaucher ;

- seul L, suivi par P, précise que le palefroi de l'amie du Riche Soudoier est blans (5918) ; il y consacre un vers entier (qui ert ausi blans come nois) qui semble avoir été refait par les autres (ains miudres n'ot ne quens ne rois) ; P a gardé "blanc" au v. précédent, alors que U écrit biau, et TEMQ, grant ;

- après la défaite du Riche Soudoier, alors que tous les autres rédacteurs intercalent un éloge de Gauvain (cf. A 6553-58), L précise - ce qui est évidemment fort utile - que le roi est reçu à grand honneur en la maistre tor du Chastel Orguelleus ; - alors que les autres écrivent que le Riche Soudoier fait chercher tout ce que le roi Arthur peut désirer (idée omise par AS, qui ne veut pas montrer le roi trop intéressé), L se contente d'écrire, comme un spectateur : Les riceces qu'il i trova / ne poroit nus hom deviser (6560-61) ;

- ibidem, L est le seul à préciser que ce sont les compagnons du roi qui molt desirent le retorner / vers Bretagne (6562-63) ; - les autres disent seulement que le roi reprend le chemin de la Bretagne ;

- L et U sont seuls à préciser, à la fin de la Br. IV, que, cependant qu'Arthur et les autres (sauf Gauvain, Keu et Girflet) quêtent le garçonnet kidnappé, un certain nombre de chevaliers du Riche Soudoier accompagne ceux qui rentrent directement en Bretagne (6684) ; les autres copistes parlent bien d' autres chevaliers, sans dire qui ils sont, ni d'où ils viennent ; seule la rédaction ex-longue

357

nous a dit que le Riche Soudoier, non seulement accompagnait le roi au départ du Chastel Orguelleus (cela, la rédaction courte aussi l'a dit), mais emmenait un certain nombre de ses "soudoiers" (lui huitiesme dans M, lui vintoime dans Q, lui centisme dans T) ; L aurait dû le dire : il ajoute un trait qu'il a omis de préparer, et ceux qui l'ont préparé l'ont oublié ;

- L, suivi par U, précise que le soleil est presque couché quand le sénéchal rejoint le chevalier inconnu (6794),

- et, suivi par U et MQ, qu'il l'est complètement lorsque Gauvain ramène ledit inconnu (6922) ;

- suivi par les mêmes, L précise que Gauvain porte lui-même le corps de l'inconnu, dans ses bras (a ses mains, 6974), devant la reine ; chez les autres, ce sont plusieurs chevaliers qui le portent (ASP), ou Gauvain le fait porter sur son écu (T) ; - pour la suite de cette Branche, voir notre Chap. V ;

- les mêmes re-précisent que Lionel ne laisse pas traverser le gué à un chevalier sans l'attaquer (8052) - confirmant ainsi le type de "Gardien du Gué" du jeune chevalier ;

- aux vv. 8559-60, L est seul à rappeler les éperons d'or que porte le mort de la nef (cf. L 8414 et tous) ;

- seuls L, P et V précisent que le grand chevalier blessé du pavillon est vêtu d'une jupe de porpre (8667) ; à la place, T écrit qu'il est bendez d'une porpre (14567) ; AS et MQU laissent tomber le détail ; l'accord de L et de V (et de P), montre bien, écrit Foulet dans son Glossaire (s.v. jupe) que le mot "était bien dans la source de nos différentes versions" ;

- seul L précise que c'est en riant que Guerrehès répond au Petit Chevalier qu'il s'empresse de quitter les lieux, tellement il a peur de lui (8856) ; les autres copistes ne comprennent pas cette ironie : ASPT ne disent rien, et MQ changent le rist durement de L en un fade dist doucement, mais notons que U écrit dist durement - à une lettre près, c'est la leçon de L, et U apparaît une fois de plus en position d'intermédiaire entre L et MQ (pour toute la fin de l'oeuvre) ;

- L, suivi par U et MQ, précise que, pour aller de l'île de la reine-fée à Glomorgan, la nef a parcouru cent lieues (9355-56) ; au lieu de cette précision, ASPT+E en ont une autre : Guerrehés s'est endormi sur un chier paile röé (suivie d'un vers de remplissage : si vos di bien por verité, qui répond au se li contes ne nos en ment que donnaient LUMQ deux vers plus haut) ;

- selon les seuls LUMQ, le cygne, en partant définitivement, "encline" le roi (9483).

Cette longue liste (que l'on pourrait sans peine doubler ou tripler) de précisions (qui n'entraînent pas de véritables additions) apportées par L (ou supprimées par un premier remanieur ?) ne fait que confirmer ce que nous savons déjà de l'esprit et de l'imaginaire de ce "copiste" - en qui il serait difficile de ne pas reconnaître le reflet la plus fidèle du "premier auteur". C'est une très nette prédominance du "régime diurne" ou "héroïque" de l'imaginaire : insistance "spectaculaire" sur tout ce qui est grand, vaste et haut, sur la lumière et l'éclat (soleil, or, armes), sur la blancheur aussi, sur la rapidité (de la chevauchée ou de la navigation), sur la distance (qui, en psychologie, se manifeste par le rire et l'ironie) ; sur la figure du père-roi, mais qui est avant tout un chef (son Arthur, fort alerte, plein de vie, de forme et de gaîté, n'a rien à avoir avec le roi vieillissant et souvent inerte de Chrétien) ; sur les réalités de la chevalerie guerrière, la force et parfois même la brutalité du chevalier, sur ses armes (qu'une jeune fille ne dédaigne pas de préparer), mais aussi sur le très vif esprit de "compagnonnage" ; le parallélisme, d'une part, et l'image du lion, de l'autre, parachèvent cette "constellation". Comme tous ses contemporains, notre auteur insiste (mais sans excès) sur la richesse, mais il met un accent particulier (et rare) sur la fertilité (plentiveus) ; il a un sentiment de la patrie (désir de retourner en Bretagne) qui évoque bien mieux les chansons de geste que les romans - sa part "romanesque" n'est guère représentée que par son goût pour le mystère, l'estrange. Son chevalier en jupe a choqué ses successeurs, de même que sa jeune fille qui s'occupe de hiaume ; c'est que l'esprit a changé. L'auteur de la Continuation-Gauvain participe encore pleinement d'une vision "romane" et "symbolique" du monde.

Le développement, l'insistance. - Les remanieurs développent, amplifient les données de la version commune. Ainsi R n'hésite pas à insister sur les sentiments pénibles et "discourtois", comme la haine du Guiromelant pour Gauvain, les angoisses de Clarissant, celles du roi et des autres spectateurs du duel. La rédaction longue MQ(EU) en fait autant : consternation de Clarissant lorsqu'elle apprend que Gauvain est son frère (E 604-23), ses affres pendant le duel (E 1642-73) - tout ceci préludant aux grands développements sentimentaux du Caradoc long. Mais elle insiste tout autant sur les sentiments joyeux : ceux des reines lorsqu'elles connaissent enfin leur nouveau seigneur (I/2), celui de Guenièvre lorsqu'elle a des nouvelles de Gauvain I/1), lorsqu'elle apprend qu'il arrive (I/2) ; la joie au Palais :

> Onques tel joie ne tel raige   E 858-59
> n'ot mes ou chastel, ce me samble ...

la joie à l'ost lorsqu'Arthur y revient :

> La joie fu si anterine   E 968-72
> que riens an tot le mont ne faut,
> de ne plus dire ne me chaut ;
> por ce soit li sorplus teüz,
> que ja n'an seroie creüz.

Plus tard, la joie des noces de Caradoc (père) :

> ... si faisoient joie si grant   E 6701-02
> q'an n'i oïst pas Dieu tonant ...

et, bien sûr, celle de la guérison de Caradoc fils (E III/14, vv. 11527 ss, 11599 ss, 11623 ss, 11688 ss, etc.).

Les sentiments opposés se mettent en valeur, et le remanieur-délayeur ne manque jamais de souligner le contraste entre la joie des uns et la tristesse des autres, ou entre la joie et la tristesse à laquelle elle succède - c'est un des leitmotive de sa rédaction :

Por la joie li diaus s'an vet ...   E 288

... la plus iriee est molt joieuse.   585

Et totes les autres font joie,   614-16
fors que Clarisant solemant
qui de la tor s'an ist plorant ...

... que s'il ont grant joie planiere,   885-86
grant duel ont cil de la riviere ...

Mais li jeus est molt mal partiz,   938 ss
car cil chantent, et deça crïent, etc.

Aussi grant joie orent tantost   960-61
com il avoient duel eü ...

etc. - on pourrait citer une cinquantaine d'exemples dans la Br. I et
la Br. III ; l'interpolateur est fort conscient de l'intérêt, de la valeur
dramatique de ce contraste :

... et de joie chascuns ploroit.   E 11694-700
Si vos di bien que se refont
de la dolor que traite an ont ;
et tant con l'ire fu plus forz,
an est or graindres li conforz.
Et bien avient que de grant ire
sort de joie molt grant matire.

Ce sentimentalisme, ce goût du contraste, du chiasme, sentent leur
XIIIe siècle déjà avancé, et l'interpolateur est bien le contemporain
d'un Gautier de Coincy.

Mais ce sentimentalisme, souvent empreint de préciosité
et de mièvrerie, ne va pas jusqu'à engager le remanieur à occulter
les réalités désagréables, comme le faisait systématiquement l'école
de Guiot. Au contraire : il aime les émotions fortes. Lui qui cite
les héros épiques, comme Roland et Guillaume, transforme la première
escarmouche devant Branlant en véritable carnage :

361

Tuit ocïent et esboëllent,   E 5603-04
li mort desus les vis roëlent.

(ou, selon MQU : li vif desor les morz roëllent)

et, ces morts, on les enterre (E 5651-56) - notons que dans la rédaction courte, même celle de LT, il n'y avait aucun mort : seuls des chevaux étaient ocis (L 1110, 1122). Dans le grand tournoi du Caradoc, une foule de combattants (anonymes, il est vrai) trouve la mort, surtout vers la fin (E 9226-27, 9268-69) - sans parler des pauvres chevaux !

C'est avec une ironie d'un goût douteux que l'enchanteur appelle Caradoc pour la seconde manche : "Vien avant, si avras ta feste !" (E 7287 - il faut bien une rime à teste !). La scène où le roi Caradoc, informé de son infortune, chasse son épouse est développée (E 7474-500, soit 27 vv., contre 10 dans la rédaction courte). Est également développée la "Joie de la Tor" ; lorsqu'Eliavrès "s'aperçoit" qu'Ysave est enfermée à cause de lui, c'est par son art qu'il réussit à s'introduire auprès d'elle, et par son anchantement qu'il fait résonner dans la tour la musique des harpeor et des jugleor (E 9628 ss), etc.

Plus de la moitié du Caradoc long n'est qu'une énorme amplificatio des données de la rédaction courte. Sont surtout développés les voyages, à partir d'un vers ou de deux de la version courte, et aussi bien dans la Br. I (les préparatifs du départ pour le Château de la Merveille demandent 44 vv., contre 17 dans L) que dans la Br. III : voyage de l'anfes Caradoc vers la cour d'Arthur (E 6824 ss : 44 vv., contre un seul dans L ou A) ; voyage en Angleterre d'un messager qui doit ramener Caradoc jeune et départ de celui-ci (E 9685 ss : 78 vv., contre 4 dans la rédaction courte) ; retour à Nantes de Caradoc délivré du serpent, avec détour par Quimper (E 11617 ss) ! etc. Il en va de même pour les scènes d'armement (de Gauvain, du Guiromelant), pour l'adoubement du jeune Caradoc, pour les scènes de chasse. Arthur emmène à la chasse son jeune petit-neveu et lui donne des leçons de chevalerie et de courtoisie -

on se demande si le Lancelot en prose n'est pas passé par là. Encore à l'épisode 15 de la Br. III (Aalardin), bien que le délayeur commence à s'essouffler, la chasse royale - il est vrai que le roi est Arthur, non Caradoc - est développée en plus de 60 vv., contre une dizaine dans L, A ou T.

A partir de la fin du Caradoc, les développements de MQ (E,U) deviennent l'exception ; ils se trouvent aussi dans T ; à partir de la Br. VI, ils ne figurent que dans T et E (MQU restant proches de L). C'est surtout l'épisode 6 du Guerrehés qui est farci de petites interpolations d'un, de deux ou de trois couplets (cf. E 19203-04, 19213-16, 19223-24, 19241-42, etc.) - sans grand intérêt.

Le responsable de T(V), entre ses innombrables interventions, fait de nombreuses additions, notamment dans la Br. du Graal (nous en avons cité plusieurs au Chap. V), moins dans la Br. I (à peu près autant lorsqu'il suit la rédaction courte, et ensuite, la longue) et dans la Br. II ; très peu dans la Br. VI, et pratiquement aucune dans la grande Br. IV. C'est au Caradoc long qu'il ajoute le plus (environ 500 vv. !) - nous y reviendrons. La plupart de ces additions, généralement d'un couplet, ne sont que des développements, fort restreints, et qui n'apportent rien de nouveau et de marquant. L'amplification la plus remarquable dans la Br. I se lit aux vv. 1961-76 : soit 16 vv., habilement soudés au contexte, pour insister sur le fait qu'il y a de faux "prodomes", mais que le roi n'est pas de ceux-là. Dans le Caradoc long, T développe - et transforme - la tirade de MQ(EU) sur l'énamourement réciproque de Caradoc et de Guinier (4269-82) ; changeant le pronom el (Guinier) en il (Caradoc), il ne nous dit pas, comme MQ, que Guinier est fort amoureuse et que, comme il se doit, elle n'a pas l'audace de faire les premiers pas; c'est à Caradoc que T attribue cette timidité, bien que le héros ait amplement mérité l'amour de la jeune fille :

> Et si l'avoit ja tant servie   T 4273-76
> que s'amour a bien deservie,
> s'estre puet que por bel servir
> peüst tel amor deservir ....

- beau "quatrain parfait", du type ABAB (nous y reviendrons). Tout l'épisode du pavillon d'Aalardin a d'ailleurs excité la veine amplificatrice de T, en particulier les deux automates qui gardent l'entrée de la tente (celui qui tient une harpe et celui qui tient un dart). Il est remarquable que, une fois revenu à la rédaction courte, T ajoutera encore une longue description du site du château du même Aalardin.

Parmi les remanieurs de la rédaction courte, c'est celui de AS qui fait les plus nombreux développements. Il insiste (copié par EU) sur la beauté du Guiromelant (A 664-74), sur celle du mort de la nef au cygne (8489-506), sur le fait que Gauvain et son fils Lionel ont les mêmes boenes feitures (8169-71) - il s'agit sans doute du visage, de la physionomie ouverte et avenante, ce qui ne va pas sans connotation morale. Nous avons vu qu'il développe la liste des quinze (3787 ss). Il développe la description du dîner chez Yder le Beau (4069-76) ; il insiste sur le grand éclairage que Bran de Lis fait apporter dans la salle (4783-89), non seulement pour que l'on y voie plus clair, mais aussi

> ... por ce que sa corz riche apaire   A 4788
> et por fere plus bele chiere ...

- idée de richesse, mais aussi d'amabilité, d'accueil plus courtois. Dans la Br. V, il insiste sur l'échec de Gauvain (7349-52 , 7361-66, 7373-76), mais c'est, finalement, pour mieux exalter son héros, à qui est assigné le "programme" le plus exigeant (réminiscence du Conte du Graal, 7553 ss, 7590 ss). C'est un peu de la même façon qu'il insiste sur la "niceté" du jeune Lionel (7879-88), etc., pour mieux montrer le grand chemin qu'il doit faire pour aboutir à la perfection chevaleresque et courtoise ; - ou sur la prostration du Riche Soudoier sous son arbre (5832 ss), mais c'est qu'il est victime d'un amour excessivement courtois (développement à 5935-44).

A la seconde arrivée de la nef au cygne, AS insiste sur l'empressement du roi à s'y rendre (9327 ss) : attrait de la merveille, certes, mais, comme par hasard, le roi va découvrir aussi une pucelle sous la hordeüre. Lorsque Gauvain revenait de sa mission en éclaireur au Château de Lis, AS développait son compte rendu (4287-94) en insistant sur la joie qui y attendait le roi et ses compagnons ("... Soiez trestuit et baut et lié ..."). Dans le récit rétrospectif de Gauvain, il a insisté - et A seul encore plus - sur le dommage causé par le héros à la fille et à la tente de Norré de Lis (emprunt intempestif à la rédaction "viol"), mais aussi sur le caractère pacifique de Gauvain, qui offre mesure et amende (4502 ss, 4511 ss, 4534 ss). En un mot, AS insiste sur la cortoisie - cela, on le sait depuis longtemps - et c'est là, sans doute, la raison pour laquelle il développe le duel, devant le Chastel Orguelleus, du chevalier le plus courtois (après son ami Gauvain) : d'Yvain (notamment vv. 6031-44), trop sommairement traité par L (notons que son adversaire a une armure blanche, mais qu'il monte aussi un destrier blanc : signe de l'Autre monde, ce qui rehausse encore la gloire d'Yvain).

La famille ASP (à laquelle s'agrègent, selon les moments, T, ou R, ou EU, ou U seul) témoigne de la même préoccupation. Si le remanieur insiste sur la haine que le Guiromelant voue à Gauvain (A 730 ss), il le fait tout autant sur la courtoisie du premier (713 ss), sur l'éloge qu'Arthur fait de la valeur et de la beauté de l'adversaire de Gauvain (1001 ss) ; il insiste aussi sur les affres de Clarissant (966 ss). On sait qu'il développe énormément l'épisode IV/2 : "Crise à la cour d'Arthur" - dont toute la tonalité est "courtoise", au sens premier du mot. En particulier, Gauvain ne se déplace pas, à table, pour aller reprocher au roi sa tristesse : il lui envoie un valet, lequel a la courtoisie d'attendre qu'Arthur ait laissé son pansé et relevé la tête pour lui adresser la parole (3415 ss ; - le trait figure aussi dans MQ et T, mais il est attribué à Gauvain lui-même).

Peu de développements, par contre, à mettre au compte du copiste seul de A (Guiot). Au début de la Br. I, il insiste sur la joie de la mère de Gauvain (315-22, 353-54). Quelques additions d'un couplet, sans grand intérêt, vers la fin de la Br. VI (9061-62, 9089-90, 9110-11), que E ne manque pas de lui emprunter.

Ici encore, c'est L, suivi d'abord par T, puis par E, enfin par MQU, qui fait le plus de développements - à moins que ce ne soit un premier remanieur qui les ait condensés ?

- nous avons suffisamment évoqué la grande description, par LT, des conrois ("cortèges") du Guiromelant ;

- LT amplifient - ou les autres résument ? - le début du duel de Gauvain et du Guiromelant, la fougue avec laquelle les deux adversaires s'élancent l'un contre l'autre, le combat à la lance ...

- ... puis les premières phases du combat à l'épée ;

- si l'on n'observe pas d'amplifications dans les Br. II et III, elles reprennent dès le début de la Br. IV ; après avoir condensé au minimum la "crise à la cour", L développe l'envoi, par Arthur, des 15 lances et des 15 gonfanons aux quinze champions qui vont être énumérés (3547-54) ;

- dans l'épisode IV/6, L, suivi par E, développe le rappel que fait Bran à Gauvain de leur duel interrompu et de leur convention (4623 ss) ;

- L, seul, insiste sur le grand éclairage de la salle - les gens qui tiennent des chandelles sont si rapprochés

        ... que par poi qu'il ne s'entr'ardoient,   L 4666

- et sur l'armement de Bran de Lis (4667 ss) ;

- suivi par E, L insiste sur la joie innocente du garçonnet qui se mire dans les épées en riant aux éclats :

        Mervelleuse joie faisoit,   L 5086-87
        çar li miudre enfes del mont ere ...

- les mêmes insistent sur l'hommage que Bran fait à Arthur (5137-42) ;

- sur les écuyers et les serjans de Bran qu'Arthur emmène, avec leur maître, bien sûr (5271-74) ;

- LE développent l'idée que la capture de Lucan n'est pas un tel malheur (à la condition qu'il ne soit pas grièvement blessé), car il pourra réconforter Girflet (5469-70, 5477-80) ;

- les mêmes : l'armement de Bran de Lis, en 24 vv. (5590-613) contre 5 vv. chez les autres ;

- les mêmes développent, nous l'avons vu, le compte rendu que Gauvain fait de sa rencontre du grand chevalier prostré (5987-94) ;

- ils amplifient le motif remarquable de la sortie matinale et de la toilette dans la rosée (6128-32) ;

- de même, le rappel du "privilège solaire" de Gauvain (6269-80) ;

- (début de la grande lacune de E) - L insiste sur l'hommage que tous les Soudoiers viennent faire à Arthur, de même que sur leur beauté, leur richesse, leur noble ordonnance (6534-50) ;

- dans la Br. V (Graal), L, suivi maintenant par U et MQ, insiste particulièrement sur le désarroi de Gauvain resté seul, une fois de plus, après le repas servi par le Graal (7312-22),

- de même que sur le "saignement" ultime du Sauveur, le jour du jugement (7450 ss) ;

Les mêmes insistent, enfin, sur la douleur du roi, qui ignorait ce qu'était devenu son neveu Gauvain ... depuis plus d'une dizaine d'années (8184-88). - L ne fait aucun développement remarquable dans le Guerrehés.

Nous sommes bien toujours dans le même registre : celui du héros, de l'homme (aucun de ces développements ne concerne une femme), du roi - à la fois figure de chef, de maître (les hommages) et de père (son affection pour Gauvain). Dans le "régime diurne" : la lumière, l'éclat, le soleil, le matin, etc. Relève aussi de la "première fonction" (dumézilienne) l'insistance sur le droit (la convention, le Jugement). Tout pour le guerrier ("premier régime" durandien, "deuxième fonction" dumézilienne) : armes, armement, duel, cortèges, compagnonnage, et l'enfant n'est digne d'intérêt que s'il se comporte comme un petit héros. Pas de phobie du sang, mais la hantise de la solitude - on est bien loin de la "mystique" du "chevalier-errant" ! Attirance-répulsion à l'égard de ce qui est "estrange" et qui consiste généralement en la juxtaposition (ou succession sans transition) des contraires (caractère "antithétique", voire "schizomorphique" du "premier régime" de l'imaginaire) : les sauvés et les damnés au Jugement, la salle qui se vide et se remplit en un clin d'oeil. Il est superflu de souligner combien tout cela va dans le sens de l'"oeuvre" rassemblée par le "premier auteur". Une fois de plus, ou bien L "en rajoute" (mais bien dans le sens de l'oeuvre), ou bien un premier remanieur (courtois) estompe, édulcore et "euphémise" : les deux peuvent être vrais.

V - COMPLETER L'OEUVRE PRIMITIVE.

Les **additions** véritables sont plus que des précisions apportées au texte qui les implique, et que les développements des données inscrites plus sommairement dans le modèle. Même restreints ou peu saillants, ce sont des éléments nouveaux que tel remanieur ajoute à l'oeuvre primitive (ou à la version déjà modifiée qu'il a sous les yeux).

Nous n'insisterons pas sur les additions-interpolations de la rédaction R (cf. Chap. II et III) qui ne traduisent que des réactions personnelles et n'ont pas eu d'effet sur les autres remanieurs. Nous n'étudierons pas non plus les additions individuelles de la plupart des autres copistes, notamment celles de S, si nombreuses et si médiocres : ce ne sont que des délayages, et S a l'art de ne jamais ajouter de son cru quoi que ce soit d'intelligent, de nouveau, quelque chose qu'on attendrait et qui pourrait éclairer ou confirmer le texte. Le copiste de P ne fait pratiquement qu'une addition de quelque envergure ; à l'épisode IV/14 (armement de Gauvain), il ajoute la description du bliaut que le héros passe sur (?) son haubert :

> D'un samit vermel laceïs   P, Append. IV,
> a trois boutons d'or gieteïs   37-39
> estoit li bliaus qu'il vesti ...
>
> Parmi les las des boutons d'or   42-43
> paroient biestes et oisiaus ...

P semble hanté par les "boutons d'or" ! Notons la mauvaise ponctuation de W. Roach : le samit se rapporte au bliaut, non au tapis de paile (v. 36) sur lequel s'arme le héros.

Les additions de T. - C'est le responsable de T(V) qui fait le plus d'additions. Notamment quant à l'onomastique, nous l'avons vu, et il faut souligner sa mention de Longin (13471) que l'on s'étonne de ne pas trouver dans l'interpolation sur Joseph des mss LAMQU. Il intervient plusieurs fois à propos du sénéchal Keu, mais nous avons pris le parti de regrouper dans un chapitre spécial tout ce qui concerne ce personnage si fluctuant et controversé. T est le seul à faire une transition entre les Br. II (Brun de Branlant) et III (Caradoc) :

> De lui (=Gauvain) est li contes remez,   T 3076-82
> car chi endroit plus ne parole.
> Revenir weil a ma parole
> et conter du bon roi Artu,
> qui encor devant Branlant fu,
> une aventure merveilleuse
> qui a oïr est deliteuse.

- on ne voit pas en quoi le "roman de Caradoc" le ramène à son propos (?), ni surtout en quoi cette aventure est deliteuse ! A la place de la grande transition de LUMQ entre les Br. V et VI (le "grand conte" change, ou faut ... le public ne connaît pas la vérité du "grand conte" ni son bon enchaînement ...), T en donne une, bien plus courte et "fonctionnelle" :

> Seignor, se Damediex me saut,   T 14115-18
> li contes de l'escu chi faut ;
> si comence cil del calan
> qui ariva en Glomorgan.

- réduire la Br. Graal à l'histoire de l'écu percé du naïf Lionel, et la Br. Guerrehés à l'arrivée de la nef n'est pas faire preuve d'une puissante capacité de synthèse, mais enfin il y a un effort ; plus justement, sans doute, T a voulu garder quelque chose de la transition donnée par LUMQ (il ajoute même un Seignor qui est bien dans la manière du texte originel, mais pas dans ce passage-ci !), alors que le remanieur de ASP a tout supprimé.

A la fin de la Br. I, au contraire, le texte primitif devait ne présenter qu'un couplet de transition : tous font hommage à Arthur,

> ... fors solement Brun de Branlant   L 1069-70
> sor cui il vait tot maintenant.

ASP, craignant de n'avoir pas bien précisé les choses, ajoute 6 vv. pour confirmer que la bataille du Gauvain et de Guingambresil n'aura pas lieu - on s'en doute, puisqu'Arthur a fait entrer ce dernier dans sa famille, et A, seul, ajoute 30 vv, pour dire les noces, les adieux, et préciser qu'Arthur renvoie Guenièvre en Bretagne avec les pucelles (délivrées ?). La rédaction longue, elle, ajoute tout un épisode de 145 vv. : développement sur la rebellion de Brun, décision du roi d'aller l'assiéger, rassemblement de l'ost royale et énumération (particulièrement oiseuse en ce qui concerne les dames et pucelles !). Quant à T, il ajoute 7 vv. de conclusion pour nous dire qu'Arthur reste trois jours avec sa mère et sa soeur ! - il les a emmenées à Escavalon ? il est revenu au Château de la Merveille ? En un mot, T essaie, de façon assez superficielle et passablement maladroite, d'ajouter quelque "liant" entre les Branches.

Lorsque T suit la rédaction courte, il ajoute peu de chose : l'enfant Caradoc est envoyé à Arthur lorsqu'il sait le latin (3178-79) ; au retour de la chasse (III/3), le roi prend du retard sur les compagnons, lesquels sont captivés par le récit que fait Gauvain :

> ... une aventure T 3213-15
> d'une trop bele envoiscüre
> qui avenue li estoit ...

- on peut imaginer qu'il s'agit d'un de ces "contes d'aventure" qui couraient dès le milieu du XIIe siècle et dont le héros était le plus souvent Gauvain (et ses amours multiples).

L'addition la plus importante de T à la rédaction courte concerne le site du château d'Aalardin du Lac - pour justifier ce "surnom" dont aucun autre copiste ne nous donne l'explication. La rédaction courte implique la traversée d'une eau, puisqu'il faut s'engager sur une grande chaucie, battue par une ive grans / et noire et parfonde et bruianz (L 2941-42) - eau "mythique" qui ne correspond guère à celle des lacs ordinaires (attraction exercée par la Br. V ?) - avant d'arriver à la sale d'Aalardin (cf. encore la sale du Graal). La rédaction longue EMQ supprime cette traversée aquatique : on arrive (Caradoc sous la pluie, Aalardin dans la "clarté") à un riche recet (E 12050), où l'ami du jeune roi se fait reconnaître de lui. Le responsable de T, lui, nous décrit un site complet, avec un vrai lac, au milieu duquel s'élève le grand château de l'aimable magicien (cf. notre Analyse, III/15). Notôns, entre parenthèses, l'inconséquence magistrale de cette rédaction, appelée "mixte" à juste titre : T, qui suit maintenant la rédaction courte, raconte donc ici la première rencontre de Caradoc et d'Aalardin, alors que, lorsqu'il suivait la longue, il nous les montrait amis inséparables pendant plus de 2000 vv. ! Encore une fois, les lecteurs qui ont pris connaissance de la Continuation-Gauvain d'après le premier volume publié par Roach ont eu bien de la chance s'ils y ont compris quelque chose !

Nous avons signalé quelques additions de T dans la Br. Graal (cf. Chap. V). Dans le Guerrehés, il n'ajoute guère que la grosse escarboucle ardant qui éclaire la 3e chambre (14515-18), substituant ainsi un élément magique à un symbolique (l'or, qui décore la chambre - omis par T ! - et le somptueux couvre-lit).

Or cette escarboucle doit représenter une "hantise" de T, puisqu'il l'ajoute, dédoublée, à la description très détaillée (30 vv. de plus que dans EMQU+P) du fameux Pavillon d'Aalardin (v. 4039 ss) : ce sont les deux yeux de l'aigle d'or qui le couronne, lesquels yeux "enluminent" tout le bois environnant. De plus cet aigle chante lorsque le vent y pénètre, car il est creux. T, décidément en veine pour tout ce passage, développe les vertus des automates qui gardent la portière du pavillon ; il ajoute que celui qui entend la harpe ne ressent plus ni faim, ni soif, ni aucune sorte de malaise - c'est le merveilleux d'Huon de Bordeaux ou du Lanzelet, non celui de Chrétien ou de son continuateur. De plus le harpiste automate joue le Lai de l'Alerion (encore un aigle !) quand son maître le lui commande, et surtout lorsqu'il revient au Pavillon, que les pucelles, alors, s'empressent de joncher de fleurs et de plantes odorantes (raccord habile avec le contexte de EMQU : le Pavillon est jonché ...). Et T ajoute encore ceci : ce sont ces herbes qui dissipent la douleur de Cador blessé (le son de la harpe ne suffit donc pas ?) ; c'est le soëf odorement / des especes et du pieument / dont il paveillons estoit plains (4195-97) qui le guérit quasi incontinent - ce qui n'empêche pas la soeur d'Aalardin de le soigner pendant toute une semaine !

Il semble bien que ce remanieur-interpolateur de T, qui sévit aussi et surtout pendant tout le récit du tournoi, soit passablement différent de celui que nous voyons à l'oeuvre avant et après le Caradoc, et même avant la fin de celui-ci, où nous ne relevons guère qu'une addition-correction (v. 7523-28 : Cador, ayant retrouvé Caradoc, vient à Nantes et informe le père de son ami avant d'aller voir la reine Ysave).

372

Les additions de MQ. - Nous devons évidemment faire un tri parmi les innombrables et parfois énormes additions de la rédaction (vraiment) longue MQ : nous ne parlerons donc pas, sauf exceptions, des grandes interpolations des Br. I et III. Redisons, pour mémoire, que les non moins innombrables additions de E ne sont que des emprunts, quasi littéraux, à un manuscrit de la rédaction courte, ou, plus justement, à deux, car il copie aussi bien un texte proche de L qu'ailleurs un texte proche de A - il lui arrive même, dans la foulée, d'emprunter à l'un puis à l'autre, comme dans II/1, v. 5548 ss, où il copie d'abord 19 vv. de la rédaction A (1194-212), puis 12 de la rédaction L (1085-89, 1094-100) !

Au début de la Br. I, le roi Arthur charge le connestable d'ordonner à un banier de rassembler les chevaliers (E 362 ss) ; on ne part pas avant d'avoir entendu la messe au mostier Sainte Katerine (384 ss : ... a l'ofrir fu la presse espesse) ; le Chastel de la Mervoille est plus ou moins décrit (453 ss) ; Arthur, pour prévenir son neveu de son arrivée (comme si celui-ci ne s'en rendait pas compte !), lui renvoie son vallet, lequel traverse en bastel la fameuse rivière (470 vv) ; Gauvain rassure les reines : l'ost est celle de leur fils et frère, le roi Arthur (576 ss) ; Gauvain traverse la rivière avec 30 compagnons, et l'on ne sait pas très bien s'ils ont affaire à un passeur (cil singulier, 644), ou à plusieurs (cil pluriel, 650) ; Arthur emmène Gauvain à la tente de la reine, laquelle est richement habillée (797 ss) ; une grant procession sort du Château à leur rencontre, où se mêlent tuit li borjois dou chastel (837) - Gauvain n'en avait guère vu dans le Conte ! -, les chevalier novel, les puceles orfelines, et les deux reines deseritees ; à nouveau un grand service à l'église, avec une grande oferande (865), etc. Lorsque Gauvain s'arme, c'est Tristan qui lui lace sa vantaille,

> ... icil qui por Yseut la Blonde   E 1041-42
> ot tant d'anui et tant de honte ...

son hiaume est de l'uevre Salemon (1044 - c'est une rareté !) ; son épée a cette vertu que, si l'on en frappe du plat une femme enceinte, celle-ci accouche aussitôt (1045 ss), etc.

Au début de la Br. II, grande description de Branlant, la cité aux cinq évêchés (!) ; après la première escarmouche, Arthur tient un conseil de guerre, où le roi d'Irlande lui conseille de bloquer le port, d'où les trois châteaux (5787 ss), etc. Dans le Caradoc, l'adoubement du jeune prince est longuement décrit ; la reine Guenièvre lui fait don, ainsi qu'à ses 50 compagnons, de riches chemises ; le manteau de Caradoc est si riche que Charles Martel eût été flatté de le porter le jour de son couronnement ; messe du Saint-Esprit ; grand repas, riche vaisselle :

> ... d'or et d'argent et cope et nes.   E 7115-18
> Qui me devroit coper le nes
> ne porroie je dire pas
> la grant richesse des henas ...

L'enchanteur arrive en chantant un sonet ... qui rime avec sa coife de bonet (7141-42) ; Yvain se retient d'arracher l'épée des mains de Caradoc (7200-03 - influence de l'épisode du Chevalier enferré dans le Lancelot en prose ?) ; pendant l'année qui s'écoule entre les deux "manches" du "Jeu-parti", les parents de Caradoc multiplient aumosnes et bienfait (7268-72), etc. Caradoc saisi par le serpent, Ysave, bien plus hypocrite que dans la rédaction courte, feint la douleur et s'écrie que c'est elle que l'animal aurait dû prendre (9935 ss), etc. Pour s'enfuir, Caradoc ferme solidement la porte de sa chambre et passe la nuit, aidé de son valet, à percer un trou dans le mur du verger (10426), etc. A la suite d'un monologue éploré de Guinier, l'interpolateur s'extasie et fait une leçon d'amour :

> Vos qui amez, or esgardez   E 10712 ss
> se tiex amors sont mes ou monde ...

N'omettons pas que, pour que la guérison soit obtenue, il faut

> ... que il fust plaine lune ;   E 11181 ss
> de vin aigre fust plaine l'une (des deux cuves)
> et l'autre fust plaine de let ...

374

Le dévouement de Guinier est souligné par une longue tirade contre les faus amanz (11297-328) ; description de l'état misérable et de la laideur de Caradoc (11353 ss) ; nouvelle messe du Saint-Esprit pendant l'opération, puis procession des saints ermites qui viennent entourer les deux cuves (11491 ss), etc. Grands dons à l'ermitage, qui devient la plus riche abbaye de Bretagne (11609 ss) ; Caradoc a hâte de revoir sa mère (11647 ss), de lui pardonner, de la délivrer de sa prison, etc.

Il est difficile de caractériser l'imaginaire du délayeur qui se bat ainsi les flancs pendant des milliers de vers, sinon en disant qu'il est des plus médiocres. Son travail : allongement, étirement maximum des données, explicites et implicites, du modèle, addition de banalités, de considérations "courtoises" et surtout moralisatrices, voire édifiantes. Son dessein, redisons-le : "noyer" l'histoire horrible sous un déluge de belles "chevaleries" et de bons sentiments.

A partir de la Br. IV, MQ ne fait plus aucune addition propre : il est longtemps lié à T : éloge de la largesse d'Arthur (amorcé par ASPU, lesquels n'opposaient le roi qu'aux orguilleus, 3262 ; TEMQ le font, eux, aux angoisseus, tristes et avares : 12514-20) ; la reine accompagne le roi jusqu'à la sortie du palais (12596-98 - le topos du convoi revient sans cesse dans le Caradoc long). La tendance est à l'explication : dans une chambre du Château de Lis, Gauvain, selon L, aperçoit quelque chose qui le fait immédiatement lever de table et s'armer ("suspense" !) ; dans ASPU, c'est un écu qu'il voit pendre à une cheville (4344) ; dans TEMQ, cet écu porte encore un tronçon de lance auquel est resté fixé un gonfanon (13548 ss) : le mystère est considérablement éclairci ! Dans quel sens s'exercent les remaniements entre les années 1180-1200 et 1220-1240, sinon dans celui de la rationalisation, de la destruction du merveilleux et du mystère, lesquels sont d'ordre "symbolique", de l'explication (et de l'allégorie), du fantastique (lequel est, on le sait mieux depuis les travaux de Todorov, d'ordre "intellectuel") ? Et, bien sûr, dans celui du sentimentalisme, du moralisme, du contritionnisme. Comment s'étonner, dès lors, de lire dans TEMQ (auxquels se joignent PU) la version "viol" des amours de Gauvain et de la Pucelle de Lis? Ou, d'autre part, de lire chez TEMQ que la force de Gauvain redouble à minuit - aberration du point de vue symbolique ?

Les additions de TEMQ vont se raréfiant de plus en plus ; et ont de moins en moins d'intérêt. Signalons encore celle-ci : une fois retrouvé le garçonnet, le Riche Soudoier compte bien accompagner Arthur en Bretagne, quar la roïne veult veoir (16719). Menu trait de courtoisie, de même que la joie que l'on fait à Guerrehés revenant à la cour (18153-54), ou l'honneur fait au héros dans le château de l'île (19445-46 : on le place au mestre dois).

Les additions de AS et de leur famille. - Autant comme A, seul, fait relativement peu d'additions (mais significatives), autant comme S, seul, en fait des masses (où l'insignifiance le dispute à la bêtise), autant AS, ensemble, en font un certain nombre, dignes d'intérêt. Première remarque : elles ne commencent qu'au début de la Br. IV - ce qui peut être lié au problème de la dualité d'auteur.

Dès IV/2, AS précise que le roi écoute tote la grant messe, et qu'il ne se lave les mains que quand l'avanture (mais on ne sait laquelle) est arrivée (3335-36, 3341-42). Il allonge, rappelons-le, la liste des quinze et la porte (ce n'est pas ce qu'il fait de mieux) à cent (mais ne nomme qu'une vingtaine des surnuméraires). Il insiste sur le caractère désertique du pays que traverse la petite troupe (3821-22), mais ajoute que celle-ci ne se plaint pas trop bruyamment, par égard pour le roi (3844-46). Il insiste sur la courtoisie d'Yder le Beau (3973-76) et détaille le repas qu'il fait servir aux royaux (4069-76).

Devant le Chastel Orguelleus, Lucan fait don au roi du cheval de son vaincu (4565-66). AS développe la réponse de l'amie du Riche Soudoier ("C'est à cause de moi qu'il était pansis...", 5935-44). Le duel d'Yvain est précédé de l'assistance à la messe (6022) ;

nous avons déjà relevé que son adversaire a des armes blanches, sans "conuissance" (sans blason, parce qu'il est un "nouveau chevalier") et que son destrier est également blanc ; le récit du duel est développé (6032-4). AS fait préciser par le Soudoier qu'il se rendra, après sa feinte victoire, "en la prison du roi" (6401-04).

Nous avons examiné en détail la Br. du Graal, où AS fait de nombreuses interventions - notamment la tenture noire sur l'autel, le frein avec lequel la Main éteint les cierges, les voix qui se plaignent, etc. Les convives du repas servi par le Graal ne manquent pas de se relaver les mains avant de s'esvanoïr (7271-74) ! Insistance est apportée sur les hautes qualités exigées pour réussir l'épreuve, sur le grant pris qu'acquerra le vainqueur, etc. Le "Bel Inconnu", le fils de Gauvain, est régulièrement appelé par son nom : Lionel. AS insiste sur les boenes faitures du père et du fils (8169-71), sur la joie de la demoiselle (8181-84). Il précise que personne ne fait attention lorsque Gauvain dépose ses armes - qu'un inconnu vient reprendre (8244-46).

Dans le Guerrehés, Arthur souhaite que l'âme du mort de la nef ait eu autant de bonté que son corps a de beauté (8533-36) - beauté que AS n'a pas manqué d'exalter (amplification des vv. 8489-503 : le mort était un chef-d'oeuvre de Nature, selon S, de Figure ! selon A). Dans l'épisode VI/7, AS précise bien que Guerrehés enfonce sa lance dans la poitrine du Grand Chevalier (9209-13). A la fin, suivi par T et E, il ajoute qu'on se lave les mains avant le souper chez la Reine-fée (9290), et que jamais homme n'y fut davantage honoré (9284 ss).

Insistance donc, au premier chef, sur les valeurs courtoises (les bonnes manières, la délicatesse, etc.), mais aussi sur les valeurs chevaleresques (la gloire), morales et religieuses ; exaltation de la beauté et de la joie. Un certain souci de précision, de clarté.

Le remanieur de ASP ressemble comme un frère à celui de

AS : dans la Br. I, R relève aussi de cette famille, que copie souvent le responsable de EU ; plus tard, U s'y agrégera seul, puis T, enfin E. Il ajoute surtout aux éloges - ou des éloges - de Gauvain : les vv. A 575-86 (on y remarquera les rimes riches et très riches, qui ne sont pas dans la manière habituelle de A) ; 865-69 (la sagesse du héros), 1055-60 (sa courtoisie), 1697-702 (ses qualités morales - ses boenes teches - sensibles sur son portrait même), 6553-58 (exaltation du vainqueur du Chastel Orguelleus : personne ne peut se comparer à lui) etc. Aux vv. 1061-90, assaut de politesses entre Gauvain et le Guiromelant, compliments réciproques : pour chacun, l'autre est le meilleur chevalier du monde. Insistance aussi sur la générosité d'Arthur, qui donne trente forterecces au Guiromelant (1110 - est-ce simplement pour rimer richement avec Nottingham sur Trente ?) - et A va renchérir : et bors et viles cent et plus (1111). Inversement, on accable le sénéchal Keu - nous y reviendrons.

Nous avons déjà évoqué ce trait charmant : le garçonnet (le fils de Gauvain et de la Pucelle de Lis) habillé avec la même étoffe que son oncle (5037-42), car, nous précise-t-on, Bran avoit l'enfant molt chier. Ce n'était vraiment pas la peine d'accabler sa soeur de reproches ! Bran a-t-il changé de sentiment ? Avons-nous ici quelque résurgence inconsciente d'un "système matriarcal", où l'homme fort de la famille est l'oncle ? Pour un peu, Lionel succéderait à Bran, non à son père Gauvain ? Comme Perceval est destiné à succéder, non à son père, mais à son cousin âgé (souvent considéré comme son oncle), le Roi-Pêcheur, qui se nomme souvent Bron ou Bran ?

Ce sont seulement ASPT qui qualifient de "noire" l'horrible main qui éteint le cierge (ou les cierges) de la Chapelle. L'ont-ils trouvé d'eux-mêmes ? Ou ont-ils lu (et copié) la Continuation-Perceval, où non seulement Perceval voit apparaître derrière l'autel (comme dant T, 13043) une noire main jusqu'au coute (éd. Roach, v. 32126-27), mais où Gauvain raconte à son fils (maintenant nommé Guinglain) sa Visite au Graal, qui est une mixture de celles de nos Br. I et

V, et est précédée du passage à la Chapelle où il a vu sortir de l'autel une main assez plus noire qu'arremant (v. 31143-45) - comparaison que AS ont employée pour le parement de l'autel (A 7032) ? Ou encore cela était-il dans la source (dans le "conte d'aventure" ?), et L(UMQ) - et peut-être même le "premier auteur" - auraient laissé tomber la noirceur de la main ? Car, pour la pensée "symbolique", une main peut-elle être noire ?

A deux reprises, APT sont seuls à mentionner une odeur - S omettant régulièrement le couplet qui la mentionne. Celle qu'exhalent les quatre encensoirs à la salle du Graal (A 7171-72) et celle des herbes qui jonchent la première chambre du château où arrive Guerrehés (A 8661-62). Les odeurs, les étoffes (habit du garçonnet, parement de l'autel), la "couleur" noire : nous avons ici un imaginaire complètement opposé à celui de L (et du "premier auteur") : "mystique" et non "héroïque".

Quant à A, seul, il insiste sur la courtoisie de Gauvain s'adressant au Guiromelant après l'intervention de Clarissant - Gauvain,

> ... qui n'estoit angrés ne vilains,   A 1040-41
> au chevalier molt dolcemant ...

Ses quelques additions concernent toujours, directement ou non, une femme ou des femmes. C'est A seul, nous l'avons vu, qui a prolongé l'épilogue de la Br. I en évoquant les trois reines (la grand-mère et la mère de Gauvain, l'épouse d'Arthur). Pourquoi ajouter Guivret à Gauvain et à Yvain en tant que consolateur (efficace) des belles assiégées de Branlant (A 1240), sinon parce que Guiot a été frappé par l'extrême courtoisie dont faisait preuve, dans Erec, ce personnage, en particulier à l'égard d'Enide ?

Pour consoler la demoiselle de Lis dont le fils vient d'être enlevé, Arthur et Yder (le roi) selon L, se rendent auprès d'elle (L 6613-15) ; tous les autres copistes leur adjoignent Girflet, Yvain et le Riche Soudoier (T 12535, 12541 ; MQ 16661, 16667) ; mais

A seul ajoute encore Taulas et Yder fils Nu (6616). A seul ajoute Erec aux chevaliers qui regardent la reine jouer aux tables (6757). C'est la famille ASPT qui développe ainsi la promesse du chevalier inconnu - là où LUMQ écrivent :

> "... a la roïne parlerai,   L 6820-22
> se Dex me sauve d'estre ocis,
> que ça puise retorner vie."

- idée désagréable, même niée, donc on supprime, et l'on écrit à la place :

> "... a la reïne parlerai   A 6804-06
> et me merai an sa merci   (et SPT)
> de ce que n'ai parlé a li."

Pour LUMQ, Keu, désarçonné, s'en revient, honteus, au pavillon (L 6833) ; pour T, il revient arriere, toujours honteus (12782-83) ; mais pour ASP, d'une part, il n'est plus honteus (sentiment désagréable), et c'est a la reïne qu'il revient (6819). Et c'est dans A seul que l'inconnu accepte de revenir au camp, non seulement pour Gauvain, mais aussi "por ma dame" (6866). Gauvain s'est nommé à l'inconnu ; AS a ajouté :

> "... filz sui le roi Lot d'Orcanie"   A 6860

mais A seul a poursuivi :

> "... et la reïne Morcadés."   6861

Dans le récit de Gauvain (version "flirt" LAS), AS fait prononcer au père les mêmes reproches que Bran va adresser à Gauvain - anticipation ? redoublement ? emprunt, semble-t-il à la version "viol" ? Et, en tout cas, insistance sur le sort déplorable de la fille despucelee. Mais S saute deux vers, que A est donc seul à donner, où le reproche concerne aussi la tente, que le héros aurait brisiee (A 4505-06 - lequel brisiee rime avec prisiee : il s'agit, bien sûr, de la Pucelle).

La femme, l'étoffe. La musique aussi : c'est A seul qui

insiste sur les menestrex qui accompagnent le conroi féminin du Guiromelant (604-608). Veut-on de la couleur ? C'est A seul qui précise que les chausses de Gauvain sont de soie noire (554). C'est A seul qui décrit le blason du Guiromelant : là où L ne voit qu'un écu d'or au sommet vermel, A précise que l'écu est partiz d'or et d'azur, et qu'y figure un lion rampant blanc couronné de sinople (802-805). Au château où arrive Guerrehés, là où L ne voit que des haus murs vermeils et bis et, pour le reste, ne parle que de substances dures (marbre, liois, rohal, ivoire, os), A voit trois couleurs supplémentaires : inde, giaune et bloi (8630).

Aucun doute à avoir : A, AS, ASP et, à certains moments, ASPU ou ASPT sortent de la même "fabrique" et partagent le même "imaginaire", lequel est on ne peut plus opposé à celui de L et du "premier auteur" - et c'est peut-être là que réside leur raison la plus fondamentale de "compléter" et de corriger leur modèle.

Additions d'un "premier remanieur" ? - Mais, avant même que la "librairie Guiot" ne se mette à la tâche, n'y a-t-il pas eu un "premier remanieur" qui a ébauché le travail, et dont les interventions se liraient, en creux, dans les "omissions" de L ?

Car la plupart concernent la courtoisie, au sens large du mot. Pour la Br. I, ASP, plus R et suivis par EU, développent le dialogue de Gauvain et du Guiromelant "réconciliés" par Clarissant (à qui son frère dit : "Vos me descovrez vostre cuer", A 1033 - comme s'il ne savait pas, depuis le Conte du Graal, que la jeune fille était amoureuse du Guiromelant) ; le premier dit notamment au second que, s'il lui avait demandé, le matin même, la main de sa soeur, il l'aurait obtenue sans peine, c'est-à-dire sans combat, mais, sans doute, a-t-il voulu la conquérir :

> " ... Espoir ç'avez vos fait de gré :   A 1065-67
> monter doit l'an par haut degré
> au bone amor qu'an vialt joir ..."

et Gauvain d'ajouter, comme avec une pointe d'envie :

> "... vos seus en avroiz la dolçor   A 1069-70
> et le deduit de ma seror ..."

Tout cela, plus les assauts de compliments, pourrait sortir de l'atelier Guiot, si R, dont on connaît l'esprit chagrin et la misogynie toute cléricale, ne reproduisait le même texte. Les rimes riches, recherchées même, excluent d'ailleurs la main ou l'influence de Guiot, qui ne s'y intéresse pas. On comprend que MQ, suivi par T, ne donne pas ce passage, puisque l'interpolateur a décidé de relancer l'action dans le sens opposé : le duel doit reprendre le lendemain, le mariage a lieu à l'insu de Gauvain ; fureur de celui-ci qui part à l'aventure. Mais L ? Quelle raison aurait-il de ne pas le reproduire ? N'avons-nous pas ici l'addition "courtoise" d'un premier remanieur, qui trouve trop rapide et trop sèche la conclusion de L ? Ce serait le même qui, pendant le duel, aurait insisté sur les affres des spectateurs et particulièrement du roi Arthur (A 885 ss), figurant aussi dans R, mais "omises" par L, T et MQ (recopiées par EU, évidemment, comme tout ce qui peut allonger son texte).

Dans la Br. II, seul L ne donne pas de nom à la reine à la cour de laquelle a séjourné la Sarrazine experte en broderie, et que ASPT appellent Guimart (variantes) et EU, Guenièvre :

> ... des chanbres la reïne   A 1688-89
> Guimart qui molt estoit cortoise.

Le texte est ambigu : qui est "cortoise" : la reine ou son ex-suivante ? AS, T et U penchent pour la reine, ce qui n'a guère de sens. Mais L, P et E penchent pour la brodeuse ; pour P, même, le nom donné est le sien, non celui de la reine :

> ... Gynmarte ot non, molt fu cortoise ;

pour E, le qualificatif semble mis en apposition à la Sarrazine :

> ... Jenevre, molt preuz et cortoise ;   E 6299

quant à L, son embarras est marqué par deux bourdes au premier vers, mais le second semble bien se rapporter à la suivante :

> ... qui molt des cambres la roï (sic)   L 1666-67
> qui estoit molt preus et cortoise.

Le mot important est évidemment preus, qui signifie ici "efficace", "experte", "habile", et qui ne peut qualifier que la brodeuse. N'est-ce pas un premier remanieur qui, voulant montrer sa science en ajoutant un nom propre, a risqué de gâcher le texte ? Et il y a fort à croire que, pour lui, Guimart était le nom de la brodeuse, non celui de la reine, car cette reine ne pouvait être que l'épouse d'Arthur, et nul n'ignorait qu'elle s'appelait Guenièvre.

Dans l'épisode du Cor magique (III/16), L ne dit pas expressément que Caradoc craigne de boire au cor - idée qui est présente dans AS :

> Li rois le prist, mes il dota ;   A 3205-07
> Guimen sa fame regarda.
> La reïne le vit doter ...

et fort appuyée dans la rédaction longue :

> ... saichiez que durement douta ;   E 12451-52
> Guinier sa fame regarda ...
> ... et elle bien garde s'am prist   12454-55
> que ses sires por li doutoit ...

pour L, Caradoc se contente de regarder son épouse :

> Cil prent le cor, si regarda   L 3226-27
> Guignier sa fame d'autre part.

P et U s'accordent pour inverser le sujet, et U supprime (?) lui aussi le doute. :

> Carados le prent, si douta,   P 3205-07
> et sa femme le regarda,
> se li a dit : "Seürement ..."

> Carados le prent et bailla,   U ibid.
> et s'amie le regarda,
> si li dist : "Tout seürement ..."

La fidélité inconditionnelle de l'épouse de Caradoc était un lieu commun de la littérature galloise, et sans doute aussi du "conte d'aventure" primitif : le héros n'avait aucune raison de "douter". C'est ce que comprend L (et aussi U, qui si souvent s'accorde avec lui). Le "regard" de Caradoc peut n'être entaché d'aucune crainte: ce peut être un regard de confiance, de complicité même ... dans la vertu. Cela, les remanieurs ne l'ont pas compris, et une certaine misogynie cléricale se fait jour à travers leur addition.

Nous avons vu que pour tous, sauf L, Gauvain (ou son valet) attend que le roi ait relevé la tête pour lui adresser la parole (IV/2) ; que, pour tous, sauf L, Girflet et Yvain accompagnent Arthur et le roi Yder qui vont consoler la mère de l'enfant enlevé (IV/16); que, dans le récit de Gauvain, tous, sauf L, ajoutent les reproches du père de la Pucelle de Lis (IV/5). Tout cela ressemble bien plus à des additions "courtoises" d'un premier remanieur qu'à des suppressions (discourtoises, donc) de L.

Tous, sauf L, insistent sur le fait que le jeune adversaire d'Yvain, au Chastel Orguelleus, n'a été choisi pour la joute que pour l'amour de l'amie du Riche Soudoier, car il était son chevalier-servant, et laissent entendre qu'il y a eu maint grognement de la part des "Soudoiers" plus confirmés (A 6077-78, T 12009-10, E 16109-10). Tous, sauf L, ajoutent que le roi, à son départ du Chastel Orguelleus, est "convoié" un temps par toute la gent (A 6562-64, etc.) ; - notons la réfection au moins maladroite de T : Et li chevaliers le convoie (au singulier) / et quant assez l'orent conduit (au pluriel). Pourquoi L aurait-il supprimé cela ?

Tous, sauf L et U, précisent que c'est un juesdi que ceux des royaux qui ne participent pas à la quête de l'enfant rejoignent la reine. Quel intérêt ? Aucun, sinon d'éliminer une formule "orale" donnée par LU :

Savés u la roïne fu ?   L 6698

Cette interrogation "oratoire" est utilisée 9 fois par L - dont 8 fois dans la seconde moitié de l'oeuvre - et n'est reproduite qu'une seule fois par l'ensemble des mss (L 6473) ; à la première occurrence, S est seul à changer Savés ...? en sachiez (A 3994) ; à la troisième (L 6066), c'est A qui écrit sachiez (S omet deux couplets) ; deux autres fois, ce sont APU (5872) et APTMQ (8404) qui remplacent Savés ...? par Oëz ; à L 5887, TEMQ remanient le vers pour lui donner un tour positif et le font commencer par Adont (11814/15892) ; pour L 8570, Bien savés ... (adressé à l'auditoire), AS écrit Bien avez oï (également adressé au public), mais P, T et M s'accordent sur un Bien savoit, dont le sujet est le roi Arthur ; etc. Bref, de ces 9 formules avec savés, U en reproduit 7 ; PTMQE, 4 ; AS, seulement un. Le remaniement est assuré. Si L avait trouvé juesdi dans son modèle, pourquoi l'aurait-il supprimé ?

En fait, cette réfection, provoquée par la volonté d'éliminer une "formule de jongleur", profite à la reine. Que l'on compare les deux leçons. Celle de L et U ne donne qu'une précision "topographique" :

> A molt grant aise chevaucerent,   L 6695-99
> ce m'est avis tant esploitierent
>   (U et tant alerent)
> qu'en Bretagne sunt revenu.
> Savés u la roïne fu ?
> Ele ert el Castel des Ormiaus ...

tandis que, dans le remaniement, l'intérêt se déplace de la troupe des chevaliers sur la reine, sa cour, son entourage :

> Par lor jornees chevauchierent   A 6691-95
> tant que la cort molt aprochierent
> ou la reïne et sa gent fu ;
> au juesdi furent la venu.
> Ele ert au Chastel des Ormiax ...

- ces hommes ne rentrent pas dans leur patrie (la Bretagne) : ils reviennent à la cort, laquelle, en l'absence du roi, est groupée autour de la reine. En apparence insignifiante et immotivée, cette modification rend le texte plus "courtois".

On sait les dimensions que ASPU donnent à l'épisode IV/2, "Crise à la cour d'Arthur" : 447 vv, dans A, et même 515 dans S (qui n'aura jamais autant multiplié les additions oiseuses), contre 188 vv. dans L. Mais 323 vv. dans T et EMQ. N'y a-t-il pas ici amplification progressive ? Le texte de L n'est pas particulièrement sommaire : tout l'essentiel y est. Rappelons que, pour L, Arthur n'est pas censé savoir où se trouve Girflet ; tous les autres, anticipant sans doute, lui font dire que le chevalier est captif au Chastel Orguelleus, ce qui entraîne l'addition d'un exposé du roi Arthur, sur ledit Chastel :

> "... Or m'escotez.   E 12752 ss
> Vos savez bien a escïent   (et MQ, T)
> que l'autr'an reigna une gent
> qui firent chastiaux et citez ..."

C'est donc vers le Chastel Orguelleus que l'on se dirigera, ce qui entraîne un autre exposé, de Gauvain celui-là, sur la longueur et les difficultés du voyage (E 12829-42). Alors on se remet à manger (E 12848-57) - ce que L ne mentionne qu'à la fin de l'épisode, et ce que ASPU omettent complètement de dire ! Puis l'on tient conseil :

> Rois Urïens parla aprés   E 12868 ss
> devant les autres tot premiers ...

pour suggérer au roi de n'emmener avec lui que des champions confirmés - ce que, dans L, le roi a trouvé tout seul. Ensuite, c'est le roi Yder qui prend la parole, pour appuyer le conseil de son collègue Urien - ce qui est évidemment absent de L. Tout ceci sent le "topos" du "Conseil à la cour d'Arthur", brillamment inauguré par Geoffrey et Wace. C'était une "scène à faire" - L seul ne la fait pas, et son récit n'y perd nullement en intérêt. Mais remarquons qu'il s'agit d'une scène de cour - donc "courtoise".

Car tout, au fond, se ramène à cela. Dont quatre additions consacrées au sénéchal Keu (A 3339-40, 3356-59, 3859-60, 4064) - personnage essentiellement de cour et fondamentalement discourtois. Ou l'addition des barons au v. A 3311. Ou l'indication qu'Arthur passe l'hiver à se deduire et aeisier en chassant dans ses grandes forêts (A 3252-54). Ou ce charmant tableautin du roi et des quinze groupés pour se divertir à l'onbre d'un olivier (A 5656) - malheureusement c'est le soir, a la froidor, et l'on ne voit pas bien l'intérêt de l'onbre : seul L a su éviter cet écueil, ou plutôt c'est le "premier remanieur" qui a commis cette petite bévue.

Ce que L ne décrit pas, non plus, c'est la laisse et le collier d'orfroi du brachet qui va conduire Keu au verger de Bran de Lis (A 4657-61). Il ne précise pas non plus que Bran pend à son cou son écu par la guige qui d'orfrois fu (A 4888). Il "omet" aussi de dire le nom de l'amie de Gauvain, l'ex-Pucelle de Lis (A 6724-28), ce qui n'est que prudence, si l'on songe à l'éventail proposé par les copistes : Galoiete, Agaloete, Gloriete, Guiolete, Guignolete, Guilorete, Guinelorete - mais non, ce n'est pas prudence de sa part, c'est imprudence de la part des autres. D'ailleurs, L a déjà nommé Guinloiete une autre amie de Gauvain, la fée lointaine qui lui avait envoyé sa belle enseigne de soie d'Aumarie (777). De même, L "omet" aussi de préciser, dans le Guerrehés, que le nain porteur du hanap traverse le verger pour se rendre d'un pavillon à l'autre (A 8693) - ici encore les violons ne sont guère accordés : pour LPU le nain sort du plus grand pavillon pour se rendre dans le plus petit ; pour T, au contraire, il sort du menor pour se rendre dans le plus grand (14530) ; pour MQ, le nain, vu à l'intérieur d'un pavillon (!?) passe dans une chambre de l'autre (18779 ss) ; pour A, les deux pavillons semblent être d'égale dimension, cependant que, pour S, le nain ne sort pas d'un pavillon et ne porte pas de hanap ! De plus, et du moins pour ceux des copistes qui comprennent ce qu'ils écrivent, les deux pavillons, que Guerrehés voit du premier coup d'oeil, ne semblent pas du tout éloignés l'un de l'autre : il n'y a donc pas à traverser le verger pour aller de l'un à l'autre.

Dernière "omission" de L : celle de la répétition du site de Carduel, donné par A et les autres dans l'épisode IV/1 (A 3304-05), qui ne font que le recopier de l'épisode III/3, où L le précisait, aux vv. 2188-89 - mais où A se refusait à le faire !

En un mot : il n'y a pas une seule de ces prétendues "omissions" de L qui ne puisse être considérée comme une addition d'un premier remanieur, dont le souci était déjà de rendre plus "courtois" le texte du "premier auteur".

VI - ELAGUER LE RECIT DU "PREMIER AUTEUR".

Il s'agit ici des omissions par un ms. ou un groupe restreint de mss, de détails, voire même de motifs, de "fonctions", qui sont attestés par la plupart des copies. Et il faut tenter de distinguer les lacunes involontaires (dues à la distraction, comme le saut du même au même), qui ne sont pas "signifiantes", des coupures, des ablations d'un ou de plusieurs couplets - ou des réfections avec omission, et à cause de cette omission - qui, elles, semblent bien intentionnelles, qui ont un sens, et dont se dégage une volonté de supprimer certaines données du texte du "premier auteur".

Les lacunes individuelles de la plupart des mss relèvent de la première catégorie : inattention, ou bien, comme chez S à certains moments, frénésie subite de coupure. Evidemment, plus le copiste est intelligent, plus ses omissions doivent être prises en considérations. Ainsi celles de T : en regard de L 3883-90 (et tous), il laisse tomber l'épithète de "teigneux" que l'on affecte à Keu ; - de L 3978-83, les quatre cyprès qui entourent la source devant le Chastel de Lis (saut de voit à avoit) ; - de L 7051, la clarté dans la Chapelle, qui signale celle-ci, car il fait nuit noire - est-ce parce que T a fait commencer l'orage bien avant, et insisté sur les espars, qui éclairent donc la chapelle de l'extérieur ? Plus grave, nous l'avons déjà noté : à la fin de l'office funèbre, il n'est pas dit que les clercs remettent les encensoirs en place, ni surtout que l'assistance disparaît. En regard de L 8047-48 : T ne dit pas qu'il y a longtemps que Gauvain n'est pas revenu dans son pays ; - de L 8488-80, que les cierges de la nef au cygne s'éteignent lorsqu'elle repart ; - de

L 8504-11, que Gauvain veut aller à la messe, ni même qu'il entre dans la salle du palais. L'explication, et même la mention du nom "mi-parti" de Brangemuer sont omises : T saute L 9449-50, puis passe de 9541 à 9462 (saut au même : rois), ensuite revient en arrière pour reprendre L 9457-60. On le voit : certaines lacunes s'expliquent, d'autres, non, mais aucun sens général ne s'en dégage.

Il serait fastidieux et oiseux de citer par le détail tout ce que MQ ne disent pas dans les épisodes 1 à 5 de la Br. I : leur rédaction est constamment différente de celle de LASPTR, au point que EU peut lui ajouter près de 700 vv. empruntés à des textes de la rédaction courte (L, puis A) sans que son texte paraisse trop redondant ; on dirait que MQ ont choisi de dire et de développer ce que les autres n'ont pas envie de faire : la joie à la cour, le rappel de l'aventure de Gauvain au Palais de la Merveille, le repas, les préparatifs du départ, l'installation du camp sous le Chastel et la description de celui-ci, les traversées de la rivière, la réception du roi au Chastel, les affres de Clarissant, etc. Voici un échantillon de leur style dans leur récit du duel de Gauvain et du Guiromelant :

> Il s'antrevienent pié et pié   MQ 1495-99
> conme cil qui erent irié,
> si s'antrefierent pelle et melle
> plus menuement que la grelle
> ne chiet dou ciel, si con m'est vis ...

> Molt par rant bien chascun aconte   1519-20
> a l'autre de quanqu'il acroit ...

> Tant li paie de cos et done   1622-32
> come cil plus sofrir am puet ;
> et cil ne se desfant ne muet,
> ainz suefre ausi com an menaie.
> Et messires Gauvains li paie,
> granz cos li done molt et preste,
> et la solte n'est mie preste.
> S'an ont cil de l'ost tel pesance
> quant il voient sa mesestance ...

Recherche de la rime riche, homonyme, voire équivoquée, vocabulaire abstrait, métaphore filée - mais fort "bourgeoise" ! Rien de plus opposé à l'esprit du "premier auteur". Peu de chose, aussi, de commun avec les réfections "courtoises" de la famille ASP(T) : pas d'éloge appuyé de Gauvain, pas d'insistance spéciale sur les femmes, pas de description supplémentaire d'émotions ou de sentiments, sinon sous forme abstraite, précieuse, allégorique. Ce n'est plus l'esprit du XIIe siècle : c'est celui du XIIIe. Et cela ne nous apprend rien, a contrario, sur le "premier auteur".

Pour le Caradoc long, signalons que MQ ne connaît pas le nom de l'enchanteur Eliavrés : à chacune des 4 occurrences de ce nom dans EU, MQ écrit, soit rien du tout (couplet 6751-52 omis), soit li chevaliers (9621), li deables (9801), li anchanterres (11213) ; à fortiori ce personnage n'est ni parent ni proche du sénéchal Keu.

A la fin de la Br. III, dans l'épisode d'Aalardin, le bon enchanteur qui chevauche, devant Caradoc dans la clarté est seul, et non accompagné d'une pucelle, comme dans la rédaction courte ; la compagne d'Aalardin est restée dans le recet, où elle accueille Caradoc, et on la connaît fort bien dans la rédaction longue, puisque c'est Guingenor, ou Guigenor, fille du Guiromelant et de Clarissant, et très légitime épouse de l'enchanteur. Le couple est très heureux de retrouver leur ami, et l'auteur ne peut décrire leur joie :

De la joie que il ont fete   E 12133
itant vos di qu'el fu parfete (MQ) :
n'i ot rien de imperfection (M)
    (Q : n'i ot riens de parfeccion)
    (E : n'i ot conté parfescion).
N'an faz (Q : ne faite) autre discresion ...

- toujours le même style alambiqué, avec emploi de mots abstraits, quête de la rime riche ("grammaticale", "dérivative", etc.).

L'épouse d'Aalardin ne demande pas à Caradoc des nouvelles de Guinier (cf. L 2996 ss), et c'est de façon fort imprévue qu'au bout de la semaine (!) l'auteur se met à nous parler de la vertu de l'or de la boucle de l'écu d'Aalardin, si malléable et magiquement adaptable qu'on peut en refaire une oroille ou un nés, et le résultat vaut l'oeuvre de Nature (12167, 12185) ; Aalardin propose cet or à Caradoc pour remplacer le téton de son épouse. EMQ sont parfaitement d'accord sur ce texte (12156-86), assez différent de celui de la rédaction courte, puis, brusquement, ils redisent la même chose, d'après la rédaction courte (12187-205 - T 8419-37). Alors la rédaction MQ est aussi composite ? Ensuite Caradoc repart, pour retrouver, selon MQ, ses hommes - comme dans la rédaction courte (= T 8445-49) ; l'interpolateur a donc complètement oublié que c'était une chasse d'Arthur, non de Caradoc, et il est paradoxal que ce soit le seul E qui s'en souvienne, et ajoute 10 vers pour raconter que le héros revient à la cour d'Arthur, qui lui fait grande joie ; et, pour une fois, E ne copie pas cette addition sur un ms. de la rédaction courte (évidemment), mais, sans doute, sur un ms. perdu de la longue, dont on reconnaît bien le style :

... or est an bone rue	E 12221
... n'an fu mie la cort plus flestre,	12226-27
mais plus esmeree et plus fine ...	

Les omissions de AS (ASP, A seul). - Celles-ci ont généralement un sens indéniable. C'est d'abord une infirmation du "régime diurne". Nous avons vu que LU(MQ) sont seuls, au début de la Br. V, à mentionner le soleil qui va se coucher, ou qui est couché, et nous verrons, plus tard, que ASP suppriment la majorité des mentions du soleil. Dans l'épisode II/4, ASP sautent le couplet où il est dit que Gauvain a fait relever les pans de sa tente por veoir le tans et le jor (L 1427-28). Au début du Guerrehés, Arthur assiste à la fin de l'orage :

Le mal tans vit qui trespassa,	L 8334-36
si comença a resclairier	(et MQU)
la nuis et a rasouagier...	

ASP n'ont que le premier vers ; T change le couplet : et la nuis vint et nete et pure / qui molt avoit esté oscure (14145-46) ; - notons qu'au v. 5576, seul L, suivi par E, donnait le verbe esclairié.

Dans le récit de Gauvain (IV/5), seul AS omet le vers :

... me feroit une resplendor   L 4224

(il s'agit de l'éclat du pavillon de la Pucelle de Lis et de son aigle d'or). Pas de cierges, pour ASPT, nous l'avons déjà noté, devant le Roi du Graal lorsqu'il revient dans la salle en portant l'épée (L 7341-42) - à fortiori pas devant la Lance-qui-saigne (addition de T). Pas d'insistance sur l'illumination du Chastel Orguelleus (L 6035-36 : les tours, les murs, les arbres, les clochers - tout semble embrasé).

Pour un adjectif blanc ajouté (le destrier et surtout la conuissance du jeune adversaire d'Yvain au Chastel Orguelleus), ASP omettent - ou s'abstiennent de reproduire - les deux tiers des autres occurrences (23) de ce mot dans L : pour eux ni les chausses ni le haubert de Bran ne sont blancs (L 4672, 4675, 5591), ni les haubers de Guerrehés et du Grand Chevalier (9278), ni le diaspre sur lequel Bran s'arme (5606), ni les draps du lit du Grand Chevalier (8759), ni le palefroi de l'amie du Riche Soudoier (5918), ni le destrier d'Eliavrés (2244), ni le brachet de Bran de Lis (4465 - sauf pour P), ni les landes (233), ni les manches (580), ni le pain (1286), et c'est avec une extrême réserve que AS consentent à parler de la blanche char de Guinier (L 2774, 2829, 2838).

AS supprime à trois reprises la fenestre ou les fenestres : celle (ou celles) à laquelle (auxquelles) s'appuie le roi Arthur au début du Guerrehés (L 8333, 8479), ou encore le héros de cette Branche (L 8727) ; par contre, c'est par une fenestre que AS et T font entrer la Main (noire chez A, P et T - le roide de S doit être une mauvaise lecture de noire) - étrange fonction pour une fenêtre : L, UMQ et P ont un imaginaire plus cohérent lorsqu'ils font sortir l'horrible de l'obscur (L 7069 : boel ; pertuis dans UMQ, trau dans P) ; mais il est vrai que, dehors, c'est la nuit, dont émane donc, pour AS et T, l'abominable main.

Et les rivieres ? Qu'est-ce que ASP, et plus encore AS, et encore davantage A, ont contre les rivières, au point de ne reproduire que la moitié (S et P : 4 sur 8), et même seulement le quart (A : 2) des occurrences de ce mot dans L ? Occultée par A, celle sur laquelle se dresse le Chastel de la Merveille (L 229, 465 ; - EMQU, au contraire, en parlent trois fois plus souvent que L) ; gommée par ASP, celle que franchit Gauvain avant de courir de bruellet en bruellet et d'arriver au Pavillon de la Pucelle de Lis (L 1522, 4193) ; supprimées, les beles rivieres sur lesquelles gisent les forêts plenieres et que longe l'ost se rendant à Branlant (L 1078) ; transformées en viviers par A (4145), celles que l'on voit avant d'arriver au Château de Lis - d'où, sottement, en vergiers par S, T, EMQU (comme s'il y avait des vergers, ou des viviers, au milieu des forêts !). Ne subsistent que celles, "incontournables", sur lesquelles se dressent le Château de Lis et celui auquel arrive Guerrehés. C'est que la rivière, entre toutes les eaux, marque la séparation (symbolisme "diaïrétique" - Ier "régime" durandien de l'imaginaire), connote la fertilité (IIIe "fonction" dumézilienne), et qu'une rivière est - à moins d'indication contraire expresse - toujours clere. Or A, en particulier, ne reproduit que 8 des 22 occurrences chez L de l'adjectif cler !

Pour ASP, les tours de Branlant ne sont pas hautes (L 1092), ni celle d'Yder (3665), ni celles du Chastel Orguelleus (5322 ; P suit L ; pour A, seuls les murs sont hauts), ni les murs du château où arrive Guerrehés (8654 ; pour A, tout au plus les torneles), ni le palis de la maison forte (L 5852), ni la salle du Graal (7177), ni le bruellet vers lequel Gauvain se dirige (1535), etc. Tout est baissé d'un cran, pourrait-on dire. ASP ne reproduisent pas la moitié des occurrences de l'adjectif haut que l'on trouve dans L.

Guiot ne reproduit pas non plus la moitié des occurrences, dans L, de l'adverbe loing (seulement 4 sur 9). Admettons que ce soit L qui en ajoute au v. 3297 (le roi vient derrière les chasseurs, loinc des autres deus trais u plus), ou, suivi par E, au v. 6199 (la quatrième sonnerie du cor qui ponctue l'armement du Riche Soudoier est entendue de trop loins). Mais l'adverbe est indispensable au v. L 7117, où il est dit que la chaucie

> ... laiens en la mer loins aloit   L, T
> (U moult, MQ en)

Il ne mérite pas d'être chassé au v. L 1508, puisqu'il est nié; Gauvain promet à son oncle de ne pas aller trop loin, mais, de plus, il lui a assuré : "Je ne mangerai pas avant d'être rentré." C'en est trop pour le remanieur de ASP, qu'une telle perspective effraie ! Car, s'il est une idée qui fait toujours l'unanimité, c'est bien celle de mangier ! Alors ASP supprime le passage. Tout à fait au début de la Br. I, le valet de Gauvain annonce que son maître a conquis un château molt loing de ci, selon L (45), SP, T et R ; - mais A contredit : molt pres de ci ; pourtant il faut six ou sept jours pour s'y rendre (L 236), mais seulement deux pour EMQU (cf. v. 434-43), comme le disait le Guiromelant dans le Conte du Graal (v. 8891) : pouvons-nous donc accepter cette leçon de A comme une correction justifiée ? A l'autre extrémité de l'oeuvre, nous avons déjà noté que LUMQ sont seuls à préciser que la nef au cygne parcourt cent liues pour ramener Guerrehés à la cour. Lors du départ d'Arthur et des quinze (IV/3), toute la cour les convoie, mais AS est le seul à omettre que c'est jusqu'à trois liues de la ville (L 3599).

Les longues distances, comme les grandes hauteurs, tout ce qui est "transcendant", tout ce qui dépasse une certaine mesure et vraisemblance : voilà ce que l'"école Guiot" rejette, quand elle le peut. Il en va de même de l'estrange, nous le savons, et quelques omissions le confirment : pas d'embrasement du Chastel Orguelleus, nous venons de le voir ; la voix qui se plaint (banalisée d'ailleurs en plusieurs voix) à la Chapelle ne fait pas trembler celle-ci (L 7076), de même que le Chastel Orguelleus et le pays ne tremblent pas, pour AS, à la troisième sonnerie du cor (L 6195 : brandist ; PU : fremist ; TEM : bondist ; Q : rebondit) - il est vrai que AS peut considérer qu'il s'agit d'une répétition, puisqu'une expression semblable a été employée 16 vv. plus haut et qu'il l'a, cette fois, reproduite. Mais c'est surtout la nef au cygne qui gêne les remanieurs : ils ne donnent aucun détail sur la façon dont celui-ci est attaché à celle-là (L 8359 : anneau d'or au cou, chaîne d'argent fixée à la proue) ; pour S, le cygne ne crie pas ; pour S, T et M, il ne bat pas la mer de ses ailes (cf. A 8349-50) ; à son dernier départ, il n'encline pas le roi. L'or mystérieux qui illumine la troisième chambre a disparu (L 8711 ss, 8721-22). On glisse sur la nature "mi-partie" de Brangemuer (L 9453-56). Inutile de dire que l'on passait encore plus vite sur les trois demi-frères animaux de Caradoc (L 2590 ss).

Tout ce qui est trop vif, violent, brutal, leur semble déplacé : un paon rôti qui éclate (L 3775), un brachet qui aboie (L 4466), une porte qui s'ouvre brusquement (L 4817), un chevalier qui fait un bond (L 6925), un grant duel qui approche (L 7206), une foule qui disparaît en un clin d'oeil (L 7241-44 - sans doute cela se répètet-il trop souvent !) ; la mer qui "bat" les murs du château (L 8331 - d'où la suppression fâcheuse de la posterne) ; la perspective d'un "dépècement" (L 9316) ; la possibilité même d'une attaque ; le roi laisse en Bretagne la plus grande partie de ses champions,

> "... que nus ne face   L 3529-30
> guerre a mon regne ne mesface ..."

- pour ASP, il les laisse an pes (A 3752). Il est discourtois d'entrer à cheval dans une salle (L 4114 ss) et d'attacher ses montures aux brances de dains / et de cérs (4128-29). D'ailleurs, la chasse est édulcorée : le plaisir même de voir core les chiens (L 2129, 3280) est encore trop vif ; quand l'épisode est répété, à IV/1, il n'y a plus un mot, dans ASPU, qui indique qu'il s'agisse d'une chasse : ce peut être une simple promenade. Lorsque Gauvain, chassant dans les bois du Chastel Orguelleus, attrape un cerf, ASPU ont omis de dire qu'il l'avait poursuivi (L 5833).

La scène charmante où les pucelles (la reine, les dames et

les demoiselles sont supprimées) s'attifent pour accueillir l'amie de Gauvain est amputée de leurs dialogues, trop vifs, trop folâtres (A 6704-09). C'est "folie" de la part de Gauvain que de s'élancer, désarmé, derrière Brun de Branlant (L 1348) ? - non, répond A, c'est courage (1426 : sanz dotance).

Les émotions et les sentiments désagréables sont estompés : la peur (L 4056, 7294), la honte (L 3200, 9216-24), le désespoir (L 6588 ss), la volonté de vengeance (L 9317-20 ; 9426, où AS réussit à changer vengement en avenemant !). Le pauvre Guerrehés ne reçoit, de la part de la populace, que des pieces de char (A 8968) - et non

                    ... fressures de moton   L 9033-34
        et de bouiaus et de pemon.

Dans L (seul, il est vrai), Gauvain voit que son oncle s'est blessé, et il accourt à lui ; chez les autres, c'est la tristesse du roi qui attire l'attention de son neveu (A 3385 ss) - on est passé de la douleur physique à la douleur morale.

Car on a peur du corps. De ses maux, comme la soif (L 6295), la blessure (L 1479-83), et, bien sûr, la mort (L 6821-22, 7034, 9427-28) ; - cela va jusqu'à l'élimination superstitieuse du nom même de la fête de la Toussaint (L 9365, 9499) . Peur aussi de ses plaisirs ; on supprime cette scène magnifique - l'un des moments forts de la rédaction originelle - qui accentue encore le caractère "mythique" du duel de Gauvain et du Riche Soudoier :

                En l'endemain a l'ajornee,   L 6125-38
                si tost con l'aube fu crevee,
                mesire Gavains se leva,
                monsignor Yvain esvella,
                sel fist lever isnelement.
                Puis vont il dui tot senglement
                deduire fors a la rousee,
                parlant tote la matinee.
                Et savés qex ert li matins ?

Si biaus et si clers et si fins
com el plus bel tans de l'esté.
Dedens la rosee a lavé
son vis et ses piés et ses mains ;
autresi fist mesire Yvains.

- ce qui devient dans AS :

Au matinet leva li rois   A 6117-23
qui molt fu sages et cortois,
et messire Gauvains aprés,
Yvains et Tor li filz Arés,
et tuit li autre chevalier ;
au mostier vont por Deu proier
et por le servise escoter.

Tout commentaire serait oiseux.

En un mot, on est bien convenable. On élague, on rabote, on polit, on supprime les arêtes. Ce n'est pas dans ASP qu'on lirait ce reproche sanglant de Gauvain à la reine :

"... Roïne, le cors vos en rent ;   L 6982-84
s'il est mors en vostre conduit,
molt vos est grant honte, ce cuit ..."

(dans ASP : "Cela doit vous ennuyer ; c'est bien dommage ; regardez ce corps, qui molt estoit cortois et sages"). Ou encore, que Dieu, en rendant la fertilité au pays, n'a fait que son devoir (si con devoit, L 7760). Et pourquoi avoir supprimé au Roi du Graal son sceptre et son gros anneau royal (L 7264-66) ? A cause de l'adjectif gros, qui manque d'élégance ? Ou parce qu'il convenait de ne point trop exalter ce personnage dont les clercs du XIIIe siècle finiront par avoir raison ? N'oublions pas, non plus, la suppression, par ASPT, des deux porteurs de cierge devant le Roi lorsqu'il revient en portant l'épée ("surdétermination héroïque") : cet étrange rituel n'a-t-il pas un relent d'hétérodoxie ?

A mille reprises, par mille détails, les remanieurs "courtois" de l'école de Guiot trahissent l'histoire qu'ils racontent, quand ils ne s'inscrivent pas délibérément en faux contre elle.

VII - DE LA CORRECTION A LA CONTRADICTION.

Donc on corrige, souvent. Ne revenons pas sur les questions de forme, de style, dont nous avons abondamment parlé dans les trois Chapitres précédents, ni même sur le simple choix des mots. Bien des précisions, des développements, des additions ou des omissions ne sont que des corrections plus ou moins avouées. En voici de plus franches, et qui vont parfois jusqu'à la contradiction.

Corrections faites par la rédaction longue.- Tout d'abord, deux contradictions énormes, destinées, la première, à accrocher les grandes interpolations de la Br. I, la seconde, à modifier le comportement de Gauvain, mais surtout à corriger radicalement celui de la Pucelle de Lis.

A la fin de la Br. I, selon la rédaction courte, le duel de Gauvain et du Guiromelant ayant été interrompu par Clarissant qui demande celui-ci en mariage, celui-là y consent tout de suite, sans la moindre réserve - avec empressement même pour ASPR (que EU, fort sottement, copie) : "Si vous me l'aviez demandée ce matin ...". Il n'est plus du tout question de la haine mortelle que le Guiromelant vouait à Gauvain, ni de ce qui l'avait provoquée : l'oltrage, la traïson que le premier reprochait au second (selon Chrétien, le père de Gauvain aurait tué celui du Guiromelant, Gauvain lui-même aurait tué un de ses cousins germains, Conte du Graal, v. 8779-83). Certes, cela est étrange ; la rédaction courte est infidèle au roman de Chrétien - le premier "rassembleur" de la Continuation-Gauvain était-il à ce point pressé d'en finir avec le Guiromelant, pour passer à autre chose ?

On peut trouver que l'interpolateur a eu raison : Gauvain, fort sensible au point d'honneur, pouvait légitimement demander au Guiromelant de "se dédire", de renoncer publiquement à son accusation - faute de quoi le duel reprenait et, à fortiori, le mariage n'avait pas lieu. Bien, mais il faut être logique jusqu'au bout. Dans la rédaction courte, le Guiromelant fait hommage au roi Arthur, alors qu'il ne s'agissait pas de cela : le Guiromelant n'était pas un "irréductible", comme Brun de Branlant, ou le Riche Soudoier ; il reçoit Clarissant - de cela il était question, mais secondairement, si l'on peut dire. Mais, dans la rédaction longue, c'est encore pire : Gauvain ne fait pas la paix avec le Guiromelant, puisque celui-ci ne renonce pas à son accusation. La chose est renvoyée au lendemain matin. Pourquoi ? Qu'y aura-t-il de plus ? Gauvain tourne le dos et rentre tranquillement à son hostel (E 1839 / T 1069) - quel hostel ? le Château de la Merveille ? - où il passe tote la nuit à molt grant deduit ! Cependant, et incontinent, le bon roi Arthur s'est emparé du Guiromelant, l'a fait désarmer, l'a emmené avec la belle Clarissant et, derechef, tote nuit fu la joie grans, et le lendemain matin, au petit jour, le mariage est célébré par un archevêque - d'où sort-il, celui-là ? Et le mariage a lieu a l'eglise - or, comme il n'y a pas d'église dans le camp, ce ne peut être que celle du Château de la Merveille. Et Gauvain ne s'en rend pas compte ? Lui qui est le seigneur du Château de la Merveille ? Au matin, Gauvain vient tos armez a cort. Quelle cour ? Le maître du Château de la Merveille n'y est pas logé ? Tout cela ne tient pas.

Tout cela, notons-le, sans que le Guiromelant fasse hommage au roi. Admettons qu'il ne s'agissait pas de cela. Mais, ce dont il s'agit, c'est sa renonciation à l'accusation : or il n'en est pas du tout question. Et pas davantage après les interpolations. Tout le monde, sauf le Guiromelant, se retrouve à Escavalon, où Arthur réconcilie son neveu Gauvain avec - et reçoit l'hommage de - Guingambresil (dont le rôle est bien trop valorisé, au détriment de celui du roi d'Escavalon, devenu tout à fait falot), plus ce parfait inconnu, Dinasdarés, qui semble s'être substitué au Guiromelant (Gauvain a jadis tué son père). Et le Guiromelant ? Occupé à filer le parfait amour avec Clarissant et à confectionner la petite Guingenor ? On la retrouve, quand même, dans l'énumération des princes qui s'en vont assiéger Brun de Branlant (E 5405).

399

On le voit : pour avoir voulu, eux, continuer le roman de Chrétien, les remanieurs-interpolateurs n'y ont pas mieux réussi que le "premier auteur". L'affaire d'Escavalon elle-même tourne court (ni Lance rapportée ni duel). L'affaire du Guiromelant ne reçoit aucune solution et il n'est jamais dit que Gauvain se réconcilie avec son beau-frère.

Quant à l'autre énorme contradiction, celle qui oppose la "version viol" à la "version flirt" des amours de Gauvain et de la Pucelle de Lis, nous devrons lui consacrer, dans un chapitre ultérieur, un bien plus grand développement. Mais notons, dès maintenant, que l'on assiste, dans l'un et l'autre cas, au même phénomène : le grand embarras des remanieurs lorsqu'il s'agit d'amener, d'interpoler, leur production.

Pour l'épisode de la Pucelle de Lis, la rédaction courte (que suivent, en II/4, T et EU) l'accroche à la blessure reçue par Gauvain devant Branlant, mais MQ, dans leur résumé, disent tout autre chose : Gauvain, un jor, était parti por ses aventures cerchier (vol. II, Appendix, v. 114-15). Plus loin, dans le récit de Gauvain (IV/5), la majorité des copistes, y compris MQ, accroche toujours le départ de Gauvain à sa blessure, mais, cette fois, ce sont PU qui racontent tout autre chose - qui, à vrai dire, ressemble à ce qu'écrivaient MQ dans leur résumé : Gauvain, comme tous les bons chevaliers, était parti, pendant trois mois, por les aventures cerkier (vol. III/1, Appendix II, v. 10 ss) ; au bout de ce délai il n'était toujours pas rentré (U hésite entre 4 jours, v. 11, et 4 mois, v. 14), et il va maintenant raconter pourquoi - cependant, à bien faire le compte, son absence n'aura pas duré une semaine !

Pour le départ de Gauvain, dans la Br. I allongée, la rédaction MQ est assez nette : Clarissant supplie son frère d'arrêter le duel et de lui donner le Guiromelant en mariage (mais MQ se contentent d'écrire que Clarissant adresse à Gauvain la même requête qu'elle a faite à Arthur, sans en redonner le contenu) ; Gauvain refuse, tant que son ennemi ne se sera pas dédit ; le roi se joint aux trois, la discussion dure grant piece, Clarissant pleure tout le temps, Gauvain reste inébranlable et s'en va ; - la rédaction de T redonne le contenu de la requête, comme le fait la version courte (T suit encore L de très près) : réponse très favorable de Gauvain, puis, tout à coup, avec l'adverbe nequedent comme pivot, T se tourne vers la rédaction longue (refus de Gauvain, le roi y va, Clarissant pleure, etc.) ; - la rédaction de EU porte l'inconséquence à son comble en additionnant la version "accord" à la version "refus" : Clarissant présente à son frère la même requête qu'au roi (EU précise, en copiant A 1029-30, le premier objet : l'interruption du combat) ; Gauvain refuse (EU suit MQ), puis, avec l'expression d'autre part comme pivot (E 1760), replonge dans la rédaction courte pour 52 vv. que EU copie sur un ms. proche de (A)SPR (politesses, compliments, etc.) ; après quoi, sur un nouveau pivot ("Voire ...", E 1812), Gauvain réitère son refus (EU reprend en délayant le premier refus) ; alors le roi y va, Clarissant pleure, etc. Mais EU empruntera encore 2 vv. à A pour dire que les troupes se désarment (E 1843-44 = A 1095-96), ce qui n'est pas dans la logique de la rédaction MQ (pour qui, le duel n'étant que suspendu, les hostilités ne cessent pas).

Ces "flottements" - c'est le moins que l'on puisse dire ! - trahissent, ici et là, le remaniement contradictoire. Et le responsable de la contradiction est, ici et là, le rédacteur de MQ.

Aussi ne faut-il pas s'étonner des multiples différences, allant de la correction à la contradiction, que, dans les quatre premiers épisodes du Guiromelant, le texte de MQ (une fois débarrassé des additions intempestives de EU) présente par rapport à celui de L (et de ASPR, et de T, aussi longtemps que celui-ci suit la rédaction courte). Comme, selon Chrétien, le Chastel de la Merveille n'est pas éloigné de la cour d'Orcanie (LSPRT ont tort d'écrire molt loing, mais A les contredit trop vivement en écrivant molt pres, v. 45), il suffit, pour MQ (440 ss), de deux jours de voyage (contre 6 ou

7 dans la rédaction courte), et il suffit donc de partir le lendemain matin (MQ 367 ss, 380 ss), alors que, dans la rédaction courte, l'ost se met en route le jour même de l'arrivée du valet (L 204 ss, 212 ss).

Par contre, on ne saisit pas la raison pour laquelle MQ contredit la rédaction courte lorsqu'elle nous montre, à l'arrivée de la cour arthurienne, les deux reines et Clarissant sortant du palés et allant trouver Gauvain (E 535 ss), alors que, dans la version courte, c'est Gauvain et Clarissant qui viennent d'une chambre (L 282 ss) dans la salle. Est-ce pour dessiner un tableautin courtois : les trois dames, main a main, et Gauvain qui an estant saut come cortois (E 538, 541) ? Ou bien est-ce pour préparer la suite : puisque Gauvain ne loge pas dans le palais, il pourra, le surlendemain, ne pas s'apercevoir que l'on marie sa soeur ? Ce serait faire trop d'honneur au remanieur. Pour lui, en tout cas, Gauvain loge dans la tor (E 487), où nous le voyons en compagnie des 500 chevaliers noviaux qui, tous, s'appuient aux fenestres (503) : il y a donc autant de fenêtres à la tour qu'au palais !

Dans la rédaction courte, Gauvain demande à la Vieille Reine la permission de traverser la rivière pour aller voir le roi (L 329-31) ; dans la longue, Gauvain annonce aux reines qu'il va le leur amener (E 624 ss) : c'est plus courtois, peut-être mais le "premier auteur" semble mieux se souvenir du statut de "prince-prisonnier" du héros. Cependant, c'est le remanieur qui est plus fidèle à Chrétien lorsqu'il précise que Morcadés est venue au Chastel en même temps qu'Ygerne (E 730 = Conte, v. 7536-38), alors que, selon la version courte, elle n'y est arrivée que plus tard, à la mort de son époux Lot (L 375 ss).

La rédaction longue semble placée sous le signe d'une certaine "décontraction" : on y est nettement moins pressé que dans la courte. C'est ainsi que, quand Gauvain arrive au camp et que le sénéchal Keu en prévient le roi, celui-ci se contente de se lever et de se diriger vers la portière de son pavillon (E 678 ss), alors que, dans L etc., il saut (LSR ; - APT monte) sur le palefroi de Keu et galope en direction de son neveu (345 ss).

Rappelons le déplacement de l'illumination du Palais, que la rédaction courte situe avant l'entrée du roi au Chastel, et la longue, après. Selon le "premier auteur", Gauvain va se confesser à un évêque (Salemon, ou de Carlion) ; selon MQ, il le fait à un chapelain, et dans une chapele (? - "addition" à E 1053 ; chapele rime richement avec apele) ; et il le fait après s'être armé, non avant de s'armer, et comme M a reproduit, comme EU, la première mention de la confession (E 980-82), Gauvain, selon cette copie, se confesse donc deux fois ! Rappelons encore un autre déplacement : selon MQ, Gauvain ne voit les conrois du Guiromelant qu'après le retour des messagers, alors que, dans la rédaction courte, il les voyait avant leur envoi. Ceci semble lié au fait que le remanieur, s'il raccourcit le voyage, augmente la distance qui sépare les deux camps (cf. E 1129 : par plains et par mons et par vaus - rappelons que l'on trouve souvent ce "topos" dans le Caradoc long).

Même raccourcissement de la distance au début de la Br. II : selon L (1076), l'armée royale chevauche toute une quinzaine ; selon T (2061), elle arrive à Branlant le 9e jour ; ASP parlent de jornees ; mais, selon MQ, le voyage a pu ne prendre qu'un jour : il n'a pas l'expression de EU, Tant sont alé que ... (5520) ; en tout cas, partie très tôt le matin (comme dans T ; - ASP écrivent seulement la matinee, et L ne précise pas), l'armée arrive, selon MQEU, au vespre (5521), tandis que dans L et T elle arrive un matin. Ce qui laisse le temps de livrer une première bataille et de dresser le camp (ordre inverse dans MQ) - cela est impossible si l'on n'arrive que le soir, surtout que MQ ajoute encore les soins aux blessés, la recherche des morts et leur enterrement.

Notons la hâte, chez L, du roi Arthur, qui semble se mettre en chemin dès que la paix est faite avec Elie et Guingambresil :

Si tost come fu afermee   L 1071-72
la pais qu'il orent devisee...

Selon SP, l'armée part l'endemain ; selon A, après les noces ; selon T, après trois jours, a un mardi ; selon MQEU, après le rassemblement de la grande ost, convoquée pour la Pentecôte. L, comme sans doute le "premier auteur", est toujours plus pressé que les autres. Nous avons déjà signalé, à propos de ce rassemblement, que c'est à tort que MQEU nomment Ysave parmi les dames et les pucelles qui se trouvent à la cour (et participent à l'expédition ?), alors qu'elle sera l'une des deux belles assiégées.

A propos de ces deux pucelles, enfermées dans Branlant, les violons ne sont pas non plus accordés. Selon L, T et EU, Gauvain et Yvain avaient l'habitude d'aller sous leurs fenêtres, leur faire la conversation ; elles se plaignaient à eux, et eux aloient implorer le roi, qui envoioit des vivres au château assiégé. Mais EU ont abandonné le "fréquentatif" (l'imparfait) pour les deux derniers verbes : alerent (5811) et anvoia (5815). D'où cela vient-il ? De la rédaction MQ, maintenant très courte, qui ne raconte qu'une seule requête et un seul envoi de vivres (Appendix au vol. II : ce jor avint ... s'ont entendu ... li rois respondi ..., v. 31, 42, 55) - MQ ont réuni les deux scènes : celle qui se répète pendant des mois, même des années, et la dernière, avec le détail héroï-comique du cheval qui crève sous la charge. Le résultat de la première - la scène habituelle - est que la ville assiégée résiste trois ans de plus (selon LASPU ; - deux selon T, quatre selon E). Le résultat de la seconde - la scène finale - est que les assiégés mangent, plus qu'à leur faim, pendant trois jors (selon LASPEU) - deus jors selon T, mais un mois selon Q et trois mois selon M (Append., 82) !

Autrement dit, la rédaction courte raconte quelque chose d'excessif, de magnifiquement invraisemblable : un siège qui dure deux fois plus de temps qu'il n'aurait dû, parce que le bon roi Arthur, par chevaliers courtois interposés, nourrit les assiégés. Cela, sans doute, n'a pas convenu au remanieur de MQ - lequel, cependant, n'a pas pu tout laisser tomber (de même qu'il n'a pas pu omettre le duel de Gauvain et de Bran de Lis, indispensable pour comprendre la suite). Le remanieur a adopté une formule intermédiaire et insatisfaisante - comment la charge d'un cheval peut-elle nourrir pendant trois mois, ou même un mois, la population d'une très grande ville (n'oublions pas les "cinq évêchés" !) ? Serait-ce en prévision de ceci que le remanieur semble avoir voulu réduire au dixième cette population (selon MU 5588, 3OO défenseurs de Branlant, contre 3OOO dans AP et Q ! et, avant, selon EU 5566, 7OO chevaliers mandés par Brun, contre 7 OOO dans AP 1212) ? En tout cas, le compilateur de EU, tout en copiant maintenant un ms. proche de L, continue à jeter un oeil sur MQ : d'où son embarras (le parfait, ponctuel, substitué à l'imparfait, habituel).

Notons une divergence dans la rédaction courte. Pour ASP, ce ne sont pas Gauvain et Yvain qui vont spontanément bavarder avec Lore et Ysave : ce sont elles qui les "demandent" (A 1239) ... lorsqu'il n'y a plus rien à manger. Ce qui est à la fois plus courtois et moins courtois : plus, parce que ce sont les femmes qui prennent l'initiative ; moins, parce que leur motivation est fort intéressée (et "digestive" !).

Mais revenons à la rédaction longue - qui ne l'est plus. Elle a tendance, au départ, à minimiser le rôle "nourricier", excessivement débonnaire d'Arthur. Donc à le montrer plus agressif. Dans la courte, ce n'est qu'au bout de trois ans que le roi se décide à faire dresser ses machines de siège (L 12O4 ss) ; dans la longue, c'est dès le second jour (E 566O ss). De même pour les trois châteaux destinés à assurer le blocus de la cité : LASPT n'en parlent qu'à la fin, une fois Gauvain revenu de son escapade amoureuse (L 1998 ss), tandis que, pour MQEU, leur construction est décidée dès le troisième jour du siège (E 5724 ss : conseil d'Arthur, avis donné par le roi d'Irlande) et entreprise aussitôt (E 5738 ss). On sent que MQ est pressé d'en finir avec cette "Branche", au point d'en raconter la fin (la reddition de Branlant, Appendix , v. 9O-11O) avant de revenir sur l'aventure de Gauvain - non avec la Pucelle de Lis, complètement passée sous silence - mais avec ses deux frères, et surtout avec le troisième, Bran (ibid., 111-39). Notons encore ici une contradiction : on sait qu'au terme de leur premier duel, interrompu à la demande de Gauvain dont la blessure s'est rouverte (rappel de l'épisode de la razzia de Brun, que MQ a laissé tomber), Bran a exigé de pouvoir le recommencer à la première occasion, que son adversaire soit armé ou non ; ce n'est pas du tout ce que dit MQ : Gauvain et Bran décident, d'un accord commun, de différer la suite de leur duel tant ques voie li rois Artus (Appendix, v. 139) - et, effectivement, leur prochaine rencontre aura bien lieu en présence du roi (IV/6).

Tout se passe comme si le remanieur MQ, connaissant bien la Continuation (certainement pour l'avoir déjà copiée), décidait de chasser de la Br. II tout ce qui lui paraissait inutile (et au moins de condenser fortement ce qui lui paraissait invraisemblable) et d'arranger le reste, de façon à le faire coïncider au plus juste avec la suite de l'oeuvre (la Br. IV), avec la volonté bien nette de récrire de fond en comble l'élément central : les amours de Gauvain et de la Pucelle de Lis - la seule chose (avec son prélude, la razzia de Brun) dont il ne souffle mot dans son résumé. C'est pourquoi, à IV/5, il - c'est-à-dire alors MQ et E, suivis par T - donne tout naturellement un résumé de la razzia de Brun (E 13611-38 / T 98O3-28). Mais pourquoi, au cours du duel, ne dit-il pas que la blessure de Gauvain se rouvre (seul L le fait) ? Mystère. Et pourquoi la motivation toute différente qu'il a donnée, dans son résumé, au départ de Gauvain, est-elle passée à la rédaction PU ? Autre mystère.

N'insistons pas sur le trait final, contradictoire lui aussi selon les rédactions : une proche de Brun de Branlant fut par la suite l'amie du sénéchal Keu : pour LASPT, c'est sa fille (L 2O39), tandis que pour EMQU, c'est sa soeur (E 6666). S'il y a une intention, elle nous échappe !

Passons plus rapidement, aussi, sur le Caradoc. Pour LASP, le mariage du roi de Nantes (Vannes) a lieu un certain temps après la fin du siège de Branlant (L 2047 ss : le roi Arthur reste longtemps en repos et, entretant, fait le mariage) ; pour MQEU, il peut avoir lieu juste après la fin du siège, pendant que le roi réside encore à Quinili (E 6671 ss) ; pour T, il a eu lieu au moins six ans plus tôt, le premier an devant Branslant (3086). Pourquoi ? Pour commencer à résorber l'impossibilité chronologique entraînée par l'insertion du Caradoc (qui s'étend sur au moins vingt ans) dans le reste de l'oeuvre - dont le "fil rouge" est, rappelons-le, l'engendrement, l'enlèvement et les enfances du Bel Inconnu. Après avoir "gagné" 6 ou 7 ans, T va encore en gagner 8 : quand nous retrouvons le jeune Caradoc, le lendemain de son adoubement (et le jour de l'arrivée de l'enchanteur Eliavrés), on nous dit qu'il y a un certain temps que le roi Arthur n'a pas porté couronne depuis la fin du siège de Branlant : 3 ans pour L (2117) et S, puis aussi pour A (2171) - mais "trois" peut être ici un nombre vague (un peu comme dans le conte populaire), - 1 an pour P (2122), plusor enz pour MQEU (E 6937), mais huit ans pour T (3185). Environ 7 plus environ 8, cela fait environ 15 - l'âge auquel un prince particulièrement précoce peut être adoubé. Seul T y a pensé. Mais remarquons que cela n'arrange rien quant à l'âge du fils de Gauvain ! Le remanieur de MQ croit, lui, s'en tirer en réduisant tous les laps de temps à dix anz : c'est à dis anz que le jeune Caradoc demande à aller à la cour de son oncle Arthur (E 6812 - rime avec mesdisanz) ; - U, lui, parle de quinze anz (ce qui rime moins bien), et, pour A, c'est nettement plus de quinze anz (2114) ; Gauvain commence son récit (IV/5) en évoquant ce qui s'est passé dis anz plus tôt (E 13611) et, logiquement, le garçonnet, qui a cinq ans pour tout le monde, en a dis pour MQ (E 14774) - ce qui n'empêche pas sa mère de n'avoir pas plus de vingt anz (E 14688) !

Pour en revenir au Caradoc long, rappelons que c'est par ses anchantemanz seuls que, pour MQ(EU), Eliavrés séduit Ysave et, plus tard s'introduit dans la tour et y fait résonner la musique qui scandalise les voisins - rien de tout cela n'est évoqué par LASPT, pour qui la culpabilité de la reine est totale. Par contre, la rédaction longue laisse tomber - et cette omission peut être une contradiction - ce qu'affirme la courte : qu'Eliavrés était un parent (L 2059 + ASP) ou du moins un allié (T 3105) du sénéchal Keu.

A l'approche de la seconde manche du Jeu-parti, le jeune Caradoc reste impassible, pour LASPT (2340-44 / 3436-40), alors que, pour MQEU, il est fort effrayé :

> Ce fu le jor de Pantecoste : E 7273-75
> au cors Caradoc pant et coste
> l'avanture que il molt dote ...

(on aura admiré au passage la rime équivoquée !). Dans la rédaction longue, le jeune héros conseille à son père de faire construire une tor pour y enfermer son épouse (E 7516 ss) ; dans la courte, également sur le conseil de son fils, le roi "enserre" la reine en la plus fort tor que il a (L 2537) : l'importance du motif de l'emprisonnement et des jeux coupables dans la tour est donc accentuée dans la longue.

Dans le Caradoc court, épisode du serpent (III/11), la mère, assise sur un lit, tient un peigne à la main et demande à son fils d'aller lui chercher un miroir dans l'armoire (L 2632 ss) ; dans la longue, c'est un peigne qu'elle lui demande (E 9865 ss, 9904 ss), et il n'est pas dit qu'elle tienne un miroir à la main. La fonction est la même, mais non le sens des "images". Dans l'un et l'autre cas, nous avons une perversion de l'archétype de la Fée à la Fontaine (cf. aussi l'amie de Mabonagrain dans Erec, v. 5883 ss, ou la Male Pucelle dans le Conte du Graal, v. 6678, que Gauvain trouve occupée à se mirer). Mais, dans la rédaction courte, le serpent est associé au miroir (comme il l'est souvent, dans le folklore, à la fontaine) ; dans la longue, au peigne ; les deux éléments ne sont plus complémentaires, mais analogues, étant tous deux "dentés" : aussi la rédaction longue insiste-t-elle sur les danz du serpent (E 9921), ce que ne faisait pas la courte, ni d'ailleurs T, qui pourtant suit la longue. Les dents, de toute façon, ne sont qu'un "indice", car, dans toutes les rédactions, l'action du serpent ne consiste pas à mordre, mais à s'enlacer. De plus, dans la rédaction longue, la reine apparaît comme encore plus hypocrite puisque, sur les conseils de son amant, elle commence à se destrecier, juste avant l'arrivée de son fils (E 9864, cf. aussi 9904 : "... trové m'avez eschevelee ..."). L'insistance apportée par MQ sur le "schème mordicant" rapproche encore davantage son serpent du diable (cf. li maufez, E 9945 ; ce deable serpant, 10187), de même qu'Eliavrés (li aversere, 11213).

Autres contradictions, dans l'épisode III/15, que nous avons déjà notées : la chasse est celle d'Arthur, non de Caradoc ; Aalardin, dans la clarté, n'est pas accompagné d'une pucelle. Ajoutons que, selon MQ, Caradoc reste toute une semaine (E 12153) chez son ami, tandis que, dans la rédaction LASPUT, il ne passe qu'une nuit chez le bon enchanteur (L 3025 ss). Plus intéressante est la correction-contradiction apportée par le seul T à l'explication du surnom de Caradoc : Briebras ; pour tous les autres, en effet, le surnom est affecté au héros à cause de la grosseur de bras auquel le serpent s'est enroulé et qui reste enflé (L 2870-73 : C. Briesbras, A Brinbras, S Briebras, P Brisié Bras ! M Brebraz, Q Bronbraz) ; pour T, au contraire, c'est à cause de la maigreur (l'atrophie), la menreté (8001) de ce bras, qui en est resté sechiez et un petitet acorchiez (8197-98). Le remanieur de T croit faire une bonne correction, étymologique : brief bras = bras plus court, plus petit que l'autre. Il a tort, évidemment, mais les autres n'ont pas non plus raison, puisque Briebras (Brebraz, etc.) est un calque du gallois Vreichvras, qui veut dire "au bras fort", mais cette force n'est pas le résultat d'une enflure ! Le responsable de T(V) est intelligent - c'est le plus intelligent de tous les remanieurs : il se pose des questions, justes, mais il n'y apporte pas nécessairement de justes réponses.

Dans les trois dernières Branches, où la "rédaction longue" ne se manifeste plus en tant que telle (sinon dans la version "viol" des amours de Gauvain), ses anciens tenants (MQ, E, U, T et aussi P) s'opposent encore parfois aux trois copies qui ne se sont jamais écartées de la rédaction courte (L, A, S). Mais leurs corrections-contradictions deviennent mineures, et concernent le plus souvent les nombres et/ou la durée.

C'est ainsi que, dans IV/3 (chez Yder le Beau), le roi et les quinze font, selon TEMQ, une énorme sieste dusqu'al demain (9456/13240) et passent donc deux nuits chez leur hôte, tandis que, selon LASPU, la sieste ne jure que jusqu'au vespre (A 4084) et que les royaux repartent le lendemain. Il n'est pas dans les habitudes du "premier auteur" de nous montrer des héros dormant aussi longuement - nous y reviendrons. Pour MQ, on repart de Lis au bout d'une semaine (E 15182), alors que T et E parlent d'une quinzaine (T 11206) et que tous pensent la même chose, puisque tous - y compris alors MQ - ont déjà dit - enfin tous ceux qui écrivent avec quelque logique - qu'il fallait rester à Lis quinze jors (L 5210, T 11163, EMQ 15119 ; - S : quatorze jours ; A : dis et huit jorz ; mais PU : un mois) pour que Gauvain et Bran se rétablissent complètement de leurs blessures, et qu'on y est effectivement resté quinze jors (L 5236, P 5300, T 11168, EMQ 15146 ; mais AS un mois, et U, deus mois) - on aura remarqué que seuls L, T et E sont parfaitement cohérents. Pour MQ (16606), T (12482) et PU (cf. A 6560) - les mêmes mss que nous avons vu groupés dans le Caradoc long et dans la version "viol" - Arthur et ses compagnons restent, après la victoire, quinze jors au Chastel Orguelleus, tandis qu'ils ne le font que huit pour L (6549), quatre pour S et trois pour A (6560) : une fois de plus, la rédaction courte est plus pressée que l'autre.

Dans le récit des "nicetés" du fils de Gauvain (V/7), c'est un matin pour AS (7796), entre tierce et midi pour T (13632) que celui-ci joute contre son premier adversaire ; L et P ne précisent pas (un jor) ; mais, pour MQU, c'est un soir (17882), ce qui est une erreur, car, après ce second duel, Lionel en livre un second, a l'anuitant (L 7936 et tous). Distraction, certainement, plus que correction volontaire : MQU ont mal lu un jor dans un ms. du genre de L ou de P. Pour MQU (18692), c'est après midi que Guerrehés arrive en vue du château, alors que, pour AS, c'est devant midi (8618) ; - pour P et T 14436 : après tierce, devant midi) ; L est prudent : endroit mïedi (8646). Nous avons déjà vu que la rédaction longue avait tendance à placer les arrivées dans l'après midi, voire le soir (II/1, devant Branlant, E 5521 : au vespre, contre L 1091, a un matin, et T 2062, grant piece devant le midi ; - I/1, au Château de la Merveille, EMQU 417 : a none basse ; la rédaction courte ne précise pas). Le remanieur est-il "du soir" ? En tout cas, le "premier auteur" est "du matin" - nous y reviendrons.

Devant le Chastel Orguelleus, évoquant les joyeuses conversations nocturnes, l'auteur précise que les nuits sont fort courtes, car l'on est aux environs de la Saint-Jean (E 15529 : antor) ; ASPU (5597) précisent devant la Saint Jehan, mais M et T (11509), après ; L ne fait pas mention de cette fête et se contente de dire, comme tous, que la Pentecôte est passée (5573).

Quant aux nombres - nous l'avons déjà noté à propos de celui des défenseurs de Branlant - le remanieur semble avoir tendance à fortement réduire ceux du "premier auteur" (à leur "ôter un zéro", si l'on peut dire, à substituer un .C. au .M.). La rote foulée par la troupe de Bran de Lis doit bien compter mil chevaliers pour L (3948) et PU, mais seulement cent pour TEMQ (9543/13331), cependant que AS les évoque rangés par dix de front (4158) ; ensuite Gauvain voit bouhorder ces chevaliers ou une partie d'entre eux : ils sont cinc cens pour L (3964) et PU, cent seulement pour TEMQ et AS. Dans la Br. Guerrehés, le Petit Chevalier a déjà réduit mil chevaliers (L 8905, AP) à l'état de tisserands, mais seulement cent pour S, T et MQU. Au début du Guiromelant, le roi emmène au Château de la Merveille 30 000 chevaliers (EMQU ne donnent pas de nombre) et 15 000 dames, demoiselles et pucelles, selon L (217), P, R et T ; ce chiffre tombe à 2 500 dans EMQ (401-03) ou 2 700 dans

U, et seulement à 400 dans A (221) et 500 dans S - ce qui ne pèse pas lourd en regard des 3 000 qui accompagnent le Guiromelant (L 593 et tous, sauf MQ qui les omet). A l'intérieur même de la rédaction longue (I/5), Arthur va quêter Gauvain avec 60 000 chevaliers selon T (1181 ; - 40 000 selon V), seulement 10 000 selon U et 9 000 selon EMQ (1943).

Plus compliquée encore est la question des chevaliers qui accompagnent le Riche Soudoier, lorsque celui-ci part avec le roi à IV/15 : cent (ou 99 : lui centisme) selon T (12488), sept (lui huitiesme) selon M et dix-neuf (lui vintoime) selon Q (16612) ; LASPU n'en parlent pas. Mais lorsque l'on décide la quête du fils de Gauvain et de la Pucelle de Lis, le Riche Soudoier dit qu'il y emmènera mil chevaliers selon L (6600, mil ... ou deus mile selon PU, mais seulement cent selon Q (16648), cent ... ou deus cens ou plus selon M et T (12522-23), cent ... ou plus selon A. Nous nageons en pleine fantaisie. Ne tenons pas compte des bourdes : les troi mile écus qui vont apparaître aux murs du Chastel Orguelleus (L 5303) deviennent 300 000 dans E (15225) ; lorsqu'ils apparaissent, ils ne sont plus que quatre cens pour Q (15229) ! La tendance inverse à celle que nous notions tout à l'heure (réduction des nombres par la rédaction longue) peut aussi s'observer : pour accompagner le roi au Chastel Orguelleus (IV/2), 750 chevaliers, selon L (3521), se lèvent ; ils sont plus de trois mille pour TEMQ (9088 / 12860) ; ASPU ne donnent pas de nombre : ce sont tuit qui veulent y aller (A 3687 ss).

Quelques autres divergences entre les dèux grandes familles. Au début de la Br. V, MQU accusent formellement Keu d'avoir lancé le javelot qui tue le chevalier inconnu : ils nous le montrent même (... geta Kex un cop en sorsaut, 16999) ; pour les autres, il n'y a que des soupçons, plus ou moins nets. La figure du sénéchal s'est nettement dégradée dans le premier tiers du XIIIe s. - nous y reviendrons. A la fin de la même Branche, lorsque Gauvain a reconnu son fils en son adversaire, il continue cependant à l'"essaier" (L 8102) avant de lui dire de se rendre (qu'il se randist pris - erreur de L qui écrit randoit) ; dans T seul (peut-être trompé par une faute du genre de celle de L), Gauvain remet aussitôt son épée au fourreau (13926) - mais la suite n'a alors pas de sens. Lorsque Guerrehés repasse par la deuxième chambre (VI/5), il y trouve des demoiselles et des vaslés qui jouent aux pelotes (ou à la pelote) ; mais, pour T et E, les demoiselles travaillent (14777 / 19017 : maintes ovres i faisoient) et les garçons les distraient - attraction de la première chambre, ou contamination par l'atmosphère de "travail forcé" sur laquelle a insisté le Petit Chevalier (mais Guerrehés ne verra pas ces chevaliers vaincus et "dégradés") ? ou encore contresens sur le mot pelotes (LMQU emploient le pluriel) - comme si les garçons s'amusaient avec les pelotes qui servaient aux filles ?

On le voit : depuis la fin du Caradoc, les corrections (?) ou les contradictions (?) apportées par l'ex-rédaction longue n'ont plus beaucoup de cohérence. Çà et là, cependant, les uns ou les autres (soit MQ, soit E, soit T) semblent conserver quelque chose des choix du remanieur des Br. I à III (rythme moins pressé, prédominance du soir sur le matin, réduction des nombres), mais cela n'a plus grand importance. Une seule exception : le récit contradictoire de Gauvain, dont, redisons-le, nous renvoyons à plus tard l'examen.

Corrections et contradictions à l'intérieur de la rédaction courte. - C'est, on s'en doute, la famille ASP(T ou U), et plus nettement le groupe ASP, et davantage encore le groupe AS qui, assez souvent, semblent vouloir contredire le texte du "premier auteur" (en tout cas la version L, renforcée par T, ou par EU, ou par PU, ou par UMQ), et même le font.

Au rebours de MQ, le rédacteur de AS n'a rien contre le matin, et il en ajoute même (cf. 7796 où il précise : un matin au soloil levant) - mais au moins une fois à tort : à IV/4, c'est dans la matinee que la petite troupe arrive dans le domaine de Lis (4152 ; - tous les autres : à la vespree) ; AS voudrait-il insister sur la magnifique fertilité de cette terre, que les quinze auraient toute la journée pour admirer ? Ce serait étonnant. Ce paysage de beaux arbres et d'herbe drue a dû évoquer pour lui le topos du printemps, lequel à son tour attire l'idée du matin. Par contre, l'élimination qu'il fait de la scène matinale mais trop "naturiste" de la "toilette dans la rosée" le trouble et, pour lui, Gauvain ne s'habille qu'après la messe et le déjeûner (6124 ss), ce qui n'est pas extrêmement "courtois" ! Les autres rédactions distinguent l'habillement (avant la messe) et l'armement (après le déjeûner) : AS les fusionne.

AS aime à "personnaliser" (on l'a bien vu par les noms propres qu'il précise ou ajoute). Ainsi, pour lui, c'est Keu qui demande à Guerrehés s'il a jamais été dans un verger et y a été honni (9027) ; dans les autres versions, ce sont les chevaliers, en général. C'est Gauvain qui se propose pour aller en éclaireur - dans l'épisode d'Yder, à la suite de l'échec de Keu - ce n'est pas le roi qui l'envoie (A 4030). Si l'importance d'Arthur est ici infirmée, ailleurs elle est renforcée : quand on interrompt, pour chaque carême, le siège de Branlant, le roi emmène toute l'armée sejorner dans son pays (1223) - les autres écrivent en lor païs (L 1150), ou chascuns ... an som païs (E 5774). Pas d'effet sans cause - AS se veut logique - et sans cause "personnalisée" : ainsi, au premier départ de la nef (VI/1), les cierges ne s'éteignent pas d'eux-mêmes, ou ne sont pas éteints (au passif) par on ne sait qui : c'est le cygne qui le fait (8461) !

Avec le même souci de logique, AS dit avec quoi la Main noire éteint le cierge (les cierges, pour lui) : avec un frain (7038), et, quitte à "empoigner" un frein, aussi bien que ce soit pour plusieurs cierges, lesquels entraînent plusors voiz (7042 - au lieu d'une vois), et aussi la molt grant clarté (A seul, 7025 ; - cf. L : un poi de clarté ; - S a sottement anticipé : un bel autel). Ce qu'on comprend moins bien, c'est pourquoi la Main entre par la destre (AS 7035), alors que pour LUMQ elle le fait à senestre, traditionnellement de mauvaise augure. Serait-ce une ruse de l'anemi ?

L'estrange, le mystère gênent AS. Il ne voit pas pourquoi ce serait un autour qui attirerait Gauvain vers l'endroit où est prostré le Riche Soudoier ; comme ce personnage est accablé de tristesse, il a dû pleurer, crier, et c'est sans doute sa voiz qui a attiré Gauvain (5827). Pas d'effet sans cause : les richesses dont regorge la cité de Lis ont bien dû être fabriquées par quelqu'un : d'où la substitution d'ovreors à osteus (4239). Pour être logique, il faut prendre le temps de réfléchir : à IV/6, Bran de Lis "pense" grant piece (4821) - pour les autres, seulement un poi. On pense peu, dans l'oeuvre primitive : on agit d'abord - et l'on serait tenté de dire que le "premier auteur" écrit d'abord, puis il pense à ce qu'il a écrit ... s'il y pense !

N'est-ce pas ce refus du mystère qui incite AS à écarter, au Chastel Orguelleus, la chapelle bien loing del bois (5425) ? Pour une fois que le remanieur emploie l'adverbe "loin", la chose vaut d'être notée ! Les autres voient cette chapelle soit dans le bois (TMQ 11313/15297), ou hors du bois (E), soit, plus justement sans doute, a l'eur del bois (L 5373 + PU). Soit trois imaginaires différents : "dans le bois", la chapelle serait plutôt celle d'un ermite (cf. le Caradoc), un lieu ombreux, retiré, caché même, "mystique" - ce qui n'irait pas avec l'hommage rendu au roi dans cette même chapelle (cf. infra) ; à l'orée du bois, lieu intermédiaire, participant du clair et de l'obscur, propice à l'union des contraires : n'oublions pas que cette chapelle, grant (L seul, mais S écrit eglise), sert de cimetière (ou est entourée d'un cimetière), dans lequel sont enterrés, dans une réconciliation post mortem, "tous les chevaliers ocis, / li estrange et cil del païs" ; bien loin du bois, loin de l'ombre et du mystère - mais souvenons-nous que "le bois" connote aussi soit la chasse, soit l'amour - en pleine clarté, bien rationnelle, déjà "gothique" sans doute (cf. la Chapelle à la Main, où AS et T sont seuls à parler de fenestre). Et le cimetière aussi est en pleine lumière : tout est net, pour une pensée orthodoxe - la vie et la mort, les bons (élus) et les méchants (damnés).

AS explique : pourquoi une troupe, même nombreuse, de chevaliers a-t-elle frayé une rote aussi large ? Car ils peuvent chevaucher à la file, ou par deux ou trois de front. Non, dit AS : ils chevauchaient par dix de front (4158). C'est plus qu'une précision, c'est une vision différente, qui jure d'ailleurs avec le nombre de cent donné ensuite (au lieu des mille de L, cf. supra), car, alors, c'est une formation en "carré", ce qui serait assez étrange. Pour qu'une troupe chevauche par dix de front et foule l'herbe à ce point, il faut qu'elle ait plus de dix rangs !

AS se refuse à se contredire. Selon son récit, Gauvain a juré à la Pucelle de Lis qu'il n'aurait pas d'autre amie qu'elle (4481-82) : il peut tenir cette promesse, et tout cas, on ne nous dit pas qu'il ne l'ait pas tenue. Mais, selon L (4314-16), le héros a promis à son amie qu'il reviendrait la chercher aussitôt qu'il le pourrait - ce qu'il n'a pas fait. Dans le récit de la Br. II, Gauvain fixait même une date pour son retour (L 1706-08), et, là, tous les copistes - sauf MQ, bien sûr - étaient d'accord. Il s'agit donc bien d'une correction de AS : correction des faits, et correction, si l'on peut dire, du caractère de Gauvain. Car, si AS veut réellement écrire ce qu'il écrit, si sa contradiction est consciente, Gauvain, dans son récit, se disculpe : personne ne peut, sans doute, lui reprocher d'avoir été infidèle à son amie, tandis qu'on pourrait lui reprocher de n'être pas allé la chercher. Au lieu, donc, de s'accabler lui-même, comme il le fait dans la "version viol", le héros perfectionne encore son "image de marque". Mais AS aurait dû ne rien négliger qui puisse aller dans ce sens et, par exemple, Gauvain aurait pu dire à ses compagnons que c'est la réouverture de sa plaie qui l'avait amené à proposer à son adversaire une remise du duel (cela, L est seul à le faire).

AS évite d'écrire, comme le font les autres (L 7815), qu'il ne racontera pas les "nicetés" du jeune Lionel, alors que tous les racontent, au moins en partie ; AS, donc, corrige et contredit :

> ... mes des nicetez qu'il disoit   A 7793-95
> et des anfances qu'il feisoit
> vos voel ici conter avant.

Remarquons que T le fait aussi, et même avec plus de précision :

> ... mais de la premiere envaïe   T 13623-24
> que il fist vos dirai partie.

Mais l'excès de logique peut être un défaut : dans la première chambre par laquelle repasse Guerrehés honni, il trouve, non des pucelles, mais des chevaliers occupés à confectionner

> ... las et noiax   A 8899-900
> et aumosnieres et fresiax.

Nul doute à avoir : pour lui, il s'agit des malheureux vaincus du Petit Chevalier, astreints à des travaux de femmes. Ils sont, comme les pucelles dans les autres versions, quatre vins ou cent, et AS, logiquement, aurait dû corriger le nombre des honnis dont se vantait le nain, le réduire à cent comme l'avaient fait S (8849), T et MQU ; sans doute l'a-t-il fait, mais Guiot, en dernier, a rétabli le mil de LP. On comprend le sens de sa contradiction : pas d'affirmation sans preuve, et, ces chevaliers dégradés, ou nous les montre. Et, d'autre part, ces joyeuses assemblées dans chaque chambre, dans la salle, là où, tout à l'heure, il n'y avait âme qui vive, sont vraiment trop insolites, trop estranges. Le remanieur ne saisit pas du tout le sens du mythe, le caractère de ce château de l'Au-delà, du monde de l'insouciance, de l'oubli sans doute (comme, ailleurs, le Verger aux caroles). Et encore : il faut, le plus possible, "purger" le château de tout mystère - il n'y a pas de lieu secret où seraient enfermés les tisiers. Et, ce faisant, AS réduit, "euphémise" le supplice des chevaliers dégradés : au moins ils travaillent en plein jour, dans une chambre splendide, et ils ont la "consolation" de se moquer de Guerrehés qui, sans aucun doute pour eux, les rejoindra dans un an. N'avons-nous pas, enfin, ici la raison de la présentation sommaire et visiblement amputée que AS nous faisait du château, à l'aller de Guerrehés, et surtout de cette "troisième chambre" (qui est, au retour, devenue la première) ? Le mystère quasi "alchimique" de cet or qui éclairait cette pièce avait été chassé, et notamment cette cote pointe, oeuvre des Mor. AS, sans doute, n'aime pas les Maures (nous y reviendrons), mais, dans son optique, pourquoi les faire intervenir, alors qu'il y a soit cent, soit mille chevaliers honnis dont c'est justement le travail ?

Guiot lui-même (A seul), finalement, corrige peu de chose. Nous avons déjà souligné ses efforts pour faire disparaître le nom de Girflet dans les trois premières Branches, de même que son refus de taxer de folie la témérité de Gauvain s'élançant, désarmé, contre Brun. Hyper-correction bizarre dans le Caradoc : ce n'est qu'à l'âge de quinze anz (2114) que l'enfant est mis aux lettres (pour les autres, cela varie de quatre à sept) ; d'une part, quatre et quinze sont assez souvent pris l'un pour l'autre ; d'autre part, quatre a pu paraître trop peu, et l'enfant, "sur-doué" - ce qui ne serait nullement anormal, étant donné la nature de son vrai père, mais Guiot et son école, nous l'avons vu bien souvent, renâclent devant le merveilleux.

Ironie au v. 3983 : Keu se nomme à Yder le Beau, et celui-ci lui répond qu'il l'avait bien reconnu.

"... car vos parlez trop dolcemant"

- mais l'ironie n'est guère moindre, et est peut-être plus fine dans TEMQ ("simplement" = "modestement") ; elle est absente de LPU ("francement"). La leçon de A doit d'ailleurs être attribuée au remanieur AS, car S a aussi "doucement", mais il a changé le sujet ("O vous parlai trop doucement", dit Yder). Chez le même Yder, Guiot a raison de nous parler, d'emblée, de deus levriers (A 3952), alors que tous les autres ne parlent d'abord que d'un levrier, puis de deus. Par contre, il doit s'agir d'une hyper-correction au v. 5400 : Arthur, ayant accordé la première joute à Lucan le bouteiller, lui dit d'aller manger avec Keu, alors que tous les autres ont "avec Gauvain" ou "avec mon neveu". Si Guiot choisit Keu, ce peut être parce que le sénéchal est le "collègue" du bouteiller - mais on ne nous a jamais montré d'intimité particulière entre Keu et Lucan (à la génération précédente, Keu et le prédécesseur de Lucan, Bedoier, étaient souvent associés - de même que dans les textes gallois : Kei et Bedwyr) ; ou bien parce que le sénéchal ne mange pas en même temps que les autres (cf. le début de la <u>Charrette</u>) - mais il mange après ; en tout cas, ici, il mangerait après, puisque le repas a commencé, et l'effet serait donc le contraire de ce qui est voulu : Lucan se mettrait en retard ; d'ailleurs, cette idée que le sénéchal ne mange pas en même temps que les autres, si elle doit être juste pour les grands dîners d'apparat, ne l'est guère ici, puisque le repas, même s'il est plus qu'un simple pique-nique, n'est préparé que pour 17 personnes, et qu'il est servi dans un pavillon (ou peut-être même dehors). Non, l'auteur avait bien Gauvain en tête, et non pas Keu. La suite du texte le montre : ils (sans doute Lucan et Gauvain) mangent vite (<u>isnelement</u> dans <u>L</u>, <u>M</u> et <u>T</u> : <u>hastivement</u> dans <u>PU</u> et <u>Q</u> - et <u>AS</u> chasse, une fois de plus, l'idée de rapidité en écrivant une platitude : <u>et si vos di veraiement</u>), puis ils essaient leurs armes ; ce sont celles de Lucan qu'il importe de vérifier en premier, et le meilleur spécialiste en la matière est évidemment Gauvain, non le sénéchal !

La famille <u>ASP</u>, en dehors de ce que nous avons pu citer dans nos examens détaillés, ne fait guère de corrections bien nettes (rappelons qu'elle remplace par de l'<u>argent</u> la matière insolite - <u>esmeraude</u> ! - du second conduit qui évacue le Sang de la Lance) : elle est généralement associée, à <u>R</u> d'abord, puis à <u>T</u> et/ou à <u>U</u>.

Nous avons vu que <u>ASPU</u> refusaient d'insister sur les compensations qu'Arthur offrait à Bran de Lis - et cela au moyen d'une formule aussi sèche qu'indubitable :

> Je ne vuel or plus aconter.   A 4881
>   (PU : Ne vos en voel plus aconter)
>   (S : Que vous iroie ore el conter ?)

T et MQ font la même suppression, mais sans le vers de refus. Comme il leur faut trouver un vers supplémentaire pour le début de l'épisode suivant, ils délayent celui de la rédaction courte :

> Atant s'en va arriere armer   T 10711-12
> sor le tapi sanz plus parler   (E 14593-94)
>   (EMQ : sus le tapiz sans demorer)

> - cf. L : Lors s'ala seur un paile armer.
>   ASPU : Li chevaliers s'ala armer.

Mais voici que la chose est moins simple, car L, lui aussi, a une formule de refus :

> Lors s'ala seur un paile armer.   L 4743- 46
> Ne vuel le conte a plus mener :
> de totes ses armes s'arma ;
> en un rice destrier monta ....

Mais, on le voit, il n'est pas placé au même endroit, et ne désigne pas la même chose. Ce que L refuse de détailler, ce ne sont pas les compensations offertes par le roi, c'est l'armement de Bran de Lis : il ne le fait pas, les autres non plus d'ailleurs. Que comportait au juste le texte primitif ? Qui a réagi, et à quoi ? Certainement, c'est un premier remanieur qui a supprimé la longue requête du roi Arthur larmoyant, comme étant indigne d'un si grand d'un si parfait héros. Car, auparavant, l'auteur nous a bien dit qu'Arthur pleurait, et ceci dans l'un de ces rares vers qui figurent, inchangés (ou presque), dans toutes les copies :

> Au roi lermerent tot li uel   L 4703
> (à peine corrigé par T : Au roi en lerment tuit li oeil ; un peu
> plus par tous les autres : Au roi an lermerent li oil)

Et Bran de Lis le lui a reproché, d'un ton ironique et méprisant. Cela, tous les copistes l'ont transcrit. Mais c'en est assez : il est inutile de poursuivre. Qu'Arthur réponde, assez lamentablement, en tentant d'apitoyer, d'abord, puis, ensuite, d'intéresser Bran de Lis (au moins au salut de l'âme de son père et de son oncle, ou frère), voilà qui est insupportable. La formule de refus jaillit, chez ASPU, à sa bonne place ; TEMQ l'estompent ; et c'est le hasard qui veut que L, avec un vers de décalage, donne lui aussi une formule de refus, mais qui n'a pas du tout le même objet. Formule qui, d'ailleurs, fait l'affaire du premier remanieur, et, sans doute, lui inspire la sienne propre, car, finalement, il ne s'agit que d'une interversion de vers :

<blockquote>
Lors s'ala seur un paile armer.   L
<u>Ne vuel le conte a plus mener</u>....

<u>Je ne vuel or plus aconter.</u>   ASPU
Li chevaliers s'ala armer...
</blockquote>

Tout se passe donc comme si le premier remanieur, butant sur le discours d'Arthur, allait voir à la fin, y trouvait la formule de refus de L (qui concernait autre chose) et s'en emparait, pour mettre un terme à l'épisode désagréable (et donc "discourtois"). Peut-être même cela a-t-il été inconscient, car la coupure fait 32 vers, ce qui est une longueur très plausible pour une colonne : le regard du remanieur a pu glisser ... et s'éclairer lorsqu'il est tombé sur une formule de refus qui lui convenait à merveille.

Les autres contradictions apportées par la famille ASP etc. vont dans le sens, bien connu, de l'euphémisation, de la rationalisation. Là où L et T font dire à Gauvain envoyant ses messagers au Guiromelant "Allez lui dire que je suis <u>prêt</u>", les autres écrivent : "Allez lui montrer <u>mon droit</u>" (A 628). Selon L et T, la force de Gauvain double subitement à l'heure de <u>midi</u> : pour les autres, elle croît, jusqu'à doubler, à partir de <u>tierce</u> (A 870 ss). C'est plus progressif. Il y a toujours magie, mais celle-ci est · plus "naturelle", ou "naturiste" : la force de Gauvain s'élève comme le fait le soleil, croît comme l'éclat et la chaleur de celui-ci, atteignant son apogée à la même heure que lui. C'est moins brusque, et maint remaniement a été fait pour adoucir cette brusquerie du "premier auteur".

Nous avons vu que AS étaient, assez comme L, partisans du matin (au contraire du responsable de la rédaction longue) : c'est ce qui se manifeste ici, car c'est toute la matinée qui est exaltée, et non seulement l'heure ponctuelle de midi. Mais ici la "famille Guiot" n'a pas été très bien inspirée, car tierce est une heure bien trop matinale pour que s'accomplisse - ou que commence à s'accomplir - le prodige. Celui-ci ne prend sa valeur que si les combattants s'acharnent déjà depuis longtemps, et souvent au moment où la résistance naturelle du héros commence à faiblir. Or ils se battent bien depuis longtemps - la matinee, écrivent ASPRTEU, mais la matinée ne prend pas fin à tierce ! - (tout) le jour, écrivent L et T, mais le jour ne se termine pas à midi. Les deux rédacteurs font des erreurs analogues. Mais celle du premier remanieur est plus grave, car il n'est pas vraisemblable qu'entre le lever du soleil et neuf heures du matin Gauvain ait eu le temps d'assister à la messe avec son oncle, de sortir du Château de la Merveille et de traverser la rivière, de se confesser, de commencer à s'armer, d'assister à l'arrivée des quatre cortèges du Guiromelant et à leur installation, d'envoyer Yvain et Girflet porter un message à son ennemi (par plains et par mons et par vaus, précise la rédaction longue !), d'attendre leur retour, de finir de s'armer en choisissant soigneusement sa lance et, enfin ! de commencer à se battre et de continuer à le faire au point de ressentir un certain épuisement ! La tentative de "délayage" du "privilège solaire" de Gauvain se heurte à une impossibilité.

Au Chastel Orguelleus, l'on observe, en l'honneur de Notre-Dame, une trêve et un repos complet (mais pieux) depuis le samedi midi jusqu'au lundi matin. L'activité reprend, selon EQ et T, le lundi à l'heure de tierce, quand toutes les messes sont chantées (11736/15804 ; - bourde de M : dusqu'a la tierce du midi !) ; selon L, entre tierce et mïedi (5816), mais, selon ASPU, à l'heure de prime : c'est évidemment une erreur, car toutes les messes ne peuvent pas être terminées à 6 h. du matin ! Mais notons à nouveau l'insistance sur la matinée.

Quelques corrections "courtoises". Nous avons déjà signalé, entre autres, comment, pour <u>ASPT</u>, Gauvain fait porter (ou se fait aider pour porter) devant la reine le corps de l'inconnu mystérieusement tué (<u>A</u> 6957 ss ; - <u>T</u> : sur son écu), tandis que, pour <u>LUMQ</u>, c'est le héros qui le porte, <u>meïsmes a ses mains</u>. Gauvain est fort robuste, mais il ne faut pas exagérer, et le chevalier inconnu n'est pas un enfant que l'on puisse tenir sur les bras ; nous avons dans <u>LUMQ</u> une imagerie héroïque, "épique", et je dirais aussi "romane", où la taille des personnages est proportionnelle à leur importance ; l'imagerie "gothique" est, on le sait, bien plus "réaliste".

Dans la chambre de Lis où l'on installe Gauvain et Bran, fort blessés et épuisés, l'éclairage, même indirect (<u>L</u> 5204-05), est vif, puisqu'il est assuré par <u>quatre vins cierges</u> (<u>L</u> 5202, et <u>E</u> 15112). Non, disent les autres : <u>quatre cierges</u> seulement. On peut hésiter. S'agit-il d'une correction du "premier remanieur", ou est-ce un développement de la version <u>L</u> ? <u>L</u> et <u>E</u> sont les seuls à faire mention de la riche fresque <u>de couleurs et d'argent et d'or</u> qui retrace l'histoire de Troie : il faut évidemment qu'elle soit éclairée. Quatre-vingts, c'est peut-être trop, mais quatre, ce n'est vraiment pas assez. A titre de comparaison, dans le <u>Conte du Graal</u> (v. 3213 ss), les chandeliers qui précèdent le Graal totalisent au moins vingt <u>chandoiles</u> ou même quarante, si chacun des deux valets en tient un dans chaque main - dont la lueur est presque totalement éclipsée par celle qui émane du Graal. Dans la chambre de Lis, s'il n'y a que quatre cierges, ce n'est vraiment pas la peine de les soustraire aux yeux des blessés :

> ... et si furent an tel leu mis   <u>A</u> 5290-91
> que mal ne feïst la clartez ....

- vers communs à toutes les rédactions. Et, avec seulement quatre cierges, comment le médecin peut-il regarder les plaies ? En tout cas, avec cet éclairage a giorno, L est bien dans la veine du "premier auteur", qui éclairait intensément la salle pour le duel, qui insistera sur l'extraordinaire illumination du Chastel Orguelleus.

Dans l'épisode IV/2 (la triste songerie d'Arthur à table, que ASPU vont développer en une véritable "Crise à la cour d'Arthur"), le roi, selon L + TEMQ, a fiché un grand couteau (qu'il a pris à Yonet, "écuyer tranchant") dans un pain, puis il a appuyé son front sur le poing qui en tient le manche ; la main a glissé jusqu'à la lame, qui lui en a entamé le pomel (l'éminence à la base du pouce) : tout cela est parfaitement vu. Mais, selon ASPU, cela ne s'est pas du tout passé comme cela : le roi, tout en "pensant", s'amusait à taillader (chapuisier), avec le couteau, le dessus du pain ... tant que il s'est blessé le pomel de la main (un des dois, écrit P. 3378), avec la pointe (A 3379) du couteau. Comment diable a-t-il pu faire ! Passe encore si c'est l'autre main qu'il a ainsi blessée, avec la pointe du couteau - mais on ne le précise pas ! Le remanieur courtois a voulu réduire l'ampleur et la profondeur de la blessure : il n'a réussi qu'à évoquer quelque chose d'invraisemblable.

Mais voici la meilleure. Le jour de la seconde manche du Jeu-parti, Arthur propose à l'enchanteur, en échange de la vie de son petit-neveu Caradoc :

> "Tot le harnois   L 2387-91
> et as vilains et as borgois
> de ceste cort en pués avoir.
> Ainc mais ausi tres grant avoir
> de raençon ne dona nus."

- ce qui devient dans ASPT :

> "Tot le hernois   A 2393 ss
> et as vilains et as cortois
> de ceste cort ..."

- la réfection, beaucoup plus libre, de la rédaction longue allant dans le même sens :

> "... trestote la vaiselemante   <u>E</u> 7306-09
> qui an ma cort sera trovee,
> qui c'onques l'i ait aportee,
> et le harnois au <u>chevalier</u> ..."
> (<u>M</u> : les hernois aus <u>chevaliers</u>)

Car, pour le premier remanieur, ou pour le remanieur courtois <u>ASPT</u>
et le responsable du <u>Caradoc</u> long, il ne peut y avoir de <u>vilains,</u>
au sens premier et sociologique, c'est-à-dire de paysans, à la cour,
pas plus, d'ailleurs, que de bourgeois. Aussi élève-t-on "vilain" au
sens "moral" et l'oppose-t-on, tout spontanément, à "courtois". Qu'est-
ce que cela peut faire à Eliavrès que la rançon qu'on lui offre pro-
vienne des "dons" des chevaliers qui sont courtois et de ceux qui
ne le sont pas ? Notons que <u>EMQU</u> ont uni en une seule tirade l'offre
des "hernois" et celle de la vaisselle précieuse : cette dernière,
dans <u>LASPT</u>, fait l'objet de la tirade suivante.

    D'abord, qu'est-ce que c'est que le "<u>harnois</u>" ? Foulet, dans son
Glossaire, comprend, avec justesse, "toutes les possessions transporta-
bles" ; puis, citant un autre passage, absent de <u>L</u>, où l'on déconseille
à Arthur d'emmener trop de gens au Chastel Orguelleus - <u>trop grant</u>
<u>hernois</u> (<u>A</u> 3716, <u>T</u> 9100, <u>E</u> 12872) - Foulet commente :

> ... on dirait ici que <u>harnois</u> désigne non seulement
> l'équipement et les <u>bagages</u>, mais même les hommes,
> on pourrait peut-être rendre le tout par "ne menez
> pas trop grand train avec vous" (<u>s. v. harnois</u>)

- en somme, "ne vous chargez pas trop", et d'hommes et donc de
bagages. Mais, dans le passage qui nous occupe, il ne s'agit pas d'hommes, mais de ce qui leur appartient, ou, plus justement, de ce qui
ne leur appartient plus, soit qu'ils en aient fait librement (?) don
au roi, soit que celui-ci l'ait retenu ou prélevé sur leurs richesses.
Tous les autres copistes comprennent, semble-t-il, "équipement" :
tout ce qu'Arthur accumule, entre ses cours solennelles, en fait,
d'abord, de riches "harnais" au sens actuel (une selle a toujours coûté
cher, et le harnachement entier était souvent somptueusement décoré),
de chevaux de prix, d'étoffes, d'habits, d'armes (hauberts, heaumes

425

richement décorés eux aussi, etc.), afin de le distribuer à ses tribu-
taires, alliés, vassaux, chevaliers, etc. Tout ces objets sont, généralement, confectionnés par les artisans de la "classe bourgeoise", qui,
du point de vue de l'époque, étaient des "vilains", ou par des artisans
royaux ou seigneuriaux, qui ne l'étaient pas moins. Comme l'on ne
voit pas bien ce que les paysans peuvent fournir en fait de travaux
de cuir orné, repoussé, tressé, etc., on peut se demander si l'expression de   - et as vilains et as borgois - n'est pas une redondance,
plutôt qu'une véritable distribution (à moins qu'il ne s'agisse d'une
distinction entre les borgois-patrons d'ateliers et des vilains-ouvriers).

    Au fond, les deux textes se rejoignent, car la cour n'a que
faire de harnois ` de prix qui ne servent pas aux chevaliers, qui ne
soient pas destinés à leur être distribués. Quant à savoir, là-dedans,
ce que les borjois ont donné au roi, ce qu'il leur a payé, ce qu'il
les a forcés à lui donner sans les payer, c'est un autre problème !
Il en va de même des chevaux, ou des chiens et des oiseaux de
chasse que l'on voit si souvent distribués par Arthur à ses chevaliers
(ou proposé par un donateur de l'Autre monde, comme Aalardin,
dans le Caradoc, III/15) - d'où viennent-ils ? Eux aussi sont des ca-
deaux, spontanés ou non, faits au roi, par la bourgeoisie non moins
que par la chevalerie, s'il faut en croire Chrétien - à la réception
d'Erec et Enide à Nantes :

> Le jor ot Erec mainz presanz   Erec 2388-97
> de chevaliers et de borjois ;
> de l'un un palefroi norrois,
> et de l'autre une cope d'or ;
> cil li presante un ostor sor,
> cil un brachet, cil un levrier,
> et cil autres un esprevier,
> cil un corant destrier d'Espaingne,
> cil un escu, cil une ansaingne,
> cil une espee et cil un hiaume.

Concluons : il y a, à la cour royale, accumulation de richesses, destinée à permettre au roi d'exercer sa fonction, vitale, de largesce.
L met l'accent sur l'origine de ces richesses, les autres, sur leur

destination. Ou, en termes duméziliens, L, sur la IIIe Fonction (celle des producteurs), les autres, sur la IIe (celle des guerriers). Une chose nous semble assurée : le "premier auteur" n'avait pu écrire la leçon donnée par ASPT, avec cette opposition, en l'occurrence absurde, des "vilains" et des "courtois". Alors, de deux choses l'une : il a écrit, comme EMQU, "chevaliers", que le remanieur courtois a sottement "ventilés" en "vilains" et en "courtois", et L, en bout de chaîne, a opéré un redressement aussi vigoureux qu'invraisemblable. Ou bien il a écrit, comme L, "vilains" et "bourgeois", que le remanieur courtois a, toujours sottement, "moralisés" en "vilains" et "courtois", distributio que le dernier remanieur a "re-condensée" en "chevaliers". Cette dernière hypothèse nous paraît la meilleure.

Il arrive enfin que les familles de mss se défassent et que certaines leçons de l'une (ASP etc.) rejoignent certaines variantes de l'autre (MQEU etc.). Ainsi, dans AS et EU, ce sont 4 OOO chevaliers qu'Arthur fait s'armer pour garder l'ost (cf. A 596), tandis que ce sont 15 OOO dans LPRT. Nous avons déjà signalé que Gauvain, dans ASMEU, se confesse à l'évêque de Carlion, et non, comme dans les autres, à un évêque nommé Salemon (L 482). T et P se rejoignent presque pour écrire que, pendant les sept ans du siège de Branlant, le roi renvoie son armée, chaque année, avant le grans ivers (T 2153) et même apriés aoust (P 1221), alors que, pour tous les autres, il ne le fait qu'à l'approche de carême (L 1148). Au mystérieux Verger des Sépultures, les quinze trouvent, selon les copies, soit doze reclus (L 3920), soit trente (PU), soit cent (les autres). AS se joint à U et Q pour donner une escorte de cinc cens chevaliers à l'amie du Riche Soudoier, tandis que L (6462) s'accorde avec P, T et EM pour n'en compter que cent.

A, P, T et Q s'allient pour écrire que, lorsque Lionel apprend que son adversaire est Gauvain, qu'il croit bien être son père, il devient songeur (s'anbruncha, A 8151), alors que, pour L, S, M et U, il court l'embrasser ; l'erreur de lecture peut être faite dans les deux sens, mais L est bien fidèle au "premier auteur" (rapidité, spontanéité), et A, à lui-même (réflexion, temporisation). Par contre, dans les vers suivants, on notera la réfection particulièrement malencontreuse de AS :

> "Par la foi que je doi Saint Pere,   A 8153-54
> je cuit qu'ainsins ot non mes pere ..."

(pour avoir une rime riche ? - c'est exceptionnel de sa part), alors que L écrivait assez nettement :

> "Par la foi que je doi ma mere,   L 8143-44
> ensi soloit nomer men pere ..."

et Q encore davantage :

> "... mainte fois le disoit ma mere"   E 18208

les autres restant plus ambigus ("... ma mère,/ on appelait ainsi mon père").

Autre sottise de A, partagée par MQ : le Petit Chevalier qui, au retour de Guerrehés, ressemble à singe sur somier (9174/ 19324), alors que les autres écrivent singe sor levrier. Non seulement ils contredisent leurs confrères, mais ils se contredisent eux-mêmes, puisque, au premier passage du héros, ils étaient d'accord pour présenter le Petit Chevalier, non seulement parfaitement proportionné, mais, surtout, monté sur un destrier tout à fait adapté à sa taille : petis a sa mesure (L 8807 et ASPU) ou petis a desmesure (TMQ) - l'ensemble pouvant évoquer un (petit) singe monté sur un chien, non sur un grand cheval.

L'interpolation sur Joseph d'Arimathie (cette variante de l'Evangelium Nicodemi) n'est donnée, rappelons-le, que par L et quatre autres mss qui appartiennent aux versions les plus divergentes : A et MQU. C'est là un mystère que nous ne tenterons pas d'éclaircir. Autre problème insoluble : celui de la ville dont Caradoc est roi, et qui est régulièrement - et à tort - Vannes dans LAS, toujours corrigé en Nantes par P ; dans MQE, on trouve le plus souvent Nantes mais aussi Vannes (graphies aberrantes) ; dans U, selon les modèles qu'il suit, tantôt Vannes, tantôt Nantes ; et, le plus extraordinaire, le couple TV, pour une fois, se divise, T écrivant presque toujours Nantes (à raison, donc, comme P), et V, une fois sur deux, Vannes. Qu'en déduire ? Sans doute, soit le "premier auteur", soit un "premier remanieur" connaissait-il mal la région, et il a écrit fautivement Vannes que le copiste de T et celui de P ont corrigé en Nantes, le responsable de la rédaction longue restant dans l'hésitation. S'en tirer, comme le fait G.D. West dans son Index of Proper Names ..., en affirmant que Caradoc est à la fois roi de Vannes et de Nantes, est un piètre échappatoire. La Tour de Boufay est à Nantes, non à Vannes. Et rien dans le texte d'aucun de nos mss ne suggère que Caradoc soit le roi de deux villes. De toute façon, Caradoc est un héros gallois.

C'est là une des rares erreurs de L. Nous n'avons pas, maintenant, à dénombrer les contradictions qu'il apporte à l'ensemble ou à la majorité des mss : nous avons fait ce travail, dans l'autre sens. A moins d'une grave erreur d'optique de notre part, il nous a presque toujours paru évident que c'étaient AS, ou ASP (etc.), ou MQ, ou T, qui corrigeaient et contredisaient la donnée primitive - et souvent parce qu'elle était trop "primitive" - conservée par L. Toutes leurs réfections ont un sens, pluriel mais cohérent, nous n'y revenons pas, et L a aussi le sien, tout aussi cohérent, et souvent opposé. Ou bien L est un remanieur de génie, d'une extraordinaire force, cohérence et originalité - ce qui, à notre connaissance, serait sans exemple -, ou bien il nous transmet le texte le plus proche de celui du "premier auteur".

Deux exemples, pour terminer. C'est dans L seul qu'on lit que le Riche Soudoier, après avoir joué la comédie à son amie et s'être rendu au roi Arthur, fait venir sa gent à la chapelle pour qu'elle fasse hommage au roi, et l'on assiste au magnifique défilé du rice barnage qui sort du Chastel et se dirige vers la chapelle,

429

où Arthur, fort émerveillé et heureux, "prend leur homages" (L 6534-50). Scène magnifique, somptueuse, tout à fait dans la manière du "premier auteur" (penser aux conrois du Guiromelant), et, surtout, parfaitement "visualisée". Et la chapelle, dont nous parlions tout à l'heure, trouve ici son plein emploi et sa plus belle justification : après avoir été le "panthéon" des héros ennemis, elle devient le lieu de la réconciliation des vivants. Que reste-t-il de cette scène dans les autres mss ? Rien. TMQ omettent purement et simplement cette vingtaine de vers. Pour ASPU, le Riche Soudoier envoie (qui ?) au Chastel dire à ses chevaliers de jurer (devant qui ?) qu'ils serviront désormais fidèlement Arthur. Puis, après quatre vers sur lesquels nous allons revenir, ASPU et TMQ se retrouvent pour célébrer le héros, Gauvain, qui, par ses armes, conquit si grant enor - selon ASPU, car, pour TMQ, Gauvain a conquis seulement son adversaire et lui a fait si grant enor. En quoi consistait ce grant enor ? MQ refusent de le préciser : Or m'en terai, n'en veil plus dire (16599) ! Mais T, lui, précise :

> ... que il s'ala rendre a s'amie   T 12473-74
> por lui salver el cor la vie ...

et il continue - fort bien inspiré ! - par la même formule de refus ! On tombe de haut !

Les quatre vers intercalés entre l'hommage général et l'éloge de Gauvain sont omis par TMQ. Les voici dans la "rédaction courte" :

> Ainc en un jor tant n'en conquist   L 6551-54

- il s'agit du roi, ce que précise A, cependant que S, anticipant, remplace tant (d'alliés, de vassaux) par tel honor -

> si con Bliobliheri dist.
> (U : Blioberis = manque un pied)
> (A : si come Bleheris nos dist
>   = récupération de deux pieds)
> (P : issi con Bran de Lis li dist)

> Puis li orent molt grant mestier
> (PU : Si ... ; - AS : que [S quar] = syntaxe)
> en mains lius li bon saudoier.
> (A : an plusors leus li chevalier = vague !)
> (PU : Atant le voel ici laissier
> = formule de refus, qui a pu inspirer celle
> de TMQ, à moins que ce ne soit celle qu'utilisent
> SPU cinq vers plus loin : Or m'en tairai, n'en
> dirai plus ...)

Tout y est, dans ces quatre vers : le style de L (Puis ...), sa justesse et sa précision (c'est en effet des Soudoiers, des membres de ce mystérieux compagnonnage, qu'il s'agit, non de n'importe quels chevaliers), de même que les tendances des remanieurs (précision inutile, anticipation oiseuse, vague, syntaxe substituée à la parataxe, remplissage, etc.). N'épiloguons pas sur Bleheri-Bliobliheri : LAS ont raison d'évoquer ici ce famosus fabulator gallois, sur lequel nous aurons plus tard l'occasion de revenir ; la réfection de P, qui ne comprend pas, n'est pas idiote : Bran de Lis, guide des quinze vers le Chastel Orguelleus, était le "commentateur" habituel des choses surprenantes de cet Autre Monde, mais il faut préférer ici la lectio difficilior de LAS. Et le texte de L est le meilleur, qui continue, non par un éloge superflu de Gauvain, mais par le retour au Chastel des nouveaux vassaux d'Arthur, suivis par le roi qui va être reçu a grant honor dans la maistre tor - ce que L est le seul à préciser : aucun autre copiste ne nous dit que le roi fait son entrée solennelle au Chastel Orguelleus !

Le second exemple est pris au début de l'épisode suivant : rentrée au Chastel de Lis, la petite troupe apprend que le fils de Gauvain et de la demoiselle de Lis vient d'être kidnappé. Selon tous les copistes, sauf L, c'est une dame (tout éplorée, ajoute AS) qui l'annonce au roi. Dans L, ce n'est pas une dame, ce sont trois :

> ... si li ont <u>trois dames</u> contee   <u>L</u> 6577-78
> l'uevre si com ele ert alee ...

Nous ne mettrions pas notre tête à couper que ce soit la version originelle. Mais quelle heureuse trouvaille ! Car, qu'évoquent ces <u>trois dames</u> sinon les trois Parques, les <u>Tres Matres</u> ou <u>Matronae</u>, les <u>Tria Fata</u>, les fées en un mot ? D'emblée, nous voici rassurés, du moins sentons-nous que ce n'est pas si grave ; nous sentons comme la jeune mère :

> "Je ne m'esmai mie   <u>L</u> 6621-24
> <u>de lui</u> ; plus estoie marie
> de vos, car j'avoie oï dire
> que trop en preniiés grant ire ..."

Car elle sait, étant fée elle-même, que c'est pour le bien de l'enfant qu'il a été enlevé, que c'est là le signe de sa haute destinée. Avec seulement <u>une dame,</u> on ne comprend pas la réaction de la mère, on la taxerait de sécheresse de coeur ; avec <u>trois dames</u>, tout s'éclaire. Tout le monde pleure, crie, s'agite, on met sur pied une armée, on se lance dans une de ces <u>questes</u> interminables : la mère, elle, reste impassible, regrettant seulement cet énorme remue-ménage. Et si elle lance le roi et les champions à la quête, c'est bien plus pour eux que pour elle-même ou pour l'enfant, qui, dit-elle, ne craint rien. Ce faisant, d'ailleurs, elle agit encore en fée : dans le conte merveilleux, celle-ci, en quittant son époux mortel qui a transgressé l'interdit, l'engage toujours, d'une façon ou d'une autre, à la quêter. Car si, comme celui de la Grâce, le don de la fée est immérité, sa récupération doit se mériter. Gauvain n'avait pas mérité d'avoir un fils, puisque la fée s'était d'emblée donnée à lui (et que cette unique union l'avait laissée enceinte). Maintenant, il doit mériter de le retrouver. C'est pourquoi, alors que les autres rentrent à leurs foyers quelques semaines ou quelques mois plus tard, lui n'y reviendra qu'après une dizaine d'années, avec son fils. Et il a commencé par refuser de participer à la quête officielle, parce qu'une telle entreprise, aussi démesurée, ne pouvait aboutir qu'à un échec. C'est à lui, et à lui seul, de quêter son fils - même sans savoir qu'il le

fait. Dans cette "re-structuration" du conte, ou du mythe, le continuateur de Chrétien ne se montre pas du tout indigne de son maître.
Et si le "premier auteur" n'a pas lui-même écrit trois dames, il
s'est heureusement trouvé un copiste plus "intuitif" que lui - et que
tous les autres - pour le faire.

LIVRE III
LA VERSIFICATION
(OU DES SONS AU SENS)

Les copistes et les remanieurs n'ont pas manqué, non plus, de s'en prendre au système de versification, quel qu'il fût, du "premier auteur". Les uns - les rédacteurs des versions longues ou des grandes interpolations - mettent l'oeuvre au goût de leur époque (fin, sans doute, du premier tiers du XIIIe siècle), cherchant en particulier la rime riche et pratiquant, de façon parfois abusive, la brisure du couplet d'octosyllabes. Les autres, plus proches (soit par la date, soit par le goût) du texte originel, et n'ayant pas osé se lancer dans de vastes "re-créations", pratiquent incessamment tous les remaniements mineurs qu'il est possible d'imaginer. Mais, ici encore, ces transmetteurs plus modérés ne semblent pas avoir eu de dessein bien net : si quelques-uns, comme les responsables de R et de T, manifestent parfois le souci d'enrichir la rime, ou encore, comme le clerc de R, celui de régulariser le rythme, ils cèdent tous, la plupart du temps, à leur manie de changer pour changer - parce qu'ils sentent autrement que le "premier auteur", et qu'ils veulent rendre plus "poli" (à tous les sens du mot) un texte quelque peu "archaïque", trop rugueux, heurté et précipité.

Il convient donc d'étudier la forme - au moins certains de ses aspects - du texte qui, sans doute, reflète le plus fidèlement l'oeuvre du "premier auteur", celui du ms. L et de la comparer avec celle, d'une part, que tentent de lui substituer les autres copistes et, d'autre part, le cas échéant, avec celle que pratiquent les autres auteurs, ou certains autres auteurs, de romans en vers.

Deux caractéristiques principales de cette forme vont retenir notre attention. D'abord la rime et sa sonorité (pauvre ou riche, masculine ou féminine, etc.), ainsi que les jeux effectués ou non avec les mots rimants. Puis le rythme, non pas celui du vers en soi (la "prosodie", la coupe de l'octosyllabe et la place de ses accents), mais celui qui résulte du jeu de la structure régulière du couplet d'octosyllabes avec celle de la phrase, qui souvent le déborde ou le brise. Et nous verrons que cette étude de la forme nous conduit, aussi bien pour le premier aspect (la rime) que pour le second (le rythme), à appréhender le sens, manifeste ou latent, de l'oeuvre.

C H A P I T R E   VII

LA RIME

L'examen de la versification des diverses rédactions de la Continuation-Gauvain nous apporte une lumière indiscutable et nous permet de trancher au moins sur un point important : la rédaction dite "longue" EMQU (vol. II de Roach) - c'est-à-dire le Caradoc développé (Br. III) de EMQU, auxquels se joignent à un moment les versions des mss T et P, ainsi que le Guiromelant long (Br. I) donné par EMQU et les longues interpolations des mss EU - n'est ni de la même main ni de la même époque que la rédaction dite "courte" LASP, à laquelle appartiennent en général les textes de base des versions R et T, et à laquelle reviennent les textes de U et, finalement, de EMQ (à partir de la Br. IV). Les rédacteurs des versions "courtes" riment (plutôt) pauvrement ; ceux des versions "longues", assez richement et de façon telle, en tout cas, qu'ils ne peuvent en aucun cas être confondus avec les premiers. Notons aussi que, dans leurs interpolations, les responsables de T et de R riment aussi richement que ceux de la rédaction "longue".

Plusieurs paramètres sont à considérer : nous ne retiendrons que les plus importants, dont, au premier chef, la richesse de la rime.

439

Pour mener à bien cet examen, nous avons dû refaire, sur des bases un peu différentes, l'enquête ancienne de Freymond [1] ; nous avons dépouillé une tranche de 1000 vers (celles de Freymond étaient de 2000) d'un assez grand nombre d'oeuvres des XIIe-XIVe siècles. Le résultat en est brièvement donné dans le tableau en annexe, où sont successivement consignés : le pourcentage des rimes riches (y compris les "léonines", avec au moins la voyelle de l'avant-dernière syllabe), celui des "léonines" sur l'ensemble des riches, celui des rimes féminines sur l'ensemble des rimes riches ; puis la variété, c'est-à-dire le nombre des rimes utilisées, masculines et féminines ; ensuite le pourcentage des rimes féminines, et parmi celles-ci, celui des rimes riches ; enfin quelque chose d'assez différent : la "brisure du couplet", c'est-à-dire le pourcentage des phrases ou des propositions nettes qui se terminent sur le premier vers d'un couplet.

La valeur des paramètres retenus n'est pas égale ; les plus décisifs sont : le pourcentage des rimes riches (globalement), celui des rimes féminines (qui sont toujours plus riches que les masculines qui leur correspondent), le nombre des rimes utilisées (qui est évidemment une preuve de maîtrise de la langue et de la versification, et va généralement de pair avec la richesse), et la brisure du couplet. Chemin faisant, nous pourrons évoquer d'autres paramètres qui rendent l'analyse plus fine, comme le nombre des rimes homonymes, celui des rimes répétées (les mêmes mots qui reviennent ensemble à la rime), des rimes redoublées (deux ou plusieurs couplets sur la même rime), etc.

Nous faisons aussi intervenir la notion de "fourchette", c'est-à-dire l'amplitude des variations à l'intérieur de l'oeuvre d'un auteur, ou à l'intérieur d'une oeuvre (selon les parties) ; ainsi, pour Chrétien, celle de la richesse de la rime va de 34 %, dans la seconde moitié du Conte du Graal, à 46 %, dans Cligés et Lancelot, ce qui n'infirme pas l'attribution au grand romancier de Philomena (42 $\frac{1}{2}$ %) et de Guillaume d'Angleterre (45 $\frac{1}{2}$ %), mais exclut totalement celle de

la fin de la Charrette (66 % - Godefroi de Lagny n'est pas un mythe !). Celle de Marie de France va de 9 % ou 10 % de rimes riches
(Laüstic, Bisclavret) à plus de 17 % (Purgatoire) ; celle de Wace
est plus restreinte : de 14 % à 16 % (le Rou et Sainte Marguerite
venant, selon Freymond, s'intercaler entre Saint Nicolas et le Brut) ;
plus resserrées encore , celles de Hue de Rotelande (9 et 9 ½ %)
et - ce qui est plus étonnant - de Gautier d'Arras (44 % et 45 % -
on s'attend à trouver plus de différence chez les auteurs qui riment
plus richement). Elle va de 14 à 20 % pour les deux moitiés du
Tristan de Béroul, ce qui n'est pas scandaleux, mais de 31 % à près
de 50 % pour les oeuvres de Raoul de Houdenc, ce qui est plus
inquiétant. Pour Jean Renart, de 37 % (Guillaume de Dole) à près
de 64 % (Ombre), ce qui est beaucoup, et ce qui n'infirme pas les attri-
butions d'Auberée et de Galeran (pour ce dernier, c'est le paramètre
des rimes féminines qui semblerait devoir l'exclure). Mais il est absolument impossible qu'elle aille de quelque 16 % (Bel Inconnu) à quelque
53 % (Lai d'Ignauré - cette dernière oeuvre ne peut être de Renaut
de Beaujeu).

D'une façon générale, les Anglo-Normands (et aussi les Normands) riment beaucoup plus pauvrement que les continentaux - on
le sait depuis Paul Meyer [2] les auteurs les plus anciens, que les
plus récents : de 9 ou 10 % de rimes riches au milieu du XIIe siècle,
à plus de 60 % un siècle plus tard et, à la fin du XIIIe, près de
90 % chez l'auteur de Hunbaut ou Baudouin de Condé ; on comprendra que les auteurs sérieux et pieux (des Vies de Saints) n'affichent
pas une quête exagérée de la rime riche - à moins de s'appeler
Gautier de Coincy (60 % !) ; on comprendra aussi que la rime soit
moins recherchée dans les oeuvres de longue haleine (Adenet le Roi,
à la fin du XIIIe s. : 21 % dans son Cleomadés) que dans les courtes - et aussi que dans les interpolations de copistes-auteurs ambitieux
(et nécessairement plus récents) ; nous avons également plusieurs
fois vérifié qu'un auteur rime plus richement au début de son roman
qu'au milieu ou à la fin (c'est pourquoi nous avons systématiquement

analysé la tranche des vv. 2001 à 3000) des oeuvres que nous avons examinées.

RICHESSE (ET FEMINITE) DES RIMES

Voici, d'abord du point de vue de la richesse - et de la "féminité" - de la rime, le résultat des dépouillements opérés à tous les "moments" importants de la Continuation-Gauvain, par tranches de 1000 vers (ou moins). Commençons par la version L :

Passages	Riches (dont % léonines)		Féminines
1 - L - Br. I (1-1000) :	31 %	(44)	30 $\frac{1}{2}$ %
2 - L - Br. II (1047-2046) :	26 %	(28)	28 $\frac{1}{2}$ %
3 - L - Br. III (2047-3046) :	23 $\frac{1}{2}$ %	(34)	22 $\frac{1}{2}$ %
4 - L - Br. IV (3563-4562) :	17 %	(28 $\frac{1}{2}$)	18 $\frac{1}{2}$ %
5 - L - Br. V (6575-8008) (= moins l'interpol.) :	14 %	(33 $\frac{1}{2}$)	16 $\frac{1}{2}$ %
6 - L - Br. VI (8311-9310) :	15 %	(25 $\frac{1}{2}$)	11 %

Le phénomène de "dégression" est remarquable. Les trois dernières Branches sont rimées bien plus pauvrement que les trois premières et surtout que la première. C'est cela qui a autorisé récemment M. Corin Corley à avancer l'hypothèse que la seconde moitié de la Continuation-Gauvain n'était pas du même auteur que la première [3]. Il propose de placer la coupure entre les vv. 4881 et 4882 soit au début de l'épisode 7 de la Br. IV (Chastel Orguelleus : duel de Gauvain et de Bran), mais la placerait aussi bien au début de cette Br. IV, n'était "la fâcheuse question de l'antériorité des versions différentes de l'histoire de Gauvain et de la 'Pucelle de Lis', dans IV/5" [4] - je ne sais si cette considération est très opportune.

Dans cette prétendue seconde moitié, M. Corley trouve 14,3 % de rimes riches selon le ms. A, et 12,6 % selon le ms. L. Dans la première moitié, il fait abstraction de la Br. I (Guiromelant), où, écrit-il, "la proportion est bien plus élevée, et où il est évident que l'auteur s'efforçait d'imiter le style de Chrétien" [5] ; du début de la Br. II à la fin de l'épisode 6 de la Br. IV, il trouve 19 % de rimes riches dans A et 18,9 % dans L. Il a quand même dépouillé les rimes de la Br. I et a trouvé 31 % de rimes riches dans A (et 26,5 % dans L), ce qui, constate-t-il, "correspond très exactement au pourcentage dans le Perceval" [6]. Mais alors, pourquoi ne pas attribuer la Br. I à Chrétien, ou à un troisième auteur [7] ?

L'objet de M. Corley est de démontrer que l'auteur de la "seconde moitié" de la Continuation-Gauvain est le même que celui du début de la Continuation-Perceval, des 812 premiers vers exactement, c'est-à-dire jusqu'à la fin du texte du ms. A. Certes le pourcentage des rimes riches de ces 812 premiers vers ($15\frac{1}{2}$% selon notre propre dépouillement) ne s'éloigne guère de celui des trois dernières Branches de la Continuation-Gauvain (17 %, 14 %, 15 %). Plus loin dans la Continuation-Perceval (v. 24001 - 25000 de l'édition W. Roach), nous avons relevé un pourcentage de 19 % de rimes riches, et M. Corley trouve, çà et là, des chiffres assez écartés : tantôt 11 %, tantôt 15 %, tantôt 20 $\frac{1}{2}$ % de rimes riches. Ce dernier chiffre, nous l'avons trouvé pour les interpolations de ms. T dans le tournoi de la Continuation-Perceval (près de 1000 vv.). Tout cela ne prouve pas grand chose : un certain nombre de romanciers du XIIe et du XIIIe siècles - ceux qui ne cherchent pas la richesse de la rime - présentent entre 12 % et 20 % de rimes riches. Ce paramètre, à lui seul, ne suffit donc pas à fonder l'attribution du début de la Continuation-Perceval au prétendu auteur des trois dernières Branches de la Continuation-Gauvain.

Certes, la "fourchette" de la Continuation-Gauvain, dans le ms. L, est, d'après nos propres dépouillements, bien trop écartée, elle aussi. Un auteur qui rime à 14 ou 15 % de rimes riches ne peut normalement le faire à 31 %, ni même à 26 %. Un tel écartement n'est attesté que chez les auteurs qui riment très richement, comme Raoul de Houdenc ou Jean Renart, cités plus haut, comme Gerbert de Montreuil (51 $\frac{1}{2}$ % dans sa Continuation du Perceval, et 79 $\frac{1}{2}$ % dans la Violette, mais Freymond donne 71 % pour l'épisode du "Mariage de Perceval" dans la Continuation). Mais tous se situent au-dessus de ce qu'on pourrait appeler une "barre" - qui sépare ceux qui riment plutôt médiocrement et ceux qui commencent à rimer richement, et que l'on peut placer autour de 31 % (entre 27 % et 34 %) : nous n'avons pas trouvé de versificateur qui la chevauche[8].

Etant donnée la nature très particulière de notre texte (juxtaposition de "contes d'aventures"), nous ne nous sentons pas autorisé à prendre prétexte de la "fourchette" des rimes riches pour distinguer une pluralité d'auteurs, du moins dans l'écriture définitive de la compilation (ce que nous appelons l'oeuvre du "premier auteur"), - et étant donnée aussi la remarquable "dégression" soulignée plus haut. Deux hypothèses seulement nous semblent raisonnables : qu'un premier remanieur ait retouché les trois premières Branches pour, entre autres, en améliorer la versification, puis se soit fatigué et ait progressivement abandonné son entreprise ; ou bien que cette "fatigue" progressive ait été le fait du "premier auteur" lui-même - il commence brillamment, "dans la foulée" de Chrétien ; il soigne encore la Br. II (Brun de Branlant), fort courtoise ; il se relâche un peu plus dans la Br. III (Caradoc), puis, à partir de la Br. IV, il ne fait plus aucun effort quant à la versification, se laissant aller au plaisir de conter, d'un ton allègre, une histoire pleine d'action (le Chastel Orguelleus) ; rien, enfin, dans les deux dernières Branches (Graal, Guerrehés) ne l'induisait à rendre plus seyantes des histoires qui n'avaient rien à faire avec la courtoisie.

Passons aux autres versions courtes :

Passages	Riches (dont % léonines)		Féminines
7 - A - Br. I-II (543-1542) :	27 %	(38)	30 %
8 - A - Br. IV (3255-3754) :	17 %	(44)	21 %
9 - LA - Br. V (7483-7708) (= interp. sur Joseph) :	16 %	(39)	26 %
10 - PU - Br IV (App. II, 542 vv.) (récit, version "viol") :	20 %	(37)	17 $\frac{1}{2}$ %
11 - R - Br. I (376 vv.) (= interpolations) :	45 $\frac{1}{2}$ %	(39 $\frac{1}{2}$)	40 %
12 - T - addit. propres dans l'ensemble (500 vv.) :	43 $\frac{1}{2}$ %	(44)	35 %

Le passage 7 correspond à un moment où la version A diffère passa-blement de la version L ; - le passage 8, à l'amplification, propre à ASPU, de la "crise à la cour d'Arthur" (épisode IV/2) ; - le passage 9, à l'interpolation sur Joseph d'Arimathie, donnée par les mss LAMQU ; - le passage 10, à la version "viol" des amours de Gauvain et de la Pucelle de Lis, pour laquelle PU se détachent de LAS pour rejoindre TEMQ ; - le passage 11, aux nombreuses additions dont le responsable de R farcit la Br. I ; - le passage 12, à la juxtaposi-tion des nombreuses additions de T, lorsque celui-ci relève encore de la rédaction courte.

Tout d'abord, il se confirme que A (le copiste Guiot, ou le modèle qu'il suit) ne fait pas du tout porter son effort sur la richesse de la rime ; c'est autre chose qu'il veut - comme il le voulait en recopiant le roman de Chrétien - : "amender" l'oeuvre, la rendre plus claire, plus courtoise surtout, et le style plus coulant - comme nous l'avons vu. Lorsque A(SPU) "crée" véritablement (passage 8), il rime tout aussi pauvrement que L. L'interpolation sur Joseph (Br. V), pourrait très bien, du point de vue de la richesse de la rime, être de la plume du responsable de L, ou de celui de A. Le respon-sable de la version "viol" ne diffère guère non plus de ceux-ci : il ne saurait être confondu, en tout cas, avec ceux de la "rédaction longue", ni avec R ou T. Quant à ceux-ci, lorsqu'ils laissent libre cours à leur inspiration et à leur goût, ils riment aussi richement que les responsables de la "rédaction longue" : il faudra d'autres critères pour les départager. Il y a tout lieu de croire que les responsables de L et de A sont quasi contemporains, et assez proches de l'époque où écrivait Chrétien ; et que T, R et les divers responsables de la "longue" sont beaucoup plus récents (ils pourraient travailler dans les années 1220-30).

Voyons maintenant divers moments de la "rédaction longue". Nous commençons par MQ, qui, contrairement à ce que pourrait laisser augurer la disposition de l'édition Roach, paraissent bien plus fondamentaux que E, lequel compile allègrement la "longue" et la "courte", de façon, dirait-on, à fournir le texte le plus long possible !

Passages	Riches	(dont % léonines)	Féminines
13 - MQ(EU) - Br. I (1-1330) :	40 %	(53 $\frac{1}{2}$)	39 %
14 - MQ(EU)+ T - Br. I (interp.) (1821-958, 3637-956, 4829-5416) :	33 %	(52 $\frac{1}{2}$)	44 %
15 - MQ - fin Br. I - déb. Br. II (5419-756 = 286 vv. ôtées les add. de EU) :	19 $\frac{1}{2}$ %	(32)	35 %
16 - MQ - résumé de la Br. II (= Appendix, 148 vv.) :	28 $\frac{1}{2}$ %	(38)	39 %
17 - MQ(EU) - déb. de la Br. III (6670-7532 = 850 vv.) :	46 %	(49 $\frac{1}{2}$)	39 $\frac{1}{2}$ %
18 - MQ(EU)+T+P - suite Br. III (avant et après le tournoi, 7533-8078, 9569-760 = 762 vv.) :	50 %	(54 $\frac{1}{2}$)	35 %
19 - MQ(EU)+T - le Tournoi (8079-9102 = 1000 vv.) :	52 %	(61 $\frac{1}{2}$)	25 %
20 - MQ(EU)+T - le Serpent (10001-1012 = 1000 vv.) :	64 $\frac{1}{2}$ %	(54)	36 $\frac{1}{2}$ %
21 - MQ(EU)(+T) - fin Br. III (11013 - 2020 = 1000 vv.) :	54 %	(53 $\frac{1}{2}$)	38 $\frac{1}{2}$ %

Le passage 13 ne contient que 1000 vers de MQ, les 330 autres étant empruntés par EU à un ms. de la rédaction courte, d'abord très proche de L(T), puis, à partir de E 1096, très proche de A(SP) - nous n'en avons pas tenu compte. Le passage 14 contient aussi 1000 vv. et correspond aux moments où T rejoint MQEU, c'est-à-dire : le début de la grande interpolation (Gauvain ne donnera sa soeur au Guiromelant que sous condition ; il est furieux lorsqu'il apprend que le mariage est fait, et il part : E 1821-1958) ; son milieu, qui est la Visite de Gauvain au Château du Graal (E 3637-3956) ; sa fin (Gauvain reprend le chemin d'Escavalon, le double duel, l'intervention d'Arthur : E 4829-5416 - T a "décroché" depuis 120 vers et est revenu à la courte). Le passage 15, la rédaction de MQ(EU) pour la fin de la Br. I (énumérations) et le premier épisode de la Br. II, jusqu'au moment où MQ se mettent à résumer (E 5419-5756, moins les emprunts de EU à ms. proche de L = un total de 286 vv.). Le passage 16, le résumé que MQ font en 148 vv. des 900 vv. de EU, ceux-ci étant proches de L ; on sait que dans ce résumé, imprimé par Roach en Appendice, MQ évacuent complètement les amours de Gauvain et de la Pucelle de Lis, ne mentionnant que le meurtre des deux frères (sic) et le duel de Gauvain avec le troisième, Bran ; le responsable de cette rédaction a dû estimer que la narration de ces événements faisait double emploi avec le récit de Gauvain IV/5). Le passage 17, de 850 vv., contient les six premiers épisodes du Caradoc (à peine 500 vv. dans la rédaction courte), jusqu'au moment où P, puis T rejoignent MQEU pour une grande première interpolation. Le passage 18 raconte cè qui se passe avant et après le tournoi : l'enlèvement de Guinier par Aalardin et sa délivrance par Caradoc, le séjour au pavillon enchanté - épisodes inconnus de la rédaction courte -, d'une part, puis la vie scandaleuse de la Tour du Boufoi et le châtiment infligé à Eliavrés ; P s'est joint à la rédaction longue MQEU(T), cf. Appendix I au t. III (correspondant à E 7533-8078 et 9569-784, soient 762 vv.). Le passage 19 contient les 1000 premiers vers du tournoi, donné par MQEU+T (E 8079-9102 - ôtés les 24 vv. ajoutés par EU). Les passages 20 et 21 contiennent la fin du Caradoc long (E 10001-11012 et 11013-12020), jusqu'à la rencontre d'Aalardin (T a quitté la rédaction longue depuis 286 vv. et est revenu à la courte) - tout ceci est raconté par la rédaction courte en moins de 250 vv.

Première constatation : tous ces épisodes sont rimés richement (depuis "assez richement" dans le 14e passage, avec 33 %, jusqu'à "très richement", dans le 20e, avec plus de 64 %) - sauf deux exceptions, les passages propres à MQ. Ces passages 15 et 16 sont-ils dûs au même auteur, qui, d'abord, allongerait à plaisir, en rimant médiocrement (19 $\frac{1}{2}$%) , puis, brusquement, se mettrait à résumer à grands traits, en rimant un peu plus richement (28 $\frac{1}{2}$ %) ? Ils sont trop courts (286 et 148 vv.) pour que l'on puisse trancher. Cependant, ils sont également unis par un pourcentage relativement élevé de rimes féminines (35 % et 39 % - c'est-à-dire plus que la rédaction courte, à n'importe quel moment, qui descend de 30 $\frac{1}{2}$ % à 11 % de rimes féminines) ; leur versification se rapproche beaucoup de celle de la Continuation-Perceval (19 % de rimes riches ; 36 $\frac{1}{2}$ % de rimes féminines). Elle s'écarte, par contre, de celle de la version "viol" des amours de Gauvain (passage 10), qui, si elle rime avec la même médiocrité (20 % de rimes riches), montre un très faible pourcentage de rimes féminines (17 $\frac{1}{2}$ %).

Le tournoi - ce monument (plus de 1700 vv. dans T) - se distingue aussi des autres additions et amplifications de MQEU, non par la richesse de la rime (52 %), mais par le faible pourcentage des rimes féminines (25 %). Est-ce le genre qui le veut ? On sait, depuis que W. Roach a édité la Continuation-Perceval, que le responsable de TV amplifie énormément le récit du tournoi auquel participe Perceval devant le Chastel Orguelleus (lequel Chastel n'a rien à voir avec celui de la Continuation-Gauvain), le portant de quelque 400 vv. (dans la rédaction commune) à plus de 1500 - c'est-à-dire que TV lui donne la même longueur qu'à celui du Caradoc dans notre Continuation. Or, dans cette rédaction allongée du tournoi de la Continuation-Perceval, TV fait de très nombreux emprunts au récit de celui de la <u>Continuation-Gauvain</u> — et pas spécialement aux quelque 250 vers qu'il y ajoutait (surtout dans la première moitié du tournoi, alors que les emprunts qu'il fait concernent plutôt la seconde moitié, où <u>TV</u> ne faisait plus d'additions), ce qui montre que ce "délayeur" se pare des plumes d'autrui ... à moins qu'il ne reprenne les siennes propres, car qui dira dans quel sens se sont faits les emprunts ? Et dans ce tournoi de la <u>Continuation-Perceval</u>, <u>TV</u> utilise exactement le même pourcentage (faible) de rimes féminies : 25 %, très inférieur à celui de la <u>Continuation-Perceval</u> (au moins du début : 36 ½ %). Mais il y rime aussi fort médiocrement, voire pauvrement, et les emprunts dont il farcit son texte sont tout de suite visibles grâce à leur versification recherchée - que <u>TV</u> gâte parfois. Or les additions de <u>TV</u> dans le tournoi de la <u>Continuation-Gauvain</u> rimaient tout aussi richement que le reste. Comment s'y reconnaître ? Deux copistes-délayeurs-interpolateurs de tournois, dont le second vole au premier ? Le moins que l'on puisse dire, c'est qu'il y a eu dans le premier tiers du XIIIe siècle une fort grande activité des copistes-remanieurs et un incessant brassement des copies !

Autre question : l'interpolateur <u>MQ</u> de la Br. III (<u>Caradoc</u>) est-il le même que celui de la Br. I (<u>Guiromelant</u>) ? La "fourchette" de la richesse de la rime va de 33 % (épisodes du Graal et d'Escavalon) - c'est-à-dire très peu au-dessus du plus fort pourcentage des versions courtes (<u>L</u> dans la Br. I : 31 %) - à 64 % (épisodes de la fuite et de la quête de Caradoc pris par le serpent). Cet écart de 31 est énorme, mais, d'une part, il se situe au-dessus de la "barre" des 31 % et, d'autre part, il n'est pas sans exemple (cf. <u>supra</u>, Jean Renart : écart de 27 ; Gerbert : écart de 28) ; il n'est pas rigoureusement impossible, mais il demeure troublant. Certes, Manessier rime richement à 59 ½ %, et ces interpolations lui sont sans doute postérieures : leurs auteurs ont pu vouloir rivaliser avec lui. Notre passage 20, qui contient le plus fort pourcentage de rimes riches, pourrait-il être de la main même de Manessier ? Celui-ci emploie nettement moins de rimes féminines (31 ½ % contre 36 ½ %) - surtout riches

(32 % contre 50 $\frac{1}{2}$ %) - et nettement moins aussi de rimes léonines (40 % contre 54 %). Pourrait-il être de la main de Gerbert ? Celui-ci, dans sa Continuation, rime moins richement que Manessier ; il emploie encore moins de rimes féminines, il fait encore moins de rimes léonines ; dans la Violette, il rime beaucoup plus richement que MQ, présente la même proportion de rimes féminines, mais relativement peu de rimes léonines (31 $\frac{1}{2}$ %). Aucun des paramètres utilisés jusqu'à présent ne permet de trancher.

Toutes les grandes interpolations de MQ - le tournoi excepté - contiennent un pourcentage relativement élevé de rimes féminines : entre 35 % et 44 % , avec une moyenne générale de 37 % - que Gerbert n'atteint que dans la Violette ; elles ne sont dépassées, de ce point de vue, que par peu d'auteurs : Chrétien, d'une part, évidemment, et, d'autre part, le Renaut de Galeran, Guillaume de Lorris et Jean de Meung, Philippe de Beaumanoir et Gautier de Coincy. Mais le passage 14 (interpolation des épisodes du Graal et d'Escavalon), où T rejoint MQ(EU), dépasse nettement cette moyenne (et l'élève) puisque le pourcentage des rimes féminines y atteint 44 %, et que leur variété y est également très grande (89, contre 65 rimes masculines - cet écart de 24 situe cet interpolateur dans le "peloton de tête" où il n'est dépassé que par Chrétien, Gautier de Coincy et Jean de Meung) : nous serions tenté de le distinguer des autres.

En résumé, dans la rédaction "longue" MQ, il pourrait y avoir cinq mains différentes - au maximum :

- une qui rime médiocrement : passages 15 et 16 (fin de la Br. I, début et résumé de la Br. II - MQ seuls) ;
- une qui rime richement, mais utilise peu les rimes féminines : passage 19 (Br. III : le tournoi - MQEU+T) ;
- une qui rime encore plus richement, avec un pourcentage plutôt élevé de rimes féminines : passage 20 et 21 (Br. III : fin du Caradoc - MQEU+T).

- une qui rime moins richement, avec le même pourcentage assez élevé de rimes féminines : passages 13, 17 et 18 (Br. I : "rédaction longue" ; Br. III : "rédaction longue" du début, interpolation sur Cador, Guinier et Aalardin, jusqu'au tournoi, et aussi un peu après le tournoi - MQEU dans I, MQEU + T+P dans III) ;
- une enfin qui rime de la même façon, mais avec nettement davantage de rimes féminines : passage 14 (Br. I : interpolations communes à MQEU et à T - le Graal, Escavalon, épisodes où se manifestent la volonté de reprendre les fils laissés flottants par Chrétien dans la partie Gauvain du Conte du Graal).

La première pourrait ne pas être différente de celle de PU(+T+MQE) dans le passage 10, c'est-à-dire dans la version "viol" du récit que fait Gauvain de ses amours dans la Br. IV, lesquelles amours sont justement omises par MQ dans leur résumé de la Br. II, si ce n'était le pourcentage anormalement bas de rimes féminines dans la version "viol" (17 $\frac{1}{2}$ %). D'un autre côté, la versification du début du Caradoc long (passage 17) ressemble assez à celles des interpolations du ms. R (passage 11) : 45 % de rimes riches, 40 % (ou 39 $\frac{1}{2}$ %) de rimes féminines, et d'autres paramètres sont rigoureusement identiques (pourcentage de masculines et de féminines sur les riches : 51 % et 37 % ; pourcentage de riches sur les masculines et les féminines : 68 % et 32 %) ; - notons que, chez l'un comme chez l'autre, règne le même esprit plutôt religieux et passablement anti-féministe.

Mais il est un interpolateur qui peut et doit être nettement distingué des autres, c'est celui des épisodes propres à EU dans la Br. I :

Passages	Riches (dont % léonines)		Féminines
22 - EU - Br. 1/6 (2001-3000) :	44	(48)	36 %
23 - EU - fin et compl. (1959-2000, 3001-636 = 678 vv.) :	41	(42 $\frac{1}{2}$)	32 $\frac{1}{2}$ %
24 - EU - Br. 1/8 (3957-4828 = 872 vv.) :	38 $\frac{1}{2}$ %	(45)	33 $\frac{1}{2}$ %

Le premier passage, de 1000 vv (E 2001-3000), contient l'épisode de la Pucelle au Cor d'ivoire et celui du combat de Gauvain contre les vengeurs de Macarot ; - le second (E 3001-3646), l'épisode de Gauvain au château de la demoiselle jadis violée par Greoreas (cf. Conte du Graal, v. 7118 ss) ; - le troisième, après le récit de la (1re) Visite de Gauvain au Château du Graal (assez proche de celle de Perceval chez Chrétien), l'épisode de la délivrance de la Demoiselle de Montesclaire (E 3957-4828) - selon l'engagement que le héros avait pris dans le Conte du Graal (v. 4701 ss, 4718 ss). Ils présentent une grande unité dans la versification, avec une légère "dégression" des rimes et une, plus légère encore, des rimes féminines (de 36 % à 33 %) ; quant à la variété, les rimes féminines utilisées sont toujours un tout petit peu plus nombreuses que les masculines (+ 3, + 2, + 3) ; le pourcentage des rimes léonines sur les riches va de 48 % à 43 % ; le pourcentage des rimes féminines riches y est partout très faible : entre 6 % et 7 % du total, entre 18 % et 22 % des rimes féminines, entre 15 % et 17 % des rimes riches - ces chiffres étant donc très inférieurs à tout ce qu'on trouve aux divers moments de la rédaction longue MQ(EU). Du présent point de vue, donc, rédaction très cohérente (avec signes d'une certaine négligence progressive), et nettement différente des autres.

Il y a donc, dans l'ensemble de la Continuation-Gauvain, trois auteurs principaux, indiscutables : celui de la rédaction courte LAS (P, R, T, U), au moins dans sa plus grande partie ; celui, sans doute, de la plus grande partie de la "rédaction longue" MQE (U, T, P) ; celui des interpolations EU. Il y a tout lieu de croire que le premier est nettement antérieur aux derniers.

AUTRES PARAMETRES DE VERSIFICATION

Plusieurs autres paramètres de versification ne font que confirmer les résultats obtenus par ceux de la richesse et de la féminité
des rimes. Nous ne nous attarderons pas sur les rimes "grammaticales",
ou "flexionnelles", extrêmement courantes, qui associent deux mots
de la même classe et munis du même suffixe (comme deux adverbes
de manière : bonement : certainement), ou deux verbes avec la même
flexion (feïssent : venissent), etc. Elles se rencontrent fort souvent
dans nos textes, que l'auteur rime pauvrement (et c'est une facilité)
ou qu'il le fasse en quêtant la richesse (car c'est encore une facilité).

Plus intéressants nous semblent les paramètres suivants :

- le pourcentage des rimes les plus fréquentes, des sonorités
qui reviennent le plus généralement à la rime (-ier, -é, -er, -ent,
ie, etc.), et sa confrontation avec celui des rimes que tel auteur
emploie, lui, le plus souvent, et qui ne sont pas nécessairement les
mêmes (ainsi l'un présentera beaucoup de rimes en -ir, ou en -ant,
ou en -ee, qui ne sont pas parmi les plus fréquentes dans l'ensemble
de la production versifiée de l'époque) ; le premier chiffre indique
le rendement des dix rimes les plus "banales", et le second, celui
des dix rimes le plus fréquemment utilisées par l'auteur, à tel moment ;

- le pourcentage des rimes "répétées" ; nous ne parlons pas
ici des rimes "redoublées", c'est-à-dire de deux ou plusieurs couplets
consécutifs construits sur la même rime, ni, pour le moment, de
ce que certains appellent "rime grammaticale" et que nous préférons
appeler "quatrains", c'est-à-dire le retour à la rime, en quatre vers,

d'un ou de deux mots sous diverses formes (flexions), procédé qui relève plutôt de la rhétorique (polyptote) et qui concerne plus le sens que la forme ; nous parlons des mots qui viennent ensemble à la rime plusieurs fois dans le cours d'une oeuvre (ici, d'un passage), comme bien : rien, puet : estuet, avoir : savoir, etc. ; le premier chiffre indique les rimes différentes, le second, le total des vers concernés ; elles sont, évidemment, d'autant moins nombreuses que le passage examiné est plus court (comme par une sorte de "régression géométrique") ;

— le nombre de rimes "équivoquées", c'est-à-dire de celles qui font intervenir, pour l'un des deux vers, le mot (au moins la fin du mot) qui précède le mot à la rime ; il en est de banales (le jor : sejor, sire : s'ire, l'a : la, etc.), de plus riches (... ne ment : certainement), de fort recherchées (ambelisoit : belle i soit, E 8151 ; a cest mot : acesmot, E 10175) ;

— le nombre de rimes "homonymes", lesquelles peuvent être bonnes (verbe fust : substantif fust) - et l'on tolère la répétition du même mot dans un sens ou un emploi différents (verbe avoir : substantif avoir : avez transitif et avez auxiliaire) - ou mauvaises (2e chiffre, lorsqu'il s'agit exactement du même mot avec la même fonction) ;

— il nous faudra cependant dire un mot des rimes "dérivatives" (ou "paronymes"), que Freymond avait étrangement réparties entre ses catégories B et C, selon que la dérivation était évidente, et le sens des deux mots clairement lié, comme prendre : reprendre, ou torner : retorner, ou bien qu'elle ne l'était pas, et que le sens des deux mots n'avait pas (ou peu) de rapport, comme apprendre : sorprendre, ou atorner : retorner ; distinction bien délicate et arbitraire, car qui nous dit que les gens du XIIe et du XIIIe siècle, avec leur grande familiarité avec le latin et leur tendance à l'étymologie fantaisiste, y voyaient les mêmes rapports que nous ?

Le tableau suivant regroupe ces cinq paramètres pour les 24 passages retenus de la Continuation-Gauvain :

(Passages)	Rimes fréquentes génér./personn.	répét.	équiv.	homon.	dériv.
1 - L I	28½% - 32%	29/71	10	13	17
2 - L II	33% - 35%	26/61	4	7	8
3 - L III	30½% - 34%	30/79	5	6	9
4 - L IV	43% - 46½%	24/56	0	2+3	10
5 - L V	49½% - 52%	22/54	0	3	4
6 - L VI	52% - 58%	25/58	0	0	3
7 - A I-II	30% - 33½%	28/70	8	10+1	12
8 - A IV	43% - 45%	(8/18)	1	1	4
9 - LA V/5	38½% - 46½%	0	0	0	4
10 - PU IV/5	44½% - 51½%	(13/31)	1	0+1	3
11 - R 1 add.	23½% - 31%	(9/18)	6	8+1	11
12 - T add.	29% - 31%	(2/5)	6	6+7	22
13 - MQEU 1	20½% - 26½%	39/92	20	16+1	28
14 - MQEU+T 1	20½% - 26%	43/98	16	26	30
15 - MQEU I-II	32% - 37½%	0	0	2	4
16 - MQ rés. II	21½% - 26½%	0	0	0+2	6
17 - MQEU III	26% - 32½%	(26/58)	23	19+2	44
18 - MQEUTP III	29% - 32%	(19/41)	15	9+1	44
19 - MQEUT Tourn.	30% - 34%	(29/71)	32	20+2	55
20 - MQEUT III	28% - 31%	(25/71)	30	29+2	67
21 - MQEU III (fin)	32% - 32%	29/65	22	16+1	52
22 - EU 1/6 (déb.)	24½% - 28%	29/62	16	23+3	28
23 - EU 1/6 (fin)	30½% - 32½%	(14/30)	8	9+4	21
24 - EU 1/8	30% - 31%	(24/55)	14	8+7	28

Rimes fréquentes. Le fort pourcentage des dix rimes les plus fréquentes (les 5 citées supra, plus - oit, -a, is, -és, -on) va de pair avec une versification très pauvre, sans aucune recherche. Dans la version L, la courbe progressive épouse donc celle, dégressive, de la richesse (de même que celle des rimes féminines). Avec une exception cependant, intéressante, puisqu'elle rejoint celle que nous avons constatée plus haut, quant au pourcentage des rimes léonines sur les riches, et qui sera encore confirmée plus loin : un regain de recherche se manifeste dans la Br. III (Caradoc). Et ce paramètre irait dans le sens de l'hypothèse de M. Corley : il y a rupture entre les Br. I à III, d'une part, et IV à VI, de l'autre. Cependant il faut descendre dans le détail. Il y a plus de rimes en -ent - la plus "facile", puisqu'elle est obtenue par l'emploi intensif des adverbes de manière - dans la Br. I que dans toutes les suivantes. Donc le responsable de la Br. I cherche (un peu) la rime riche, mais sans trop "se casser la tête" ; il fait brillant à bon compte. Il a beaucoup moins de rimes en -a que les autres : c'est qu'il se surveille un peu, mais c'est aussi qu'il y a dans cette Branche moins d'action (moins de verbes au passé et au futur) et plus de descriptions (les "conrois" du Guiromelant, l'armement des deux champions, etc.). La rime en -a prend l'extension avec le Caradoc, où l'auteur raconte rapidement une suite d'actions et d'événements ; et plus encore dans la Br. V et VI : les plus "aventureuses". La rime en -ie ne cesse de décroître : c'est qu'elle est féminine, et que la quête de la rime riche va toujours de pair avec celle des sonorités féminines. Les rimes en -é, en -er, en -és, en -oit se multiplient à partir de la Br. IV : c'est que l'action y est plus dense et plus précipitée que dans les trois premières Branches ; - c'est aussi, cela va de soi, que l'auteur ne fait plus aucune recherche pour améliorer ses rimes.

Les chiffres du passage 7 (A I-II) sont exactement intermédiaires entre ceux de L I et de L II, ce qui confirme que Guiot ne fait nullement porter son effort sur la richesse de la rime, d'où l'on peut déduire, entre autres, qu'il a travaillé très tôt ; on n'imagine pas un homme de sa trempe écrivant après Manessier et ne cherchant nullement à améliorer la versification de son modèle. Il verse moins que L dans la facilité (il a moins de rimes en -ent) et il privilégie moins l'action (moins de verbes actifs à la rime) ; son "hyper-courtoisie"

se traduit par un plus grand nombre de rimes féminines en -ie,   en
-ee, etc.). Dans son amplification du début de la Br. IV ("Crise à
la cour d'Arthur"), il a de nombreuses rimes en -eur, en -oi : en
effet, il y est beaucoup question du roi, mais aussi de "valeurs"
et d'"anti-valeurs" (enor, desenor, valor, folor, tandror, error, traïtor).

Il n'y a pas grand chose de nouveau à tirer de ce paramètre
au sujet des passages 9 (interpolation sur Joseph) et 10 (version
"viol" des amours de Gauvain), médiocrement rimés ; signalons dans le
second, les rimes "personnelles" en -ai, -oie - le récit étant à la
1re personne du parfait. Ni du passage 12 (diverses additions, généralc-
ment fort courtes) : T rime bien plus richement, mais les moments
examinés sont bien trop divers. Par contre, les additions de R (passage
11), qui sont bien plus longues, et le fait de quelqu'un qui a quelque
chose à dire, sont nettement plus originales ; on y observe, d'abord,
un fort pourcentage de rimes féminines (40 %), d'où les nombreuses
rimes en -ie, mais aussi en -elle, -ue (nettement plus rares) ; très
peu de verbes d'action, puisqu'il s'agit de commentaires psychologico-
moraux sur le comportement et les sentiments de Gauvain, de Clarissant, etc....

La rédaction longue MQEU de la Br. I, rimant assez richement,
a tendance à multiplier les rimes féminines moins courantes, comme
-oie ou -eles (passage 13), ance ou -ise (passage 14). On retrouve
cette tendance dans le Caradoc long : -oie et surtout -ee dans le
passage 17, -ee encore dans le passage 18 (le tournoi), -ee toujours,
avec -erre, dans le passage 20, -elle dans le passage 21. La rime
-ie est aussi fréquente, surtout au début du Guiromelant et dans
toute la fin du Caradoc. Rien ne distingue spécialement le tournoi
(passage 19), si ce n'est le nombre important des rimes en -is, en partie à cause du roi Ris, et il y est souvent question de pris, et aussi
de prison, d'où le nombre plus élevé que partout ailleurs des rimes en
-on ; et aussi la fréquence des rimes en -u (escu, veü, tenu, etc.) -
c'est donc la "matière" qui semble responsable de ces particularités,
de même de la fréquence des rimes féminines en -ie (compeignie,
amie). La versification des courts passages 15(MQEU I-II) et 16 (résumé

de MQ pour la Br. II) sont unis par une relative fréquence de la rime féminine -oient : l'unité de leurs auteurs pourrait en être confirmée.

Les résultats de ce paramètre, en tout cas, n'infirment pas l'unité de toute l'interpolation EU de la Br. I : abondance relative des rimes en -ent et en -oit, et surtout de la rime plus rare en -oie (beaucoup de joie et de voie, beaucoup de dialogues où l'on exprime à la première personne de l'imparfait).

Pas de ressemblances très probantes avec d'autres oeuvres, sinon que le tournoi de la Continuation-Perceval (amplification de T, à l'exclusion des passages qu'il reprend de celui de la première Continuation) ressemble comme un frère pauvre au tournoi du Caradoc - mais peut être est-ce la matière identique qui le veut.

L'écartement des deux chiffres - celui des rimes "banales" et celui des rimes "personnelles" - devrait permettre de jauger l'originalité des auteurs. Cela est rarement le cas : il faut en effet tenir compte de l'originalité de la "matière" ; la moyenne établie à partir d'un vaste corpus d'oeuvres (romanesques en général, mais pouvant aussi relever d'autres genres) peut ne guère correspondre à certaines situations particulières, et Dieu sait que les aventures contées dans la Continuation-Gauvain sont assez différentes du tout venant de la production des XIIe et XIIIe siècles : ici, c'est un tournoi interminable, régulièrement farci de conversations galantes ; là, c'est une lamentable histoire de viol, contée en plus de 5OO vers (et l'écart est effectivement assez grand pour le passage 1O) ; ici, c'est un remanieur qui adopte un ton de moraliste (R, passage 11 ; écart assez considérable) ; là, comme dans le Guerrehés, c'est un "conte d'aventure" tout à fait étrange (grand écart aussi). Le très faible écart, ou le manque complet d'écart (comme le passage 21 : fin du Caradoc long), peut être un signe de manque d'originalité : l'auteur se contente du "fonds de roulement". L'énorme différence constatée dans le passage 16 (le résumé qui font MQ de la Br. II) peut révéler une anomalie, une certaine gêne, une démarche insolite: ceci nous confirmerait que ce résumé ne correspond pas à un premier jet, mais à un remaniement. Le résumé d'un Joseph d'Arimathie que font LAMQU dans la Br. V ne procède pas non plus d'une démarche romanesque habituelle - et la "matière" en est fort particulière.

Rimes répétées. Le grand nombre des rimes répétées, la fréquence du retour des mêmes mots à la rime, n'est pas à priori l'indice d'une grande qualité, d'une grande maîtrise du lexique, de la recherche d'une variété de bon aloi. Il va de pair avec les autres indices de négligence, de relâchement, ou encore d'un acharnement fébrile à accumuler des rimes riches (ex. : Hunbaut, avec les chiffres 64/188, dont 6 fois voie = voie, 7 fois pas = pas, 12 fois ensanble : sanble, etc. ; - ou encore Silence, avec 47/138, dont - toujours en 1000 vers - 5 fois bien : rien, dire : sire, aventure : nature ; 6 fois cuevre : uevre, etc.), à moins que ce ne soit d'un style lyrico-méditatif où la pensée tourne quelque peu en rond (ex. : Gautier de Coincy, avec 45/136, dont 2 fois estre = estre, chiere = chiere, mort = mort ; 3 fois empereris : Esperis ; 6 fois mer : amer, etc. ; ou encore Jean Renart dans l'Ombre, avec les chiffres de 49/146, dont 12 fois bien : rien et amie : mie ; 8 fois afere : fere ; 7 fois mis : amis, etc.) - Ici encore, Chrétien se tient dans l'honnête moyenne : entre 15/34 dans Guillaume d'Angleterre et 31/69 dans la fin du Perceval ; Gautier d'Arras dépasse de beaucoup ces chiffres ; Wace ou Marie se situent nettement en dessous [9].

Nos divers rédacteurs de la Continuation-Gauvain ne s'écartent guère de cette moyenne, si l'on excepte celui des deux premières parties du Caradoc long (passage 13 et 14), qui se situe assez nettement au-dessus. Il est de ces couples de mots que tout versificateur ne peut guère ne pas employer, comme bien : rien, que le rédacteur de L utilise en tout 27 fois (et notons que Guiot ne réagit pas), mais de façon progressive : 1 fois dans la Br. I, 4 fois dans la Br. II, 9 fois dans la Br. III, 6 fois dans la Br. V, mais seulement 7 fois dans toute la Br. IV, et pas du tout dans le Guerrehés ; ce qui semble indiquer que, lorsqu'un auteur rime très pauvrement, il ne pense même pas à l'employer (Gaimar, qui rime "richement" à 9½%, jamais, dans une tranche de 1000 vers ; l'auteur d'Hector et Hercule ou Marie dans Eliduc : 1 fois en 1000 vv. ; le "premier auteur" de Guerrehés ?) ; lorsque, rimant pauvrement, il se dit qu'il devrait quand même faire un effort, il l'emploie beaucoup (Hue de Rotelande, dans 1000 vv. du Protheselaus : 8 fois, comme le responsable de la rédaction courte du Caradoc) ; lorsqu'il rime plus richement, il le méprise (comme le "premier auteur" du Guiromelant ? et, à plus forte raison, comme Chrétien de Troyes, qui l'utilise très peu, ou Gautier de Coincy ou l'auteur de Hunbaut, qui ne l'emploient jamais).

Il en va un peu de même pour une autre association, éculée, celle de pucelle et de belle, qu'un auteur "conscient" trouvera trop facile, alors qu'on la trouve 3 fois dans les Br. I et II, 6 fois dans le Caradoc court, mais bien moins dans les dernières Branches (dans les V et VI, la "matière" s'y prête moins) - ce qui va de pair, évidemment, avec la rareté des rimes féminines ; cette rime ne se rencontre jamais dans les oeuvres les plus brillantes de Chrétien, Cligés et Yvain, et on ne la trouve que 3 fois dans la Charrette, mais 11 fois dans Erec et 14 fois dans le Conte du Graal (sur la totalité des vers) - Chrétien fait rimer bien plus souvent pucele(s) avec novele(s), ce qui n'est pas plus riche mains moins courant, ou encore avec apele, et, richement cette fois, avec ancele, nacele, sele, et Godefroi de Lagny aura une rime équivoquée" pucele : fu cele.

Certes, ici également, la "matière" importe. Nous ne sommes pas étonnés de trouver l'association pucele : mamele dans le Caradoc (une fois dans le court, 4 dans le long), ni pere : mere (du héros), ni nuit : deduit (dans la Tour du Boufoi) ; - ni, dans la version "viol" des amours de Gauvain, frere : pere (6 fois) ; - ni biere : maniere dans la Br. V, ou aumosniere : maniere dans la Br. VI. Dans les deux premières Branches, où l'"armée" d'Arthur est au grand complet, on trouvera plusieurs fois la rime ost : tost, ou tantost - Guiot, là non plus, ne réagit pas, et la rédaction longue MQEU reproduit au moins 5 fois cette rime.

Une rime comme terre : querre est trop banale pour être significative ; on la trouve dans la rédaction courte (surtout dans la Br. V),
plus souvent encore dans la première et la dernière partie du Caradoc
long. Par contre, les responsables de la rédaction longue MQ dédaignent
la rime facile et pauvre dire : sire ; fort employée dans la rédaction
courte (5 fois dans la Br. I, 7 fois dans la IV, 6 fois dans la V, -
absente seulement du Caradoc court), elle reparaît dans la deuxième
partie de la grande interpolation EU, dont l'auteur semble moins exigeant que ses confrères de MQ ; elle apparaît à trois reprises dans
la version "viol" (PU etc.), dont le rédacteur se distingue décidément
des autres remanieurs. Une rime riche et facile comme ensemble :
semble a toujours la cote ; on la trouve répétée dans MQ, dans EU,
dans les trois dernières Continuations, même dans le Bliocadran ;
dans la version L, elle apparaît 3 fois dans la Br. I, 2 fois dans la
Br. II, 1 fois enfin dans la Br. IV - mais plus dans les deux dernières,
dont la hardiesse ne va pas jusque là (sanble : tranble dans la Br. V).

Il en va de la rime bataille : faille comme de la rime dire :
sire ; employée dans la rédaction courte (sauf dans les Br. III et VI,
mais 6 occurrences dans la Br. IV), elle disparaît du Caradoc long,
mais reparaît dans l'interpolation EU. La rime amie : mie apparaît
3 fois dans le Caradoc court et près de 20 fois dans le Caradoc
long, mais on ne la trouve pas dans EU (ici, certes, la "matière"
est prépondérante). La rime riche amis : tramis ne se rencontre que
dans les passages 1 (L, Br. I) et 19 (tournoi du Caradoc). La rime,
également masculine et riche, cheval : aval (ou, mieux encore : contreval) est répétée dans les deux premières Branches de la rédaction
courte, et aussi dans la première de la longue ; elle reparaît dans
le tournoi (: contreval) et dans EU ; dans les Br. V et VI, L ne
fait rimer cheval qu'avec vasal ou ingal. La rime riche faire : afaire
est répétée dans L I ; on la trouve çà et là dans MQ et EU, mais
aussi, chose plus remarquable, dans les deux interpolations sur le
Graal : le Joseph abrégé de la Br. V, et la (première) visite de Gauvain
de la Br. I (rédaction longue).

461

La rime fame : dame est propre au Caradoc (3 fois dans la rédaction courte, 3 fois dans la longue). Deux rimes sont très caractéristiques de la rédaction courte, à partir du moment où elle abandonne toute prétention à la richesse - c'est-à-dire de la Br. IV ; la première est respont : mont :

> Mesire Gavains li respont :   L 6645-46
> "Foi que je doi trestot le mont ..."

(A lui fait parfois la chasse) ; on la retrouve dans le Caradoc long (mais respont y rime aussi avec espont ou despont), mais pas du tout dans l'interpolation EU. La seconde est esgarda : mervella, qui convient si bien à la "matière" de la Br. V (6 occurrences, 2 dans la VI) ; on la retrouve une fois dans la version "viol" ; les remanieurs qui riment richement couplent au moins mervella avec esmaia, mieux encore avec esveilla, ou merveille a. Signalons enfin que la rime riche Pantecoste : coste, qui sévit depuis Chrétien jusqu'à Manessier (et après évidemment), se rencontre 3 fois au début du Caradoc long ; les rédacteurs de la courte se contentent de faire rimer Pantecoste avec ajoste.

Nous constatons que les deux passages qui présentent le plus de rimes répétées, 13 et 14 (Br. I : le Guiromelant long), sont aussi ceux où l'emploi des rimes "fréquentes" (cf. paramètre précédent) est le plus faible. Avons-nous affaire à une autre main, ou est-ce l'effet de l'ardeur du délayeur-interpolateur qui s'attelle, plein d'optimisme, à sa tâche ? Le lien existe, en tout cas ici, entre les deux paramètres, car les rimes des mots répétés sont rarement banales.

Rimes équivoquées. Les chiffres sont éloquents : pas une seule rime équivoquée, même la plus banale, dans les Br. IV à VI de la rédaction L de notre Continuation, contre 32 dans 1000 vv. du Tournoi, 52 dans les 2000 derniers vers du Caradoc long. On aura remarqué qu'il y en a deux fois moins dans les interpolations de EU que dans la rédaction longue du Caradoc. Dans EU, d'ailleurs, les rimes équivoquées sont bien plus pauvres et jouent surtout sur la voyelle a qui suit (mena : n'an a, dona : en a ; - deux fois brisa : pris a, etc.) et sur la voyelle e qui précède (ce don : guerredon, contre lui : celui, le vin : devin, etc.). Les rimes équivoquées de EU ressemblent à celles que l'on trouve dans les 3 premières Branches de L (a faire : afaire, le jor : sejor, esgart : et gart, etc.), sans en avoir toujours la hardiesse (cf. L 2051-52, de Carahés : tresc'a Rahés !). On peut se demander, à la limite, si elles sont toutes intentionnelles. Celles, par exemple, qui associent ne ment à un adverbe de manière (comme certainement), n'importe qui semble être amené à les faire : mais ceux qui veillent à la richesse de la rime (comme EU et généralement MQ) les dédaignent, et, d'autre part, L dans les Br. IV à VI réussit à les éviter, comme Gaimar ou Marie.

Il y a, de ce point de vue, deux camps assez tranchés, et un troisième, intermédiaire. D'une part les auteurs qui riment très pauvrement et ne font jamais (sauf une ou deux fois) de rimes équivoquées, ce qui nous semble témoigner, non seulement d'une parfaite indifférence aux jeux de la rime, mais encore d'une volonté de conter rapidement, d'aller vite de l'avant, sans se laisser arrêter par la moindre recherche. D'autre part, ceux qui riment richement, fort intentionnellement, et font plus de 20 rimes équivoquées aux 1000 vv. (34 chez Gautier de Coincy, 39 dans Hunbaut, 45 dans 1000 vv. de la fin de la Charrette par Godefroi de Lagny), ce qui témoigne d'une grande recherche et entraîne inévitablement une "préciosité", qui fait piétiner la pensée - et l'action. Entre les deux groupes, les auteurs qui en font autour de 10 (entre 5 et 15) aux 1000 vv. et qui se répartissent eux-mêmes entre ceux qui en font d'assez banales en s'efforçant, avec plus ou moins de bonheur, à la rime riche (c'est le cas de L dans les Br. I à III, de EU, de Manessier et de Gerbert), et ceux qui, en pleine possession de leurs moyens, ont la maîtrise de ne pas trop céder à cette facilité - c'est, bien sûr, le cas de Chrétien de Troyes.

Toute la rédaction longue MQ(EU,T,P) - surtout celle du Cara-doc - apparaît assez unifiée, quant à ces jeux de versification. On y trouve régulièrement, non seulement, à plusieurs reprises, dire et d'ire, sejor : le jor, a cort : acort, ator : la tor, mesage : come sage, amis : a mis et a mie : amie, et toute une série antremetre : -e metre, mais un certain nombre de tours de force, comme mesdi-sanz : dis anz, ou Pentecoste : pant et coste (les deux aussi dans Chrétien), et chape a : eschapa (E 10827-29), il ancontra : mal ancontre a (8507-08), ambelisoit : belle i soit (8151-52), a cest mot : s'acesmot (10175-76), et ce détail, absent de la rédaction courte, de la "condition impossible" de la guérison de Caradoc : (qu'il) fust plaine lune, créé pour faire une "rime milliardaire" avec la nécessité que fust plaine l'une (des deux cuves, de vin aigre, E 11181-82) !

Rimes homonymes. Les mêmes remarques peuvent être faites à propos des rimes homonymes, mais ici les écarts sont beaucoup plus grands : de 0 dans 1000 vers de Gaimar ou de l'Eneas, ou de 1 dans la même longueur du Brut ou de la Vie de saint Nicolas de Wace, à 35 (dont 9 mauvaises) dans la Continuation de Manessier, à 53 (dont 30 mauvaises !) dans celle de Gerbert (mais il rime bien plus soigneusement la Violette : 46, dont une seule mauvaise), à 48 dans les Fabliaux de Jean Bodel (dont 4 mauvaises) et dans les Miracles de Gautier de Coincy (dont seulement 2 mauvaises), à 67 (dont 10 mauvaises) dans la fin apportée à la Charrette par Godefroi de Lagny, à 65 (dont 11 mauvaises) dans les 962 vv. du Lai de l'Ombre, à 158 (sic ! - dont 40 mauvaises) dans 1000 vv. de Hun-baut. Redisons que nous appelons "mauvaises" les rimes homonymes qui font intervenir deux fois exactement le même mot, avec le même sens et la même fonction : ainsi, dans Hunbaut, consel = consel (à deux reprises), savoir = savoir (idem), droiture = droiture (idem), etc.

On a donc commencé, petitement, à jouer sur certains mots, comme voie (Verbe/Subst.), avoir (infin. et - substantivé), non (S/Adv.), cort (S/V/Adj.), pas (S/Adv.), puis (V/Adv.), face (V/S), vis ("visage" et "avis"), estre (V/S), conte (V/S ; "comte" et "conte"), gent (S/Adj.), etc. Chrétien a élargi la palette : ot (oïr/avoir), monde (S/Adj. "pur"), ost et oste, diverses formes de savoir et de sachier, le verbe seoir aux sens de "convenir" et de "s'asseoir", etc., mais son pourcentage de rimes homonymes reste dans des limites convenables (une dizaine ou une douzaine par 1000 vv. : entre 6 et 17). Avec son continuateur Godefroi de Lagny, la "barre" est tout de suite franchie, mais la plupart des romanciers resteront bien plus sages, jusqu'aux années 1220-20, et même bien après pour ceux qui persistent à rimer médiocrement (comme Adenet le Roi, ou l'auteur de Floriant et Florete) ; même Heldris, qui rime richement Silence à plus de 47 %, ne fait que 11 rimes homonymes (dont 4 mauvaises) en 1000 vv. L'auteur de Hunbaut, d'ailleurs, multiplie davantage les occurrences des homonymes archi-employés qu'il n'innove vraiment - notons quand même les jeux sur palais (de la bouche et du château), sur hace (du verbe haïr et le substantif "hache"), sur rendu (le participe passé, et le même, substantivé, "moine"), etc. ; tout lui est bon, et tout est possible, mais que devient le sens, dans ces incessantes juxtapositions de mots qui n'ont entre eux aucun autre rapport que celui de la sonorité ?

Dans la Continuation-Gauvain, la courbe des rimes homony-mes suit, en gros, celle des rimes riches. La rédaction courte manifeste la "dégression" que nous connaissons bien : 13 au total dans la version L de la Br. I (1070 vv), 7 dans la Br. II (976 vv.), 9 dans le Caradoc - toutes sont bonnes ; ensuite, 11 seulement dans les 3493 vv. de la Br. IV, et 7 sont mauvaises ; 3 dans la Br. V (1546 vv.), et aucune dans le Guerrehés. Il semble bien que, outre la "dégression", il y ait rupture entre les Br. III et IV. Les jeux ne sortent guère de la banalité (conte, cort, gent, pas, porte, pris, etc.), sauf ost (S/V, L 1199-200), en present : present (loc. adv./V, 3153-54) et, au début de la Br. IV, çainte (V/S, 3667-68). Notons que deux rimes homonymes seulement sont communes aux deux moitiés du texte de la rédaction courte (mains, 527-28 et 3815-16 ; vis, 837-38 et 7319-20).

Nous avons déjà signalé que Guiot, le copiste de A (ou même le responsable de ASP), ne fait aucun effort bien net pour enrichir les rimes ; son texte présente, dans son ensemble, moins de rimes homonymes que celui de L : ainsi, dans la Br. II, 3 au lieu de 7 ; dans la Br. III, 5 au lieu de 9. Mais il n'en va pas ainsi dans la Br. I où, en regard des 13 rimes homonymes de L et de T, A en présente 23 (S aussi 23 ; P, 16), et parmi ses additions, on trouve des jeux sur fin (2 fois), sur dure (2 fois), sur delivre, demaine, etc., et jusqu'à cette rime Trante : trante (A 1109-10), qui souligne l'attribution exorbitante par Arthur au Guiromelant de trente forteresses (L ne parle que de la rente que vaut l'un des deux châteaux donnée au Guiromelant) ! Cette recherche n'est pas du tout dans la manière du reste de la version A(SP). Elle vient d'ailleurs. D'où ? D'un premier remanieur commun au groupe ASP et au ms. R. Celui-ci, en effet, possède presque toutes (11 sur 14) les rimes homonymes ajoutées par A(S), et il en ajoute, lui R, encore 15 (dont quatre mauvaises, les autres étant souvent "tirées par les cheveux"). Sur ces 15 additions de R, 10 figurent dans les interpolations édifiantes dont il farcit le texte commun, et auxquelles A(SP) n'ont rien emprunté.

Le responsable de R est, avec celui de A, l'un des plus anciens qui ait travaillé à la copie des mss de Chrétien ; rappelons que A et R sont les deux seuls "collectifs" qui nous ont transmis tous les romans de Chrétien ; rappelons aussi cette analogie : R ne donne, à la suite du Conte du Graal, que la Br. I de la Continuation-Gauvain, et A, à la suite de celle-ci, complète, ne donne que le début de la Continuation-Perceval. Le "premier responsable" de R doit donc être antérieur au "premier responsable" de A. Et nous avons ici la preuve qu'il l'a influencé. Car, les 5 rimes homonymes que R ajoute (?) au texte - en dehors de ses farcissures -, il semble bien que le "premier responsable" de A les ait connues et les ait rejetées ; ainsi à R 661-62, dis (V) = dis (Num.), la leçon est alambiquée et n'a aucun intérêt : AS refont, P omet ; à R 799, il = il (!), SP conservent mais A change; à R 1215, estre lasse : cascuns lasse (redondance), ASP substituent, au 2e v., midis passe, qui s'accorde mieux avec la suite ; à R 1235, fort (Adv.) = fort (Adj.), ASP refont en changeant le premier tort en mort, qui s'accorde mieux avec ce qui précède ; à R 134, fait de gré : monter de gré à gré, ASP corrigent en par haut degré (ce qui, au moins, a un sens).

On peut donc imaginer ici la "cascade" suivante : 1) le "premier auteur", qui n'a certainement pas commis toutes ces bêtises ; 2) un premier remanieur R', qui "enrichit" au moins la versification ; 3) un second remanieur, qui est le "père" de ASP, et fait les corrections qui s'imposent : 4) un troisième, ou plutôt R qui se remet à l'ouvrage et fait ses interpolations ; 5) Guiot, enfin, qui donne le ms. A - et il faudrait encore intercaler le "décrochage" de P. C'est dire qu'entre L et A, il y a au moins, côté A, quatre ou cinq "chaînons manquants" ! Et il n'y a pas de raison de penser qu'il n'y en ait pas eu autant côté L. Et tout ceci, peut-être en quinze ou vingt ans !

Pour en revenir aux rimes homonymes, les pourcentages sur l'ensemble des rédactions sont éloquents :

- L - Br I (1070 vv.) : 13   = 2,43 %
- L - Totalité (9509 vv.) : 43   = 0,9 %
- A - Br. I (1172 vv.) : 23   = 3,92 %
- A - Totalité : ne semble guère en ajouter, mais, au contraire, en supprime à partir de la Br. II, aussi son pourcentage est-il analogue à celui de L ;
- R - Totalité (1405 vv) : 35   = 4,98 %
- R - ses interpol. (390 vv.) : 10   = 5,13 %
- R - moins lesdites (1015 vv.) : 25   = 4,93 %

Ce n'est donc pas R qui change, c'est A, et sous l'influence de R (ou de son modèle). C'est le reviseur de R qui emploie le plus fréquemment les rimes homonymes, ainsi que le montre leur distribution dans les rédactions longues :

- MQ(EU) - Br. I (2458 vv.) : 55   = 4,47 %
- MQ(EU)(+T,P) - Totalité du Caradoc
        long (5450 vv.) : 121   = 4,44 %
- ibid., le Tournoi seul (1460 vv.) : 33   = 4,52 %
- ibid., fin du Caradoc (2376 vv.) : 56   = 4,71 %

Le pourcentage de EU, dans leurs grandes interpolations de la Br. I, est légèrement inférieur :

     - EU - Interp. Br. I (2550 vv.) : 54 = 4,23 %

(et, surtout, ils admettent beaucoup de rimes homonymes mauvaises). Quant au responsable des petites additions de T(V), il fait, en 500 vv., 13 rimes homonymes (soit 5,20 %), mais 7 sur 13 sont mauvaises ! Et quant à l'auteur (ou aux auteurs ?) de la Continuation-Perceval, il fait 3 rimes homonymes sur les 812 premiers vers que donne A (soit 0,69 %) ; il en fait aussi 3 (dont une mauvaise) sur une tranche de 1000 vv. prise au milieu de son texte ; ce pourcentage triple presque dans les immenses additions faites par T(V) au Tournoi (8, sur 964 vv., soit 1,7 %).

Mais c'est l'examen des mots sur lesquels on joue qui autorise, entre autres, à départager nettement, dans la Continuation-Gauvain, la rédaction longue MQ(EU) des parties données par les seuls EU (interpolations de la Br. I). Tout d'abord, le nombre des couples homonymiques communs à toutes les rédactions est fort restreint : 8 sur un ensemble de 120 (cort, 6 fois ; lance, 5 fois ; non, 11 fois ; part, 10 fois ; pas, 8 fois ; porte, 3 fois ; pris, 16 fois ; et voie, 3 fois - ce dernier ne figurant pas dans L, mais dans A et R). Le jeu sur faille (V/S - expression sans faille) est absent de L, chez qui faille rime 11 fois sur 17 avec bataille (A refait plus de la moitié

de ces rimes, trop "mécaniques", mais sans introduire de rime homonyme) ; le jeu sur point (Adv./S/V/voire Adj.) est aussi ignoré de
L. Par contre, c'est le rédacteur de EU qui ignore les jeux sur mains
et genz.

Les rimes homonymes propres à la rédaction courte sont, dans
leur ensemble, assez courantes, sauf, aux vv. 1913-14, celle sur saine
(V sainier / Adj. sain). Mais 5 sont plus rares, et ce sont celles
qui n'apparaissent que dans L seul (ost, 1197 98 ; present, 3153-54 ;
çainte, 3667-68), ou suivi par T (plaine, 795-96) ou par P (rien, 3085) ;
dans tous ces cas le texte de A(S) est différent, et pour la rime
sur rien, visiblement corrigé. A la limite de la rime homonyme mauvaise, le jeu sur non (4175 : ... se ... non / ... ge non) est accepté
par tous ; celui, encore plus discutable, sur mie (8085 : le premier
est moins "grammaticalisé" que le second), l'est par MQU, mais non
par APT, qui changent la rime, et S, qui saute le couplet - c'est
donc bien le texte original, conservé par L, qui est visé. Pour les
autres rimes homonymes mauvaises de L, il n'est pas toujours facile
de décider si l'on est en présence d'une bourde de ce copiste, ou
d'une réfection par les autres d'un texte fautif ; mais notons l'accord
de LMT sur la répétition fâcheuse d'avront (5565-66 ; AS corrige
en avra : ravra ; E et Q refont chacun à leur manière). Le copiste
de A n'a qu'une rime homonyme en propre, sur cost ("coudre" et
"coût", 561) ; celui du groupe ASP, une sur delivre (749).

C'est sans doute R qui fait partager à ASP la rime homonyme
sur dure (à deux reprises, 883 et 917) et celle, fort courtoise, sur
fin (791, 1029) - MQ, eux, en feront deux sur fine (E 7147 et 10755).
Les rimes homonymes absolument propres à R sont, nous l'avons
dit, plutôt bizarres (sur ci/si, dis, fort, gré, lasse, rue et vaine).
Disons que c'est aussi le cas de la plupart de celles que font MQ(EU)
- suivis longtemps par T et, un moment, par P - et dont plus de
50 leur sont propres ; on appréciera le jeu sur amers :

469

> Molt est vers lui amors amers   E 10331-32
> et molt li grieve cist amers ...

ou sur amer :

> ... car il se retraient d'amer   E 10747-48
> et metent l'amor en amer ...

Celui sur creüz (de "croître" et de "croire") se justifie mieux :

> "... Ja vostre pris n'an iert creüz   E 4915-16
> ne vos ja n'an seroiz creüz ..."

mais que dire de celui sur charme ("conjuration" et "arbre") :

> (le serpent ne peut être délacé

> ... par medecine ne par charme.   E 10069-71
> Li rois estoit desoz un charme
> an un son bois...

ou sur let ("laid" substantivé, et "lait" de la cuve,   E 11187-88

ou encore sur pleüst ("plaire" et "pleuvoir") :

> "... car ancor, s'il ne li pleüst   E 12099-100
> que il orains ainsint pleüst ..."

- la rime alambiquée appuie le gauchissement de la pensée : l'orage "magique" déclenché sur Caradoc cependant que l'enchanteur chevauche dans un halo de soleil est ici expressément envoyé par Dieu, et d'ailleurs Aalardin n'est plus un enchanteur, il n'est qu'un ami - ; de celle sur soie (V/S, E 8631), de celle sur son (mau gre son, et li son, c'est-à-dire "les siens", sont loin, E 8703) ? Il serait facile de multiplier les exemples ; citons encore ce "baroquisme", sur nes ("nef" au sens de "vase en forme de navire", et "nez" - il s'agit de la description d'un repas) :

> ... pain et vin et costiaus cortois,   E 7114-15
> d'or et d'argent et cope et nes.
> Qui me devroit coper le nes,
> ne porroie je dire pas
> la grant richesce des henas ;
> richement sont li dois garni ...

Que ne peut-on attendre d'un auteur qui qualifie les couteaux de "courtois" ?

En regard de ces extravagances, et souvent de ces incohérences, les rimes homonymes propres à EU (grandes interpolations de la Br. I), qui ne portent que sur 14 jeux de mots (c'est dire qu'elles sont proportionnellement bien moins nombreuses que celles de MQ), sont bien plus ordinaires et, si elles ne sont pas toujours très bien venues, du moins elles n'entravent pas la pensée et, surtout, elles ne font pas piétiner l'action. La rime homonyme sur sen ("sagesse", "façon", E 2313) ne s'impose pas, mais n'empêche pas Gauvain de tuer son adversaire. Celle sur soi (Pr. et S soif) passe sans difficulté - il s'agit du cor magique :

> "... que ja nus hom qui l'ait o soi   E 2455-56
> n'avra ne froit ne fain ne soi ..."

celle sur main ("main" et "matin") non plus :

> "... te covandra randre an la main   E 2955-56
> a celle o qui manjai hui main ..."

celle sur doi (S/V, E 2471) souligne une cheville (par la foi que je vos doi) comme on en trouve partout, même chez les bons auteurs. Mais surtout celle sur mort - il s'agit de la douleur des gens du château délivré par Gauvain lorsqu'ils voient celui-ci repartir, et de leurs pleurs

> .... que il resamble   E 4816-19
> que chascuns ait son pere mort
> et dïent : "Sire, qui de mort
> nos as rescous et de peril ..."

- un tel jeu et donc une telle insistance sur la mort sont absolument impensables par les remanieurs "courtois" de MQ (ou de A, ou de R, ou même de T) : ce n'est que dans L que l'on aurait pu les trouver, s'il avait plu à celui-ci de pratiquer ce sport. L'auteur des interpolations de EU, sans avoir l'alacrité et la fougue du responsable de L (lequel ne doit pas être fort éloigné du "premier auteur"), conte, lui aussi, assez rapidement et joyeusement des aventures qu'il trouve intéressantes. Rien n'est plus éloigné de son esprit et donc de son style (comme, à plus forte raison, de ceux de L) que ceux de MQ, dont la prétention et la sensiblerie s'étalent sur des milliers de vers. On peut se reporter à notre analyse (fort succincte en ce qui le concerne) pour apprécier le caractère oiseux de ses additions et de ses délayages. La forme va toujours avec le fond : la gratuité des jeux de la rime ne fait que souligner la vacuité de la pensée - qu'elle contribue fortement à aggraver.

Rimes dérivatives. Elles ne sont pas, en elles-mêmes, toujours intéressantes. Mais la fréquence de leur emploi, laquelle devrait normalement s'aligner sur celle des rimes riches, ne le fait pas toujours, et cela peut nous fournir de précieuses indications. De plus, il faut observer la nature de ces dérivations, en particulier la prédilection pour certains préfixes, qui, nous le verrons, peut être bien éclairante.

En gros, bien sûr, les auteurs qui ne cherchent pas du tout la rime riche ne font presque jamais rimer les mots de même racine - ainsi Marie de France : O dans Eliduc, 1 dans l'Espurgatoire (s'entremettent : mettent) ; ou le poète de l'Eneas : 4 dans une tranche de 1000 vv. prise dans la première moitié, 2 dans une autre, prise dans la seconde, etc. A l'opposé, ceux qui quêtent de façon effrénée la richesse de la rime le font énormément : plus de 160 fois dans 1000 vv. de Hunbaut, de 110 fois dans le même nombre de vv. de la Prison d'amour de Baudouin de Condé, 86 dans la Violette de Gerbert de Montreuil, 82 dans 1 000 vv. des Fabliaux de Gautier le Leu, etc.

Ce n'est pas impunément que l'on pratique ce petit jeu de façon incessante : faire rimer systématiquement faire et afaire, ou desfaire, ou mesfaire (ou malfaire), dui et andui, perdu et esperdu, mener et demener, servir et desservir, etc., ne fait guère avancer la pensée ni l'action. Ou bien l'on émet la même idée avec une nuance d'une douteuse utilité, ou bien l'on se contente de répéter (avec le préfixe re-), ou bien, plus souvent, on se contredit, du moins on souligne une opposition, factice deux fois sur trois, notamment au moyen du préfixe des- (ou mes-, ou mal-, etc.). Ce dernier procédé est fréquent : soit que l'on nie l'idée d'abord au moyen d'un préfixe, puis d'une négation, ainsi Gautier de Coincy dans son Impératrice :

> ... que par samblant si le desdaingne   1501-02
> que nés l'ueil tourner ne li daingne....

soit qu'on l'émette d'abord sous sa forme positive, puis que l'on nie sa négation :

> "... Puis que Diex l'a si bele faite,   Ibid., 1707-08
> ja ne sera par nos desfaite ..."

Ceci peut rester cohérent, et même être utile lorsque l'on a affaire à un grand écrivain, comme Gautier de Coincy, mais devient fort oiseux lorsque l'auteur est médiocre, comme celui du Caradoc long :

> ... si la deçoit par sa barate   E 10735-40
> si la desjogle et desbarate
> et la despoille et la dechace ;
> d'avoir une autre se porchace.
> Cil qui se servent de tel barat
> tornent amors a desbarat ....

ou même tout à fait incohérent :

> Li mes a tote nuit erré,   E 10547-49
> son chemin a tant meserré
> et tenuz droit ....

(comment peut-on se tromper de chemin et le "tenir droit" ?!).

Ici encore, on s'en doute, Chrétien de Troyes donne la juste mesure : bien qu'il rime assez richement, il ne fait guère rimer ensemble des mots de même racine : 20 fois en 1 000 vv. de la première moitié du Conte du Graal ; 22 fois dans la seconde ; 21 fois en 1 000 vv. d'Yvain ; 22 fois, de Cligés ; 27 fois, d'Erec (il se surveille un peu moins dans son premier roman). Une exception : la Charrette, où l'on peut compter 42 rimes dérivatives dans le même nombre de vers - mais n'est-ce pas le roman où il est moins à l'aise, et où il soigne d'autant plus la forme (comme, d'ailleurs, dans Cligés) que le fond lui tient moins à coeur ? D'autre part, la fréquence de rimes dérivatives convient au ressassement, à l'obsession - ce qui est un peu le cas de Lancelot. Mais Godefroy de Lagny est bien moins justifié lorsque, dans la fin de la Charrette, pourtant pleine d'action, il fait 57 rimes dérivatives. Par contre, les images de piétinement et de circularité dominent le Lai de l'Ombre, où Jean Renart fait 56 rimes dérivatives, qui, pour la plupart, sont réussies et qui, loin d'entraver la compréhension, accompagnent, parfois admirablement, le fil sinueux de la pensée, les détours et les retours de l'action. Le procédé eût fort bien convenu à Thomas, qui pourtant, dans les 1 000 derniers vv. de son Tristan, ne se permet qu'une seule rime dérivative, une seule aussi dans les 940 vv. du Mariage. Ce n'était pas à la mode - ni à l'époque ni à l'endroit où Thomas écrivait - mais ne pas faire du tout de rime dérivative revient à s'interdire de le faire. La rime dérivative, comme la rime homonyme - les deux procédés sont liés - devait apparaître comme une licence, comme une facilité condamnable, de la même manière que la rime riche devait sembler un luxe inutile, voire répréhensible. Ou bien ne s'est-on mis à en faire qu'à partir du moment où l'on s'est intéressé à la richesse de la rime ? De toute façon, Thomas avait un autre moyen de marquer la "circularité" de la pensée - car Dieu sait si son héros "tourne en rond" ! -, auquel nous arriverons bientôt.

A y regarder d'un peu plus près, la rime dérivative est un procédé plus subtil qu'il n'y paraît - du moins elle peut l'être. Car, à côté de la rime dérivative vraie (dit : redit, armés : desarmés, etc.), il y a la fausse, l'apparente. Ici, d'une part, la rime faussement dérivative suit la règle de la rime homonyme (vraie) : le poète fait rimer une forme simple avec une forme composée, mais d'une autre racine - ainsi le substantif port avec le subjonctif emport, ou porte avec enporte, ou perte avec aperte, ou des formes rimant ensemble des verbes faire (et ses composés) et ferir, ou fondre, ou fonder, voire esfacier, etc. Il en résulte, au moins, une hésitation de l'auditeur ou du lecteur, une sorte de "tremblement" du sens, comme un interstice entre deux possibilités de sens. D'autre part, et aussi en même temps, il y a de faux alliés : des mots qui sont devenus proches par le sens et qui n'avaient pas du tout la même origine - comme don et guerredon, ou abandon, songe et mançonge, soing et besoing, armes et enarmes, etc. - et que nos poètes associent presque systématiquement à la rime (ce qui, peut-être, a contribué à rapprocher encore leurs sens). Par un mouvement inverse, des mots d'origine commune ont évolué vers des sens très différents : qui penserait à rapprocher estruire ("instruire") et destruire, ou eneslepas et trespas, ou desploier et sosploier ("supplier"), etc. ?

On entrevoit donc toutes les possibilités d'hésitation, d'ébranlement de l'esprit, de résonance, en un mot de jeu, qu'offre la forme versifiée, et qui expliquent en partie le durable succès de celle-ci. Si l'on songe que les deux mots à la rime - prenons par exemple deux verbes - peuvent se rapporter à deux sujets différents, et que, surtout, depuis le moment où la brisure du couplet s'est généralisée, ils peuvent appartenir à deux phrases différentes, on aura une idée de la subtilité du système, car une rime peut être, à la fois (et entre autres) : féminine, riche, rare, grammaticale, dérivative (ou peut sembler l'être), équivoquée, et unir, par-dessus la brisure du couplet, deux phrases différentes et de sens opposé. Un Chrétien joue de toutes ces possibilités en virtuose mesuré ; d'autres, en virtuoses démesurés ; d'autres, en démesurés tout court, tandis que d'autres encore, avant ou ailleurs, n'en ont pas ou peu usé.

Le "premier auteur" de la Continuation-Gauvain est à ranger entre ceux-ci et Chrétien. Alors que Chrétien fait une bonne vingtaine de rimes dérivatives tous les 1 000 vv. (ou tous les 500 couplets), et Marie et Thomas, quasiment aucune (car, comme pour les rimes riches, ou homonymes, un pourcentage trop bas équivaut à zéro, étant donné qu'il est impossible de ne jamais juxtaposer à la rime deux adverbes en -ment, ou deux subjonctifs imparfaits, ou deux homonymes, ou deux mots de même racine), la copie de L présente une moyenne de 8½ (51 pour les 6 000 vv. des passages 1 à 6).

Ces rimes, dans L, témoignent de peu de recherche : 8 fois or : tresor, 4 fois jor : sejor : 3 fois ore : encore, ovrir : covrir, dire : contredire, metre : entremetre ; 2 fois main ("matin") : demain ou endemain, gart : esgart, etc. En général, des associations faciles, que Chrétien se permet rarement, et qui témoignent bien de cette quête "molle" de la rime riche, dans les trois premières Branches, et encore plus distraite dans les trois dernières. Le "premier auteur", en cette matière, n'a ni principe ni système.

On aura remarqué qu'à la "dégression" assez régulière des rimes riches, équivoquées et homonymes, correspond celle des dérivatives, sauf en ce qui concerne la Br. IV, qui se situe au même niveau que les Br. II et III. Mais les 10 rimes dérivatives se situent toutes dans les 1 000 premiers vv., c'est-à-dire jusqu'au récit de Gauvain (IV/5), les quelque 2 300 vv. qui suivent n'en présentent qu'une autre dizaine - ce qui pourrait constituer un argument en faveur de la thèse de M. Corley [10]. Dans la "seconde" partie de l'oeuvre, la moyenne des rimes dérivatives tombe donc à un chiffre très bas, de 5 pour mille vers, ce qui est proche du négligeable : l'auteur, alors, ne s'interdit pas d'en faire, mais ne le cherche nullement - pas plus qu'il ne fait quelque effort pour enrichir ses rimes.

De toute façon, même dans les trois premières Branches et le début de la quatrième, les rimes dérivatives de L ne soulignent guère les jeux de la pensée ; on n'y trouve, en particulier, que peu de juxtapositions de contraires ; voici les plus marquantes :

- apparition du second cortège du Guiromelant :

    ... venir un autretel conroi,   L 551-52
    molt belement et sans desroi ...

- Gauvain rassure Arthur : "Ne croyez pas que

    "... me soie armés ne por combatre,   1497-98
    ains me vois deduire et esbatre

- La Pucelle de Lis proclame à son père, à propos de son pucelage que Gauvain emporte :

  "... Pieç'a que vos avoie dit   1729-30
  que il l'avroit sans contredit ..."

  (opposition très faible, les deux mots ne se rapportant
  pas à la même chose ; - même remarque pour les vv.
  4527-28) ;

- Caradoc implore le pardon de Dieu

  ... del grant anui et del forfait   2269-70
  qu'il a et pere et mere fait ....

  (opposition très faible, le verbe "faire" ayant un sens
  tout à fait neutre) ;

- Arthur, partant pour le Chastel Orguelleus, laisse la plupart
  de ses chevaliers,

  "... que nus ne face   3529-30
  guerre a mon regne ne mesface..."

  (redondance) ;

- Yder le Beau "remet en place" le sénéchal Keu :

  "Par foi, sire, vos me mesdites.   3753-54
  Por Diu, vostre non car me dites."

  (peu de rapport entre les deux idées) ;

- Gauvain craint, en tardant, de ne plus retrouver le roi :

  ... peor a del roi forvoier   4077-78
  si qu'il ne le puist ravoiier

- récit de Gauvain - comment la Pucelle de Lis avait entendu
  parler de lui :

  ... tant ooit dire   L 4291- 92
  de lui grans biens sans contredire ...

  (bel exemple de négation de la négation, avec progrès
  du sens).

Notons, à l'appui de la thèse de l'unité de l'oeuvre, les trois
exemples de l'opposition overt : covert - dans la Br. II, vv. 1591-
92 (le pavillon de la Pucelle : portière ouverte, lit couvert) ; dans

la Br. IV, vv. 4147-48 (chez Bran : Gauvain voit des lits couverts par la porte entr'ouverte) ; dans la Br. VI, vv. 8737-38 (Guerrehés voit le nain qui porte un hanap couvert d'une toaile et qui entre, par la portière entr'ouverte, dans l'autre pavillon). Chaque fois, la porte ouverte incite le héros à transgresser l'interdit (le "couvert").

De ce point de vue, le responsable de A(SP) ne semble guère avoir eu le dessein d'améliorer le texte originel. Sa douzaine de rimes dérivatives sur 1 OOO vv. (à cheval sur les Br. I et II) correspond à la moyenne de L pour les mêmes épisodes : A ne fait pas les mêmes rimes dérivatives, mais n'en fait pas davantage. Ses trois rimes "antithétiques" le sont à peine, et pas du tout "dialectiques" : le jeu sur fiance : desfiance des vv. 621-22 n'est pas clair (il n'y a pas de rapport entre les deux idées) ; celui sur dit : contredit des vv. 629-3O est oiseux ; celui sur enor : desenor des vv. 9O3-O4 est meilleur dans SP où l'opposition du Guiromelant à Gauvain est marquée par le démonstratif cil, alors que A écrit seulement il, ce qui n'est pas assez clair. Guiot (et/ou son école) change pour le plaisir - une fois de plus. Dans le passage n° 8 (les 5OO vv. propres à ASPU : "Crise à la cour d'Arthur"), la proportion reste la même : 5 rimes dérivatives, dont une "antithétique", sur dit : contredit (A 3517-18), qui n'a aucun intérêt.

Trois rimes dérivatives seulement dans les 542 vv. de la version "viol" de PU : nous sommes toujours dans la même moyenne. Par contre, les quatre dans le Joseph résumé de la Br. V (LAMQU), sur 226 vv., fort banales au demeurant, trahissent peut-être une autre main, laquelle n'est évidemment pas celle de Robert de Boron lui-même, qui n'en fait que 3 sur 1 OOO vv.

Pour en revenir au "premier auteur", reflété par L, il semble suivre cette "loi" : ses rimes dérivatives vont quand et quand ses rimes riches ; il ne les refuse pas, comme semblent bien le faire les auteurs plus anciens et, de façon générale, les Anglo-Normands, et aussi certains romanciers pour qui la richesse de la rime ne compte guère (ainsi encore, sur le continent, Renaut de Beaujeu : une seule sur 1 OOO vv.). Le phénomène de "dégression" n'est que normal : on observe exactement l'inverse chez Béroul : 2 rimes dérivatives seulement dans 1 OOO vv. du prétendu Béroul I (14 % de rimes riches), et 8 chez Béroul II (20 % de rimes riches) - ce qui ne saurait être un argument pour briser en deux son <u>Tristan</u>. Un auteur a, dans ces modestes proportions, le droit de changer de manière.

Par contre, ce qui change radicalement, c'est la façon de faire des autres remanieurs : 11 rimes dérivatives dans les 376 vv. propres à <u>R</u> (proportion : 3O pour 1 OOO vv) - qui n'ont d'autre intérêt que leur nombre ; - 22 dans les 5OO vv. interpolés çà et là par <u>T</u> (donc une moyenne de 44), qui ne témoignent guère d'une recherche stylistique quelconque.

Le tableau de la p. 455 donne les chiffres pour les grandes interpolations de <u>EU</u> et de <u>MQ</u>. Du présent point de vue, les deux auteurs sont nettement différents. Certes le chiffre le plus élevé de <u>EU</u> est le même que le plus bas de <u>MQ</u>, mais la manière n'est pas du tout la même. Les rimes dérivatives de <u>EU</u> sont fort banales : c'est le tout venant qui se présente à qui cherche la rime riche. Il n'y a, généralement, aucun lien logique entre les deux mots à la rime ; dans les meilleurs cas, le second redouble le premier (<u>EU</u> 2191-92 : <u>s'asieent</u> : <u>sieent</u> ; - 2345-46 et 4495-96 : <u>joie</u> : <u>conjoie</u> ; - 2645-46 : <u>pires</u> : <u>ampires</u> = légère progresssion ; - 2705-O6 : <u>d'autre part</u> : <u>se depart</u> ; - 2891-92 : <u>porfant</u> : <u>fant</u> = redondance ; etc.). Très peu de rimes "antithétiques", et aucune qui soit intéressante, sinon celles des vv. 2517-18 et 4659-6O, sur <u>fet</u> : <u>desfet</u> et <u>fait</u>: <u>mesfait</u>.

Dans <u>MQ</u>, il y a d'abord le phénomène de progression régulière des rimes dérivatives : de 28 à 67 pour 1 OOO vv. - progression qui épouse celle des rimes riches (de 33 % à près de 65 %). Il y a tout lieu de croire qu'il s'agit bien du même auteur, qui "se lance" de plus en plus : le <u>Guiromelant</u> long et le <u>Caradoc</u> long sont unis par des jeux sur chacier, cheoir, conreer, saillir et leurs dérivés, sur acorder et descorder, despit et respit, droit et orandroit, ovrir, covrir et descovrir, et, par contre, par la rareté de ceux sur metre et ses dérivés, qui se bornent au seul entremetre. Il y a certes un saut quantitatif dès le début du Caradoc, et des jeux encore moins courants vont se multiplier : ceci relève, à notre avis, de l'entreprise de "noyer le poisson" - c'est-à-dire de délayer l'odieuse histoire sous un flot d'amplifications et d'épisodes adventices, dont le caractère chevaleresque et courtois ainsi que les ornements rhétoriques doivent escamoter le "noyau dur", et malheureusement (pour l'auteur) "incontournable". Le grand délayage est marqué, et produit, par les petits, où la rime dérivative joue son rôle.

Caradoc est saisi par le serpent - version courte :

> Cil saut ariere enmi la place, LA 2642-43
> si crie et brait molt durement.

- version longue :

> Et Caradoc ariere saut. E 9923-30
> dou serpant et de son asaut
> se cuide molt tres bien rescorre ;
> som bras conmança a escorre,
> que il le cuidoit desaerdre.
> Et il toz jors dou miauz aerdre
> et dou plus aspremant estaindre (pour estraindre).
> Et Caradoc conmance à taindre ...

Un exemple, entre vingt, dans le Tournoi - Caradoc acharné au combat :

> ... mes neporquant E 9063-72
> onc Caradoc ne tant ne quant
> por ce ne se vost reposer.
> Le plus hardi vet oposer ;
> le jor fist mainte question
> dont onques n'ot solucion ;
> le plus fort vet si amplaidier
> que il ne se puet esplaidier ;
> si les a tos si atornez
> qu'a la fuie les a tornez ....

480

- on aura apprécié au passage la "contre-métaphore" - empruntée à un domaine plus abstrait (juridique) ! Autre exemple de la même "figure" - toujours dans le Tournoi :

> ... et merveilleuse joie fait E 9133-40
> quant cil ne li a riens mesfait,
> q'ainz que d'iluec soient partiz
> les ont anmedeus departiz.
> Mais Caradoc point ne repose :
> sovant respont, sovant opose,
> sovant est feruz, sovant fiert,
> sovant requis, sovant requiert.

- est-ce un hasard si ces deux passages se lisent dans des séquences où figure Perceval, que le remanieur-délayeur a réintroduit, pour le Tournoi, dans une prétendue Continuation du Perceval où il n'est jamais question de ce héros ? Tout se passe comme si l'interpolateur répondait ("opposait") à une objection ("opposition") souvent faite, sans doute, au "premier auteur" et aux "libraires" successifs.

Indépendamment de cette "figure" particulière (cf. encore E 10369-70), ces jeux de rimes, plus ou moins "dialectiques", interviennent souvent, on s'en doute, dans les monologues (plus ou moins) délibératifs, et dans des interventions de l'auteur (interpolateur), qui semble s'interroger sur son propre travail, sur sa "matiere", ou qui commente (et justifie) ses trouvailles. A l'approche de Guinier, Caradoc se demande s'il doit rester ou partir :

> "... si m'aïst Diex, je m'an fuirai. E 10266-68
> Fuirai ? Las ! qu'est ce que j'ai dist ?
> Fine amors le me contredist ..."

- ce type de rime peut commencer un monologue, comme ceux de Guinier

> ... et maudire l'angendrement E 10130-32
> que ses peres ot de lui fait.
> "Biaux sire Diex, trop m'as mesfait ..."

> ... plus haut conmança à crïer : 10640-42
> "Biauz douz amis, por quel forfet
> m'avez vos si grant annui fet ? ..."

- voir encore E 10893-94 (Cador jure, pour n'être pas parjure de repartir en quête de son ami), etc. Evidemment, on trouve aussi fréquemment la rime dérivative dans les dialogues, comme celui de Caradoc et de son valet :

> "... ne se je tant an toi me fi. E 10395-96
> De ma senté molt me desfi ...
> ... Or garde que teignes covert 10399-400
> mon consoil quant t'iert descovert ..."

ou celui de Cador et d'Ysave (conroi : desroi, E 11107-08 ; - batu : abatu et trere : retrere, (11121-24) ; la malignité de la reine est soulignée de façon assez alambiquée - elle feint de ne pas comprendre :

> ... mais nequedant fist an mescointe : E 11129-30
> "Amis Cador, vien, si m'acointe ..."

- voir dans la Br. I, déjà, mais de façon plus sobre et mieux justifiée, : la paix sera faite si le Guiromelant se desdit de l'ostraige qu'il a dit (E 1825-26 ; cf. aussi 1899-900).

L'interpolateur s'extasie sur l'amour que Guinier porte à Caradoc - regardez : esgardez (E 10711-12 : début du commentaire), dons : guerredons, defaut : faut, conmander : demander, mant : remaint, remeigne : meigne, avec cette tirade contre les faux amants, citée supra (E 10735-40), avec jeux sur barat(e) : desbarat(e), dechacier et porchacier. Il renonce, dit-il, à énumérer tous les prisonniers envoyés par le héros à son amie :

> ... dont je ne me voil antremetre E 9155-58
> de leur nons ci an conte metre,
> car tiex i seroit ja nonmez
> qui an seroit mainz renonmez ....

- considération qui n'est pas exempte de quelque prétention ! Il déplore d'être obligé de revenir à sa matière (il ne peut plus la mettre <u>ariere dos</u> - qui rime souvent avec <u>Carados</u> !) et de signaler la vie scandaleuse d'Ysave et d'Eliavrés dans la Tour du Boifoi :

> ... qu'il ne me coviegne a conter   <u>E</u> 9588-92
> tel chose dont molt me <u>desplest</u>,
> car n'est pas cortois qui il <u>plest</u>,
> ne qui volantiers conte <u>dit</u>
> ou de franche dame <u>mesdit</u>

("tranche" est évidemment à prendre dans le sens de "noble" !).

Ces exemples sont suffisants pour caractériser, non seulement le style, mais la pensée du remanieur-interpolateur, dont le moins que l'on puisse dire, c'est qu'ils se situent aux antipodes de ceux du "premier auteur". Autant celui-ci est concis et vif, autant celui-là piétine et se perd dans les détails ; autant le "premier auteur" suit fermement le fil de l'action, autant l'interpolateur se plaît à le quitter, et à entrecroiser plusieurs fils (dans le Tournoi, dans les Quêtes de Caradoc) - le roman en prose a commencé, avec le succès que l'on connaît, et il réagit sur les romanciers en vers. Autant les personnages de la rédaction courte agissent plutôt qu'ils ne pensent, et délibèrent fort peu avec eux-mêmes (d'où les additions de <u>R</u> dans la Br. I), autant ceux de la longue ne cessent de "s'exprimer" et de ressasser. Vraiment, un fossé sépare les deux "auteurs", et si ce fossé n'est que d'une génération, on peut dire qu'il s'en est passé des choses, dans cette génération-là !

Mais, ce qui les sépare surtout, c'est une mentalité, totalement différente. L'auteur de la rédaction <u>MQ</u> fait montre d'une préciosité, souvent oiseuse, et difficilement pensable avant le second quart du XIIIe siècle. Nous avons déjà évoqué Gautier de Coincy : le bon prieur, qui a tout son temps pour chercher ses rimes, et les fait riches et parfois surprenantes (équivoquées), pourrait en faire un bien plus grand nombre de dérivatives, et l'on sent qu'il se retient, qu'il ne cède pas à une facilité, indigne de son sujet (Notre-Dame) - nous avons observé exactement la même chose chez Chrétien, qui a une haute idée de son "métier", de sa responsabilité d'auteur.

Jamais l'on n'a cette impression avec le rédacteur de MQ : il ne cherche que la rime riche, par tous les moyens, sur lesquels il n'est pas regardant - on trouve très peu, chez lui, de ces rimes "faussement dérivatives" qui, décevant l'attente paresseuse, réveillent et émerveillent l'auditeur ou le lecteur. Sa matière est frivole (ou du moins il la rend telle - que l'on analyse le Tournoi, avec ces va-et-vient des héros du champ de bataille à la tour ou à l'arbre où sont leurs belles, faisant un temps les damerets avant de repartir asséner des coups formidables), sa manière ne l'est pas moins.

Intéressant est le cas de Gerbert de Montreuil, qui rime sa Violette bien plus richement que sa Continuation du Perceval, et qui, surtout, y fait trois fois plus de rimes dérivatives (82 contre 28 - pour 1 000 vv.) ; il change de manière parce qu'il change de matière, et celle du Graal ne l'autorise pas à jouer à ces jeux futiles - des quatre (au moins) continuateurs en vers de Chrétien, Gerbert est, relativement, le plus grave et le plus pieux. On ne sent pas cette gravité chez Manessier, qui rime sa Continuation plus richement que Gerbert, et fait deux fois plus de rimes dérivatives (62 pour 1 000 vv.). Un Godefroy de Lagny, qui fait 66 % de rimes riches, 67 rimes homonymes (dont 10 mauvaises) et 57 rimes dérivatives (pour 1 000 vv.), n'a certes pas considéré l'histoire de Lancelot avec la même gravité que son prédécesseur : le fait même qu'il ait accepté de terminer la Charrette montre bien qu'il n'y avait pas compris grand chose.

Mais, entre tous ces auteurs, celui de la rédaction longue MQ se distingue par le caractère apparemment "dialectique" d'une forte proportion de ses rimes dérivatives, c'est-à-dire par le grand nombre des associations qu'il fait entre une idée (généralement exprimée par un verbe) et l'idée contraire, marquée par les préfixes des-, mes-, contre-, etc. Nous en avons donné plusieurs exemples, que nous pourrions multiplier par cinq ou dix, et nous devons constater que, trois fois sur quatre, cette "dialectique" n'en est pas une, parce qu'il n'y a aucune véritable opposition entre les deux mots, soit que le sens des deux mots soit différent (et non contradictoire), soit que les deux verbes n'aient pas le même sujet, ou même n'appartiennent pas à la même phrase et n'ont pas du tout le même objet. C'est bien là une manière "précieuse" de procéder : faire croire qu'il y a quelque progrès de la pensée, alors qu'il n'y en a aucun.

Quant à la Continuation-Perceval, elle présente 3 rimes dérivatives dans les 812 premiers vv., soit un nombre fort comparable à celui que l'on relève dans la Continuation-Gauvain depuis le second tiers de la Br. IV - ceci va à l'appui de la thèse de M. Corley[11]. Mais, également, 8 dans les 2 000 derniers vers, c'est-à-dire la même moyenne. Par contre, 15 pour 1 000 vv. (24001-25000) au premier tiers de l'oeuvre, 11 au deuxième tiers - et 19 dans l'amplification par T du tournoi. En regard des premiers épisodes selon A (les 812 premiers vers), la rédaction E(PT) nous donne 10 rimes dérivatives pour 924 vv. ; les 2 000 premiers vv. de la version commune qui commence ensuite nous en livre 17 pour 2 000 vv. C'est donc plutôt la main de E qui continue, non celle de l'un ou l'autre des rédacteurs qui suivaient A, et l'auteur de cette version commune ferait des rimes dérivatives de façon irrégulière, commençant à 10 pour 1 000 vv., culminant à 15, descendant à 4 vers la fin. Ces rimes sont, d'ailleurs, de la plus grande banalité et ne témoignent d'aucune recherche. Ce "paramètre" ne peut rien nous apprendre sur la Continuation-Perceval, sinon que les 812 premiers vers dans la rédaction A ne sont peut-être pas du même auteur que le reste.

Mais étudions, pour en terminer avec la rime, un autre procédé, voisin de la rime dérivative et de la rime grammaticale, et qui, parfait et conscient chez certains auteurs, apparaît imparfait et plus ou moins inconscient chez d'autres. Il met en jeu deux couplets consécutifs, c'est pourquoi nous l'appelons le "quatrain".

LE "QUATRAIN" (PARFAIT ET IMPARFAIT)

Disons tout de suite qu'il ne s'agit pas de la rime redoublée, (deux couplets consécutifs sur la même rime), que l'on retrouve assez souvent chez les auteurs les plus anciens (notamment Wace), mais qui apparaît vite comme une négligence dont tous les bons écrivains vont se garder : F.M. Warren l'a jadis étudiée et lui a fait, en l'appelant "tirade lyrique", un sort excessif, à notre avis, d'autant plus qu'il considérait comme "rime redoublée" la succession des rimes -é et -ié, ou -er et -ier, etc. ; de plus, il ne cherchait nullement à comprendre la fonction et le sens de ces "quatrains monorimes" [12].

Ce que nous appelons "quatrain" n'est autre que le "polyptoton" des théoriciens, c'est-à-dire "le retour à la rime d'un même mot sous différentes formes fléchies" [13]. Mais nous le disons "parfait" si ce sont deux mots qui reviennent ainsi à la rime, avec une flexion différente, comme dans ces exemples d'Yvain :

> "... Ce qu'Amors viaut doi je amer. Yvain 1453-56
> Et moi doit ele ami clamer ?
> Oïl, voir, por ce que je l'aim.
> Et je m'anemie la claim ...."

> "... Bienz adoucist par delaiier, 2515-18
> et plus est buens a essaiier
> uns petiz biens que l'an delaie
> qu'unz granz que l'an adés essaie ...."

ou d'Erec

> Einsi est la chose atornee Erec 67-70
> a l'andemain, a l'anjornee.
> L'andemain, luès que il ajorne,
> li rois se lieve, si s'atorne ....

ou de Perceval :

> ... un petit, si li demanda : Perc. 883-86
> "Ou iras tu, vaslez, di va ?
> - Je vuel, fet il, a cort aler
> au roi cez armes demander."

On aura compris que ce sont les mots, non les rimes, qui nous intéressent ici. Des mots qui s'agencent, se croisent ou s'enserrent comme des rimes, au point que l'on peut dire que les deux premiers exemples sont du type ABAB, et les deux suivants, du type ABBA. Ces exemples épousent la forme de deux couplets successifs réguliers, mais, en cas de brisure du couplet, le quatrain peut s'étendre sur trois couplets. en commençant avec le second vers du premier et en finissant sur le premier du troisième :

> ... comant il est fez et tailliez ;   Cligès 772-75
> mes je dot mout que je n'i faille,
> car tant an est riche la taille
> que n'est mervoille se j'i fail.

de même dans le Tristan de Thomas (fragm. Sneyd : le mariage) :

> "... de haïr ço qu'il ad amé,   THOMAS 128-31
> u ire porter u haür   (éd. Wind)
> vers ço u ad mis s'amur ?
> Ce qu'amé ad ne deit haïr ..."

de type ABAB'-ou encore, dans notre Continuation, version courte L :

> "... iert, se Diu plaist, par vos saudee.   L 7368-71
> Tenés, jostés les deus parties
> qui par pecié sunt departies,
> si verrons ce, s'el sauderont."

de type ABBA'. Nous admettons que chacun de ces deux mots puisse apparaître sous forme simple et dérivée, ou sous deux formes dérivées. Mais nous n'admettons pas les homonymes (qui apporteraient une troisième idée), ni les rimes "faussement dérivatives", c'est-à-dire unissant des mots qui n'ont pas la même racine. Encore une fois, le "quatrain parfait" est marqué par la rime, mais constitué par l'idée, par le jeu de deux idées ; on ne doit pas prendre en considération la rime seule, comme le fait W. Th. Elwert dans son Traité [14]

Le "quatrain parfait" n'est pas très fréquent Nous avons dépouillé les 3 000 premiers vv. d'un certain nombre d'oeuvres du XIIe et du XIIIe siècles, avec le résultat suivant :

O : Eneas ; Benoît : Troie et Chronique ; Wace : Brut et Rou ; le
Tristan de Béroul, Protheselaus, Partonopeus, le Bel Inconnu, Guillaume de Palerne, Athis, Amadas, la Continuation-Perceval et celle de Manessier, Fergus, Gliglois,
le Guillaume de Dole de Jean Renart, la partie du Roman
de Renart due à Pierre de Saint-Cloud ; - dans la Continuation-Gauvain : les 3 OOO premiers vers de L ;

1 : Thèbes ; Marie (dans Guigemar ; aucun dans Lanval, Eliduc, les
Deux Amants) ; Gautier d'Arras : Eracle ; les 3 OOO
premiers vers de la seconde partie du Conte du Graal ;
la Vengeance Raguidel ; Gerbert : Violette ; - dans notre
Continuation, l'interpolation EU (264O vv.) ;

2 : Floire et Blancheflor (version "aristocratique") ; Chrétien : Erec ;
Ipomedon, Robert le Diable ; Jean Renart : l'Escoufle ;
Yder, Meriadeuc ; - les 3 OOO derniers vers de notre Con-
tinuation (version L) ;

3 : Florimont, Galeran, la Continuation de Gerbert, Hunbaut ;

4 : Chrétien : première partie du Conte du Graal ;

5 : Chrétien : Lancelot ; le Tristan de Thomas ; Gautier d'Arras :
Ille et Galeron ; Meraugis ;

6 : Chrétien : Yvain ; Robert de Boron ;

7 : Chrétien : Guillaume d'Angleterre ;

8 : Chrétien : Cligés ; Guillaume de Lorris ;

9 : rédaction longue MQ du Caradoc ;

1O : Gautier de Coincy : Impératrice.

Le "quatrain parfait" n'a donc presque rien à voir avec la
richesse de la rime : Thomas (11 $\frac{1}{2}$ % de rimes riches) en fait autant
que Chrétien dans son Lancelot (46 %) ; le délayeur du Caradoc
en fait beaucoup, mais Gerbert, dans la Violette, et l'auteur de
Hunbaut, qui riment encore plus richement que lui, en font peu.
Car la quête de la rime riche peut empêcher d'en faire, puisque
l'effort porte presque exclusivement sur le couplet (par l'accumulation des rimes grammaticales, dérivatives et homonymes) - nous
le verrons de façon encore plus nette avec le "quatrain imparfait".

Procédé justifié et subtil sous la plume d'un Chrétien ou d'un Thomas, le "quatrain parfait" peut devenir totalement oiseux sous celle de l'auteur du Caradoc long. Alors que, chez un Gautier de Coincy, le procédé assure une transition, souligne une antithèse, renforce une affirmation solennelle (la sainte femme résiste au séducteur, l'âme résiste au corps) ou rythme la méditation, un seul emploi dans le Caradoc a quelque sens - c'est Ysave qui demande à son amant Eliavrés de les venger de Caradoc jeune :

> "... que vos estuet a moi faillir,   E 9829-32
> se ne pansez dou maubaillir
> celui qui nos a maubailliz.
> Voirement estes vos failliz ... "

- on appréciera, devant cette manifestation véhémente de haine, la cohérence de cet auteur qui regrettait tant de devoir dire du mal d'une femme ! Ce n'est pas la forme qui est en cause, ni même la logique interne du quatrain, c'est la pensée, qui manque par trop de consistance. Quel intérêt y a-t-il à insister sur le fait que l'auteur ne nomme pas tous les prisonniers faits par le héros au tournoi (E 8993-96 - mesprisons : prisons / pris : mespris), ou que la chambre où quatorze (sic) chevaliers descendent Caradoc saisi par le serpent soit richement ornée (E 9996-10000 - ator / atornee : aornee / atornemant : aornemant) ? Aalardin, champion et dameret, combat exprès sous les yeux de sa belle :

> Aalardin, de l'autre part,   8423-26
> li done le jor maint regart,
> qui an l'estor maint cop depart.
> En leu se met qu'elle l'esgart ...

Un moment particulièrement confus du tournoi n'est guère éclairé par les jeux de la rime - il s'agit d'Aalardin qui a attaqué Caradoc, et Gauvain aussi, mais Bran de Lis vient aider Caradoc et donne à Aalardin de grands coups d'épée, dont Caradoc détourne le dernier :

> ... qui bien le connoist, trestorné ;   9395-402
> mais le cop li a destorné.
> Et au cop que il destorna,
> se li avint que il torna
> a monseignor Gauvain son dos.
> Sire Gauvains fiert Carados
> an ce que il le voit torner,
> qu'a poines se puet destorner ...

- Carados (on attendrait le cas régime) rimant quasi mécaniquement avec dos, c'est donc par derrière que le très chevaleresque Gauvain attaque son ami ! Lorsque le jeune Caradoc souffre le martyre, sa mère joie demeine, mais les gens, scandalisés, n'osent rien dire à Caradoc père :

> ... que nus d'eus le roi an troblast,   E 10051-54
> ne que son corroz an doublast,
> car l'an puet bien s'ire doubler
> a home por un po troubler.

- c'est vraiment l'art de parler pour ne rien dire ! Voir encore E 8820-24, 9475-78, 9857-60, de la même farine. Les jeux de la rime renforcent une pensée ferme, affaiblissent encore une pensée inconsistante.

Nous avons cité l'un des rares "quatrains parfaits" de L, qui souligne le moment le plus important de toute la Branche V : le roi du Graal demande à Gauvain de ressouder l'épée. Un autre soude l'histoire interpolée de Joseph d'Arimathie à la reprise du récit (Gauvain s'endort pendant les révélations) :

> "... ne jo ne autres q contast,   L 7707-10
> que il de pitié ne plorast."
> Adont comença a plorer
> et en plorant a raconter.

- transition, reprise, passage d'un sujet pluriel à un particulier (tous pleureraient - le Roi pleure) et du virtuel à l'actualisation : on ne dira pas que le "quatrain" ne remplit pas sa fonction, et à un autre moment capital du récit.

Le "quatrain imparfait". Bien plus fréquent est ce que nous appelons le "quatrain imparfait", où un seul mot à la rime dans le premier couplet est repris, sous une autre forme (désinentielle ou dérivative), à la rime dans le couplet suivant. C'est là une "forme" moins nette, évidemment, que le "quatrain parfait", mais elle existe, et elle a un sens et une fonction bien nets. Comme les "parfaits", les "quatrains imparfaits" sont de divers types formels, selon que les mots à la rime soient croisés :

> "... puis que vos m'en avés priié   L 1257-6O
> et le don vos ai otroié,
> mais se uns autres m'en proiast,
> jamais entor moi n'arestast ..."

du type ABAC, ou bien :

> Li rois ne s'est de lui vantés,   411-14
> qu'il crient qu'il soit tos encantés ;
> de Gavain recrient durement
> qu'il soit sospris d'encantement ...

du type ABCD, - ou qu'ils soient embrassés, du type ABBC :

> "... q'ainc ne vos fis honte ne lait ;   1753-56
> et se je vos avoie fait,
> ci sui tos pres que vos en face
> tele amende qui bien vos place ..."

ou bien embrassants, du type ABCA :

> Et quant li mesage le virent,   683-86
> des palefrois lués descendirent,
> car tantost l'ont bien coneü,
> sans demander, qu'il l'ont veü.

cette dernière forme pouvant s'étendre sur trois couplets :

> ... a lui conoistre, qui veïst   1678-81
> la portraiture et lui ensamble,
> si tres durement le resamble.
> Quant la pucele l'ot veüe ...

Ces premiers exemples montrent quelques fonctions, indiscutables, du "quatrain imparfait" : souligner l'antithèse (ex. 1 et 3), le parallélisme (ex. 2), l'opposition entre le virtuel et le réel (ex. 1,

3, 5) souvent doublée par celle du sujet singulier et du pluriel (ou du collectif "on", "nul", "n'importe quel autre", etc., comme dans les ex. 1 et 5), ou celle du passé et du présent ou du futur (ex. 3), enchaînement de deux actions (ex. 4 : apercevoir et reconnaître), ou de l'intention (ou de la décision) à l'action :

> "Or n'i a donc fors del monter."   L 754-57
> ce respont mesire Gavains.
> L'estrier li tint mesire Yvains,
> si est lués maintenant montés ...

ou de l'action à sa conséquence - Eliavrés repart, au grand soulagement de tous :

> ... voiant trestos atant s'en vait.   2478-81
> Ainc si grant joie ne fu mes
> com il firent trestuit adés
> quant celui en virent aler.

passage de la demande à la réponse :

> "... Mais or me dites, biaus ciers sire,   701-04
> par amors, s'il vos plaist a dire,
> coment andui avés a non.
> - Molt volentiers le vos diron ....

ou de l'ordre à l'exécution - la mère de Caradoc lui demande de lui apporter son miroir :

> "... li dist que a l'armaire alast   L 2635-38
> son mireoir li aportast ;
> et il i vait grant aleüre.
> Li serpens de male nature ...

ou de l'interdiction à son observation - le roi est excédé par tous ces envois de vivres au château assiégé :

> ... que viande lor envoiast ;   1201-04
> por rien nule ne l'en priast.
> Puis ne l'en osa nus proier.
> Ses grans perrieres fist drecier....

etc. Il n'y a pas de type d'enchaînement, temporel et/ou logique, qui ne puisse être marqué par ce procédé. Et les deux derniers exemples nous montrent comment, avec la brisure du couplet, dont nous parlerons au chapitre suivant, le "quatrain" peut aussi assurer l'enchaînement avec une troisième idée. Le "quatrain imparfait" est une "forme" essentiellement dynamique, et souvent dialectique, alors que le "quatrain parfait", s'il est aussi dialectique, est beaucoup plus statique, et peut souvent se refermer sur lui-même. Le "quatrain imparfait" est une forme ouverte. Chez un "bon auteur" - et le "premier auteur" de notre Continuation en est un -, le "quatrain imparfait" marque toujours quelque progrès. Chez un auteur médiocre, il ne peut s'empêcher de le faire aussi, dans la mesure où le procédé est souvent - et heureusement - inconscient, du moins non cherché. Ce qui est une façon de dire que, au fond, il n'est pas un "procédé", mais une nécessité, un aspect inévitable du récit en octosyllabes à rimes plates.

Le "quatrain imparfait" est encore moins lié à la richesse de la rime que ne l'est son confrère plus riche ; sa fréquence peut même être en raison inverse de la quête de la rime riche. Voici le nombre de ses occurrences dans la série d'oeuvres dépouillées (toujours dans les 3 000 premiers vers) :

O : Hunbaut (89 % de rimes riches) ;

1O : Gerbert : Violette (79 $\frac{1}{2}$ % de rimes riches) ;

14-15 : Jean Renart : Guillaume de Dole (37 %) ; Pierre de Saint - Cloud : Roman de Renart (32 %) ; Robert le Diable ;

17-19 : Béroul ; Guillaume de Parlerne ; Jean Renart : Escoufle ;

23-24 : Eneas ; Benoît : Chronique ; Marie de France (Lais) ; Partonopeus ; Gautier d'Arras : Ille ; Galeran ; Gerbert et Manessier : Continuations ; - dans la Continuation-Gauvain : l'interpolation EU (2640 vv.) ;

25-27 : Thèbes (16 % de rimes riches) ; Continuation-Perceval (19 %) ; Chrétien : Cligés (46 %) ; Guillaume de Lorris (68 $\frac{1}{2}$ %) ;

29-31 : Benoît : Troie ; Gautier d'Arras : Eracle ; Chrétien : Conte du Graal (1re et 2e moitiés) ; - dans la Continuation-Gauvain : le Caradoc long ;

32-35 : Hue de Rotelande : Ipomedon et Protheselaus ; Chrétien : Guillaume d'Angleterre, Erec, Lancelot ; Athis, Amadas, Fergus, Yder ; Gautier de Coincy ;

37-39 : Raoul de Houdenc : Meraugis ; Gliglois, Meriadeuc ;

41-43 : Floire et Blancheflor ; Florimont; Chrétien ; Yvain ; Raoul de Houdenc : Vengeance Raguidel; - le début de la rédaction L de la Continuation-Gauvain ;

48-50 : Wace : le Brut et le Rou ; Renaut de Beaujeu : Bel Inconnu ; - la fin de la rédaction L de notre Continuation ;

56 : Robert de Boron (17 % de rimes riches) ;

66 : Thomas : Tristan (11 ½ % de rimes riches).

Cette liste manifeste que le "phénomène" existe, qu'il n'est pas une vue de l'esprit, qu'il apparaît dans les textes avec une grande cohérence (voir le peu d'écart des "fourchettes" pour les oeuvres d'un même auteur : Wace, Hue de Rotelande, et même Raoul de Houdenc, Jean Renart, Chrétien) ; Benoît de Sainte-Maure est plus recherché dans Troie, où il rime (un peu) moins richement que dans la Chronique ; on mesurera l'abîme qui sépare Béroul de Thomas. Gerbert de Montreuil fait davantage de "quatrains imparfaits" dans sa Continuation du Perceval, rimée bien moins richement (51 ½ %) que sa Violette. La quête effrénée de la rime riche élimine les "quatrains imparfaits" : dans Hunbaut, il y a toujours un troisième mot (de la même racine : rime dérivative) qui, en l'"enrichissant", tend à lui donner la forme d'un "quatrain parfait" - donc à le refermer, et à lui ôter sa fonction dynamique. Il n'y a pas de roman plus difficile à lire que Hunbaut : tout y est fait pour accrocher l'attention sur la forme, et tout la décroche continuellement du fil du récit ou du discours.

Seul un Chrétien de Troyes concilie magistralement la recherche de la rime riche et le refus de la rime riche facile (grammaticale, dérivative, homonyme) lorsque celle-ci risquerait tant soit peu d'entraver le mouvement de l'action, de la pensée, la compréhension de l'auditeur ou du lecteur ; il multiplie les formes ouvertes, où l'idée joue librement, et s'enchaîne naturellement à la suivante - le "quatrain imparfait" remplit les mêmes fonctions que la brisure du couplet ou du vers, que l'enjambement et le rejet, que nous allons bientôt examiner.

Pour en revenir à la Continuation-Gauvain, voici, sauf omissions, la statistique complète des quatrains, sur la base de la rédaction courte - les rédactions longues n'étant examinées que pour les épisodes correspondant à celle-ci :

	L	A	S	P	R	T	U	M	Q	E
Br. I	14	13	12	12	15	16	21	11	11	21
Br II	14	1O	8	6		12	18	7	6	20
Br. III	19	18	13	14		1O	20	21	20	21
Br. IV	61	45	32	43		51	38	46	44	51
Br. V	27	21	14	14		14	26	22	21	/
Br. VI	22	30	18	14		17	16	20	20	(12)
Total	157	137	97	1O3		120	139	127	122	(125)

(dont quatrains parfaits)	3	3				2	2	7	8	9

C'est donc le rédacteur de L qui fait le plus de "quatrains imparfaits" - et c'est le remanieur de MQ(E) qui en fait le plus de "parfaits" (sans parler, bien sûr, de ceux qu'il fait dans le Caradoc long). Le nombre élevé dans E et U pour la Br. I vient du fait que leur rédaction, additionnant celles de MQ et de L(T) ou de A(SP), est bien plus longue que l'une ou les autres. Pour la Br. III, la rédaction EMQU est remaniée et amplifiée par l'interpolateur du XIIIe siècle. Dans la Br. V, U a presque le même nombre que L, qu'il suit de très près. La rédaction de E en contiendrait bien davantage, si ce n'était sa lacune qui nous prive de la Br. V et d'une bonne partie de la Br. VI. Si S en contient si peu, c'est qu'il est complètement indifférent à ces jeux du mot et de l'idée, et qu'il fait de nombreuses coupures - et souvent du second couplet d'un "quatrain imparfait", qu'il doit considérer comme une répétition (à 11 reprises) ;

ses additions, ailleurs, semblent ne pas en produire. Il en va un peu de même pour P, plus indépendant, et hésitant souvent entre L et A - nous avons vu, à plusieures reprises, qu'il semble représenter l'état d'un premier remaniement, ensuite dépassé par AS (puis, éventuellement, par A). Le copiste de T procède de façon irréguliè - re ; tantôt il fait des "quatrains" indépendants des autres textes ; plus souvent, il en défait, par ses délayages qui écartent les deux couplets ; et puis, encore une fois, il change pour le plaisir. Ce que Guiot fait aussi, qui n'a que 75 "quatrains" en commun avec L (surtout dans la Br. III, Caradoc, où toute la rédaction courte se rassemble) ; les autres se répartissent ainsi : 18 propres à A ; 15, à AS ; 15, à ASP(U) ; pour le reste (14), la plupart des leçons se joignent à celle de A contre L (ou, plutôt, indépendamment de lui). Une seule fois, A (suivi de T, Q et E) "perfectionne" un "quatrain imparfait" de L - Yder le Beau envoie Gauvain chercher le roi et les autres compagnons :

<pre>
        ... et dist : "Alés   L 3829-32
por le roi et si l'amenés."
Mesire Gavains   i ala,
si li redist ço qu'il trova ....

        "Biax sire, or i alez   A 4045-48
querre le roi, si l'amenez."
Gauvains tot maintenant ala
querre le roi, si l'amena ...
</pre>

(une idée tombe : Gauvain ne rend pas compte à Arthur).

Conformément à la "règle", L fait d'autant plus de "quatrains imparfaits" qu'il rime pauvrement - A aussi, d'ailleurs (tout semble se passer comme si, terminant la Br. V, il réalise combien son modèle rime pauvrement : alors il l'"'enrichit" à sa façon). Pour L, les proportions sont les suivantes : 12 pour 1 OOO vv. dans la Br. I ; 14 dans la Br. II ; 15 dans la Br. III ; 17 dans la Br. IV ; 16 dans la Br. V ; 18 dans la Br. VI.

Formes et fonction structurelle du "quatrain imparfait". Du point de vue de la forme du "quatrain", nous trouvons les cinq dispositions ordinaires :

1) croisées, du type ABAC, que nous appellerons "forme A" :

> Ainc mais hom ne fu si honis,   L 9035-38
> puis que li mons fu establis,
> con trestot cil le honisoient
> de parole qui le veoient.

(voir encore l'ex. des vv. 1257-60, cité supra) ;

2) croisées, du type ABCD, que nous appellerons "forme B" :

> Parmi les rues ens entra,   8665-68
> ainc tel mervelle ne trova
> de ricece ne de biauté,
> mais n'i a nul home trové.

(voir encore l'ex. des vv. 411-14, cité supra) ;

3) embrassées, du type ABBC, que nous appellerons "forme C" :

> "... Cele qui voit promier el pré   6095-98
> ester le cevalier armé
> si se vait ses amis armer
> sans contredit, sans plus parler."

(voir encore l'ex. des vv. 1753-56, cité supra) :

4) embrassantes, du type ABCA, que nous appellerons "forme D" :

> Parmi le castel s'en reva ;   4059-62
> au cief del pont trover cuida
> les puceles qu'il ot trovees,
> mais andeus en furent alees.

(voir encore l'ex. des vv. 683-86, cité supra) ;

5) les mêmes, mais à cheval sur 3 couplets, que nous appellerons "forme E" :

> Cele est vers Caradué venue,   2990-93
> entre ses bras molt tos le prent,
> sel baise et li dist doucement :
> "Sire, vos soiés bien vegnans."

(voir encore l'ex. des vv. 1678-81, cité supra).

Les deux premières formes sont les plus utilisées ; la forme C l'est nettement moins (surtout dans les Br. I à IV) que chez les autres auteurs ; la forme B et les deux dernières le sont davantage que dans la plus grande partie de la quarantaine d'oeuvres que nous avons examinées :

	L	autres oeuvres
forme A :	24 %	25 ½ %
forme B :	24 %	15 %
forme C :	19 %	33 ½ %
forme D :	17 %	13 %
forme E :	16 %	13 %

Dans les 5 exemples que nous venons de reproduire, la forme du "quatrain imparfait" - où ce sont les mots qui comptent - épouse absolument celle de deux couplets consécutifs. Ceci, notons-le bien, est l'exception : cette adéquation parfaite ne se rencontre que 24 fois (sur les 154 occurrences du phénomène dans L). Ajoutons-y une demi-douzaine d'exemples où le "quatrain" est composé de deux phrases de 2 vv., ou d'une phrase de 3 vv. et d'une de 1 (ou l'inverse, ou de phrases d'un ou de deux vers qui ne débordent pas son cadre), comme aux vv. 411-14, 745-48, 7149-52, 8575-78 - aux vv. 1762-65, 2574-77 et 5736-39, le "quatrain des idées", complet en 4 vv., est en porte-à-faux sur le "quatrain des rimes".

Dans les quatre cinquièmes des cas, donc, l'idée soulignée par le "quatrain imparfait", est en porte-à-faux sur la forme (de deux couplets consécutifs) et/ou la déborde. C'est ce qui fait tout l'intérêt du procédé, qui doit essentiellement servir à la liaison, à l'accrochage, à la relance - fonction assez comparable à celle de la brisure du couplet, dont nous traiterons bientôt.

Très rares - une demi-douzaine - sont les cas où le "quatrain" s'inscrit dans une phrase plus longue (à peine), que, généralement, il termine - le sens est alors complet, l'idée est affirmée avec force, sans discussion possible : c'est une forme de conclusion souvent péremptoire. Ainsi dans cet exemple - Gauvain demande au roi la raison de ses propos insultants :

> "Et car nos dites ore dont   L 3480-84
> vos nos retés de felonie :
> si feriiés grant cortoisie
> et grant joie a vos compagnons
> que vos clamés a tort felons."

ou cet autre - le roi charge Yvain de l'éducation de Lionel :

> Por ce li a baillié li rois   8268-72
> son neveu qu'il li ensagnast
> bons afaitemens, et laissast
> tote autre oevre por l'ensagnier :
> de ce le voloit molt proier.

- voir encore L 1636-40 (Gauvain ne cache pas son nom), 5392-96 (le premier des royaux, Lucan, se dirige vers le pré : il n'est plus question de reculer), 8938-42 (le Petit Chevalier ordonne à Guerrehés de repartir par le même chemin.

Dans tous les autres cas - l'immense majorité - ce sont donc deux phrases qui se "nouent" à l'intérieur du "quatrain". Presque toutes les combinaisons rythmiques sont utilisées :

1) quatrains "ouverts" seulement sur l'arrière (sur ce qui précède): 35, soit 22 ½ %, ce qui correspond à la moyenne des auteurs dépouillés ;

- le plus souvent, la première phrase prend fin avec le premier vers du "quatrain" (14 cas) ; la forme E, on s'en doute, prédomine, et fréquemment la première phrase ne contient que deux vers, c'est-à-dire qu'elle correspond à un couplet régulier - Gauvain ne veut

499

pas manger, bien que son oncle l'en presse :

> "Trop nos averiés deshaitiés   L 4451-55
> s'aveques nos ne mangiiés."
> Mesire Gavains li dist : "Sire,
> por rien que vos poïsiés dire,
> ne autres nus, ne mangeroie."

à cette fin de non recevoir, de la part d'un inférieur, le roi est autorisé à répliquer - la soudure étant assurée par la brisure du couplet :

> - "Por noient vos en proieroie,   4456-59
> fait li rois, qu'en nule maniere
> ne feriiés or ma proiere."
> Adonc mangierent vistement.

- ces deux quatrains consécutifs soulignent fortement la conclusion de l'épisode IV/5 (Récit de Gauvain), et annoncent avec solennité l'arrivée inéluctable du maître, si redouté, du château (Bran de Lis), le suspens et, à la fois, la liaison étant assurés par la brisure du dernier couplet (puis : Ne demora mie grantment ... - arrivée du magnifique brachet blanc). - Autre exemple - le grand "glas" qui retentit dès l'arrivée des royaux devant le Chastel Orguelleus :

> N'ot pas iluec grantment esté   5291-96
> qu'el castel ont un saint soné.
> Grans ert, ainc hom ne vit major ;
>   (correction facile de PU : n'oï)
> de bones cinc liues entor
> le poïst on oïr souner.
> Lors lor comença a conter ...

le quatrain de forme E marque admirablement et le saisissement de la petite troupe des "assiégeants", et le temps (par l'écart maximum entre les deux verbes soner) de cette "résonance", qui rend silencieux les compagnons, lesquels éprouvent à la fois une sensation forte et une émotion quasi sacrée (ce ne sont pas des trompettes qui sonnent, c'est une cloche énorme, et l'on appréciera la "dominante spectaculaire" du "premier auteur" qui voit cette cloche - évidemment invisible). - Encore un exemple - Lucan a obtenu la première joute, il s'est rendu au pré, son adversaire sort du Chastel :

> Molt fierement vient vers le pré   5403-10
> u il veoit Lucan armé.
> Et si tos com il est venus,
> se fierent andui es escus.
> Li cevaliers promierement
> fiert le botellier durement,
> sa lance brise enmi l'escu.
> Et li hotelliers l'a feru ...

solennité de ce début, tant attendu, des joutes, encore soulignée par le fait que l'auteur voit les choses par les yeux du roi, non par ceux du Lucan, pourtant principal intéressé : c'est li rois Artus qui vit issir (5399) le premier Soudoier ; tout le début du récit de ce court combat est de coupe régulière, et la fin aussi, ce qui exprime que Lucan croit l'affaire terminée ; entre les deux, c'est la brève bousculade, marquée par le quatrain de forme E sur le mot escu (d'abord le choc brutal, puis, l'étourdissement un peu dissipé, on réalise que la lance du Soudoier a éclaté et que par contraste - que souligne la brisure du couplet -, celle de Lucan est intacte, ce qui veut dire que son adversaire a été désarçonné).

- on trouve aussi, mais moins fréquemment (8 cas), une forme où le quatrain (qui n'est alors jamais de type E) est coupé en son milieu, c'est-à-dire que la seconde moitié est un "couplet" (monorime, ou bien à cheval sur deux rimes), correspond à une phrase complète, et que c'est le premier qui est ouvert sur ce qui précède. C'est par excellence une forme de conclusion. On la trouve plutôt dans le discours direct - ainsi lorsque Bran de Lis exprime sa déconvenue :

> "... si fu la cose devisee   4636-41
> c'ainsi con je vos troveroie
> ensamble a vos me combatroie.
> Ge ne vos ai mie trové,
> ce poise moi, tot desarmé.
> Je vausise ..."

ou lorsque le Roi du Graal confirme à Gauvain son échec :

> "... se Dex vos avançoit tant   7385-401
> vostre proëce ça avant
> que ça vos laisast retorner,
> bien le poriiés <u>aciever</u>.
> Sire, nus ne l'<u>acieveroit</u>
> s'ançois l'espee ne saudoit.
> Bien sai ..."

le discours direct peut s'achever sur cette forme - ainsi lorsque Lucan, à sa seconde joute, doit s'avouer vaincu :

> O ce qu'il estoit enferrés   5454-59
> fu foible sa <u>desfension</u>.
> Lors dist : "<u>Je me rent en prison</u>,
> car je ne me puis mais <u>desfendre</u>."
> Tot maintenant sans plus <u>atendre</u>
> tendi s'espee au cevalier ...

(il ne reste à Lucan qu'à faire le geste - tendre son épée : l'enchaînement est assuré par la brisure du couplet) ; - ainsi encore lorsque les royaux suivent le conseil de Bran de Lis :

> "... et vos loés que ce bien soit,   5824-28
> porrons en la forest <u>aler</u>
> por acacier et por jouer."
> Li rois et tuit li creanterent :
> au matinet en bois <u>alerent</u>.

ou lorsque Gauvain est accueilli dans la salle du Graal :

> "Biau sire, la vostre venue,   7160-64
> font il, nos a Dex <u>amenee</u> ;
> molt l'avons lon tans <u>desirree</u>."
> Devant un grant feu l'ont <u>mené</u>,
> si l'ont maintenant <u>desarmé</u>.

2) quatrains "ouverts" seulement sur l'avant (sur ce qui suit) : 31, soit 20 % ce qui correspond à la moyenne des autres auteurs :

- le plus fréquemment (14 cas), le "quatrain" est coupé en son milieu, c'est-à-dire que le premier couplet contient une première phrase, courte ; ce premier couplet est monorime, et ce sont presque exclusivement les formes A et B qui sont employées ; par ce procédé sont marquées l'annonce, l'introduction, la relance ; ainsi, par exemple, commence l'épisode IV/7 (duel de Gauvain et de Bran) :

> Lors s'ala seur un paile armer ;   4743-47
> ne vuel le conte a plus mener.
> De totes ses armes s'arma,
> en un rice destrier monta,
> puis prent ....

ainsi est souligné le début de la folle entreprise de Gauvain contre Brun de Branlant :

> Sor son destrier, tos desarmés,   1343-47
> est mesire Gavains montés.
> Onques de tote s'armeüre
> ne li sovint ne n'en ot cure,
> fors son escu ...

ou bien est introduit, comme péripétie capitale du duel de Gauvain et du Guiromelant, le "privilège mythique" de notre héros :

> Molt ot duree tout le jour   891-95
> au Guiromelain sa vigour.
> Molt durs estors et molt greveus,
> con cil qui molt ert vigereus,
> rent son compagnon ...

ainsi encore commence le duel de Keu au Chastel Orguelleus :

> Et quant il se furent disné,   5701- 05
> Keu le senescal ont armé.
> Onques si tos ne fu es prés,
> que vint uns cevaliers armés
> esperonant ...

ou l'explication "étymologique" du nom du mort de la nef :

> "... Branguemuers avoit non li rois,   9451-55
> jamais nen iert nus si cortois.
> Li 'brans' fu de par la roïne,
> ce savons bien, c'est vertés fine ;
> li 'guemuers' ..."

ainsi va commencer, pour Lionel, une nouvelle carrière - la "damoisele" constatant elle-même leur indiscutable ressemblance :

> Puis les fist andeus <u>desarmer</u>   8151-55
> por lor samblances <u>esgarder</u>.
> Tantos con les vit <u>desarmés</u>.
> si dist : "Par foi, c'est <u>vérités</u>,
> c'ainc ne vi ..."

et ainsi est introduite la première péripétie du séjour de Gauvain à la salle du Graal - juste après le quatrain, cité <u>supra</u>, où l'assemblée avait conclu, trop hâtivement, que l'arrivant était bien celui qu'elle attendait :

> ... si l'ont maintenant <u>desarmé</u>.   7164-69
> Un mantel vair li <u>aporterent</u>
> d'une porpre dont l'<u>afublerent</u>.
> Et si tos con l'ont <u>afublé</u>,
> si l'ont trestuit molt <u>regardé</u>,
> puis comencent ....

(la forme <u>C</u> est ici exceptionnellement employée pour marquer, de façon plus vive, la stupeur qui commence à s'emparer de l'assemblée) ;

      - se rencontre aussi, moins fréquemment (9 cas), une forme (plutôt de type B, C, et surtout D) où la première phrase est de trois vers, le quatrième vers commençant la phrase suivante ; ainsi au pavillon de la Pucelle de Lis, lorsque celle-ci s'en va, dans sa "chambre", vérifier la <u>samblance</u> de <u>Gauvain</u> (scène très comparable à celle que nous venons d'évoquer, où Lionel sera formellement reconnu comme le fils du héros) :

> Laiens ot une <u>Sarrazine</u>   1665-69
> qui vint des cambres la roïne,
> qui estoit molt preus et cortoise.
> Un bort d'oevre <u>sarrasinoise</u>
> ot cele fait ...

ou encore à la salle de Lis - la nuit commençant, on y apporte abondance de cierges :

A icest mot laiens <u>entrerent</u>   4587-91
li cambrelain qui aporterent
cierges, candelles a plenté.
De ciaus qui ens furent <u>entré</u>
<u>ot tel</u> presse ...

voir encore l'allusion à la conquête du magnifique écu par le Bel Inconnu :

Cil devoit l'escu <u>gaegnier</u>   7998-8001
qui li poroit le bras ploier
au cors, por verté le saciés.
Li bons escus fu <u>gaegniés</u>
par le fil...

- la forme D convenant bien pour souligner une certaine durée (comme la forme E, mais pour des actions plus calmes, moins surprenantes ou moins heurtées) ; - voir encore $\underline{L}$ 701-04 (à la demande du Guiromelant, les envoyés de Gauvain se nomment, avant de délivrer leur message), 4991-94 (au cours du duel de Gauvain et Bran, pause - que le roi fait exprès de prolonger), 7019-22 (quatrain monorime - assez rare dans $\underline{L}$: à la fois conclusion et début, puisque Gauvain prend congé de la reine et entreprend à la fois la mission de l'inconnu et la vengeance de celui-ci) et, juste après, 7045-48 (début de la chevauchée nocturne, arrivée à la sinistre chapelle), etc.

3) quatrains "ouverts" des deux côtés, où se rencontrent donc et "s'accrochent" deux phrases : 59, soit 38 %, ce qui est très supérieur à la moyenne des autres auteurs - Chrétien dans <u>Yvain</u>, Raoul de Houdenc dans ses deux romans d'aventures, l'auteur d'<u>Yder</u>, Jean Renart et son ordinaire "suiveur" (l'auteur de <u>Galeran</u>) et Gerbert dans la <u>Violette</u> (mais non dans sa <u>Continuation</u>) en font un certain nombre (plus que des autres types), mais de façon nettement moins fréquente que le "premier auteur" de notre <u>Continuation</u> ; seul Gautier de Coincy en fait davantage ; ici se rencontrent à égalité les trois types principaux :

- "quatrain" coupé en son milieu (14 cas), avec prédominance des formes A et B, et absence de la forme C ; - Caradoc, sous l'orage, voit arriver la mystérieuse clarté :

> Li rois molt ententivement   L 2904-09
> la clarté qui vint esgarda,
> tant que de lui molt aproça.
> Il se tint coi, s'a esgardé,
> et vit, enmi cele clarté,
> un grant cevalier ...

Gauvain, suivant de loin Bran de Lis et sa troupe, entre après eux dans la ville et se dirige vers le château :

> ... au petit castel por honeur,   4030-35
> qui en la vile ert lués entrés
> o la rote qu'oï avés.
> Mesire Gavains droit en va
> au castelet, et si entra
> en une sale ...

il raconte son aventure avec la Pucelle de Lis :

> "... et el me fist lués desarmer   4297-301
> por moi veoir et esgarder.
> Aprés en une cambre entra
> et une ymage i esgarda
> qu'ele avoit faite ...."

voir encore L 1360-63 (Brun voit Gauvain qui le poursuit, fait demi-tour, Gauvain s'élance contre lui), 4243-46 (Gauvain décide de voir l'intérieur du pavillon, il entrouvre la portière ...), etc.

- "quatrain" coupé après le premier vers, c'est-à-dire que la première phrase ne fait que s'y terminer et que la seconde s'y développe beaucoup plus largement (13 cas) ; la forme A prédomine :

> ... tos promiers   L 8500 -05
> mesire Gavains se leva.
> Molt tost se vesti et cauça,
> puis fist ses compagnons lever,
> car a la messe viut aler
> la sus amont a la capele.

et, bien sûr, le "quatrain du sens" est souvent en porte-à-faux sur le "quatrain des sons" ; ainsi encore :

> ... ne font esme ne sanblant   1878-84
> que jamais puisent relever.
> Mais il n'ont song de sejorner,
> plus tost qu'il porent se leverent
> et des tronçons se desferrerent
> qu'il orent parmi les escus ;
> puis metent mains as brans molus.

voir encore L 6443-46 ; - si les "rimes" (nous voulons dire les mots) sont "embrassantes", nous aurons facilement la forme E - les royaux reviennent à Lis pour apprendre l'enlèvement du fils de Gauvain :

> ... issu por quesre et demander   6573-79
> ce que vos m'orrois ja conter.
> Et quant li rois fu descendus,
> en la rice sale est venus,
> si li ont trois dames contee
> l'uevre si com ele ert alee ;
> que li fius ...

- "quatrain" coupé, au contraire, avant le dernier vers : la première phrase s'y développe et termine, la seconde n'y fait que commencer ; toutes les formes y sont employées, mais le "quatrain" de forme A (ou B) tend encore davantage à porter à faux sur les couplets réguliers (quant à la rime) - la brisure du couplet étant presque systématique :

> Tot coiement li demanda   1436-41
> c'une sele tost li meïst
> sor le ceval, bien l'estrainsist,
> et cil tot maintenant l'a mise.
> Braies de cainsil et cemise
> a un camberlain demanda ...

aussi la forme E n'y est-elle pas rare :

> ... garde avant soi, si l'a veü   9244-47
> trestos armés sor son destrier,
> et sambla singe sor levrier.
> Si tos con Guerehés le voit ...

mais on rencontre aussi la forme C :

> ... enmi la nef ot estendut
> le plus cier paile qui ainc fust,
> a fin or tos brodés estoit.
> Tos estendus desus gisoit
> uns cevaliers ...

                  L 8387-91

Si ce dernier sous-type peut insister sur l'aspect conclusif du passage (Gauvain croit avoir fini sa convalescence, Guerrehés a achevé son second voyage, le mort de la nef a terminé le sien), et si le précédent peut accentuer l'aspect introductif (lever de Gauvain et de ses compagnons, les adversaires entament la seconde partie du combat, l'annonce de l'enlèvement va déclencher la quête de l'enfant), tous, comme le premier sous-type, remplissent essentiellement une fonction d'**enchaînement**. Certes, la majorité absolue de nos "quatrains imparfaits" joue ce rôle, mais de façon bien plus nette s'ils sont "ouverts" aux deux extrémités. Tout ceci semble aller de soi, mais il nous semble utile d'analyser le "procédé", de montrer comment ces jeux de la rime, du rythme et du sens "collent" admirablement au récit, avec une justesse et une souplesse qui ne sont pas indignes de l'art d'un Chrétien de Troyes. Le "premier auteur" de la Continuation-Gauvain, rappelons-le, fait, plus souvent que la plupart des autres auteurs, revenir en fin de vers, mais avec une autre rime, le même mot ou des mots de même racine, et, sur ces 154 reprises, il n'y en a pas plus d'une douzaine qui ne soient pas justifiées et utiles. Des deux poètes qui dépassent, en quantité, cette proportion, Robert de Boron et Thomas, le premier en fait bien davantage de hasardeux ou d'inutiles et, en ce qui concerne le second, ses "quatrains imparfaits" servent avant tout à marquer l'antithèse (prédominance absolue de la forme C, celle-là même qui a si peu les faveurs de notre auteur) - une antithèse qui ne peut être résolue ni dépassée, d'où cette impression de piétinement et de ressassement que nous font les parties conservées de son Tristan. Le moins que l'on puisse dire, c'est que le tempérament et le "fonctionnement" de Thomas se situent exactement aux antipodes de ceux de notre auteur.

Fonctions logiques du "quatrain imparfait". La fonction essentielle, disions-nous, du "quatrain imparfait" est l'**enchaînement**, l'"'accrochage", la relance de l'action et/ou de l'idée. Ceci peut être assuré par la simple **reprise** du mot à la rime, par exemple dans une riposte - Arthur ordonne à Keu de boire au Cor magique :

> "... Que seus n'i soie empoisounés,   L 3203-06
> par cele foi que moi devés,
> tenés, si buvés aprés moi.
> - Sire, par la foi que vos doi ..."

"... je n'en ferais rien,   si je ne craignais de vous courroucer." Cette reprise peut avoir seulement une fonction d'**insistance**, comme à L 2469-72 (Caradoc accuse Eliavrés de mensonge), 6307-10 (désespoir du Riche Soudoier vaincu), 8629-32 (hardiesse excessive de celui qui se mêlerait d'ôter le tronçon), 8889-92 (l'establiment du Verger) ; - voir encore les exemples, déjà cités, de L 891-94 (vigueur du Guiromelant), 1343-46 (Gauvain n'est pas armé), 8665-72 (à cause de la grande cortoisie d'Yvain, le roi lui demande d'enseignier son petit-neveu), 9035-38 (honte de Guerrehés). Insistance assez solennelle lorsqu'Arthur apparaît, splendidement atornés, le matin qui suit l'arrivée de la nef au cygne (8541-44), et surtout lorsque le Roi du Graal commence le "regret" du mort de la bière :

> ... molt regretoit de grant maniere   7352-55
> celui qui dedens mors gisoit.
> O pleur et o larme disoit :
> "A ! gentis cors qui ci gesés ..."

Reprise apportant davantage de précision, comme dans les récits de duel, où l'auteur commence par dire que les adversaires se sont feru sur les escus, puis détaille les coups et leurs effets (cf. L 5406-09, déjà cité ; 5627-30), ou bien dans cette si jolie évocation du petit matin où se vont deduire Gauvain et Yvain :

> ... deduire fors a la rousee,   6131-34
> parlant tote la matinee.
> Et savés qex ert li matins ?
> Si biaus et si clers et si fins ...

509

Ou encore reprise dialectique, avec inversion, négation de la négation, comme lorsque le roi déplore de s'être laissé aller à la "paresse"

"... que tant l'ai mis en lonc sejor   3330-34
par mauvaistié et par perece.
N'apartient mie a ma hautece
qu'ensi me doie aperecir
de biaus services tart merir ..."

ou lorsqu'il tente de rassurer son neveu - Bran ne viendra pas :

"... alés seoir au dois   L 4446-50
tos seürs, car ja n'i venra
li cevaliers, n'en dotés ja.
Et se vos di bien, s'il venoit,
certes ma proiere feroit ..."

voir encore, déjà cités, les vv. L 1637-40 (Gauvain ne refuse pas de dire son nom), 1879-82 (les adversaires, qui se sont abattus, ne tardent pas à se relever).

Passons plus rapidement sur le pur et simple enchaînement des actions. Ainsi dans la relation d'un combat (L 1763-66, 5707-13 : "quatrain redoublé"). Nous avons déjà cité L 4031-34 (Gauvain entre après Bran dans le château) et 4297-300 (la Pucelle de Lis regarde Gauvain, puis s'en va regarder son portrait). Un "quatrain redoublé" souligne l'angoisse de l'amie du Riche Soudoier à la fin du duel de celui-ci avec Gauvain, puis son soulagement :

... qu'il cuidoient avoir perdu.   6443-50
Puis sunt a s'amie venu
qui d'ire et de duel s'ocioit,
si li ont conté qu'il venoit
et qu'il amenoit par le frain
trestot pris monsignor Gavain.
A ces paroles sunt venu
devant la tor et descendu.

Guerrehés, vainqueur du Grand Chevalier, voit les gens qui s'enfuient ; bien vite, il ne vit plus personne (9281-84). Au retour de la nef au cygne, le roi fait y aler ses gens, puis il y est alés lui-même (9376-79). Sa mission achevée, le cygne s'en retourne avec son calan qui porte Brangemuer, enfin vengé :

> Li cisnes tantos enclina   9483-86
> au roi, et puis se trestorna
> si isnelement vers la mer
> que le calan fist lués torner ...

- l'enchaînement n'est pas seulement d'ordre "consécutif", mais aussi "conséquentiel".

Le quatrain marque aussi que l'action qui est en cours se termine, qu'il s'agisse (exemples déjà cités) d'entrer (4587-90), d'armer (4743-46), d'afubler (7165-68). Nous avons déjà signalé qu'est ainsi évoquée l'approche - comme celle du cygne tirant la nef :

> ... par ce la tiroit   L 8363-66
> li cisnes qui devant venoit.
> Sos les loges est droit venus
> u li rois ert, lors s'est tenus.

approche qui permet de distinguer de nouveaux "objets" : le couple dans la clarté (2905-08 : jeu sur esgarder), la bière dans la salle (7178-81 : idem), le chevalier sur le "paile" (sur estre, 8387-90) ; aux vv. 9244-47, la forme très "écartée" E donne le temps à Guerrehés, d'abord d'apercevoir le Petit Chevalier (qui, de loin, semble singe sor levrier), puis de le reconnaître (jeu sur veoir).

Une certaine durée, en effet, est souvent impliquée dans (ou entre) ces actions ainsi enchaînées : aux vv. L 3586-89, c'est le temps nécessaire au rassemblement (forme E) ; à 7621-24 (navie ... naviier), c'est le temps des préparatifs et de la navigation de Joseph ; tout le voyage depuis Lis jusqu'au Chastel Orguelleus est condensé en un quatrain de forme E (5274-77, sur aler) ; le temps qui sépare la proposition d'aller à la chasse et son exécution - c'est-à-dire la nuit - est marqué par un quatrain de forme D (5825-28, également sur aler), de même que celui que Gauvain laisse s'écouler pour que le Riche Soudoier reprenne ses esprits (6311-14) ; - la forme C pouvant être employée lorsqu'à la consécution s'ajoute un rapport plus logique d'opposition (745-48), de comparaison (4991-94), etc. ; - un quatrain de forme B peut souligner qu'un voyage qui a déjà beaucoup duré est encore loin d'être terminé (7045-48, chevauchée de Gauvain, jeu sur aler), ou que le temps écoulé est assez court (9281-84, jeu sur veoir).

Action, puis multiplication, extension de cette action : la reine court desafublee vers le palais, ses suivantes jetent leur afubleüre pour la suivre (L 105-10 : quatrain étendu sur 6 vers, avec jeu sur aler et (des)afubler) ; aux vv. 8501-04, Gauvain se lève, puis fait se lever ses compagnons ; l'éclat du camp d'Arthur, sous Branlant, illumine tout le pays (1133-36 : reflamboie ... reflamboians). Nous avons déjà la résonance de la grosse cloche du Chastel Orguelleus (5292-95). C'est la forme C, ramassée et contrastée, qui convient à l'imagination enfiévrée du jeune Lionel, fort préoccupé de son bel écu :

> "... se cil eüst feru desus,   7979-82
> or i eüst autre pertus.
> Tant le poroit on pertuisier
> qu'il ne vauroit pas un denier ..."

Nous avons déjà abordé le lien logique de **conséquence**, qui est une sorte d'enchaînement de l'action à l'idée, ou au sentiment. C'est le soulagement et la joie de toute la cour lorsque le maudit enchanteur s'en éloigne (L 2479-82 - forme E : le temps que met la "joie" à s'ébranler). Bran de Lis prent son vaincu par le nasel de son heaume, et l'autre n'a plus qu'à "plevir prison" (5647-50). Douleur du roi lorsqu'il voit que son neveu, qu'il croyait vainqueur, est emmené au Chastel (6423-26) : jeu sur mener). Gauvain déplore les conséquences de son fâcheux sommeil à la salle du Graal :

> Bien set qu'il est avilonis   7727-30
> par ço qu'il se fu endormis,
> car perdu a par cel dormir
> les grans mervelles a oïr.

- remarquons la forme "carrée", régulière, de ce quatrain "fermé" : Gauvain sait qu'il ne peut éluder cette conclusion : il a échoué.

Autre coupe régulière et carrée pour le quatrain, déjà cité, qui présente un "usage" du Chastel Orguelleus : la première demoiselle qui voit l'adversaire au pré court dire à son ami de s'armer - c'est là une coutume solide, qui ne peut être altérée que dans un cas exceptionnel (tout se passe comme si l'amie du Riche Soudoier pressentait que, le lendemain, ce sera le plus prestigieux des royaux qui demandera la joute). La relation de conséquence prend souvent la forme d'une demande d'explication : ainsi lorsqu'Arthur se blesse à la main (3430-33 - forme E : le temps que Gauvain se déplace jusqu'au "dois" pour interroger son oncle), ou quand, peu après, Gauvain lui demande pourquoi il a traité tous les compagnons de félons (3481-84), ou encore quand le même Gauvain voudrait bien savoir ce que le Riche Soudoier a voulu dire (6311-14, jeu sur dire). Le roi trova dans l'aumônière du mort des lettres énigmatiques, les compagnons lui demandent ce qu'il y a trové (8571-74). C'est un jeu sur deux sens possibles de regarder et de regart ("crainte", "appréhension") que fait l'auteur dans la dernière scène, traitée par lui avec tant de justesse, du Caradoc - le jeune roi s'apprête à boire au Cor magique :

> ... tot ço que li rois li manda.   L 3225-29
> Cil prent le cor, si regarda
> Guignier sa fame d'autre part.
> "Sire, fait el, n'aiés regart :
> bevés i tot seürement."

- comparer avec la rédaction A, qui garde le principe du "quatrain", mais appuie grossièrement sur l'idée de doter.

Si cette demande de Caradoc est tacite, d'autres sont exprimées, et le "quatrain imparfait" les lie aux réponses. Ainsi lorsque la Vieille Reine demande à son nouveau seigneur de lui révéler son nom (L 295-98), lorsque le Guiromelant demande la même chose aux messagers de Gauvain (701-04), lorsque le bouteiller demande la première joute :

> "... la joste promiere vos quier,   5339-43
> car ele apent a mon mestier.
> - Ja li promiers dons qui m'est quis,
> respont li rois, en cest païs,
> par moi ne sera escondis."

- plus "dialectique" (négation de la négation) est la réponse du roi
à Keu - d'où la forme C :

> "... je cuit la joste est oubliee   5683-86
> de demain ; ne fu hui donee.
> - Qex, fait. li rois, je la vos doing.
> - Certes, sire, n'euse soing ..."

voir encore 8575-78 (le roi accepte de dire, comme on lui a demandé de le faire, ce qu'il y a dans les lettres du mort).

Le **commentaire** établit, lui aussi, une relation entre le fait
(individuel) et l'idée (générale). Ainsi dans la réplique bougonne de
Keu aux vv. 5785-88 : "Si ça me plaît, à moi, de sortir" (à tort,
des limites du champ des joutes : jeu sur entree et entrer). Beaucoup
de chevaliers, rappelle le Roi du Graal, ont mangé tout à l'heure
dans la salle, mais elle pourrait contenir cinq cents convives (7490-
93 : jeu sur cevalier). La généralisation peut être contredite par
le fait : Lionel exige que son vaincu se nomme, car ainsi font (obtem-
pèrent) tous ceux qui ne "peuvent" faire mieux ; malheureusement
l'adversaire "ne peut" répondre, puisqu'il est mort (7867-70). Le
fait peut n'être que virtuel (menaçant) ; c'est ainsi qu'Arthur met
Bran de Lis· en garde :

> "... car recovrier   L 4716-20
> n'a en nului puis qu'il est mors.
> Molt seroit ja grans desconfors,
> et trop grans damages seroit,
> de vostre cors se ci moroit ..."

ou que Gauvain dissuade ses compagnons de tenter d'ôter le tronçon
de la poitrine de Brangemuer (8629-32 : jeu sur oster).

Cette généralisation prend le plus souvent la forme d'une **hyperbole,** du type "jamais l'on n'a vu ...". L'importance de plusieurs moments saillants ou ressorts principaux de la <u>Continuation</u> est ainsi soulignée par l'auteur au moyen d'un "quatrain imparfait" :

- selon le messager de Gauvain, la haine inexpiable que le Guiromelant voue au héros et aux siens (<u>L</u> 59-62 : <u>nul poior anemi,</u> enserré entre la répétition d'<u>ami</u>) ;

- l'assistance, extraordinairement nombreuse et riche, à leur duel (<u>LT</u> seuls) :

> ... ainc mais tant ensamble <u>n'en vit</u>   621-24
> nus hom, si con li contes dit,
> ne jamais nul jor <u>ne verra.</u>
> Mesire Gavains apela ...

- la "courtoisie" - insolite ! - de Keu chargeant excessivement de vivres le cheval qui n'en peut mais (1275-78 ; <u>afaire</u> ... <u>fist</u>) ;

- l'extraordinaire ressemblance du portrait de Gauvain (1678-81, <u>LEU</u> seuls : jeu sur <u>veoir</u>) ;

- la passion folle qu'Eliavrés porte à Ysave (<u>L</u> seul, 2059-62 : jeu sur <u>amer</u> ; forme C, qui marque la rapidité de l'action du séducteur - au fait, si l'enchanteur <u>amoit</u> tellement Ysave, pourquoi n'a-t-il pas cherché auparavant à coucher avec elle ? Ne serait-ce pas parce qu'il faut qu'elle soit mariée, et que le fils des oeuvres d'Eliavrés passe pour un enfant légitime ?) ;

- "antithétiquement", l'immense amour que Guinier porte à Caradoc (2793-96 : <u>amer</u> ... <u>ami</u>) ;

- la beauté de la salle d'Aalardin (2943-46 : jeu sur <u>estre</u>) ;

- la beauté et la richesse de la cité et du château de Lis - la formule est un peu différente :

> "... ne querriés por tot le mont   L 4102-06
> la mervelle que j'ai trovee."
> L'aventure lor a contee
> tot ensi com il la trova.
> Entresc'au castel les mena ....

- la beauté de l'ex-Pucelle de Lis, lorsqu'elle entre dans la salle où son frère et son amant se battent à mort (L seul, 4829-32 : jeu sur esgarder) ;

- l'aspect prodigieux du Chastel Orguelleus (LE seuls, 5323-26 : jeu sur aler) ; - sans oublier sa grosse cloche, citée plus haut ;

- la taille et la beauté du Riche Soudoier (LE seuls) :

> ... nus ausi grans n'ausi fiers   5860-6
> par samblant ne fu mais veüs
> n'en nule terre coneüs ;
> un auqueton de porpre avoit.
> Quant mesire Gavains le voit,
> de sa grandor se mervella.

- la grandeur extraordinaire de la salle du Graal (L seul, 7178-81), où Gauvain reste seul avec la bière, grande elle aussi d'estrange maniere (jeu sur esgarder) ;

- d'une façon différente, la cortoisie d'Yvain, chargé de l'éducation de Lionel (il est esleüs de cortoisie, 8265-68) ;

- la honte, enfin, de Guerrehés (9035-38 : jeu sur honir).

Le moins que l'on puisse dire, c'est que ces hyperboles, marquées par les quatrains, ne sont pas, chez L, distribuées au petit bonheur : ce recensement nous présente, pour ainsi dire, l'"ossature" de la Continuation - mais chez L seulement, qui reste fidèle à lui-même, c'est-à-dire au "premier auteur", du début de la fin de l'oeuvre.

L'inverse de la conséquence, la cause, que l'on peut considérer comme l'enchaînement des idées aux faits, est également souligné par le "quatrain imparfait". Si Girflet et Yvain reconnaissent le Guiromelant du premier coup, c'est qu'ils ont été prévenus qu'il était le plus beau (L 683-86 : jeu sur veoir). La mort, a aventure, du roi Caradoc, causa l'avènement de son fils, à qui revint son royaume (2860-63 - forme E, c'est-à-dire écart maximum, où le rédacteur du Caradoc long ne manquera pas d'intercaler un premier refus, fort oiseux, du fils : cf. E 11713 ss). Nous avons déjà cité le passage où Arthur déplore que sa perece lui ait fait négliger de tenir cour et de récompenser ses "bons compagnons" (L 3331-34). Son récit terminé, Gauvain a expliqué pourquoi il s'est armé (4436-39) : parce qu'il ne voulait pas que Bran de Lis le trouvât desarmés (dialectique : négation de la négation).

La cause peut être "matérielle" : c'est la provenance, l'origine. La Sarrazine a fait oeuvre sarrasinoise (1665-68 - forme D : elle y a mis du temps). Les chanoines encenserent la bière avec les encensiers (7223-26 - forme C : immédiateté). Si la pierre de la cheminée d'Yder le Beau fut ensanglentee, c'est que le nain, précipité contre elle par Keu, segna (3707-10 - même forme, même remarque).

On peut associer à la cause le lien qui unit l'**intention** à l'action. Le héros dit qu'il n'y a plus qu'à monter, et le voilà montés (7 54-57). Tout est prêt pour le voyage de Lis au Chastel Orguelleus : il n'y a plus qu'à aler, et ils alèrent (5274-77). Keu n'a pas réalisé son échec - belle occasion de lui rendre la monnaie de sa pièce (les railleries) :

> "Biaus sire, por Diu, car alon   L 5736-39
> encontre Qeu por lui jugler ;
> trop le fera ja bon gaber."
> Tuit l'otroient, encontre vont.

Le jeune Lionel essaya de gaegnier l'écu du roi d'Anbreval, et l'écu fut gagniés par lui (7997-8000 - forme D : le temps de réussir l'épreuve de la joute). C'est l'empressement d'Yder le Beau que souligne la forme D : le temps que Gauvain retourne chercher le roi, l'hôte a fait crever tous ses étangs, rassembler d'autres victuailles (que AS détaillent) :

> ... de trestot canqu'il puet trover,   3837-40
> car il le viut molt onorer.
> Receü l'a a grant honor
> et l'en mena sus en la tor.

- répétition que les autres copistes ont cru bon de supprimer ! Dans le Caradoc, l'intention, assez vague, du père est réalisée promptement par le fils - il s'agit de se venger de l'enchanteur séducteur :

> Li rois s'est molt a lui complains,   2574-78
> consel li quiert qu'il en fera.
> Cil dist que bien l'en vengera
> proçainement, et il si fist.
> Tant le gaita que il le prist ...

Voir encore L 4243-46 (Gauvain voulait veoir l'intérieur du pavillon), 4991-94 (Arthur a réussi, comme il le voulait, à retenir un peu Bran de Lis), 5007-10 (Bran croit pouvoir porter un coup décisif à Gauvain, et il le fait, mais ...), etc.

Le couple **ordre-exécution** est souvent marqué par le "quatrain imparfait", avec prédominance de la forme croisée A (ou B), et la reprise du mot semble mieux supportée par les autres copistes. Nous avons déjà cité la plupart des exemples, parmi lesquels le verbe aler et ses dérivés (raler, aleüre) reviennent souvent (L 743-46, 2635-38, 3829-32). Bran de Lis se fait amener le sénéchal, qui a fait irruption dans le verger :

> "La voi un estrange hom aler,   4523-26
> alés le moi tos amener."
> Et cil ainc puis ne s'aresterent,
> ains corurent, si l'amenerent ...

C'est sur ordre que le valet selle le Gringalet (1436-40 : jeu sur metre), que Gauvain et son fils se désarment (8151-54), que la poterne est "défermée" (8369-73). Il en va de même pour le couple interdit-observation (1201-04 : jeu sur proiier), ou pour le couple proposition-acceptation - Keu convoite le joli brachet blanc :

> ... et dist : "Sire, car l'en menon ;   4469-72
> or a Huedens bon compagnon."
> Li rois li dist : "Donc le prendés,
> alés, et si le m'amenés."

- le délayage des autres rédactions dissout le quatrain (ce qui n'empêche pas A de répéter brachet 6 fois en 13 vers, et S, 8 fois en 17 vers).

Le **parallélisme** - impliqué au niveau des volontés dans ces actes d'obéissance - peut être souligné de la même façon dans les faits et gestes, ainsi que la réciprocité. Caradoc et Guinier devront entrer en même temps dans leurs cuves au contenu opposé - cette simultanéité étant marquée par la forme C :

> "... que il onques porroit trover,   2763-66
> se feïst la pucele entrer
> el lait, et il el vin entrast ;
> sor l'eur de la cuve montrast ..."

- tel est le "remède" indiqué par Eliavrés ; lorsque l'on en est arrivé à l'exécution, il suffit d'un vers pour la retracer (2826 : cascuns dedens la soie entra). Gauvain, suivant Bran, entre comme lui dans Lis (4031-34 - forme D : le premier a une nette avance sur le second). Chemin identique, mais en sens contraire, pour Guerrehés qui a commis la "vilenie" d'entrer dans le verger (8939-32). Le Riche Soudoier et Gauvain diront la même chose - fausse (que le premier a pris le second, et que celui-ci se met en la prison de l'amie de celui-là, 6385-88 - forme A, qui, comme la forme B, marque le mieux le parallélisme). Le "premier auteur" "voit" vraiment les gestes, les postures qu'il imagine : ainsi les silhouettes parallèles, aux deux bouts de la lande, du Bel Inconnu et de sa "damoisele" (7887-88 : il se lève en estant et voit ester sa compagne). Aalardin, puis sa compagne, "viennent" à Caradoc et lui disent qu'il est le "bien venu" (2952-55, 2990-93).

Mais toute action (comme tout sentiment, etc.) contient toujours son contraire, plus ou moins nié, et l'on constate, ou l'on pressent souvent, sous un parallélisme manifeste, une opposition plus ou moins latente - dans les exemples précédents : lait/vinaigre pour Guinier et Caradoc, vainqueur/vaincu pour Gauvain et le Riche Soudoier, poursuivis/poursuivant pour Aalardin et sa compagne, d'une part, Caradoc, de l'autre ; Guerrehés doit, en fait, rebrousser honteusement chemin ; Gauvain suit Bran, sans savoir que celui-ci est son pire ennemi. Au moins une incompréhension : la "mestresse" de Lionel ne comprend pas pourquoi son protégé - lequel ne comprend pas pourquoi son adversaire ne dit mot - reste si longtemps auprès de celui-ci. A plus forte raison, le parallélisme de la forme (celle du "quatrain") souligne la divergence, l'antithèse des idées. Rien ne marque mieux l'opposition réelle que la similitude apparente.

Le "quatrain imparfait" permet donc, enfin, de marquer l'**antithèse**, l'opposition, la contradiction, le refus, la déception, la restriction, l'exclusion, et aussi la condition imposée, difficile ou même impossible à réaliser. Si notre auteur, parlant de Brun qui regagne Branlant après sa razzia, insiste tellement sur l'idée et l'image de droit (radrece, droitement), c'est pour marquer que Brun, qui a fait un complet demi-tour (ce que L n'éprouve même pas le besoin de préciser), s'élance vers Gauvain avec la même rapidité qu'il le faisait vers sa ville (1360-63).

C'est donc, d'abord, l'opposition concrète des hommes, dans leur action, leur mouvement surtout. Les messagers reviennent (revenu sont) auprès de Gauvain qui estoit resté immobile (745-48). Un cevalier passe à vive allure devant d'autres cevaliers qui sont assis (6772-75). Gauvain revient à la fontaine : les pucelles en sont reparties (4059-62 : reva ... en alees). Guerrehés doit inverser sa trajectoire (et monter au lieu de descendre) en passant par le même point (8939-42 : jeu sur entrer). Pour le sénéchal Keu, "entrer" et "sortir" sont la même chose (5785-88) - cette "confusion des contraires" est-elle le signe du "régime digestif" qu'il représente ? Dans le discours, Arthur marque l'opposition entre "venir" et "ne pas venir" (4447-

5O) ; Gauvain, celle entre être armé et être désarmé (4436-39), et Bran, entre le fait de _trover_ son ennemi dans l'un ou l'autre état (4637-4O).

C'est aussi l'opposition des perceptions, notamment, de façon remarquable, dans les regards : tous regardent quelqu'un, qui regarde ailleurs. Cette sorte de chiasme est noté à deux reprises, à propos de la maîtresse de Gauvain et de son petit "lionceau", lors du duel - rappelons sa position centrale dans l'oeuvre - de Gauvain et de Bran. D'abord l'entrée de la demoiselle (dont la robe, rappelons-le, est ornée de _lionciaus_) :

> ... que trestuit cil qui l'_esgardoient_   L 4829-33
> de sa biauté se mervelloient.
> Seur le cief del dois s'apuia,
> les deux cevaliers _esgarda_
> qui iluec se velent occirre.

Ensuite l'enfant, qui n'a d'yeux que pour les épées :

> Ains li enfes mot ne souna ;   5O47-5O
> vers les espees _esgarda_,
> lors rist. Pres que cil n'ont ploré
> qui l'ont veü et _esgardé_ ...

Tous les autres copistes ne manquent pas d'éliminer la "répétition" - ils sont, diraient d'aucuns, déjà "classiques" ! Non : c'est qu'ils ne "sentent" pas, qu'ils ne "voient" pas la scène qu'ils n'ont pas imaginée. Notons que le faux parallélisme du second exemple enserre la vive antithèse de "rire" et "pleurer". Il faut la "poésie" - ou la musique - pour rendre cela. Et notons aussi la prédominance du "régime héroïque" - de la tête (le "chef" de la table), de la vue (le redoublement _veoir_ et _esgarder_ n'est pas une redondance), de l'épée (et de son éclat, qui captive l'enfant), du rire "héroïque" qui "éclate". Cela est dans la "logique de l'imaginaire" du "premier auteur", qui seul ne se trahit pas.

Le verbe _trover_ est souvent associé au verbe _veoir_, qu'il implique. Gauvain n'a pas "retrouvé" les demoiselles qu'il avait "vues".

521

Dans la Branche V, il est stupéfait de ne pas trouver plus tôt la clarté qu'il a vue au bout de la chaussée (7149-52) - déception : antithèse entre la "croyance" et la réalité. Dans la Br. VI, Guerrehés est fort étonné de trouver tant de richesses et pas âme qui vive (8665-68) ; plus tard, il ne le sera pas moins en voyant s'enfuir toute la foule du verger (9281-84) - signe que le Grand Chevalier a été tué, ce que le héros n'a pas encore réalisé.

La plupart des quatrains soulignant l'antithèse (23 sur 31) figure dans le discours direct (sauf deux dans le discours indirect). Les exemples les plus simples sont ceux du refus. Eliavrés refuse les dames et pucelles offertes par la reine en compensation de la tête de Caradoc (2419-22) ; le roi Caradoc refuse de croire ce qu'on lui raconte sur ce qui se passe à la Tour du Boufois (2567-70) ; Ysave refuse de continuer à aimer l'enchanteur si celui-ci ne les venge pas ;

... remonte   L 2602-06
en la tor parler a s'amie.
La roïne ne le het mie,
dist que jamais ne l'amera
devant que vengiés se sera ....

Gauvain refuse de manger (4452-55, 4455-58) ; l'amie du Riche Soudoier refuse de répondre à Gauvain (5943-46), etc. Refus seulement envisagé par Keu (3203-06 - de boire au cor). Gauvain réplique à Bran qu'il pourrait mius dire que ce qu'il lui dist (1749-52). Au sénéchal, qui lui fait remarquer que la joute du lendemain n'a pas été donee, le roi répond : "Je la vos doing" (5683-86), etc.

Au reproche d'une action passée, Gauvain oppose la promesse d'une action contraire, réparatrice (1753-56 : jeu sur faire). Le Petit Chevalier offre à Guerrehés les termes d'une alternative (8916-19 : jeu sur voloir). Ou bien c'est l'exclusion : "Je le fais pour vous, dit Arthur à Yvain, mais je ne le ferais pour nul autre" (1257-60). Avec parfois, une restriction : "à moins que" - comme le dit Ysave à Eliavrés(2603-06), ou le Petit Chevalier à Guerrehés (8905-08).

A 5 autres reprises, L souligne par le "quatrain imparfait" une condition sine qua non, difficile à réaliser ou à obtenir : la cour n'aura de joie qu'une fois Girflet libéré (5563-66) et Gauvain, qu'une fois vengé le chevalier inconnu (7019-22) ; nul ne pourrait aciever la mission s'il ne ressoudait l'épée (7397-400), et encore y faudrait-il l'aide expresse de Dieu (7693-96) ; Guerrehés serait tellement soulagé si sa honte n'était pas connue (9063-66).

L'antithèse - figure de pensée (encore qu'il y aurait une autre enquête à faire sur le rapprochement à et par la rime - différente - de deux mots de sens opposé comme aler et venir, parler ou dire et celer, entrer et issir, doner et oster, embroncher et lever, etc., pour ne citer que des couples attestés dans L), que souligne si souvent avec justesse une forme parallèle -, notre auteur ne l'utilise pas nécessairement plus souvent que la plupart de ses confrères. Il le fait bien moins souvent, par exemple, que Thomas dans son Tristan, et surtout il ne s'ingénie pas à la mettre en valeur par la forme C du "quatrain imparfait" - forme "brillante" puisqu'elle unit les opposés, et indiscutablement intentionnelle. Seulement, Thomas en reste là, tandis que, pour l'auteur de la Continuation-Gauvain, l'antithèse et son renforcement restent subordonnés à l'action, à l'enchaînement, rapide, et nécessaire (comme le montre son insistance sur les relations de cause et de conséquence), des actions (ou des idées, ou des paroles, mais elles-mêmes sont subordonnées à l'action). Une fois de plus, ses héros et ses héroïnes agissent d'abord, et réfléchissent ensuite (si ils ou elles le font !). Il n'y a pas, dans les 9509 vers de L, un seul monologue délibératif, et les considérations que le personnage peut faire sur son propre sort, ou sur l'action à faire (ou à ne pas faire), sont rapportées (brièvement) au style indirect, ou ne dépassent pas deux ou quatre vers au style direct - et il les fait, généralement, après coup !

Nous ne dirions pas que le "quatrain imparfait" convienne à ce "tempérament" d'auteur, puisque nous ne pouvons pas toujours assurer que cette "forme" soit intentionnelle : nous disons que ce "tempérament" d'auteur "produit" le "quatrain imparfait", comme un organisme respire - car c'est d'une sorte de "respiration" qui s'agit. Le "premier auteur" fait - ou laisse se faire - beaucoup de "quatrains imparfaits" parce que : 1) il ne cherche pas la rime riche ; 2) il ne cherche pas à éliminer les répétitions ; 3) il cherche avant tout à enchaîner, à lier, selon un rythme - son rythme - rapide, libre et primesautier, une suite d'actions qu'il imagine, sent et "voit" avec plus de vie que ne le font les autres.

Sémantisme des "quatrains imparfaits". Si l'on examine la fréquence des mots sur lesquels joue le "premier auteur" de la Continuation-Gauvain, on s'aperçoit qu'elle ne correspond guère à celle que l'on peut dégager du corpus des oeuvres étudiées de ce point de vue. Le mieux est d'en présenter la liste, au moins pour les mots qui reviennent le plus souvent :

Mots	N. d'occurrences		Mots	N. d'occurrences	
	Total (800)	C.-G. L (140)		Total (800)	C.-G. L (140)
amer, amor ami, etc.	77	4	voloir	15	2
avoir	49	3	mander	15	2
faire	44	4	querre	12	2
venir	41	6	regarder (esgarder)	10	7
prendre	31	3			
estre	31	9	partir	10	3
dire	30	7	entrer	9	5
morir	24	1	conter	9	2
veoir	24	7	dormir	9	1
aler	23	14	parler	9	1
savoir	18	0	trover	9	6
torner	17	3	mener	8	4
doner	15	2	chevalier	7	2

| Mots | N. d'occurrences | | Mots | N. d'occurrences | |
	Total	C.-G.,L		Total	C.-G.,L
roi	7	1	ferir	4	4
lever	7	2	proiier	4	5
ocire	7	1	ester	0	2
armer	6	6			

sont absents, donc, les reprises de savoir, les jeux sur nomer (14 dans le corpus), seoir (13), doloir (12), porter (12), penser (9) ; aprendre, oïr, passer, vengier et vivre (8), etc.

Ce qui éclate d'abord, c'est l'intérêt que l'auteur porte au mouvement, au fait surtout d'aler (plus que de venir), d'entrer, de partir (de se séparer), mais non seulement passer ; de mener, mais non de porter, etc. Presque aussi nette est la prédominance de la vision : forte proportion des veoir, plus forte encore des regarder ; et aussi des trover (qui équivaut souvent à "voir") ; par contre, l'auteur n'attache pas d'intérêt particulier à oïr. Troisième dominante : la bataille, avec armer et ferir, verbes qui sont repris aussi souvent dans les 9509 vv. de L que dans les quelque 120 000 vv. du corpus. Et, quatrième, le dire : si notre auteur néglige complètement le monologue, il a un goût prononcé pour le dialogue, toujours étroitement lié à l'action, bien sûr, mais vif, souvent plaisant - en un mot : "cortois" (selon sa définition à lui de la "courtoisie").

Mais ce qui n'est pas moins significatif, ce sont les absences, ou les très faibles fréquences. Aucun jeu sur savoir, ni sur aprendre, ni sur conoistre (5 fois dans le corpus), ni, on s'en doute, sur entendre : le registre "intellectuel" de la connaissance n'intéresse pas notre auteur. Le verbe oïr en relève souvent (au sens d'apprendre, d'entendre dire) ; au sens physique, l'audition n'est pas le mode de perception privilégié (rappelons-nous comment l'auteur "voyait" la grosse cloche du Chastel Orguelleus). On insiste peu sur l'amour, et pas davantage sur les autres sentiments - la douleur, la joie, le plaisir - à l'exception de l'honor et de la honte ; aucun jeu sur le mot penser, qui appartient aux deux registres (le sentiment et l'intellection). Pas de considérations générales sur la vie et la mort. L'idée de vengeance même, qui règne pourtant sur toute l'oeuvre, n'est pas accentuée.

On ne peut déduire de cette liste que notre auteur préfère l'"être" à l'"avoir" - encore que cela aille de soi, comme dans toute cette littérature chevaleresque. Les jeux sur estre sont une facilité, mais notons que, sur 18 occurrences, le verbe n'est auxiliaire que 3 fois et que, 3 autres fois, estoit peut bien être une forme du verbe ester (L 747, 3589, 9066). Les jeux sur avoir, bien plus fréquents chez d'autres écrivains, sont une autre sorte de facilité, que ne négligent pas les poètes qui quêtent la rime riche et équivoquée : les responsables de R, de T, de MQ, de EU font, plus souvent que le "premier auteur" (ou que Chrétien lui-même), tomber à la rime la forme a, par exemple, qu'il faut évidemment compléter, en avant, par une consonne, voire une voyelle, de façon à obtenir de belles sonorités, du genre i a : cria (R 575-76), ou brisa : pris a (EU 2311-12), ou et chape a : eschapa (E 10827-28) - toutes joliesses auxquelles notre auteur n'a point pensé. Quant au verbe faire, il est rarement employé par lui comme substitut ou auxiliaire.

Davantage d'insistance sur le fait de se lever et de se tenir debout (ester) que sur celui d'être assis, ou couché, ou de dormir. Tout est action, dans la rédaction courte L, et action immédiate, exprimée sans ambages, et son expression est répétée, s'il est utile, sans vergogne. Cette "immédiateté" rend compte, comme nous venons de le noter, de la faible fréquence du verbe faire, mais aussi des verbes exprimant la connaissance, laquelle est souvent médiate (on sait, on apprend, par l'intermédiaire de quelqu'un) ; et aussi du verbe porter, car l'on porte généralement quelque chose à quelqu'un, tandis que le verbe mener est bien plus utilisé, car l'on mène ou l'on amène quelqu'un, directement (souvent par la main). Sur tout ceci nous allons bientôt revenir, en détail, mais le simple relevé des mots sur lesquels joue l'auteur a déjà dessiné les contours des grands "bassins sémantiques" qui caractérisent son imaginaire - de type "héroïque", cela va sans dire.

*

* *

Au terme de cet examen - long, et cependant très incomplet - de la versification - et encore seulement des rimes - des diverses rédactions et versions de la Continuation-Gauvain, nous croyons pouvoir enregistrer les résultats suivants :

- L rime d'abord médiocrement et ensuite, à partir de la Br. IV, pauvrement ; Il s'intéresse de moins en moins à la richesse de la rime et n'exploite plus aucun des jeux qu'elle permet ;

- A fait rigoureusement de même, sauf dans la Br. I où il a manifestement subi l'influence d'un remanieur que la rime riche intéresse et qui pourrait bien être le premier responsable de la version R (avant les additions faites par le second) ; - c'est ailleurs et autrement, nous l'avons déjà vu et nous le verrons encore, que Guiot manifeste sa personnalité ;

- l'interpolateur de EU, pour rimer presque aussi richement que le remanieur-délayeur-interpolateur de MQ, s'en distingue bien nettement ;

- l'unité du Caradoc long de MQ semble prouvée ; notons que, à la différence de L(ASP), le remanieur semble saisi par une fringale de plus en plus galopante de rime riche (équivoquée, homonyme) ; le travail de ce "plumitif" impénitent s'arrête net à la fin de la Br. III ;

- les similitudes de formes entre R et MQ - pour ne pas

parler de l'analogie de leur pensée - autoriseraient l'hypothèse de leur identité ; il n'est pas impensable qu'un remanieur, dans un premier temps, ait tenté d'amender la rédaction courte, et qu'ensuite, l'ambition lui poussant, il l'ait complètement réécrite ;

- en tout cas, le remanieur, que MQ transcrivent alors, qui a résumé la Br. II et fait sauter les Amours de Gauvain et de la Pucelle de Lis semble n'avoir rien de commun avec le reste de la rédaction longue MQ ; il est peut-être le même que le responsable de la version "viol" (dans le récit de Gauvain) ;

- rien n'autorise nettement à distinguer le MQ interpolateur de la Br. I (Graal, Escavalon), où il est suivi par T, du MQ interpolateur-amplificateur du Caradoc ; si les rimes riches du premier sont moins nombreuses, ses rimes féminines le sont davantage - ceci peut compenser cela ;

- bien que nous n'en ayons guère parlé, il ne semble pas que le responsable de la version dite "mixte" T(V) - on sait que la vraie version "mixte" est celle de E - ait l'étoffe d'un auteur, d'un grand remanieur-amplificateur-interpolateur ; T fait incessamment de petites additions, mais n'est qu'un "suiveur" ; il fallait bien l'imprimer à part, mais il est bien dommage que son texte ait été le premier à paraître et que ce soit à travers lui que les lecteurs aient pris connaissance de la Continuation-Gauvain ;

- rien n'infirme formellement l'hypothèse, avancée par M. Corley, que les premiers épisodes (contenus dans A) de la Continuation-Perceval soient de la même main que la Continuation-Gauvain ;

- mais rien de sérieux n'oblige à penser qu'il faille distinguer deux "moitiés" dans la Continuation-Gauvain ; la "dégression" que l'on constate de la Br. I à la Br. VI peut s'expliquer, simplement, par la diminution, puis l'arrêt de l'activité d'un premier remanieur, ou encore, plus simplement encore, par l'inintérêt croissant du "pre-

mier auteur" pour la richesse de la rime et les jeux de versification - inintérêt qui semble aller de pair avec l'intérêt croissant qu'il
éprouve pour sa "matière".

De la "fourchette" de L. - Mais revenons encore un instant
sur les écarts à l'intérieur de la copie L : ils sont vraiment très
grands, et même, à première vue, au-delà de ce qui semble admissible. Entre 14 % et 31 % de rimes riches, il y a une marge trop
large, même si, rappelons-le, 31 % représente un seuil, au-dessus
duquel l'auteur fait partie de ceux qui veulent rimer richement.
Répétons-le : un tel écart de 17 est quasi bénin si l'on rime très
richement (par exemple entre 50 et 67 %) ; il est impossible s'il
"chevauche" la "barre" (par exemple entre 23 et 40 %) ; il est difficile à admettre si l'on rime pauvrement (un auteur ne peut rimer
tantôt à 10 % et à 27 %).

Mais l'argument - pour refuser à un seul auteur la paternité
(du moins l'écriture) de toute l'oeuvre - serait irréfutable s'il y
avait, nettement, et partout, rupture entre les deux moitiés de la
rédaction L (Br. I-III, d'une part ; Br. IV-VI, de l'autre). S'il n'y
avait pas ce phénomène de "dégression". Certes, du point de vue
de la richesse de la rime, les trois dernières Branches font bloc,
mais la Br. III, avec 23 $\frac{1}{2}$ %, est plus proche de la Br. IV (17 %)
que de la Br. I (31 %). Et elle est très voisine de la Br. II (26 %).
Le phénomène est encore plus net si l'on observe le pourcentage
des rimes riches sur l'ensemble des rimes masculines : 33 % dans
la Br. I, 27 % dans les Branches II et III, 15 $\frac{1}{2}$ % dans la Br. IV
et 15 % dans les Br. V et VI. On a donc trois blocs : Br. I ; - Br. II
et III ; - Br. IV et VI.

La Br. I se détache nettement, selon plusieurs paramètres :
ainsi encore selon celui des rimes léonines (14 % de l'ensemble,
contre 8 % dans la Br. III, moins encore dans les autres ; - 44 %
des rimes riches, contre 34 % dans la Br. III, etc.), ou celui des
rimes homonymes (1, contre 7 dans la Br. II etc.). Mais non selon

d'autres : pour la variété, c'est la Br. II qui l'emporte (123 rimes différentes utilisées, dont 64 féminines, contre 119, dont 60, dans la Br. I). Les Br. I et II font bloc pour le pourcentage des rimes féminines (30 $\frac{1}{2}$ % et 28 $\frac{1}{2}$ %) ; puis viennent les Br. III à V (22$\frac{1}{2}$, 18 $\frac{1}{2}$, 16 $\frac{1}{2}$,) ; et enfin la Br. VI (avec seulement 11 %).

Les deux "moitiés" se reconstituent pour le paramètre du rendement des rimes masculines : de 5,9 à 6,25 dans les Br. I-III, de 8,3 à 9,27 dans les Br. IV-VI. Pour les rimes les plus fréquentes (personnelles), le premier bloc est très cohérent (32, 35 et 34), alors que le second est bien plus lâche (46 $\frac{1}{2}$, 52, 58) ; l'inverse est sensible si l'on examine le pourcentage des rimes masculines pauvres ou suffisantes : le premier bloc est plus disséminé que le second (de 46$\frac{1}{2}$ à 56 $\frac{1}{2}$ % pour les Br. I à III ; de 68 $\frac{1}{2}$ % à 76 % pour les Br. IV à VI) - dans chaque bloc, la "dégression" est régulière.

Mais la "dégression" n'est plus régulière dans la "première moitié" de l'oeuvre si l'on examine la variété des rimes : de ce point de vue, nous venons de le dire, la Br. II est plus riche que la Br. I. Selon un autre paramètre, c'est dans la Br. III que l'on observe un sursaut : on y compte 7 rimes très riches, contre 5 dans chacune des deux premières Branches ; on y compte 5 rimes équivoquées, contre 4 dans la Br. II. Par contre, le pourcentage des rimes féminines riches s'affaisse dans la Br. III (2$\frac{1}{2}$ %) et remonte dans la Br. IV (4 %), ainsi que celui des rimes riches dans l'ensemble des rimes féminines : 27$\frac{1}{2}$ % et 24 % dans la Br. I et II, 11 % seulement dans la Br. III, puis 21$\frac{1}{2}$ % dans la Br. IV ; il en va de même pour le paramètre inverse, celui du pourcentage des rimes féminines dans l'ensemble des rimes riches : la Br. IV, avec 24 %, y est fort proche des Br. I et II (27 et 26 %), et la Br. III tombe au niveau de la Br. VI (10 $\frac{1}{2}$ ou 11 %). Ici encore, l'on pourrait parler de deux "blocs": Br. I, II et IV, et Br. III, V et VI.

Le moins que l'on puisse dire, c'est que l'on observe, dans la versification de la copie de L, une très grande variabilité et irrégularité. Selon les paramètres, les "blocs" se font et se défont, la "dégression" se précipite ou se ralentit. Cela relève, à notre avis, de deux causes principales. L'une est évidente : le rédacteur s'intéresse de moins en moins à la versification ; il finit par n'y plus prêter aucune attention, mais l'attention qu'il lui accordait au début était superficielle et peu soutenue ; il se parait, en quelque sorte, des plumes du paon, voulant sans doute ne pas sembler trop inférieur à Chrétien, ne pas décevoir les auditeurs qui passeraient de l'oeuvre du maître à la sienne propre ; l'hypothèse d'un "premier remanieur", qui aurait re-travaillé les Br. I à III, n'est pas à exclure. L'autre cause est hypothétique : le "premier auteur" n'est lui-même qu'un compilateur, et la diversité de sa versification reflète celle des divers "contes d'aventure" qu'il juxtapose à la suite de la conclusion du roman de Chrétien ; bien sûr, il a sa personnalité propre, qui est forte, et il récrit ces contes, selon son sentiment (ses émotions plus que ses "goûts"), mais guère avec le souci d'en améliorer la forme.

CHAPITRE VIII
LE RYTHME

L'étude détaillée - quoique incomplète, mais approfondie sur quelques points - de la rime, ce "bijou d'un sou", nous a, comme naturellement, conduits au sens (de la sonorité, nous sommes passés au mot, et du jeu de ces mots signifiants, à ce qu'ils signifient). Il va en aller de même pour notre étude du rythme, de quelques procédés - mais sont-ce vraiment des "procédés", c'est-à-dire des façons consciemment voulues de produire un effet ? - par lesquels la forme trop carrée et monotone du couplet d'octosyllabes se brise et cesse d'enserrer la phrase.

DE LA BRISURE DU COUPLET

Il est un point, sans doute, sur lequel le "premier auteur" a pu vouloir - ou n'a pu faire autrement que de - modifier la forme des "contes d'aventures" primitifs qu'il a recueillis et récrits : c'est celui de la régularité du couplet d'octosyllabes à rimes plates, qu'il a battue en brèche. Car, ici, plus de phénomène de "dégression", pas de différence significative entre les Branches, et même, pas de différence sensible entre la rédaction courte LAS et la rédaction longue MQ(EU) du Caradoc ; seules les interpolations de EU dans la Br. I se distinguent de l'ensemble des rédactions, par une recherche immodérée de la brisure du couplet.

Notre "premier auteur" écrit à un moment (après Chrétien) et dans un milieu (continental, à l'exclusion de la Grande-Bretagne — et de son "annexe" : la Normandie) où la brisure du couplet est entrée dans les moeurs. Il est superflu d'évoquer l'article célèbre par lequel Paul Meyer avait eu le mérite d'attirer l'attention sur ce phénomène [1], mais non, bien plus près de nous, celui où Jean Frappier a analysé l'utilisation, bien intentionnelle, par Chrétien, de ce procédé de versification [2].

Mais, d'abord, quelques chiffres. La brisure du couplet est souvent, et souplement, employée par Chrétien : d'un sondage réalisé dans toutes ses oeuvres (par tranches de 500 vv.), il résulte qu'un peu plus de la moitié de ses phrases (environ 54 %) se termine sur le premier vers d'un couplet. Son contemporain Gautier d'Arras l'utilise moins souvent : entre 30 et 40 %. Béroul se situe entre les deux ; autour de 40 %. Raoul de Houdenc recourt bien plus souvent à ce procédé : entre 65 % et plus de 80 % ; Jean Bodel également : près de 80 %. Mais l'auteur qui pousse le procédé à son maximum, au point qu'il en devient caricatural, c'est Jean Renart : de plus de 70 % dans l'Escoufle et plus de 80 % dans Guillaume de Dole à près de 95 % dans le Lai de l'Ombre ; voici un exemple de son style :

> "Ahi ! fet il, tante averté   Ombre 152-61
> ai fait de moi et tant dangier !
> Or veut Diex par cesti vengier
> celes qui m'ont seules amé.
> Certes mar ai mesaesmé
> ceus qui d'Amors erent souspris.
> Or m'a Amors en tel point mis
> qu'ele veut que son pooir sache.
> Onques vilains qui barbiers sache
> les denz ne fut si argoisseus."

A l'exact opposé, voici un exemple du style de Marie de France dans l'Espurgatoire saint Patris :

> Delez la croiz jetez esteit :   Purg. 2221-30
> femele fu, il la perneit.
> Nurice quist, si li bailla,
> cume sa fille la guarda.
> Il li feseit lettres aprendre :
> al Deu servise la volt rendre.
> Quant ert en l'eé de quinze anz,
> mult ert bele et creüe et granz.
> Li prestre l'esguarda suvent
> par le diable enortement.

Le pourcentage des phrases qui se terminent sur un premier vers du couplet est inférieur à 5 % dans l'Espurgatoire ; il s'établit autour de 20 % dans les Fables et les Lais. Chez Wace, dans le roman de Thèbes, dans les Vies de Saints anglo-normandes, dans le roman de Partonopeus même, il est généralement inférieur à 10 %. Si, par hasard, une phrase s'achève avec le premier vers d'un couplet, l'auteur s'empresse d'écrire à la suite une phrase d'un ou de trois vers qui lui permette, immédiatement, de "retomber sur ses pieds" (la démarche de Jean Renart est, inversée, absolument analogue : il s'empresse de retrouver la brisure qu'il chérit tant).

Que s'est-il passé ? Influence du théâtre, où le changement d'interlocuteur se fera presque systématiquement au milieu d'un couplet ? - mais le théâtre n'en est encore qu'à ses débuts. Ou influence de Chrétien, qui a été le premier à briser aussi fréquemment le couplet, et notamment, comme l'a bien montré J. Frappier, dans les dialogues, où il était confronté à un problème analogue à celui de l'auteur dramatique ? Mais, avec un pourcentage d'environ 27 %, l'auteur de l'Eneas se montre un précurseur non négligeable.

En tout cas, c'est à partir de la fin du XIIe siècle que la mode se répand, qu'elle soit suivie ou non. Y résistent le plus nettement et durablement, répétons-le, les auteurs anglo-normands (ou normands) et/ou sérieux (pieux), comme ceux de la Vie de saint

Eustache, des Miracles du ms. Old Royal, de Guy de Warewic, etc. -
qui continuent aussi, d'ailleurs, à rimer pauvrement ; - dans la seconde moitié du XIIIe siècle, le romancier Heldris de Cornouaille
rime assez richement son Roman de Silence, mais brise moins le
couplet (34 %). Macé de la Charité, vers 1300, rime richement
(54 %) sa Bible, mais brise extrêmement peu le couplet (entre 7%
et 20 %) ; les auteurs du Roman de la Rose, Guillaume de Lorris
et Jean de Meun, s'accordent pour rimer très richement (entre 65
et 68 %) et pour briser relativement peu le couplet (42 % pour
le premier, 31 % pour le second). Il en va de même de Gautier
de Coincy : 60 % de rimes riches, 49 % de couplets brisés ; du
pieux auteur de Barlaam (40 $\frac{1}{2}$ % et 24 %). Gautier d'Arras rime
avec une égale richesse Eracle et IIIe et Galeron (entre 44 et 45 %),
mais il brise moins le couplet dans le premier roman (27 %), plus
"sérieux" que le second (41 %). Philippe de Beaumanoir rime bien
plus richement son roman idyllique Jehan et Blonde (52 %) que le
récit édifiant de la Manekine (37 %), mais il y brise aussi peu (relativement) le couplet (entre 35 et 37 %).

On pourrait multiplier les exemples : à partir d'une certaine
date (vers le dernier quart du XIIe s.), et quelle que soit la volonté
de rimer richement, on brise bien moins le couplet dans les oeuvres
hagiographiques, religieuses, morales, édifiantes, sapientielles, où
s'impose une certaine retenue, que dans les véritables romans, où
le ton est moins sérieux, l'animation plus vive et, sans doute aussi,
les dialogues plus nombreux (ou, en tout cas, plus vivants). Chez
les romanciers qui ne cherchent pas la rime riche, la brisure du
couplet est fréquente, pendant tout le XIIIe siècle (Mule, Chevalier
à l'épée, Yder, Durmart, Fergus, Gliglois, Meriadeuc, Joufrois, etc.).
Mais la tendance, nous l'avons vu, s'origine assez tôt, sur le continent, dans le XII e s. : Eneas, Narcisus, Benoît de Sainte-Maure,
Lais de Guingamor, de Graëlent, surtout du Mantel, etc., Béroul,
Gautier d'Arras, les premières Branches du Renart, etc.

Notre "premier auteur" de la Continuation-Gauvain est plus proche de Chrétien de Troyes que de Gautier d'Arras. Presque une fois sur deux, il brise le couplet d'octosyllabes : dans les Br. I et IV, 45 % des phrases se terminent sur le premier vers d'un couplet ; - 53 % dans la Br. II ; - 55 % dans la Br. III ; - 36 % dans la Br. V ; - 48 % dans la Br. VI. On le voit : la richesse de la rime n'y fait rien : les deux phénomènes sont indépendants l'un de l'autre. Voici un passage du Guerrehés :

> Molt tost se vesti et cauça ;   L 8502-19
> puis fist ses compagnons lever,
> car a la messe viut aler
> la sus amont a la capele.
> O grant compagnie et o bele
> de barons et de cevaliers,
> sor palefrois et sor destriers,
> vint au palais isnelement.
> Devant la porte a pié descent,
> laiens trestos promiers entra.
> Estrangement se mervella,
> et tot cil qui o lui estoient,
> del cevalier quant il le voient ;
> primes cuidierent qu'il dormist.
> "Dex ! font il, qui est cil qui gist
> en tel maniere sor cel dois ?"
> Trestuit ensemble lués manois
> en sont entresc'a lui venu.

L'auteur s'est dégagé de la succession monotone des couplets ; il peut finir plusieurs phrases consécutives sur le premier vers d'un couplet, et n'est pas hanté par la préoccupation de "retomber sur ses pieds" (en faisant coïncider la fin d'une phrase avec celle d'un couplet). Chez lui, la phrase "carrée", de 2, 4, ou même 6 vers, l'emporte sur l'autre (phrases de 1, 3 ou 5 vv.), mais, au contraire de ce qui s'observait chez Wace ou Marie, elle n'est pas systématiquement formée de un, deux ou trois couplets : elle peut "rester en l'air", à cheval sur les couplets. C'est, en somme, le style de Chrétien, avec moins d'ampleur, évidemment, et de souffle : les phrases de plus de cinq ou six vers sont, chez le continuateur, l'exception.

La brisure du couplet est-elle, chez lui, une véritable "technique", comme J. Frappier a montré qu'elle était chez Chrétien ?

La brisure du couplet dans les dialogues (ms. L, Br. I et VI). - J. Frappier a montré que, dans <u>Erec</u>, "on ne trouve aucun changement d'interlocuteur qui ne soit indiqué par rien". Ce "quelque chose" peut être une phrase ou une proposition d'introduction, une incise, un appellatif, un adverbe d'affirmation ou de négation, une interjection, ou/et la brisure du couplet - c'est-à-dire qu'il peut y avoir l'une (la formule) ou l'autre (la brisure), ou bien l'une et l'autre.

A examiner la copie de <u>L</u> dans la Br. I de la <u>Continuation-Gauvain</u>, on constate que le rédacteur ne déroge presque jamais à cette règle. Les 43 prises de parole ou répliques sont toutes - sauf 2 exceptions - soulignées par :

1) au moins une proposition d'introduction ou une incise (<u>fait il</u>) : 5 fois ;

2) au moins une interpellation ("<u>Sire</u> ...", "<u>Signor cevalier</u> ...", "... <u>dame</u> ...") : 8 fois ;

3) par l'une et l'autre :

"<u>Rois</u>, <u>fait il</u>, Dex vos beneïe ..."	<u>L</u> 25
... <u>et dist</u> : "<u>Dame</u>, si con jo pens ...	87
"<u>Signor</u>, <u>ço dist</u> li senescaus ..."	157

etc. ; soit 8 fois ;

4) par une proposition d'introduction ou une incise <u>et</u> la brisure du couplet :

- "Molt volentiers le vos diron,	<u>L</u> 704-06
<u>ce respont Gilflex promerains</u>,	
cist a a non mesire Yvains ..."	

etc. ; soit 6 fois ;

5) par une interpellation, une interjection, un adverbe etc.
et la brisure du couplet :

> "Ha ! france roïne honoree,   L 2-3
> riens ne me puet asouagier ..."

> - "Bele, Dex vos en oie, et moi   98-99
> et ces dames et ces puceles ..."

etc. ; soit 6 fois ;

6) par les trois procédés ensemble :

> "Amis, fait il, et Dex aït   L 38-39
> et saut et gart Gavain et toi ..."

> "Biaus amis dols, dist la roïne,   308-309
> foi que doi Diu et sa vertu ..."

etc. ; soit 8 fois.

Les deux exceptions se lisent aux vv. 277 ss et 327 ss - nous y reviendrons. On aura remarqué qu'une réplique n'est jamais soulignée par la brisure seule. Le continuateur n'utilise donc pas la brisure du couplet de façon aussi volontaire que le faisait Chrétien. La brisure est fréquente dans ses dialogues comme elle l'est dans son récit : pas davantage, semble-t-il. Tout au plus peut-on noter une nuance : les prises de parole et les tirades particulièrement importantes et empreintes d'une certain solennité commencent sur le premier vers du couplet : ainsi celles qui débutent par les vv. 25, 87, 157 cités plus haut (adresse du messager au roi, Ysave annonce la bonne nouvelle à la reine, discours du sénéchal Keu) ; par les vv. 43 (réponse du messager et délivrance du message), 269 (Ygerne attire l'attention de sa fille sur l'ost qui semble les assiéger : "... or avons nos veü ou vescu adés ..."), 287 (idem, à Gauvain, à qui la Vieille Reine va demander de se nommer), 357 (Gauvain s'adresse au roi et l'invite au Chastel), 365 (il lui révèle que les deux reines sont toujours en vie), etc. La brisure du couplet semble donc réservée à des prises de parole moins graves, à des échanges de réplique plus animés. Nous aurions là une recherche stylistique à mettre à l'actif du "pre-

539

mier auteur" - mais en était-il vraiment conscient ? Pour des paroles plus sérieuses, il retrouvait spontanément la forme "carrée" et sans surprises des historiens ou des hagiographes.

Guiot paraît plus proche de Chrétien. Ses corrections ne manquent pas de s'exercer aussi dans les dialogues, qu'il étend et multiplie (s'il supprime 2 répliques, il en ajoute 12). Et s'il supprime 6 fois la brisure du couplet (à L 98, 626, 712, 750, 970, 980), il en ajoute 10. Notamment, comme le faisait Chrétien, dans les véritables dialogues, avec échange animé de répliques (dialogue d'Ygerne et de Gauvain : brisures supplémentaires à A 340, 344, 346 ; - dialogue du Guiromelant avec les messagers de Gauvain : brisures supplémentaires à A 688, 690, 704 ; - dialogue final de Gauvain et du Guiromelant, augmenté de 4 répliques : brisures supplémentaires à A 1042, 1062, 1088).

Il est intéressant d'observer la réaction de A les deux fois où L commence une réplique sans brisure ni aucune des formules énumérées plus haut. La première fois, à L 277 -

> "... sont ço ore dames ou fees ?"
> - "Ne sé, mes nules damoiseles
> ne nules dames ne puceles
> ne vi mais ..."

- où S, P et R donnent le même texte que L, et aussi EU, mais W. Roach, dans le vol. II, n'a pas distingué de réplique ; Guiot non plus n'avait pas voulu le faire, et il écrivait, à la suite :

> "... sont ce ore dames faees   A 284-87
> dont ge voi la tel conpaignie ?
> Certes an trestote ma vie
> ne vi mes ..."

- quant à T, il ajoute deux vers, de façon à bien détacher la réplique par une appellation, une pieuse interjection et une brisure :

> "... sont ce ore dames ou fees   T 292-97
> la jus desor cele riviere ?"
> - "Sire m'aït Diex, ma dame chiere,
> ne sai , mais ainc mais damoiseles
> ne dames nulles ne puceles
> ne vi mais ..."

(remplissage, maladresse - mais répété trois fois en trois vers : on sent le remaniement, mais aussi la nécessité de signaler et de souligner une réplique).

La seconde fois :

> "... n'en dotés mie, ço est il."   L 326-28
> - "Or m'est molt tart dont que jel voie ;
> ainc mais n'oi autresi grant joie."

S, P, R et T donnent le même texte que L, mais A ajoute un vers, en employant les trois procédés (interjection, incise, brisure) :

> "... c'est il por voir, n'an dotez mie."   A 345-48
> - "Foi que ge doi Sainte Marie,
> fet ele, tart m'est que gel voie ;
> onques mes n'oi ge si grant joie."

- la raison de la réfection de Guiot est plurielle : refus de la non élision de ce devant est, refus de la succession gauche de trois adverbes (molt tart dont), refus de la forme trop lourde autresi, refus de la forme ainc, etc., mais aussi absence de toute indication de changement d'interlocuteur.

Prenons maintenant, à l'autre extrémité de l'oeuvre, la Branche Guerrehés, où la rime est si pauvre, mais où les brisures du couplet sont encore plus nombreuses que dans la Br. I. Dans le style direct, la proportion est tout à fait analogue à celle que présente la Br. I : sur 63 prises de paroles ou répliques, 29 commencent sur le second vers du couplet (Br. I : 20 sur 43). La distribution des divers modes d'introduction est un peu différente :

1) seulement proposition (... demanda, ... dist, ... comande, etc.) ou incise (dist il, fait il) : 15 fois ;

2) seulement interpellation (<u>Sire</u>) : 1 seule fois (<u>L</u> 9184) ;

3) la proposition (ou incise) <u>et</u> l'interpellation (ou exclamation, interjection, adverbe de réponse, etc.) : 16 fois ;

4) la proposition (incise) <u>et</u> la brisure du couplet :

> Autres paroles dist avant :   <u>L</u> 8433-35
> "Que si laide honte et si grant
> con Guereés ..."

etc., soit 9 fois :

5) l'interpellation (etc.) <u>et</u> la brisure :

> "Sire, nel vos devons celer,   <u>L</u> 8344-45
> vos meïsmes i avisés ..."

(cette seule fois) ;

6) les trois procédés <u>ensemble</u> :

> "E, Dex ! dist il, c'ainc mais ne vi   <u>L</u> 8408-09
> si bel home de mere né ..."

> Lors dist mesire Guerehés :   8690-91
> "Ostel, se je hui mais vos les ..."

etc. ; soit 19 fois.

Ce n'est qu'à deux reprises (comme dans le <u>Guiromelant</u>) qu'aucun signe ne marque la prise ou la reprise de parole :

> -"Qui ? Li briés que li chevaliers   <u>L</u> 9095-96
> portot ; mes il est mençogniers ..."

(<u>ASPT</u> refont en raccourcissant la réplique) ; et <u>L</u> 9137 ss, suivi par <u>P</u> et <u>MQU</u>, alors que <u>AS</u>, d'une part, et <u>ET</u>, d'autre part, ajoutent un (<u>AS</u>) ou deux (<u>ET</u>) couplets contenant le verbe <u>dire</u> (<u>AS</u>), le verbe et l'interpellation (<u>ET</u>).

Il n'y a donc pas de différence dans le principe entre le début et la fin de la <u>Continuation</u> : le "premier auteur" a veillé à ce que, presque toujours, la (re)prise de parole soit marquée ; quand il a omis (rarement) de le faire, les remanieurs y suppléent. Notons que, comme dans la Br. I, Guiot ajoute des répliques (à 5 reprises : 8496 ss, 9032, 9094-95, 9123, 9241 ss), dont plus de la moitié est marquée par la brisure.

Mais revenons sur le fait - qui se vérifie aussi bien dans la Br. VI que dans la Br. I - que jamais (au moins dans L) la (re)prise de parole n'est marquée par la seule brisure du couplet : celle-ci est toujours accompagnée par au moins l'un des deux autres procédés. Ce qui revient à dire que le "premier auteur" pratique la brisure, mais n'estime pas qu'elle soit un moyen suffisant pour marquer le changement d'interlocuteur ou le début du discours direct. Son texte y gagne en clarté, d'une part, et, d'autre part, l'auteur ne semble pas accorder à la brisure du couplet une valeur particulière. Sa façon de faire est-elle vraiment très différente de celle de Chrétien ? Car, en faisant bien le compte, J. Frappier ne trouvait, dans Erec, qu'une douzaine d'exemples où la (re)prise de parole n'était marquée que par la brisure, contre près d'une centaine où elle l'était par l'un (au moins) des deux autres procédés, avec ou sans brisure. Chrétien était, certes, plus conscient des possibilités stylistiques de la brisure, mais il était bien éloigné de se fier uniquement à elle.

La brisure du couplet dans le récit (ms. L, Br. I). - Ce qui pourrait incliner à faire penser que notre auteur n'attache pas, consciemment, une valeur très nette à la brisure du couplet, c'est que celle-ci se rencontre exactement dans la même proportion dans le récit que dans le discours (environ 44 %). Mais peut-on dégager quelques constantes dans l'emploi de ce procédé - ou dans la manifestation de ce phénomène ?

J. Frappier avait trouvé que, dans Erec, la brisure du couplet soulignait "en général ... un changement dans le cours de la narration." Par exemple : le passage du récit au discours (cela, nous l'avons compté en dénombrant les prises de parole) ou, inversement, la reprise du récit après le discours ; les phases, la progression, les tournants de l'action ; les déplacements dans l'espace et le temps ; elle pouvait aussi introduire les remarques, les réflexions, les commentaires de l'auteur ; elle pouvait marquer la conclusion d'un passage, et accrocher un épisode à un autre. Or tout ceci se retrouve dans la Continuation-Gauvain.

Ce sont surtout les phases de l'action que notre auteur distingue (sépare) - et unit (accroche) - par ce procédé. L'on peut pousser l'analyse un peu plus loin :

1.1. - changement de sujet ; voici quelques exemples, pris dans la Br. I (ms. L), de passage d'un sujet à un autre (singuliers) :

(Jeune R.)	"... durement me grieve au cuer."	L 281-85
(G. et Cl.)	Mesire Gavains et sa suer	
	s'en isent d'une cambre atant.	
(Vieille R.)	Et la roïne, maintenant	
	qu'ele les vit vers li venir ...	

(Arth. embrasse)... son neveu quant il le vit.		356-57
Mesire Gavains li a dit ...		

(l'évêque)	... molt le castie doucement.	485-88
(Gauv.)	Mesire Gavains simplement	
	tos ses peciés li a gehis.	
(l'évêque)	Quant li sains hom les a oïs ...	

(Gauv.)	... l'en doune trois, si que sovent	946-49
	le fait ariere resortir.	
(Guirom.)	A paine le puet mais sofrir	
	por le grant caut ...	

1.2. - passage d'un sujet singulier à un pluriel :

(Arth. tire le messager)

	... del caceor ou il seoit.	33-35
	Tote la cors qui çou veoit	
	desire molt a savoir l'oevre ...	

(Arth. recommande que son ost)

	... soit bien gardee.	607-09
	Et cil tantost sans demoree	
	se sunt armé isnelement ...	

(Gauv. prend son écu)

    ... si l'a au col pendu et mis.   763-66
    Vaslés ot bien entresc'a dis
    devant lui, et cascuns tenoit
    une lance ...

1.3. - <u>passage d'un sujet pluriel à un singulier</u> (plus fréquent) :

(affairement général)

    ... tante male, tant rice cofre   212-15
    i veïsiés troser le jor.
    Li rois n'i fist plus de sejor,
    ains monte...

(tous descendent de cheval)

    ... n'i remaint pucele a descendre. 479-81
    Mesires Gavains sans atendre
    a dite sa confession ...

    ... Ilueques descendirent   600-03
    par delés iaus enmi la lande.
    Li rois Artus lués recomande
    quinse mile des siens armer ...

(tous se sont armés)

    ... tot si con li rois lor devise.   611-13
    Et la roïne s'est asise
    sos un arbre enmi la plagne ...

(Voir encore <u>L</u> 624, 768, etc.)

1.2.1. et 1.3.1. - <u>passage de deux ou d'un petit nombre à un grand nombre</u> (et inversement) :

(Yvain et Girflet reviennent)

    ... droit a l'ost le Guiromelant.   643-45
    N'ot remés cevalier vaillant
    en totes les isles de mer ...

(Gauvain, le Guiromelant et Clarissant font la paix)

    ... par iaus trois iluec solement. 1029-30
    D'ambesdeus pars joiousement
    li conroi ...

(les cuisiniers font les cuisines)

    ... de la ramee et del merrien.   251-53
    Yvains, filz le roi Yriën
    et Griflés, le fil Do, i vient...

(tous les spectateurs du duel vont s'asseoir)
    ... de toutes pars coumunement.   801-03
    Et cil sans plus d'aslongement,
    qui l'atine orent entreprise ...
            (il s'agit de Gauvain et du Guiromelant)

1.4. - passage d'un sujet pluriel à un autre sujet pluriel :

(les serviteurs gallois font des ramées / les cuisiniers ...)
    ... si en ont fait mainte follie   248-50
    a lor cevaus, a lor afaire.
    Li queu refont cuisines faire ...

(les dames et les demoiselles / toute l'armée)
    ... n'i a nule n'en soit dolente   440-43
    quant lor dame ne truevent mie.
    L'os en est si tote estormie
    c'ainc nus hom ...

1.5. - changement d'objet :

(le Guiromelant revêt un gambison / une coife)
    ... parti de porpre et d'auqueton   660-62
    qui mervelles li avenoit.
    Une coife porpointe avoit ...

(Arth. donne au Guir. sa "nièce" / deux cités)
    Le jor meïsmes l'espousa   1044-46
    sans delaier qui la reçut.
    Li rois de deus cités li crut ...

(notons qu'il y a aussi changement de sujet)

(Ygerne "fait grande joie" d'Arthur / de Guenièvre)
    ... Artu son fil molt bel,   424-28
    grant joie en fait estrangement ;
    et de la roïne ensement
    refait Ygerne la roïne
    molt grant feste ...

1.6. - enchaînement des phases de l'action

(duel de Gauvain et du Guiromelant)
    ... les escus prennent as enarmes.   807-1C
    Con cil qui molt sevent des armes,
    le joinst cascuns au pis devant
    et au col del ceval courant ...

    Cil qui sunt sus pas ne s'atardent
    de l'angoissier et del bien poindre.
    Quant vinrent pres qu'il durent joindre ...

(ils se transpercent hauberts et bliauts)
           ... et les blïaus joste lor cors.   829-32
           Par desriere salirent hors
           andui li fer cler et trencant.
           Li ceval sunt si tost alant ...

(notons les changements de sujets : / les adversaires / les lances / les chevaux) ; - voir aussi 842 (avec passage des quatre - les deux cavaliers et les deux montures - aux deux cavaliers seuls), 856 (avec changement de sujet : d'abord les adversaires, puis leurs épées), 862, 872, 876, etc.

1.7. - enchaînement ou addition de précisions, de détails :

(le deuxième conroi du Guiromelant)
           ... aprés ciaus qui venu estoient.   552-56
           Autant de cevaliers avoient
           come cil orent de promier.
           Ainc ne se vaurent atargier....

(le troisième)
           ... quatre mil a armes.   567-72
           L'escu trop bel par les enarmes
           tint cascuns, et le lance droite.
           La lande ne fu mie estroite
           ains ert molt large et bele et plaine.
           Et cil qui conduist et amaine...

           ... ains vienent tot rengiés de front.   575-77
           Chieres armes et cleres ont :
           ne portent mie lances sinples ...

(le Guiromelant en train de s'armer)
           ... ses deus bras sor deus cevaliers.   655-57
           Vaslés avoit et escuiers,
           entor lui a genos estoient ...

(rapidité des chevaux, que rien ne gêne)
           ... que nul quarel quant il descoce.   815-17
           N'i ot mau pas ne gué ne roce
           quis destorbast de tost aler ...

Que la brisure du couplet intervienne ainsi la plupart du temps pour ponctuer et enchaîner les phases successives de l'action manifeste assez que c'est elle - l'action - qui intéresse avant tout notre continuateur. Et ce qu'écrivait, très justement, J. Frappier au sujet d'Erec :

"En jalonnant ainsi les différentes étapes
du récit, elle équivaut assez bien à ce que
sont, au cinéma, les déplacements de la caméra
quand elle isole successivement les détails d'un
paysage ou qu'elle se braque tour à tour sur les
personnages d'une même scène, selon que ces
personnages ont un rôle actif ou redeviennent
de simples figurants [3]".

est encore plus valable pour le "premier auteur" de notre Continuation ... qui eût fait un excellent metteur en scène (de films d'action,
évidemment).

2.1. - changement dans l'action, tournant de l'action. C'est,
d'abord, l'apparition d'un nouveau, ou de nouveaux personnage(s) :

(ré-apparition d'Arthur, accompagné, contre toute attente, d'un
grand nombre de chevaliers et de demoiselles)
        ... la riviere ont passee tost.   L 465-67
        Molt s'en mervellent cil de l'ost
        quant il se sont aperceü ...

(changement de sujet, passage d'un côté à un autre, plus - nous
allons y venir - passage de l'action à la réaction, à l'émotion) ;

(apparition du second conroi du Guiromelant, plus surprenant
encore que le premier, dont l'arrivée a été présentée, de façon solennelle, en couplets non brisés)
        ... iluec se tienent tuit ensamble.   549-51
        Puis ont veü, si con moi samble,
        venir un autretel conroi ...

(apparition du quatrième conroi, encore plus étrange, puisqu'il
est composé de dames et de pucelles)
        ... ce dist cascuns quis voit.   589-91
        Lués revint aprés iaus tot droit
        uns conrois qui n'ert pas vilains ...

(arrivée d'Yvain et de Girflet au camp du Guiromelant)
        ... dont il puist avoir enconbrier.   679-81
        Si tost come si cevalier
        virent les deus barons venir ...

(véritable entrée en scène du Guiromelant, prêt pour la bataille)
        ... le hiaume lacié, toz montez.   787-89
        Cointement et bien fu armés :
        escu ot d'or, el cief vermel ...

(dans les trois premiers exemples, il y a changement de sujet ; - dans le quatrième, l'adversaire se rapproche ... ou la caméra se rapproche de lui) ;

2.2. - changement d'action :

Au matinet a messe oïe	458 60
li rois Artus quant il esclere.	
Puis est montés, si s'en repere ...	

(à la confession succède l'armement du héros)

Atant lor parole ont finee.	499-501
Tot maintenant sans demoree	
ne remest en l'ost bon ceval ...	

(les ambassadeurs revenus, le héros monte à cheval)

... ce respont mesire Gavains.	755-57
L'estrier li tint mesire Yvains,	
si est lués maintenant montés ...	

2.3. - péripétie importante de l'action :

(manifestation du "privilège solaire" de Gauvain)

... le buen cevalier, le vaillant.	901-12
Ensamble se conbatent tant	
que vint a ore de midi.	
Por voir le vos tesmon et di,	
si tost con l'ore trespassa,	
a monsignor Gavain doubla	
sa force lués et sa valeur.	
La lasté pert et la caleur,	
que li midis passa en es :	
assez fu plus frois et plus fres	
qu'il n'ot esté a l'assambler.	
Tot maintenant, sans demorer ...	

(avec changements de sujet, déplacement dans le temps, insistance de l'auteur)

(intervention de Clarissant)

... a morir le covient.	965-67
Devant le roi son oncle en vient	
et si li ciet as piés tantost ...	

2.4. - changement de nature de l'action - passage de la sensa - tion ou de la réflexion ou de l'émotion à l'action, ou inversement :

(exemple précédent : émotion de Cl. → son action)

(Keu voit arriver Gauvain → éperonne sa monture pour prévenir Arthur)

> ... al pavellon le roi Artu.   L 341-47
> Le ceval point de grant vertu,
> au roi en vient, si prent a dire :
> "Ici vient vostre niés, biaus sire."
> Atant descent devant le roi.
> Et li rois saut el palefroi,
> car trop li targast ...

(les chevaliers angoissés → s'arment)

> ... come gent mate et desconfite.   451-47
> Mainte brogne a clos sarcite
> i veïsiés geter en dos.
> N'i a si hardi ne si os
> qui ne s'armast sans demorer.
> Ne se sevent de cui garder :
> criemen que l'ost soit estormie.

(+ extension : mainte → n'ia ; puis retour à l'émotion).

(offensive du Guiromelant → joie de son camp)

> ... rent son conpagnon voiant tos.   895-99
> Del camp n'est pas trop au desos,
> ce dïent tuit cil qu'iluec sunt.
> Cil devers lui grant joie funt
> quant il le voient ...

(le roi donne sa nièce → le mariage est célébré = passage du virtuel à son actualisation)

> Li rois viut tant le marïage   1042-45
> que sa niece lués li douna.
> Le jor meïsmes l'espousa
> sans delaier ...

(Ygerne voit l'ost → elle est angoissée → elle prend sa fille par la main et parle)

> Ygraine la roïne estoit   263-69
> as estres del palais et voit
> cele grant ost aval le   pree.
> Molt en est forment esfreee,
> s'en a le cuer tramblant et vain.
> Sa fille a prise par la main
> et li dist ...

3. - Déplacement dans l'espace, impliquant un déplacement dans le temps :

(voyage de l'ost vers le Château de la Merveille)
      ... droit au castel que Gavains tient.   235-36
      Li rois au seme jor i vient ...

(Arthur va à la rencontre de son neveu)
      ... encontre son neveu en va.   349-50
      Tot maintenant qu'il l'encontra ...

(les messagers de Gauvain se rendent auprès du Guiromelant)
      ... u vont li dui   648-51
      que mesire Gavains envoie.
      Tant ont amblé parmi l'erboie
      c'a l'arbre sunt venu ...

(retour des mêmes au camp d'Arthur)
      ... montent lués, si s'en vont.   745-47
      Au tré le roi revenu sont
      ou mesire Gavains estoit ...

(voir aussi, supra, les arrivées des conrois du Guiromelant).

4.1. - conclusion d'un passage : reprise de l'idée avec contraction (de la forme - et parfois extension de l'idée) :

(Arthur, retrouvant son neveu Gauvain, l'embrasse)
      ... vint fois avant qu'il desist mot   352-55
      et en la boce et en la face.
      Si grant joie a ne set qu'il face
      de son neveu quant il le vit ...

(additions des trois conrois - masculins - du Guiromelant)
      ... et ses esmerent   586-90
      a dis mile cil par deça.
      De cevaliers bien tant i a
      por voir, ce dist cascuns quis voit.
      Lués revint ...

(ensemble des spectateurs du duel, précédemment détaillés)
      ... et des plus beles   616-20
      qui a cel jor fuisent en vie.
      Molt fu la lande replenie
      de beles armes, de destriers,
      de dames et de cevaliers ...

(description et histoire de l'enseigne envoyée à Gauvain par son
amie)
      ... lonc tans avoit par drüerie.   779-82
      Por ço qu'el vint de par s'amie,
      signeur, icele lance prent
      quant voit l'ensagne qui i pent.

(conclusion du duel, et de l'entretien à trois - Gauvain, le Guiromelant, Clarissant)

... Gavains li respont.   1027-30
Le mariage et la pais font
par iaus trois iluec solement.
D'ambesdeus parz joiousement ...

(la paix générale étant faite, la conclusion normale est que   le
Guiromelant fasse hommage au roi)

... oiant le roi, et parfinee,   1036-40
qui liés en fu molt durement.
Voiant trestos comunement,
li Guiromelans hom devint
le roi ...

(Elie et Guingambresil ont aussi fait hommage au roi)

... el consel le roi se sunt mis   1054-57
del tout, et el ses conpagnons.
Li consaus fu et biaus et bons,
car une niece avoit li rois ...

4.2. - transition, et d'abord <u>reprise du récit</u> après le discours
(lequel se termine souvent sur le premier vers d'un couplet) :

(compte rendu de Lore éplorée)

"... si sera il, ne puet remaindre."   15-16
La roïne prist a entaindre ...

- voir aussi <u>L</u> 126, 186, 240, 282, 312, 332, etc. Remarquons qu'il
s'agit aussi, ici, d'un changement d'action (parole ⟶ acte), et souvent
d'un changement de sujet.

4.3. - <u>transition entre les passages</u>

(entre le retour du roi et de la reine et la confession de
Gauvain : cf. <u>supra</u>, 1.3)

(entre la confession de Gauvain et la fin de son arme -
ment : cf. <u>supra</u>, 2.2.)

(les messagers ont rendu compte - Gauvain monte à cheval : cf. <u>supra</u>, <u>ibid</u>.)

(les spectateurs ont fini de s'installer - le duel commence : cf. supra 1.3.1.),
etc.

4.4. - transition entre les épisodes :

(entre 1/2 et 1/3 ; agitation de l'ost angoissée - retour du roi)
             ... criement que l'ost soit estormie.   456-60
             Au matinet a messe oïe
             li rois Artus quant il esclere.
             Puis est montés...

- la hardiesse de l'auteur ne va pas jusqu'à employer systématiquement ce procédé : il le fait une fois sur quatre dans la Br. I, 4 fois sur 7 dans la Br. II, 8 fois sur 11 dans la Br. III, 6 fois sur 15 dans la Br. IV, jamais dans la Br. V, 1 fois sur 7 dans la Br. VI. Mais notons que L est le seul à le faire entre deux branches - le Caradoc et le Chastel Orguelleus :

             ... tot l'iver enprés sejorna.   L 3271-72
             Tant que li biaus tans retorna ...

cf. les autres :   ... por deduire et por aeisier.
             Et quant revint au tans novel ...

et que L et tous, sauf P, T et E, le font entre la Continuation-Gauvain et la Continuation-Perceval :

             D'iaus deus le conte ci vos lais.   L 9509
             Si rediromes ci aprés ...

T étant le seul à le faire entre les Br. I et II

             ... puis prent congié et si s'en torne. T 2053-54
             A un mardi quant il ajorne ...

5. - introduction d'un commentaire de l'auteur :

(joie et musique à la cour après le message de l'envoyé de Gauvain)
             ... joie funt grant trestout a tire.   L 77-79
             Nus n'i fet riens s'il n'a matire,
             et cil ont la greigneur du mont ....

(hâte des préparatifs)
             ... qu'il n'aient pas trosé a tens.   209-11
             Onques mais gens, si con je pens,
             d'aler ne fisent si bel offre ...

- voir aussi L 192, 390, 514, 780 (cité supra, 4.1), etc.

Seules les trois dernières rubriques (mineures) de l'analyse de J. Frappier ne semblent guère représentées dans la Continuation : l'attente un peu solennelle (la solennité, pour notre auteur, entraîne plutôt le couplet, ou la suite de couplets complets) ; l'insistance (peu attestée ici, mais voir supra, 4.1, la reprise contractée) ; le léger trait d'humour (particulier à Chrétien). On peut donc conclure que, mutatis mutandis (insistance sur l'action, absence de certaines intentions de Chrétien, originales ou particulièrement "fines"), notre "premier auteur", selon le ms. L et dans cette Br. I, utilise, malgré son "archaïsme", à peu près de la même façon que le maître la brisure du couplet dans le récit, et au moins aussi souvent que lui.

La brisure du couplet chez les autres copistes. - Et les autres rédacteurs ? Pour l'ensemble de la Br. I, nous avons les chiffres suivants :

	L	A	S	P	T	(R)
n. de vers	1070	1102	1066	1008	1048	(1010)
n. de brisures	140	131	112	101	143	94

(pour R, nous avons laissé de côté ses interpolations).

Ce sont donc, dans cette Br. I, L et T qui pratiquent le plus souvent la brisure du couplet et, puisqu'ils sont très proches, généralement aux mêmes endroits. Viennent ensuite A, puis S et P, et enfin R.

Guiot doit retenir un peu notre attention. Il lui arrive à lui seul ou à toute sa famille (SPR), de supprimer des brisures attestées dans LT. Ainsi à L 250 :

LSPRT	A
... si en ont fait mainte follie	... si en ont la terre jonchiee.
a lor cevaux, a lor afaire.	Chascuns antant a son afere :
Li queu refont cuisines faire	li queu font les cuisines fere
de la ramee et del merrien.	de la ramee et del merrien.

(Guiot a sans doute voulu corriger l'expression trop vague <u>a lor afaire</u>, mais son <u>Chascuns</u> implique au moins deux activités différentes !). A <u>L</u> 456, <u>A</u> seul ajoute deux vers avant de transformer celui qui est commun à tous les copistes (moins <u>R</u>) et contient les idées désagréables de "crainte" et d'"attaque", et la brisure n'est plus sensible. A <u>L</u> 500, <u>A</u> seul ajoute un <u>et</u> qui supprime la brisure. Ensuite c'est la famille <u>ASPR</u> qui, à cinq reprises, opère un remaniement qui a pour effet de rétablir le couplet ; ainsi à <u>L</u> 656 :

LT	AS
(le Guiromelant)	(idem)
... estoit alores en estant,	... fu an estant li chevaliers
ses deus bras sor deus cevaliers.	ses deus braz sor deus escuiers.
Vaslés avoit et escuiers :	Et a ses james ansimant
entor lui a genos estoient ...	an ra deus, et chascuns antant...

(<u>P</u> et <u>R</u> sont différents ; - Guiot a dû trouver plus normal que le Guiromelant s'appuie sur des écuyers que sur des chevaliers). Ainsi encore à <u>L</u> 802 (début du duel) :

L	ASPR
(les spectateurs)	(idée omise)
... por la bataille mius veoir	
se vont par tens tuit aseoir	
de toutes pars coumunement.	Onques n'i ot aresnemant
Et cil, sans plus d'aslongement,	ne n'i ot juré sairemant.
qui l'atine orent entreprise ...	Il sont molt duit...

(<u>T</u> a interverti les deux premiers vers de <u>L</u>, ce qui rendait le troisième inutile, puis a continué : <u>Il n'i ot fait lonc parlement</u> / <u>mais cil,</u> <u>sanz plus d'alongement,</u> / <u>qui l'aatine</u> ... ; - c'est vraisemblablement, entre autres, la dissociation de <u>cil</u> ... <u>qui</u> que le remanieur de <u>ASPR</u> n'a pas voulu conserver). Voir encore <u>L</u> 808, 970, 980. Il ne semble pas que Guiot ait procédé à ses réfections pour rétablir le couplet d'octosyllabes, mais, puisqu'il refaisait (pour d'autres raisons), il n'a pas tenu à reproduire la brisure.

Mais, d'autres fois, c'est <u>A</u> qui, seul (ou suvi de <u>S</u>, de <u>SP</u>, ou de <u>SPR</u>), brise le couplet là où <u>L</u> et <u>T</u> ne le font pas. Ainsi au v. 304 (Ygerne veut maintenant savoir le nom de son hôte et seigneur):

LSPR   A

"... nule demande ne feïse   "... nule demande ne feïsse
de vostre non ne enquesise.   de vostre non, ne anqueïsse
Vos savés bien, si est vertés,   de vostre estre ne tant ne quant.
                                             Je nel voel sofrir en avant,
li semes jor est ja passés :   que li seemes jorz est passez ;
                                             se de covenant ne faussez,
or vuel jo ..."   je voldrai ..."

(T ajoute aussi deux vers, en faisant une double brisure : celle d'un couplet et celle de l'intérieur du v. 317). Ainsi encore aux vv. 344 et 346 :

LSPRT   A

"... vés le roi Artu, vostre fil.   "... veez la le roi vostre fil.
- Est ço vertés ? - Ma dame, oïl ;   - Biax dolz niés, est ce veritez ?
                                             - Oïl, dame, onques n'an dotez.
n'en dotés mie, ço est il.   C'est il por voir, n'an dotez mie.
                                             - Foi que ge doi sainte Marie,
- Or m'est molt tart dont que   fet ele, tart m'est que jel voie..."
             jel voie ..."

(A élimine la brisure interne du vers L 325 ; sa brisure du couplet souligne l'insistance - tout à fait dans la manière de Chrétien). Voir encore A 474, 5O8, et passim à partir du moment où A(SPR) s'éloigne de L(T) - soit à la hauteur du v. L 543. Guiot n'apporte pas toujours au maniement de la brisure l'intelligence que manifeste Chrétien, ou l'instinct assez sûr dont témoigne le responsable de L - c'est-à-dire sans doute le "premier auteur". Il l'emploie plus souvent que L pour introduire ou isoler un commentaire (ce faisant, il rencontre encore Chrétien) :

Ne sanble pas vilain ne nice ...   A 664

Ez vos la guerre !   847

Haï ! si dur acointemant !   854

Je me mervoil don tant d'alainne ...   916

- ou une protestation de véracité qui n'est souvent que pur remplissage : si con moi sanble (474), ce m'est vis (598),

Li rois chevalche <u>sanz mentir</u> (!)   A 1156

cf. encore "<u>Foi que ge doi trestot le mont</u>" (340), formule qui ne mérite certes pas d'être mise en valeur ; ou <u>Je vos di bien por verité</u> (806), etc. Notons une particularité, qui semblerait préjuger (à tort, sans doute) d'un sentiment religieux plus accentué : c'est souvent une invocation pieuse qui est dégagée de la sorte ; ainsi :

"Foi que ge doi <u>sainte Marie</u> ... "   A 346

"... et <u>Dex</u> vos doint grant bien ..."   704

"... Ensi me puisse <u>Dex</u> aidier   720-21
anvers Gauvain ..."

"... Par icel <u>Deu</u> qui est sor nos ..."   730

"... Por <u>Deu</u> et por la soe grace ..."   1016

- voir encore 726, 1044, 1062, 1080 ; - l'invocation peut précéder le commentaire :

<u>Dex</u> ! quel dolor de ces vassax !   A 954-55
Jamés de deus si granz diax n'iert.

Le responsable de <u>T</u> affectionne visiblement la brisure du couplet. Il n'omet que très rarement (3 fois sur 132) de reproduire celles que lui présente le modèle commun (à lui et à <u>L</u>) - notons qu'il n'a pas les 8 dernières occurrences de la brisure dans <u>L</u>, puisqu'il choisit, 56 vv. avant la fin de la Br. I dans celui-ci, d'aller rejoindre la rédaction longue - et il en ajoute une quinzaine, soit pour introduire une nouvelle phase de l'action (<u>T</u> 454), un commentaire (180), une protestation de véracité (62), soit pour insister sur une idée (72, 308, 316), et surtout sur un déplacement dans l'espace (114, 370, 618) - ce que <u>L</u> néglige assez souvent de faire. Il est évident que <u>T</u> tient au principe même de la brisure : ainsi, quant il refait plus ou moins complètement le texte de son modèle, il ne manque pas de le reproduire (ainsi aux vv. 10, 142, 476, 504, etc.). On peut se demander, à ce propos, si le <u>T</u> qui farcit les autres Branches (notamment le <u>Caradoc</u>) de ses interpolations est bien le même que

557

celui qui transcrivait la Br. I selon la rédaction courte, car la proportion de phrases finissant sur le premier vers du couplet y est moins élevée (et moins élevée aussi que dans L), soit environ 38 %, et, d'autre part, la brisure du couplet y semble distribuée au hasard, sans une intention stylistique bien nette (bien moins nette que dans L - pour ne pas parler de Chrétien !).

Fort intéressant est le cas du responsable de R qui, lui, n'aime pas briser le couplet. A plus de vingt reprises, il corrige son modèle (du type A) en restituant le couplet intégral. Par exemple au moyen d'une inversion :

A 51-53	R 69-71
"... com a si haute chose afiert. Secorez le, mestiers l'an iert, qu'il a ..."	"... Le socors si rice vos quiert com a si grant afaire afiert, qu'il a ..."

ou en coupant différemment (entre les épisodes 2 et 3) :

L(SPT) 456-59	R 480-83
Ne se sevent de cui garder, criement que l'ost soit estormie. Au matinet a messe oïe li rois Artus ...	... ne se sorent de qui garder. Sa mere a forment conjoïe li rois, et a la messe oïe a l'endemain ...

en refaisant plus ou moins complètement :

AS 663-65	R 763-65
... aportez li fu de Venice. Ne sanble pas vilain ne nice, car il n'a tant con li monz dure ...	... d'un auqueton fait en Venice, et s'in ot coiffe coleïce. Si n'a tant com li siecle dure ...

souvent en délayant :

ASP 895-98	R 1041-44
... a conbatre, a entretüer. Or n'estuet mie demander se li rois a dolor et ire, qu'il ne dit mot ne ne sopire.	(fin d'une addition) Or ne fait pas a demander <u>se cil qui tant puet comander</u> a le coer plain de dol et d'ire, qui rien ne puet ne n'ose dire.

et plus d'une fois avec un résultat déplorable : cf. les vv. R 251 ss (l'<u>ost</u> déployée est si longue que les derniers doivent ...) :

(L etc.)	(R)
a une liue herbergier	a une lieu herbergier
d'iloc dont murent li promier,	d'iloc u vienent li premier,
sor une riviere en un plain.	entre une riviere et un plain,
Matin sunt meü l'endemain.	<u>et vienent matin l'endemain.</u>
Li vaslés adés les conduist ...	<u>Madés li vallés les conduit</u> ...

(on "héberge" le matin ?) ; - ou encore R 699 ss (Gauvain dit à ses messagers qu'ils trouveront facilement le Guiromelant, sans avoir besoin de demander, tellement il est fort et beau) :

(ASP)	(R)
"... il est au conroi premerain.	"... En icel conroi premerain
Ne vos travelliez mie an vain	<u>le me queriés tot en vain.</u>
de demander li quex ce est ..."	<u>Ja mar enquerrés li quels</u>
	c'est ...."

(R dit le contraire de ce qu'il veut dire !). Ici, R ajoute un <u>et</u> (465) qui lie bien trop fortement les deux idées ; là, un <u>car</u> (1014) tout à fait superflu ; ailleurs il omet, ou ajoute, ou condense. Partout la réfection est sensible. Dans les interpolations qui lui sont propres, le ton sérieux et pesant de R s'accomode mal de la brisure du couplet - les "vérités" (!) se suivent, assénées régulièrement :

> "... Amis, si m'aït Damedés,   R 609-15
> el siecle n'a gaires de tes.
> Por ce vos tient l'on a nonper
> que vos n'avés al siecle per.
> Itel amor ont li arcangles :
> plus estes q'om et poi mains d'angle.
> Nus hom a vos ne se puet prendre ..."

La proportion, dans ces tirades, des phrases qui se terminent sur le premier vers du couplet est inférieure à 35 % - c'est-à-dire en dessous de n'importe quelle partie du texte de L. Toutes les analyses, qu'elles soient du "fond" ou de la "forme", confirment que le responsable de R est foncièrement "réactionnaire".

Si l'on jette un coup d'oeil sur la rédaction longue - non pas selon le texte de E, qui la farcit perpétuellement d'emprunts faits à la courte, mais selon celui de MQ - on se trouve en face d'un tempérament fort opposé, au moins en ce qui concerne certains aspects formels. Au début du Guiromelant, près de 75 % des phrases finissent sur le premier vers d'un couplet, ce qui, comme chez Jean Renart ou l'auteur de Hunbaut, bloque toute possibilité de jeu stylistique :

Et li rois meïsmes descent.   MQ 851-60
La roïne et tote sa gent
redescendirent a pié tuit.
Molt par ot ou chastel grant bruit,
et la procession retorne.
Tuit entrent ou chastel a orne,
grant et petit et fol et saige.
Onques tel joie ne tel raige
n'ot mes ou chastel, ce me samble.
An l'eglise trestuit ansamble ...

Mais il faut noter que le responsable de MQ - s'il est bien partout le même - s'essouffle à ce jeu gratuit ; une "dégression" continue s'observe, en effet, du début de la Br. I à la fin de la Br. III : de près de 75 % de couplets brisés au début de la Br. I, on descend à 62 % à la fin, puis à 53 % au début du Caradoc, à 46 % dans l'épisode qui précède le tournoi, à 44 % dans le tournoi, à 40 % dans l'épisode de la fuite de Caradoc, et jusqu'à 36 % dans les 500 derniers vers de la rédaction vraiment longue. La régularité de cette dégression est impressionnante, et, d'autre part, le fort écart entre le pourcentage le plus élevé du Caradoc et celui du Guiromelant inciterait à   penser que le MQ de la Br. I n'est peut-être pas le même que celui de la Br. III.

Mais il n'a rien à voir, en tout cas, avec le responsable des grandes interpolations de EU qui, lui, pratique la brisure à outrance, et ne s'essouffle pas du tout : 85 % dans la première partie (avant la "Visite de Gauvain au Château du Graal"), 91 % dans la seconde ! Voici un exemple de son style :

"... car plus ici n'aresteré   EU 4776-92
por riens que l'an me saiche dire.
- Ha ! por la voire croiz, biau sire,
fait elle, remenez o nos.
An quel maniere lairoiz vos
ce chastel seul et esgaré ?
Que an nelui fors que an Dé
et an vos seul n'a esperence.
Vos l'avez osté de balance,
et si tost laissier le volez ?
Por Dieu, nou faites, remanez
et si maintenez le païs.
Vostres est, bien l'avez conquis,
et jou vo lais, si m'an demet.
N'i voil avoir, s'il ne vos plest,
seul le vaillant d'une cinelle."
Ainsint li proie la pucelle ...

- voilà pour le discours ; - et maintenant pour le récit (description d'un nain fort laid) :

      Et si n'avoit point   EU 2560-74
de barbe, ainz sambloit une estrie.
Dou col refu une mestrie,
que il ne sambloit point avoir.
Et si avoit trestot por voir
boce devant, boce darriere.
Les braz ot fait a sa maniere
trop bien, si com il li covint.
Et ice trop bien li avint
qu'il avoit hautes les espaules.
Molt iert bien faiz por mener baules
de cors, de jambes et de piez.
Ne sai com il fust miaulz tailliez
com il iert selonc sa façon.
Ne cuit que carrier ne maçon ...

Il serait évidemment cruel de comparer avec le modèle (le portrait de la Laide Demoiselle dans le Conte du Graal) : répétitions, remplissage, constructions forcées, etc. Voilà à quoi aboutit, entre autres causes, l'emploi systématique d'un procédé.

Autre façon de faire, plus "primitive", celle du versificateur partagé, qui veut bien briser le couplet mais qui, dès qu'il l'a fait, s'empresse de retomber sur ses pieds (au moyen d'une phrase de un, de trois ou de cinq vers). C'est celle du responsable de la version "viol" des amours de Gauvain et de la Pucelle de Lis, telle qu'on la lit, par exemple, dans les mss U͟P :

> Et lors cevaucai tote jor,   App. II, 27
> çou saciés, plains de grant error,
> car je fui sans mangier deus jors.
> N'estoit mie boins li sejors,
> car ki deus jors est sans mangier
> molt en puet bien afoibloier.
> Au tierç jor levai au matin,
> si pris a destre mon cemin
> et vic iluec un hermitage.
> Voir g'i alai par boin corage,
> çou saciés bien, la messe oïr ;
> la me fist li preudom venir.

La brisure du couplet dans le récit à la fin de l'oeuvre (Br. VI). - Mais notre "premier auteur" - celui que reflète sans doute la rédaction L͟ - est-il cohérent d'un bout à l'autre de la rédaction courte ? Examinons rapidement le récit dans le Guerrehés.

On trouve bien les mêmes fonctions de la brisure, et réparties à peu près de la même façon :

    1.1. - passage d'un sujet à un autre (singuliers) :

> ... qui tos pasmés ilueques gist.   L͟ 8883-84
> Arrière au col le pié li mist ...
> (il s'agit de Guerrehés, puis du Petit Chevalier)

- voir encore 8538, 8740, 8768, etc. (8 exemples) ;

    1.2. - passage d'un sujet singulier à un pluriel :

> (la pucelle) ... a Damrediu le comanda.   9489-90
> Tote la gent s'en mervella ....

- voir aussi 9116 , etc. ;

    1.3. - passage d'un sujet pluriel à un singulier :

> ... tote li disent la maniere   9086-88
> et la forme de l'escriture.
> Tos s'esbahist de l'aventure ....

- voir aussi 9114, 9156, 9172, 9494 ;

    1.4. - <u>passage d'un sujet pluriel à un autre sujet pluriel</u> :

       ... ainc ne veïstes mireor   9146-48
       u on mius mirer se poïst.
       Cascuns s'esmervella et dist ...
(le premier sujet est la foule des auditeurs ; - notons que nous
avons aussi une reprise après un commentaire de l'auteur) ;

    1.5. - <u>changement d'objet</u> :

       ... une <u>cape</u>, puis l'afubla,   8318-20
       d'escarlate et de cisemus.
       Ses <u>braies</u> vesti, tot sans plus ...

       ... et vit son <u>escu</u> el vergier.   8839-40
       De l'autre part vit son <u>destrier</u> ...

    1.6. - <u>enchaînement des phases de l'action</u> :

          ... tos promiers   8500-03
      mesire Gavains se leva.
      Molt tost se vesti et cauça,
      puis fist ses compagnons lever ...

- voir aussi 8510, 8542, 8700, 8750, etc. (16 exemples) ;

    1.7. - <u>développement, addition de détails</u> :

(un chevalier) ... qui ert parmi le cors ferus   8392-94
        haut el tendron de la poitrine.
        Une riche covertoir d'ermine ...
(on dit d'abord le plus important - le mort et sa blessure - puis
on précise qu'il est recouvert ...)

(le château) ... cloz de haus murs vermeus et bis, 8654-56
        tos de fin marbre et de liois.
        De rohal et d'ivoire et d'os
        avoit entaillié ...

-voir aussi 8362, 8718, 8758, 8772, etc. (16 exemples) ;

    2.1. - <u>apparition d'un nouveau personnage</u>, etc. :

(un <u>paile</u>) ... a fin or tos brodés estoit.   8389-91
        Tos estendus desus gisoit
        <u>uns cevaliers</u> grans et menbrus ....

(une couverture) ... estoit sur les dras estendus. 8763-65
Uns cevaliers grans et menbrus
gisoit el lit, et fu navrés ....

2.2. - changement d'action :

(le cygne) ... qui cria et braist et feri 8480-82
des eles forment en la mer,
Puis a fait le calant torner ...

2.3. - péripétie importante de l'action :

Et li nains, coment le feri ? 8873-74
Si q'enmi l'aire l'abati ...

... car grant feste i tenoit li rois. 9369-70
La novele en venoit au dois ...

2.4.- changement de nature de l'action - passage de l'action à
la sensation :

... as fenestres lués s'apuia. 8333-34
Le mal tans vit qui trespassa ...

... en sunt entresc'a lui venu.
Lors esgardent, si ont veü ... 8519-20

... et eslonga
le castel com il ains plus pot.
Et quant il vit qu'il anuitot ...

- ou l'inverse :

Adonc comence a regarder 8694-96
devers destre, si voit un huis.
Tantos con le voit leva sus ...

- ou passage du sentiment à l'action :

... molt s'en est li rois mervelliés. 8493-94
A sen lit revient, s'est couciés ...

... le prisa molt petit, 8862-65
cho saciés bien por verité.
Par grant ire et par poësté ,
li relait le ceval aler ...

(nous avons, en plus, reprise du récit après un commentaire de
l'auteur) ;

- ou l'inverse :

> ... que toute la lance esmïa.   8869-70
> Estrangement se mervella ...

- ou passage de l'émotion à l'action :
> ... si vos di bien qu'il ert irés   9160-63
> molt plus qu'il ne mostra samblant.
> Lors demanda tot maintenant
> ses lances ...

- ou de l'action à la parole, ou de la parole à l'émotion, etc.

(en tout 14 exemples) ;

    2. - déplacement dans l'espace / écoulement du temps :

> Tot le jor misent en errer.   9329-30
> A l'anuitant virent la mer ...

> ... quant les en virent si aler.   9491-95
> Tant con les porent esgarder,
> ne se volt nus d'iluec movoir.
> Quant li rois nes pot mais veoir,
> si s'en revait ...

(il y a, en plus, changement de sujet, changement de nature de l'action) ;

    4.1. - conclusion d'un passage :

> "... Dites le, fait il, Guerrehés."   9204-08
> Que vos iroie porlognant ?
> Ne pot estre por riens vivant
> que li pensés ne fust tos dis.
> Angoisseus en fu et maris ...

(enchaînement, reprise après intervention de l'auteur, changement de sujet, etc.)

    4.2. - reprise du récit après le discours direct (lequel se termine donc sur le premier vers d'un couplet, comme il avait souvent commencé sur le second) :

> "... c'ains mais ausi rice ne vi."   8419-20
> Avant vait li rois, si l'ovri ...

etc. (en tout 9 exemples) ;

    4.3. - transition entre les passages : signalée déjà, comme pour la Br. I, à propos du changement de sujet (ainsi 8740/8744, 8882/8884, 9114/9116, etc.), ou de l'enchaînement d'actions différentes (8380,

8542/8546, etc.), ou comme elle le sera en tant que reprise du récit après un discours ou un commentaire ;

4.4. - transition entre les épisodes : une seule fois, comme dans la Br. I, entre les épisodes 6 et 7, et seulement dans LUMQ et AS :

> ... molt voit le fer cler et luisant,   9238-40
> Il la prent et puis s'en torna.
> Par ses jornees chevauca
> tant que par verité vos di ...

le couplet étant rétabli par T et par E :

T (15055-58)	E (19317-20)

... isnelement et tost monta.
Au chemin se mist et erra.
    Et tant que tot por voir vos di
que au jor que il ot plevi ...
	... qu'il avoit trait a Carlion
	dou cors qu'il vit an la meson.
	    Tant par a jornees alé
	qu'au jor que il ot creanté ...

C'est encore E, seul, qui sépare (et unit) ainsi les épisodes 7 et 8 :

> Puis est montez et si s'an vont ;   E 19417-21
> lou cors anferré laissié ont ;
> el chastel home ne troverent.
>   Icelui jor tant esploiterent
> qu'a l'anuitant a la mer vindrent ...

- comparer les autres rédactions :

L (9327-30)	A (9261-64)

... vers la cort son oncle le roi ;
la damoisele en maine o soi.
    Tot le jor misent en errer.
A l'anuitant virent la mer.
	... la dameisele an mainne o soi
	vers l'ostel son oncle de roi.
	    Einsi ansamble chevalchierent
	et lor oirre trant esploitierent ...

T (15145-48)
> ... puis rest montez et si s'en vont ;
> le cors enferé laisié ont.
>   A molt grant joie chevalchierent
> tot jor. Puis tant esploitierent ...

5. - <u>introduction d'un commentaire</u> (de l'auteur, d'une intervention du conteur, etc.) :

> ... si les porvit de cief en cief.   <u>L</u> 8423-25
> <u>Savés que il trova el brief</u> ?
> <u>Les letres le roi saluoient</u> ...

- voir aussi 8328, 8814, 9258, 9364. - Souvent cette intervention
ne comporte que deux vers, d'un "faux couplet" à cheval sur deux
rimes, et la reprise du récit, sur le second vers du couplet, peut
être assimilée à celle qui suit le discours d'un personnage (on peut
en faire une rubrique 4.2.1.) :

> ... Puis lor remostre l'aumosniere.   8569-72
> <u>Bien savés tote la maniere</u>
> <u>des letres que il ens trova.</u>
> <u>Lors les reprent, sis esgarda</u> ...

- voir encore 8660/62, 9146/48, 9334/38, 9404/06.

De ce point de vue (de la brisure du couplet) - qui n'a rien
de négligeable - c'est bien le même auteur qui rédige les Br. I et
VI, dans la version <u>L</u>, de la <u>Continuation-Gauvain</u>. Voici les chiffres,
pour la Br. VI, de l'ensemble des copies - nous établissons le pourcentage des brisures sur le nombre de vers, et nous donnons aussi celui
de la Br. I :

	L	A	S	P	T	(R)	U	MQ	(E)
n. de vers	1199	1151	985	1059	1200		1035	1130	(600)
n. de brisures	154	153	132	117	159		126	138	(82)
% (Br. VI)	12,8	13,3	13,4	11	13,25		12,2	12,2	13,7
% (Br. I)	13,1	11,9	10,5	10	13,6	9,3	/	(16,1)	/

La rédaction <u>L</u> et, tout de suite après, la rédaction <u>T</u> sont
les plus cohérentes, brisant le couplet dans une proportion sensible-
ment égale au début et à la fin de l'oeuvre ; la rédaction <u>A</u> (<u>AS</u>,
<u>ASP</u>) le brise nettement davantage dans la dernière Branche que
dans la première (la copie, fort médiocre, de <u>P</u>, supprime générale-

ment la brisure dans les leçons qui lui sont propres) ; le responsable de la version E - très différent, dans la Br. VI, de celui de MQ - renchérit sur la version du genre T qu'il suit alors (au moins d'un oeil).

Comme dans la Br. I, il arrive à Guiot (et à son école) de supprimer des brisures attestées dans L(UMQ). Exemples :

L 8738-41	A 8693-96

... parmi l'uis qui ert entr'overs de l'autre pavellon entra. Li cevaliers qui l'esgarda, si tos com ens entrer le vit ...	... par le vergier s'an trespassa, an l'autre paveillon antra. Si come Garahés le voit, lors sot de voir, et si ot droit ...

(réfection suscitée d'abord, sans doute, par l'ambiguïté possible de Li cevaliers : il s'agit de Guerrehés, et A le dit ; - mais l'expression et si ot droit est une pure cheville) ;

L 8873-74	A 8817-18

Et li nains coment le feri ? Si q'enmi l'aire l'abati.	Et li nains si le referi qu'anmi le vergier l'abati.

(syntaxe substituée à la parataxe) ;

L 8963-64	A 8907-08

Honte ot ; en l'autre cambre entra. Trestote plaine la trova ...	Honteus an l'autre chambre antra et tote plainne la trova ...

(même remarque : proposition transformée en adjectif, coordination ajoutée, allègement de l'adjectif-adverbe "trestote") ;

L 9051-52	A 8987-88

Que vos porroie plus conter ? Qu'il ne sot nului encontrer.	Seignor, por voir vos puis conter que il n'osoit home ancontrer.

(suppression de l'interrogation, trop vive ; n'osoit est plus clair que ne sot, gardé par T - cf. P : ne pot ; - suppression du "datif" nului, lequel est nettement modernisé par E et T : nul home etc. Un tas de raisons de corriger ces vers, mais A en profite pour supprimer la brisure du couplet. Est-ce pour se faire pardonner qu'il emploie ici l'appellatif Signor, qu'il bannit si souvent ailleurs ?) ; - voir encore L 8334, 8482, 8518, 8656, etc. - en tout plus d'une dizaine de fois.

Mais c'est bien plus souvent - près d'une trentaine de fois - que A (généralement suivi par S, bien plus rarement par P, mais se rencontrant parfois avec T, et souvent, vers la fin, copié par E) prend l'initiative de briser le couplet, là où L(UMQ) ne le fait pas. Y a-t-il une logique dans ces "amendements" ? A première vue, ces brisures supplémentaires (ou autres, distribuées différemment) sont analogues à celles que l'on observe dans L : elles sont un peu plus employées pour le passage d'un sujet pluriel à un singulier (1.3 : ainsi A 8444, 9056, 9292), pour un changement de nature de l'action (2.4 : ainsi A 9048, 9102, 9334, 9358), pour une conclusion (4.1 : ainsi A 8972, 9314), pour un commentaire hyperbolique (5 : ainsi A 8376 - les autres ajoutent un que -, 8686 - mais, d'autre part, ASP réduisent tout ce passage -, 9308 - les autres coupent différemment). C'est pour marquer le déplacement dans l'espace et l'écoulement du temps (3) que A semble le plus incliné à ajouter une brisure :

... lors cuida il estre eschapez.   A 8951-52
Quant il fu un po avalez ...
(les autres lient par et, ou mais, ou tant que) ;

... ne fu ausi riches veüz.   9275-76
Outre passent et sont venuz ...
(le passage est plus détaillé ; - nous avons aussi la reprise
après un commentaire) ;

... leissus el palés l'ont menee.   9365-66
Si tost com ele i fu montee...

- voir encore 8614, 9034, 9038. Ce qui manifeste, de nouveau, que Guiot imite d'un peu plus près (consciemment ou non) le style de Chrétien.

Pour le responsable de T, il s'agit moins d'une imitation d'un procédé de Chrétien que d'un souci - que nous connaissons depuis longtemps - de rendre le texte plus clair. C'est chez lui, par exemple, que la présentation du cygne qui tire la nef est la plus nette :

L 8358-64	T 14166-72
... fors un cisne qui vient devant.	... fors un chisne qui vient devant
Un anel d'or el col avoit	qui le calant atrainoit.
u une caïne tenoit,	Un anel d'or et col avoit,
d'argent molt sotiument ovree.	ou une caïne ert fermee,
El cief promier restoit fremee	d'argent molt soltilment ovree.
de la nef, par ce la tiroit	Li autres chiez en retenoit
li cisnes qui devant venoit.	al chief del calant qui venoit.

(ASP n'auraient pas - fâcheusement - sauté cette description si leur modèle avait été du type de T). Aux vv. 15138 ss, T (de même que E 19402 ss) précise bien que Guerrehés va chercher le palefroi de la pucelle (les autres écrivant seulement qu'il fait ce qu'elle lui demande), et il le marque par une brisure :

> ... le plus bel qui ainc fust veüs.
> Et il i est tantost corus,
> si li amaine ...

A plus d'une dizaine de reprises, T (suivi de E lorsque celui-ci rentre en scène) indique plus clairement (souvent par une addition d'un couplet) et détache plus nettement, par la brisure du couplet, les phases de l'action, que ce soit pour introduire une réponse importante (14740, 14742 - mais il laisse tomber le trait humoristique de L 8935-36), ou pour bien marquer l'entrée du héros dans une nouvelle chambre (14780), son passage dans la salle (14808), sa sortie de la ville (14858 - ASP écrivant seulement qu'il s'éloigne du château), etc. Ce faisant, il ne néglige pas non plus la psychologie, et il est le seul à nous dire - et à insister par la brisure du couplet - que Guerrehés est accablé de honte (14809) et d'ire (14822).

La manie de précision de T est parfois excessive. Il n'est pas nécessaire de nous répéter (en insistant par une brisure) que le corps de Brangemuer a été embaumé (14424 ss), ni que la pucelle veut héberger au château de l'île (15162 ss). Et aussi - phénomène amusant - trop de précision et une coupure trop nette peuvent aboutir à l'effet inverse et provoquer une hésitation chez le lecteur - comme chez l'éditeur qui doit ponctuer le texte. La construction de T frise l'apo koinou dans l'exemple suivant, où le remanieur, contractant son modèle, a trop rapproché les deux actions du roi - aller vers la nef, y entrer :

> ... et il i va tout droitement   T 14182-85
> por savoir qu'en la nef avoit.
> Enz est entrez ; adonques voit
> as deus chiés ...

- le v. 14183 peut aussi bien appartenir à la phrase suivante qu'à la précédente. Autre exemple :

> ... mais molt volroit laiens entrer   14452-55
> Guerrehés, si tost com le voit.
> Cele part chevalche a esploit,
> si est passez oltre le pont...

- la brisure séparant ici la sensation (voit) et le sentiment (volroit), d'une part, et l'action (chevalche), de l'autre, mais le v. 14453 pourrait très bien se raccorder aux suivants. Même disposition aux vv. 14822 ss.

En tout cas, une chose est claire : nous n'avons, à la fin de l'oeuvre, que trois rédactions, que trois responsables d'un texte, dont les qualités d'écrivain sont manifestes : L, que suivent U et MQ (lesquels ne présentent, de notre point de vue, aucun écart intéressant) ; A, que suivent tant bien que mal S et P, et dont le style tend à être plus vif (mais aussi parfois plus enrobé) - toujours dans le cadre de la courtoisie, cela va de soi ; T, que E copie et plagie, et qui fait sans cesse effort pour que le texte soit plus lisible, plus coulant, plus clair (et, sans doute aussi, plus "moderne"). L'étude de la brisure du couplet ne fait que confirmer ce que nous savions déjà, mais ce qui est également confirmé, c'est que le responsable de L écrit toujours de la même façon : on n'en peut dire autant de T, dont le style était tout différent lorsqu'il copiait le Caradoc

571

long, ni même de A, qui, dans son grand développement de l'épisode IV/2 ("Crise à la cour d'Arthur"), brise bien moins souvent le couplet qu'il ne le fait ailleurs.

La chute de proportion, dans la Br. V, des phrases se terminant sur le premier vers d'un couplet - 37 % (dans L), alors que la moyenne s'établit partout ailleurs entre 40 % et 55 % - n'est pas due, à notre avis, à autre chose qu'à la tonalité sérieuse, et même pieuse, de la Visite de Gauvain à la salle du Graal. Comme chez Chrétien, la brisure du couplet épouse les mouvements du récit et du discours ; elle est assez fréquente au début, pour le passage de l'inconnu, sa poursuite et les dialogues avec lui, pour sa mort dramatique ; puis pour la Chapelle à la Main (mais pas dans A) ; pour les apparitions et disparitions de la foule, pour les notations de l'angoisse du héros devant les fantasmagories de la salle, pour l'entrée aussi du Roi et du Graal. Elle est moins fréquente dans le discours de Gauvain à la reine, puis pour sa chevauchée dans la forêt et sur la chaucie. Elle est presque absente de certains moments : le départ de Gauvain, la présentation de la bière, l'office funèbre, le "regret" prononcé par le Roi et les deux autres discours, empreints de solennité, de celui-ci. Les deux autres "chefs de file", A et T, s'écartent de L selon leurs tempéraments et leur sensibilité ; Guiot, plus impressionné par l'atmosphère religieuse, brise moins le couplet (32 % contre 37 % - ou, pour 100 vv., 9,5 % contre 11,3 %) ; le responsable de T, plus intéressé par l'animation, semble vouloir la rendre par la brisure plus fréquente du couplet (45 %, ou, sur 100 vv. 13,4 %).

On serait tenté de dire que ces trois "auteurs" agissent "d'instinct", comme le fait aussi d'ailleurs Chrétien (avec plus d'art), et assez librement. Ils sont dans la juste perspective : ils se sont libérés du couplet figé, ils ne cherchent pas à tout prix la brisure : ils la manient avec une certaine souplesse, aisance et intelligence.

Il serait fort intéressant d'étudier le procédé chez tous les écrivains du dernier tiers du XIIe siècle et du premier du XIIIe qui présentent une proportion analogue de brisures du couplet : Gautier d'Arras, Béroul (alors que Thomas brise bien moins le couplet), les auteurs d'Yder, de Durmart, de Gliglois, du Comte de Poitiers, des premières Branches du Renart (un peu en dessous), du Bliocadran (mais non de l'Elucidation, très en dessous) ; chez Guillaume de Lorris (mais non chez Jean de Meung, paradoxalement assez en dessous), chez Manessier (mais non chez Gerbert, très au-dessus, et dont les pourcentages de la brisure se rapprochent de celles de MQ). Notons que la comparaison serait sans doute inutile avec deux courts romans qui, comme notre Continuation, élaborent des "contes d'aventure" primitifs : le Chevalier à l'épée et la Mule sans frein, où la brisure du couplet est bien plus fréquente (respectivement 68 % et 64 %).

Et la Continuation-Perceval ? Vers le milieu, le pourcentage des phrases se terminant sur le premier vers du couplet est de 58 % (16,5 brisures sur 100 vv.) ; vers la fin, de 67 % (plus de 17 sur 100 vv.) ; mais au début, seulement de 36 % dans la rédaction A, de 38 % dans la rédaction E. Immédiatement après la fin de ms. A (après les 812 premiers vers), la proportion des phrases finissant sur le premier vers du couplet s'élève brusquement : 64 % (ou 18,5 brisures sur 100 vv.) ; - les trois épisodes (6, 7 et 8) contenus seulement dans les mss EPS ne sont guère moins riches en brisure du couplet : 57 % des phrases (ou 15 brisures pour 100 vv.) ; la main de ce rédacteur semble donc, de ce point de vue, travailler jusqu'à la fin. C'est évidemment un argument en faveur de la thèse de M. Corley : les 812 premiers vers de la Continuation-Perceval ne paraissent pas être de la même main que tout le reste, et ceci vaut aussi pour la rédaction, différente, de EPT [4].

Mais s'ensuit-il que l'auteur des 5 premières Branches de la Continuation-Perceval soit le même que celui de la Continuation-Gauvain dans sa rédaction courte L ou A ? Celui-là brise le couplet comme le fait celui-ci dans la Branche où il le fait le moins (celle du Graal), et il n'a pas la même raison que lui - à savoir le caractère sérieux et religieux de la "matière". Quel sorte d'emploi réserve-t-il à la brisure du couplet ?

a) la brisure dans le discours direct. - Pour les attaques et les reprises du discours direct, il y a comme un air de famille, assez net même, à cela près que le second continuateur brise moins le couplet que le premier : 37 % des attaques ou reprises commencent sur le second vers du couplet, contre 48 ou 49 % dans la première et la dernière Branche de l'oeuvre de son prédécesseur ; mais, comme chez celui-ci, jamais l'auteur du début de la Continuation-Perceval ne se contente de la brisure du couplet pour marquer le début ou la reprise du discours ; c'est avec le Guerrehés que la ressemblance est la plus forte : ici et là, tous les débuts de discours, moins deux (C.-G., L 8344 et 9184 ; - C.-P., A 10079 et 10194), sont marqués par une proposition d'introduction (uns hom dist ..., puis dist ...) ou, plus rarement, une incise (fet il, fet cil, etc.). De ce point de vue, le début de la seconde Continuation pourrait bien être du même auteur que la fin de la première.

b) la brisure du couplet dans le récit. - Les ressemblances sont moins évidentes. Mais ceci est dû à l'extrême différence de la "matière" : la Continuation-Perceval, généralement et, en tout cas, en son début, raconte les aventures d'un "chevalier errant", héros unique, qui fait continuellement de nouvelles rencontres, arrive dans de nouveaux lieux, etc. ; la Continuation-Gauvain ne le fait jamais (ou bien le héros n'est pas seul, l'"errance" est collective , ou bien il se rend à un lieu donné sans faire aucune rencontre - les exceptions sont extrêmement rares). Aussi trouverons-nous particulièrement fournie la rubrique 2.1 : apparition d'un nouveau personnage , de même que la rubrique 4.1 : conclusion d'un passage. Et très peu fournies les rubriques 1.2 et 1.3 : passage d'un sujet singulier à un pluriel, et inversement. Ceci étant posé, la seule différence appréciable, c'est que la brisure du couplet, dans la Continuation-

574

Perceval, introduit nettement moins souvent un commentaire de l'auteur (rubrique 5). Mais, ici non plus, il n'y a pas d'objection majeure à ce que le début de la Continuation-Perceval soit de la même main que la fin de la Continuation-Gauvain (et donc aussi de son début).

Concluons : la brisure du couplet est un procédé qui doit se tenir entre certaines limites. Très peu employée, elle n'est due qu'au hasard, chaque fois qu'un couplet est composé de deux phrases indépendantes (par exemple d'une proposition d'introduction et d'une réplique d'un seul vers, ou de deux ou plusieurs répliques d'un seul vers - cf. la "stichomythie" dans certains dialogues fameux de l'Eneas) - un peu comme la rime riche n'est due qu'à la succession, dépourvue de toute intention stylistique, de deux adverbes en -ment ou de deux subjonctifs en -issent. Un peu employée, elle peut n'être qu'un écart, qu'un timide essai de se libérer du carcan de la juxtaposition des couplets réguliers, dans lequel le poète se replace immédiatement. Très employée, elle n'a plus aucune fonction, et c'est le couplet régulier qui apparaît comme une imperfection. Ce n'est que si elle est moyennement employée (mettons entre 35 % et 50 ou 55 %) qu'elle joue son rôle, qui est d'apporter à la suite des octosyllabes une variété, et comme une respiration - on pense à la thésis et à l'arsis des musiciens médiévaux, à la syncope chez les modernes. La brisure modérée et libre du couplet est certes un procédé, qu'un Chrétien de Troyes manie avec la même intelligence et la même souplesse qu'il le fait de tous les autres procédés. Mais c'est aussi une manière d'écrire et, si l'on peut dire, un comportement, résultant de plusieurs facteurs : le genre traité et la manière de le traiter, la patrie de l'auteur, sa formation, son goût archaïsant ou modernisant, etc. A partir d'une certaine époque (les années 1160), dans un certain genre (le roman profane) et dans un certain territoire (la France continentale), il est quasi impossible de pas briser le couplet, soit modérément (comme continuera de le faire un Beaumanoir un siècle plus tard), soit assez largement (comme Chrétien, son premier continuateur, Manessier, etc.), soit excessivement (comme Jean

575

Renart, Gerbert de Montreuil, l'interpolateur EU de notre Continuation). Reste à considérer ce que l'on fait de ce procédé - si on
l'utilise au petit bonheur la chance (bien qu'il puisse, souvent, s'impo-
ser, comme une sorte d'automatisme, à l'instinct de l'écrivain pour
certains passages de sa production : dialogues, scènes vives de batailles, rencontres et surprises, etc.), ou bien si on le domine pleinement et qu'on en tire des effets de sens. Ce qui est le cas, entre
tous, de Chrétien. Notre "premier auteur" - celui qui a compilé et
complètement rédigé la suite d'aventures que nous lisons dans le
ms. L - tenait un peu des deux : héritier de Chrétien (même si
certaines de ses histoires préexistaient, sous une forme rudimentaire,
à l'oeuvre du maître champenois), n'ayant aucune vergogne à briser
le couplet, il le fait presque aussi souvent, mais plus instinctivement
et moins subtilement que son grand prédécesseur.

LA BRISURE DU VERS

Avec la brisure du vers - la fin de la phrase et du sens à
l'intérieur du vers - on ne peut plus guère parler de procédé, car
la chose ne saurait être trop fréquente. C'est une liberté que prend
l'écrivain, et même une licence. C'est à la fois un fait d'instinct
et d'humeur, de caractère désinvolte, du moins spontané.

Nous ne nous sommes pas livré - comme nous l'avons fait
pour l'étude de la rime et celle de la brisure du couplet - à un
vaste dépouillement de textes romanesques des XIIe et XIIIe siècles,
mais nous pouvons faire quelques comparaisons. Mais illustrons d'abord
par des exemples la façon de faire du responsable de la rédaction
L. :

> "... La sus n'en a se dames non   L 289-91
> et damoiseles. Sire, un don
> me requesistes par amor ..."

> - "Est ço vertés ? - Ma dame, oïl ..."   325

- "Dont dites quoi. - Tot le harnois   2387-88
et as vilains et as borgois ..."

Il descent. Cil le fait seoir,   2972-73
et dui vaslet l'ont deshuesé ...

"... Molt dura la bataille lors   4630-32
entre nos deus. Tot seulement
por ço que iluec n'avoit gent ..."

... vers les espees esgarda,   5048-50
lors rist. Pres que cil n'ont ploré
qui l'on veü ...

... et dïent tuit : "Ce n'est li mie."   7175

Ensi remest. Adonc fu quis   8633-34
lués li sarcus de mabre bis.

Ensi remest. Li rois tenoit   90999-100
see cors au plus que il pooit ...

... puis s'en vait. Au roi congié prent   9487-88
la pucele molt bonement...

Cette brisure du vers, d'une part, se rencontre assez souvent dans les dialogues animés : on peut la trouver chez beaucoup d'autres auteurs, et elle n'est pas, à elle seule, caractéristique du style de L. Dans le récit, d'autre part, elle peut être entraînée par un enjambement (nous y viendrons bientôt), mais elle a une valeur particulière si 1) l'expression rejetée n'est pas absolument indispensable, et si 2) le vers continue avec une nouvelle phrase, ayant un autre sujet, et/ou racontant une action différente. Elle n'est bien caractéristique que si elle est gratuite, et l'on a tout de suite une confirmation de cette gratuité en examinant les réactions des autres copistes, qui, fort souvent, ajoutent un lien de coordination, ou de subordination, ou refont le vers pour en éliminer la brisure.

Nous avons dépouillé 5 passages de la Continuation-Gauvain, pris dans toutes les Branches (sauf la II) et totalisant plus de 6 000 vv. (de L).

La confrontation des variantes donne les résultats suivants :

577

	L	A	S	P	T	(R)	U	M	Q	(E)
Br. I (1070 vv)	15	16	15	9	12	(14)	(7)			(8)
Br. III (1225 vv.)	20	17	16	12	(16)		(3)			
Br. IV (1960 vv.)	13	6	3	4	6		5	4	4	9
Br. V (718 vv.)	12	4	4	6	6		9	7	4	
Br. VI (1199 vv.)	17	7	5	10	10		11	11	9	(2)
	77	52	43	41	(50)		(35)			

Le responsable de L brise donc nettement plus souvent le vers que les autres copistes ; la brisure du vers est caractéristique de sa versification - soit qu'il conserve les brisures du "premier auteur" (que les autres, souvent, corrigent), soit qu'il en ajoute de son propre cru.

Si la brisure du vers est aussi souvent corrigée par les confrères de L, c'est qu'elle est sentie comme une imperfection - et ici il ne s'agit ni de mode (ni d'époque ni de région) -, au moins une originalité que l'on ne se soucie pas de partager. Rares, en effet, sont les auteurs qui la pratiquent aussi souvent (relativement) que L : nous ne verrions guère à citer que Béroul, et surtout Raoul de Houdenc, chez qui elle tourne au procédé (il la fait au moins trois fois plus souvent que L).

Parfois L est seul à briser un vers, les autres copistes structurant différemment le contexte et ne paraissant pas contester spécialement cette brisure : ainsi aux vv. 1026, 3897, 4631, 5719, etc. Mais, bien plus souvent, la contestation est manifeste - ou l'originalité de L - car c'est ici et là le même texte, et un seul mot est ajouté (ou supprimé ?). Que l'on compare :

... ains monte, s'en ist de la vile ... (215)

 ... einz monte et s'an ist ... (AS 219)
 ... ains monta, si ist ... (T 233)
 ... monte por issir ... (R 239)

"... fonda cest castel, sil fist suen ..." (373 - idem S et R)

   ... fonda cest chastel et fist suen   (PT 399/395)
   ... fonda ce chastel qui est suens   (A 399)

Puis le segne, si li a dit   (493-94 - idem EU)
qu'en Damrediu del tot se fit ...

   Puis l'a saignié et si li dit ...   (T 521)
   Si l'a seignié et si li dist ...   (M 997)
   Il le seingne, et puis il a dit ...   (A 527)

- même T s'oppose à L, alors qu'ils suivent le même modèle :

   "... fors vos et Girflés. Biaus dols sire,   (739-40)
   de moie part li poés dire ..."

      "... fors vos et Gifflet vostre ami.   (T 775-76)
      Mais tant li direz de par mi ..."

- ou bien MQ :

   "... com il a non ? De duel morroie,   (6783-84 - id. SPU)
   si m'aït Dex, se nel savoie."

      "... Molt volentiers son non saroie   (MQT 16855-56/
      et lui meïsmes conoistroie."   12725-26)

      (A : "... comant il a non et qui est ?" 6769)

"... que por un poi ne fist caïr   (7078-79)
monsignor Gavain. Lués saut hors ...

      ... qu'a poi que il ne fist chaïr.   (M 17151-52)
      Mesire Gauvains sailli hors ...

M et Q sont également fautifs : M en écrivant ne au lieu de nel attendu, Q en écrivant la - c'est-à-dire la chapelle ! La seule bonne leçon est celle de U : ... a pou qu'il ne le fist chaïr. / Messire Gauvain lors saut hors ... - T a préféré refaire, en délayant :

      ... si que a poi ne fist chaïr   13052-05
      tot envers monseignor Gavain.
      Il lieve sus sa destre main,
      si se saigne, puis s'en ist fors.

- AS refait aussi, en délayant différemment :

> ... par po Gauvain ne fist cheïr,   7045-48
> (S : qu'a po ne fist Gauvain chaïr)
> mes il s'est molt tres bien tenuz.
> Fors de la chapele est issuz
> li niés le roi sor (S o) le destrier ...

- cependant que P contracte tout le passage - le cheval ne se cabre pas :

> ... et li chevaus mout esfrea.
> De la capiele s'en ala
> li niés Artu o son diestrier.

C'est la leçon de L qui dit tout avec le moins de vers, mais elle est affectée d'une ambiguïté : qui est-ce qui saut hors ? - Gauvain ou sa monture ? Ce sont ces deux raisons (le manque de netteté, la brisure du vers) qui ont dû engager les copistes à remanier. Cet exemple est - entre bien d'autres - caractéristique de la manière d'écrire de L (et sans doute du "premier auteur", car pourquoi L aurait-il rompu un texte lié, et rendu obscur un texte clair ?) : il voit, il ressent, il écrit vite, et ne revient pas sur ce premier jet. Art de jongleur, serait-on tenté de dire, qui palliera par le geste l'imprécision de son texte.

Des dix exemples de notre première liste de citations, seulement deux (L 290 et 2387) sont reproduits par tous les copistes (de la rédaction courte) ; tous les autres font l'objet de remaniements. A L 325, Guiot délaye, et chaque hémistiche donne naissance à un vers :

> "Biax dolz niés, est ce veritez ?   A 343-44
> - Oïl, dame, onques n'an dotez ..."

(SP, T et R donnent le même texte que L, avec brisure du vers, qui figurait certainement dans l'archétype). Au v. 2972, où les deux hémistiches n'ont pas le même sujet (Caradoc descend de cheval ; Aalardin le fait asseoir), P, T et U ont le même texte que L, mais AS corrige :

> Lors descent, si se va seoir ...   A 2956

- le remanieur "hyper-courtois" en flagrant délit de discourtoisie : on attend, pour s'asseoir, d'y être invité ! Le v. 4631 est situé dans un passage propre à L, copié par E : un développement que fait Bran du récit de sa première rencontre avec Gauvain (ce n'est pas le lieu ici d'en discuter).

Les variantes au v. 5049 méritent d'être analysées ; nous connaissons le texte de L, suivi par PU, avec cette brisure après le second pied, qui détache - et unit - le rire innocent du garçonnet et le bouleversement de l'assistance. TEMQ étirent la première idée :

> ... et si commença lués a rire.   11047/14857
> Tuit cil en ont pitié et ire...

- l'adverbe lués et le verbe comença sont quelque peu contradictoires, et c'est tout autre chose que le rire immédiat de L ; quant au remaniement de AS -

> ... si fet un ris por lui (S soi) deduire ...   A 5216

- il frôle l'imbécillité.

Au v. L 7175 (l'assistance de la salle du Graal s'aperçoit que Gauvain n'est pas celui qu'elle attendait), le principe de la brisure est conservé par T, mais tout le vers est au style direct :

> "Diex, que ce est ? Ce n'est il pas !"   T 12161

- P ayant pu jouer le rôle d'intermédiaire :

> "Dex, ki çou est ? Ce n'est il mie !"

AS régularisent encore davantage le vers :

> "Ha, Dex ! font il, ce n'est il mie !"   A 7141

cependant que Q met le tout au discours indirect :

> ... et dient que ce n'est il mie.   M 17249

- seul M (et, de plus loin, U) donne la leçon de L, qui doit être celle du texte original.

Pour les vv. L 8633 (suivi par PMU) et 9099 (suivi par PUMQ), la courte phrase Ensi remest va être liée à la suite, soit par l'addition de la conjonction et (AST 8601/14419), soit par sa prolongation et la réfection du contexte, comme dans TE :

> Ensi remest puis longement.　　　　　　14911/19167
> Li rois acostumeement ...

soit encore par sa prolongation et un évident délayage :

> Ensi remest plus longuemant.　　　　　AS 9033-36
> Et si vos di veraiement
> que li rois Artus sejornoit
> asez plus que il ne soloit ...

Quant aux vv. L 9483 ss, ne méritent-ils pas d'être corrigés? On y voit en effet, selon LUMQ, le cygne qui "encline" le roi, fait demi-tour en entraînant le calan, puis s'en vait - et ce n'est qu'alors que l'auteur signale que la pucelle prend congé du roi. Voilà qui n'est ni vraisemblable, ni courtois ! Car, pour L, c'est le cygne, l'animal, qui, le premier, prend congé, puis commande toute la manoeuvre. Non, il faut inverser :

> Et la pucele a Deu comande　　　　　A 9433-37
> le roi et congié li demande ;
> il li dona molt boenemant.
> Et li cisnes delivremant
> torna sa nef et s'an ala ...

- seul un être humain peut prendre congé ; le cygne n'est qu'un exécutant, et il n'est pas venu à l'idée (à l'imagination) de Guiot et de ceux qui le suivent (SP, T et E) que le cygne pouvait fort bien être un prince ou une princesse de l'Autre monde, métamorphosés pour les besoins de la mission. Remaniement faisant, la brisure du vers a été ressoudée - c'est toujours cela de gagné.

La preuve devrait être faite : la brisure qui figure toujours dans L, et L seul, et parfois dans toutes les copies (L 290, 382, 428, etc. ; 2281, 2384, 2387, etc.), parfois seulement dans un, ou deux, ou trois autres manuscrits appartenant à des familles différentes, cette brisure, dont l'emploi par L̲ est constant d'un bout à l'autre de l'oeuvre, figurait dans l'oeuvre du "premier auteur" et caractérisait sa manière d'écrire - vive, primesautière, heurtée, souvent laconique, parfois un peu irréfléchie.

Dans tous les autres cas où elle est "corrigée", les remanieurs ont recours :

- à l'addition de la conjonction et̲ (c'est le plus économique, lorsque la chose est possible) ; ainsi à L̲ 215 (ASP̲), 373 (PT̲), 493 (AMT̲), 3637 (PUTEMQ̲), 4654 (SPTMQ̲), 5019 (PUEMQ̲), 6791 (tous, sauf U̲) , 7073 (Q̲, T̲), 7420 (ASPT̲), 836P (AS̲) ; - ou, dans une phrase négative, de la conjonction ne̲ 6782 (TMQ̲) ; - au moins à l'addition de la conjonction si̲ : 215 (T̲), 8341 (U̲) ; ou de l'adverbe puis : 8879 (SP̲);

- à la transformation de la parataxe en syntaxe, par l'introduction des relatifs qui̲ (311 : P̲ ; - 375 : A̲, etc.), ou dont̲ (2104 : P̲ ; - 9063 : S̲), ou en̲ (9130 : Q̲) ; - ou encore d'un que̲ complétif (7175 : Q̲), ou causal (2451 : P̲), ou d'un quant̲ (8963 : MU̲) ; - ou de por̲ avec l'infinitif (215 : R̲) ; - à la transformation du second hémistiche en complément circonstanciel introduit par parmi̲ (4107 : PU̲) ; - à la transformation d'une courte proposition en un adjectif qualitatif (honteus̲ dans ASE̲ au lieu du honte ot̲ de L̲ 8963) ;

- au moins à l'affaiblissement de la rupture, comme dans cet exemple:

Li clerc̲ s'an vont ; li cors̲ remaint.   AS̲ 7209

où il y a homologie et opposition simple, - au lieu de :

Lors faut li dius̲ ; li cors̲ remaint.   L̲ 7245

("deuil" n'est pas homologue avec "corps" ; "cesser" ne s'oppose pas à "rester") - la rédaction de AS̲ est mieux balancée, plus claire (malheureusement le remanieur omet de signaler que, non seulement les clercs, mais tous les assistants disparaissent !). Autre exemple, mais avec réfection plus poussée (avec, au passage, perte d'une idée, mais addition d'une autre) :

L 4653-58

Mesire Gavains otroia
tot canqu'il dist. Lors le laisa
li cevaliers, et dist : "Querés
mes armes, si les m'aportés.
Si faites a plenté venir
candelles, ses faites tenir..."

A 4837-42

Messire Gauvains li otroie
la bataille ; puis si anvoie
li cevaliers por plus chandoiles ;
(S : pour ses armes deli-
vrement)
que ja luisoient les estoiles.
(S : L'en li aporte vistement)
A grant planté an fet venir,
(S : Si fet des chandeles
venir)
si les fet devant soi tenir ...

- à son effacement, soit en unifiant deux idées proches :

L 2263

"Amis, qu'est ce ? Que dites vos ?"

A 2267

"Amis, comant le dites vos ?"

soit en recomposant le contexte :

L 3060-61

La bocle en fait lués esracier
tot erranment, si li bailla.

A 3046-47

De l'escu la fist arachier
et tot maintenant li bailla.

(notons que le tot erranment de L était une sorte d'apo koinou, pouvant se rattacher aussi bien à ce qui précède qu'à ce qui suit) :

L 7418-20

... mais molt gregneur l'avoit d'oïr
les mervelles : si s'esforça
de vellier. Lors li demanda ...

MQU 17492-94

... mes greignor avoit de l'oïr.
De veillier lors si s'esforça
et des nouveles demanda.

- et surtout, la réunification du vers est obtenue par l'élimination de l'idée contenue dans l'un des deux hémistiches, et l'étalement de l'autre sur huit pieds ; ici les exemples se pressent en foule :

L 2324-26

Atant s'en vait, plus ne demeure
li cevaliers. Li roi remaint
molt angoiseus...

P, T 3420-22

Atant s'en part, plus n'i demeure.
Et li rois toz iriez remaint
(P pensius)
et toz dolens, et molt se
plaint.
(P : avoec lui ot chevalier
maint)

L 2805-06

"... oïstes vos ainc puis noveles
de Caradué ? Dites le, celes !"

A 2793-94

"... oïstes onques puis noveles
de Caradoc bones et beles ?"

(les remanieurs ont été gênés par l'interjection celes, cheles) ;

L 3790

Le pont passe ; en la lande entra ;

AS 4008

Le pont torneïz trespassa ;

TMQ essayant de garder les deux : Le pont et la lande passa ;
U aussi, mais avec moins de bonheur : Le pont de la lande ...
P écrivant, de façon redondante (?) : Le pont et les plances ...

L 7005

"Qu'est ce, sire ? Que volés faire ?"

AS 6989

"Que iert ice, fet ele, sire ..."
(Q : Qu'est, sire, que volez f.)

L 9129-31

Enprés o sa main i toca
un sol petit. Lors acroca
une escerde ...

AS 9065-67

De sa main un po i tocha,
et tot maintenant acrocha
a une escherde ...

- voir éncore L 2957, 5019, 5684, 7201, 8341, 8987.

Ce qui peut entraîner quelque délayage :

L 8878-80

... que sor le col le pié li mist,
por poi ne l'estaint. Dont tira
son pié a soi, puis demanda ...

T 14687-82

... que sor le col le pié li mist
et contre la terre l'estrainst
si que por poi que ne l'estaint.
Quant ot ce fait, a soi tira
son pié et puis li demanda ...

(voir aussi 9379) ;

585

- on peut aussi colmater la brisure en intervertissant les hémistiches :

L 5686-89

"Certes, sire, n'eüse soing
de tel present. A le matin
meus amase, par Saint Martin,
une haste ..."

ASPU 5677-79

Et Keus li dist : "Par saint
                        Martin,
j'amasse plus a le matin
une haste ..."

ou les vers :

L 5775-78

Ne se porent tenir de rire
des paroles qu'il oënt dire
le senescal. Puis l'ont mené
au pavellon et desarmé.

P(UTEMQ) 5759-62

Cil ki çou li oïrent dire
ne se pueent tenir de rire.
Ensi s'en sont riant alé
au pavellon l'ont desarmé.

(ce que AS délaye et complète :

... Einsi parlant s'an sont alé
et sont el paveillon antré ;
le senechal font desarmer
et mains et col et vis laver.)

- enfin en refaisant plus ou moins complètement : cf. L 5538, 6972, 8963 (dans T, Q), 8987 (dans TE), 9321.

Et il vaut mieux refaire que d'écrire des âneries, ou un texte incompréhensible ; ainsi dans le traitement de cette incise de L (description du service du Graal) :

Li mestiers dont li botelliers   L 7280-82
devoit servir - c'estoit del vin -
sel mist en grans copes d'or fin

- ce qui n'est pas très cohérent, car on ne peut dire que le Graal mette un mestier dans des coupes ! mais enfin on comprend, en lisant vite, comme l'auteur l'a écrit ... ; en tout cas, les confrères ont du mal à suivre :

M : Li mestre (!) donc li bouteilliers
    devoit servir par tot du vin ...

S : Le graal (!) dont li botelliers
    devoit servir ot mis del vin ...

Le pauvre P est particulièrement mal à l'aise : c'est lui qui tente le plus souvent d'éliminer la brisure du vers, mais il a de la peine à dominer la situation :

L	P
Cui caut ? Tes est ataÿneus ... (153)	Mais je quic tes est envieus ...
L'amor de Gavain lor ensagne (203-5) c'aient tost fait. Tant mainte ensagne i oïst l'on crier manois ...	... qui ot tost fait tant maint besoingne
... honte ot ; en l'autre cambre entra etc. (8963)	<u>Haut</u> en <u>la haute</u> cambre entra ...

On aura remarqué, dans notre tableau statistique, que L emploie la brisure du vers avec une fréquence à peu près égale, du début à la fin de la Continuation, mais qu'il n'en va pas autant des autres copistes : Guiot, en particulier, et sa famille l'utilisent bien plus dans les trois premières Branches que dans les trois dernières. Que s'est-il passé ? Le remanieur a-t-il d'abord trouvé intéressante la formule, puis s'est-il mis à réagir contre elle ? Dans la Br. I, même, A (ASP, parfois ASPT) a tendance, tout en éliminant certaines brisures du vers qui figurent dans L (LT), à en faire d'autres de son côté.

Ainsi, aux vv. 367-71, A, seul, développe courtoisement un dialogue entre Keu et Arthur :

"Dites vos voir ? - Oïl, par foi.
Et montez sor ce palefroi
si iroiz ancontre plus tost.", etc.

- on peut préférer la leçon plus rapide et moins insistante de L :

Atant descent devant le roi.
Et li rois saut el palefroi.

l'intention et le résultat étant exactement les mêmes. Aux vv. 691 ss, A (suivi par SP et R) développe courtoisement l'idée que c'est à Yvain et à Girflet de saluer les premiers puisqu'ils sont des messagers (ce qui n'est qu'impliqué par L). Aux vv. 759-61, A, seul, développe courtoisement une réponse d'Yvain, embryonnaire chez SPR, et absente de LT. Toutes ces brisures sont dans le discours direct, dont elles augmentent la vivacité. Au v. 847, ASP ont une brève formule, Ez vos la guerre ! - laquelle souligne qu'ils ne tiennent pas à entrer dans le détail du duel (au moins pour la première partie de celui-ci). Voir encore A 697 ss (dialogue ; réfection peut-être entraînée par le mot autresi, estimé trop lourd, de L ?), 822 (où S colmate la brisure avec le relatif que), 920 (où P fait de même avec l'expression tant ... que), 1011 (vers égalisé par P), 1138 (où SP réunissent les deux moitiés, le premier par un que causal, le second par le relatif qui). Le copiste de P, on le voit, s'insurge même contre sa propre famille.

Soit donc, chez A, une dizaine de brisures supplémentaires du vers dans la Br. I. Ce bel enthousiasme retombe vite : 3 brisures supplémentaires seulement dans la Br. III (ne compensant pas les 6 de L qu'il élimine) ; 3 dans la partie étudiée de la Br. IV ; une seule dans la Br. V (où il ne conserve que 3 des 12 de L) ; 3 dans la Br. VI (où il ne garde que 4 des 17 de L). Un style animé, oui, surtout dans les dialogues - cela peut être "courtois" (piquant, spirituel) - mais, avant tout, un style coulant, et non haché comme celui de L.

Peut-on discerner, comme J. Frappier l'a fait pour la brisure du couplet, des emplois précis et voulus de la brisure du vers ? Tout d'abord, on dit couramment que l'octosyllabe n'a pas de césure. Mais, sur les 117 exemples relevés de brisure du vers, celle-ci intervient 81 fois après le 4e pied, 20 fois après le 3e, 8 fois après le 5e, 7 fois après le 2e, une seule fois après le 6e. Notons que la brisure du vers en deux moitiés égales est plutôt le fait des autres copistes (ou chefs de groupes) : 31 sur 38 ; cette prédominance est bien moins nette dans L : 50 sur 79. C'est donc, vraisemblablement, le "premier auteur" qui manie l'octosyllabe avec le plus de souplesse, de fantaisie, de spontanéité - d'aucuns diraient de sans-gêne. La première fonction de la brisure du vers est de traduire ce caractère primesautier de la première rédaction.

La brisure du vers est, proportionnellement, un peu plus employée dans les dialogues que dans le récit. Dans ceux-là, il peut arriver qu'un octosyllabe soit composé de deux répliques :

- "Est ço vertés ? - Ma dame, oïl"   L 325

ou même de trois :

- "Si iés. - Non sui. - Dis tu a gas ? "   2504

Mais, plus souvent, c'est une seule réplique qui est ainsi coupée en deux, le personnage s'exprimant de façon insistante, pressante :

- "Amis, qu'est-ce ? Que dites voz ?"   2263
- "Ciers fix, por coi ? Dites le moi."   2516
- "Qu'est ce, sire ? Que volés faire ?"   7005

Ou alors c'est un couplet qui est coupé, de façon inégale, que ce couplet soit régulier :

"Ha, cevalier ! fait il merci   2383-84
de mon neveu : pas ne l'oci."

ou lui-même brisé :

"Ee ! fait il cevaliers, signeur,   2280-81
ice que iert ? N'en ferois plus ?"

"Sire, bone aventure aiiés,   2956-57
fait li rois. Molt m'avés lassé !"

- prière instante ; réplique faussement étonnée, arrogante, brutale ; réponse courtoise mais haletante (Caradoc a longuement galopé, sous l'orage, après le couple dans la clarté) : le style heurté de L traduit tout cela à merveille.

Souvent aussi ce sont 3 vers - ce qui implique la brisure

du couplet - qui sont eux-mêmes coupés, soit en leur milieu :

> "... Mais viens ça, si parole a moi   2441-43
> priveement." Bien lonc del roi
> l'en a mené a une part.

(insistance, mystère, préparation à une révélation bouleversante) ; soit au début ou à la fin du "tercet" :

> "Dont dites quoi. - Tot le harnois   2387-89
> et as vilains et as borgois
> de ceste cort en pués avoir."

(question brève et brutale de l'enchanteur, réponse étirée, apaisante, du roi, ampleur de la compensation offerte, qui sera rejetée d'un mot) ;

> "... Itant puis de cevalerie   1024-26
> joster en ost con veés chi,
> qui sien ierent. - Vostre merchi."

(offres quelque peu ostentatoires du Guiromelant : "dot" qu'il assure à Clarissant ; mais, en même temps, une menace voilée : cette ost magnifique, qui sera à elle, peut très bien "fonctionner" immédiatement ... au cas où Gauvain voudrait pousser l'affaire plus loin - comme il va le faire dans la rédaction longue. On ne saurait dire plus de choses, et aussi complexes, en moins de mots : cela, c'est l'"art" du "premier auteur". Et Gauvain s'empresse de conclure - n'oublions pas que "merci" veut dire aussi "pitié !" - : "Merci beaucoup pour ces magnifiques propositions ; de grâce, restons-en là". Une courte phrase, donc, détachée et soulignée par la brisure du vers, et que vont nier les interpolateurs en ajoutant, qui mille, qui près de quatre mille vers).

Ce peut aussi être un "quatrain", une suite de deux couplets qui va être coupée par une brisure interne à un vers :

> "Amis, fait il, por nule rien   L 2699-702
> nel soferroie. Ains vos di bien,
> qui tant ne quant i toceroit,
> li cuers tantost me partiroit".

- Cador a proposé à Caradoc de tuer le serpent ; le héros le supplie
de n'en rien faire : refus catégorique = prière instante de ne pas -
puis leur explication ; la certitude du héros étant garantie par la
succession régulière de deux couplets entiers) ; - autre exemple,
cité incomplètement plus haut :

> "Biaus ciers amis, biaus tres dols frere,   2803-06
> foi que devés moi ne ma mere,
> oïstes vos ainc puis noveles
> de Caradué. Dites les, celes !"

(prière pressante, inquiète, dont la gravité est marquée par le cadre
des deux couplets réguliers).

On peut multiplier les exemples. Le "premier auteur" n'est
pas un "styliste" - mais Chrétien n'est pas que cela - et il faut
insister sur le fait que, tout en dédaignant la quête de la rime riche,
souvent clinquante, il sait fort bien varier le rythme de ses dialogues,
lui faire épouser l'idée et le sentiment, les mouvements de l'esprit
et du coeur. Et cela est bien éloigné de "sentir l'huile" : comme
les jongleurs épiques avaient fait du rythme du décasyllabe, notre
auteur a parfaitement intégré celui de l'octosyllabe, qu'il étale,
condense, coupe avec la plus grande aisance. Un dernier exemple -
agitation intérieure de la reine Guenièvre, outrée de ce que l'inconnu
soit passé devant elle sans la saluer :

> ... et dist : "Molt par m'a poi proisie   6780-86
> cis cevaliers, quant ne torna
> vers moi. Dex ! qui demandera
> com il a non ? De duel morroie,
> si m'aït Dex, se nel savoie."
> Puis dist : "Qeu, alés vos armer
> molt tost, sel m'alés amener."

Chrétien eût-il fait mieux ? En tout cas, les autres "copistes" font
nettement moins bien !

Dans le récit, la brisure du vers a des fonctions analogues
d'enchaînement rapide, d'opposition, de changement brusque (d'action

ou de nature de l'action), de conclusion, de transition vive. On retrouve dans son emploi certaines rubriques que J. Frappier distinguait
dans l'analyse de la brisure du couplet.

La brisure du vers dégage une idée importante, met l'accent
sur elle, comme celle de la force qui triomphe de la résistance (à
4 reprises, l'expression tot a force est ainsi isolée : L 3896, 5719,
7828 et 7862), comme la honte de Guerrehés (8963, 8975, 9063).
Elle souligne une émotion vive et grande, comme celle de Gauvain
bouleversé par la mort de l'inconnu :

> Li cevaliers en fu portés   L 6971-73
> au pavellon. Molt est torblés
> por sa mort mesire Gavains.

(comparer avec la régularité des vv. 6957-58 de A, où il n'est pas
question du trouble de Gauvain) ; bouleversé aussi par le spectacle
intimidant de la bière (L 7199-203) : 5 vers coupés en deux moitiés -

> ... et molt pensis. Ne set que faire ...   7201

- comme par un hiatus où s'insinue une angoisse que l'on n'a aucun
moyen de faire cesser (cp. A 7173-78 : 6 vers, bien mieux liés et
balancés, mais la notation est plus intellectuelle, plus extérieure
et détachée : Guiot ne participe pas). C'est la joie à la naissance
de Caradoc :

> Li termes vint qu'ele enfanta   LA 2103-05
> un molt bel fil. Grant joie en a
> li rois et trestuit si baron.

comparer la rédaction longue :

> Qant elle fu venue au terme   E 6797-800
> qu'elle dut metre jus son germe,
> d'un molt biau fil s'est delivree.
> Grant joie an font par la contree...

(qualifier un nouveau-né de "germe", insister sur la "délivrance" -
on peut préférer l'enfanta de la rédaction courte ! Mais il n'y a
pas, dans EMQU, cette brisure qui sépare - et unit - l'action de

la mère et le sentiment du père, sentiment qui s'élargit à toute
la communauté).

L'opposition est souvent marquée par la brisure du vers. Nous
avons déjà cité le beau vers <u>L</u> 7245 (<u>Lors faut li dius ; li cors re-
maint</u>). La grande joie au Chastel de la Merveille s'oppose à - et
se noue avec - la consternation qui s'empare de l'<u>ost</u>, au moyen
d'un vers pivot, et brisé :

> ... molt grant feste. Mais le covine ....   <u>L</u> 428

Le sinistre Eliavrés sort de la cour tout fier de l'avoir plongée
dans l'angoisse :

> Atant s'en vait, plus ne demeure   2324-27
> li cevaliers. Li rois remaint
> molt angoiscus et molt se plaint.
> Si font trestuit li cevalier.

- c'est le même mouvement que pour la naissance de Caradoc :
complémentarité/opposition de deux Sujets, action du premier, sentiment du second que toute la communauté partage. Voici le texte
le moins mauvais de la rédaction longue, celui de <u>U</u> :

> Atant a tenue sa voie   cf. <u>E</u> 7228-31
> et de la cort se dessevra.
> Li rois plain d'ire demoura ;
> tant a pensé a cel afaire ...

Apparition d'un nouveau personnage ou objet - l'arrivée de
la nef au cygne, dont la "clarté" est d'abord prise pour celle d'une
étoile :

> ... mais por ce qu'ele s'aproismoit   <u>L</u> 8340-42
> s'esmervelle. Lors la mostra
> as cambrelains ...

Enchaînement rapide des phrases de l'action - la reine a demandé à Keu d'aller lui chercher l'inconnu :

D'un cort bliaut foré d'ermine   6790-92
ert vestus. Lors si s'est armés,
au plus tost qu'il puet est montés ...

Changement de nature de l'action - on se moque de Keu, puis on l'emmène au pavillon et on le désarme :

Ne se porent tenir de rire   5775-78
des paroles qu'il oënt dire
le senescal. Puis l'ont mené
au pavellon et desarmé.

Déplacement dans l'espace, et surtout passage, entrée :

... le pont passe ; en la lande entra ...   3790

... ens entrent ; si vienent es rues.   4107

... monsignor Gavain. Lués saut hors ...   7079

... est entrés ens. Adonques voit ...   8382

... font li autre. Et cil s'en passa ...   8987

... de sa honte. Outre s'en passa ...   9063

... le cevalier. Lors est alés ...   9379

Conclusion d'un passage d'un texte - récapitulation des conrois du Guiromelant :

Iluec ensamble en un josterent   585-87
li troi conroi ; et sis esmerent
a dis mile cil par deça.

- cf. aussi le "Vostre merchi" de Gauvain cité plus haut ; - le même Gauvain, après le rappel fait par Bran de leur premier duel et de leur convention :

Messire Gavains otroia   4653-55
tot canqu'il dist. Lors le laisa
li cevaliers, et dist ...

- à deux reprises la formule Ensi remest : L 8633 (le corps de Brangemuer dans la salle, où nul n'ose tenter d'extraire le fer), et 9099 (même situation, après le retour de Guerrehés qui a accusé le bref de mensonge).

594

Mais c'est surtout pour traduire, pour faire sentir le mouvement, l'animation, la vivacité des gestes (ou des paroles) que $\underline{L}$ brise le vers. Le roi Caradoc chasse sa femme :

Li rois li dist : "Fuiés de ci !" $\underline{L}$ 2518

- comparer le bavardage de la rédaction longue :

Li rois n'i a plus aresté : $\underline{E}$ 7488 ss
"Dame, fait il, trop estes ose
quant faite m'avez itel chose
et la venez ou je vos voie.
Metez vos molt tost a la voie,
qu'ire me puet ..." etc. etc.

- l'horrible main éteint le cierge :

Le cierge prist lués : si l'estaint. $\underline{L}$ 7073

- comparer l'$\underline{amplificatio}$ de $\underline{AS}$:

... don trestoz les cierges estaint, $\underline{A}$ 7039-41
que point de clartez n'i remaint ;
trestuit li cierge ansanble estaingnent ...

- le cygne remmène la nef :

... puis s'en vait. Au roi congié prent $\underline{L}$ 9487-88
la pucele ...

(on sait que, dans $\underline{A}$, la pucelle prend le temps de faire ses adieux $\underline{avant\ que}$ le cygne, tout à ses ordres, fasse tourner la nef ; mais, dans $\underline{L}$, c'est le cygne, c'est le merveilleux qui commande, qui arrache au rivage la nef, d'où la pucelle ne peut que crier son adieu au roi) ;

- affairement de la cour, qui doit partir immédiatement pour le Château de la Merveille :

... c'aient tost fait. Tant mainte ensagne   204-05
i oist l'on crier manois ...

... Li rois n'i fist plus de sejor,   214-15
ains monte, s'en ist de la vile ...

(dans la rédaction longue, on prend le temps de manger ; le roi fait bannir le rassemblement ; on a toute la nuit pour se préparer et l'on ne part que le lendemain matin, après la messe).

Mais il y a plus, le rythme, le tempo même du récit épouse celui de l'action ; - l'évêque absout Gauvain, le bénit et l'exhorte :

> ... si l'a asols molt dignement   490-94
> de Diu et de sainte Marie
> et de lor douce compagnie.
> Puis le segne ; si li a dit
> qu'en Damrediu del tot de fit ...

- Caradoc arrive chez Aalardin, descend de cheval (ce qui demande peu de temps), puis on lui ôte ses rudes habits de chasse et on lui passe d'élégants vêtements d'intérieur (ce qui requiert bien davantage) :

> Il descent ; cil le fait seoir,   2972-75
> et dui vaslet l'ont deshuesé,
> despoillié et desafublé.
> Vestir le fist molt ricement ...

- Aalardin fait arracher de son écu la boucle d'or magique (rapidement, mais pas brutalement), puis il la tend à Caradoc (action nettement plus brève) :

> La bocle en fait lués esracier   3060-61
> tot erranment, si li bailla.

(lués et tot erranment indiquent que l'on ne passe pas son temps à démonter la boucle, à dessertir l'or - de toute façon, nous sommes dans un monde merveilleux, et même le monde merveilleux celtique, où les rivets s'ôtent ou se placent eux-mêmes [5]) ; - comparer avec les autres versions, où le mouvement se régularise :

> La boucle fait lués esragier   PT 3046/8442
> (U : lors)
> (EMQ : La bocle an a fait araichier)
> (AS : De l'escu la fist arachier
> (S : hors sachier)

et tot maintenant li bailla   AS 3047
   (PU : et a Caradot le balla)
   (TEMQ : au roi bonemant la dona)
    (M : bailla)

- le Petit Chevalier pose et maintient son pied sur la gorge de Guerrehés abattu, puis le retire :

Une estrange mervelle fist,   L 8877-80
que sor le col le pié li mist,
par poi ne l'estaint. Dont tira
son pié à soi, puis demanda ...

(on peut évidemment ne considérer Dont tira que comme un contre-rejet ; - A étale davantage, en 4 pieds, l'action, nécessairement brève, de retirer le pied : Aprés sacha ; SP l'unissent à celle qui la précède : puis resacha, puis retira ; quant à T, dont nous avons cité plus haut le délayage, il détruit tout contraste et commet un contresens : l'adversaire appuie le pied pour étouffer le héros, puis, Quant ot ce fait, a soi tira ... - l'a-t-il étouffé, ou non ?) ;

- nous avons déjà cité, également, le moment où, Guerrehés effleurant le tronçon, celui-ci lui saute dans la main ; la rédaction AS supprime la brisure et l'effet de surprise ; de même que celle de TE (a un de ses dois acrocha, 14948/19206) ; seuls LU et P détachent un sol petit (P : un petitet) - M aussi, mais il commet une bourde, en substituant aracha à acrocha, et Q le suit, et le "perfectionne" en liant les actions au moyen du relatif en :

... molt petitet en aracha ...   Q 19206

Cette brisure du vers, qui permet tant d'effets, qui peut aller jusqu'à faire coïncider le temps de la lecture (du récit) et celui de l'action - ou qui, en tout cas, restitue à merveille le mouvement, le tempo, l'émotion de l'action - est attestée d'un bout à l'autre de la rédaction L, et d'elle seule : il n'y a pas de copiste ou de groupe qui, ici et là - avec, d'ailleurs, la plus grande irrégularité -, ne s'ingénient à la ressouder. Elle est caractéristique du travail du "premier auteur", lequel travail a souvent l'air d'être un "premier jet", spontané, primesautier, témoignant d'un remarquable sens de l'action - et du récit. Après lui, tous les autres copistes ont le temps, prennent le temps de réfléchir, de polir, d'unir, d'atténuer les heurts, d'arrondir les angles, de régulariser le débit. Les autres n'ont pas un vrai tempérament d'auteur (MQ et EU en ont un, mais du XIIIe siècle) : ce sont des retoucheurs, parfois habiles (A, T), le plus souvent fort malhabiles. Mais, même habiles, leurs "amendements" ne font que gâter l'oeuvre : il n'y a pas un endroit sur cinquante, peut-être même sur cent, où ils la corrigent utilement, en lui conservant tout son sens, ses effets, et son charme.

L'ENJAMBEMENT ET LE REJET

Quelques exemples, que nous avons considérés comme des brisures du vers, peuvent ne l'être que comme des enjambements ; nous avons choisi d'y voir des brisures lorsque la fin (ou le début) de la phrase coïncidait avec la "césure", et lorsque, à la rigueur, ils auraient pu être détachés de la phrase précédente ou suivante - et ils l'étaient, justement par la brisure du vers. Mais les enjambements ordinaires, si l'on peut dire, sont, évidemment, bien plus nombreux. Nous choisissons de ne pas considérer ceux qui s'étendent sur un vers complet, d'une part, et, d'autre part, ceux dont le rejet (ou le contre-rejet) s'étend jusqu'à (ou commence à) la césure médiane, car ils sont moins significatifs, et peu modifiés par les copistes, et de nous borner aux rejets qui se terminent avant la césure (au 3e ou au 2e pied, voire au premier), ainsi qu'aux contre-rejets (beaucoup plus rares) qui ne comptent que trois ou deux syllabes - ce sont ceux-là surtout que les copistes éliminent, ou prolongent, par une liaison syntaxique, jusqu'à la fin du vers (au moins jusqu'à la césure).

Que l'on compare en effet des enjambements réguliers de ce type :

> Quant il le vit si pertuisié   A 7895-98
> si a maintenant comancié
> tel duel que molt s'an merveilla
> la pucele qui l'esgarda ...

où sont unis, par dessus la fin des vers, la circonstancielle et la principale, le verbe et son régime direct, un autre verbe et son sujet postposé (ces quatre vers sont, on s'en doute, moins liés dans L) - et une cascade de rejets comme celle-ci :

> Mesire Gavain li conta   L 8255-58
> le voir, tot si com il trova
> son fil. Lors fu si bien venus
> a cort, quant il fu coneüs ...

- la tentation peut être forte de régulariser, de "faire rentrer dans le rang" ces "débordements", - ce que T réussit à faire :

> Et il maintenant li conta   T 14069-72
> tout si com al gué le trova.
> Li vallés fu lors bien venus
> a cort puis qu'il fu conneüs.

Voici, sauf omissions, le nombre, pour toute la Continuation-Gauvain (rédactions courtes - et longues pour les parties qui correspondent à celles-là), la statistique de ces enjambements "syncopés" (où le rejet et le contre-rejet ne s'étendent au maximum que sur 3 pieds) :

	L	A	S	P	R	T	U	M	Q	E
Br. I	36	18	13	12	8	32				
Br. II	18	6	6	3		10	13			16
Br. III	31	30	24	19		(21)	(10)	(5)	(4)	(6)
Br. IV	107	81	56	76		94	66	80	67	(95)
Br. V	70	43	32	45		50	58	50	45	/
Br. VI	40	28	14	17		30	31	32	25	(14)
	302	206	145	172		(237)	(181)	(167)	(141)	(131)

(Nous n'avons pas dépouillé, dans la Br. I, les passages que EU copient sur un texte d'une rédaction courte, ni la rédaction longue MQ ; nous n'avons pas non plus dépouillé celle-ci dans la Br. II, ni dans la Br. III - pas plus que les copies de E, U, T et P lorsqu'elles la suivent ; - par contre, nous avons dépouillé la version longue ASPU de l'épisode IV/2, "Crise à la cour d'Arthur", la version "viol" PUTEMQ de l'épisode IV/5, et l'épisode de Joseph d'Arimathie contenu dans LAUMQ).

Les chiffres sont éloquents : L pratique beaucoup plus que les autres un type d'enjambement "irrégulier" - c'est-à-dire qui n'englobe pas tout le vers suivant ni son exacte moitié. Bien souvent, nous le verrons, son rejet (ou contre-rejet) de trois (ou deux) pieds est étiré par les autres à quatre pieds, pour coïncider avec la "césure" - ou bien il est prolongé jusqu'à la fin du vers, ou bien encore il est affaibli par une liaison, quand il n'est pas complètement supprimé (et le passage est recomposé, de façon à réintégrer le mot ou l'idée dans la structure d'un vers régulier). Le mouvement inverse (L régularisant un rejet "irrégulier" d'un ou de plusieurs autres mss) ne se rencontre qu'une dizaine de fois.

Evidemment, les rejets attestés par les autres mss ne figurent pas tous dans L. Il n'y a pas 40 vv. où l'ensemble des mss s'accordent sur le même rejet ; il n'y en a pratiquement pas où tous les autres mss. s'accordent contre L. A plus d'une quarantaine de reprises, celui-ci est seul à faire ce type d'enjambement "irrégulier" ; une quarantaine d'autres fois, il n'est suivi que par un autre copiste ou responsable de groupe (T, EU, E, U) - qui, visiblement, copie alors le même modèle que lui. Mais, de l'autre côté, A, seul, fait une trentaine d'enjambements de ce type, et T, une quarantaine ; E, surtout dans la Br. VI, en fait 10 ; P n'en fait que 2 ; M 1 ; S, U et Q, aucun. Le groupe AS en fait une trentaine ; le groupe TEMQ, une dizaine ; le groupe PUTEMQ, 15 ; à la fin de la Br. VI, T et E font 5 fois le même rejet ; P et U s'unissent aussi 5 fois, dans leur rédaction de la version "viol". Autrement dit, nous retrouvons le paysage familier des variantes (cf. nos Chap. III à V).

Pour le rythme, comme pour les mots ou pour les rimes, les copistes changent souvent pour le plaisir. Mais ici, des différences très nettes s'accusent. Le responsable de A (Guiot) n'est pas formellement opposé à l'enjambement et au court rejet (puisqu'il en ajoute) ; celui de T encore moins (il en ajoute encore plus) ; celui de E pas davantage, qui en ajoute aussi, sans parler de ceux qu'il a en commun avec MQ, ou U, ou L ou A ou T seuls, et qui nous fournit deux (rares) exemples de rejet d'un seul pied (18654 et 19415). Par contre, P, S, U et Q (et R aussi, dans la Br. I) n'aiment pas ce procédé et semblent, selon les moments du récit, faire leur possible pour le réduire.

Quelques exemples des corrections de P. A plusieurs reprises, il chasse le rejet (ou le contre-rejet) et il étire à la dimension de l'octosyllabe les cinq ou six pieds restants :

... ne plus bel ; ce m'ont coneü ... (P : et bien le m'ont reconeüt)	A 1011
... son non demanda ; il li dist ... (P : son nom demanda et enquist ...) (ce qui l'oblige à ajouter deux vers de pur délayage)	A 4038
... et si ne haoit mie son fil, ainz le beisoit sovant. (P : ... si nel haoit mie, et son fil baisoit il sovent)	A 5328-29
... s'an vet, et fu toz li premiers ... (P : et saciés ce fu li premiers)	A 8482
" ... el brief ? - Nel vos celerai mie ... (P : Il dist : "Ne vos celerai mie)	A 8549

- à A 2460, P ajoute un que causal ; 7829, il ajoute un et ; au v. A 9032, il ajoute un qui et contredit son modèle :

>   " ... Li briés que li chevaliers   A
>   a o lui. - Ja est mançongiers"

réplique Guerrehés ; - L coupe autrement, et ce sont les compagnons qui se disent que le bref devait être mensonger, puisqu'on n'a plus entendu parler de l'affaire :

>   "... portot : mes il est mençogniers ..."   L 9096

mais, pour P, ce sont les compagnons qui affirment que la lettre est véridique :

>   "... portoit, qui n'ert pas losengiers."   P

- contre A 5882-85, P s'efforce de régulariser une cascade de rejets (le Riche Soudoier reproche à Gauvain d'avoir tenté de le relever et, surtout, de l'avoir tiré de sa rêverie morbide) :

>   ... puis li a dit : "Grant hardemant   A
>   avez fet. A po ne vos tu
>   a mon poing, c'or m'avez tolu
>   la mort. Se g'eüsse m'espee..."

>   ... si li a dit grant hardement :   P
>   "C'avés fait ? Par poi ne vos tu
>   a cest poing, ke m'avés tenu.
>   Saciés, se j'eüsse m'espee ..."

- un résultat satisfaisant peut être obtenu en inversant l'ordre des mots :

>   ... desor un chasne, an l'erbe drue   A 1972-73
>   descent ; iluec se desarma.
>   (P : iluec descent, se desarma)

(le rejet de deux pieds est étendu à l'hémistiche, c'est mieux que rien) ;

- mais l'on n'est pas à l'abri des bourdes : ainsi le ensamble du v. P 212, au lieu d'anseler ; - ou le haut en la haute cambre entra, qui n'a aucun sens, du v. P 8907, au lieu de honteus (ou, selon L, honte ot) en l'autre chanbre antra ; etc.

Le responsable de U est un peu moins réticent et un peu plus prudent. Il se contente d'ajouter un et aux vv. E 6290, 6434, 19247, ou de le déplacer au v. E 6046 :

> ... trestuit, et si grant poine i mistrent

devient

> et trestouz si grant paine i mettent ;

- il étire à 4 syllabes un rejet qui n'en contient que 3 : el chastel
(A 5984) devient ens ou chastel, moult est ajouté devant richement
(PU, App. II, v. 323) - ou qui n'en contient que deux : i a (A 3020)
devient a moult ceens ;

- il fait sauter le rejet et tâche de combler le vide : au
v. E 6584, il remplace remaint par atant (il ne comprend pas très
bien ce passage difficilior, mais sa leçon est lisible) ; - au v. A
3282, il supprime come vos, qui n'est pas indispensable, et remplace
ait par puisse avoir ; - au v. A 6183, U ne répète pas li corz, mais
un pied manque à son vers refait ; au v. M 19545, il manque aussi
un pied et le sens n'est pas clair ; - en refaisant le v. A 3354,
il prend durent dans un autre sens ("durer" au lieu de "devoir"), etc. ;

- il a la main assez heureuse en refaisant les vv. A 6624-25 : il
fait remonter de vos au vers précédent, en remplacement de de
lui qui disparaît, mais qui n'est pas absolument indispensable, ce
qui fait que les deux rejets sont évacués ; - il refait les vv. E 6022-
23 et réussit à éliminer les deux enjambements ; - sa réfection des
vv. A 2957 et ss., tendant à supprimer encore deux enjambements,
est moins heureuse (il s'agit des vêtements passés à Caradoc, et
non de ceux des valets !) ; etc.

Il est difficile de savoir lequel des deux - de P et de U -
est responsable   des corrections faites par le groupe PU, ou est
le plus proche de l'auteur de cette version, qu'atteste une douzaine
de réfections. Au v. L 4946, si est remplacé par et, qui lie davantage ; à L 5360, le rejet de 3 pieds est étiré à quatre (ne vit nus
hom, au lieu de ne vit nus) ; - au v. A 3928, le rejet li nains est

chassé, mais le contexte est suffisamment clair ; - aux vv. A 3571
et 3805, le substantif est simplement remis à l'intérieur du vers :

> ... si que les loges en emplirent (P)
> ... et toutes les loges emplirent (U̅)
> (A écrivait : ... es loiges, si qu'il les a̅n̅plirent)

> ... issi li rois molt bien armés (PU)
> (A écrivait : ... et si atandoient
> le roi : et il ist toz armez ...)
> (atandoient peut à la rigueur rester en l'air)

- le second terme d'une comparaison, rejeté par L et A en début
de vers, est supprimé :

> ... une autresi gentil pucele   L 2755-56
> com il est, et autresi bele ...
> (PU : et [U qui] ausi fust gentius et bele)

(PU ont réduit un autresi à ausi ; AS, lui, a réussi à éliminer les
deux autresi de L, mais en perdant l'idée de la beauté égale entre
Guinier et Caradoc) ; - au v. LA 3050/3034,

> ... d'autre or, qu'il a si grant vertu,

le rejet est remplacé par Je di (qu'ele ...) : l'analogie est boiteuse,
mais on peut ne pas s'en apercevoir ... en lisant vite ;

- l'élimination du rejet sor lui du v. A 3494 induit PU à changer
le complément de contrediront et à refaire le couplet qui suit ;
au v. A 3887, l'élimination du rejet antra leanz rend le cheminement
de Keu assez difficile à suivre (il "trespasse" les "chauciees" et les
"postiz" en passant le pont ? - il a dû le faire avant !) ; maladresse
encore dans la réfection des vv. A 4719-20, faite vraisemblablement
pour supprimer le rejet de l'amener : Bran commande à ses gens
de lui amener Keu et de le retenir (l'ordre inverse serait plus juste !).
Mais, de façon générale, les remaniements de PU sont moins gauches
que certains de P, et, d'autre part, PU est évidemment intermédiaire
entre L et AS.

La faiblesse du chiffre de S est due en partie à ses nombreuses coupures d'un ou de plusieurs couplets : elles rendent compte de l'absence d'une vingtaine de rejets - mais peut-être ce sont ceux-ci qui ont provoqué celles-là ? - Le copiste supprime plus d'une autre vingtaine d'enjambements, en procédant d'ailleurs avec beaucoup plus de modération et d'intelligence qu'on ne s'y attendrait (étant donné la stupidité générale de ses variantes et de ses additions). Il ajoute un et au v. A 5650, de même en tête des vv. A 9054 et 9151 ; ailleurs il remplace un que causal par et (A 6306) ou par quant (5488), ou il le supprime (105) ; il remplace un et par un relatif qui lie davantage (3805) ; il substitue qu'il à lors (822) ; il saute un si (8400), ce qui diminue la force du rejet. Ailleurs encore, il supprime une relative et ajoute un adjectif (2759). Au v. A 7759, S remplace le rejet d'armes par un molt, moins voyant. Au v. A 7236, il remplace le rejet l'eve par la répétition du sujet li rois. Lit-il mal le rejet trespasser de A 7738 ? - il le change en en basset, ce qui l'oblige, au v. suivant, à remplacer a hauz criz par a bas diz, ce qui contredit son modèle. Parfois, S supprime le rejet et il étire le vers pour retrouver les 2 ou 3 pieds manquants: cf. A 6213, 7829, 8389 (redondance !), etc. Ses réfections des vv. A 6094 et 6220 ne sont pas fameuses. Mais, encore une fois, on était en droit de s'attendre à bien pire. Il semblerait qu'ici S ne soit pas le copiste tardif et passablement obtus que l'on connaît par ailleurs, mais un réviseur bien plus proche du responsable de AS ou du "libraire" Guiot.

Le responsable de Q, lui, n'est pas plus intelligent ici qu'ailleurs. Parfois il s'en tire assez bien : en supprimant le rejet et en étirant le reste du vers (cf. E 12998, 13524, 19210), - assez maladroitement au v. 18022, ou de telle façon que le vers précédent n'a plus de sens (13721). D'autres fois, il intègre le rejet : ainsi à E 12559 (mais il manque un pied), 17851, 17239 (mais en ajoutant un bliaut fort insolite), etc. Pour L 9345, Q déplace astucieusement et en tête du vers ; sa substitution de maintenant à au matin (18240) est admissible. Mais les réfections bizarres, incompréhensibles, et/ou qui laissent en l'air le vers précédent, abondent : voir E 12838, 16381, 16390, 17826, 18050, etc.).

Le clerc responsable de R n'appréciait guère, lui non plus, ces "déhanchements" - trop profanes, sans doute - de l'octosyllabe, auquel il s'efforçait de rendre sa coupe bien carrée : il ne tolérait guère que les rejets, bien carrés eux aussi, de quatre pieds, et il étirait ceux qui ne faisaient pas le compte :

... d'afubler	devient	d'afubler soi (R 121)
"... si avés	-	si avés voir (390)
... guerpi (A)	-	guerpi issi (405, comme dans L)
... enselé	-	enselé sont (232 - et répétition de sont au v. suivant)
... descent	-	descent li rois (500 - bien que li rois figure déjà au v. précédent)

Le remanieur de MQ fait lui aussi plusieurs retouches pour éliminer ou réduire les rejets ; ici, il le supprime et il étire le reste du vers (E 13542) ; là, il ajoute et, de façon que le contre-rejet ait 4 pieds (15720) ; ailleurs, au contraire, il fait sauter un et pour effacer le rejet (17664) ; - au v. 18298, il repousse entre eus au milieu du vers ; à 18799-800, il remonte le rejet seoir au v. précédent, et délaye le second ; à 17939, il recompose, délaye et doit même ajouter deux vers - ce qui donne 4 vv. sur la même rime -ez ; - les vv. 12625-26 et 17835-36 deviennent incompréhensibles, etc. Le copiste de Q, nous l'avons vu, renchérit dans la chasse aux rejets ; celui de M semble nettement moins préoccupé par eux.

Le responsable du groupe AS élimine très peu de rejets attestés par L (et aussi d'autres mss) et, lorsqu'il le fait, ce peut être pour d'autres raisons, comme à L 8756 (trop d'insistance sur le lit), 8779 (idem, sur le "mangier"), ou encore 6962 (hurter, rentré dans le vers, est moins vif) ou 7863 (pour AS, la pucelle aide Lionel à tirer sur le tronçon). Par contre, il élargit le contre-rejet de L 8500 : tos promiers devient trestot premerains - il s'agit de Gauvain, dont la primauté est ainsi accentuée. Lorsqu'il rencontre deux ou trois rejets consécutifs, il en supprime un : ainsi à L 8257 et 8270. Certaines réfections tendent à éliminer une répétition : AS supprime la seconde occurrence du substantif, comme hiaumes de L 5019 (mais on ne sait pas ce qui vole : le heaume, ou le cercle ?). Autrement dit, AS ne conteste nullement l'emploi du rejet, sauf à le corriger lorsqu'il nuit à la fluidité du discours, ou lorsqu'il accentue une réalité peu "courtoise".

Le remanieur de AS ajoute, nous l'avons dit, près d'une trentaine d'enjambements, avec courts rejets (ou contre-rejets). Sous sa plume, comme sous celle de L, de A ou de T, le rejet est un procédé, sinon toujours voulu, du moins symptomatique : d'une part, il apporte de la vivacité au récit et, d'autre part, il souligne certains temps forts, des actions, des sentiments, des valeurs importantes pour l'"auteur" (car "celui qui accroît" est plus qu'un simple remanieur). Mais, avant d'examiner ces additions de AS, de même que celles de A et de T, il nous faut analyser l'emploi du rejet dans le texte de L.

Et, avant encore, par manière de parenthèse, évoquons le cas de l'auteur des interpolations EU de la Br. I qui, comme pour la brisure du couplet, pousse le procédé jusqu'à la caricature, aussi bien dans le discours :

> "... mais ne li avoie otroiee   EU 3326-31
> m'amor ancor, car contre cuer
> m'estoit, si que je a nul fuer
> ne l'amasse ; plus volentiers
> m'ocesse. Li chevaliers
> vint ainsint ...

que dans le récit :

An la sale antre et a veü   <u>EU</u> 4266-71
le vavasor qui ja estoit
<u>levez</u> et aler le voloit
<u>esveillier</u>, si le salua.
<u>Et li vavasor ne li a</u>
<u>pas targié</u> qu'il ne <u>li</u> responde ...

- exemples pris entre cinquante. On est tenté de se demander :
pourquoi diable n'écrit-il pas en prose ? Ce porte-à-faux constant
de la phrase et du vers relève du jeu, de la virtuosité. Et ce phénomène est sans doute lié à celui de la quête de la rime riche, et
très riche, qui doit paradoxalement renforcer un couplet brisé par
tous les autres moyens. De ce point de vue, aussi, l'interpolateur
de <u>EU</u> n'a rien à voir avec celui de <u>MQ</u>, qui pratique très modérément
l'enjambement.

LES FONCTIONS DU REJET DANS LE TEXTE DE L.

Inspirons-nous encore ici d'une autre étude de J. Frappier [6],
consacrée à l'enjambement dans <u>Erec</u>. Mais nous ne ferons pas, comme
lui, de distinction entre le discours direct et le récit, car celui-là
est nettement minoritaire dans la <u>Continuation-Gauvain</u> - en tout
cas la rédaction courte, texte de <u>L</u>. A bien relire, en effet, les
dialogues et les monologues (ceux-ci, aussi courts que rares) dans
<u>L</u>, on s'aperçoit que, à peu d'exceptions près, ils sont totalement
subordonnés au récit, à l'action racontée, qu'ils précèdent, soulignent
ou répètent. Jamais le discours direct ne se détache de l'action
- comme il le fait chez Chrétien et dans bien d'autres oeuvres (depuis
le <u>Brut</u> et l'<u>Eneas</u>) - et il ne dit pratiquement rien qui ne puisse
l'être au style indirect. Notre "premier auteur" était tout le contraire d'un "rhétoricien" ; il n'éprouve aucune délectation particulière
à faire parler ses personnages - il est aux antipodes du remanieur
de <u>R</u> ou de <u>MQ</u>, et diffère beaucoup de ceux de <u>A</u> (<u>AS</u>, <u>ASP</u>) et
de <u>T</u> qui, très souvent, amplifient ses dialogues.

608

En ce qui concerne nos enjambements "irréguliers" (avec rejet court, rompant vraiment le rythme de l'octosyllabe), il n'y a, dans L, aucune différence de traitement entre le discours et le récit, et les traiter sous deux rubriques distinctes nous contraindrait à d'innombrables redites. Une chose, aussi, à bien comprendre : le rejet met en valeur, non seulement le mot ou l'idée qu'il contient, mais aussi ce qui le précède et est soudé syntaxiquement avec lui (par-dessus la coupure de la rime), et aussi ce qui le suit, qui s'en détache tout en étant annoncé par lui. Ce que vont bien montrer nos citations.

Les exemples que nous allons donner sont trop nombreux et trop constants pour qu'il ne s'en dégage pas une sorte de loi - propre à L, évidemment - qui peut s'énoncer ainsi : il n'y a pas de rejet (ou de contre-rejet) court qui ne souligne une idée importante, un moment fort de l'action. On pourrait presque, en énumérant la suite des rejets, reconstituer la trame du récit.

Voici la succession des 36 enjambements de ce type dans la Br. I, augmentés de 2 autres qui peuvent leur être assimilés :

1 - L 27-28 (+ ASPRT) - message de l'envoyé de Gauvain :

> "... Salus vos mande com a roi
> Gavains, li vostre niés par moi."

(première mention du héros ; fin de l'attente angoissée de toute la cour ; conclusion de la première partie du message - ces quatre vers de salut et d'annonce que lance, avant de descendre de cheval, le valet épuisé par sa longue et rapide chevauchée, puis il reprend souffle et continue ce qu'il a à dire ; - véritable début de l'oeuvre ; - noter aussi que c'est au roi que le neveu s'adresse : solennité soulignée par le couplet régulier);

2 - L 112-03 (+ AP) - après le palais (où sont le roi et les chevaliers), c'est aux chambres (où sont la reine et les dames) que l'on apprend, de façon encore imprécise, que des nouvelles de Gauvain sont arrivées ; la reine se lève et se hâte :

> ... si qu'ele onques ne s'entremet
> d'afubler : nient ne l'en sovient ...

(complémentarité, mais secondarité ; opposition entre l'attente statique des hommes et l'agitation des femmes ; empressement fébrile, désordre joyeux ; insistance, dans les vers qui suivent, sur l'afubleüre incomplète, ou même jetée, pour aller plus vite, à qui mieux mieux - la reine ayant donné le ton - ; ce qui culmine, au v. 112, avec le desroi généralisé, et encore jamais vu à la cour ; etc.) ;

3 - L 2O7-O8 (+ ST) - après un repas vite expédié, c'est le rassemblement autour des enseignes, les selles et les bâts que l'on met aux chevaux :

> ... tant bon ceval, tant palefroi
> enselé ; sunt tuit en esfroi ...

(hâte fiévreuse des préparatifs, joyeuses bousculades, fin d'une énumération, approche de la conclusion, imminence du départ ; - transition : ça y est, tous les chevaux sont sellés, l'immense cortège va pouvoir s'ébranler) ;

4 - L 214(15 (+ T) - ... départ, dont le roi donne le signal :

> Li rois n'i fist plus de sejor,
> ains monte, s'en ist de la vile ...

(action ponctuelle et capitale : le "chef" monte, tous montent, tous quittent la ville pour se diriger vers le Château de la Merveille ; - pivot du récit : après la longue inertie angoissée de la cour, "orpheline" de Gauvain, c'est le mouvement enthousiaste - on sait où il est, on va le rejoindre ; etc.) ;

5 - L 253-54 (+ AST) - arrivée, et plus exactement fin de l'arrivée de l'ost devant le Château de la Merveille ; Yvain

> ... et Girflés, li fil Do, i vient
> o la roïne ou qu'il se tient...

(la plupart des chevaliers sont déjà descendus ; les serjanz ont commencé de monter les tentes et de construire les ramees ; arrivée alors de la reine et des dames, escortées de chevaliers - après encore, le grand carois clôt le cortège ; - importance de la reine et de sa compagnie, et importance des deux chevaliers qui "se tiennent à elle" : Yvain, l'alter ego de Gauvain, et Girflet, dont l'emprisonnement au Chastel Orguelleus sera le prétexte de la grande expédition de la

Br. IV ; noter l'hyper-correction un peu ridicule de Guiot, qui le remplace par Mabonagrain, lequel ne méritait pas tant d'honneur ! - conclusion du voyage : le dernier vers de l'épisode nous montre la reine Guenièvre descendant devant le pavillon royal, le premier vers de l'épisode suivant, la reine-mère Ygerne, en face, aux loges du Palais ...) ;

6 - L 264-65 (+ ASPRT) - ... en face, donc, la Vieille Reine :

> ... as estres del palais, et voit
> cele grant ost aval le pree.

(contraste entre la vision et l'action, la solitude et la multitude, l'inertie - Ygerne est censée être morte depuis trente ans - et le mouvement ; juxtaposition contrastée des deux reines : la mère et l'épouse ; - première apparition d'Ygerne ; - transition : mouvement vif de la caméra qui passe du camp immense et affairé, en contrebas, au Palais, non moins immense, mais en hauteur ; - chiasme étrange : les reines mortes - au moins symboliquement - qui prennent les dames vivantes pour des fées ; etc.) ;

7 - L 290-91 (+ ASPRT) - la reine Ygerne, effrayée par l'ost, demande au nouveau seigneur du Château (le délai consenti étant écoulé) de lui révéler son nom :

> "... et damoiseles. Sire, un don
> me requesistes par amor ..."

(moment capital, le second dans la "vie" des Reines mortes - le premier ayant été, dans le roman de Chrétien, la "conquête" du Château par le meilleur chevalier du monde - : et voici que c'est leur fils et petit-fils ; - la révélation demandée va être faite et en amener une autre : l'ost est celle d'Arthur ; elle va aussi plonger Clarissant dans le deuil : ainsi l'adversaire de son "amant" sera son frère ; - enchaînement avec le roman de Chrétien : fermeture du processus du don contraignant ; - importance de celui-ci, qui sera si souvent évoqué dans l'oeuvre ; - réalisation de l'"effet" voulu par Gauvain - et Chrétien - : que la révélation du nom coïncide avec l'arrivée de la cour d'Arthur ; etc.) ;

8 - L 358-60 (+ ASRT) - Gauvain est sorti du Château, a traversé l'eau, a retrouvé son oncle, et voilà qu'une grande surprise attend celui-ci :

"... car vostre mere molt entent
a vos esgarder, et vauroit
a vos parler ...

(moment non moins capital : retour de Gauvain, disparu depuis si longtemps, et la révélation bouleversante qu'il fait au roi : la mère de celui-ci est toujours en vie ! - conclusion d'un long manque, introduction à un récit, prélude aux retrouvailles, etc.) ;

9 - L 365-66 (+ ASPT) - ... incrédulité du roi, affirmation formelle de Gauvain :

"Sauve vostre parole, sire,
si avés, por voir vos puis dire ..."

(cf. le précédent ; - solennité de l'affirmation assurée par le couplet régulier, qui met en relief le rejet si avés) ;

10 - L 370-71 (+ ST) - récit de Gauvain ; à la mort d'Uter, Ygerne s'enfuit avec le trésor et chercha :

"... par tot la plus soutille terre
qui fust, tant que ci asena ..."

(solitude hyperbolique du site choisi pour y élever le Palais d l'Autre monde : autrement dit, un lieu où aucun mortel n'arrive spontanément - cf. le château de Laudine dans Yvain, autre finis terrae, ou encore le royaume de Gorre dans le Lancelot) ;

11 - L 430-32 (+ ASPRT) - à peine le roi est-il subrepticement parti, avec Gauvain et Guenièvre, pour le Château, que le sénéchal Keu arrive à son pavillon :

... que Qex li senescaus, si tost
come li rois en fu alés,
i vint, lui quint ...

(nouveau rebondissement : la constatation de la disparition du roi va achever de dérouter l'ost, déjà fort angoissée par l'exposition quasi aveuglante des armes au Château ; - rôle d'informateur de Keu ; sa hâte, soulignée par la rupture du syntagme si tost / come ; - tout ce passage a un rythme bouleversé, le contre-rejet si tost et le rejet i vint étant encadrés par deux brisures régulières - médianes - des vv. 428 et 434 ; - la frayeur parallèle des dames est peinte de façon plus rapide et moins syncopée : c'est celle des hommes qui est la plus grave ; - Guiot a choisi, lui, de souligner aussi, par le contre-rejet si s'an vet du v. 442, le fait même du départ du roi, alors que L écrivait et si s'en vait, ne faisant donc qu'un enjambement régulier, avec brisure médiane du vers : 4/4) ;

12 - L 475-76 (+ PT) - retour du roi Arthur au camp, le lendemain matin, et de la reine, accompagnés par les 500 "nouveaux chevaliers" et les 500 "dames frustrées", rendus au monde :

> Au tref qu'il a molt rice et buen
> descent, et cascuns d'iaus al suen.

(importance évidente de ce retour, qui met un terme à l'angoisse, qui a duré toute la nuit, du camp ; - conclusion de la première partie de la Br. I, qui était un vaste prélude au duel du Guiromelant et de Gauvain ; celui-ci est aussi revenu au camp - l'auteur ne le précise pas, mais, immédiatement après, le héros se confesse et s'arme ; - noter une inconséquence du "premier auteur" : cascun d'iaus qui descend à sa tente semble renvoyer aux 500 "valets" adoubés par Gauvain et libérés par Arthur - or on n'a évidemment pas prévu 500 tentes pour les loger ! À moins qu'il ne s'agisse des chevaliers de l'ost, qui étaient tous sortis de leurs tentes, et attroupés sur la rive ?) ;

13 - L 477-78 (+ P) - ... et, dans le même "quatrain", retour simultané de la reine Guenièvre :

> La roïne a la soie tente
> descent, et mainte dame gente ...

(parallélisme, complémentarité mais secondarité ; - plus justement, les deux rejets descent se renforcent : c'est la totalité qui revient, qui "descend" - on serait tenté de dire : qui "redescend", de l'Autre monde, sur la terre des mortels ; l'ensemble arthurien est reconstitué, et augmenté ; - "descendre", c'est aussi s'arrêter, c'est la fin de l'agitation et du cauchemar - même si c'est pour assister à un duel terrible ; - notons que L n'a pas la faiblesse de craindre les répétitions ; - quant aux "maintes dames" qui descendent avec la reine, ce sont, cette fois évidemment, les 500 ex-captives du Palais, rendues à la vie et à l'espoir - Guiot, lui, n'ose pas l'affirmer, qui ne parle que de compaignie gente ; - notons encore le mouvement divergent : tous les hommes retournent à leurs propres tentes, toutes les femmes semblent rester au pavillon de la reine - qui prend alors des proportions immenses, d'où dimension quasi "mariale" de la reine-mère-médiatrice : imagerie et symboliques "romanes" ; - l'auteur, emporté par sa vision sans cesse agrandissante, se contredit d'ailleurs : aux vv. 261-62, la reine descendait devant la tente du roi, ici elle a la sienne ... ; etc.) ;

14 - L 524-25 (+ T) - on arme Gauvain, <u>de toutes armes,</u>

> ... ensi come por asaillir
> <u>autrui</u> et por son cors desfendre

(double fonction des armes : offensives et défensives ; - formule qui ramasse l'essentiel de l'armement ; - ensuite Gauvain va se remettre debout et voir arriver les trois <u>conrois</u> du Guiromelant, ce que <u>ASPR</u> vont marquer par le rejet <u>regarde</u> v. 565, alors que <u>L</u> a adopté une coupe régulière, avec, à la rigueur, brisure médiane du vers, ce qui convient mieux à la solennité et à l'ordre magnifique et impeccable des cortèges, cf. vv. <u>L</u> 545, 550, 566 - sauf une exception :

15 - L 569-70 (+ T) - arrivée du troisième et dernier <u>conroi</u> du Guiromelant :

> L'escu trop bel par les enarmes
> <u>tint cascuns,</u> et le lance droite.

(Guiot est plus sensible à l'apparition du premier <u>conroi,</u> et le "premier auteur", à l'achèvement du défilé dont, à aucun moment le bon ordre ne s'est démenti - mais Guiot s'est d'ailleurs vite fatigué de décrire ces cortèges, trop répétitifs, sans doute ; - ici encore, dans cette formule de conclusion et de "culmination", réunion de l'essentiel : l'écu et la lance) ;

16 - L 579-80 (seul) - ce même troisième et dernier <u>conroi</u> diffère cependant des deux premiers, en ceci que c'est un cortège "amoureux", ou du moins "galant" ; les lances ne sont pas nues,

> ... ains i pent de molt cieres ginples
> <u>plenté,</u> et de ridees mances ...

(transition entre les deux premiers <u>conrois,</u> purement "héroï-ques", et le quatrième, qui sera celui des dames et des pucelles, précédées des musiciens - le <u>conroi</u> "mystique" ; - mais notons ici l'accent mis sur le substantif <u>plenté,</u> "abondance", un des maîtres-mots du rédacteur de <u>L,</u> qui l'emploie plus souvent que ne le fait Chrétien dans l'ensemble de son oeuvre et qui "marque" l'Autre monde : celui d'Aalardin, de Bran de Lis et du Graal - nous y reviendrons ailleurs) ;

17 - L 599-600 (+ T) - et c'est enfin le cortège des dames et des pucelles, le quatrième (3 + 1 - nous y reviendrons au chapitre des Nombres), qui rejoint les trois premiers

> ... entresc'a l'arbre u eles virent
> lor gent. Ilueques descendirent ...

(conclusion du défilé des forces et des beautés du Guiromelant ; - lor gent : quelle "gent" ? ne serait-elle pas une "gent" de l'Autre monde ? intuition qu'a partagée l'interpolateur du Caradoc lorsqu'il a donné comme épouse à l'enchanteur Aalardin la fille de Clarissant et du Guiromelant ; - elles descendent, ces dames, - c'est au moins la troisième fois que nous rencontrons, ainsi mise en relief, l'idée de descendre ; - et surtout elles descendent à l'arbre : le voilà enfin, cet arbre qu'on nous a signalé déjà trois fois - aux vv. 547, 557 et 583 - comme point de rassemblement des conrois successifs, et situé tout près de l'ost d'Arthur, c'est-à-dire en un lieu équidistant et intermédiaire ; cet arbre senti comme géant, comme "abritant" les 10 000 chevaliers et les 3 000 dames et pucelles du Guiromelant ; cet arbre vers lequel se dirigeront les messagers de Gauvain, et sous lequel ils trouvront le Guiromelant en train de s'armer - à cet arbre aussi, nous reviendrons plus tard) ;

18 - L 626-27 (+ T) - Gauvain envoie Yvain et Girflet en ambassade au Guiromelant, pour lui annoncer qu'il est prêt à s'acquitter de sa fiance, c'est-à-dire à soutenir le duel judiciaire :

> "Alés, fait il, parmi cel plain
> a cel arbre, a cel grant conroi ..."

(cf. supra ; - les messagers n'auront pas, dit Gauvain, à demander qui est le Guiromelant - pas plus qu'à demander où est l'arbre) ;

19 - L 668-69 (+ T) - ils le trouvent donc, et l'auteur se déclare impuissant à décrire la beauté du Guiromelant : jamais plus belle créature

> ... ne vit en humaine figure
> nus hom, ce puis dire por voir.

(hyperbole, exaltation de la beauté du Guiromelant, que seule la censure empêche d'appeler "féerique"", d'un Autre monde ; c'est la plus belle des créatures qui aient jamais été vues sur terre - il est même, sans doute, plus beau que Gauvain, son homologue total cependant, et que, selon le remanieur R̲, le bon évêque qualifiera de "demi ange" !) ;

20 - L̲ 694-95 (+ T̲) - après les salutations, début véritable du message de Gauvain qu'Yvain et Girflet délivrent au Guiromelant :

> "... Mesagier somes, et par nos
> vos mande mesire Gavains ...

(apparition de personnages nouveaux - pour le Guiromelant ; leur première présentation, affirmation de leur fonction ; - on remarquera le ton net, ferme et solennel ; - cette première partie du message fait 8 vv., dont la coupe régulière n'est brisée que par ce et par nos - fierté des messagers, conscience qu'ils ont de leur importance et de celle de leur message ; pour celui-ci, voir supra, ex. 18) ;

21 - L̲ 719-20 (+ T̲) - réponse du Guiromelant, qui se réjouit de la haute valeur des chevaliers que lui a transmis Gauvain, avec tant de courtoisie ; mais cela n'empêche pas

> "... qu'il n'a plus mortel anemi
> de moi. Tenés ! jel vos afi ..."

(réaffirmation forte, péremptoire, de la haine que le Guiromelant, malgré toute sa beauté et toute sa courtoisie - symbolisée par, entre autres, son 3e et son 4e conroi - voue à Gauvain : le duel sera à mort) ;

22 - L̲ 728-29 (+ T̲) - réponse d'Yvain, qui souhaite vivement, lui, que ce duel n'ait pas lieu :

> "... fait mesire Yvains, car il est
> si preudom, et vos d'autre part ..."

(à la fois contre-rejet et rejet : c'est le point culminant de ce passage, et l'anticipation de ce qui ne manquera pas d'arriver : la paix et l'amitié entre les deux adversaires ; - parallélisme, égalité des deux en "preudomie" - cf. Conte du Graal, v. 8861-62 - et c'est cela qui est l'essentiel : "Preudomie" ne peut sortir infirmée de cet affrontement ; Gauvain et le Guiromelant la partagent - à défaut de pain - ce qui permettra à l'auteur, au plus fort de leur duel, de les appeler "conpagnon", cf. L̲ 895, remarquable lapsus !) ;

23- L 741-42 (+ T) - réponse du Guiromelant :

> "... pres sui d'acuiter la fiance
> qu'ai vers lui, et la covenance ..."

(conclusion - immédiatement après : "..Atant vos en pöes raler, / car ne li vuel or el mander." ; - on aura remarqué la prédominance des termes de Contrat - acuiter, fiance, covenance : il s'agit bien d'une Epreuve glorifiante, par laquelle s'ouvre paradoxalement le récit du continuateur, puisque, aussi bien Chrétien ne la raconte pas ; - on notera aussi, au début de ce "duel judiciaire", l'absence de tout serment, ce que souligne l'auteur au v. 804, sans sairement ; au fait, à aucun moment ni le roi, ni la cour, ni les auditeurs du conteur ne sont informés de la raison du duel) ;

24 - L 764-66 (+ T) - les messagers sont revenus auprès de Gauvain, qui finit alors de s'armer : il monte, prend son écu,

> Vaslés ot bien entresc'a dis
> devant lui, et cascuns tenoit
> une lance ...

(conclusion de l'armement ; insistance sur la lance ; Gauvain rejetant toutes les offres, a pris son épée, son écu, et maintenant il choisit entre ses lances ; dix, au moins, sont préparées, présentées par autant de "valets" qui appartiennent au héros - dans le Conte du Graal, il n'en emmenait que sept (v. 4804), porteurs sans doute d'autant de lances ; - Gauvain est vraiment placé sous le signe de la lance : d'une part, ceci atteste le caractère "sportif" de ses combats - il se contenterait bien de briser dix lances - et, d'autre part, on appréciera le symbolisme ; son fils, lui, sera nettement placé sous le signe de l'écu, cf. Br. V, L 7894 ss, 7991 ss) ;

25 - L 777-79 (+ T) - la lance que Gauvain choisit porte une riche enseigne de soie d'Aumarie :

> Guinloiete li envoisie
> la fist, si li ot envoiie
> lonc tans avoit par drüerie ...

(insistance sur la fée, amie de Gauvain, la "fairy mistress",lointaine dans le temps comme dans l'espace ; LT est seul à préciser que l'enseigne est non seulement le don, mais aussi l'oeuvre de la fée - cf. "des mains de fée" ; - remarquer que seuls AP n'ont pas été intimidés par la censure au point de ne pas appeler "fee" l'amie de Gauvain, que S, R et EU se contentent de dire que l'enseigne vient de drüerie, et que,

dans la rédaction LT, le nom et le qualificatif suffisent sans
doute à désigner une fée ; - ainsi Gauvain n'est pas moins
"chevalier amoureux", et aimé, que son adversaire ; - conclusion
des "préparatifs du duel") ;

26 - L 783-86 (seul) - immédiatement après :

> Puis est issus le pas de l'ost ;
> et li Guiromelans, tantost
> com il voit monsignour Gavain,
> s'en rist de la soie ost au plain ...

(début, enfin, du duel ; rapidité de la réaction du Guiromelant, quasi simultanéité ; apparition, pour tous autres que
Gauvain, Yvain et Girflet, de ce nouveau personnage tant
attendu ; prélude à la description lumineuse de celui-ci) ;

27 - L 838-39 (+ T) : les deux adversaires s'abattent mutuellement,
au premier choc, non de leurs lances, qui se sont brisées, mais
de leurs corps :

> ... que les genos et tos les vis
> s'escorcent, et a terre en vont ...

(point culminant et fin de la "première manche" : le duel à
la lance ; caractère extraordinaire de ce premier choc, non
seulement parce que les chevaux tombent aussi - ce que l'on
retrouvera dans les duels contre Bran de Lis et contre le
Riche Soudoier, et nous y reviendrons, en particulier à propos
des nombres 2 et 4 -, mais surtout parce que c'est le choc
violent de leurs corps qui les précipite, eux et leurs montures -
lesquelles ne se sont pas heurtées, contrairement à ce qu'affirment tous les autres mss ; on retrouvera ceci réparti entre
les deux duels contre Bran : dans le premier, L 1867 ss, les
adversaires se heurtent, comme ici, de cors et d'escus, et
s'abattent, mais non leurs destriers, et cette fois tous les
copistes concordent ; dans le second, L 4782, ils se heurtent
des cors et des cevaus, et ceux-ci tombent également ; -
mais le plus important est le détail, ici omis par Guiot et
son école, de ces écorchures qu'ils se font, rien qu'en se heur-
tant, aux genoux et au visage, et qui sera repris dans le premier duel contre Bran, L 1874-75 : A et T, qui suivront alors
la version commune de très près, atténueront le motif en
le transférant aux chevaux ; la réciprocité absolue des blessures
s'accompagne d'un véritable "affrèrement par le sang" - cf.
ce que nous disons supra, en commentant l'ex. 22, à propos
du "lapsus" conpagnon) ;

28 - L 867-69 (+ T) - c'est ensuite le duel à l'épée, qui fait rage, sans qu'aucun des deux ne donne des signes de faiblesse :

> Veïsiés l'un l'autre molt tost
> recovrer, si que cil de l'ost
> se mervellent ...

(point culminant de l'équilibre des forces ; jusqu'ici aucun des deux, ensemble ou séparément, n'a donné le moindre signe de fatigue : ils "récupèrent" immédiatement ; mouvement incessant, quasi tourbillonnant - ils ne cessent de place tolir et remuer) ;

29 - L 879-81 (+ T) - enfin ils font une pause :

> Et si tost com il ont reprise
> lor alaine, lués sans faintise
> s'entrerevienent fierement ...

(enjambement "carré, mais le 4e pied est vraisemblablement muet ; - marque, par le rythme même, la respiration entrecoupée des combattants)

30 - L 902-03 (+ T) - ce n'est pas que Gauvain soit en situation d'infériorité, mais le Guiromelant résiste trop bien ; il va falloir au héros un supplément de force :

> Ensamble se conbatent tant
> que vint a ore de midi.

(enjambement régulier, d'un vers complet, dans un couplet brisé, et avec cette rupture extraordinaire - unique dans la rédaction L - du syntagme tant / que [temporel] en même temps que son étroite union : ordinairement, lorsque tant que est séparé, il l'est par un vers ou plusieurs. - Apparition du "privilège mythique" ou "solaire" de Gauvain, sur lequel nous nous étendrons plus tard ; mais tout le reste du passage qui le concerne est de coupe carrée, comme il convient à un phénomène sacré, et il en sera ainsi jusqu'à la fin du duel) ;

31 - L 964-65 (+ T) - maintenant le Guiromelant a de plus en plus nettement le dessous ; deuil de sa "gent", des dames surtout, mais cela n'est rien en comparaison de celui de Clarissant :

> ... se li uns est mors o honis
> d'iaus deus, a morir le covient.

(point culminant de l'angoisse de Clarissant ; l'équilibre, dans son cœur, ne peut plus être maintenu ; - transition : fin du duel - il n'y aura plus un mot de description de la bataille - et début du processus de pacification ; - remarquable mise en valeur du numéral deus, extrêmement révélateur de la conception que le "premier auteur" se fait du duel, qui ne saurait être autre chose que le prélude à la plus vive amitié - nous y reviendrons) ;

32 - L 994-95 (+ T) - réponse du roi Arthur à Clarissant : il n'a pas le droit d'intervenir, c'est à elle de le faire ; qu'elle aille entre les combattants et demande à son frère d'arrêter le duel :

"... si vos doinst le Guiromelant
a signeur, puis que vos l'amés ..."

(le roi n'invente rien : il se contente de reprendre la proposition émise par Clarissant, cf. L 975 ; - inutile d'insister sur l'importance de ce mariage, que l'on attend depuis près de 1500 vers ; - conclusion de l'épisode du duel, pivot de l'action, etc.) ;

33 - L 997-98 (+ T) - fin de la réponse du roi : le Guiromelant a toutes les qualités - le rang, l'honneur, la beauté, et surtout la "bonté", c'est-à-dire la force et la valeur :

"... et cevaliers biaus, et si buens
c'ainc ne fu miudres rois ne quens ..."

(hyperbole, significative de l'échelle des valeurs du "premier auteur" : la beauté du Guiromelant est extraordinaire, et elle est d'ailleurs intimement associée avec sa "bonté" - par la conjonction et - mais c'est celle-ci qui, en dernier ressort, est la plus exaltée, car miudres répond à buens, non à biaus ; - conclusion de la conclusion de la réponse du roi) ;

34 - L 1003-04 (seul) - Clarissant s'élance donc entre les combattants :

... quant devant si grant assambles
de gent s'en vient desafublee ...

(début de l'épisode final ; opposition entre la foule, statique, et Clarissant, en mouvement ; opposition entre la femme, pacificatrice, et les deux hommes acharnés à se battre, mais qui n'attendent, semble-t-il, que son intervention pour mettre fin à leur animosité - d'où le caractère aberrant de la prolongation

de leur dispute par l'interpolateur MQ ; - on aura noté le
retour, en position forte, de l'idée et de l'image de desafubler,
qui répond, mutatis mutandis, à l'occurrence de l'exemple
n° 2) ;

35 - L 1006-07 (+ T) - elle implore son frère d'arrêter le duel :

> ... et crie a monsignor Gavain
> merci, que la bataille laist ...

(c'est le cri même qu'elle lance, et qui lui a été suggéré par
Arthur - mais le mot n'y était pas, alors que Guiot l'écrivait,
au v. 1014, par une des anticipations dont il est coutumier ; -
c'est elle qui doit lâcher le mot, puisqu'aucun des deux hommes
ne se résout à le faire) ;

36 - L 1039-40 (seul) - la paix ainsi faite "par eux trois seulement"
est d'abord - avant même le mariage - confirmée par l'hommage
que Guiromelant fait au roi :

> ... li Guiromelans hom devint
> le roi ; sa terre de lui tint ...

(commentaire au n° 38)

37 - L 1054-55 (seul) - Elie de Dinasdire et Guingambresil, eux
aussi, font hommage au roi :

> ... el consel le roi se sunt mis
> del tout, et el ses conpagnons.

(commentaire au suivant)

38 - L 1066-67 (seul) - bref, en toutes les Isles de la Mer, il n'y
eut pas un prince qui ne devint hom le roi,

> ... et qui sa terre ne presist
> de lui le jor sans contredire ...

(à considérer la fin, voilà donc le but de tout : que tous fassent hommage à Arthur - et la cause en particulier de la
Br. II qui ici commence. Les trois derniers rejets, qui achemi-
nent le roman de Chrétien vers sa conclusion - en tout cas
vers une conclusion, car Perceval est oublié, et même le roi
d'Escavalon, d'où les continuations de la continuation -, livrent
l'essentiel de la "pensée politique" du "premier auteur" : l'excel-

lence de la monarchie féodale ; tous ceux qui ne sont pas rois - et c'est peut-être la raison de l'absence du roi d'Escavalon - doivent tenir lor terre du roi Arthur. Contrairement à ce que suggère si souvent Chrétien, le personnage d'Arthur n'est nullement infirmé : pas de "jeune roi", "moderne", pour lui succéder, au moins symboliquement, comme Erec ; pas de contre-pouvoir "ésotérique", comme celui du Roi-Pêcheur - dans la Br. V, la dynastie des Rois du Graal a une tout autre fonction : conserver les saintes reliques ; pas de possibilité, pour un prince de ce monde, de "se réaliser" dans un fief du bout du monde, pour lequel il ne fait même pas hommage à Arthur, comme c'est le cas d'Yvain. Les termes home [au sens de "vassal"], homage, lige sont trois fois plus nombreux dans la Continuation-Gauvain, rédaction L, que dans l'ensemble de l'oeuvre de Chrétien).

On peut donc, légitimement, compléter ainsi notre proposition initiale : il n'y a pas, dans la rédaction L de la Br. I, une idée importante, un moment fort de l'action qui ne soit souligné par un enjambement "irrégulier" (non "carré"), avec rejet ou contre-rejets courts. Que notre lecteur nous fasse confiance : la même constatation peut être faite pour les Br. II à VI (toujours dans le ms. L). J. Frappier n'était pas arrivé à cette conclusion pour Erec, écrivant qu'il ne fallait pas trop s'étonner

> "que Chrétien ait parfois usé de l'enjambement par simple commodité, sans profit évident pour le rythme et pour le style 7."

Il est vrai que J. Frappier prenait en compte tous les rejets, y compris ceux de 4 pieds (les "carrés", qui occupent tout un hémistiche), dont il nous semble avéré qu'ils n'ont pas la même importance que les rejets plus courts - et qu'en particulier ils régularisent le rythme (tout en l'accélérant, certes) bien plus qu'ils ne le disloquent.

Le "premier auteur" serait-il donc encore meilleur "styliste" que Chrétien ? Certes non. Il est certes moins subtil que le maître champenois, moins "artiste", moins soucieux de variété - et c'est peut-être là l'essentiel. Non pas qu'ayant trouvé un procédé, il s'y cramponne : la chose est plus complexe et, encore une fois, moins consciente. Notre "premier auteur" avait, lorsqu'il entreprit la "compilation" de la Continuation-Gauvain, une longue habitude de l'octosyllabe, soit comme copiste, soit, plus vraisemblablement, comme récitant, et peut-être déjà comme "trouveur" ; il l'avait parfaitement intégré, presque autant, nous semble-t-il, que les jongleurs-auteurs de chansons de geste avaient fait du décasyllabe. Homme de grand air plus que de cabinet, de marche à pied plus que longues stations devant le pupitre, il "sentait" l'octosyllabe comme il respirait, et il l'écrivait comme il éprouvait, traduisant, transcrivant avec plus de spontanéité que ne le faisait Chrétien, en une écriture plus proche de la diction, ce que produisait son esprit imaginant, plus "incarné", plus immédiatement lié à la sensation et à l'émotion.

En tout cas, la succession de ses rejets "situe" parfaitement l'action, telle qu'il la conçoit, lui, et la sent, et leur ensemble le situe, lui, avec ses sentiments, ses idées, les valeurs auxquelles il tient, ses admirations, ses inconséquences aussi parfois.

Nous n'allons pas nous mettre à analyser notre analyse et à montrer comment, ainsi que J. Frappier l'avait observé dans Erec, les rejets figurant dans la rédaction L encadrent les passages importants - et souvent en soulignent le point culminant -, annoncent les conclusions et les marquent, dégageant donc les transitions, introduisent l'apparition d'un nouveau personnage ou d'un phénomène nouveau, tout en imitant, pour ainsi dire, les mouvements du coeur et du corps des personnages. Ce qui est évident, c'est que les autres copistes ne témoignent pas toujours de la même adéquation du rythme de l'octosyllabe aux mouvements de l'action, soit qu'ils détruisent les rejets attestés dans LT, soit qu'ils en fassent de supplémentaires, sans grande nécessité.

Dans la trentaine de rejets (ou contre-rejets) propres à AS - pour la plupart dans les trois dernières Branches - certains sont assez bien venus, comme le desarmé du v. A 4636, le brisa du v. 5488 (juste au-dessus, L a le rejet apoint, choisissant de détacher l'élan des combattants plutôt que la rupture de la lance de Lucan), le d'une espee du v. 7161 (L complète l'effet en rejetant aussi la moitié - ce qui est plus important), le et voit du v. 9339 (L préfère mettre l'accent sur le calan, v. 9380, plutôt que sur la pucelle assise devant le lit où repose Guerrehés) ; - d'autres n'ont guère d'intérêt, comme ceux des vv. A 3020 (i_a), 3124 (antr'ax), 5152 (sel cuida), 7066 (Bretaigne, qui redouble inutilement le rejet la terre, deux vers au-dessus et commun avec L), etc.

Certains rejets propres à A sont expressifs, à juste titre, soulignant une action, une idée ou un sentiment importants : ainsi le armé du v. A 486 (l'armée angoissée reste toute la nuit sous les armes), le s'amor du v. 4473 (le don qu'en fait à Gauvain la Pucelle de Lis), l'ocis au v. 4516 (Gauvain tue le père de son amie), del vergier au v. 8610, etc. Plus discutable sont le blanc du v. 805 (le lion rampant de l'écu du Guiromelant : Guiot attire l'attention sur son invention !), le antr'ax du v. 8232 (Gauvain, de retour, au milieu des dames qui le serrent et l'embrassent à qui mieux mieux : d'abord antr'eles serait plus correct ; ensuite le rejet entr'iaus est fait par L une douzaine de vers plus loin, et avec bien plus de justesse, puisqu'il s'agit de l'arrivée furtive de l'hom qui vient reprendre les armes de l'inconnu - anticipation de A ?), de paile au v. 8389, an la nef au v. 8442, a la cort au v. 8478, etc. Attirer l'attention, au v. 353, sur la dame est, certes, fort courtois, mais de quelle dame s'agit-il ? de la grand-mère, à qui Gauvain s'adressait, ou de la mère, qui doit, quand même, être un peu plus émue de retrouver son fils ?

Quant aux rejets propres à T, il faut reconnaître que, dans l'ensemble, ils sont bien mieux justifiés, et souvent heureux. Ainsi :

T 100 : joïst molt (le roi, le messager) ;

   322 : a nului (Gauvain n'a jamais caché son nom) ;

  2819 : n'a gaires (débit entrecoupé du père de Lis agonisant) ;

2847 : vo suer (Gauvain à Bran - plus précis, moins cavalier) ;

10877 : s'iert il (le garçonnet, particulièrement chéri) ;

12889 : mes armes (plus net que ices armes de L) ·

13114 : li chevax (qui veut s'engager sur la chaucie) ;

13206 : del mort (... quand on songe combien pataugent certains autres copistes !)

13351 : le seignor (ré-apparition du Roi) ;

13434 : le voir (T choisit d'accentuer cet engagement, alors que LA etc. préfèrent en marquer la solennité par une coupe très régulière) ;

14386 : de la mort (de Brangemuer, question plus importante que celle de savoir qui il est, ne de quel païs, que AS choisissent d'accentuer à deux reprises, cf. A 8505, 8569) ;

14734 : le chief (que Guerrehés perdra ; LA etc. optent pour la régularité : solennité du discours du Petit Chevalier) ;

14861 : le castel (dont le héros cherche à s'éloigner au plus vite ; mais la leçon de L n'est pas inférieure) ;

D'autres rejets de T sont un peu excessifs, comme ceux-ci (il s'agit de l'instruction du jeune Caradoc, âgé de 5 ans) :

> ... qu'a letres le mist por aprendre   T 3177-79
> li rois, et quant il sot entendre
> latin, et belement parler ...

- voir encore v. 2924, 3008, 11402, 11405, 12781, etc. ; - cf. encore le molt grant du v. 11352 pour qualifier le premier des Soudoiers qui se présente pour le duel (contre Lucan) : s'il est gigantesque, qu'en sera-t-il des suivants ! L, lui, qualifiait de grant le destrier (5402), et surtout l'aïr (l'impétuosité, v. 5400) – ce qui est bien signé L ! Au v. 13638, T choisit d'accentuer par un rejet sa dame, en parlant de la pucelle qui accompagne le Bel Inconnu - réfection hyper-courtoise, estimons-nous ; le "premier auteur" fait parler au jeune homme de "ma dame" (L 7874), mais c'est sans doute par ironie : Lionel, pas plus que Perceval, que Tyolet ou Carduino, ne peut encore avoir de "dame". Mais on peut discuter. Le responsable de T s'avère, encore une fois, être le plus intelligent, le plus habile - et, dans cette catégorie des "bons copistes", le moins prétentieux (ici nous ne visons pas L, naturellement, mais A, AS, ASP, R) - de tous les transmetteurs du Perceval et de ses suites. C'est pourquoi W. Roach a très bien fait d'éditer le Conte du Graal selon sa copie ; et il ne pouvait faire autrement que d'éditer à part sa rédaction de la Continuation-Gauvain, pour laquelle, malheureusement, T avait un modèle extrêmement composite, auquel il semble avoir tenté d'apporter une certaine unité stylistique.

Pour en revenir à L, que nous considérons toujours, et plus que jamais, comme le meilleur représentant de l'archétype, il est certain que ses rejets (et contre-rejets) dérangent mainte fois les autres copistes (sauf T, justement) et leur déplaisent. Sur 302 occurrences que L nous fournit du procédé, A n'en donne que 115 (T, qui relève souvent d'une "famille" différente, en donne 135 - sans qu'il s'agisse jamais, pour lui, d'une copie quasi littérale d'un texte très proche de L, comme c'est le cas pour E et U, ensemble ou séparément). Guiot (et son école) "sent" les rejets différemment de L, et moins fort ; il en garde et il en fait, nous semble-t-il souvent, parce que c'est la mode, et que Chrétien usait de cette latitude. Assez fréquemment, d'ailleurs, quand A régularise un vers syncopé de L, il fait de son côté un rejet ou un contre-rejet dans le contexte immédiat - c'est dire, une fois de plus, qu'il change pour le plaisir de changer.

Sémantisme des rejets. - La première fonction des enjambements avec rejets (ou contre-rejets) courts est de briser le rythme du couplet d'octosyllabes ; sa deuxième fonction est de dégager les temps forts, les moments saillants et mêmes les articulations du récit ; la troisième est de faire apparaître ce qui est important, non seulement pour l'action racontée, mais aussi pour la conception que l'auteur se fait de son récit et, plus largement, pour sa vision du monde. Celle-ci sous-tendant celle-là, et la conception du récit impliquant dans une large mesure la nature des actions, des "aventures" racontées. Tout se tient : des mots à l'oeuvre - la suite de notre étude le démontrera.

Des quelques 300 rejets (ou contre-rejets) relevés dans le texte de L, une cinquantaine n'ont pas de contenu sémantique direct : auxiliaires, pronoms, adverbes, prépositions suivies d'un pronom, locutions conjonctives, etc., mais le contexte immédiat nous livre le mot plein (verbe, substantif, nom propre) ainsi représenté. Et il faut, de toute façon, considérer le contexte, l'enjambement complet et aussi le membre de phrase qui suit. Voici le relevé des termes qui reviennent avec le plus d'insistance - le premier chiffre concerne ceux qui figurent dans les rejets eux-mêmes, le second, dans le contexte immédiat.

A tout seigneur tout honneur, et, ici, le seigneur n'est pas le chevalier, le "héros", celui que l'on considérerait comme le véritable Sujet de l'action (Gauvain, Caradoc, Guerrehés). Non : le seigneur, c'est le roi, qui apparaît dans 12 rejets, et dans le contexte immédiat de 40 autres. C'est là une différence considérable entre la Continuation-Gauvain et tous les autres romans en vers du cycle arthurien, qui racontent les aventures, biographiques ou anecdotiques, de tel ou tel héros arthurien. Arthur est, ici, le premier héros arthurien ; il est le roi et un héros, qui, par exemple, compte bien livrer la dernière joute au Chastel Orguelleus (L 6113). Il est non seulement Destinateur et/ou Destinataire, mais il est souvent Sujet principal lui-même, qui emmène son ost au Chastel de la Merveille, à Branlant, au Chastel Orguelleus. Il est omniprésent, et c'est lorsqu'il n'est pas présent que les choses vont mal : les deux aventures individuelles de Gauvain (Br. V) et de Guerrehés ne sont pas des réussites et n'ont rien à voir avec les "parcours initiatiques" d'un Erec, d'un Lancelot, d'un Yvain, d'un Perceval ; et ce peut être aussi une raison pour laquelle tout se passe mal pour les Caradoc, père et fils, et pour laquelle le roi Arthur revient en scène et en force dans la rédaction longue de la Br. III. A eux trois, Gauvain, Caradoc et Guerrehés ne sont nommés ou impliqués que dans 8 + 32 rejets.

Littérature chevaleresque, certes, et héroïque, mais n'oublions pas que le roi Arthur est le premier des chevaliers (primus inter pares) et représente la référence des héros.

La reine (Guenièvre, à laquelle nous joignons Ygerne, Ysave et Brangespart) ne figure que dans 3 + 13 rejets ; les autres dames, demoiselles et pucelles (dont Clarissant et Guinier), que dans 3 + 33 rejets. Les chevaliers autres que les trois héros principaux, dans 10 + 55 rejets, auxquels il faut ajouter 2 + 28 qui concernent les adversaires (Guiromelant, Eliavrés, Bran) et, mettons-le à part, 1 + 17 consacrés au sénéchal Keu, lequel, ne l'oublions pas, est inséparable de son maître Arthur et joue un rôle déterminant dans chacune des six Branches - une telle permanence est sans exemple dans la littérature arthurienne, si l'on excepte le roman, fort tardif, d'Escanor, dont le sénéchal est le héros principal. L'omniprésence de Keu est la conséquence de celle du roi Arthur, mais la figure du sénéchal est traitée pour elle-même, de façon originale, ambivalente certes, mais plus sympathique, somme toute, que partout ailleurs - nous y reviendrons.

Passons aux actions faisant l'objet d'un rejet (ou contre-rejet). Deux dominantes fort significatives se révèlent : d'une part, les deux verbes qui expriment le mouvement, aler et venir, avec 16 + 22 rejets, et, d'autre part, le verbe veoir (plus esgarder), avec 12 + 24 rejets. Prédominance, donc, de l'action, accent mis sur les déplacements, qui sont souvent vifs, rapides, violents (à la joute), et notons que l'idée de rapidité est mise en valeur, notamment au moyen d'adverbes, par 3 + 22 rejets. Et prédominance de la vision - d'ailleurs souvent liée au déplacement (on voit, et on se dirige vers - ou bien l'inverse : on se rend, on vient, et l'on voit), mais fort significative de la "dominante spectaculaire" de l'imagination de notre auteur. Si nous joignons cette constatation à celle que nous avons faite à propos du roi, nous pourrons parler, non de "contemplation monarchique", chère à Bachelard [8],car Arthur n'est rien moins que "contemplatif", mais de "vision monarchique" : rien ne doit échapper à l'oeil du roi, qui est parfois le premier à voir (ainsi au début du Guerrehés) et qui est souvent relayé dans cette fonction - la chose mérite d'être notée - par le sénéchal Keu (cf. Br. I, L 339 ss ; II, 1461 ss ; IV, 4146 s. ; VI, 9179 ss).

Constellent autour de la dominante du mouvement (aler, venir), outre l'idée de rapidité (cf. supra), les verbes (chevalchier, errer, poindre, etc.) et les substantifs (ambleüre, galop, etc.) qui concernent la chevauchée (4 + 8), ainsi que le cheval et son harnachement (2 + 6), le fait de monter à cheval ou d'en descendre (5 + 5) ; la variante "maritime", avec mer (1 + 1), nef (2 + 1) et le cygne "tracteur" (1 + 3) ; le chemin et la rote (1 + 2) ; les actions de passer (4 + 7), de torner (retourner, revenir, repartir : 1 + 9), de partir (1 + 9) ; le fait contraire de s'arrêter (1 + 2) auquel l'on peut joindre la notion, proche, d'attendre (O + 5) ; les actions d'entrer (O + 14) et d'issir (O + 8), avec l'opposition intérieur/extérieur (4 + 1) ; le verbe porter et ses dérivés (2 + 6), ainsi que mener et ses dérivés (1 + 8) ; le fait (pour un oiseau ou un objet fortement propulsé) de voler (O + 3), celui de sauter (saillir : 1) ; - l'opposition avant (devant, premier) / arrière (derrière, daerrain) implique souvent aussi le mouvement (3 + 3), ainsi que l'adverbe droit (2 + 3) ; un peu plus éloignées sont les idées de chercher (O + 3) et de trover (O + 8) - qui servent de transition avec la dominante de la vue.

Autour de la dominante de la vision, constellent : l'oeil (1 + 1), la lumière et la clarté (1 + 4), dont celle des chandoiles (O + 1), le matin (1 + 2) et le midi (1), les couleurs blanc (O + 1), azur (1) et or (1 + 1) ; ce d'où l'on voit, comme les loges, estres et fenestres (1 + 3) ; ce que l'on voit du fait de sa hauteur, comme l'arbre (2 + 3), la tour (d'où, également, l'on voit : 2 + 1), ce qui est grant (2 + 3) ou haut (O + 2) ; ce qui est fait pour être vu, comme les enseignes (O + 2), les conrois du Guiromelant (O + 2), etc. Nous n'hésitons pas à joindre à la vision cet autre mode de connaissance qu'est l'audition (lorsqu'on ne voit pas, souvent avant de voir), avec le verbe oïr (1 + 13), les cors, trompettes et cloches qui "sonent" (1 + 3). Avec extension au plan intellectuel, l'idée de "cacher" (O + 8 - toujours niée, sauf une fois) et son contraire, celle de "montrer" (1 + 2) ; celle aussi de "tendre", "présenter" (O + 4) ; le verbe trover, cité plus haut, équivaut souvent au verbe veoir.

Mais la constellation la plus importante en nombre et en diversité de termes employés est, l'on s'en doute, celle du combat, de l'agression (et de la défense), avec les actions de se battre (joster, joste, etc. : 4 + 8), de frapper (ferir, cop, etc. : 3 + 1O), avec l'insistance sur les armes et l'armement (en tout : 16 + 34), avec les verbes abatre, asaillir, boter, fendre, fichier, hurter, etc., les actions de briser, percer, rompre, tirer (traire), tomber, trancher, et, pour finir, tuer et morir (total : 12 + 32) ; avec les idées de "dureté", de "force", de "vaillance" et de "violence", et le sentiment de haine pour l'ennemi (3 + 12) ; avec les marques dans la chair : la plaie ouverte, ou qui se rouvre (4 + 5), le sanc qui coule (1 + 4) ; avec les notions de destruction, de vengeance, mais aussi de délivrance (1 + 4). Il faudrait, pour être complet, y joindre un grand nombre des occurrences du mot "chevalier" dans les rejets ou leur contexte immédiat, ainsi que des noms des héros et de leurs adversaires (ou des pronoms qui les remplacent) lorsqu'ils exercent la "fonction guerrière".

Le corps humain est souvent mis en valeur par un rejet : le cors lui-même (4 + 3), ses diverses parties (14 + 18), ses postures (4 + 12), ses fonctions (16 + 26) - parmi lesquelles est privilégiée la "digestive" (12 + 2O, dont mangier, 4 + 6), mais, prenons-y garde, c'est la plus sociale, et jamais un personnage ne mange seul.

Les émotions et sentiments désagréables sont bien plus souvent soulignés que les agréables : 1O + 42 contre 4 + 28. Ni le mot joie ni le mot amor ne font l'objet d'un rejet (ils figurent chacun 11 fois dans le contexte) ; c'est la douleur qui est accentuée (3 + 9), et surtout la honte (5 + 3), notamment dans le Guerrehés, puisqu'elle est le résultat de l'aventure du héros et l'objet de la curiosité de ses compagnons. C'est contre cette tendance à insister sur les sentiments pénibles - aussi bien d'ailleurs que sur les choses du corps - que réagissent copistes et remanieurs, au premier rang desquels Guiot, ainsi que nous l'avons si souvent observé.

Quant aux opérations de l'esprit, ce n'est pas là ce qui intéresse spécialement le "premier auteur" : on n'en trouve mention que 7 fois dans les rejets, et 50 fois dans leurs contextes. Le verbe savoir apparaît assez souvent (1 + 13), mais, la plupart du temps, c'est pour être nié : le héros ou la cour ne savent pas qui est l'inconnu, d'où il vient, etc. Les verbes "parler" ou dire (etc.) apparaissent fort souvent dans des incises que nous n'avons pas relevées ; dans les véritables rejets ou contre-rejets, assez peu (1 + 10), et, dans plus de la moitié des cas, la parole, elle aussi, est niée : un comparse refuse de répondre, un adversaire "ne sonne mot" (parce qu'il est évanoui ou mort). Mais une idée est particulièrement valorisée, c'est celle de mervelle (2 + 14), à laquelle se joint celle d'estrange (0 + 3) : l'auteur a conscience de raconter des aventures "merveilleuses", il s'en émerveille, et tient à provoquer l'émerveillement de son auditoire. Il est inutile de dire que nous ne trouvons, dans ce "corpus", presque jamais de termes exprimant ou impliquant des jugements intellectuels, à moins qu'il ne s'agisse d'insister sur la verité du récit (2 + 6) ; s'il est question parfois de "folie" (0 + 2), il ne l'est jamais de "sagesse" : le mot savoir (l'infinitif substantivé) n'a jamais ce sens dans la rédaction L ; nous n'avons jamais rencontré non plus, dans les rejets, le verbe cuidier, si symptomatique d'une attitude détachée et ironique de l'auteur envers ses personnages.

C'est dire que les termes abstraits sont rares, ou, plus justement, que les idées abstraites que nous pouvons dégager du texte ne sont jamais présentées comme telles, mais que, pour ainsi dire, elles sont toujours "incarnées" : un personnage est cortois ou "fait une courtoisie", ou "dit un mot cortois" ; un autre est buens, c'est-à-dire fort, courageux, efficace, et il l'a prouvé ; c'est nous qui abstrayons l'idée de "totalité", mais ce sont trestuit (les gens, les compagnons) qui sont mentionnés dans le rejet ; ou encore celle de "solitude", mais c'est tel héros que l'on nous montre tos sols. Les idées d'égalité au combat, ou de réciprocité en amour s'inscrivent également dans le récit ou le discours :

>"... une autresi gentil pucele   L 2755-57
>com il est, et autresi bele
>et qui si loiaument l'amast ..."

La nature - astres, terre, éléments, végétaux, animaux - n'est guère mieux représentée (au total : 15 + 53, en y réincorporant la mer, l'arbre, le cheval et le cygne), mais ceci est commun aux romanciers de cette époque. Le substantif terre figure assez souvent dans les rejets (2 + 8), mais généralement avec le sens de "royaume", de "domaine" ou de "fief". Nous y reviendrons plus tard, de même que sur la nuit (3 + 3), qui constitue évidemment pour l'homme une hantise. Le serpent (1 + 1) est fonctionnel : sans lui, pas de roman de Caradoc ; la truie (1) a été odieusement métamorphosée en jeune reine pour les besoins de l'adultère, etc.

Restent deux "constellations" assez nettes : celles des produits de l'homme. D'une part, les vêtements, étoffes, ornements et autres accessoires de la toilette (9 + 12) - les vêtements spécifiques du chevalier ayant été décomptés dans la constellation du combat et de l'agression. D'autre part, les constructions : le chastel (4 + 11), la salle, la porte, le pont, la maison, etc., soit un total de 8 + 25. Il faut faire un sort particulier au pavellon, si fréquemment mentionné dans la Continuation-Gauvain, et assez souvent (O + 11) dans le contexte des rejets ; la dimension du mot l'empêche de figurer dans les rejets courts que nous avons choisi d'analyser, mais, des 66 occurrences de ce terme dans la rédaction L, 32 figurent dans des enjambements complets (dans des propositions qui s'étendent sur au moins un couplet, régulier ou brisé), et 8, dans des rejets "carrés", de quatre pieds (au pavellon). Que l'auteur l'ait médité ou non (et il l'a peut-être médité, puisqu'il connaît fort bien les mots tref et tente mais qu'il les emploie bien moins souvent), le mot et l'idée de "pavillon" (la "tente") s'intègrent presque systématiquement dans des éléments rythmiques réguliers, "carrés", empreinte donc de solennité, du moins de noblesse. On n'en peut douter : pour le "premier auteur", le "pavillon" est plus qu'une réalité : c'est un symbole.

Le "bassin sémantique" de la famille et de la parenté (6 + 13) n'a pas un extrême intérêt, puisqu'il ne fait souvent que redoubler, ou recouper, celui des personnages (le roi est parfois appelé oncle ; Gauvain, niés ou neveu ; Caradoc l'aîné, pere, ou Norré de Lis, etc.). Ce qui semble important, par contre, c'est le mot et l'idée de nom (5 + 9) ; nous savons qu'à cette époque le nom, aussi, est symbolique, mais, d'autre part, l'interrogation sur l'identité (l'estre, le non) d'un personnage nouveau, ou estrange, ou mort, constitue l'un des topoi de l'oeuvre du premier continuateur.

Deux idées, enfin, demanderaient à être rattachées à la "constellation monarchique" : celle de don (1 + 10), par quoi se manifeste, dans notre texte en tout cas, l'essence même de la fonction royale ; d'autre part, celle de mander et ses dérivés comander et demander (3 + 18), actions qui concernent la plupart du temps le roi, que ce soit lui qui "mande" ou "commande", ou que ce soit à lui que l'on "demande".

En abordant cette étude des "rejets courts", nous ne nous doutions pas qu'elle nous présenterait un reflet aussi fidèle de la Continuation-Gauvain, du point de vue de son action, et nous fournirait une clé aussi efficace pour en mettre en relief l'idéologie sous-jacente, pour appréhender la conception que l'auteur se fait du monde, et pour évoquer les obsessions et peut-être les hantises qui sont les siennes, les symboles auxquels il est attaché. En partant de l'examen d'un procédé purement formel - mais en sachant bien que nous ignorions s'il était toujours voulu et conscient - nous avons abouti aux réalités imaginées et senties par cet écrivain. Ce qui prouve que tout est lié, que tout se correspond, que "forme" et "fond" sont tout à fait indissociables.

Mais c'est là, on le comprend, un phénomène propre à la forme versifiée du récit - et dans la molt bele conjointure dont se flattait Chrétien au début de son Erec et que rappelle fort opportunément J. Frappier à la fin de son étude sur la brisure du couplet, il faut bien sûr intégrer les possibilités nombreuses et subtiles qu'ajoute au récit le jeu complexe de la forme (l'octosyllabe, le couplet) et du sens (la phrase, l'unité de signification). Car pourquoi donc "se pener" à mettre en vers un récit dont la teneur exacte et totale passerait, théoriquement, tout aussi bien en prose, s'il ne devait jaillir de ces césures et de ces brisures, de ces "déboîtements", de ces ruptures et de ces creux, le "surplus de sen" que réclamait Marie de France ? C'est ce que voulaient les auditeurs et les lecteurs : cette "résonance" qu'il ne faut pas craindre d'appeler "poétique", cette participation plus grande de l'imagination, et du corps même, au plaisir de l'audition ou de la lecture. D'où, certainement, une identification bien plus complète et à l'auteur et aux personnages que son imagination créatrice faisait vivre, agir et parler.

Tous les auteurs de récits en vers auraient dû créer cette "résonance", fatalement. Chrétien l'a fait, magnifiquement. Les premiers romanciers, trop respectueux du cadre du couplet, n'y ont guère atteint ; les derniers, acharnés à faire cliqueter leurs rimes, encore moins. Entre les deux, les médiocres, aussi peu doués que peu sensibles, ne l'ont ni cherché ni obtenu. Le "premier auteur" de la Continuation-Gauvain n'était pas de ceux-là : aussi bien par tempérament que par enthousiasme pour sa "matière" et par plaisir de "trouver" - aucune oeuvre, encore une fois, ne sent moins l'huile que la sienne - il s'est montré un successeur digne de son maître, très différent, certes, et nettement moins sur ses gardes. A nous, maintenant, de le surprendre, mais aussi de le comprendre.